"매일 30분씩 꼼꼼하게 독해하면, 4주 후 고전소설 선지 판단력이 달라진다"

KB101160

하루 30분,
고전소설 트레이닝

수능 국어 만점을 위한 **선지 판단력 강화** 프로그램

1 day 30 minute 4 week

30
MIN

도서출판 홀수
Holsoo Publishers

수능 국어 고전소설 만점을 위해서는 모르는 작품을 만나도 지문을 읽고 문제를 풀 수 있는 힘이 있어야 합니다. 흔히들 그 힘이 '해석'에 있다고 생각하지만, 수능 국어 고전소설 시험은 객관식인 만큼 '해석'은 출제자가 하는 것이고, 우리는 지문에 쓰여 있는 그대로를 왜곡 없이 읽고 선지를 통해 제시된 해석이 적절한지 '판단'만 하면 됩니다.

○ 『하루 30분, 고전소설 트레이닝』은 4주(28일) 동안 고전소설 지문을 꼼꼼하게 독해하고 선지 판단을 하는 과정에서 **고전소설 지문 독해 시의 이상적인 사고 과정을 체화**하고 **선지를 빠르고 정확하게 판단할 수 있는 힘**을 기를 수 있도록 구성하였습니다.

○ 고2 학력평가 및 고3 학력평가, 모의평가, 수능에서 엄선한 **다양한 난이도의 지문과 문제**를 통해 수능 국어 고전소설 만점을 위한 **단계별 학습**을 해 나갈 수 있습니다.

○ 학생들의 편의를 고려하여 문제 책과 해설 책을 분권하였으며, '**4주 완성 계획표**'를 함께 제공합니다. 해설 책의 '**하루 30분, 수능 국어 만점을 향해 가는 28일**'을 채워 가며 자신의 학습 진도를 확인할 수 있습니다.

○ 도서출판 홀수 홈페이지(www.holsoo.com)의 '질문과 답변' 게시판을 통해 궁금한 점을 질문할 수 있습니다. 빠르고 정확한 답변으로 공부를 도와드리겠습니다.

『하루 30분, 고전소설 트레이닝』으로
　　　　4주 후, 달라진 고전소설 지문 독해력과 선지 판단력을 확인해 보세요!

4주 완성 계획표

1주차

지문 독해의 원리
1주차에서는 본격적인 선지 판단 훈련에 앞서 고전소설 지문을 객관적으로 읽는 훈련을 할 거야.

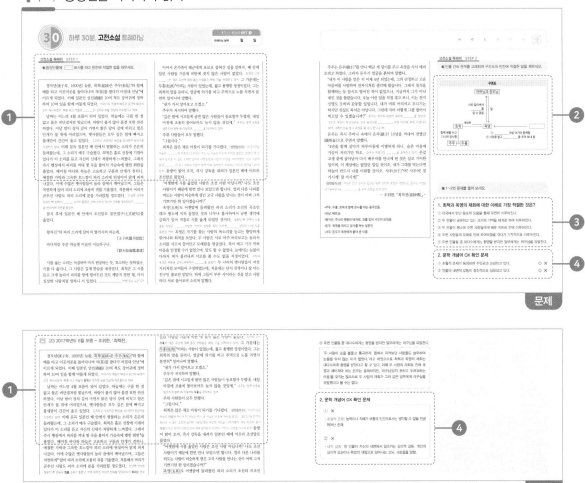

① 고전소설에서는 장면을 끊어 읽으며 등장인물의 관계를 파악하는 게 중요해. 새로운 인물이 등장하면 □□□□를 치며 읽어 보자. 또한 '사고의 흐름'을 채우며 지문의 주요 내용을 정리하고, '장면끊기'를 통해 장면을 끊는 기준을 배워 보자. 이후 해설 책과 비교를 통해 자신의 지문 독해력을 점검해 볼 수 있어.

② 지문에서 등장인물을 파악했다면, 이를 토대로 '구조도' 박스의 빈칸을 채우면서 주요 인물의 관계를 정리해 보자.

③ 1번 문제는 지문의 핵심에 대한 이해도를 점검할 수 있는 문항으로 구성했어. 지문에서 근거를 찾아 선지의 적절성 여부를 하나하나 판단하며 지문을 제대로 이해했는지를 확인하자.

④ 2번 문제는 작품의 서술상 특징에 대해 묻는 문항이야. 해설 책에 제시된 문학 개념어의 정의와 지문 속의 구체적인 근거를 확인해 보면서 필수적인 문학 개념어를 실전적으로 학습할 수 있어.

선지 판단의 원리

2~4주차에서는 '선지 판단의 공식' 표를 활용하여 빠르고 정확하게 정답 선지를 가려내는 훈련을 할 거야.

2주차 등장인물 파악하며 읽기 ➕ 선지 판단의 공식 익히기

선지 판단의 공식

① 작품
'김 진사'는 '_____ 앞에 나아가' '특이란 종놈의 _____을 끊고 쇠로 만든 칼을 씌워 지옥에 가두어 주옵소서.'라고 빌었음

실전 ➡ '김 진사'는 부처님에게 '특'의 죽음을 기원했다. ○ ×

② 작품
'특'은 '김 진사'에게 '지난날의 죄를 용서'받고도 '계속 _____을 저지'르며, '김 진사'는 '공부를 핑계'로 '_____'에 올라가 '며칠을 묵으며 특이란 놈이 한 짓을 자세히 듣게 되'고는 '_____을 이기지 못'함

실전 ➡ '김 진사'는 청량사에서 '특'의 행적을 전해 듣고 분노했다. ○ ×

2주차에서는 1주차와 마찬가지로 ❶ – ❷ – ❸ – ❹의 순서에 따라 빈칸을 채우고 문제를 푼 후, '선지 판단의 공식'을 통해 1번 문제의 선지를 다시 꼼꼼하게 분석해 보자. 각 선지의 판단 근거가 되는 내용을 지문에서 직접 확인하는 훈련을 통해 선지를 판단하는 바른 습관을 기를 수 있을 거야.

3주차 등장인물 파악하며 읽기 ➕ 〈보기〉 문제 선지 판단의 공식 익히기

〈보기〉 문제 선지 판단의 공식

① 〈보기〉
가족 구성원이 겪는 고난의 해결책을 모색하는 적극적 인물들은 _____을 돕는 인물의 도움을 받기도 함

➕ 작품
'_____은 본시 권세를 두려워하여 예에 하고 대답만 할 줄 아는 _____이었다. 그는 공손하게 손을 모은 채 명을 받은 뒤 오 부인을 찾아가 조문화가 한 말을 그대로 전했다.'

실전 ➡ 오 낭중이 가문 사이를 매개하는 것을 보니, 사리 판별을 하여 가족 구성원이 위기 상황을 극복하게 하는 모습을 알 수 있군. ○ ×

3주차에서는 〈보기〉가 포함된 문제의 선지 판단 공식을 배워볼 거야. 선지 판단의 근거가 되는 〈보기〉의 내용과 지문의 근거를 생각해보고, 이를 바탕으로 선지의 정오를 다시 한번 판단하면 돼.

4주차 등장인물 파악하며 읽기 ➕ 장면 직접 끊기 ➕ 고난도 문제 선지 판단의 공식 익히기

장면끊기 01
사 씨는 꿈속에서 _____을 만나 차를 마시며 대화를 나누고, _____의 덕을 실천한 여성들로 알려진 이들을 만나 인사함

장면끊기 02
꿈에서 깨어난 사 씨는

장면끊기 03
해가 진 뒤 여승과 여동이 사 씨를 찾아오고 두 사람의 도움으로 함께 _____에 감

함정 피하기

공간의 변화는 소설 지문의 장면을 푸는 기준 중 하나이다. 그만큼 공간적 배경과 그 공간의 변화 등은 지문의 내용을 이해하는 데에 중요한 역할을 한다. 그래서 이 선지처럼 인물들이 위치한 공간이 어디인지 세세히 파악할 것을 유도하기도 한다. 지문에서 '묘당'이라고 불리는 곳이 바로 '황룡묘'임을 알았다면 그리 어렵지 않은 문제였다. 그리고 사 씨 일행이 방황하던 처지임은 맞지만 지문에서는 황룡묘를 떠나지 않고 머물고 있던 처지라는 점을 정확히 이해하고 있는지가 관건이었다.

4주차에서는 지문을 읽으면서 직접 장면을 나누어 보자. 지문을 다 읽은 뒤에는 형광펜이 그어진 부분을 참고해서 자신의 장면끊기를 스스로 점검하고 장면별 내용을 요약하면 돼.

4주차의 1번 문제는 고난도 문제에 대한 해결 능력을 기르기 위해 정답률이 낮았던 문제들로 구성했어. 특히 매력적인 오답 선지였거나 헷갈리는 요소가 포함된 선지의 경우, 해설 책의 '함정 피하기'에서 문제 풀이에 대한 조언을 제공하고 있으니 참고하여 학습하면 돼.

1

주차

1주차
학습 안내

소설 읽기와 소설 지문 읽기는 달라. 소설 지문은 작가가 창작한 그대로가 아닌, 출제자가 선택적으로 편집한 부분만을 보여 주는 것이기 때문에 출제자의 의도대로 읽어야 해. 출제자의 의도대로 소설 지문을 읽기 위해서는 첫째, 어떤 인물들이 등장하고 그 인물들이 어떤 생각과 행동을 하며, 다른 인물과 어떤 관계를 맺어 가는지를 파악하면서 읽어야 하고 둘째, 장면을 끊어 가며 읽어야 해.

소설은 주로 인물의 행적에 초점을 맞추어 이야기를 전개하는 만큼, 새로운 인물이 나오면 표시를 하며 읽는 게 좋아. 특히 고전소설은 현대소설에 비해 등장인물의 수가 많고, 동일한 인물을 서로 다른 호칭어나 지칭어로 가리키는 경우도 많아. 또한 문제에서 중심 인물뿐만 아니라 비중이 낮은 주변 인물에 대해 묻기도 하므로 꼼꼼하게 파악해야 해. 그리고 인물의 심리나 태도, 갈등 관계 등이 두드러진 부분도 놓쳐서는 안 되지. 이런 부분은 지문 중간중간 '사고의 흐름'을 통해 짚어 줄 테니, 빈칸을 채우면서 인물과 사건에 대한 이해를 넓혀 보자. 이후 '구조도'를 활용하여 이와 같은 내용을 다시 한번 정리해 보면 지문의 내용이 조금 더 명확하게 다가올 거야.

소설에서 장면은 주로 시간이나 공간의 변화, 주요 서술 대상의 변화 등에 따라 나뉘는데, 이때 장면을 적절히 끊어 가며 읽으면 지문의 흐름을 놓치지 않을 수 있어. 처음부터 스스로 장면을 끊기는 쉽지 않기 때문에 1주차에서는 장면이 나뉘는 부분마다 '장면끊기'를 제시해 지문의 전개를 파악할 수 있게 했으니, '장면끊기'의 빈칸을 채워 가면서 장면을 나누는 원칙을 배워보자.

지문에 대한 꼼꼼한 독해를 마쳤다면 1번 문제를 풀며 지문에 대한 자신의 이해를 점검하고, 2번 문제를 통해서 필수적인 문학 개념어를 학습하면 돼. 문제 풀이까지 모두 마쳤다면 해설 책을 참고해 잘한 부분, 아쉬운 부분 등을 확인하여 정리해 두자.

고전소설 독해의 STEP 1

1 등장인물에 ☐ 표시를 하고 빈칸에 적절한 말을 채우세요.

경자년(庚子年, 1600년) 늦봄, 최척(崔陟)은 주우(朱佑)*와 함께 배를 타고 이곳저곳을 돌아다니며 차(茶)를 팔다가 마침내 안남*에 이르게 되었다. 이때 일본인 상선(商船) 10여 척도 강어귀에 정박하여 10여 일을 함께 머물게 되었다. <u>이야기의 계절적 배경과 공간적 배경이 모두 제시되어. ___를 타고 떠돌던 최척은 경자년 늦봄 안남에 이르렀다고 하네.</u>

날짜는 어느덧 4월 보름이 되어 있었다. 하늘에는 구름 한 점 없고 물은 비단결처럼 빛났으며, 바람이 불지 않아 물결 또한 잔잔하였다. 이날 밤이 장차 깊어 가면서 밝은 달이 강에 비치고 옅은 안개가 물 위에 어리었으며, 뱃사람들은 모두 깊은 잠에 빠지고 물새만이 간간이 울고 있었다. <u>고요하고 서정적인 배경을 묘사하여 분위기를 조성하고 있네.</u> 이때 문득 일본인 배 안에서 염불하는 소리가 은은히 들려왔는데, 그 소리가 매우 구슬펐다. 최척은 홀로 선창에 기대어 있다가 이 소리를 듣고 자신의 신세가 처량하게 느껴졌다. 그래서 즉시 행장에서 피리를 꺼내 몇 곡을 불어서 가슴속에 맺힌 회한을 풀었다. 때마침 바다와 하늘은 고요하고 구름과 안개가 걷히니, 애절한 가락과 그윽한 흐느낌이 피리 소리에 뒤섞이어 맑게 퍼져 나갔다. 이에 수많은 뱃사람들이 놀라 잠에서 깨어났으며, 그들은 처연하게 앉아 피리 소리에 조용히 귀를 기울였다. 격분해서 머리가 곧추선 사람도 피리 소리에 분을 가라앉힐 정도였다. <u>안남에 정박한 일본인 배 안에서 _____ 소리가 들렸고, 이에 최척은 자신의 신세를 생각하다가 _____를 연주하며 회한을 풀었어.</u>

잠시 후에 일본인 배 안에서 조선말로 칠언절구(七言絶句)를 읊었다.

왕자진*의 피리 소리에 달마저 떨어지려 하는데,

[王子吹簫月欲底]

바다처럼 푸른 하늘엔 이슬만 서늘하구나.

[碧天如海露凄凄]

시를 읊는 소리는 처절하여 마치 원망하는 듯, 호소하는 듯하였다. 시를 다 읊더니, 그 사람은 길게 한숨을 내쉬었다. 최척은 그 시를 듣고 크게 놀라서 피리를 땅에 떨어뜨린 것도 깨닫지 못한 채, 마치 실성한 사람처럼 멍하니 서 있었다. <u>_____ 안에 있는 누군가가 최척의 피리 연주에 화답하는 ___를 읊은 듯해. 이에 최척은 깜짝 놀랐지.</u> 이를 보고 주우가 말했다.

"어디 안 좋은 곳이라도 있는가?"

최척은 대답을 하고 싶었으나 목이 메고 눈물이 떨어져 말을 할 수 없었다. <u>크게 놀란 최척을 보고 _____가 걱정하는 말을 건네지만 최척은 _____을 하지 못해.</u> 시간이 조금 흐른 뒤에 최척은 기운을 차려 말했다.

"조금 전에 저 배 안에서 들려왔던 시구는 바로 내 아내가 손수 지은 것이라네. 다른 사람은 평생 저 시를 들어도 절대 알아내지 못할 것일세. 게다가 시를 읊는 소리마저 내 아내의 목소리와 너무 비슷해 절로 마음이 슬퍼진 것이라네. 하지만 어떻게 내 아내가 여기까지 와서 저 배 안에 있을 수 있겠는가?" <u>일본인 배에서 시를 읊는 소리가 들려왔는데, 그 시구는 _____가 지은 것이고 목소리도 _____와 비슷하여 최척이 크게 놀라고 슬퍼했던 거야.</u>

이어서 온가족이 왜군에게 포로로 잡혀간 일을 말하자, 배 안에 있던 사람들 가운데 비탄에 젖지 않은 사람이 없었다. <u>최척과 그의 _____이 겪은 고난에 대해 들은 사람들은 매우 가슴 아파하고 있어.</u> 그 가운데는 두홍(杜洪)*이라는 사람이 있었는데, 젊고 용맹한 장정이었다. 그는 최척의 말을 들더니, 얼굴에 의기를 띠고 주먹으로 노를 치면서 분연히 일어나며 말했다.

"내가 가서 알아보고 오겠소."

주우가 저지하며 말했다.

"깊은 밤에 시끄럽게 굴면 많은 사람들이 동요할까 두렵네. 내일 아침에 조용히 물어보아도 늦지 않을 것일세." <u>주우는 밤에 소란을 일으키게 될까 봐 걱정하며 _____을 저지하고 있어.</u>

주위 사람들이 모두 말했다.

"그럽시다."

최척은 앉은 채로 아침이 되기를 기다렸다. <u>장면끊기 01 이곳저곳을 떠돌다 _____에 이르게 된 최척은 어느 날 서글픈 마음에 피리를 불었고, 일본인 배 안에서 들려온 시 읊는 소리에 놀라며 사람들에게 자신의 사연을 이야기했어. 이후 시간이 흘러 아침이 되고 최척이 _____의 일에 대해 알아보기 시작하니 여기서 장면을 나누어 보자!</u> 동방이 밝아 오자, 즉시 강둑을 내려가 일본인 배에 이르러 조선말로 물었다.

"어젯밤에 시를 읊었던 사람은 조선 사람 아닙니까? 나도 조선 사람이기 때문에 한번 만나 보았으면 합니다. 멀리 다른 나라를 떠도는 사람이 비슷하게 생긴 고국 사람을 만나는 것이 어찌 그저 기쁘기만 한 일이겠습니까?"

옥영(玉英)도 어젯밤에 들려왔던 피리 소리가 조선의 곡조인 데다 평소에 익히 들었던 것과 너무나 흡사하여 남편 생각에 감회가 일어 저절로 시를 읊게 되었던 것이다. <u>일본인 배 안에서 시를 읊은 사람은 _____이었어. 최척이 연주한 피리 소리에 _____ 생각이 나서 시를 읊었던 거야.</u> 옥영은 자기를 찾는 사람의 목소리를 듣고는 황망하게 뛰어나와 최척을 보았다. 두 사람은 서로 마주 바라보고는 놀라서 소리를 지르며 끌어안고 모래밭을 뒹굴었다. 목이 메고 기가 막혀 마음을 안정할 수가 없었으며, 말도 할 수 없었다. 눈에서는 눈물이 다하자 피가 흘러내려 서로를 볼 수도 없을 지경이었다. <u>최척과 옥영은 재회를 감격스러워하며 _____을 흘렸어.</u> 두 나라의 뱃사람들이 저잣거리처럼 모여들어 구경하였는데, 처음에는 단지 친척이나 잘 아는 친구인 줄로만 알았다. 뒤에 그들이 부부 사이라는 것을 알고 사람마다 서로 돌아보며 소리쳐 말했다.

"이상하고 기이한 일이로다! 이것은 하늘의 뜻이요, 사람이 이룰 수 있는 일이 아니로다. 이런 일은 옛날에도 들어 보지 못하였다." <u>최척과 옥영의 사연을 들은 주변 사람들도 두 사람의 재회를 _____한 일로 여기며 놀라워하네.</u>

최척은 옥영에게 그간의 소식을 물으며 말했다.

"산속에서 붙들려 강가로 끌려갔다는데, 그때 아버님과 장모님은 어떻게 되었소?"

옥영이 말했다.

"날이 어두워진 뒤에 배에 오른 데다 정신이 없어 서로 잃어버리게 되었으니, 제가 두 분의 안위를 어찌 알 수 있었겠습니까?"

두 사람이 손을 붙들고 통곡하자, 옆에서 지켜보던 사람들도 슬퍼하며 눈물을 닦지 않는 이가 없었다. <u>그동안의 사연을 나누며 두 사람은 _____하고 그들을 지켜보는 사람들도 함께 (기뻐/슬퍼)하고 있어.</u>

주우는 돈우(頓于)*를 만나 백금 세 덩이를 주고 옥영을 사서 데려오려고 하였다. 그러자 돈우가 얼굴을 붉히며 말했다.

"내가 이 사람을 얻은 지 이제 4년 되었는데, 그의 단정하고 고운 마음씨를 사랑하여 친자식처럼 생각해 왔습니다. 그래서 침식을 함께하는 등 잠시도 떨어진 적이 없었으나, 지금까지 그가 아낙네인 것을 몰랐습니다. 오늘 이런 일을 직접 겪고 보니, 이는 천지신명도 오히려 감동할 일입니다. 내가 비록 어리석고 무디기는 하지만 진실로 목석은 아닙니다. 그런데 차마 어떻게 그를 팔아서 먹고살 수 있겠습니까?" 돈우도 최척과 옥영의 재회에 _____을 받아어. 그리고 옥영이 아낙네라는 것은 몰랐지만 _____처럼 여기며 무척 아꼈다고 하네. 그래서 돈을 받고 옥영을 팔 수는 없다고 해.

돈우는 즉시 주머니 속에서 은자(銀子) 10냥을 꺼내어 전별금(餞別金)으로 주면서 말했다.

"4년을 함께 살다가 하루아침에 이별하게 되니, 슬픈 마음에 가슴이 저리기만 하오. 돈우는 옥영과의 _____을 슬퍼하고 있어. 온갖 고생 끝에 살아남아 다시 배우자를 만나게 된 것은 실로 기이한 일이며, 이 세상에는 없었던 일일 것이오. 내가 그대를 막는다면 하늘이 반드시 나를 미워할 것이오. 사우(沙于)*여! 사우여! 잘 가시게! 잘 가시게!".

장면끊기 02 아침이 되자 최척은 일본인 배에 찾아가 옥영과 재회하고, 돈우는 이별을 아쉬워하면서도 _____을 주며 옥영을 보내 줬어.

— 조위한, 「최척전(崔陟傳)」 —

*주우, 두홍: 최척과 함께 장사를 하는 중국인들.

*안남: 베트남.

*왕자진: 주나라 영왕의 태자로, 죄를 입어 서인이 되었음.

*돈우: 옥영을 데리고 장사를 하는 일본인.

*사우: 돈우가 옥영에게 붙여 준 이름.

고전소설 독해의 STEP 2

1 인물 간의 관계를 고려하여 구조도의 빈칸에 적절한 말을 채우세요.

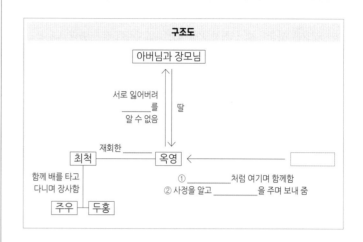

2 1~2번 문제를 풀어 보세요.

1. 최척과 옥영의 재회에 대한 이해로 가장 적절한 것은?

① 타국에서 만난 동포의 도움을 통해 우연히 이루어진다.

② 두 인물이 공유하고 있는 과거의 기억을 매개로 하여 이루어진다.

③ 두 인물이 평소에 주변 사람들에게 베푼 자비로 인해 이루어진다.

④ 주변 사람들의 오해로 인해 우여곡절을 겪다가 기적적으로 이루어진다.

⑤ 주변 인물들 중 대다수에게는 환영을 받지만 일부에게는 의구심을 유발한다.

2. 문학 개념어 OX 확인 문제

① 초월적 존재가 등장하여 주인공과 교감하고 있다.　　　　　○　✕

② 인물의 내면적 갈등이 점진적으로 심화되고 있다.　　　　　○　✕

고전소설 독해의 STEP 1

1 등장인물에 ☐ 표시를 하고 빈칸에 적절한 말을 채우세요.

일일은 승상이 술에 취하시어 책상에 의지하여 잠깐 졸더니 문득 봄바람에 이끌려 한 곳에 다다르니 이곳은 승상이 평소에 고기도 낚으며 풍경을 구경하던 조대(釣臺)*라. 그 위에 상서로운 기운이 어렸거늘 나아가 보니 청룡이 조대에 누웠다가 승상을 보고 고개를 들어 소리를 지르고 반공에 솟거늘, 깨달으니 일장춘몽이라. *승상이 잠시 잠에 들어 꿈에서 _____을 보고 깨어.*

장면끊기 01 *잠에 든 _____이 꿈속에서 조대에 가 청룡을 보고 잠에서 깨어 현실로 돌아왔어. 꿈과 현실의 경계이니 여기서 장면을 끊어야겠지!*

심신이 황홀하여 죽장을 짚고 월령산 조대로 나아가니 나무 베는 아이가 나무를 베어 시냇가에 놓고 버들 그늘을 의지하여 잠이 깊이 들었거늘, *승상은 잠에서 깨어난 뒤 꿈속에서 청룡을 보았던 _____로 갔네. 그곳에서 승상은 한 아이를 발견했어.* 보니 의상이 남루하고 머리털이 흩어져 귀밑을 덮었으며 검은 때 줄줄이 흘러 두 뺨에 가득하니 그 추레함을 측량치 못하나 그 중에도 은은한 기품이 때 속에 비치거늘 승상이 깨우지 않으시고, 옷에 무수한 이를 잡아 죽이며 잠 깨기를 기다리더니, *승상은 잠든 아이를 깨우지 않고 ___를 잡아 주며 기다려.* 그 아이가 돌아누우며 탄식 왈,

"형산백옥이 돌 속에 섞였으니 누가 보배인 줄 알아보랴. 여상의 자취 조대에 있건마는 그를 알아본 문왕의 그림자 없고 와룡은 남양에 누웠으되 삼고초려한 유황숙의 자취는 없으니 어느 날에 날 알아줄 이 있으리오."

하니 그 소리 웅장하여 산천이 울리는지라. *승상이 꿈에서 청룡을 본 것은 이 아이와의 만남을 예언하기 위함이었나 봐. 아이의 겉모습은 추레하지만 보통 아이가 아닌 것 같아. 아이는 고사를 활용해 자신을 돌 속에 섞인 _____으로 표현하며 뛰어난 인재인 자신을 _____ 이가 없음을 한탄하고 있네.*

탈속한 기운이 소리에 나타나니, 승상이 생각하되, '영웅을 구하더니 이제야 만났도다.' 하시고, 깨우며 물어 왈,

"봄날이 심히 곤한들 무슨 잠을 이리 오래 자느냐? 일어앉으면 물을 말이 있노라."

"어떤 사람이관데 남의 단잠을 깨워 무슨 말을 묻고자 하는가? 나는 배고파 심란하여 말하기 싫도다."

아이 머리를 비비며 군말하고 도로 잠이 들거늘, 승상이 왈,

"네 비록 잠이 달지만 어른을 공경치 아니하느냐. 눈을 들어 날 보면 자연 알리라."

그 아이 눈을 뜨고 이윽히 보다가 일어앉으며 고개를 숙이고 잠잠하거늘, 승상이 자세히 보니 두 눈썹 사이에 천지조화를 갈무리하고 가슴속에 만고흥망을 품었으니 진실로 영웅이라. 승상의 명감(明鑑)*이 아니면 그 누가 알리오. *잠을 자던 아이는 승상의 모습을 보고 바로 그의 말에 따르고 있어. 승상은 뛰어난 _____을 가진 인물이기 때문에 아이에게서 _____의 면모를 발견한 것이겠지.*

장면끊기 02 *승상은 현실의 _____에서 잠든 아이를 만나고 아이의 모습에서 영웅의 면모를 발견하였어. 이후 중략 부분의 줄거리가 이어지니 여기서도 장면을 끊어 주자.*

[중략 부분의 줄거리] 승상은 아이(소대성)를 자기 집에 묵게 하고 딸과 부부의 연을 맺도록 하지만, 승상이 죽자 그 아들들이 대성을 제거하려고 한다. 이에 대성은 영보산으로 옮겨 공부하다가 호왕이 난을 일으킨 소식에 산을 나가게 된다. *중략 부분의 줄거리는 지문 이해나 문제 풀이에 필요한 내용이라서 출제*

자가 정리해 준 것이니 반드시 그 내용을 이해하고 넘어가야 해. 승상의 죽음 후 집을 나선 대성은 난을 일으킨 _____을 막기 위해 자신이 머물던 영보산을 떠나.

한 동자 마중 나와 물어 왈, *새로운 인물이 등장했어. 중요한 인물이 아닐 수 있지만 주인공에게 말을 걸면 어떤 역할을 하는지 정도는 체크하는 것이 좋아.*

"상공이 해동 소상공 아니십니까?"

"동자, 어찌 나를 아는가?"

소생이 놀라 묻자, 동자 답 왈,

"우리 노야의 분부를 받들어 기다린 지 오랩니다."

"노야라 하시는 이는 뉘신고?"

"아이 어찌 어른의 존호를 알리까? 들어가 보시면 자연 알리이다." *동자는 어른의 명으로 대성을 마중나온 거야.*

생이 동자를 따라 들어가니 청산에 볕이 명랑하고 한 노인이 자줏빛 도포를 입고 금관을 쓰고 책상을 의지하여 앉았거늘 생이 보니 학발 노인은 청주 이 승상일러라. *중략 부분의 줄거리에서 승상은 죽었다고 했는데, _____를 따라 들어간 곳에서 _____을 다시 만나네. 죽은 사람과의 만남이라는 기이한 사건이 발생했어.* 생이 생각하되, '승상이 별세하신 지 오래이거늘 어찌 이곳에 계신가?' 하는데, 승상이 반겨 손을 잡고 왈,

"내 그대를 잊지 못하여 줄 것이 있어 그대를 청하였나니 기쁘고도 슬프도다."

하고 동자를 명하여 저녁을 재촉하며 왈,

"내 자식이 무도하여 그대를 알아보지 못하고 망령된 의사를 두었으니 어찌 부끄럽지 아니하리오. 하나 그대는 대인군자로 허물치 아니할 줄 알았거니와 모두 하늘의 뜻이라. 오래지 아니하여 공명을 이루고 용문에 오르면 딸과의 신의를 잊지 말라." *승상은 아들들이 대성을 제거하려 했던 일에 대해 _____하면서, 그래도 용문에 오르면 딸과의 _____를 잊지 말라고 해.*

하고 갑주 한 벌을 내어 주며 왈,

"이 갑주는 보통 물건이 아니라 입으면 내게 유익하고 남에게 해로우며 창과 검이 뚫지 못하니 천하의 얻기 어려운 보배라. 그대를 잊지 못하여 정을 표하나니 전장에 나가 대공을 이루라."

생이 자세히 보니 쇠도 아니요, 편갑도 아니로되 용의 비늘 같이 광채 찬란하며 백화홍금포로 안을 대었으니 사람의 정신이 황홀한지라. 생이 매우 기뻐 물어 왈,

"이 옷이 범상치 아니하니 근본을 알고자 하나이다."

"이는 천공의 조화요, 귀신의 공역이라. 이름은 '보신갑'이니 그 조화를 헤아리지 못하리라. 다시 알아 무엇 하리오?" *승상은 대성에게 _____이라는 이름의 갑주를 선물로 주었어.*

승상이 답하시고, 차를 내어 서너 잔 마신 후에 승상 왈,

"이제 칠성검과 보신갑을 얻었으니 만 리 청총마를 얻으면 그대 재주를 펼칠 것이나, 그렇지 아니하면 당당한 기운을 걷잡지 못하리라. 하나 적을 가벼이 여기지 말라. 지금 적장은 천상 나타의 제자 익성이니 북방 호국 왕이 되어 중원을 침노하니 지혜와 용맹이 범인과 다른지라. 삼가 조심하라."

"만 리 청총마를 얻을 길이 없으니 어찌 공명을 이루리까?" *대성은 _____과 보신갑은 얻었지만, 아직 청총마는 얻지 못한 상황이군. 세 가지 요소가 모두 갖춰져야 만만치 않은 적인 호왕에 맞서 _____를 펼칠 수 있나 봐.*

생이 묻자, 승상이 답 왈,

"동해 용왕이 그대를 위하여 이리 왔으니 내일 오시에 얻을 것

이니 급히 공을 이루라. 지금 싸움이 오래되었으나 중국은 익성을 대적할 자 없으며 황제 지금 위태한지라. 머물지 말고 바삐 가라. 할 말이 끝없으나 밤이 깊었으니 자고 가라." 만 리 청총마를 어떻게 얻느냐는 대성의 물음에 승상은 동해 _____을 통해 내일 얻을 것이라고 하고 있네. 동시에 황제의 상황이 _____하니 바삐 가라고 하는 말에서 전쟁의 상황이 위급함을 알 수 있어.

하시고 책상을 의지하여 누우시니 생도 잠깐 졸더니, 홀연 찬 바람, 기러기 소리에 깨달으니 승상은 간데없고 누웠던 자리에 갑옷과 투구 놓였거늘 좌우를 둘러보니 소나무 밑이라.

장면끊기 03 대성은 동자를 따라 들어간 곳에서 죽은 승상을 다시 만나 보신갑을 받고, 이후 만 리 _____를 얻을 방법을 들은 후 잠에서 깨었어. 중략 이후 사건의 배경이 꿈속이라는 직접적인 언급은 없었지만, 죽은 승상을 다시 만났다는 점과 지문 끝부분에서 대성이 잠 깨는 모습을 통해 대성과 승상의 대화는 (현실/꿈속)에서 이루어진 것임을 알 수 있지.

– 작자 미상, 「소대성전」 –

*조대: 낚시터.
*명감: 사람을 알아보는 뛰어난 능력.

---

2 1~2번 문제를 풀어 보세요.

1. 윗글의 '승상'에 대한 감상으로 가장 적절한 것은?

① 곤히 잠든 '아이'를 깨우지 않고 이를 잡아 주며 기다리는 모습에서 따뜻한 인정을 느낄 수 있군.

② 나이 어린 '소생'에게 자신이 범한 과오를 시인하고 부끄러워하는 모습에서 자신을 비우고 낮추는 겸허함을 볼 수 있군.

③ '소생'에게 '딸과의 신의'를 잊지 않아야 공명을 이룰 수 있다고 당부하는 모습에서 신의를 중시하는 가치관을 볼 수 있군.

④ '청총마'를 이미 얻고 '동해 용왕'의 도움까지 얻은 '소생'에게 적을 가벼이 여기지 말라고 하는 모습에서 신중한 자세를 볼 수 있군.

⑤ 살아서는 '소생'을 도왔지만 죽은 몸으로 '소생'을 도울 수 없어 안타까워하는 모습에서 남을 도우려는 한결같은 성품을 느낄 수 있군.

2. 문학 개념어 OX 확인 문제

① 묘사를 통해 인물의 외양을 드러내고 있다.　　○ ✕

② 과거 사건에 대한 회상을 통해 현재 사건의 원인을 제시하고 있다.　　○ ✕

고전소설 독해의 STEP 2

1 인물 간의 관계를 고려하여 구조도의 빈칸에 적절한 말을 채우세요.

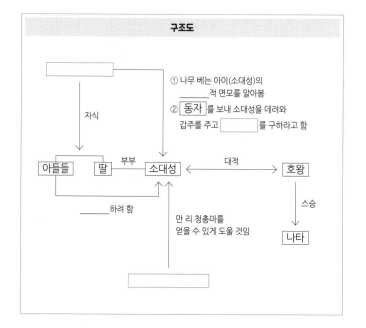

구조도

① 나무 베는 아이(소대성)의 _____적 면모를 알아봄

② **동자**를 보내 소대성을 데려와 갑주를 주고 _____를 구하라고 함

자식

아들들 ─ 딸 ─(부부)─ 소대성 ←(대적)→ 호왕

_____하려 함

만 리 청총마를 얻을 수 있게 도울 것임

(스승)

호왕 → 나타

고전소설 독해의 STEP 1

1 등장인물에 □ 표시를 하고 빈칸에 적절한 말을 채우세요.

　이때 강씨 상서가 집에 없음을 기뻐하여 월을 불러 날로 구박하며 눈앞에 잠시도 섰지 못하게 하고, 음식을 먹이되 독약이 들지 아니하였으니 알고 먹으라 하며 박대가 자심한지라. 고전소설에서는 선인과 악인의 구분이 비교적 명확하게 이루어져. 상서가 집에 없으니 강씨가 ___을 구박하며 괴롭힌다는 것으로 보아 _____가 악인인 듯하지.

　강씨 일일은 월의 없음을 괴히 여겨 후원에 가보니 차영을 데리고 서로 우는지라. 대로하여 고성 대책 왈,

　"너희 노주*가 무슨 모함을 의논하느냐."

하고, 무수히 치며 두 발을 끌고 의복을 찢으며 형벌하고, 또 차영을 잡아내어 꾸짖어 왈,

　"네 나와 무슨 혐의 있어 노주 의논하고 흉계를 꾸미고자 하느냐. 너 같은 년은 죽이리라." 월과 차영의 관계가 드러나지. _____ 관계라고 했으니 월이 주인이고 차영이 월의 몸종인 듯해.

하고 형구 차려 형틀에 올려 매고 무수 난장하여 제정으로 끌어내어 협실에 가두고 분부하되,

　"너희 다시 소저와 상대하는 자는 즉시 죽이리라."

하니, 차영이 또한 기절하여 아무 말도 못하더라. 강씨는 괴롭힘을 당하던 월이 _____과 슬픔을 나누자 그것을 핑계로 ___을 더욱 학대하고 있어. 월과 상대하는 사람은 _____겠다고까지 하며 월을 사지로 몰아넣고 있지.

　슬프다. 월이 차영을 보지 못하고 죽인들 뉘가 알며, 음식인들 뉘가 권하리오.

　이때 용이 제 밥을 가지고 누이 앞에 놓고 간권하니, 소저가 어찌 먹고 살고져 하리오마는 어린 동생이 권하는 정을 생각하고, 용과 월은 _____ 관계로 우애가 돈독하군. 또 부친의 얼굴도 보지 못하고 죽으면 원귀 되지 아니하며, 또한 부친으로 하여금 비희를 끼쳐 눈물을 지시게 하리오. 부친을 볼 수 없다는 것으로 보아 집 떠나 있는 상서가 바로 남매의 _____겠네. 나의 사생은 어렵지 아니하거니와 용의 일신이 부모에게 중한 몸이라. 내 죽으면 여액이 다 용에게 미칠 것이니 어찌하리오. 월은 자신이 죽으면 동생 용에게 더한 괴롭힘이 가해질까 봐 _____하고 있어. 또한 내 죽으면 불효막대할 것이니, 근근 보명하였다가 부친 오심을 기다림이 옳다 하고, 용이 가져온 음식을 서로 먹고 밤을 당하매, 불기 없는 빈방에 남매 서로 붙잡고 밤을 새우더니, 용은 어린 것이라 잠을 자나 소저는 만신이 아파 견디지 못하여 소리는 아니하고 앓고 누웠더니, 이때 강씨 생각하되

　"이때를 지내면 다시 설치*할 기회를 얻기 어려우리라."

하고 월의 자는 방에 들어가니, 소저가 홀로 엎어져 앓는 소리 나거늘 문을 열고 들어가 꾸짖어 왈,

　"이 아이년아, 누구를 모함하려고 누웠느냐. 너 같은 자식은 보기 싫으니 바삐 나가고 눈앞에 보이지 말라."

하는 소리 추상같은지라. 강씨는 월과 용이 서로 의지하며 지내는 모습에도 화를 내며 집에서 _____고 해.

장면끊기 01 강씨는 _____가 집에 없을 때 월과 용 남매를 구박하며 학대했어. 또 이 기회에 남매를 집에서 내쫓으려 하지. 이후 중략 줄거리를 통해 남매가 결국 쫓겨나고 _____가 그들을 찾아 나서게 됨을 알 수 있으니 여기서 장면을 나누어야겠지!

[중략 줄거리] 강씨의 구박으로 어룡 남매는 집에서 쫓겨나 온갖 고초를 겪는다. 이후 어룡은 통천도사의 도움으로 도술과 무예를 배워 나라에 큰 공을 세우고 월은 윤 시랑의 양녀가 되어 임선과 결혼한다. 한편, 어룡 남매를 찾아 집을 나섰던 상서는 기이한 꿈을 꾼다.

　이때 날이 이미 저물고 갈 길이 바이 없으매, 슬픔을 이기지 못하여 실혼한 사람같이 앉았더니, 또 비몽사몽간에 아까 보이던 도사가 다시 이르되,

　"죽림 도원 본집으로 가면 자연 반가운 소식이 있을 것이니 급히 황성으로 가라." 어룡 남매를 찾아나섰으나 갈 길을 찾지 못한 상서의 꿈에 _____가 나타나 갈 곳을 알려주고 있어.

하고 간 데 없거늘, 상서가 깨어 공중을 향하여 무수 사례한 후, 그 밤을 지내고 이튿날 길을 떠나 여러 날 만에 죽림 도원 ⓐ**본집**으로 가니, 집은 여구하나 장원이 퇴락하고 후뜰에 초목이 무성하여 사람 자취 그친 지 오랜지라. 슬픈 마음을 금치 못하여 눈물 내림을 깨닫지 못할레라. 상서는 꿈속의 도사가 이른 대로 _____에 도착했지만 사람의 흔적이 없어 슬퍼하고 있어.

　학사 마음을 진정하고 두루 살펴보니 노복 등도 다 사냥하고 다만 차영이 홀로 있다가 상서를 보고 반겨 복지 통곡 왈,

　"노야 어디로 다니다가 이제 오시니까."

하며 못내 슬퍼하다가, 다시 여쭈오되,

　"소저와 아기 용을 찾아 보아 계시니까." 상서는 월의 몸종인 _____을 만났네. 차영은 월과 용 남매를 찾았냐고 묻고 있어.

하며 반김을 마지 아니하거늘, 상서가 차영의 손을 잡고 눈물을 흘리며 왈,

　"차영아, 그간 몸 성히 잘 있었느냐. 난 여러 해 돌아다니되 월의 남매를 보지 못하고 왔노라."

하시니, 차영이 상서 말씀을 듣고 정신이 아득하여 이윽히 앉았다가 눈물을 흘리며 왈,

　"그러하오면 어디로 가 죽었는가 아닌가. 진적 유무를 알 수 없으니 이런 답답한 일이 어디 있사오리까. 노야 나가신 후에 나라에서 한림으로 패소*하여 계시오니, 황성에나 올라가사 소저와 공자를 찾게 하옵소서." 본집에 있던 차영도 월과 용 남매의 행적을 알지 못해 _____하고 있어. 차영은 상서에게 _____에 올라가 보라고 하네.

하거늘, 상서가 내심에 현몽하시던 일을 생각하고 황명을 받자와 택일 발행할새, 여러 날 만에 ⓑ**황성**에 득달하여 천자께 숙배하온대, 상이 보시고 크게 반기사 좌를 주시고 가로되,

　"경의 아들이 멀리 집을 떠난단 말을 들었더니 그간 만나 보았는가." 황제도 상서가 _____을 다시 만났는지 묻고 있어.

하시거늘, 상서가 복지 주왈,

　"소신의 불초한 자식이 있사옵더니, 나이 어려 우연 집을 떠나 나아가 우금 십여 년이 되옵되 종적을 알지 못하나이다." 상서와 어룡 남매가 헤어진 지 _____이 되었나 봐.

하며 슬픈 빛이 나타나거늘, 상이 보시고 측은히 여기시며 가라사대,

　"금번 북흉노 병란에 경의 아들 곧 아니었던 종묘와 사직이 위태하고 짐의 몸이 마칠 것을 하늘이 도우사 경의 영자를 만나 북적을 소멸하고 천하를 평정하였으니, 그 공을 무엇으로 갚으

리오.” 황제는 상서의 아들인 용의 활약으로 _____과의 전쟁에서 이길 수 있었다고 하며 크게 칭찬하고 있어.

하시고, 좌승상 어룡을 급히 명초*하시니, 이때 승상이 부친 오신다는 말을 듣고 전지도지*하여 나오더니, 나라에서 부르심을 듣고 급히 예궐 숙배하온대, 상이 인견하시고 가라사대,

“지금 경의 부친을 대하면 그 얼굴을 능히 기억할소냐.”

승상이 대왈,

“어려서 아비를 이별하였사오나 지금도 그 형용이 주야 눈에 있나이다.”

하고 설위함을 마지 아니하거늘, 상이 그 사친지정이 절로 골수에 맺힘을 불쌍이 여기시고, 상서와 대면케 하시니, 승상이 부친 앞에 나아가 엎어져 실성 통곡하며 말을 이루지 못하거늘, 한림이 혼미하여 꿈인지 생시인지 분별치 못하고 묵묵히 앉았다가, 이윽한 후 정신을 차려 용의 손을 잡고 가로되,

“네가 진정 나의 아들 용이냐 아니냐.”

하며 안고 서로 슬피 우니, 보는 사람은 고사하고 산천초목도 다 슬퍼할러라. 상서가 드디어 아들 용을 만났어. 용은 집을 떠난 후 나라에 큰 공을 세워 _____이 되었고, 천자의 도움으로 아버지와 만날 수 있게 된 거지.

장면끊기 02 어룡 남매를 찾기 위해 떠돌던 상서는 꿈에 나온 도사의 말에 따라 본집으로 갔고, 그곳에서 만난 차영의 조언대로 _____으로 갔어. 그리고 드디어 좌승상이 된 ____을 만나게 되었고 십여 년 만의 재회에 둘은 슬피 울었다고 해.

– 작자 미상, 「어룡전」 –

*노주: 노비와 주인.

*설치: 치욕을 씻음.

*패소: 임금이 신하를 급히 만나야 할 때 패를 써서 입궐하게 하는 경우.

*명초: 임금의 명령으로 신하를 부름.

*전지도지: 엎드러지고 곱드러지며 몹시 급히 달려가는 모양.

---

1 인물 간의 관계를 고려하여 구조도의 빈칸에 적절한 말을 채우세요.

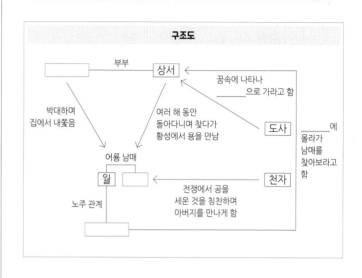

2 1~2번 문제를 풀어 보세요.

1. ⓐ, ⓑ에 대한 설명으로 가장 적절한 것은?

① ⓐ와 달리 ⓑ는 ‘상서’가 기대감을 갖고 향하는 공간이다.

② ⓐ와 달리 ⓑ는 ‘상서’가 권위자에게 적대감을 드러내는 공간이다.

③ ⓑ와 달리 ⓐ는 ‘상서’가 지혜를 발휘해 위기를 벗어나는 공간이다.

④ ⓐ와 ⓑ는 모두 ‘상서’가 타인에게서 정보를 제공받는 공간이다.

⑤ ⓐ와 ⓑ는 모두 ‘상서’가 타인에게 비판적으로 인식되는 공간이다.

2. 문학 개념어 OX 확인 문제

① 서술자가 개입하여 주관적 감정을 드러내고 있다.　　　　　○ ✕

② 상징적 소재를 활용하여 인물의 성격 변화를 암시하고 있다.　　○ ✕

고전소설 독해의 STEP 1

1 등장인물에 ☐ 표시를 하고 빈칸에 적절한 말을 채우세요.

자라가 기막혀 우는 말이,
"못 보겠네, 못 보겠네, 병든 용왕 못 보겠네. 나의 충성 부족던가, 나의 정성 부족던가? 객사 신세 자라 팔자, 이 아니 불쌍한가? 명천 감동하와 백호를 죽여 주오, 애고애고 설운지고." 자라는 _____에게 줄 약을 구하지 못하고 호랑이를 만나 _____하게 될 신세가 된 자신의 처지를 _____하고 있어.

이렇듯이 슬피 우니 호랑이 듣더니,
"이놈, 무슨 내게 해로운 소리만 하느냐?"
자라 생각하되,
'왕명을 뫼와 만 리 밖에 나와 이 지경을 당하니 일사(一死)면 도무사(都無死)라. 무이불식(無以不食)이라, 모조리 먹는다 하니 내 한번 고기 값이나 하리라.' '일사면 도무사'는 한 번 죽으면 모든 것이 끝난다는 것을, '무이불식'은 먹지 못할 것이 없다는 것을 뜻해. 모조리 먹는다면 _____이나 하겠다고 생각하는 자라는 어차피 죽을 것, 이판사판으로 _____에게 맞서 덤벼 보기로 해.

하고 모진 마음을 굳게 먹고,
"어따, 네가 내 근본을 알려느냐?"
하며 호랑이 앞턱을 냅다 물고 매어 달리니, 호랑이가,
"애고, 놓아. 아니 먹으마."
자라 놓고 나앉으며 움쳐 든 목을 길게 빼어 염려 없이 기를 보이니, 호랑이 보더니,
"이크, 장사 갑주 속의 방망이 총 나온다." 자신에게 달려드는 자라를 보고 호랑이는 놀라서 경계하고 있어. 등껍질에서 목을 길게 뺀 자라의 모습을 _____ 속에 있던 _____이 나오는 것처럼 여기고 있네.

하며 저마만치 물러앉으니, 자라 호랑이 질리는 기색을 알고,
"게서 내 근본을 자세히 아는가? 나는 수국 충신 간의대부 겸 시랑 별주부, 별나리라 하네."
호랑이 무식하여 자라 별자 몰라듣고 무수히 새겨,
"별나리, 별나리, 그저 나리도 무섭다 하되 별나리 더 무섭다. 생긴 모양보다는 직품은 높고 찬란한데, 그러면 목은 어찌 그리 되었으며, 이곳에 어찌 나왔는가?" _____는 호랑이가 자신을 무서워하는 것을 눈치채고 허세를 부리고 있네. 호랑이는 자라에 대해서 잘 모르나 봐. '별'이 '자라 별(鼈)' 자임을 모른 채 '별나리'라는 말을 듣고 _____을 느끼고 있어.

자라 대답하되,
"이곳 나오고 목이 이리 된 근본을 알려나?"
"어디 좀 알아봅세."
"㉠우리 수궁이 퇴락하여 새로 다시 지은 후에 천여 개 기와를 내 손으로 이어갈 제, 추녀 끝에 돌아가다 한 발길 미끄러져 공중 뚝 떨어져 빙빙 돌아 나려오다 목으로 쩔꺽 나려 박혀 목이 이리 되었기로 명의더러 물어본즉 호랑이 쓸개가 약이 된다 하기에 벽력 장군 앞세우고 도로랑 귀신 잡아타고 호랑 사냥 나왔으니 게가 호랑이면 쓸개 한 보 못 주겠나. 도로랑 귀신 게 있느냐? 어서 급히 빨리 나와 용천검 드는 칼로 이 호랑이 배 갈라라, 도로랑!" 자라는 수궁을 지을 때 사고가 발생해 자신의 목이 이렇게 된 것이라며 그 배경을 설명하고 있어. 또한 자라는 목이 이렇게 된 것을 치료하는 데 _____가 약이 된다는 말을 듣고 _____ 귀신을 타고 _____을 나왔다며 큰소리를 쳐 호랑이를 (설득하고 / 위협하고) 있지.

하고 달려드니 호랑이 깜짝 놀라 물동을 와락 싸고, 초가성중(楚歌聲中) 놀란 패왕 포위 뚫고 남쪽으로 달아나듯, 적벽강 불 싸움에 패군장 위왕 조조 정욱 따라 도망하듯, 북풍에 구름 닫듯, 편전살 달아나듯, 왜물 조총 철환 닫듯, 녹수를 얼른 건너 동림(東林)을 헤치면서 쑤루쑤루 달아나 만첩청산 바위틈에 혼자 앉아 장담하고 하는 말이,
"내 재주 아니런들 도로랑 귀신 피할손가? 하마터면 죽을 뻔하였구나." 호랑이는 자라의 말에 깜짝 놀라서 겁을 먹고 정신없이 도망쳤어. 호랑이가 달아나는 모습을 여러 가지 상황에 비유하여 나열함으로써 리듬감을 형성하는 부분에서 판소리 소설의 특징이 드러나. 그리고 _____의 말에 감쪽같이 속아 넘어가 달아났으면서 자신의 _____가 없었다면 귀신을 어떻게 피했겠냐며 우쭐대는 호랑이의 모습은 웃음을 유발하지.

장면끊기 01 자라가 겁을 주면서 덤벼드는 모습에 놀란 _____가 달아나는 장면이야. 중략 뒤에는 새로운 인물인 '토끼'를 중심으로 한 별개의 사건이 전개되니, 여기에서 장면을 끊을게.

(중략)

한창 이리 춤을 출 제, 대장 범치 토끼 옆에 섰다가,
"이크, 토끼 뱃속에 간이 촐랑촐랑하는고."
토끼 깜짝 놀라,
'어떤 게 간이라고? 뱃속에 물똥이 들어 촐랑거리는 걸 간이라 하것다. 아뿔싸, 낌새를 보아 떠나라고 하였거니 즉시 가는 것만 못할지.' 토끼는 ___의 이야기가 나오자 깜짝 놀랐어. 낌새를 보아 도망치려던 계획이 틀어지고 말았거든.

이리할 제 별주부 연석에 참여하였다가 눈을 부릅뜨고 토끼를 보며 가만히 꾸짖어 왈,
"내 듣기에도 촐랑촐랑하는 것이 분명한 간인 듯하거든 네 저러한 꾀로 우리 대왕을 속이려 하느냐?"
토끼 마음에 분하여 파연(罷宴) 후에 왕께 주왈, 자라가 _____을 속이려는 토끼를 꾸짖자, 토끼는 _____을 느끼며 연회가 끝난 후 용왕께 말을 올려.
"소토 세상에서 약간 의서를 보았거니와 음허화동(陰虛火動)의 병에 원기 회복하옵기는 왕배탕이 제일 좋다 하오니 왕배는 곧 자라라, 오래 묵은 자라를 구하여 쓰면 기운 자연 회복하올 것이요, 그 다음에 소토의 간을 쓰면 병세 불일내(不日內) 평복(平復)하오리다." 자라에게 앙심을 품은 토끼가 왕의 병을 낫게 하기 위해서는 먼저 오래 묵은 자라를 써서 _____을 해 먹어야 한다고 해. 자라에게는 청천벽력 같은 소식이겠지.

왕이 이때 토끼 말이라 하면 지록위마(指鹿爲馬)라도 믿고 듣는지라. 즉시 하령하되,
"출세(出世)하였던 별주부 오래 묵은지라. 법을 좇아 잡아들이라."
왕은 _____가 무슨 말을 해도 믿을 상황이라, 그 말을 듣자마자 자라를 잡아들이라고 명령하네.

하니 현의도독 거북이 아뢰되,
"㉡옛 말씀에 '토끼를 다 잡으면 사냥개를 삶아 먹고 높이 뜬 새 없어지면 좋은 활이 숨는다.' 하였사오니 선생 말씀이 옳사오나 주부는 만리타국의 정성을 다하여 공을 이루고 왔삽거늘 제후로 봉하기는 고사하고 죽이는 것은 불가사문어인국(不可使聞於隣國)*이라. 특별히 권도(權道)를 좇아 암자라로 대용하심을 바라나이다."

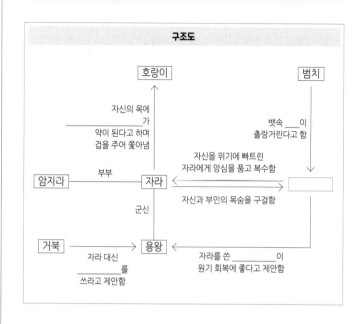 위치는 우측 구조도 영역

왕 왈,

"윤허하노라."

하시니. _____은 자라가 먼 곳에서 공을 이루고 왔는데, 제후로 봉하기는커녕 죽여서는 안 된다고 해. 왕이 공을 세운 신하를 이용하고 버린다는 게 밖으로 알려져서는 안 된다고 말이야. 그리고 자라 대신 _____를 써서 대용하라고 하지. 왕은 이를 _____하며 허가의 뜻을 밝히고 있네.

장면끊기 02 왕배탕이 원기 회복에 좋다고 하는 _____의 말과, 자라(별주부) 대신 암자라로 대용하라는 _____의 말에 용왕이 암자라를 잡아들이라고 하는 장면으로 줏대 없이 남의 말을 따르는 _____의 모습을 확인할 수 있어. 이 뒤에는 공간적 배경이 자라의 집으로 바뀌면서, 용왕의 결정으로 인해 자라가 어떠한 행동을 하게 되는지가 제시되니 여기에서 장면을 끊을게.

이때 주부 천지 망극하여 집에 돌아와서 부부 서로 손을 잡고 통곡하다가 문득 생각하여 왈, 자라와 암자라는 _____ 사이였나 봐. 자라는 부인이 죽게 될 상황에 처하자 _____하며 슬퍼하고 있어.

"내 일시 경솔한 말로 음해를 만나 무죄한 부인을 이 지경을 당하게 하였거니와 천 리 동행한 정분이 적지 아니하고 제 마음이 악독하여 고집스럽지 않으니 우리 정성을 다하여 빌면 다시 측은히 생각하여 구하리라."

하고, 즉시 별당을 소쇄(掃灑)하고 잔치를 배설하여 토끼를 정으로 청하여 상좌에 앉히고 주부 내외 당하에 꿇어 백배 애걸하는 말이,

"오늘날 우리 양인(兩人) 목숨이 선생께 달렸으니 넓으신 도량으로 짐작하여 잔명을 구하여 주옵소서." 자라는 _____를 열고 토끼를 초청하여 간절히 빌면서 자신과 부인의 목숨을 구하고자 _____하고 있어.

토끼 수염을 만작이며 웃어 왈,

"네 당초에 날 죽을 곳으로 유인함도 심장에 고이하거늘 하물며 없는 간을 있다 하여 기어이 죽이려 함은 무슨 일이며, 위태한 때에 이르러 애걸하는 것은 나를 조롱함이냐?" 토끼는 자신을 용궁으로 유인해 위험에 빠뜨리고, 토끼에게 간이 있다며 죽이려 하던 자라가 오히려 제가 위태로워졌을 때 목숨을 구걸하는 모습을 보면서, 자신을 _____하는 것이냐며 비웃고 있어.

장면끊기 03 두 번째 장면에서 용왕이 암자라를 죽이라고 명령한 결과, 자라는 토끼에게 목숨을 구해 달라고 _____하고, 토끼는 그런 자라를 보며 비웃는 장면으로 마무리되고 있어.

– 작자 미상, 「토끼전」 –

*불가사문어인국: 이웃 나라에 알려져서는 안 됨.

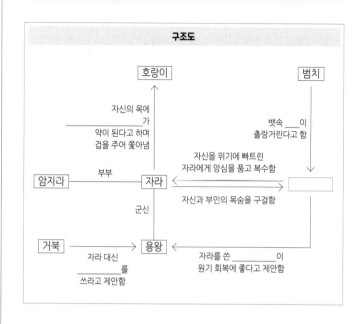

고전소설 독해의 STEP 2

1 인물 간의 관계를 고려하여 구조도의 빈칸에 적절한 말을 채우세요.

구조도

호랑이

범치

자신의 목에 _____가 약이 된다고 하며 겁을 주어 쫓아냄

뱃속 _____이 출렁거린다고 함

암자라 —부부— 자라

자신을 위기에 빠트린 자라에게 앙심을 품고 복수함

자신과 부인의 목숨을 구걸함

거북 —군신

용왕

자라 대신 _____를 쓰라고 제안함

자라를 쓴 _____이 원기 회복에 좋다고 제안함

2 1~2번 문제를 풀어 보세요.

1. 윗글에 대한 이해로 가장 적절한 것은?

① 별주부가 호랑이 앞에서 고기 값이나 하겠다는 것은 죽음을 각오하고 상대에 맞서겠다는 의지를 드러낸 것이다.

② 호랑이가 별주부의 외양에서 떠올린 갑주와 방망이 총은 상대와 맞설 의지를 갖게 하는 것이다.

③ 호랑이가 바위틈에서 자기 재주를 장담하는 것은 패배를 설욕하려는 의지를 다지는 것이다.

④ 토끼가 낌새를 보아 떠나라는 말을 떠올리고 즉시 가야겠다고 생각하는 것은 용왕의 믿음을 저버릴 수 없다는 의지 때문이다.

⑤ 별주부가 부인이 대신 죽게 된 것을 자신의 경솔한 말과 음해 때문이라고 하는 것은 아내가 아니라 자신이 죽겠다는 의지를 가지고 있기 때문이다.

2. 인물의 말하기 방식 OX 확인 문제

① ㉠에서는 의태어를 활용하여 대상의 움직이는 모습을 생생하게 보여 주고 있다. ○ ✕

② ㉡에서는 고사를 활용하여 상대에게 화자의 의견을 전달하고 있다. ○ ✕

고전소설 독해의 STEP 1

1 등장인물에 ☐ 표시를 하고 빈칸에 적절한 말을 채우세요.

[앞부분의 줄거리] 천자의 아우인 명현왕이 장풍운에게 자신의 딸과의 혼인을 청하지만, 장풍운은 이 부인과 이미 결혼하였기에 이를 거절한다. 천자의 권유로 마지못해 명현왕의 딸 유씨와 혼인한 장풍운은 토번이 침략하자 출정을 위해 경성을 떠난다. 앞부분의 줄거리에서 인물 간의 관계가 요약적으로 드러나고 있어. 장풍운은 _____과 결혼한 사이인데, 천자의 권유로 인해 명현왕의 딸인 _____와도 마지못해 결혼하게 되는구나.

유씨가 좌승상 장풍운이 대원수가 되어 출정한 틈을 타 이 부인을 모해하려 하여 한 계교를 생각해 내고 시비 난향을 불러 조용히 물었다.

"너는 나의 수족과 같으니, 나의 계교를 맡아서 해내려느냐?"

"소비가 어찌 부인의 명을 불속인들 피하리까?" 장풍운이 자리를 비운 틈에 유씨가 이 부인을 _____하려 계획을 짰네. 그리고 _____은 이런 유씨의 협력자로 나타나고 있어.

유씨가 매우 기뻐하며 물었다.

"바깥문 출입 단속을 누가 책임지고 맡아 하느냐?"

"수문장은 강공철인데, 운향의 지아비이나이다."

유씨가 계교를 이르고 당부했다.

"이리이리하되 삼가 누설치 말라!"

장면끊기 01 유씨는 _____이 없는 틈을 타서 이 부인을 모해하기 위해 계교를 생각해 내. 그런 유씨와 시비인 _____은 협력 관계를 구축하게 되지. 이 다음 장면부터는 강공철을 이용해 이 부인을 함정에 빠뜨리는 계교의 내용이 본격적으로 제시될 테니, 여기에서 장면을 한 번 끊었어.

난향이 웃고 이날부터 금은을 나누어 주며 운향과 더불어 사귐이 심히 은근하니, 오래지 아니하여 두 사람의 정이 동기간 같았고, 행동거지와 목소리까지 서로 방불하여 구별하기가 어려웠다. 유씨가 기뻐하여 계교 행하기를 재촉하니, 난향이 응낙하고 운향의 침소에 가서 담소하다가 물었다.

"요사이 강 무사는 어디 갔는가?"

"응당 해야 할 일이 많기로 오지 못하더니, 오늘은 마침 틈을 내어 올 것이네."

난향이 이 말에 대답하지 않고 다른 말만 하다가 돌아와서 그 사실을 유씨에게 알렸다. 유씨가 난향에게 다시금 당부하여 '이리이리하라'하고, 날이 저물기를 기다려 이 부인께 전갈했다. 유씨의 계교를 시행하기 위해 난향은 의도적으로 _____에게 접근해 수문장인 _____을 이용하려 하고 있어. 그리고 그가 오랜만에 돌아온다는 것을 듣고, 유씨는 본격적으로 계책을 시행하려 하고 있네.

"승상이 출정하신 후 궁중이 쓸쓸하고 고요하니, 시비 운향을 보내 주시면 아름다운 말씀도 듣고 노닐며 경치를 구경하고자 하나이다." 운향은 이 부인의 _____였나 봐.

이 부인은 정숙하고 기품 있는 여자인지라 유씨의 간계를 모르고 즉시 운향을 보내 주었다. 서술자는 이 부인이 정숙하고 기품 있는 인물이라고 긍정적으로 평가하고 있어. 이런 이 부인을 모함하기 위해 간계를 짜는 유씨는 (긍정적/부정적) 인물로 볼 수 있겠지. 유씨는 흔쾌히 정성껏 운향을 대접하고 머무르게 하고는 돌려보내지 아니하니, 운향은 공철이 온다고 했으므로 민망했다. 유씨는 짐짓 운향을 아니 보내고 난향에게 눈짓을 하니, 난향

이 즉시 운향 침소에 가서 살림 도구 및 이부자리와 베개 등을 다 옮기고 불을 끄고 앉아 있었다. 유씨는 일부러 운향을 붙잡아두고, 운향과 행동거지와 목소리가 비슷해진 _____을 운향의 침소로 보내 _____을 맞이하게 했어. 밤이 깊어지자 공철이 오는데, 난향이 운향인 체하고 더디 옴을 원망하며 물었다.

"위왕 어르신께서 몸이 불편하시므로 부인과 두 낭자가 다 내당에 머무시나이다. 그래서 정당이 비었는지라 나는 정당에 거처하겠으니, 당신도 나를 따라 정당에 가서 머묾이 어떠하겠소?"

공철이 응낙하지 않고 도리어 물었다.

"비록 그러하나, 어찌 내당에 들어간단 말이오?"

"밤이 깊고 사람이 없으니 의심 마소서."

공철의 소매를 이끌어 바로 이 부인 침소에 들어갔다. 이때 밤이 깊었으니, 시비가 다 자고 ㉠정당이 고요했다. 공철이 의심하지 않고 난향의 음성이 운향과 서로 비슷하므로 속은 바가 되어 매우 위험한 지경에 처하니, 어찌 비참하고 끔찍하지 아니하랴. 난향이 강공철에게 _____이 비었다고 속여서 이 부인의 침소로 이끌었네. 외간 남자가 남편이 있는 여인의 침소에 들어간 셈이니, 이 사실이 누군가에게 발각되면 큰일이 날 거야! 이런 상황이 매우 _____한 지경이라고 하며, 서술자는 _____하고 _____하다고 이야기하고 있어.

난향이 공철을 인도하여 안방에 딸린 작은 방에 앉히고 말했다.

"여기 누워 있으면 내 불을 켜오리다."

난향이 이러하고는 곧장 유씨 부인 침소로 돌아와 운향을 위로하며 말했다.

"부인을 모시고 평안히 지냈는가?"

유씨가 이어서 말했다.

"밤이 깊고 이 부인께서 외로이 계시니, 내 몸소 가서 위로하리라."

그러고는 등촉을 밝히고 정당에 이르렀다. 공철이 불빛을 보고 놀라 몸을 피하여 따로 곁붙은 방에 숨었다. 아무것도 모른 채 이 부인의 침소에 있던 강공철은 아무도 없어야 할 정당에 불빛이 비치자 놀라서 방에 숨었어. 상황이 _____가 생각한 대로 흘러가고 있네. 유씨가 방문을 열고 침실에 두른 휘장을 걷어 올리며 말했다.

"부인은 잠을 들어 계시나이까?"

그리하며 유씨가 협방 문을 밀치니, 공철이 놀라 내닫다가 유씨와 마주쳤으나 밀치고 달아났다. 이에 유씨가 거짓으로 얼굴빛을 달리하며 물러섰다. 이 부인은 아무것도 모르고 잠결에 몸을 일으키며 말했다.

"어찌 이리 떠들썩한가?"

유씨가 버럭 성을 내며 꾸짖었다.

"이 음탕하고 방탕한 계집아! 너는 좌승상의 정실부인이요, 직첩이 정렬에 있거늘, 어찌 이런 음란한 짓을 한단 말이냐?"

시비를 시켜 서둘러 이 부인을 결박 짓게 했다. 강공철과 이 부인이 부정을 저질러 하룻밤을 보낸 것처럼 꾸미려 한 것이 바로 유씨의 계략이었던 거야. 유씨는 자신이 상황을 다 꾸며놓고는 _____을 비난하며 결박 짓게 하고 있어.

이 부인이 미처 깨닫지도 못하는 사이 이 지경에 처하니 놀랍고 분함을 이기지 못하나, 일이 되어 가는 형세가 어찌 된 것인지 알지 못하여 심신을 가다듬지 못했다. 이 부인은 놀라고 _____을 느꼈지만, 어떤 상황인지 몰라 _____을 가다듬어 침착하게 대응할 수도 없었어.

이즈음에 공철이 도망하여 중문으로 나왔다. 그러나 문을 지키는 군사가 이왕 난향과 약속이 있었는지라 칼을 들어서 공철을 베니,

어찌 가련치 아니하랴. _____은 유씨와 난향의 계략에 휘말려 목숨을 잃고 말았네. 이에 대해 서술자는 _____하다고 생각하고 있어.

장면끊기 02 _____이 유씨의 함정에 걸려 외간 남자와 함께 방에 있었다는 누명을 쓰게 된 일련의 과정이 제시되는 장면이야. 그 과정에서 이 부인의 시비인 _____은 이용당하고, 운향의 남편인 _____은 목숨을 잃게 되지. 이때 전개되는 상황에 대한 주관적인 생각을 드러내는 서술자의 개입 부분도 눈여겨보면 좋아. 이 뒤에는 이러한 위기 상황이 어떻게 해소되는지가 제시되니, 여기에서 장면을 끊었어.

[중략 부분의 줄거리] 천자의 명령으로 이 부인은 감옥에 갇히고 장풍운은 금산사 부처의 계시에 이어 그간의 사정을 알리는 왕 부인의 편지를 본다. 이 부인이 처형당하는 날, 장풍운이 경성으로 돌아온다. 유씨의 계략으로 이 부인은 죽을 위기에 처하게 되었나 봐. 장풍운은 부처의 _____와 왕 부인의 _____로 이런 사정을 알게 되었구나.

좌승상이 말을 달려 수많은 사람의 무리를 헤치고 형을 집행하는 감형관에게 가서 전후사연을 이르며 "참하는 시각을 늦추라." 하고는, 바로 입궐하여 벌줄 것을 청했다. 천자가 크게 놀라셨지만 먼저 먼 길 갔다 온 것을 위로하시고, 다음으로 옥사를 말씀하셨다. 좌승상이 싸움에 나가 이겨 공을 세운 경위를 아뢰고는, 옥사에 관한 자신의 의견을 개진했다.

"금일 옥사는 저의 집안의 사사로운 일이오니 스스로 맡아서 처리하게 해 주소서." 전쟁에서 공을 세운 장풍운은 경성으로 돌아와서 감형관에게 이 부인의 _____을 미뤄달라고 말하고, 천자에게는 자신의 _____에서 일어난 일은 자신이 맡아서 처리하도록 해 달라고 요청하고 있어.

천자가 이를 윤허하셨다. 좌승상이 본가로 돌아와 양 부인을 뵌 후, 형구를 차려 놓고 모든 시비를 죄주려 하니, 엄한 형벌 아래서 쥐 같은 무리들이 어찌 죄를 감출 수가 있으랴. 불하일장, 곧 한 대도 때리기 전에 이미 난향 등이 잘못을 낱낱이 순순히 자백했다. 장풍운이 돌아와 모든 시비를 엄하게 다스리자, 유씨와 협력했던 난향 등이 자신의 죄를 _____했어. 좌승상이 표를 올려 옥사를 뒤집고, 유씨를 그 수레에서 사형에 처하고, 난향 등을 능지처참한 후, 이씨를 구호했다. 천자가 몹시 노하여 명현왕의 녹봉을 거두셨다. 장풍운은 이 부인을 처형시키려 한 _____를 뒤집어, 주모자인 유씨와 난향을 죽게 하고 이 부인을 _____했네. 천자는 이런 사정을 알고 유씨의 아버지인 명현왕의 _____을 거두었다.

장면끊기 03 출정에서 돌아온 장풍운이 집안에서 일어난 일을 알아채고 모든 상황을 바로잡는 장면이야. 주인공에 의해 악한 인물인 _____와 난향은 처벌받고, 선한 인물인 _____은 구원받으면서 권선징악의 서사 구조가 드러나고 있어.

– 작자 미상, 「장풍운전」 –

고전소설 독해의 STEP 2

1 인물 간의 관계를 고려하여 구조도의 빈칸에 적절한 말을 채우세요.

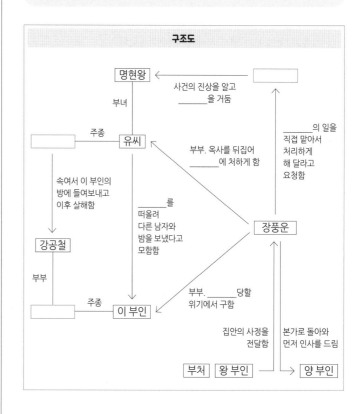

2 1~2번 문제를 풀어 보세요.

1. ㉠에 대한 이해로 가장 적절한 것은?

① '운향'이 계교를 꾸미고 실행하는 공간이다.

② '천자'가 신분적 위계를 강조하는 공간이다.

③ '이 부인'이 세속적 욕망을 추구하는 공간이다.

④ '공철'이 불의의 무리에게 이용당하는 공간이다.

⑤ '장풍운'이 자신의 비범한 능력을 입증하는 공간이다.

2. 문학 개념어 OX 확인 문제

① 인물의 심리를 직접적으로 제시하고 있다. ○ ✕

② 대화와 행동을 중심으로 서사가 전개되고 있다. ○ ✕

고전소설 독해의   STEP 1

❶ 등장인물에 ☐ 표시를 하고 빈칸에 적절한 말을 채우세요.

이윽고 백 소부가 백 소저에게 명하여 가로되,
"오늘 너를 위해 좋은 배필을 얻었으니 지극한 소원을 이루었도다. 아비의 명을 사양치 말고 이 시에 화답하여 맹약을 정하라."
<small>백 소부는 백 소저에게 좋은 _____이 준 시에 화답하여 _____(굳게 맹세한 약속)을 하라고 말하고 있어.</small>

하니, 백 소저가 얼굴에 수줍은 빛을 띠고 오래 주저하다가 화선지 한 폭에 오언 절구 두 수를 쓰더라.

봉황새가 단산(丹山)에서 나왔거늘
깃들인 곳 벽오동 아니로다.
날개가 꺾어짐을 탄식지 말지니
마침내 하늘에 오름을 보리라.

무성함은 고송(高松)의 자질이요
푸르름은 고죽(孤竹)의 마음이라.
사랑스럽다, 세한(歲寒)의 절조여!
바람과 서리에도 굴하지 않네. <small>바람과 _____에도 굴하지 않는 소나무와 대나무의 속성을 예찬하는 내용의 시구를 통해 백 소저의 강직하고 지조 있는 성품을 짐작할 수 있어.</small>

백 소부가 여러 번 낭독하다 감탄하여 가로되,
"시의 격이 빼어나고 아름다우니 가히 소선의 시와 더불어 서로 백중(伯仲)이 될 만하다. 만일 남자였다면 마땅히 장원 급제하리로다. <small>백 소부는 시를 듣고 _____가 뛰어난 재능을 지녔다고 칭찬하고 있어.</small> 그러나 시의 뜻이 스스로 송죽의 절조에 비함은 어찌 된 일이뇨? 후에 시참(詩讖)*이 되지 않을까 두렵노라." <small>백 소부는 백 소저가 시에서 스스로를 송죽의 _____에 비유한 것 때문에 앞으로 백 소저에게 좋지 않은 일이 일어나지는 않을지 _____하고 있어.</small>

이때 김소선은 대면한 백 소저의 용모를 보지는 못하나, 시구를 듣고는 그 청아함을 사랑하고 품은 뜻에 감복하여 크게 감탄하더라. <small>김소선은 백 소저를 직접 보지는 못하나 백 소저의 _____를 듣고 _____하고 있어.</small>
백 소부가 김소선의 시를 화선지에 베껴 백 소저에게 주며 가로되,
"반드시 이 시를 깊이 간직하였다가 후에 신물(信物)을 삼으라."
하고, 또 소저의 쓴 시를 김소선에게 전하여 가로되,
"그대 또한 이 시를 간직하였다가 부귀하게 되면 이 자리의 맹약을 잊지 마시게." <small>백 소부는 _____에게 시를 주며 백 소저와의 _____을 잊지 말라고 당부하고 있어.</small>
하니, 소선과 소저가 절하고 명을 받더라.

<small>**장면끊기 01** 첫 번째 장면은 백 소부가 자신의 딸 백 소저와 김소선을 약혼시키며 그 맹약의 증표로 ____를 주고받게 하는 장면이 제시되었어. 이후 중략 줄거리가 나오니까 여기에서 장면을 끊어주어야겠지?</small>

[중략 줄거리] 세력가인 배연령의 아들 배득량은 백 소저의 정혼 사실을 알면서도 백 소저와 혼인하고자 한다. 배득량은 백 소저의 외삼촌 석 시랑을 통해 그 뜻을 전하나 백 소부는 단호히 거절한다.

석 시랑이 감히 입을 열지 못하고 물러나와, 배득량에게 가 백 소부의 말을 자세히 전하니 득량이 낙담하더라. 이윽고 배연령에게 간청하여 세력으로 억지로 혼인하고자 하더라. <small>배득량은 아버지 _____의 힘을 통해 억지로라도 _____와 혼인하려고 하고 있어.</small> 배연령이 평소 득량을 가장 사랑한 고로 말만 하면 들어주지 아니하는 것이 없더니, 이에 석 시랑을 불러 가로되,
"우리 집이 그대의 제부와 벼슬을 함께 하는 우의가 있고 문벌도 서로 걸맞으니, 혼인을 맺어 가문의 친밀함을 더한다면 어찌 아름다운 일이 아니리오? 그대는 나를 위해 백 소부에게 말하여 혼약을 이루고 속히 좋은 결과를 전할지어다." <small>배연령은 백 소저와 _____을 혼인시키기 위해 _____에게 백 소부를 설득하라고 하고 있어.</small>

<small>**장면끊기 02** 중략 줄거리에서 배득량이 백 소저의 외삼촌인 석 시랑을 통해 백 소저와 혼인하고 싶다는 뜻을 전했으나 백 소부가 _____의 뜻을 밝혔다고 했어. 두 번째 장면에서는 배득량이 이를 듣고 아버지에게 간청하자 배연령이 석 시랑을 불러 다시 백 소부를 설득하라고 말하고 있지. 다음에 이어지는 내용은 이튿날의 상황이므로 여기에서 장면을 나누자!</small>

시랑이 이튿날 다시 백 소부의 집에 가 배연령의 말을 전하여 가로되,

[A]
"누이 말을 들은즉 생질녀와 정한 배필은 눈먼 폐인이라 하더이다. 아름답고 어진 생질녀를 두고 반드시 이런 폐인을 사위로 삼고자 하니 어찌 사려 깊지 못한 것이 아니리오? 이는 아름다운 옥을 구덩이에 버리고 상서로운 난새를 까막까치의 짝으로 삼음과 같으니, 깊이 애석하도다. <small>석 시랑은 생질녀(_____)를 아름다운 옥과 상서로운 난새에, 김소선을 구덩이와 _____에 비유하며 안타까워하고 있어.</small> 지금 배 승상은 가장 천자의 총애를 입어 위세와 복록을 이루어 그 권세가 두려울 만하거늘, 생질녀의 어짊을 듣고 그 아들 득량을 위하여 반드시 혼약을 맺고자 하니 그 호의를 저버려서는 안 될지라. 바라건대 다시 깊이 헤아려 뒷날 크게 후회하지 않게 하소서." <small>석 시랑은 뒷날 _____하지 않으려면 백 소저를 배득량과 _____을 맺게 하라며 백 소부를 설득하고 있어.</small>

소부가 듣자마자 크게 노하여 가로되,
"어찌 식견 없는 말을 내는고? 배연령이 아무리 하늘을 태울 기세가 있고, 바다를 기울일 수완이 있더라도 나는 두려워 아니하노라. 더구나 딸아이는 이미 다른 사람에게 허락하였은즉, 폐인이며 폐인이 아님을 논할 것 없이 자네가 간여할 바가 아니로다." <small>백 소부는 _____의 제안에 거절하는 뜻을 다시금 분명히 하며 김소선에 대해 함부로 논하지 말라고 하고 있어.</small>

시랑이 크게 부끄러워 감히 말 한마디 못하고 돌아가 배연령을 뵈어 가로되,
"백 소부의 뜻이 이미 굳건하니, 온갖 구실로 설득할지라도 돌이키지 못할 것입니다."
하거늘 연령이 노하여 꾸짖어 가로되,
"백문현이 어떤 존재이기에 감히 내 말을 거역하는가?" <small>배연령은 자신의 말을 _____한 _____(백 소부)에게 분노하고 있어.</small>

<small>**장면끊기 03** 세 번째 장면에서 석 시랑은 배연령의 말대로 백 소부를 설득하지만, 백 소부는 이를 단호히 거절하고, 이를 전해 들은 배연령이 (분노/좌절)하게 돼. 뒤에는 배연령이 황보박을 부추겨 백 소부를 무고하는 내용이 나와. 따라서 여기에서도 끊어 읽어주는 게 좋겠지?</small>

드디어 공부 좌시랑 황보박을 부추겨서, 평장사 백문현이 비밀히 변방의 오랑캐와 결탁하여 사직을 위태롭게 꾀한다고 무고(誣告)하게 하니, 천자가 크게 노하여 백 소부를 형리에게 부쳐 장차 죽이고자 하더라. 여러 대신이 교대로 상소를 올려 지극히 간하니 천자의 노여움이 누그러져서 소부의 작위를 거두고 애주 참군으로 강등시켜 당일로 압송케 하니라. 조명(詔命)*이 한번 내리매 만조백관이 두려워하여 감히 다시 간하지 못하고, 백 소부의 집은 상하가 다 통곡함을 마지아니하더라.

장면끊기 04 세 번째 장면에서 배연령은 자신의 제안을 거절한 백 소부에게 분노의 감정을 느끼지? 네 번째 장면은 이에 앙심을 품고 황보박을 부추겨 백 소부를 _____하여 유배를 가게 만든 상황이 제시되었어.

– 서유영, 「육미당기(六美堂記)」 –

*시참: 우연히 지은 시가 이상하게도 뒷일과 꼭 맞는 일.

*조명: 천자의 명령을 적은 문서.

2 1~2번 문제를 풀어 보세요.

1. 윗글을 통해 알 수 있는 내용으로 적절한 것은?

① 부모의 개입 없이 배우자 선택이 이루어지고 있다.

② 개인의 혼사 문제가 가문의 성쇠와 관련되고 있다.

③ 재물의 많고 적음에 따라 인물의 운명이 결정되고 있다.

④ 대신들 간의 다툼으로 천자의 지위가 위태로워지고 있다.

⑤ 간신들이 오랑캐와 결탁하여 나라를 위기로 몰아가고 있다.

2. 인물의 말하기 방식 OX 확인 문제

① [A]에서 석 시랑은 비유를 활용하여 생질녀의 용모와 인품을 치켜세우고 있다.　　　○ ✕

② [A]에서 석 시랑은 장차 닥칠 수 있는 어려움을 암시하며 백 소부를 설득하고 있다.　　　○ ✕

고전소설 독해의 STEP 2

1 인물 간의 관계를 고려하여 구조도의 빈칸에 적절한 말을 채우세요.

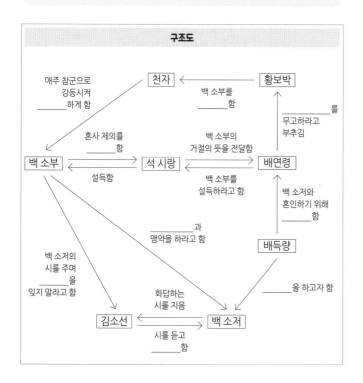

구조도

고전소설 독해의 STEP 1

❶ 등장인물에 ▢ 표시를 하고 빈칸에 적절한 말을 채우세요.

[앞부분 줄거리] 양태백은 첩 송녀에게 미혹되어 부인과 세 남매를 내쫓는다. 부인은 병을 얻어 죽게 되고, 세 남매는 양태백을 찾아간다. 양태백은 송녀의 뜻에 따라 세 남매를 노복처럼 부리다가, 수년이 지나 장녀인 채옥을 송녀의 사촌과 결혼시키려 한다. 채옥이 이를 거절하자 양태백은 세 남매를 모두 내친다. 줄거리는 지문 이해나 문제 풀이에 필요한 내용이라서 출제자가 정리해 준 거니까 반드시 그 내용을 이해하고 넘어가야 해. 인물들의 관계와 장녀 _____을 포함한 세 남매의 처지를 파악하고 넘어가자.

　채옥 등이 또 불의지경을 당하매 더욱 망극하여 하늘을 우러러 통곡하다가 정신을 차려 생각하되, '다시 영산으로 갈밖에 없다.' 하고, 인하여 풍을 이끌고 영산으로 찾아간즉, 할미가 이미 죽었는지라. 흥격이 막혀 모친 묘하에 가 일장통곡하고, 채옥은 ___을 이끌고 _____으로 찾아갔지만 할미는 이미 죽었고, 모친 묘하에 가서 슬픔을 토로하고 있어. 일신이 고달파 잠깐 졸더니 문득 모친이 곁에 앉으며 왈,
　"너희 나를 보려 하거든 옥룡전을 찾아오라."
하거늘, 채옥 등이 놀라 깨어 체읍하다가 생각하매, 병을 얻어 죽은 _____이 곁에 앉아 말을 하자 놀라 잠에서 깨어났다.
　'모친 영혼이 아무리 옥룡전을 찾아오라 하신들, 십여 세 여아가 어찌 누만 리를 찾아가리오. 차라리 이곳에서 죽어 지하에 가 모친을 뵈옴만 같지 못하다.'
하고 자결코자 하더니, 다시 생각하매,
　'나는 죽어 관계치 않거니와, 어린 동생을 어찌 차마 버리리오.'
하고, 채옥은 십여 세의 어린 나이에 혼자 힘으로 옥룡전을 찾아가기는 어렵다고 생각해 _____하고자 했지만, 어린 동생을 책임져야 한다는 생각에 마음을 고쳐먹고 있어. 설운 마음을 억제하고 동녘을 바라보니 버들가지 난만한지라. 그것을 취하여 먹은즉 적이 요기되매, 다시 모친 묘에 하직하고 동으로 행하여 가더니, 한곳에 이른즉 산수는 기구하고, 송죽은 소슬하여 슬픈 마음을 돕는 곳에 일색이 저물고 인적이 끊인지라.
　장면끊기 01 첫 번째 장면은 채옥 남매가 쫓거나 _____으로 간 뒤 꿈속에서 죽은 모친을 만나는 내용이 제시되었어. 이후 공간의 이동과 함께 채옥 남매가 새로운 인물을 만나게 되니 여기에서 장면을 끊을게.

　서로 붙들고 앉았다가 동편을 바라보니 한 누각이 있거늘, 마음에 반가이 여겨 찾아들어 가니, 사람은 없고 전상(殿上)에 일위 부인이 머리에 화관을 쓰고 몸에 황포를 입고 앉았으니, 보기에 가장 거룩한지라. 나아가 재배하니, 부인 왈,
　"너희 어떤 사람으로 이 심산에 들어왔느뇨."
　채옥이 대왈,
　"소녀 등이 당금 승상 양태백의 자녀러니, 부친이 애첩 송녀의 참소를 듣고 모친과 소녀 등을 내치시매, 모친은 영산에서 기세(棄世)하사 동해 숭산 옥룡전으로 가신고로 소녀 등이 방금 찾아가다가 이곳에 이르렀사오니, 바라건대 부인은 어여삐 여기사 앞길을 가르쳐 주실까 하나이다." 채옥은 부인에게 남매가 겪은 일을 요약적으로 설명하며 낯선 곳에 이르러 어디로 가야 할지 모르니 _____으로 가는 길을 알려달라고 부탁하고 있어.
　부인이 듣고 가긍히 여겨 시녀를 불러 음식을 가져오라 하여

주거늘, 채옥 등이 받아먹기를 다하매, 부인 왈,
　"숭산이 여기서 만 사천 리나 되니 너희 어찌 가려 하는다. 오늘은 이미 저물었으니 이곳에서 머물고 명일에 떠나가라."
　채옥 등이 사례 왈,
　"죽게 된 인생을 선찬으로 먹이시고, 또 앞길을 가르쳐 주시니, 은혜 태산이 낮사옵거니와, 감히 묻잡나니 부인 칭호를 듣고자 하나이다." 음식을 먹고 기력을 회복한 채옥 등은 _____를 입은 것에 감사해하며 부인의 _____를 묻고 있어.
　"나는 이 산 지키는 후토부인이노라."
하고, 인하여 간 데 없거늘, 채옥 등이 대경하여 살펴본즉, 누각은 없고 나무 아래 바위 밑에 있는지라. 갑자기 _____이 사라지면서 배경이 바뀌는 것은 환상성이 부각되는 대목이야.
　장면끊기 02 두 번째 장면은 채옥 남매가 모친 묘에서 _____으로 이동하여 _____을 만나 도움을 받는 내용이야. 이어지는 내용에서는 큰 ___이 등장하면서 새로운 사건이 일어나니 다시 한 번 장면을 끊을게.

　그제야 산신인 줄 알고 공중을 향하여 배사하고, 그 바위 밑에서 밤을 지내더니, 문득 큰 범이 발톱을 세우며 입을 벌리고 달려들어 물려 하거늘, 채옥 등이 대경실색하여 죽는 줄로 알아 이에 담을 크게 하고 경계 왈,
　"우리 남매 물욕을 탐하여 가는 길이 아니라, 우리 서모의 참소를 만나 모친을 여의고, 우리들이 길로 헤매이다가 이곳에서 삼 남매 목숨이 진할 줄 어찌 알았으리오."
하며 대성통곡하니, 그 범이 듣는 체하다가 한 번 곤두치더니, 문득 중이 되어 채옥 등을 붙들고 왈,
　"나는 이 산 신령이더니, 너희 정성을 시험코자 하여 내 변하여 범이 되어 너희를 놀램이러니, 도리어 불안하도다."
하고, 바랑을 열어 실과를 내어 주며 왈,
　"이것을 먹으면 기갈을 면하리라."
하거늘, 채옥 등이 받아먹은즉 정신이 쇄락*한지라 꿇어 사례 왈,
　"어린 인생을 이같이 관대하시니 은덕이 망극하거니와 동해 가는 길을 인도하시면 결초보은하리이다." 채옥은 산신령이 준 _____를 받아먹고 정신이 맑아져 그 은덕에 감사하며 나중에 은혜를 갚겠다고 하고 있어.
　그 중이 왈,
　"너희 소원을 아노니, 이 고개를 넘어가면 천황보살이 있을 것이니, 거기 가 지성으로 빌면 길을 가르쳐 줄 것이매, 부디 조심하여 가라."
　장면끊기 03 세 번째 장면은 채옥 남매가 바위 밑에서 ___을 지내고 큰 범을 만난 내용이 제시되었어. 중략 이후에는 또 새로운 인물과 사건이 제시되니 여기에서 장면을 끊자!

(중략)

　석불이 가로되,
　"네 말이 심히 가긍한지라 길은 가르쳐 주려니와, 네 능히 득달할소냐."
　채옥 왈,
　"십여 세 아이로 누만 리 득달함을 어찌 기필(期必)하리오마는, 다만 주야 원하는 바는 한 번 모친을 뵈옵고 죽고자 하오니, 가다가 길에서 죽사와도 한이 없을까 하나이다." 채옥은 석불에게 죽더라도 _____을 만나고 싶다는 소망을 드러내고 있어.

석불 왈,

"네 정성이 감천(感天)할지라, 네 모친을 만난 후 돌아와 내 제자 됨이 어떠하뇨."

채옥 등이 왈,

"모친을 만나게 하시는 은혜 가이없삽거든, 하물며 제자를 삼고자 하시니, 이는 가위 불감청(不敢請)이언정 고소원(固所願)*이오니 어찌 거역하리이까." 채옥은 모친을 만나고 돌아와 자신의 _____가 되라는 석불의 제안을 받아들이고 있네.

석불 왈,

"그러하면 내 낙화*를 주나니 이를 가지고 내 말을 자세히 들어 행하라. 이곳에서 동으로 삼십 리를 가면 돌문 둘이 있으되, 좌편은 서양국으로 가는 길이요, 우편은 용궁으로 가는 문이라. 낙화를 흔들면 우편 문이 열릴 것이니, 그 문에 들어 십 리쯤 가면 길을 막는 선관(仙官)과 짐승이 있을 것이니, 낙화를 흔들어 여차여차하여 나아가면 반드시 구하여 줄 선관이 있을지라. 이렇듯하여 자연히 옥룡전에 이르러 너의 모친을 볼 것이니, 부디 조심하여 가라."

하거늘, 채옥이 절하려 몸을 굽힐 즈음에 잠을 깨니 남가일몽이라.

장면끊기 04 네 번째 장면은 채옥이 꿈에서 석불을 만나 _____를 받고 모친을 만나는 방법을 듣는 내용이야. 이후 ___을 깼다고 하며 현실로 돌아오니 여기까지 네 번째 장면으로 볼 수 있어.

몽중의 수작이 명백하고, 또 곁에 낙화가 놓였거늘 채옥이 기이히 여겨 천황보살의 영험함에 감격하여 즉시 백배 하직하고, 인하여 동으로 삼십 리를 가서 과연 돌문 둘이 있거늘, 낙화를 한 번 흔드니 그 문이 절로 열리는지라.

장면끊기 05 다섯 번째 장면은 채옥이 꿈속에서 _____이 알려준 대로 낙화로 돌문을 여는 내용이 제시되었어.

– 작자 미상, 「양풍전」 –

*쇄락: 기분이나 몸이 상쾌하고 깨끗함.

*불감청이언정 고소원: 마음속으로 간절하지만 감히 청하지 못한 것이나 본디부터 바라던 바.

*낙화: 모란의 별칭.

---

1 인물 간의 관계를 고려하여 구조도의 빈칸에 적절한 말을 채우세요.

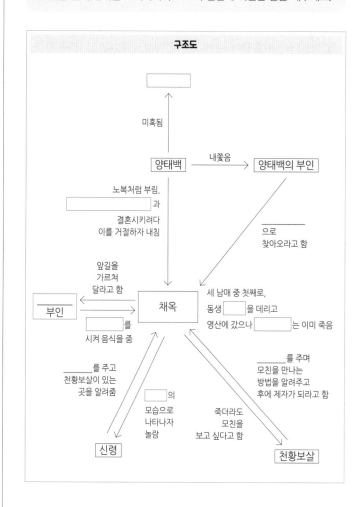

구조도

2 1~2번 문제를 풀어 보세요.

1. 윗글에 대한 이해로 가장 적절한 것은?

① 채옥은 화관과 황포를 통해 후토부인이 산신임을 알아차렸다.

② 범으로 나타난 신령은 시험을 통해 채옥 남매가 지닌 능력을 알아보고자 했다.

③ 집에서 쫓겨난 채옥 남매는 영산에 가 할미가 죽은 것을 알고 절망감을 느꼈다.

④ 채옥은 동생들을 책임져야 한다는 것에 대한 부담감이 커져 자결하는 것이 낫다고 판단했다.

⑤ 석불은 채옥 남매가 자신의 말대로 용궁으로 가더라도 옥룡전에 이르지 못할 수 있다고 생각했다.

2. 문학 개념어 OX 확인 문제

① 인물들 간의 대립 관계가 제시되고 있다.　　　　　　　　　○　✕

② 꿈은 인간계와 천상계를 매개하며 환상의 여로를 시작하게 만드는 기능을 수행하고 있다.　　　　　　　　　○　✕

고전소설 독해의　STEP 1

▣ 등장인물에 ☐ 표시를 하고 빈칸에 적절한 말을 채우세요.

[앞부분의 줄거리] 홍 판서와 시비 춘섬 사이에서 서자로 태어난 길동은 자신의 처지를 괴로워하다가 부친께 호부호형을 허락받고, 집을 나와 활빈당 활동을 벌여 조정과 대립하다가 병조판서 벼슬을 받는다. 작품 내용을 이미 알고 있더라도, 줄거리에서는 뒤에 나올 내용에 영향을 미친 사건, 등장인물의 관계 등을 설명해주니 주목해서 읽어보는 게 좋아. 길동은 ＿＿＿＿＿라는 신분으로 인해 괴로워했고, 이 때문에 ＿＿＿＿ 활동으로 조정과 대립했군.

음력 구월 보름에 임금이 달빛을 받으며 후원을 걸으실새, 문득 맑은 바람이 일어나며 공중에서 피리 소리가 청아한 가운데 한 소년이 내려와 주상 앞에 엎드렸다. 어느 밤 ＿＿＿이 후원을 걷고 있을 때, 맑은 바람이 일고, 맑고 아름다운 ＿＿＿＿＿＿＿가 들리면서 공중에서 갑자기 한 소년이 나타나. 임금이 놀라 묻기를,
"선동(仙童)이 어찌 인간 세상에 내려왔으며 무슨 일을 말하고자 하나뇨?"
소년이 땅에 엎드려 아뢰기를,
"신은 전임 병조판서 홍길동이옵니다."
상이 또 놀라 묻기를,
"네가 어찌 심야에 왔느냐?" 선동이 스스로 ＿＿＿＿임을 밝히자 놀란 임금은 늦은 밤 자신을 찾아온 이유를 물어.
길동이 대답해 가로되,
"신이 전하를 받들어 만세를 모실까 했으나, 천한 종의 몸에서 태어났기에 문(文)으로는 홍문관 벼슬이 막히고 무(武)로는 선전관 벼슬이 막히었습니다. 이런 까닭에 활빈당으로 더불어 사방을 멋대로 떠돌아다니며 관청에 폐를 끼치고 조정에 죄를 지었던 것이온데, 이는 전하로 하여금 아시게 하려 함이었습니다. 길동은 자신이 ＿＿＿＿＿으로 활약했던 이유가 서자라는 신분의 제약으로 인해 ＿＿＿＿에 오를 수 없다는 문제를 알리기 위함이었다고 말해. 이제 벼슬을 내리어 신의 소원을 풀어 주셨으니 전하를 하직하고 조선을 떠나가옵니다. 엎드려 바라건대 전하는 만수무강하소서." 자신의 소원대로 ＿＿＿＿＿라는 벼슬을 받은 길동은 조선을 떠나기 전 임금께 ＿＿＿＿하기 위해 온 것이었어.
하더니 공중에 올라 아득히 날아가거늘, 임금이 그 재주를 못내 칭찬하였다. 그 후로는 길동의 폐단이 없으니 사방이 태평하였다. 공중에서 갑자기 나타났던 길동은 하직 후 다시 공중으로 사라졌고, 길동의 ＿＿＿이 없어지자 조선은 태평을 이루었어.
길동이 조선을 하직하고 남경 땅 제도라는 섬으로 들어가, 수천 호의 집을 짓고 농업에 힘쓰고 무기 창고를 지으며 군법을 연습하니, 병사는 잘 훈련되고 양식은 풍족하게 되었다.

장면끊기 01　후원을 걷던 임금 앞에 나타난 길동은 신분의 제약으로 벼슬에 오르지 못했지만, 바라던 소원을 이루어 ＿＿＿을 떠나겠다고 말한 후 ＿＿＿＿라는 섬으로 들어갔고, 그곳을 살기 좋은 곳으로 만들었어. 이후 중략되니 장면을 끊자.

(중략)

상주 인형이 자세히 보니, 곧 길동이라 붙잡고 통곡하며,
"아우야, 그 사이 어디 갔더냐? 아버지께서 평소에 유언이 간절하셨는데, 이제 오니 어찌 자식의 도리이겠느냐?"
하며, 손을 이끌고 내당에 들어가 모부인(母夫人)을 뵈옵고 춘섬을 상면하여 한바탕 통곡하였다. 부친 홍 판서가 죽은 뒤에야 돌아온 길동을 붙잡고 인형과 춘섬은 ＿＿＿＿하고 있어.
"네가 어찌 중이 되어 다니느냐?"
하니, 길동이 대답했다.
"소자가 조선을 떠나 머리 깎고 중이 되어 지술(地術)을 배웠습니다. 이제 부친을 위하여 좋은 터를 구했으니, 모친은 염려 마소서."
인형이 크게 기뻐하며 말하였다.
"너의 재주 기이한지라, 좋은 터를 얻었으면 무슨 염려가 있으리오." 길동은 풍수지리설에 따라 묏자리나 집터의 좋고 나쁨을 알아내는 지술을 배웠다고 말하며 부친의 묘를 모실 ＿＿＿＿＿를 구했다고 하고, 인형은 홍길동의 뛰어난 능력을 믿기에 기뻐하고 있어.

장면끊기 02　길동이 가족을 만나 돌아가신 아버지를 위해 좋은 터를 구했다고 말하자 가족들은 기뻐하였다. 이어지는 장면에서 ＿＿＿＿＿이 되어 길동과 가족 일행이 부친을 위해 구한 터로 이동하므로 장면을 끊자.

[A]

다음날 길동이 운구하여 제 모친을 모시고 서강 강변에 이르니, 지휘해 놓은 대로 배가 기다리고 있었다. 배에 올라 화살같이 빨리 저어 한 곳에 다다르니, 여러 사람이 수십 척의 배를 대어 놓고 있었다. 서로 반기며 호위하여 가니 그 광경이 대단하였다. 어언간 산 위에 다다르매, 인형이 자세히 본즉 산세가 웅장한지라, 길동의 지식을 못내 탄복하였다. 길동이 정해 놓은 터의 웅장한 ＿＿＿를 본 인형은 아버지를 모시기에 좋은 곳이라 여겨 길동의 능력에 감탄해. 일을 마치고 함께 길동의 처소로 돌아오니, 백씨와 조씨가 시어머니와 시숙을 맞아 뵈옵는 한편, 인형과 춘섬은 못내 길동의 지식을 탄복하였다.

장면끊기 03　길동의 안내대로 아버지를 산소에 모신 후 일행은 처소로 돌아왔어.

여러 날이 되자, 인형은 길동과 춘섬을 이별하면서 산소를 극진히 모시라 당부한 후, 산소에 하직하고 출발했다. 본국에 이르러 모부인을 뵈옵고 전후 사실을 고하니, 부인이 신기하게 여겼다. 길동이 제사를 극진히 받들어 삼년상을 마치매 모든 영웅을 모아 무예를 익히며 농업에 힘쓰니, 병사는 잘 조련되고 양식도 풍족했다. 인형은 본래 집으로 돌아가고, 길동은 제사를 받들어 아버지의 ＿＿＿＿＿을 잘 마쳤다는 사실을 요약하여 전달했어. 참고로 조선시대에 돌아가신 부모님의 제사를 지내는 것은 장자의 의무였으나, 서자인 길동이 이를 맡았다는 점도 눈여겨볼 만하지.

장면끊기 04　인형은 길동과 춘섬에게 산소를 잘 모시라 ＿＿＿＿하며 본국으로 돌아가고, 홍길동은 아버지의 삼년상을 잘 마치고 병사를 훈련시키며 농업에 힘쓰는 등 섬을 잘 다스렸어.

남쪽에 율도국이라는 나라가 있었으니, 기름진 평야가 수천 리나 되며 덕화(德化)가 행해지니 실로 살기 좋은 나라라, 길동이 매양 생각해 오던 바였다. 모든 사람을 불러 말하기를,
"내가 이제 율도국을 치고자 하니 그대들은 정성을 다하라."
하고는 그날로 진군하였다. 길동은 넓고 기름진 평야를 가졌으며, 덕화가 행해져

살기 좋은 나라였던 _____을 정복할 결심을 했네. 길동은 스스로 선봉장이 되고 마숙으로 후군장을 삼아, 정예병 오만을 거느리고 율도국 철봉산에 다다라 싸움을 걸었다. 율도국 태수 김현충이 난데없는 군사가 이름을 보고 크게 놀라 왕에게 보고하는 한편, 한 부대의 군사를 거느리고 내달아 싸웠다. 길동이 이를 맞아 싸워 한 번에 김현충을 베고 철봉을 얻어 백성을 달래어 위로하였다. 정철로 철봉을 지키게 하고, 전쟁 혹은 전투 장면은 여러 인물이 등장하고 전투 과정도 서술되어 복잡하게 느껴질 수 있어. 대군을 지휘하여 바로 도성을 칠새, 격서(檄書)를 율도국에 보냈으니, 내용은 이러하였다.

"의병장 홍길동은 글을 율도왕에게 부치나니, 대저 임금은 한 사람의 임금이 아니요 천하의 임금이라. 내 하늘의 명을 받아 병사를 일으키매, 먼저 철봉을 깨뜨리고 물밀듯 들어오니, 왕은 싸우고자 하거든 싸우고, 그렇지 않으면 일찍 항복하여 살기를 도모하라." 철봉을 친 길동과 군사들은, 율도왕에게 _____하라는 내용의 격서를 보냈어. 길동은 자신이 _____의 명을 받아 병사를 일으켜 율도국을 정복하러 왔다는 명분을 제시하고 있음을 확인할 수 있어.

왕이 보기를 마치자 크게 놀라,

"우리나라가 철봉을 굳게 믿었거늘, 이제 잃었으니 어찌 대항하리오."

하고는, 모든 신하를 거느리고 항복했다. 율도왕과 그 신하들은 저항 없이 _____했네.

길동이 성중에 들어가 백성을 달래어 안심시키고 왕위에 오른 후, 율도왕을 의령군에 봉했다. 마숙과 최철로 각각 좌의정과 우의정을 삼고, 나머지 여러 장수에게도 각각 벼슬을 내리니, 조정에 가득 찬 신하들이 만세를 불러 하례하였다. 왕이 나라를 다스린 지 삼 년에 산에는 도적이 없고 길에 떨어진 물건도 주어 갖지 않으니, 태평세계라고 할 만하였다. 왕위에 오른 길동은 삼 년 만에 율도국에 _____를 이루어 살기 좋은 나라를 만들었어.

장면끊기 05 군사들을 이끌고 율도국에 쳐들어간 길동은 율도국의 ___ 이 되고, 그곳을 잘 다스려 태평세계를 이루었어.

— 허균, 「홍길동전」 —

고전소설 독해의 STEP 2

1 인물 간의 관계를 고려하여 구조도의 빈칸에 적절한 말을 채우세요.

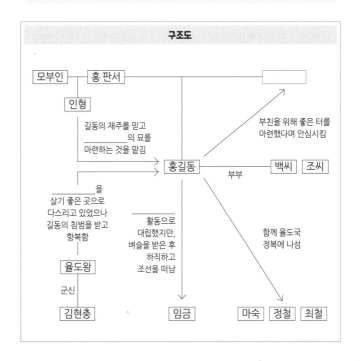

구조도

2 1~2번 문제를 풀어 보세요.

1. [A]에 대한 이해로 가장 적절한 것은?

① 부친의 삼년상을 길동이 영웅들을 모아 함께 치르는 과정에서, 길동과 부하들 간의 유대감이 공고해지고 있다.

② 부친의 생전에 호부호형을 허락받았던 길동이 부친의 사후에는 산소를 모시게 됨으로써, 자식으로서의 지위가 강화되고 있다.

③ 부친을 운구하는 일에 많은 사람들이 엄숙하게 참여함으로써, 부친의 평소 넓은 인간관계가 사회적 차원에서 확인되고 있다.

④ 부친을 산소에 모시는 자리에 모부인이 참석하였다는 점에서, 부친 사후 모부인을 중심으로 길동의 가족 관계가 재편되고 있다.

⑤ 부친을 위해 좋은 터를 마련하고자 지술을 배운 길동을 모친이 염려하는 데서, 주술을 용인하지 않으려는 가족의 태도가 드러나고 있다.

2. 문학 개념어 OX 확인 문제

① 비현실적 공간에서 느껴지는 신비로움이 강조되고 있다. ○ ✕

② 인물의 발화를 통해 이전 사건을 요약적으로 제시하고 있다. ○ ✕

하루 30분, **고전소설 트레이닝**

고전소설 독해의 STEP 1

1 등장인물에 ☐ 표시를 하고 빈칸에 적절한 말을 채우세요.

[앞부분의 줄거리] 하생은 재주가 뛰어났으나 벼슬을 못하고 울적한 날들을 보낸다. 그러던 어느 날 하생은 점쟁이의 도움을 받아 남문 밖에 있는 한 여인과 인연을 맺고 하룻밤을 보내게 된다. 다음 날 여인은 자신이 장사 지낸 지 사흘 된 귀신임을 밝히면서, 자기 대신 무덤에서 나가 금척(金尺)을 하마석(下馬石) 위에 놓아 달라고 부탁한다. 산 사람인 _____과 죽은 사람, 즉 ____인 여인의 인연이 제시되었군. 이처럼 사람과 영혼(귀신) 사이의 사랑이 나오는 것을 명혼 모티프라고 해. 이 작품은 사람과 귀신의 사랑 이야기라는 (현실적/**비현실적**) 요소를 지니고 있어. 하생이 무덤에서 나와 시킨 대로 하자, 여인의 집 비복들이 하생을 무덤 도둑으로 의심하여 여인의 부모 앞에 끌고 간다. 하생은 여인의 아버지인 시중에게 지금까지 있었던 일들을 모두 고한다.

시중이 말했다.
"그렇군. 즉시 삽과 삼태기를 준비하고 가마를 대령해라. 내가 직접 가 봐야겠다." 여인이 하생에게 준 _____이 여인의 무덤 속 물건이기에 하생은 _____으로 몰리게 되었어. 이 일을 계기로 하생은 여인의 부모에게 전후사정을 전할 수 있게 되었고, 하생의 이야기를 들은 시중은 딸의 무덤을 직접 보러 가.

시중은 하인 몇 명을 남겨 하생을 지키게 하고 길을 나섰다. 잠시 후 묘역에 이르러 보니 봉분의 모습은 예전 그대로 변함이 없었다. 시중은 의아히 여겨 무덤을 파 보았다. 무덤 속의 딸은 안색이 산 사람과 같았다. 심장 있는 쪽을 만져 보니 조금 온기가 있는 것이 아닌가. 이미 죽어 장례를 치르고 묻은 딸의 안색이 _____과 같고, 온기가 있다니 (현실적/**비현실적**)이군. 시중은 유모를 시켜 딸을 안게 하고 가마에 태워 돌아왔다. 무당이나 의원을 부를 겨를도 없이 가만히 안정을 취하도록 할 따름이었다. 해질녘이 되자 시중의 딸이 깨어났다. 여인은 부모를 보더니 한 번 가느다란 소리를 내어 흐느꼈다. 기운이 차츰 진정되자 부모가 물었다.
"네가 죽고 난 뒤에 무슨 이상한 일이 있었느냐?"
"저는 꿈인 줄만 알고 있었는데, 제가 정말 죽었었나요? 별다른 일은 없었어요."
여인은 그렇게 말하며 뭔가 수줍어하는 기색이었다. 부모가 무슨 일이 있었는지 재차 캐묻자 여인이 어쩔 수 없이 이야기를 시작하는데 하생이 했던 말과 꼭 들어맞는 것이었다. 온 집안사람들이 무릎을 치며 놀랐다. 다시 살아난 여인에게 지난 일을 묻자, 여인이 하생과 똑같은 얘기를 했으니 집안 사람들은 크게 놀랐지. 참고로 죽은 여인이 되살아난 것에서 재생 모티프를 확인할 수 있는데, 이처럼 현실에서는 일어나기 어려운 비현실적인 일들이 일어날 때 작품이 (사실성/**전기성**)을 지닌다고 해. 이제 하생은 그 집 사람들에게 매우 융숭한 대접을 받게 되었다.
장면끊기 01 하생의 말을 들은 시중은 딸의 _____을 파서 아직 온기가 남아 있는 딸을 집으로 데려왔고 얼마 안 있어 여인은 소생했어. 여인이 되살아나는 데 기여한 하생은 집안 사람들에게 융숭한 _____을 받지.

며칠이 지나자 여인은 평상시의 모습을 완전히 회복하였다. 시중은 하생을 위해 성대한 잔치를 베풀었다. 그 자리에서 시중은 하생의 집안에 대해 묻고, 또 하생이 혼인했는지 여부를 물었다. 하생은 아직 혼인하지 않았다고 말한 뒤 부친은 평원(平原) 고을의 유생으로 오래 전에 작고하셨다고 대답했다. 시중은 고개를 끄덕이더니 안으로 들어가서 아내와 의논하였다.

"하생의 용모와 재주가 참으로 범상치 않으니 사위로 삼는다 해도 문제될 건 전혀 없겠소만 집안이 서로 걸맞지 않는구려. 더구나 이번에 겪은 일이 너무 괴상망측하고 보니 이 일을 계기로 혼인을 시켰다가는 세상 사람들의 입에 오르내리지 않을까 싶소. 그래서 나는 그냥 재물이나 후하게 주어 사례하는 것으로 끝냈으면 싶소."
시중은 하생의 용모와 재주가 뛰어나지만, _____이 걸맞지 않고 두 사람의 인연이 괴상하여 _____의 입에 오르내릴 것이 염려된다는 이유로 _____ 대신 재물로 사례하자고 해. 하생과 여인은 부모님의 반대라는 혼사 장애에 부딪혔어.

부인이 말했다.
"이 일은 당신이 결정할 문젠데, 아녀자가 어찌 나서겠어요?"
_____은 하생과 여인의 혼인을 반대하는 시중의 뜻에 동조해.
장면끊기 02 여인이 살아난 뒤 시중은 다양한 이유를 들어 하생과 여인의 혼인을 (찬성/**반대**)하지.

하루는 시중이 또 잔치를 열어 하생을 위로하며, 하생의 소원을 물었는데 혼사에 관한 언급은 일체 없었다. 하생은 답답하고 불쾌한 마음으로 숙소에 돌아와 가슴을 치고 속을 태우며 약속을 저버린 여인을 원망했다. 시중이 여인과 하생의 혼인을 언급하지 않자, 하생은 여인과 둘 사이의 혼인 약속이 깨졌다고 생각해서 속을 태우며 여인을 _____해. 하생은 곧바로 절구 한 편을 지어 작은 종이에 쓰더니 여인의 유모더러 여인에게 전해 달라고 부탁했다. 하생의 시는 다음과 같다.

옥에 티끌이 묻었다 해서 더럽혀질 건 없나니
둥지로 돌아간 봉황새가 난새를 다시 돌아볼 리 있겠는가.
팔뚝 위의 눈물 자국 사라지지 않았거늘
꿈속의 좋았던 만남 지금 외려 부끄럽네.
하생은 자신의 심경을 담은 ____를 써 여인에게 전달해. '둥지로 돌아간 봉황새'는 (여인/**하생**), '난새'는 (**여인**/하생)을 빗대어 표현한 것으로 해석할 수 있어.

여인은 하생의 시를 보고 깜짝 놀랐다. 저간의 사정을 물은 뒤에야 비로소 부모가 하생의 마음을 저버렸다는 사실을 알게 되었다. 여인은 그 즉시 병들었다며 음식을 입에 대지 않았다. 하생의 시를 보고 놀란 여인은 부모님이 하생과 자신의 혼인을 반대한다는 사실을 알고 앓아누웠어. 부모가 딸의 속마음을 짐작하고 병이 난 이유를 묻자 여인은 눈물을 흘리며 말했다.
"부모님의 큰 잘못을 남의 일인 양 원망하지 않는 것도 불효요, 부모님의 작은 잘못을 지나치게 따지는 것도 불효입니다. 남의 일인 양 소원하게 대할 수 없어 말씀드리려는 건데, 지나치게 따지는 일이 될까 봐 걱정이어요." 여인은 하생의 마음을 저버린 부모님의 _____에 대해 말하는 것이 불효를 저지르는 일이 될까 봐 걱정하고 있어.
부모가 말했다.
"하고 싶은 말을 해 보아라. 숨길 것이 무어 있겠느냐?"
여인은 비녀와 귀걸이를 빼고 일어나 절한 뒤 죄를 청하며 말했다.
장면끊기 03 여인과 나눈 혼인 약속이 깨졌다고 생각해 속이 상한 _____은 _____에게 원망의 마음을 담아 시를 써 전달했어. 이를 받은 여인이 앓아눕자 부모가 와서 그 이유를 물었으니 이후 여인은 자신의 심경을 전달하겠지? 하생과 여인, 그리고 여인의 부모님은 두 사람의 혼인을 두고 갈등 중이라고 정리할 수 있어.

(중략)

아버지 어머니시여 / 지금부터 이제 / 다복하시기를 바라신다면 / 자손을 편안하게 해 주세요. / 어찌 운명을 거역하시며 / 제 마음을 몰라주시나요. / 기러기 화락하게 우는 / 해 뜨는 아침에 혼례를 올리고 싶어요. / 아리따운 처녀 혼기가 찼으니 / 길일을 놓치지 말았으면 해요. / 우리 둘 다시 만나는 게 / 저의 소원이고 저의 도리예요. / 백주(柏舟)* 시로 맹세하나니 / 다른 마음 품지 않으려 해요. / 이리 될 줄 알았다면 / 살아나지 않는 편이 나았을 거예요. / 공강의 혼령 있으리니 / 그와 손잡고 함께 갈까 해요.

여인은 하생과 자신이 운명이라고 말하며 하생과의 혼인을 허락해 줄 것을 간청해.

시중은 눈물을 흘리며 한숨을 내쉬더니 이렇게 말했다.
"내가 진실하지 않고 자애롭지 못해 너를 이 지경에 이르게 했구나! 지금 뉘우친들 무슨 소용이 있겠느냐? 월하노인*이 붉은 실을 발에 묶어 이미 정해진 운명인 터이니 네 뜻대로 해야겠다."

하생과의 혼인을 간청하는 여인의 말을 들은 _____은 자신의 행동을 뉘우치며 여인의 뜻대로 진행할 것임을 밝혀.

장면끊기 04 하생과의 혼인을 반대하던 시중이 결국 딸의 뜻대로 혼인을 허락하며 혼사 장애가 해결되는 것으로 지문이 마무리되고 있어. 참고로 이후 내용에서 하생은 여인과 혼인 후 과거에 급제하여 행복하게 살아. 앞부분의 줄거리에서 확인할 수 있는 것처럼 능력이 있어도 _____을 하지 못했던 하생이 기이한 인연을 계기로 원하는 바를 성취하는 결말을 맺는다는 점도 참고하자.

— 신광한, 「하생기우전」 —

*백주(柏舟): 위(衛)나라의 세자 공백이 죽은 후 그 아내 공강이 수절하고자 하는 굳은 마음을 표현한 노래.

*월하노인(月下老人): 부부의 인연을 맺어 준다는 전설상의 노인.

고전소설 독해의 **STEP 2**

1 인물 간의 관계를 고려하여 구조도의 빈칸에 적절한 말을 채우세요.

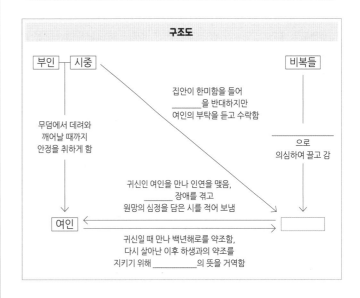

2 1~2번 문제를 풀어 보세요.

1. 윗글로 미루어 알 수 있는 것은?

① 시중은 딸이 환생한 후에도 하생의 사람됨을 의심하였다.

② 하생과 여인은 모두 무덤에서 맺은 인연을 소중하게 여기고 있다.

③ 부인은 딸이 부모의 뜻을 따르지 않는 것을 못마땅하게 여기고 있다.

④ 하생은 여러 사람 앞에서 자신의 뛰어난 능력을 과시하려 하고 있다.

⑤ 여인은 부모님의 잘못을 모른 척하는 것이 자식의 도리라고 믿고 있다.

2. 문학 개념어 OX 확인 문제

① 비현실적인 요소를 통해 전기성을 드러내고 있다.　　　○ ✕

② 삽입시를 통해 인물의 처지와 심리 상태를 드러내고 있다.　　　○ ✕

고전소설 독해의 STEP 1

1 등장인물에 ☐ 표시를 하고 빈칸에 적절한 말을 채우세요.

[앞부분의 줄거리] 명나라 양 부인에게 삼 형제가 있는데, 맏이 위윤은 현숙한 반씨를 아내로 맞아 아들 흥을 얻는다. 위진의 아내 채씨와 위준의 아내 맹씨가 반씨를 모해하자 양 부인이 채씨를 친정으로 보낸다. 채씨의 부친 채 승상은 이에 분노하여 위윤을 귀양 보내고, 양 부인은 채씨를 들이지 말라는 유언을 남기고 죽는다. ＿＿＿＿의 세 아들과 그들이 맞이한 ＿＿＿＿들의 이름, 그리고 인물 간의 갈등 관계(양 부인, 위윤, 반씨, 흥 ↔ 채씨, 맹씨, 채 승상)가 제시되었다. 한 번에 여러 명의 인물이 소개되었으니 헷갈리지 않도록 인물 관계를 정확히 확인하고 넘어가자!

반씨가 시체를 붙들고 통곡 혼절하니, 반씨는 시어머니인 ＿＿＿＿의 죽음에 몹시 슬퍼하고 있어. 흥이 대경하여 수족을 주무르며 약물을 드리오니 이윽고 진정하거늘, 흥이 위로 왈,

"모친은 진정하사 초상을 극진히 하소서." 반씨의 아들 흥은 그런 어머니를 위로하며 양 부인의 ＿＿＿＿을 정성으로 치르자고 이야기하네.

반씨 망극한 중이나 그 말을 옳게 여겨 치상(治喪)할새, 문중이 모여 채씨에게 부고를 알릴 것을 의논하니, 위진이 왈,

"㉠채씨가 잘못함이 아니라 모친이 잠깐 노하여 보내 계시니, 무슨 일로 알리지 아니하리오."

하고, 즉시 시비를 불러 왈,

"채씨의 집에 가 부고를 전하되 상복 입기 전에 오라 하라. 그렇지 않으면 부부의 의를 끊으리라." 양 부인의 아들 위진은 ＿＿＿＿를 들이지 말라는 어머니의 유언에도 불구하고, 아내 채씨에게 ＿＿＿＿를 알려 집으로 불러들이려 하고 있어.

장면끊기 01 위진이 양 부인의 ＿＿＿＿을 어기려고 하면서 앞으로 이로 인해 갈등 상황이 벌어질 것임을 짐작할 수 있어. 중략 이전까지의 내용과 인물 관계를 정확히 숙지하고서, 중략 이후에는 어떤 사건이 이어지는지 계속해서 읽어보도록 하자.

(중략)

차설, 위진이 크게 노하여 왈,

"반씨는 어떤 사람인데 상중에 시비(是非)를 돋우어 요란하게 하느뇨. 형님이 아니 계시어 내가 주장*할 것이니, 두 번 이르지 말라." 채씨에게 양 부인의 부고를 알리는 일로 위진과 반씨 사이에 언쟁이 있었던 모양이야. 위진은 장남인 ＿＿＿＿이 (귀양/부임)을 가 부재하는 상황에서 양 부인의 장례와 관련한 모든 책임은 자신이 맡을 것이라고 하며 반씨의 말을 막아.

하고 노복을 재촉하여 보내니, 흥이 죽은 양 부인의 옆에 엎드려 통곡하더니 큰 소리로 왈,

"숙부는 주장이 되었을 따름이거늘 초상 망극 중에 벌써 할머니의 유언을 저버리시니, 한갓 아내만 중히 여기사 저다지 노하시니, 소질*이 알 바는 아니로되, 금일 문중이 모두 다 공론이 여차한 데도 구태여 유언을 저버리니, 이는 문중의 뜻에도 맞지 아니하오며 소질의 마음에도 불가하니이다." 흥은 양 부인의 유언을 저버리고 ＿＿＿＿의 공론마저 듣지 않으려 하는 위진의 행동을 지적하고 있어.

반씨가 꾸짖어 왈,

"너는 조그만 아이라. 어찌 방자히 어른을 시비하리오."

위진이 크게 노하여 왈,

"이는 분명 너의 말이 아니라. 누구의 부탁을 듣고, 내 말이 여차여차하거든 너는 대답을 이리이리하라 한 것이 아니더냐. 너에게 기걸한 사람은 극한 요물이라. 너 혼자의 말이라면 어찌 이러하리오. 내 비록 유약하나 네 말대로 시행할까 보냐." 위진은 조카인 흥이 누군가의 사주를 받고 그런 말을 하는 것이라 여기며 크게 ＿＿＿를 내고 있어.

하니, 모든 친척이 칭찬 불이하더라.

흥이 숙부의 불측한 심사를 듣고 큰 소리로 왈,

"㉡아까 소질이 사뢴 바를 어른에게 배운 바라 하시니, 말씀이 옳사오면 따를 것이요, 비록 어른의 말이라도 부당하면 따를 이유 없으니, 할머니의 상사를 당하였어도 부친이 삼천 리 밖에 계셔 상변(喪變)을 알지 못하시고 발상*도 못하오니, 비록 아니 계시나 장자 장손이 발상함은 예문(禮文)에 당당하옵거늘, 그는 의논치 아니하시니 누구와 더불어 대상*하시나니이까. 금일 문중이 다 모였으니 결정하소서." 흥은 장자가 부재할 경우, ＿＿＿＿이 발상하는 것이 예법에 맞는 일임을 들며 위진의 독단적인 행동을 저지하려고 해.

위진 형제 왈,

"형님이 비록 귀양살이를 하고 있으나 죽지 아니하였고, 미처 부고를 알리지 못하였으나, 조그만 아이가 알 바가 아니라. 예문에 이상이라는 말이 없으니 불가하니라." 하지만 위진 형제는 아직 어린 ＿＿＿＿인 흥이 끼어들 일이 아니라고 하며 그의 말을 무시하고 있어.

모든 사람이 왈,

"흥이 비록 어리나 소견에 이치가 있어 우리도 생각지 못한 일이거늘, 이 말이 가장 옳은지라. 바삐 대상하라."

위진 형제가 큰 소리로 노하여 왈,

"어찌 어린아이의 말로 인하여 상중 대사를 그릇되게 하리오. 우리는 예문대로 하리니 어찌 장자를 두고 대상하리오." 문중 사람들은 비록 흥이 어릴지라도 옳은 말을 했다고 여기고 장손인 흥이 장례를 주관하게끔 하라고 말하고, 위진 형제는 이를 (승낙/거부)하였어.

하고 일시에 피신하니, 문중이 상의하여 왈,

"상인(喪人)이 이제 우리를 피하니 더 있어 무엇하리오."

하고 상복 입는 것을 보지 아니하고 모두 귀가하니, 흥이 망극하여 실성통곡 왈,

"우리 집의 가세는 어찌 남과 다른고. 숙부가 불의를 행하여 문중이 따로따로 흩어지니 무슨 아름다운 일이 있으리오." 위진 형제의 반응에 결국 문중 사람들이 모두 집으로 돌아가 버리자, 흥은 숙부의 ＿＿＿＿를 원망하며 통곡하고 있어.

장면끊기 02 흥이 ＿＿＿＿의 잘못된 행동을 지적하면서 두 사람이 대치하는 모습이 나타난 장면이었어. 이러한 (갈등/극적인 화해) 상황은 위진 형제가 크게 화를 낸 뒤 자리를 피하고, 이에 문중 사람들 역시 모두 집으로 돌아가 버리면서 일단락되지. 그러니 여기서 한 번 더 끊어 읽으며 내용을 정리하고, 이후 채씨의 등장과 함께 어떤 내용이 전개되는지 이어서 확인해 보도록 하자.

말을 마치기 전에 채씨가 이르러 부인의 영위*에 곡하고 반씨를 보며 왈,

"나는 시댁에 득죄하여 본가에 있기로 존고*께 통신을 못하니 어찌 부끄럽지 아니하리오. 그대는 지극한 정성을 가지고 어찌 존고의 뒤를 따르지 아니하고 지금까지 부지하였느뇨. 그 사이 우애가 지극하여 저 나를 기다렸다 죽으려 하였느뇨. 지금도 참소와 아첨을 존고께 고하리잇고." 그 사이 집으로 돌아온 채씨는 ＿＿＿＿를 보자마자 (비난/위로)의 말을 쏟아내고 있네.

하고 욕설이 무수하니, 반씨가 분함을 겨우 참아 다만 대답하지 아니하더라.

채씨가 흥을 꾸짖어 왈,

"너는 황구소아*라. 무슨 일을 아는 척하고 우리를 원수로 지목하니, 네 그러면 우리 일문을 다 삼킬 줄 아느냐." 또한 흥을 향해서도 비난을 가하는 모습을 통해 이들 사이의 첨예한 갈등 관계를 확인할 수 있어.

흥이 대답치 아니할 뿐이더라. 장례일을 당하니, 부인을 선산에 안장하고 집안을 정리할새 집안 형세가 모두 채씨와 맹씨에게 돌아가니, 두 사람이 주야로 남편을 미혹하게 하여 반씨 모자를 백 가지로 모해하니, 양 부인의 장례가 끝난 후, 집안의 _____를 장악한 채씨와 맹씨는 _____들을 앞세워 반씨와 흥을 집안에서 몰아내고자 해. 반씨가 흥을 불러 왈,

"우리 모자가 이제 독수(毒手)를 면치 못할지니 미리 화를 피할 곳을 정하라."

하고, 인하여 양 부인 묘소에 초막(草幕)을 짓고 삼년상을 마친 후에, 다시 거취를 정하고자 하여, 이에 약간의 비복을 거느리고 조상을 모신 사당에 올라 통곡하고 산중으로 들어가니, 보는 사람들이 저마다 비창해 하지 않을 이 없더라. 결국 채씨와 맹씨의 모해를 피하기 위해 반씨 모자는 집을 떠나 _____으로 들어가게 돼. 이 모습을 본 다른 사람들도 매우 슬퍼했다고 해.

장면끊기 03 마지막 장면에서는 집으로 돌아온 채씨가 맹씨와 합심해 반씨 모자를 몰아내기 위해 갖은 모해를 하고, 이에 반씨 모자가 집을 _____는 상황이 제시되었어. 정리하자면, 이 지문은 양 부인의 죽음 이후 반씨 모자에게 닥쳐온 시련과 위기의 상황을 보여 준 것이었네.

－ 작자 미상, 「반씨전」 －

*주장: 어떤 일을 책임지고 맡음. 또는 그런 사람.

*소질: 조카가 아저씨를 상대하여 자기를 낮추어 이르는 말.

*발상: 상례에서 초상난 것을 알림.

*대상: 장자가 없을 시 장손이 대신 상례를 주관함.

*영위: 상가에서 모시는 혼백이나 가주(假主)의 신위.

*존고: 시어머니를 높여 이르는 말.

*황구소아: 철없이 미숙한 사람을 낮잡아 이르는 말.

고전소설 독해의 STEP 2

1 인물 간의 관계를 고려하여 구조도의 빈칸에 적절한 말을 채우세요.

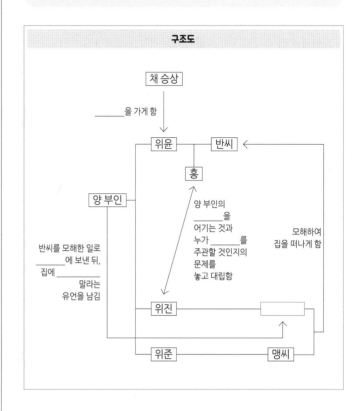

구조도

2 1~2번 문제를 풀어 보세요.

1. 윗글에 대한 이해로 가장 적절한 것은?

① 흥은 문중 사람들의 의견을 근거로 채씨에게 부고를 알리는 것에 반대했다.

② 채씨는 자신을 본가로 보낸 양 부인에게 지속적으로 사죄의 뜻을 전했다.

③ 반씨는 남편에게 부고를 전하지 않으려는 위진을 질책했다.

④ 문중 사람들은 위진에게 모친의 묘소를 정하도록 위임했다.

⑤ 위진은 위윤의 뜻에 따라 자신이 대상할 것을 주장했다.

2. 인물의 말하기 방식 OX 확인 문제

① ㉠에서는 과거의 사건에 대한 자신의 판단을 제시하며 자신이 하려는 행위의 정당성을 강조하고 있다. ○ ✕

② ㉡에서는 다른 사람의 권위에 기대며 자신의 생각이 옳음을 강조하고 있다. ○ ✕

고전소설 독해의 STEP 1

1 등장인물에 □ 표시를 하고 빈칸에 적절한 말을 채우세요.

이때 동래 부사 송정이 사신 온다는 공문을 보고 웃으며 왈,
"조정에 사람이 무수하거늘 어찌 구태여 중을 보내리오. 이는 더욱 패망할 징조라." 송정은 중(스님)이 _____으로 온다는 공문의 내용을 보고는 패망할 징조라며 비웃고 있어.

하더니 하인이 보하되,
"사명당 행차 온다 하오니 어찌 접대하리이까."
송정이 분부 왈,
"상례로 대접하라. 제 비록 부처라 한들 어찌 곧이들으리오." 송정은 _____이 사신의 신분으로 행차하는 것임에도 그의 신분을 (낮잡아/막중하게) 보았기 때문에 대수롭지 않게 여기며, 보통 있는 일처럼 대충 _____하라고 분부했어.

하고 심상히 여기거늘, 하인 분부를 듣고 나와 부사의 말을 이르고 왈,
"지방관의 도리에 봉명 사신(奉命使臣)*을 가벼이 여기거니와 반드시 화를 면치 못하리로다." 하인은 송정이 임금의 명을 받드는 봉명 사신을 가볍게 여긴 대로 ___를 입게 될 것이라고 생각하고 있네.

하더니 자연 삼일 만에 이르렀는지라. 대접하는 도리와 수응하는 일이 가장 소홀하거늘 사명당이 대로하여 객사에 좌기하고 무사에게 명하여 송정을 잡아 계하에 꿇게 하고 이르되, 사신 대접이 _____함을 본 사명당이 크게 화가 나 송정에게 책임을 물으려는 모양이야.

"네 벼슬이 비록 옥당이나 지방관이요, 내 비록 중이나 일국 대사마대장군이요 봉명 사신이어늘 네 한갓 벼슬만 믿고 국명을 심상히 여겨 방자함이 태심하니 내어 베어 국법을 엄히 하라."
하고 즉시 나라에 장문하여 선참후계(先斬後啓)*하고 인하여 길을 떠날 새 순풍을 만나 행선하니라. 자신의 _____만 믿고 _____을 심상히 여겨 태만하게 군 송정은 결국 사명당에 의해 참형을 당하고 말아.

장면끝기 01 사명당이 봉명 사신으로 행차하던 중 _____에서 있었던 일이 제시된 장면이야. 사명당의 본래 신분이 중이라는 이유만으로 그를 업신여기던 동래 부사 _____은 지엄한 국법에 의해 처벌을 받는데, 이를 통해 사명당이 지닌 사신으로서의 지위와 권위가 부각되고 있지.

[중략 줄거리] 사명당이 일본에 도착하자 왜왕은 사명당의 신통력을 여러 가지로 시험한다. 사명당이 사신으로서 행차하는 목적지는 _____이었구나. 이어지는 장면은 왜왕이 사명당에게 제시한 _____과 관련된 내용일 거야.

채만홍이 주왈,
"신의 소견은 철마를 만들어 불같이 달구고 사명당을 태우면 비록 부처라도 능히 살지 못하리이다."
왜왕이 그 말을 옳게 여겨 즉시 풀무를 놓고 철마를 지어 만든 후 백탄을 뫼같이 쌓고 철마를 그 위에 놓아 불같이 달군 후에 사명당을 청하여 가로되,
"저 말을 능히 타면 부처 법력을 가히 알리라." 왜왕은 사명당이 지닌 법력을 시험한다는 명목으로 불에 달군 _____를 타 보라는 무리한 요구를 하고 있어.

사명당이 심중에 망극하여 납관을 쓰고 조선 향산을 향하여 사배하더니 문득 서녘에서 오색구름이 일어나며 천지가 희미하거늘 사명당이 마지못하여 정히 철마를 타려 하더니 홀연 벽력 소리 진동하며 천지 뒤눕는 듯하고 태풍이 진작하여 모래 날리고 돌이 달음질하고 비 바가지로 담아 붓듯이 와 사람이 지척을 분변치 못하는

지라. 경각 사이에 성중에 물이 불어 넘쳐 바다가 되고 성 외의 백성들이 물에 빠져 죽는 자 수를 아지 못하되 사명당 있는 곳은 비 한 방울이 아니 젖는지라. 사명당이 철마를 타려는 순간, 갑자기 천지가 뒤집힐 듯 벽락이 치고 _____이 불고 폭우가 쏟아지면서 성안이 물바다가 되었다. 그 와중에 사명당이 서 있는 곳만 ___ 한 방울 내리지 않고 멀쩡했다는 것에서 사명당의 신이한 능력과 (전기적/현실적)인 요소를 확인할 수 있어. 왜왕이 경황실색하여 이르되, 왜왕은 _____의 신통력을 보고 크게 놀라며 두려워하고 있네.

"어찌하여 천위를 안정하리오."
예부상서 한자경이 주왈,
"처음에 신의 말씀을 들었사오면 어찌 오늘날 환이 있으리까. 방금 사세를 생각하옵건대 조선에 항복하여 백성을 평안히 함만 같지 못하나이다." 한자경은 상황을 수습하고 일본 백성들의 평안을 도모하기 위해서는 조선에 _____해야 한다고 말해.

왜왕이 자경의 말을 듣고 마지못하여 항서를 써 보내니 사명당이 높이 좌하고 삼해 용왕을 호령하더니 문득 보하되,
"네 나라 항복받기는 내 손아귀에 있거니와 왜왕의 머리를 베어 상에 받쳐 들이라. 만일 그렇지 아니하면 일본을 멸하여 산 것을 하나도 남기지 아니하리라. 네 돌아가 왜왕에게 자세히 이르라." 왜왕이 _____를 써 보내자 이를 본 사명당은 _____의 목숨을 바쳐야 항복을 받아 들이겠다고 해.

사자 돌아가 전말을 고하니 왜왕이 이 말을 듣고 머리를 숙이고 능히 할 말을 못하거늘 관백이 주왈, 사명당의 강경한 태도에 왜왕은 _____을 잃고 어찌할 바를 몰라 해.

"전하는 모름지기 옥체를 진중하소서."
왕이 정신을 차려 살펴보니 남은 백성이 살기를 도모하여 사면 팔방으로 헤어져 우는 소리, 유월 염천에 큰비 오고 방초 중의 왕머구리 소리 같은지라. 왕이 이 광경을 보니 만신이 떨려 능히 진정치 못하거늘 갑작스럽게 물난리를 당해 큰 피해를 입은 일본 백성들의 모습을 보며 왕은 _____하지 못하고 있어. 관백이 다시 가지고 들어가 사명당께 드리니 사명당이 항서를 보고 대책 왈,
"네 왕이 항복할진대 일찍이 항서를 드릴 것이어늘 어찌 감히 나를 속이려 하느냐."
하고 용왕을 불러 이르되,
"그대는 얼굴을 드러내어 일본 사람을 보게 하라." 사명당은 일본이 왜왕의 머리를 바치지 않자 _____을 불러내어 다시금 자신의 신통력을 보이려 하고 있어.

용왕이 공중에서 이 말을 듣고 사람의 머리를 베어 들고 소리를 벽력같이 지르고 운무 중에 몸을 드러내니 사명당이 관백에게 왈,
"네 빨리 돌아가 왜왕에게 일러 용의 거동을 보게 하라."
관백이 돌아가 그대로 고하니 왜왕이 창황 중 눈을 들어 하늘을 치밀어 보니 중천에 삼룡이 구름을 피우고 사람의 머리를 베어 들었으니 형세 산악 같고 고기비늘이 어지러이 번쩍여 일광을 바수고 소리 벽력같아 천지진동하는지라. 용왕의 위엄 있는 모습이 묘사된 이 부분에서도 전기적 요소를 확인할 수 있어. 이진걸이 주왈,
"본국 보화를 다 바치고 항표(降表)를 올려 애걸하소서."
왕이 즉시 이진걸을 명하여 항표를 올린대 사명당이 대로 왈,
"네 나라 임금의 머리를 베어 들이라 한대 마침내 거역하니 일본을 무찔러 혈천을 만들리라." 사명당은 자신의 거듭된 요구에도 일본에서 왜왕의 머리를 바치지 않고 계속해서 항서만을 보내오자 크게 _____하였어. 결국 처음에 말한 대로 일본을 멸하겠다고 하네.

하고 인하여 육환장을 들어 공중을 향하여 축수하더니 문득 뇌성
벽력이 진동하여 산악이 무너지는 듯 천지 컴컴한지라. 왜왕이 이
때를 당하여 삼혼(三魂)이 흩어지며 칠백(七魄)이 달아나니라.

장면끊기 02 사명당의 _____을 시험하려던 왜왕이 큰 난리를 당한 뒤 _____
에 항복하기로 결정하게 되었어. 사명당이 항복의 뜻을 밝히는 일본에 왜왕의 머리를 바치
라며 강경한 태도를 보이고, 이후 일본을 멸하기 위해 신통력을 발휘하는 모습이 제시된
부분이었지. 용왕의 등장 등에서 **(사실적/전기적)**인 요소가 두드러지게 나타난 장면이라고
할 수 있어.

– 작자 미상, 「임진록」 –

*봉명 사신: 임금의 명령을 받들고 외국으로 가던 사신.

*선참후계: 군율을 어긴 자를 먼저 처형한 뒤에 임금에게 아뢰던 일.

☑ 1~2번 문제를 풀어 보세요.

1. '사명당'과 '송정' 사이의 갈등에 대한 이해로 적절한 것은?

① 제삼자를 통한 의사소통 과정에서 생긴 오해에서 비롯된다.

② 외교적 문제의 핵심 사안에 대한 인식의 차이에서 비롯된다.

③ 사대부의 사회적 소임에 대한 서로 다른 이해에서 비롯된다.

④ 사명당의 종교적 신념과 송정의 윤리적 신념의 충돌에서 비롯된다.

⑤ 사명당은 명분과 직위를, 송정은 신분을 중시하는 데에서 비롯된다.

2. 문학 개념어 OX 확인 문제

① 힘의 우위를 바탕으로 갈등이 해소되는 모습이 나타나고 있다. ○ ✕

② 국내에서 국외로 공간이 이동하면서 서사적 긴장감이 고조되고 있다.

○ ✕

고전소설 독해의 STEP 2

1 인물 간의 관계를 고려하여 구조도의 빈칸에 적절한 말을 채우세요.

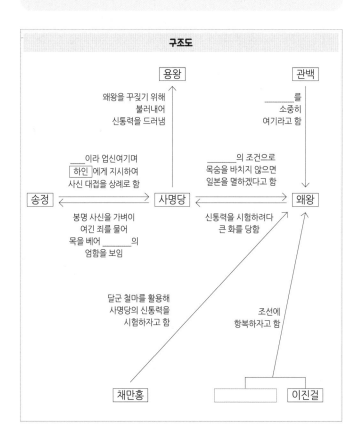

구조도

- 용왕: 왜왕을 꾸짖기 위해 불러내어 신통력을 드러냄
- 관백: _____를 소중히 여기라고 함
- 송정 ← 사명당: ____이라 업신여기며 [하인]에게 지시하여 사신 대접을 상례로 함
- 사명당 → 왜왕: _____의 조건으로 목숨을 바치지 않으면 일본을 멸하겠다고 함
- 송정 → 사명당: 봉명 사신을 가벼이 여긴 죄를 물어 목을 베어 _____의 엄함을 보임
- 사명당 ← 왜왕: 신통력을 시험하려다 큰 화를 당함
- 채만홍: 달군 철마를 활용해 사명당의 신통력을 시험하자고 함
- 이진걸: 조선에 항복하자고 함

고전소설 독해의 STEP 1

❶ 등장인물에 ▢ 표시를 하고 빈칸에 적절한 말을 채우세요.

타남주가 작은 다람쥐에게 등불을 환하게 밝히게 하니 좌우의 기물, 주옥, 패물, 초구, 단필 등이 하룻밤 사이에 모두 털렸음을 알았다. 상하가 놀라 당황하며 얼굴색이 달라지고 있는데, 한 작은 다람쥐가 허겁지겁 달려와 고하였다.

"바위 위에 쌓아 놓은 알밤도 다 잃어버리고 하나도 남김이 없습니다."

타남주가 이 말을 듣고는 뼈에 사무치듯 크게 울부짖었다.

"주옥과 보패야 설령 도적을 맞았을지언정 어찌 말할 것이랴! 하지만 흉년으로 인해 굶주리는 시절임에도 여러 해에 걸쳐 쌓아두었던 곡식을 하룻밤 사이에 강도에게 죄다 잃고 말았단 말인가! 이 같은 흉황한 때에 장차 수많은 족속이 생활을 지탱하고 보존할 방도를 어찌해야 할 것인가?"

눈물이 흘러내려 옷깃을 적시니, 좌중의 여러 무리들도 슬퍼하고 놀래어 입을 다문 채 말이 없는 것이 마치 벙어리들의 무리와 같았다. _____와 그의 족속들은 강도에게 주옥과 보패뿐 아니라 오랜 시간 동안 모아 온 _____을 도둑맞아 버려. 타남주 등은 이에 놀라 당황했고, 흉황한 때에 족속이 생활을 지탱할 방법을 잃은 슬픔과 놀람에 말을 할 수 없을 정도였다.

이에, 타남주는 다시 한참 만에 말하였다.

"근래 들으니, 농서 소토산(小兎山)의 절벽 밑에 새로 모여든 강도 중 서대주란 이름난 놈이 도적놈들을 불러 모아서, 위로는 주군 현읍(州郡縣邑)에서부터 아래로는 마을의 부호나 서인에 이르기까지 절도하지 않음이 없다고 한다. 이번에 우리가 물건을 잃은 것도 실로 다른 놈이 아니라 반드시 그 놈의 소행일 것이다. 즉시 원님께 고소장을 먼저 올려, 하나하나 옳고 그름을 따지어 바로 잡으시도록 해야겠다." 타남주는 강도 사건의 범인으로 _____를 지목하고 원님께 _____을 올리겠다고 해.

좌중에 있던 한 늙은 다람쥐가 황급히 말하였다.

"주옹(主翁)께서 하신 말씀이야 진실로 옳습니다. 그렇지만 옛말에 '그 도적질한 바를 밝히어야 도적이 곧 굴복한다.'라고 했습니다. 대저 도적을 잡는 법은 이전의 행각으로 잡는 것이지 앞으로 일어날 일로는 잡지 못할 것이니, 그 도적을 보지도 않고 먼저 고소를 하는 것은 사리에 맞지 않는 듯합니다. 우리들 중 영리하고 판단력 있는 자가 서대주가 있는 소굴로 가서 그 허실을 살펴 들은 연후에 고소를 하여도 늦지는 않을 것입니다." 타남주의 말에 한 _____는 서대주를 찾아서 그를 살펴본 이후에 고소를 하는 것이 옳다는 의견을 말해.

> **장면끊기 01** 타남주가 다스리는 곳에 도적이 들어 온갖 보물과 곡식을 잃어버린 사건이 제시되었어. 타남주는 _____를 범인으로 지목하고 바로 고소장을 올리려 하지만, 한 늙은 다람쥐의 의견에 따라 우선 영리한 자를 보내 _____을 살피기로 해. 이후 중략 줄거리가 나오고 서대주가 붙잡혀 온 이후의 사건이 전개되니 여기에서 장면을 끊자.

[중략 줄거리] 타남주는 서대주 소굴에 작은 다람쥐를 보내 절취 사건의 전모를 확인한 후 고소장을 올린다. 이에 원님은 사령에게 서대주를 붙잡아 올 것을 명령한다. 붙잡혀 온 서대주는 타남주와 함께 원님 앞에서 재판을 받게 된다. 서대주가 잡힌 후 절취 사건에 대한 _____이 시작되었어. 이어지는 장면에서는 재판 과정이 자세하게 나타나겠지?

"저놈이 올린 고소야말로 어찌 윗분을 속인 것이 아니겠습니까? 하물며 또한 근년 이래 흉년이 극심하여 살아갈 길이 없는 터에 어떻게 알밤을 갈무리해둘 수가 있겠습니까? 이것은 더욱 맹랑한 말이옵니다. 서대주는 타남주의 고소가 거짓이라고 주장해. 근거 ①은 _____이 극심한 때에 곡식을 쌓아둘 수 없었을 것이므로, 자신이 타남주 곡식을 훔쳤다는 것은 헛된 거짓말이라는 거야.

저는 본시 대대로 부유하여 이와 같은 흉년에 한 홉조차 다른 것들한테 꾸지 않아도 되는데, 빌어먹는 놈의 밤을 훔쳤다는 것이 어찌 옳겠습니까? 근거 ②는 서대주는 대대로 _____하여 곡식을 꾸거나 훔칠 필요가 없었다는 거야. 이놈의 평상시 소행을 제가 하나하나 다 아뢰겠나이다. 매년 봄여름이 되면 농사 잘 짓는 자들을 널리 구하여 밤낮으로 가을 걷이를 한 후에는, 그들 중에서 절름발이, 도둑놈, 귀머거리, 맹인, 쓸모없는 늙은 할미는 쫓아내어 흩어지게 하였는데, 또 봄여름이면 이와 같이 그대로 하였습니다. 매년 겨울이 되면 이들을 마을에 떠돌아다니는 거지가 되게 하여, 보는 자가 차마 볼 수 없고 들을 수 없는 짓을 행하였기 때문에 분개하는 바가 있었습니다. 마침 사냥하러 나갔을 때, 소토산 왼편의 용강산(龍岡山) 기슭에서 만나고도 인사조차 하지 않기에 그 행실머리 없음을 아주 심하게 꾸짖었습니다.

[A]

그 후로 자기의 잘못을 스스로 알지 못한 채 항상 분노의 마음을 품고는, 사리에 맞지 아니한 터무니없는 말로 저를 얽어매는, 도리에 어긋난 간악한 송사를 꾀했으니, 세상 천지에 이와 같은 맹랑하고 무뢰한 놈이 있겠습니까? 근거 ③에서는 _____의 잘못된 행실을 나열한 후, 과거에 서대주가 이를 꾸짖은 적이 있기 때문에 타남주가 이에 원한을 품고 간악한 _____를 꾀한 것이라고 말하고 있어. 제가 비록 매우 졸렬하기는 하지만 역시 대대로 공훈이 있는 가문의 후손으로서, 이러한 무도하고 못난 놈한테 구차하게 고소를 당하여 선조의 공훈에 더럽힘을 끼치고 관정을 소란스럽게 하오니, 죽으려고 하여도 죽을 만한 곳이 없어서 사는 것이 죽는 것만 못하옵니다. 밝게 살피시는 원님께 엎드려 바라건대, 사정을 살피시어 원한을 풀어 주옵소서."

서대주가 옷섶을 고쳐 여미며 단정히 꿇어앉았는데, 뾰족한 입이 오물거리고 두 귀가 발쪽거리며 두 눈이 깜짝거리면서 두 손을 모아 슬피 빌고 눈물이 흘러내려 옷깃을 적시니, 보는 자가 더하나위 없이 애처롭고 불쌍하다고 할 만한 것이었다. 서대주는 원님 앞에 꿇어앉아 _____ 빌며 자신의 억울함을 아뢰고 자신의 _____을 풀어 달라고 말하고 있어. 타남주에게 죄를 뒤집어씌우는 서대주의 말과 애처롭게 보이는 행동에서 서대주의 교활한 성격을 간접적으로 확인할 수 있군.

원님이 서대주의 진술하는 말을 들으니 말마다 사리에 꼭 들어맞고, 형세가 본디부터 그러하여 죄를 주기도 어려워, 결박한 것을 풀고 씌운 큰 칼을 벗겨 주고는, 술을 내려주어 놀랜 바를 진정케 하고 특별히 놓아주었다. 원님도 서대주의 진술을 듣고 죄를 주기 어렵다고 판단하며 _____을 내려주고는 그를 놓아주었다고 해. 타남주는 도리에 어긋난 간악한 소송을 한 죄로 몽둥이 세 대를 맞고 멀리 떨어진 외딴 섬으로 귀양을 가니, 서대주가 거듭거듭 절하고 머리를 조아리며 갔다. 재판 결과 타남주가 간악한 소송을 벌인 죄를 받고 _____을 가게 되었어. 원님이 서대주의 말만 듣고 잘못된 판결을 내린 거야.

장면끊기 02 서대주를 붙잡아 _____을 하게 되었지만, 억울해하며 슬피 비는 서대주의 말을 들은 원님은 오히려 _____에게 벌을 주고 귀양을 보내지.

– 작자 미상, 「서대주전(鼠大州傳)」 –

고전소설 독해의 STEP 2

1 인물 간의 관계를 고려하여 구조도의 빈칸에 적절한 말을 채우세요.

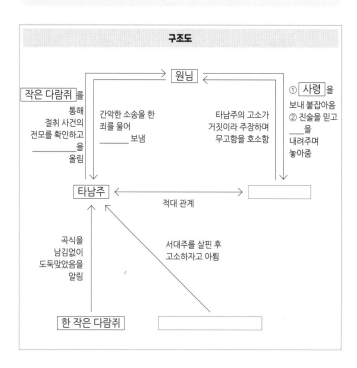

구조도

작은 다람쥐 를 통해 절취 사건의 전모를 확인하고 ____을 올림

원님

간악한 소송을 한 죄를 물어 ____ 보냄

타남주의 고소가 거짓이라 주장하며 무고함을 호소함

① 사령 을 보내 붙잡아옴 ② 진술을 믿고 ____을 내려주며 놓아줌

타남주 ←— 적대 관계 —→ _____

곡식을 남김없이 도둑맞았음을 알림

서대주를 살핀 후 고소하자고 아룀

한 작은 다람쥐

_____

---

2 1~2번 문제를 풀어 보세요.

1. 윗글의 내용과 일치하는 것은?

① 원님은 뇌물을 받고 잘못된 판결을 내리고 있다.

② 타남주는 서대주가 절취 사건의 범인이라고 판단하고 있다.

③ 서대주는 원님이 사건의 진위를 밝혀낼 것을 기대하고 있다.

④ 서대주는 가난한 자들을 돕기 위해 마을 부호의 재물을 탈취했다.

⑤ 타남주는 모든 것을 도둑맞은 절박한 상황에서도 의연한 태도를 보이고 있다.

2. 인물의 말하기 방식 OX 확인 문제

① [A]는 설득력을 높이기 위해 상대방의 주장을 부분적으로 인정하고 있다.

○ ✕

② [A]는 진실을 은폐하기 위해 상대방을 모함하고 있다.

○ ✕

고전소설 독해의   STEP 1

1 등장인물에 ▢ 표시를 하고 빈칸에 적절한 말을 채우세요.

하루는 승상이 심사가 상쾌하여 정신을 깨달아 내당에 들어가 부인을 위로하여 말하기를,

"우리가 어려서부터 남에게 해를 끼친 일이 없는지라. 아무리 생각하여도 저것이 우리의 골육이니, 남은 다 흉물이라 하여도 출산할 때에 선녀의 말이 있었을 뿐만 아니라, 무심한 것이라면 어찌 선녀가 와서 해산까지 시켰으리오? 필경 무슨 이상한 일이 있을 듯하니, 아무리 흉악해도 집에 두고 나중을 보사이다." 승상은 남들이 다 _____이라 하여도 선녀가 와서 해산까지 시켰으니, 우리의 _____인 '저것'을 집에 두고 지켜보자며 부인을 위로해.

하고 저녁을 먹으니, 그것이 밥상 곁에서 밥 먹는 소리를 듣고는 이불 속에서 데굴데굴 굴러 나와 승상 곁에 놓이었다. 승상이 크게 놀라 이윽히 보다가 갑자기 생각하되, '이것이 귀와 눈이 없건마는 밥 먹는 소리를 듣고 나오니 필연 밥을 먹고자 함이라. 아무렇거나 밥을 주어 보리라.' 하였다. 부인도 고이하여 밥을 갖다가 곁에 놓으니, 그것의 한쪽 옆이 들먹들먹하더니 한 모서리가 봉긋하며 마치 주걱 모양 같은 부리를 내밀어 밥을 완연히 먹었다. 승상이 하도 고이하여 부인을 돌아보고 말하기를,

"이것이 입이 없는가 하였는데 밥을 먹으니, 사람일 것 같으면 태어난 지 십여 일 만에 어찌 한 그릇 밥을 다 먹으리오? 아무렇거나 밥을 더 주어 보라."

하였다. 승상이 '그것'의 몰골이 흉악하다고 했던 이유는 '그것'에 귀와 눈, _____이 없었기 때문이었나 봐. 그러나 '그것'은 마치 사람처럼 밥 먹는 소리를 알아듣고는 이불 속에서 데굴데굴 굴러 나와 부리를 내밀어 밥을 먹었어. 이를 본 승상 부부는 (괴상/불안)하다고 생각하는군.

부인이 웃고 밥을 또 가져다 놓으니, 그것이 주는 대로 먹으매 승상과 부인이 더욱 고이하게 여겼다.

그것이 밥 먹는 대로 점점 자라 큰 동이만 하게 되었다. 승상이 부인을 청하여 함께 보고 크게 의혹하여 가로되,

"이후는 밥을 끊지 말고 아침저녁으로 먹이라."

하고,

"매양 이것저것 하지 말고 이름을 지어 원(圓)이라 하라."

하였다. 밥을 먹는 대로 점점 자라는 '그것'을 본 _____은 수상히 여기면서도 _____을 지어 줘. '원'이라는 이름과 데굴데굴 _____ 나왔다는 서술을 보면 '그것'은 공처럼 동그란 모양이었나 보군.

장면끊기 01 승상과 부인은 _____가 해산하게 했지만 몰골이 흉측한 '그것' 때문에 고민이 많았어. 밥을 먹는 대로 점점 자라 큰 동이만 해진 '그것'에 '_____'이라고 이름을 지어 준 후 빠른 시간의 흐름에 따른 전개가 나타나니 여기서 장면을 한 번 끊을게.

밥 먹기를 잘하여 점점 자라 큰 방 안에 가득하니, 더욱 흉하고 고이함을 측량치 못하여 말하기를,

"원이 더 자라면 방을 찢을까 싶으니 넓은 집으로 옮기자."

하고, 노복에게 명령하여 이르되,

"이것을 여럿이 옮겨 후원 월영각에 가져다 두라."

하였다. 비복이 겨우 옮겨 월영각에 두고 아침과 저녁을 공급하였다. 밥 먹기를 잘하는 원은 큰 방 안에 가득할 만큼 커지고, 후원 _____으로 옮겨지게 돼. 몇 년 안에 한 섬의 밥을 능히 먹으니, 원이 점점 자라 방이 터지게 되었다. 승상 부부와 비복들이 그 연고를 알지 못하여 답답하여

밤낮 근심으로 지내는데, 세월이 물 흐르듯 하여 어느덧 십여 년이 되었다. 원은 몇 년 동안 쑥쑥 자라 월영각에 있는 방도 터질 지경에 이르렀어. 연고도 모르는 승상 부부는 _____한 마음과 근심으로 _____이라는 긴 시간을 보냈을 거야.

장면끊기 02 원은 점점 자라 월영각 방이 터질 지경에 이르렀어. 중략 이후에는 장면이 전환되면서 새로운 사건이 등장하니 여기에서 장면을 끊자.

(중략)

이때 승상이 부인과 함께 집에 돌아오니 내실(內室)이 텅 비어 있었다. 가뜩이나 염려하던 차에 의혹이 가슴에 가득하여 집안 내외인을 다 찾으니, 비복 중에 한 사람이 먼저 와서 아뢰되,

"월영각에 난데없는 선동(仙童)이 노복 등을 부르시나 차마 혼자 가지 못하여 모두 보온즉, 방 안에 가득한 것은 없고 한 소년 선동이 앉아서 '아버님께서 집에 돌아와 계시냐.' 물으시니, 그 연고를 알지 못하겠나이다." 월영각에 있어야 할 원은 없고 소년 _____이 나타나 아버님을 찾았대. 이 소년은 누구일까?

승상이 이 말을 듣고 의혹하여 그 비복을 데리고 월영각에 가보니, 한 소년이 승상을 보고 섬돌 아래로 내려와 엎드려 가로되,

"소자는 십 년을 부모 걱정시키던 불초자 원이로소이다."

승상이 우연히 그 형상을 보고 급히 부인을 청하여 좌정하고 소년을 불러 대청 위에 앉히고 묻기를,

"이 일이 하도 고이하니 사실을 자세히 이르라." 승상은 자신이 '_____'이라고 말하는 소년으로부터 일의 진상을 자세히 전해듣기를 원해.

하였다.

소년이 아뢰기를,

"오늘 묘시(卯時)에 붉은 도포를 입은 선관이 내려와 이르기를, '남두성이 옥황상제께 득죄하여 십 년 동안 허물을 쓰고 세상을 보지 못하게 하였는데, 죄악이 다 끝났다.' 하고, 허물을 벗겨 방 안에 두고 이르기를, '이 허물을 가져갈 것이로되 네 부모께 뵈어 확실한 자취를 알게 하라.' 하고 갔사오니, 소자가 보자기를 벗고 보온즉 허물이 곁에 놓여 있고 책 세 권이 놓였사오니, 십 년 불효를 어찌 다 아뢰리이까?" 원은 천상계에서 _____께 죄를 지어 벌을 받아야 했던 남두성이었어. 십 년 동안 _____을 쓰고 세상을 보지 못하게 한 죄악이 끝나자 허물을 벗고 선동의 모습이 된 거야.

승상이 자세히 살펴보니 과연 허물이 방 안에 놓여 있고 천서(天書) 세 권이 분명히 놓였거늘, 마음에 크게 놀라고 기뻐하여 소년의 손을 잡고 마음 가득 기뻐하여 말하기를,

"네가 십 년 동안을 보자기 속에 들어 있었으니 무슨 알 만한 일이 있을 것이니, 자세히 일러서 우리의 의혹을 덜게 하라."

원이 고개를 숙여 재배하고 말하기를,

"소자가 보자기 속에서 십 년 동안 고행하였사오나 아무런 줄을 몰랐사오니 황송함을 이길 수 없사옵니다."

승상 부부가 그제야 원을 안고 등을 어루만지며 가로되,

"네가 어이하여 십 년 고생을 이다지도 하였느냐?"

하고 못내 기뻐하였다. 내외 상하(內外上下)며 이웃과 친척 가운데 뉘 아니 기뻐하리오. _____과 천서 세 권은 승상 부부로 하여금 선동이 원이라는 사실을 믿게 하는 증거야. 원이 십 년 고생을 마치고 사람의 모습으로 돌아온 것을 승상 부부가 _____하네.

장면끊기 03 원의 정체가 옥황상제께 득죄하여 벌을 받았던 _____이었음이 밝혀
지고, 승상 부부는 기뻐하게 돼.

– 작자 미상, 「김원전」 –

고전소설 독해의 STEP 2

1 인물 간의 관계를 고려하여 구조도의 빈칸에 적절한 말을 채우세요.

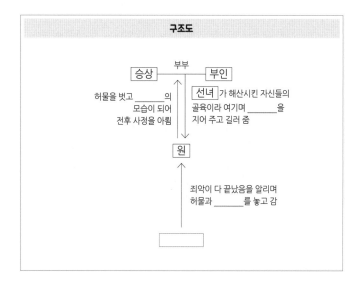

2 1~2번 문제를 풀어 보세요.

1. 윗글의 내용에 대한 이해로 적절한 것은?

① 김 승상은 흉물의 탄생을 자신의 탓으로 여겼다.

② 부인은 흉물이 밥을 먹자 근심했다.

③ 노복은 흉물을 대하는 부인의 태도를 비웃었다.

④ 김원은 흉한 모습이 부모께 걱정을 끼쳤다고 여겼다.

⑤ 김 승상 부부는 이웃의 반응을 보고 의혹을 해소했다.

2. 문학 개념어 OX 확인 문제

① 인물의 말을 통해 사건의 전후 과정이 드러나고 있다.　　　　○ ✕

② 배경을 묘사하여 새로운 갈등을 암시하고 있다.　　　　○ ✕

고전소설 독해의 STEP 1

1 등장인물에 ☐ 표시를 하고 빈칸에 적절한 말을 채우세요.

이때 함경도 가달산에 한 도적이 있어 재물을 노략하며 인민을 살해하매 본읍 원이 관군을 발하여 잡으려 하되 능히 잡지 못하고 나라에 장계(狀啓)하니, ㉠상이 크게 근심하사 조정에 전지(傳旨)하사 도적을 칠 계책을 의논하라 하시니, 우치 아뢰길,

"도적의 형세 심히 크다 하오니 신이 홀로 나아가 적세를 보온 후 잡을 묘책을 정하리이다." 임금은 ＿＿＿으로 인해 근심하고, 우치는 도적을 잡겠다고 나서.

㉡상이 크게 기뻐하사 어주(御酒)와 인검을 주셔 왈,

"적세 심히 크거든 이 칼로 사졸을 호령하라."

하시니 우치 사은하고 물러 나와 장면끊기 01 ＿＿＿＿가 도적을 잡겠다고 나서고, 임금이 이를 허락하는 장면이야. 여기에서 장면을 끊은 이유는 이어지는 내용에서 우치가 장졸을 거느리고 가달산 근처로 장소를 이동하고 있기 때문이야. 즉시 말에 올라 장졸을 거느리고 여러 날 만에 가달산 근처에 다다라 보니 큰 산이 하늘에 닿은 듯하고 수목이 빽빽하며 기암괴석이 첩첩하니 가장 험악한지라, 우치 군사를 산하에 머무르고 스스로 하사하신 인검을 가지고 몸을 흔들어 변하여 솔개되어 가달산을 바라고 가니라. ＿＿＿ 근처에 도착한 우치는 산세가 험악하자 군사를 산하에 머무르게 한 후, 자신은 솔개로 변신하여 가달산으로 향해.

원래 가달산 산중에 수천 명 적당 중에 한 괴수가 있으니, 성은 엄이요 명은 준이라. 용맹이 절륜하고 무예 출중하더라.

이때 우치 공중에서 두루 살피더니, 엄준이 엄연히 홍일산*을 받고 천리백총마(千里白驄馬)를 타고 채의홍상(彩衣紅裳)한 시녀를 좌우에 벌이고 종자 백여 인을 거느리고 바야흐로 사냥을 하거늘, 우치 자세히 살펴보니 기골이 장대하고 신장이 팔 척이요 낯빛이 붉고 눈이 방울 같으며 수염은 바늘을 묶어 세운 듯하니 곧 일대 걸물이러라. ＿＿＿은 기골이 장대하고 평범하지 않은 풍채를 가졌어. 우치가 엄준을 어떻게 잡게 될까? 엄준이 추종들을 거느리고 이 골 저 골로 한바탕 사냥하다가 분부하되,

"오늘은 각처에 갔던 장수들이 다 올 것이니 마땅히 소 열 필만 잡고 잔치하리라."

하는 소리 쇠북을 울림 같더라.

장면끊기 02 전우치가 ＿＿＿로 변해 괴수 엄준을 살펴보네. 여기까지 엄준의 모습을 제시하는 데 초점이 맞추어져 있었다면, 이후에는 전우치의 계략이 빛을 발하는 장면이 이어지니 여기에서 장면을 끊고 갈게.

이때 우치 일계를 생각하고 나뭇잎을 훑어 신병을 만들어 창검을 들리고 기치를 벌여 진을 이루고, 머리에 쌍봉투구를 쓰고 몸에 황금 갑옷에 황색 비단 전포를 겹쳐 입고 천리오추마(千里烏騅馬)를 타고 손에 청사양인도(靑蛇兩刃刀)를 들고 짓쳐 들어가니, 성문을 굳게 닫았거늘 우치 문 열리는 진언을 염하니 문이 절로 열리는지라. ＿＿＿으로 군사를 만들고, 주문을 외워 닫은 ＿＿＿을 열게 하는 전우치의 초월적인 능력이 제시되면서 비현실적인 요소들이 다양하게 나타나고 있네. 들어가며 좌우를 살펴보니 장려한 집이 두루 펼쳐졌고 사방 창고에 미곡이 가득하며 차차 전진하여 한 곳에 이르니, 전각이 굉장하여 주란화동*이 반공에 솟았거늘, 우치 이윽히 보다가 몸을 변하여 솔개되어 날아 들어가 보니, 으뜸 도적이 황금 교자에 높이 앉고 좌우에 제장을 차례로 앉히고 크게 잔치하며 그 뒤에 대청이 있으니

미녀 수백 인이 열좌하여 상을 받았거늘, 엄준의 성 안은 무척 아름답고 풍족했어. 그 안에서 엄준은 장수들과 ＿＿＿를 벌이고 있었군. 우치 하는 양을 보려 하고 진언을 염하니, 무수한 수리가 내려와 모든 장수의 상을 걷어치워 가지고 중천에 높이 떠오르며 광풍이 대작하여 눈을 뜨지 못하고 그러한 운문차일과 수놓은 병풍이 움직여 공중으로 날아가니, 엄준이 정신을 진정치 못하여 뜰 아래 나뭇등걸을 붙들고 모든 군사가 차반을 들고 바람에 떠서 구르더라. 우치의 도술에 잔치가 엉망이 되고, 엄준은 (의연한/혼란스러운) 모습이야.

장면끊기 03 전우치는 도술을 부려 ＿＿＿ 일당의 잔치를 망쳐. 이후 중략이 등장하면서 지금까지 전개된 것과 전혀 다른 사건이 제시되니 여기에서 장면을 끊자.

(중략)

이때 우치 문사낭청*으로 임금을 모시고 있더니, 불의에 이름이 역도(逆徒)의 진술에 나오는지라. ㉢상이 크게 노하사 왈,

"우치의 역모를 짐작하되 나중을 보려 하였더니, 이제 발각되었으니 빨리 잡아 오라." 임금은 우치가 ＿＿＿에 가담했음을 알고 화가 나 우치를 잡아들이라 명해.

하시니, 나졸이 명을 받아 일시에 달려들어 관대를 벗기고 옥계 하에 꿇리니, ㉣상이 진노하사 형틀에 올려 매고 죄를 추궁하며 왈,

"네 전일 나라를 속이고 도처마다 작난함도 용서치 못할 바이거늘, 이제 또 역모를 꾸몄으니 변명하나 어찌 면하리오?"

하시고, 나졸을 호령하사 한 매에 죽이라 하시니, 임금은 전우치를 용서하지 못하고 (가두려고/죽이려고) 해. 집장과 나졸이 힘껏 치나 능히 또 매를 들지 못하고 팔이 아파 치지 못하거늘, 우치 아뢰되,

"신이 전일 죄상은 죽어 마땅하오나, 금일 일은 만만 애매하오니 용서하시옵소서."

하고, 심중에 생각하되 '주상이 필경 용서치 않으시리라.' 하고 다시 아뢰길,

"신이 이제 죽사올진대 평생에 배운 재주를 세상에 전하지 못하올지라. 지하에 돌아가오나 원혼이 되리니 원컨대 성상은 원을 풀게 하옵소서." 우치는 임금이 자신을 용서하지 않을 것이라 여기고, 자신이 죽으면 평생 배운 ＿＿＿를 세상에 전하지 못할 것이니 원을 풀게 해 달라고 요청해.

㉤상이 헤아리시되, '이놈이 재주가 능하다 하니 시험하여 보리라.' 하시고 왈,

"네 무슨 능함이 있어 이리 보채느뇨?"

우치 아뢰길,

"신이 본시 그림 그리기를 잘하니, 나무를 그리면 나무가 점점 자라고 짐승을 그리면 짐승이 기어가고 산을 그리면 초목이 나서 자라오매 이러므로 명화라 하오니, 이런 그림을 전하지 못하옵고 죽사오면 어찌 원통치 않으리잇고?"

㉥상이 가만히 생각하시되, '이놈을 죽이면 원혼이 되어 괴로움이 있을까.' 하여 즉시 맨 것을 끌러 주시고 지필을 내리사 원을 풀라 하시니, 임금은 전우치를 이대로 죽이면 해를 입을까 걱정하며 ＿＿＿을 풀 수 있도록 해 줘. 우치 지필을 받자와 산수를 그리니 천봉만학과 만장폭포가 산 위로부터 산 밖으로 흐르게 그리고 시냇가에 버들을 그려 가지 늘어지게 그리고 밑에 안장 없는 나귀를 그리고 붓을 던진 후 사은하되, 상이 물어 왈,

"너는 방금 죽을 놈이라. 사은함은 무슨 뜻이뇨?"

우치 아뢰길,

"신이 이제 폐하를 하직하옵고 산림에 들어 여년을 마치고자 하와
아뢰나이다."

하고 나귀 등에 올라 산 동구에 들어가더니, 이윽고 간 데 없거늘
상이 크게 놀라사 왈,

"내 이놈의 꾀에 또 속았으니 이를 어찌하리오?" 우치는 도술로 위기
를 모면하여 달아나고, 임금은 자신이 전우치에게 _____을 깨달아.

하시고 그 죄인들은 내어 베라 하시고 친국을 파하시니라.

장면끊기 04 전우치는 역도로 몰려 붙잡히자, 도술을 사용하여 도망가. 전우치가 보여
주는 도술은 그가 (현실적/초현실적)인 면모를 지닌 인물임을 드러내지.

– 작자 미상, 「전우치전」 –

*홍일산: 붉은 양산.

*주란화동: 단청을 곱게 하여 아름답게 꾸민 집.

*문사낭청: 임금의 심문 내용을 기록하고 낭독하는 직분.

☑ 1~2번 문제를 풀어 보세요.

1. ㉠~㉡에 대한 설명으로 가장 적절한 것은?

① ㉠의 원인이 되는 사건이 ㉡을 유발한 우치에 의해서 야기되고 있다.

② ㉡은 사건 해결의 실마리를 찾은 것에 대한, ㉢은 사건 해결의 실마리가
사라진 것에 대한 반응을 보여 준다.

③ ㉢으로 인해 형성된 임금과 우치의 갈등에 제삼자가 개입하여 ㉣을 촉발하고
있다.

④ ㉣에서 ㉤으로의 변화는 임금과 우치의 갈등 원인이 제거되어 사건이 해결
되는 과정을 보여 준다.

⑤ ㉤과 ㉡은 우치의 의도대로 상황이 전개되고 있음을 드러낸다.

2. 문학 개념어 OX 확인 문제

① 과거와 현재를 대비하여 인물의 초월적 능력을 부각하고 있다.　　○ ✕

② 외양 묘사를 통해 인물의 속성을 드러내고 있다.　　○ ✕

고전소설 독해의　STEP 2

1 인물 간의 관계를 고려하여 구조도의 빈칸에 적절한 말을 채우세요.

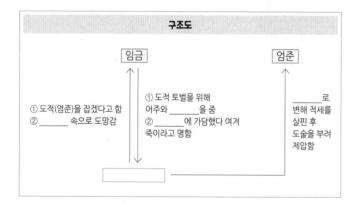

2
주차

2주차
학습 안내

2주차에서도 1주차와 동일한 훈련이 이어질 거야. 등장인물들을 파악하고 '사고의 흐름'과 '장면끊기', '구조도'를 통해 지문을 꼼꼼하게 이해하고 정리한 뒤, 문제를 풀면서 자신의 이해를 점검하는 거지.

다만 2주차부터는 1번 문제를 보다 심층적으로 분석해 볼 거야. 즉 단순히 정답을 찾는 데 그치지 않고, 지문의 어떠한 부분을 근거로 삼아 선지의 정·오답 여부를 판단해야 하는지를 보다 정확하게 판단하는 훈련을 하는 거지. 이를 돕기 위해 2주차에 추가된 장치가 바로 '선지 판단의 공식'이야. '선지 판단의 공식'의 빈칸을 채우고 이를 고려해 각 선지의 정오를 다시 한번 판단해 보자. 이를 통해 처음 문제를 풀 때의 자신의 사고 과정과 '선지 판단의 공식'을 활용해 다시 문제를 풀 때의 사고 과정을 비교해 보면서, 올바른 정오 판단을 위해 필요한 접근 방식과 태도 등을 자연스럽게 익힐 수 있을 거야.

고전소설 독해의　STEP 1

❶ 등장인물에 ☐ 표시를 하고 빈칸에 적절한 말을 채우세요.

삼아(三兒) 점점 자라 십 세에 미치매 절세한 용색과 선연(嬋姸)한 품성이 비상특이하고 문견(聞見)이 통하고 민첩하여 시서백가(詩書百家)에 모를 것이 없고 매양 후원에서 조약돌로 진(陳)을 벌이며 칼 쓰기와 말 달리기를 익히거늘 왕씨 알고 가장 민망히 여겨 삼녀를 타이르며 왈, 세 아이가 자라며 외모와 품성이 뛰어나게 되고, 지성과 무예까지 두루 연마하며 훌륭히 성장했어. 그런데 ＿＿＿는 왜 민망하게 여겼을까?

"여자의 도(道)는 내행(內行)을 닦으며 방적(紡績)을 힘써 규중 외 나지 아니함이 마땅하거늘 너희는 어찌 외도(外道)를 행하여 고인에게 득죄함을 감심(勘審)코자 하는가? 우리 팔자 무상하여 너희 셋을 얻으매 비록 여자나 어진 배필을 얻어 우리 사후를 의탁할까 하였더니 이제 너희 조금도 규녀의 행실을 생각지 아니하니 이는 사리에 맞지 않아 남들이 알게 해서는 안 됨이라. 만일 네 부친이 아시면 특별히 대죄할 것이매 내 차라리 죽어 모르고자 하나니 너희 소견은 어떠하뇨?" 왕씨는 세 아이의 어머니구나. 세 딸이 당시에 여인에게 요구되던 규방 예절을 익히는 데에 힘쓰기보다 남성의 영역이었던 학문을 익히고 무예를 갈고닦는 것이 ＿＿＿에 맞지 않는다고 생각해 꾸짖고 있는 거야. 딸들의 아버지가 알면 ＿＿＿할 것이라고 하며 딸들을 나무라고 있어.

삼소저 이 말을 듣고 대경 사죄 왈,

"소녀 등이 어찌 부모의 은덕을 모르고 뜻을 거역하리오마는 소녀 등이 규방의 소소한 예절을 지키다가는 부모께 영화를 뵈올 길이 없사온지라. 옛날에 당 태종의 누이 장원공주도 평생 무예를 배워 천하에 횡행하여 빛난 이름이 지금 유전하오니 소녀 등도 이 일을 본받아 공명을 세워 부모께 현양(顯揚)코자 하옵고 하물며 방금 천하 크게 어지러우매 소녀의 득시지추(得時之秋)* 이어늘 어찌 한갓 여도를 지키어 세월을 허비하리이고." 삼소저는 ＿＿＿의 예절을 지키는 것으로는 이름을 빛낼 수 없다는 것과 당 태종의 누이인 장원공주에 관한 고사를 근거로 하여 ＿＿＿를 지키며 세월을 허비하기보다 나아가 ＿＿＿을 세우고 천하의 어지러움을 평정하겠다고 주장하고 있어.

하니 왕씨 듣기를 마치고 삼녀 의지 굳건하고 정해진 마음이 비속함을 보고 어이없어 다만 탄식뿐이러니 그 후에 삼소저 또 후원에서 무예를 익힐새 유생이 다다라 보고 대경하여 궁시와 병서를 다 불지르고 왕씨를 몹시 꾸짖으며 왈,

"여자는 그 어미 행사를 본받나니 여아의 행사를 엄하게 단속하는 일이 없음은 이 어쩐 일이뇨? 일후 다시 이런 일이 있으면 부부지간이라도 결단코 용서치 아니 하리라." 삼소저의 아버지인 ＿＿＿은 후원에서 무예를 익히는 삼소저를 보고 크게 놀랐어. 유생 또한 세 딸의 뜻에 (찬성/반대)하여, 활과 화살, ＿＿＿를 모두 불지르고 세 딸의 어머니인 왕씨에게 딸들의 행동을 ＿＿＿하라고 꾸짖었어.

장면끊기 01　삼소저는 공을 세우고 입신양명해 천하의 어지러움을 평정하겠다는 다짐을 간직하고 있기 때문에 왕씨의 만류에도 불구하고 ＿＿＿를 익혔어. 하지만 전통적 유교 사회에서는 성별에 따른 역할이 확연히 구별되었기 때문에 삼소저의 부모는 딸들의 행동을 못마땅하게 생각해. 이어서 중략 부분의 줄거리가 제시되었으니 여기서 우선 장면을 끊자!

[중략 부분의 줄거리] 남장을 하고 가출한 삼소저(자주, 벽주, 명주)는 최완, 최진, 최경과 형제를 맺는다. 진원 도사에게 수행을 마친 육 인(六人)은 조광윤을 찾아 섬기기로 한다. 한편, 북군이 변방을 침노하자 육 인과 조광윤은 원양성을 뺏기 위해 전투를 벌인다.

차설. 육 인이 원양성 십 리에 주둔하고 계교를 의논할 새 명주 왈,

"여차여차 하면 어떠하뇨?"

최완이 대희 왈,

"그대 말이 정히 내 뜻과 일반이라." 중략 부분의 줄거리를 고려하면 명주는 ＿＿＿을 뺏기 위한 계교를 제안한 것이겠지!

하고 명일 이른 아침에 최완과 명주 각각 변복하고 원양성하에 나아가 크게 불러 왈,

"아등(我等)이 태수께 고할 말씀이 있노라."

하니 수성장 장임이 친히 문루에 올라 바라본 즉 양인이 손에 병기 없이 황망한 낯빛으로 성하에 이르렀거늘 장임이 이르되,

"여등(汝等)은 어떤 사람이완대 성에 들고자 하느뇨?"

양인(兩人)이 왈,

"아등은 절강에 사는 백성이러니 장군께 고할 말씀이 있으매 문을 열어 주소서." 명주와 최완은 정체를 숨긴 채 원양성에 들어가려 하고 있어.

하거늘 장임이 그 용모 행동거지를 보고 조금도 의심하지 아니하여 즉시 영을 내려 문을 열어 들이니 양인이 천연히 들어와 장하에서 읍고 왈,

"아등은 원래 물화를 가지고 태원성에 와 환매하여 자생하더니 대원수 조광윤이 물화를 다 앗고 우리로 하여금 호풍령을 지키어 우리 만일 성공치 못하거든 인하여 죽이라 하니 우리 본래 창검과 궁시를 모르거늘 어찌 이 소임을 당하리오. 여러 가지로 생각하고 헤아림에 마지못하여 장군께 항복하고 고향에 돌아가 부모나 만나 보고자 하여 왔나니 장군은 어여삐 여겨 잔명을 구하심을 바라나이다." 중략 부분의 줄거리에서 명주와 최완을 포함한 여섯 사람은 (북군/조광윤)을 섬긴다고 했어. 즉 명주와 최완은 창검과 궁시를 모르는 상인인 척하며 대원수 조광윤을 피해 장임에게 ＿＿＿하기 위해 온 것처럼 말하고 있지만, 실제로는 ＿＿＿을 속여 원양성을 빼앗으려 하는 거지.

하거늘 장임이 청파에 의심치 아니하고 장에 올리고 술을 내와 관대하니 부장 원견이 간(諫) 왈,

"양진이 상대하매 천만 가지 계교로 진중 허실을 탐지하거늘 장군은 어찌 차인 등을 이같이 믿어 그 진위를 살피지 아니하느뇨. 익히 생각하여 타일 뉘우침이 없게 하소서."

하니 명주 읍 왈,

"우리 전혀 장군을 부모같이 바라고 투항하였더니 이제 이렇듯 의심하매 가위 진퇴유곡이라. 차라리 장군 앞에서 죽어 넋이라도 장군을 의지하리라."

하고 말을 마치고 허리춤으로부터 단검을 빼어 자결코자 하거늘 장임이 급히 만류 왈,

"원수의 말이 당연하거니와 그러나 그대 사정이 이 같은 즉 어찌 다시 의심하리오." 장임의 부하인 ＿＿＿은 현재 양쪽이 천만 가지 계교를 부리는 전쟁 중이니, 명주와 최완이 한 말의 ＿＿＿를 살펴야 한다고 간언했어. 이에 명주는 죽음을 각오하는 의지를 보여 주어 의심에서 벗어나게 했어.

하고 양인을 머물러 주육으로 정성껏 대접하더니 수일이 지난 후 최유 양인이 장임더러 왈,

"우리 대장 석수신이 조빈의 심복이라. 일을 지체하면 후환이 되리니 삼 일 후 장군이 병을 거느려 진을 여차여차 덮치면 아등이 합력 내응하리라."

하고 돌아가려 하더니 장임이 응낙하고 즉시 보내니라. 명주와 최완은 ＿＿＿이 군사(북군)를 이끌고 본진에 쳐들어오도록 유도하였어.

장면끊기 02 명주와 최완은 원양성을 빼앗기 위해 장임에게 거짓으로 항복했어. 그리고 장임이 군사를 이끌고 원양성을 나와 본진에 쳐들어오도록 했지. 이어지는 장면에서 명주와 최완이 본진으로 이동했음을 알 수 있고, '차설'은 _____이 바뀌었음을 알려 주는 표지이니 여기서 장면을 끊으면 돼!

차설. 양인이 본진에 돌아와 거짓으로 항복한 소유를 이르고 땅굴을 깊이 판 후 최진과 벽주는 각각 일천 군마를 거느려 대진 뒤에 매복하고, 최완은 이천 군을 거느려 북군의 의복과 깃발을 같이 하여 원양성 북문 밖에 매복하였다가 삼경 후 복병에게 패한 체하고 북문을 열라 하며 급히 들어가 수성장을 베고 나와 장임을 막으라 하고, 최경은 일천을 거느려 땅굴 좌우에 매복하고 차일 야심한 후 대전에서 불을 놓으니 화광이 충천한지라. 최진과 벽주, 최경 등은 장임의 군사들을 함정에 빠트리기 위해 _____을 파고 주변에 매복하는 등 전투를 준비하고 있어. 최완은 _____인 체하며 다시 원양성 안으로 들어가기 위해 북군의 의복과 깃발을 갖추는 등 치밀하게 계획을 세웠군. 장임이 불 일어남을 보고 최완 등의 내응이라 하여 부장 한양으로 성을 지키오고 스스로 군사를 재촉하여 크게 고함하고 짓쳐 들어가더니 이윽고 장임의 전군이 낱낱이 땅굴에 빠지며 일성 대포 소리에 사면 복병이 일어나니 북군이 불의지변을 만나 사방으로 흩어지며 죽는 자 또한 부지기수라. 장임과 원평이 겨우 도망하여 원양성으로 달아나니라. 명주와 최완의 계획대로 장임은 _____에게 원양성을 맡기고 직접 군사들을 이끌고 본진으로 쳐들어왔고, 장임의 군사들은 땅굴에 빠지거나 매복하고 있던 자들에 의해 죽게 되지. 차시 최완이 본진에 불 일어남을 바라보고 원양 북문에 나아가 대호(大號) 왈,

"우리 북한(北漢) 패군이니 빨리 문을 열라."

하니 한양이 그 진을 살피지 못하고 문을 쾌히 열거늘 최완이 급히 군을 몰아 짓쳐 들어가니 한양이 대경하여 대적하다가 최완의 창을 맞아 죽은지라. _____도 계획대로 북군인 척 원양성 안으로 들어가 한양을 죽이고 성을 차지해. 최완이 승세하여 서문으로 충돌하여 나오니 장임이 자주를 맞아 십여 합을 싸울 새 장임의 기운이 쇠진하여 달아나거늘 문득 벽주 고성 왈,

"장임 적자는 닫지 말라."

하며 활을 한 번 당기어 장임의 어깨를 맞추니 장임이 몸을 번드쳐 말에서 떨어지매 최경이 달려들어 장임을 생포하여 돌아가거늘 원평이 대로하여 말을 놓아 자주로 더불어 교전하여 십여 합에 이르러는 자주의 칼이 번듯하며 원평이 탄 말이 거꾸러지니 원평이 말에서 내려 할 일 없이 항복하는지라. 자주와 _____, 최경이 도망치는 장임과 원평을 제압하면서 전투에서 승리하고 있어.

장면끊기 03 자주, 벽주, 명주, 최완, 최진, 최경 육 인이 북군과의 전투에서 승리하는 과정이 나타나고 있어. _____의 이동에 따라 전투 상황이 긴박하게 서술되며 마지막 장면이 마무리되었어.

– 작자 미상, 「옥주호연」–

*득시지추: 기다리던 때를 얻게 된 때.

---

1 인물 간의 관계를 고려하여 구조도의 빈칸에 적절한 말을 채우세요.

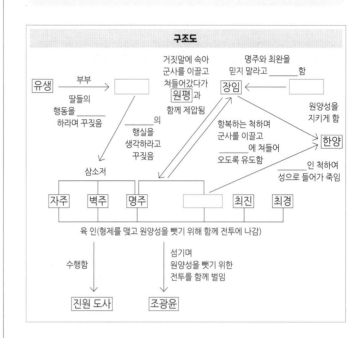

2 1~2번 문제를 풀어 보세요.

1. 윗글의 인물에 대한 이해로 적절하지 않은 것은?

① '한양'은 원양 북문을 개방하여 북군의 승리에 기여하고 있다.

② '유생'은 '삼소저'의 행동을 단속하지 못한 '왕씨'를 책망하고 있다.

③ '왕씨'는 '삼소저'가 자신의 기대를 저버린 것에 대해 한탄하고 있다.

④ '삼소저'는 천하가 어지러움을 제시하며 자신들의 의견을 표출하고 있다.

⑤ '장임'은 '원견'의 간언에도 불구하고 '명주'와 '최완'을 환대하고 있다.

2. 문학 개념어 OX 확인 문제

① 공간의 이동에 따른 인물의 행위를 서술하여 긴박감을 조성하고 있다.   ○ ✕

② 과장된 상황의 설정을 통해 해학적 분위기를 형성하고 있다.   ○ ✕

고전소설 독해의 STEP 3

1 선지 판단 공식을 활용하여 빈칸을 채우고 1번 문제의 선지를 OX로 판단해 보세요.

선지 판단의 공식

① 작품
'최완'이 '원양 북문에 나아가' '＿＿＿＿＿＿'인 척하며 문을 열라고 함 → '한양이 그 진을 살피지 못하고 문을 쾌히 열'어 줌 → '＿＿＿＿이 급히 군을 몰아 짓쳐 들어가' '＿＿＿＿'을 죽임 → 이후 최경이 '장임'과 '원평'을 생포함

선지 ➡ '한양'은 원양 북문을 개방하여 북군의 승리에 기여하고 있다.
○ ✕

② 작품
'삼소저'가 '후원에서 ＿＿＿＿＿를 익'히는 모습을 '유생'이 봄 → '유생'은 '＿＿＿＿를 몹시 꾸짖으며' 어머니인 왕씨가 '여아의 행사를 엄하게 단속'해야 한다고 함

선지 ➡ '유생'은 '삼소저'의 행동을 단속하지 못한 '왕씨'를 책망하고 있다.
○ ✕

③ 작품
'＿＿＿＿＿＿＿'가 '후원에서 조약돌로 진을 벌이며 칼 쓰기와 말 달리기를 익'힘 → 이를 안 '왕씨'는 '삼소저'로 하여금 '어진 배필을 얻어 우리 사후를 의탁할까' 기대했으나 '＿＿＿＿＿＿＿＿＿을 생각지 아니'함에 대해 나무라고 한탄함

선지 ➡ '왕씨'는 '삼소저'가 자신의 기대를 저버린 것에 대해 한탄하고 있다.
○ ✕

④ 작품
'후원에서 조약돌로 진을 벌이며 칼 쓰기와 말 달리기를 익히'는 '삼소저'를 본 '왕씨'가 딸들을 나무람 → '삼소저'는 '＿＿＿＿＿을 세워 부모께 현양'할 것이며 '＿＿＿＿ 크게 어지러우매 소녀의 ＿＿＿＿＿＿＿'라고 하여 세상에 나아갈 것을 주장함

선지 ➡ '삼소저'는 천하가 어지러움을 제시하며 자신들의 의견을 표출하고 있다.
○ ✕

⑤ 작품
'＿＿＿＿'와 '＿＿＿＿'이 계교를 세워 '절강에 사는 백성'으로 위장하여 원양성 안에 들어감 → 두 사람은 '장임'에게 항복하고자 한다고 거짓을 고하고 '장임'은 이를 '의심치 아니'함 → '＿＿＿＿＿'이 두 사람을 '믿어 그 ＿＿＿＿를 살피지 아니'하는 장임에게 잘못을 지적함 → '명주'가 의심을 피하기 위해 '자결코자 하거늘 장임이 급히 ＿＿＿＿＿'하며 '정성껏 대접' 함

선지 ➡ '장임'은 '원견'의 간언에도 불구하고 '명주'와 '최완'을 환대하고 있다.
○ ✕

고전소설 독해의 STEP 1

1 등장인물에 ☐ 표시를 하고 빈칸에 적절한 말을 채우세요.

[앞부분 줄거리] 원나라 때, 혼약을 맺은 유문성과 이춘영은 간신 달목에 의해 온갖 시련을 겪게 되고 일광도사를 만나 병법과 도술을 익혀 장수가 된다. 이때 달목이 황제를 내치고 스스로 황제 달황이 되니, 민심이 들끓게 되고 주원장이 건국의 뜻을 품고 장수 유기와 난을 일으켜 진군한다. 주원장, 유기와 형제의 의를 맺은 유문성과 이장(남장을 한 이춘영)은 각각 원수, 도독이 되어 달목의 부하인 장발과 전투를 벌인다. 앞부분 줄거리에 제시된 인물과 이들 간의 갈등 관계는 반드시 확인하고 넘어가도록 하자. 이 지문에서는 _____, 이춘영, 주원장, 유기와 악인인 _____ 사이의 대립이 서사의 핵심임을 알 수 있어.

날이 저물어 황혼이 되니, 유기는 기력이 쇠진하고, 장발은 조금도 쇠진치 아니하여, 유기의 형세 만분 위태하여 돌아오고자 하나, 만일 잠시 실수하면 생명이 경각에 있는지라, 가만히 기문법을 베풀어 몸을 구름 속에 감추어 혼백을 풍백에 붙이고 성세를 수기에 의지하여 달아나니, 장발이 비록 재주 있으나 어찌 알리오. 장발과 싸우던 유기는 형세가 (유리/**불리**)해지자 도술을 사용하여 본진으로 돌아갔어.

밤새도록 싸우다가 그 이튿날 평명에 보니, 유기는 없고 다만 한 기를 데리고 싸웠는지라, 크게 놀라고 냉랭하여 무료히 돌아오며 생각하되,

"유기는 필시 천인이요 인간 사람은 아니로다."

하고 가장 의아하더라. 밤새도록 유기의 허상과 싸운 것임을 알게 된 장발은 크게 놀라며 유기가 평범한 사람이 아니라 _____일 것이라고 생각하게 돼.

유기 밤 삼경에 본진에 돌아오니, 모두 보고 대경하여 연고를 묻거늘 수말을 설화하니, 온 군중이 다 칭찬하며 우러러보더라.

장면끊기 01 _____과 전투를 벌이다 기력이 다한 유기가 _____을 발휘해 무사히 본진으로 돌아가는 내용이었어. 하나의 전투 상황이 마무리되면서 공간의 이동 역시 나타났으니 여기서 한 번 끊어 읽으면 좋겠지?

이때 유원수 장발 잡기를 가장 염려한대, 유기 왈,

"장발은 한갓 검술만 믿고 대적치 못하리니, 용맹과 둔갑을 겸하여야 능히 제어하리라. 우리 진중에는 유원수밖에 당할 이 없나이다." 장발과 직접 싸워 본 유기는 _____만이 장발과 대적할 수 있을 것이라고 해.

이때 주원수 유원수의 손을 잡고 왈,

"이제 모든 장졸은 거재두량*이라. 장군은 장차 어찌하면 좋으리오."

유원수 답왈,

"소장이 능히 당하오리니 근심치 마옵소서. 승패는 병가상사라, 어찌 장발을 근심하여 천하 대사를 등한히 하오리까." 유원수는 근심하는 _____를 안심시키며 장발과 직접 대적하겠다는 뜻을 밝히네.

바로 나아가려 하더니, 도독이 또한 원수를 만류하여 왈,

"소장이 한번 나아가 장발을 잡으리이다."

하고, 칼을 들고 말을 내몰아 급히 진전에 나아가니, 도독은 그런 유원수를 _____하고는 자신이 대신하여 장발과 대적하고자 해. 장발이 또한 창을 들고 나서며 가로되,

"저 백면 서생 어린 아이야, 가련하다. 네 오늘 비명에 세상을 버리고자 하니, 멀고 먼 황천 길에 조심하여 가라."

하고 나는 듯이 달려드니, 이낭자 미처 몸을 돌리지 못하여 말이

엎어지거늘, 장발이 창으로 겨누며 왈,

"가련타. 네 얼굴을 보니 차마 죽일 마음이 없다마는, 범의 새끼를 놓으면 후환을 끼치는 법이라, 어찌 살려 보내리오."

하고, 호통 일성에 창을 들어 치려 하니, 이장이 정신이 없어 하늘을 우러러 다시 유생을 보지 못함을 생각하고 눈물이 비 오듯 하더니, 장발과의 전투에서 죽을 위기에 처한 도독이 _____를 떠올리며 눈물을 흘리고 있어.

이때 유원수 진중에서 바라보다가, 이장의 위급함을 보고 대경하여 급히 말을 타고 크게 소리하여 왈,

"도적은 감히 나의 장사를 해치 말라."

하고 바로 달려들어 치니, 장발이 미처 손을 놀리지 못하여 원수의 은하검이 번뜻하며 장발의 창 든 팔이 맞아 떨어지는지라. 상황이 _____함을 본 유원수가 바로 달려 나와 장발을 저지하면서 도독의 목숨을 구하였어.

일변 이장을 옆에 끼고 말에 올라 칼을 들고 달려들어 장발을 치려 하니, 장발이 비록 한 팔을 잃었으나 소리 벽력같이 지르고, 좌수로 삼백근 철퇴를 두르며 달려드니, 이때 유원수가 한 팔에 이장을 안았으매, 한 손으로 칼을 들어 대적할새, 급한 바람이 벽력을 치는 듯, 놀란 용이 벽해를 치는 듯, 천지 진동하고 산천이 무너지는 듯 하더라. 장발은 유원수의 칼에 한 ___을 잃은 채로, 유원수는 도독을 한 팔에 ___ 채로 전투를 이어가네.

삼십여 합에 승부를 결단치 못하매, 장발은 한 팔을 잃고 자연 기운이 태반이나 감하고, 유원수는 또 한편에 사람을 안았으매 자연 군속함이 많더라. 장발과 유원수 모두 제 힘을 온전히 발휘할 수 없는 상황에서 전투가 길어지자 어려움을 겪고 있는 모습이야.

이장이 정신없어 장발에게 잡혀가는가 하였더니, 이윽고 진정하여 가만히 본즉, 유원수에게 안겨 한 말에 실렸는지라. 필시 나를 위하여 한편 팔을 쓰지 못하면 반드시 기력이 쇠진하여 극히 곤색할까 저어하여, 몸을 요동하여 내리고자 하나, 유장이 또한 생각하되, 이장을 내릴 즈음에 혹시 상할까 염려하여, 허리를 단단히 안고 놓지 아니하며 한 팔로 장발을 대적하더니, 유원수를 쳐다보며 빌어 왈,

"만일 나를 놓지 아니하시면 필연 둘이 다 위태할 것이니 바삐 놓으소서."

한대, 유장이 종시 놓지 않고 왈,

"둘이 다 죽을지언정 놓지 못하리라." 도독은 자신 때문에 _____가 위태로워질 것을 염려하여 놓아달라고 하지만, 유원수 역시 _____을 걱정하여 설령 두 사람 모두 죽는다 할지라도 도독을 놓지 않을 것이라고 말하네.

장면끊기 02 유기에 이어 장발과 대적하기 위해 나선 도독이 죽을 _____에 처하고, 이를 구한 유원수가 장발과 직접 대결을 벌이는 내용이었어. 유원수가 지닌 장수로서의 뛰어난 능력과 서로를 _____하는 유원수와 도독의 애틋한 마음이 돋보이는 장면이었어.

(중략)

장발을 맞아 싸워 오십여 합에 이르매, 칼빛은 번개 같고 호통 소리는 천동 같으며, 고각 함성은 천지 진동하고, 기치 창검은 일월을 가리웠는데, 운무는 자욱하고 말굽은 분분하여, 급한 바람에 모진 상설이 뿌리는 듯, 장수는 정신을 잃고 군사는 넋을 잃어, 구렁에 올챙이떼같이 몰려 서서 구경만 하더라.

홀연 광풍이 대작하며 공중에서 벽력같은 소리 나며 은하검이 번뜻하더니, 장발의 머리 검광을 좇아 떨어지니 한 줄기 무지개

일어나며, 마침내 유원수가 장발을 물리쳤어. 그러자 자욱하게 깔려 있던 운무 속에서 한 줄기 _____가 일어났다고 하며 분위기의 전환이 이루어지고 있네. 슬프다, 이 같은 장사로 천수를 알지 못하고 몸을 그릇 역적에게 허하여 천의를 거스르니, 제 비록 천하 명장이요 만고 영웅인들, 당시 창업 주씨를 어찌 대적하며 유문성을 당하리오. 산천이 슬퍼하는 듯하고, 일월이 무광하더라. 한편 서술자는 뛰어난 장수인 장발이 _____을 따른 탓에 이렇듯 죽을 수밖에 없었던 상황에 대해 **(안타까움/후련함)**을 드러내고 있어. 장발이 죽었으니 뉘라서 대적하리오. 무인지경같이 짓쳐들어가니, 삼국 청병 장졸과 본진 장졸의 머리 추풍낙엽일러라.

이때 달황이 할 수 없어 수백기를 거느리고 북문을 향하여 도망하거늘, 유원수 그 행동을 알고 급히 좇아가 사로잡고, 간신 당파 수백명을 잡아 무사로 하여금 차례로 처참하고, 본진으로 돌아와 서로 치하 분분하더라. 장발의 죽음 이후, 더 이상 유원수에 대적할 장수가 없었던 _____의 무리는 모두 사로잡힌 뒤 처단되었어.

장면끊기 03 긴 전투 끝에 유원수가 장발을 물리치고, 그 기세를 몰아 달황과 그 무리까지 모두 소탕하는 내용이었어. 상황에 대한 감각적인 묘사가 두드러지는 장면이었지. 이어서 _____라는 장면 전환 표지가 나타나고 있으니, 여기까지 끊어 읽어야겠지?

차시, 유원수 이도독과 더불어 전후 지낸 일과 달목 잡은 말을 좌중에 세세히 설화하며 왈,

"달목은 우리와 지극한 원수라. 평생의 품은 원을 오늘에야 풀리라."

하니, 이때 억만 군졸이 이 말을 듣고 대경하여, 그제야 이장이 여자인 줄 알고 칭찬불이하더라. 달목을 사로잡은 후, 유원수의 말을 통해 도독이 _____였다는 사실이 밝혀지면서 모두가 놀라고 있네.

주원수와 유기 다시 치사하여 왈,

"부부 동심하여 천하를 평정하고, 대공을 세워 평생 원수를 갚고 원을 이루니, 이는 천고에 드문 일이라. 임의로 처치하옵소서."

주원수와 유기는 _____가 힘을 합쳐 큰 ___을 세운 것에 감사를 표하며 달목의 처분을 그들에게 맡기고 있어.

한대, 유원수 도독과 더불어 칼을 들어 호령하여 왈,

"달목은 들으라. 네 이제 우리 양인을 아는가 모르는가. 나는 여남 땅 유문성이요, 저는 낙양 땅 이상서의 여자 이씨로다. 네 무도하여 음흉한 행실로 감히 우리 선군을 구박하고, 천조를 모함하여 남의 인륜을 작희(作戲)하여 백옥 같은 정절을 자결하게 하니, 그 죄 어떠하며, 또 천위를 찬역하여 현인군자를 참살하며 백성을 도탄에 빠지게 하였으니, 네 죄는 하늘에 사무치는지라. 빨리 목을 베어 천하에 회시하라." 달목이 자신들에게 행한 악행, 나라에 끼친 해를 언급하며 처단할 것을 명하고 있네.

하니, 달가의 처와 간신 당류 등이 황겁하여 감히 한 말도 못하고 우러러보지도 못하더라.

장면끊기 04 유원수와 도독의 사연이 밝혀지고, 이들이 직접 달목의 처분을 결정 내리면서 그동안의 사건이 모두 해결되는 장면이었어. 유원수와 도독은 달목에 대한 개인적인 원한을 갚음과 동시에 도탄에 빠졌던 **(가족을/국가를)** 구해내며 영웅이 된 것이지.

― 작자 미상, 「유문성전」 ―

*거재두량: 물건이나 인재 따위가 흔해서 귀하지 않음.

고전소설 독해의 STEP 2

1 인물 간의 관계를 고려하여 구조도의 빈칸에 적절한 말을 채우세요.

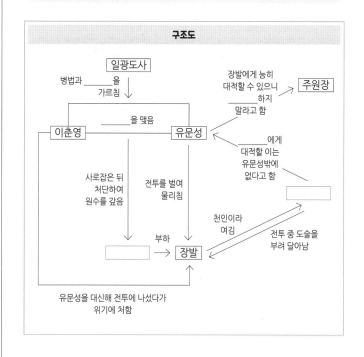

구조도

유문성을 대신해 전투에 나섰다가 위기에 처함

2 1~2번 문제를 풀어 보세요.

1. 윗글에 대해 이해한 내용으로 적절하지 않은 것은?

① 주원수는 사로잡힌 달황에게 관용을 베풀었다.

② 유기는 도술을 사용해 불리한 상황에서 벗어났다.

③ 이장이 여자라는 사실은 달목이 잡힌 후 밝혀졌다.

④ 달황은 장발이 죽은 뒤 전장에서 도망칠 수밖에 없었다.

⑤ 이장은 유원수의 안위를 걱정하여 자신을 희생하려 하였다.

2. 문학 개념어 OX 확인 문제

① 꿈과 현실을 교차하여 환상적 분위기를 조성하고 있다. ○ X

② 편집자적 논평을 활용하여 서술자의 생각을 드러내고 있다. ○ X

고전소설 독해의   STEP 3

1 선지 판단 공식을 활용하여 빈칸을 채우고 1번 문제의 선지를 OX로 판단해 보세요.

선지 판단의 공식

①

작품: 유원수가 장발을 물리치고 _____을 사로잡음 → 주원수는 유원수의 공을 치하한 뒤 달황을 '임의로 _____'하라고 함 → 유원수는 달목의 ____가 '하늘에 사무'친다며 '____을 베어 천하에 회시하라'고 함

선지▶ 주원수는 사로잡힌 달황에게 관용을 베풀었다.   ○ ✕

②

작품: 유기가 달목의 부하 장발과 전투를 벌임 → 기력이 쇠진하자 '_____을 베풀어' 본진으로 돌아감 → 이튿날 밤새 '_____는 없고 다만 한 기를 데리고 싸웠'음을 알게 된 장발은 유기를 천인이라고 생각함

선지▶ 유기는 도술을 사용해 불리한 상황에서 벗어났다.   ○ ✕

③

작품: 유원수가 장발을 물리치고 달황을 사로잡음 → '_____과 더불어 전후 지낸 일과 달목 잡은 말'을 좌중에게 전함 → 군졸들이 이장이 _____임을 깨달음

선지▶ 이장이 여자라는 사실은 달목이 잡힌 후 밝혀졌다.   ○ ✕

④

작품: 유원수가 _____을 물리침 → 유원수를 대적할 군사가 없어 장졸들이 속수무책으로 패배함 → 달황은 북문을 향해 _____함 → 유원수가 급히 좇아가 사로잡음

선지▶ 달황은 장발이 죽은 뒤 전장에서 도망칠 수밖에 없었다.   ○ ✕

⑤

작품: 장발과 맞서던 이장이 위기에 처함 → 유원수가 이장을 구하여 _____에 안은 뒤 전투를 이어감 → 이장은 전투 중 유원수의 _____이 쇠진할 것을 걱정하여 내리고자 함

선지▶ 이장은 유원수의 안위를 걱정하여 자신을 희생하려 하였다.   ○ ✕

고전소설 독해의 STEP 1

1 등장인물에 ☐ 표시를 하고 빈칸에 적절한 말을 채우세요.

이때 천자가 옥새*를 목에 걸고 항서*를 손에 든 채 진문 밖으로 나오다가 보니, 뜻밖에 호통 소리가 나며 어떤 한 대장이 적장 문걸의 머리를 베어 들고 중군으로 들어가거늘, 매우 놀라고 또 기뻐서 말하기를, 천자는 적에게 _____하려던 위기의 순간에 나타나 _____을 해치운 대장의 모습을 보고 매우 놀라고 기뻐하고 있어.

"적장 벤 장수 성명이 무엇이냐? 빨리 모시고 들어오라."

충렬이 말에서 내려 천자 앞에서 땅에 엎드리니, 천자 급히 물어 말하기를,

"그대는 뉘신데 죽을 사람을 살리는가?"

충렬이 부친 유심의 죽음과 어려서 홀로 된 자신을 길러 준 장인 강희주의 죽음을 몹시 원통하고 분하게 여겨 통곡하며 여쭈되, 천자를 위기에서 구한 장수는 바로 유충렬이었어. 충렬은 아버지 _____과 장인 _____의 죽음을 떠올리며 몹시 원통하고 있네.

"소장은 동성문 안에 살던 유심의 아들 충렬입니다. 사방을 떠돌아다니면서 빌어먹으며 만 리 밖에 있다가 아비의 원수를 갚으려고 여기 왔습니다. 충렬은 아버지의 죽음에 대한 _____를 갚고자 하는 욕망을 갖고 있었구나. 폐하께서 정한담에게 핍박을 당하리라곤 꿈에도 생각지 못했습니다. 예전에 정한담과 최일귀를 충신이라 하시더니 충신도 역적이 될 수 있습니까? 그자의 말을 듣고 충신을 멀리 귀양 보내어 죽이고 이런 환난을 만나시니, 천지가 아득하고 해와 달이 빛을 잃은 듯합니다." 충렬은 과거에 천자가 _____인 정한담, 최일귀의 말만 믿고 _____인 자신의 아버지를 귀양 보낸 일에 원망과 한스러움을 품고 있어.

하고, 슬피 통곡하며 머리를 땅에 두드리니, 산천초목이 슬퍼하며 진중의 군사들도 눈물을 흘리지 않는 이가 없더라. 천자도 이 말을 들으시고 후회가 막급하나 할 말 없어 우두커니 앉아 있더라. 말을 마친 충렬은 보는 사람까지 다 _____을 흘릴 정도로 슬피 통곡하고, 이를 본 천자는 큰 _____를 느끼며 할 말을 찾지 못하는 모습이야.

한편 적진에 잡혀갔던 태자는, 본진에서 문걸의 목을 베는 것을 보고 급히 도주해 와서 천자 곁에 앉아 있다가, 충렬의 말을 듣고 버선발로 내려와서 충렬의 손을 붙들고 말하였다.

[A] ┌ "경이 이게 웬 말인가? 옛날 주나라 성왕도 관숙과 채숙의 말을 듣고 주공을 의심하다가 잘못을 깨닫고 스스로 꾸짖어 훌륭한 임금이 되었으니, 충신이 죽는 것은 모두 다 하늘에 달린 일이라. 태자는 _____의 고사를 언급하며 충신인 유심의 죽음도 _____의 뜻에 따른 일이었을 것이라고 말해. 그런 말을 말고 온 힘으로 충성을 다하여 천자를 도우시면, 태산 같은 그대 공로는 천하를 반분하고, 하해 같은 그 은혜는 죽은 뒤에라도 └ 풀을 맺어 갚으리라." 그러므로 천자를 _____하지 말고 오히려 충성을 다해 도와달라고 하네. 그렇게 하면 그 공로와 _____에 대해서는 반드시 보답할 것이라고 충렬을 설득하고 있어.

충렬이 울음을 그치고 태자의 얼굴을 보니, 천자의 기상이 뚜렷하고 한 시대의 성군이 될 듯하여 투구를 벗어 땅에 놓고 천자 앞에 사죄하여 말하였다.

"소장이 아비의 죽음을 한탄하여 분한 마음이 있는 까닭에 격절한 말씀을 폐하께 아뢰었으니 죄가 무거워 죽어도 안타깝지 아니합니다. 소장이 죽을지언정 어찌 폐하를 돕지 아니하겠습니까?"

태자의 모습에서 장차 _____이 될 기상을 엿본 충렬은 천자에게 자신의 언행을 _____하고 목숨을 바쳐 돕겠다는 다짐을 드러내.

천자가 충렬의 말을 듣고 친히 계단 아래로 내려와서 투구를 씌우고 대원수를 명하며 손을 잡고 하는 말이,

"과인은 보지 말고 그대 선조의 입국 공업을 생각하여 나라를 도와주면, 태자가 말한 대로 그대의 공을 갚으리라."

장면끊기 01 천자를 _____에서 구한 충렬이 자신의 사연을 하소연하며 슬프게 _____하다가 _____의 말을 듣고 마음을 바꾸어 천자에게 충성을 다짐하는 내용이었어. 중략 이후에는 유충렬이 정한담을 무찌르고, 가족과 재회하여 장안으로 돌아오는 내용이 전개되므로 여기서 장면을 끊자.

[중략 부분의 줄거리] 유충렬은 남적의 선봉장이 된 정한담과의 대결에서 승리하고, 다시금 위기에 처했던 천자·황후·태후·태자를 구출한다. 이후, 유심과 강희주를 구하고 모친과 부인을 찾은 후 장안으로 돌아온다.

이때 장안의 온 백성들이 남적에게 잡혀갔던 며느리며 딸이며 동생들이 본국으로 돌아온다는 말을 듣고, 호산대 십 리 뜰에 빈틈없이 마중 나와 손과 치마를 부여잡고 그리던 마음 못내 즐거워하는지라, 이들의 울음소리가 공중에 뒤섞이어 호산대가 떠나갈 듯하였으며, 원수 유충렬과 모친 장 부인을 치사하는 소리 낭자하고 요란하였다. 유충렬의 활약으로 _____에게 잡혀갔던 가족들과 다시 상봉하게 된 _____은 크게 기뻐하며, 충렬을 향해 고마움을 표하고 있어.

금산성에 이르러 천자와 태후가 가마에서 바삐 내려 장막 밖으로 나오는지라, 원수가 갑옷과 투구를 갖추고 군사의 예로써 천자께 인사를 올리니, 천자와 태후가 원수의 손을 잡고 못내 치사하며 말하였다.

"과인의 수족을 만리타국에 보내고 밤낮으로 염려하였는데, 이렇듯 무사히 돌아오니 즐거운 마음을 어찌 다 말로 하겠는가. 천자는 충렬이 무사히 _____ 것을 기뻐하고 있네. 옥문관으로 귀양 간 승상 강희주를 찾아 구하고 더불어 남적을 물리친 일과, 돌아오는 길에 그간 죽은 줄 알았던 그대의 모친과 부인 강 낭자를 만나 데려온 일은 모두 천추에 드문 일이다. 그대의 은혜는 죽어도 잊기 어려운지라, 입이 열 개라도 어떻게 그 말을 다 하리오." 유충렬의 공로를 하나하나 언급하며 칭찬하고, 고마움을 드러내고 있어.

태후가 유 원수를 치사한 후에 조카 강 승상을 부르시니, 강 승상이 바삐 들어와 땅에 엎드리는지라, 태후가 강 승상을 보고 하시는 말씀이야 어찌 말로 다 표현할 수 있으리오. 태후는 죽은 줄로만 알았던 조카 _____와 재회하게 된 것에 크게 감격한 모습이야. 천자가 내려와 강 승상의 손을 잡고 위로하며 말하였다.

"과인이 현명하지 못하여 역적의 말을 듣고 충신을 먼 지방으로 귀양을 보내어 가족들과도 이별을 했으니, 무슨 면목으로 경을 대면하리오. 그러나 이미 지나간 일이니 잘잘못을 따지지 말기 바라오." 천자는 자신의 지난 _____을 사과하며 이를 잊어달라고 하네.

한편 이미 장안으로 돌아와 연왕이 된 유심은 장 부인이 온다는 소식을 듣고 마음이 공중에 떠서 충렬이 나오기를 고대하였다. 유심이 아내 _____과의 재회를 몹시 기대하며 기다리고 있는 모습이야. 원수가 천자께 물러 나와 연왕 앞에 엎드려 아뢰기를,

"불효자 충렬이 남적을 소멸하고 오는 길에 회수에 와 모친을 기리는 제사를 지내다가, 천행인지, 뜻밖에도 죽은 줄 알았던

모친을 만나 모시고 왔습니다!"

하니, 연왕이 반가움을 이기지 못하여 말하였다.

"너의 모친이 어디 오느냐?"

이때 장 부인이 이미 휘장 밖에 있다가 남편 유심의 말소리를 듣고 반가운 마음을 어찌하지 못하고 미친 듯이 취한 듯이 들어가니, 연왕이 부인을 붙들고 말하였다.

"멀고 먼 황천길에 죽은 사람도 살아오는 법 있는가? 백골이 된 당신을 어떤 사람이 살려 왔느냐. 뉘 집 자손이 모셔왔느냐. 충렬아, 네가 분명 살려 왔느냐? 간신의 모함으로 유배를 가게 된 내가 북방 천리만리 호국 일당에 잡히어 죽을 줄 알았더니, 십 년 전에 헤어진 부인을 다시 만나고, 일곱 살에 부모와 이별하여 갖은 고난을 겪은 충렬을 이렇듯이 다시 만나 영화를 볼 줄이야 꿈속에서나 생각할 수 있었겠는가!" 유심은 한때 _____의 모함으로 _____를 가 죽을 위기를 겪기도 했던 자신이 무사히 살아서 헤어졌던 가족과 다시 만나게 된 것에 감격하고 있어.

장면끊기 02 충렬이 _____과의 대결에서 _____한 뒤 금의환향하고, 헤어졌던 가족들과 한 자리에서 만나 기쁨을 나누는 내용이었어. 충렬은 가족과 국가의 위기를 모두 해결하며 (영웅/초월)적 인물이 된 것이지.

– 작자 미상, 「유충렬전」 –

*옥새: 옥으로 만든, 나라를 대표하는 도장.

*항서: 항복을 인정하는 문서.

---

2 1~2번 문제를 풀어 보세요.

1. 윗글의 내용에 대한 이해로 적절하지 <u>않은</u> 것은?

① '천자'가 '장수'에게 "그대는 뉘신데 죽을 사람을 살리는가?"라고 말하는 것으로 보아, '천자'는 '장수'의 능력에 놀라움을 표하고 있다.

② '유충렬'이 '천자' 앞에서 '유심'이 죽었다며 원통해하는 것으로 보아, '유충렬'은 부친이 죽은 것으로 잘못 알고 있다.

③ '군사들' 중에 '유충렬'의 말을 듣고 '눈물을 흘리지 않는 이'가 없는 것으로 보아, '군사들'은 '유충렬'의 심정에 공감하고 있다.

④ '유충렬'이 '천자'를 도와 전쟁에 나가겠다고 약속하는 것으로 보아, '유충렬'은 '태자'의 말과 기상에 감화되어 스스로 반성하고 있다.

⑤ '천자'가 '유충렬'에게 '과인은 보지 말고' 나라를 구하라고 권유하는 것으로 보아, '천자'는 '유심'의 귀양에 대한 자신의 과오를 인정하지 않고 있다.

2. 인물의 말하기 방식 OX 확인 문제

① [A]에서는 역사적인 사실을 근거로 하여 상대방의 견해를 옹호하고 있다.

○ ✕

② [A]에서는 상대방에게 자신의 역할과 본분에 충실할 것을 강조하고 있다.

○ ✕

고전소설 독해의 STEP 2

1 인물 간의 관계를 고려하여 구조도의 빈칸에 적절한 말을 채우세요.

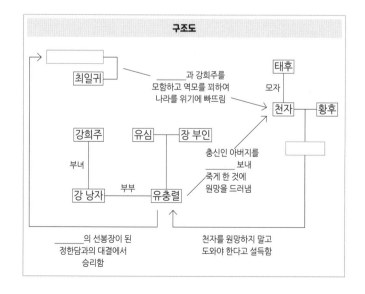

고전소설 독해의 STEP 3

1 선지 판단 공식을 활용하여 빈칸을 채우고 1번 문제의 선지를 OX로 판단해 보세요.

선지 판단의 공식

①

작품
천자가 적에게 항복하려던 순간 어디선가 나타난 _____ 가 '적장 문걸의 머리를 _____ 중군으로 들어'가자 천자는 매우 _____고 기뻐함

선지➡ '천자'가 '장수'에게 "그대는 뉘신데 죽을 사람을 살리는가?"라고 말하는 것으로 보아, '천자'는 '장수'의 능력에 놀라움을 표하고 있다.　　　　　　○ ✕

②

작품
천자가 누구인지 묻자 유충렬은 '슬피 통곡'하며 '_____의 원수를 갚으려고 여기 왔'다는 자신의 사연을 이야기함. 한편 유충렬은 정한담을 물리친 뒤 장안으로 돌아와 '연왕이 된 _____'과 재회함

선지➡ '유충렬'이 '천자' 앞에서 '유심'이 죽었다며 원통해하는 것으로 보아, '유충렬'은 부친이 죽은 것으로 잘못 알고 있다.
　　　　　　○ ✕

③

작품
유충렬이 천자에게 자신의 사연을 이야기한 뒤 '슬피 _____'하자, '진중의 군사들도 _____을 흘리지 않는 이가 없'었다고 함

선지➡ '군사들' 중에 '유충렬'의 말을 듣고 '눈물을 흘리지 않는 이'가 없는 것으로 보아, '군사들'은 '유충렬'의 심정에 공감하고 있다.
　　　　　　○ ✕

④

작품
유충렬의 사연을 들은 _____가 천자를 원망하지 말고 '온 힘으로 충성을 다하여' 도와야 한다고 설득함 → 유충렬은 태자의 얼굴을 보고 '한 시대의 _____이 될 듯'한 기상을 느낌

선지➡ '유충렬'이 '천자'를 도와 전쟁에 나가겠다고 약속하는 것으로 보아, '유충렬'은 '태자'의 말과 기상에 감화되어 스스로를 반성하고 있다.　　　　　　○ ✕

⑤

작품
천자는 유충렬의 사연을 듣고 '_____가 막급'함을 느낌 → 자신을 돕겠다는 유충렬의 말을 듣고 '친히 계단 아래로 내려와서' '손을 잡고' '그대의 ___을 갚'겠다고 함

선지➡ '천자'가 '유충렬'에게 '과인은 보지 말고' 나라를 구하라고 권유하는 것으로 보아, '천자'는 '유심'의 귀양에 대한 자신의 과오를 인정하지 않고 있다.　　　　　　○ ✕

고전소설 독해의   STEP 1

1 등장인물에 ☐ 표시를 하고 빈칸에 적절한 말을 채우세요.

산은 첩첩하고 물은 중중한데, 잠자려는 새들은 숲으로 들어가 객회(客懷)를 자아내니 숙향이 갈 데 없어서 앉아서 울고 있었다. 숙향은 깊은 ___속에서 갈 곳이 없어 슬퍼하고 있어. 문득 파랑새가 꽃봉오리를 물고 손등에 앉거늘 숙향이 배고픔을 견디지 못해 꽃봉오리를 먹으니 눈이 맑아지고 배가 불러 정신이 상쾌하며 몸에 향내 진동하더라.

일어나서 파랑새가 가는 대로 따라 두어 고개를 넘어가니 산골짜기에 한 궁궐이 있는데, 그 새가 큰 문으로 들어가거늘 숙향이 따라 들어갔다. 신비로운 존재인 _____가 인도하는 곳으로 가자 비현실적 공간이 나타났어. 한 계집이 마중 나와 숙향을 안고 들어가 큰 전각(殿閣) 앞에 놓으니 한 부인이 머리에 화관(花冠)을 쓰고 황금 의자에 앉아 있다가 숙향을 맞아 팔을 밀어 동편 백옥 의자에 앉기를 청하거늘 숙향이 어찌할 줄 모르고 다만 울 뿐이었다. 숙향은 무슨 일인지 몰라 당황해서 눈물만 흘리고 있네.

부인 왈,
"선녀께서 인간 세상에 내려와 더러운 물을 많이 먹었으니 정신이 바뀌어 전생 일을 모르나이다."

선녀에게 명해 경액(瓊液)*을 드리라 한대 선녀가 만호잔에 호박대를 받쳐 이슬 같은 것을 부어 드리거늘 숙향이 받아먹으니 맛은 젖맛 같고 매우 향기롭더라. 먹은 후에 천상의 일과 인간 세상에 내려와 부모 잃고 헤매며 고생한 일을 일일이 알게 되니 몸은 비록 아이나 마음은 어른이라. 숙향은 선녀가 준 _____을 먹은 뒤 천상의 일과 _____에 내려와 겪은 일들에 대해 알게 돼. 즉시 일어나 부인께 예를 표해 왈,

"첩은 천상에 득죄(得罪)하여 인간 세상에 내려와 고초가 심하거늘 이다지도 불쌍히 여겨 대접하시니 지극히 감격하나이다."
"선녀께서는 저를 알아보시겠나이까?" 숙향은 천상계에서 _____였는데, 죄를 지은 탓에 인간 세상에 내려와서는 _____를 겪었나 봐.
"인간 세상에 내려와 정신이 바뀌었사오니 자세히 아옵지 못하나이다."
"이 땅은 명사계(冥司界)요, 저는 후토 부인이니이다. 선녀께서 인간 세상에 내려와 고생을 겪었으매 접때 잔나비와 황새를 보내 도와 드렸고 이번에는 파랑새를 보내었삽더니 보셨나이까?" 후토 부인은 이전에도 고생을 겪던 숙향을 (도운/위로한) 적이 있네.
"다 보았사오나 부인의 하늘 같은 은혜를 갚을 길이 없사오니 부인의 시비나 되어 만분지일이나 갚사올까 바라나이다."

부인이 정색하고 왈,
"저는 한낱 조그마한 신령이요, 그대는 월궁의 으뜸 선녀라. 비록 천상에서 지은 죄로 인간 세상에 내려와 일시 고생을 겪었으나 그런 말씀을 어찌 하시나이까? 선녀 가실 곳이 또한 머오니 그 사이에 고생을 많이 겪을 것이오매 쉬어 내일 가소서."
하고, 잔치를 배설하여 환대하니 음식과 보배 등이 극히 화려하더라. 숙향은 후토 부인의 시비가 되어서 자신을 도운 _____를 갚고자 해. 하지만 후토 부인은 월궁의 으뜸 선녀였던 숙향에게 그럴 수 없다며 만류하지. 후토 부인이 _____를 베풀어 주면서도, 앞으로 갈 곳이 멀고 _____을 많이 겪게 될 테니 쉬어 가라고 권유하는 것에서 숙향에게 또다른 고난이 찾아 올 것이라 암시된다고 볼 수 있겠지.

숙향이 부인께 왈,
"첩이 전일 듣사오니 명사계는 시왕(十王)이 계신 데라 하더니 그러하오이까?"
"그러하여이다."
"그러하오면 시왕전이 어디오이까?"
"멀지 아니하오이다."
"인간 세상의 부모가 난중에 죽었으면 시왕전에 왔사올 것이니 반가이 만나 볼 수 있겠나이까?" 숙향은 _____에서라도 부모님을 만나고 싶어해.
"그대 부모는 인간 세상에 반석같이 계시고 그들도 원래 인간 세상 사람이 아니요, 봉래산 선관 선녀로서 인간 세상에 귀양 왔사오니 기한이 차면 봉래로 돌아갈 것이요, 이곳은 오지 아니하리이다." 후토 부인은 숙향의 부모는 아직 죽지 않았으며 그들 역시 원래는 (지상/천상)의 존재임을 알려 주네.

장면끊기 01 숙향은 _____을 만나 도움을 받고, 자신이 원래 천상의 존재였으며 죄를 지어 인간 세계에 내려온 것을 알게 되었어. 중략 이후의 장면에서는 숙향이 ___에 갇히게 되었음이 드러나므로 별개의 사건이 전개되는 장면이라고 할 수 있겠네. 여기서 장면을 나누어 주자.

(중략)

이선이 숙향이 보내 온 혈서를 보고 크게 놀라 통곡하고 그 편지를 숙모께 드리고 낙양 옥중에 가서 숙향과 함께 죽으려 하더니 이선은 숙향이 보낸 _____에 크게 놀라 통곡하고 함께 죽으려 해. 숙부인 왈,
"아직 자세히 알지도 못하는데 성급히 굴지 마라."
하며 하인을 불러 할미 집에 가 보고 오라 하고, 그 고을의 이방 원통을 불러서 그 연고를 물으니 원통이 고하기를,
"상서께서 명을 내리시어 숙향을 잡아다 죽이라 하신고로 원님이 상서 명을 거역하지 못하여 어젯밤에 숙향을 잡아다 죽이려고 큰 매로 치라 하되 집장 사령이 매를 들지 못하여 죽이지 못하였사오나 원님이 오늘 죽이려 하옵고 큰 칼을 씌워 옥에 가두었나이다." _____의 명에 따라 원님이 숙향을 죽이려 했으나 그러지 못하고 오늘 죽이려고 ___에 가둬 두었다고 하네.

숙부인이 듣고 크게 놀라 왈,
"선이 비록 상서의 아들이나 내가 양자로 들였으매 선과 숙향이 혼사를 치르도록 했거늘, 내게 묻지 아니하고 나를 과부라 업신여겨 이러하니 내 황성에 들어가 상서에게 일러 듣지 아니하면 황후께 아뢰어 황제께서 아시게 하리라." 숙부인은 상서의 아들인 _____을 양자로 들였고, 숙향과 이선의 _____를 허락했어. 그래서 자신에게 묻지 않고 _____을 죽이라고 명한 상서에게 분노하지. 이에 숙부인은 황성에 들어가 상서에게 말해 보고, 듣지 않으면 _____께 아뢰려고 해.
하고 즉시 행장을 차려서 장안으로 가니라.

한편 이선은 집에 들어가 울며 숙향이 죽었으면 함께 죽으리라고 하더라. 이선은 낙심해서 숙향이 죽었다면 자신도 따라 죽겠다고 결심해.

장면끊기 02 이선은 숙향의 _____를 보고 그녀가 옥에 갇혔음을 알게 돼. 숙부인은 일의 연고를 안 뒤 숙향을 죽이라는 명을 내린 _____를 말리기 위해 장안으로 갔어. 이후에는 시공간적 배경이 바뀌어, 이튿날 숙향이 낙양 옥중에서 심문을 받는 내용이 전개되니 여기서 장면을 끊자.

이튿날 김전이 숙향을 올리라 하니 이때 낭자가 옥 같은 두 귀

밑에 흐르나니 눈물이라. 연약한 몸이 큰칼 쓰고 여러 사람에게 붙들려 가니 반은 죽은 사람이라. 이를 보는 사람이 눈물 아니 짓는 이가 없더라. 죽을 위기에 처한 숙향은 _____을 흘리고 이를 지켜보는 사람들도 슬퍼하고 있어.

김전이 왈,

"네 고향은 어디며 이름은 무엇이며 나이는 몇이나 되며 뉘 집 딸이라 하느뇨?"

낭자 왈,

"오 세에 부모를 난중에 잃고 사방에 유리(流離)하옵다가 겨우 의탁한 몸 되었사오니 고향과 부모의 성명은 모르오되 나이 찬 후에 혹 듣사오니 김 상서의 딸이라 하오며 이름은 숙향이요 나이는 십육 세로소이다." 숙향은 자신의 삶을 요약적으로 제시하고 있어. 전쟁 중에 _____를 잃고 떠돌았으며, 나이 찬 후에 자신이 _____의 딸이라는 것을 알게 되었대.

김전의 아내 장 씨가 그 말을 듣고 눈물을 흘리며 김전에게 왈,

"그 여자의 얼굴을 보오니 죽은 우리 딸과 같삽고 연치(年齒) 또한 같사오되 다만 김 상서의 딸이라 하니 그 근본을 자세히 모르오나 이름도 같고 나이도 같으니 혹 죽은 자식이 살아서 돌아다니는지 마음이 자연 비창(悲愴)하오니 아직 죽이지 말고 상서께 기별하여 스스로 처치하게 하오소서." 장 씨는 숙향의 말을 듣고 자신의 _____과 비슷하다고 생각하여 슬퍼하고 있어. 그래서 숙향을 아직 죽이지 말고 _____께 말씀드려 알아서 처치하게끔 하자고 하지.

김전이 부인의 말을 옳게 여겨 숙향을 도로 하옥하라 하고, 이 사연을 이 상서에게 회보(回報)하니라.

장면끊기 03 김전이 숙향을 심문하고 부인 장 씨는 숙향을 보고 죽은 딸을 떠올리며 슬퍼해. _____의 부탁으로 숙향의 처형이 미뤄지면서 지문이 마무리되었어.

– 작자 미상, 「숙향전」 –

*경액: 신선이 마신다는 신비로운 약물.

1 인물 간의 관계를 고려하여 구조도의 빈칸에 적절한 말을 채우세요.

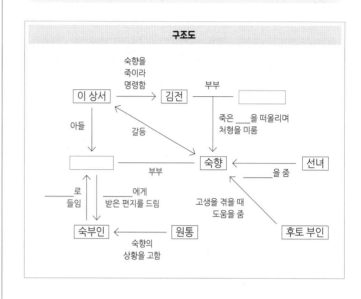

2 1~2번 문제를 풀어 보세요.

1. 윗글의 인물에 대한 이해로 적절하지 <u>않은</u> 것은?

① '후토 부인'은 '숙향'을 명사계로 인도하여 전생에서의 '숙향'의 정체를 깨닫게 해 주고 있다.

② '이선'은 '숙향'이 처한 상황을 알고서 '숙향'과 생사를 같이 하겠다고 다짐하고 있다.

③ '숙부인'은 '숙향'과 '이선'의 혼사가 이루어지도록 '이 상서'로 하여금 '황후'에게 아뢰게 하고 있다.

④ '김전'은 '장 씨'의 말을 수용하여 '숙향'에 대한 형 집행을 미루고 있다.

⑤ '장 씨'는 '숙향'을 보고서 자신의 딸을 떠올리며 '숙향'에게 연민을 느끼고 있다.

2. 문학 개념어 OX 확인 문제

① 인물이 처한 힘든 상황을 나타내는 시공간적 배경을 제시하고 있다. ○ ✕

② 인물의 발화를 통해 이전 사건을 요약적으로 제시하고 있다. ○ ✕

고전소설 독해의 STEP 3

1 선지 판단 공식을 활용하여 빈칸을 채우고 1번 문제의 선지를 OX로 판단해 보세요.

선지 판단의 공식

① **작품** 헤매던 숙향 앞에 '문득 파랑새가' 나타나며 '_____가 가는 대로 따라'가 '한 궁궐'에 이르게 됨 → '한 _____이 머리에 화관을 쓰고' 있었으며 부인의 명에 따라 선녀가 준 '_____'을 먹자 숙향은 '_____의 일과 인간 세상에 내려와 부모 잃고 헤매며 고생한 일을 일일이 알게' 됨

선지▶ '후토 부인'은 '숙향'을 명사계로 인도하여 전생에서의 '숙향'의 정체를 깨닫게 해 주고 있다. ○ ✕

② **작품** 이선은 '숙향이 보내 온 혈서를 보고 크게 놀라 통곡하고 그 편지를 숙모께 드리고 _____에 가서 숙향과 _____ 죽으려' 함, 숙부인이 이 상서를 만나기 위해 장안으로 간 뒤 이선은 울며 '숙향이 죽었으면 함께 _____ 리라' 다짐함

선지▶ '이선'은 '숙향'이 처한 상황을 알고서 '숙향'과 생사를 같이 하겠다고 다짐하고 있다. ○ ✕

③ **작품** 숙부인은 '선과 숙향이 _____를 치르도록 했'는데 이 상서가 명을 내려 숙향을 옥에 가둔 문제에 대해 '일러 듣지 아니하면 _____께 아뢰어 황제께서 아시게 하'겠다고 함

선지▶ '숙부인'은 '숙향'과 '이선'의 혼사가 이루어지도록 '이 상서'로 하여금 '황후'에게 아뢰게 하고 있다. ○ ✕

④ **작품** 장 씨는 숙향을 보고 죽은 딸을 떠올리며 연민하고 '아직 죽이지 말고 상서께 기별하여 _____ 처치하게 하'자고 부탁함 → '김전이 부인의 말을 _____ 여겨 숙향을 도로 _____하라' 함

선지▶ '김전'은 '장 씨'의 말을 수용하여 '숙향'에 대한 형 집행을 미루고 있다. ○ ✕

⑤ **작품** 숙향은 '오 세에 부모를 난중에 잃고 사방에 유리하'였으며 '_____의 딸이라 하오며 이름은 숙향이요 나이는 십육 세'라고 하여 자신의 내력을 밝힘 → 장 씨는 숙향의 '얼굴을 보오니 _____과 같삽고 연치 또한 같'다고 하며 '혹 죽은 자식이 살아서 돌아다니는지 마음이 자연 _____하'다고 함

선지▶ '장 씨'는 '숙향'을 보고서 자신의 딸을 떠올리며 '숙향'에게 연민을 느끼고 있다. ○ ✕

고전소설 독해의 STEP 1

1 등장인물에 ☐ 표시를 하고 빈칸에 적절한 말을 채우세요.

[앞부분의 줄거리] 꼿꼿한 절개를 지닌 선비 자허가 밤에 독서를 하다가 잠이 든다. 꿈속에서 강 언덕을 거닐며 시를 읊던 자허는 복건을 쓴 사람을 만나는데, 그는 임금과 신하들이 자허를 기다리고 있다고 말하며 정자로 인도한다.

그들은 자허가 오는 것을 보고 일제히 마중을 나왔다. 자허는 그들과 인사를 나누기 전에 먼저 임금에게 나아가 문안을 여쭙고 되돌아와서 각자 자리에 앉기를 기다렸다가 맨 끝에 앉았다. 자허의 바로 윗자리에는 복건을 쓴 이가 앉았고, 그 위로는 다섯 사람이 차례로 앉았다. 자허는 어떻게 된 까닭인지 알 수 없어서 몹시 불안하였다. 자허는 꿈속에서 임금과 신하들이 모인 자리에 갑자기 인도되자 어떻게 된 일인지 몰라 _____하고 있어. 그때 임금이 말하였다.

"내가 일찍부터 경의 꽃다운 지조를 그리워하였소. 오늘 이 아름다운 밤에 만났으니 조금도 이상하게 생각 마오." 임금은 자허의 _____를 그리워해서 초대한 것이라고 해.

자허는 그제야 의심을 거두고 일어서서 은혜에 감사하였다. 그 후 자리가 정해지자 그들은 고금 국가의 흥망을 흥미진진하게 논하였다. 복건 쓴 이는 탄식하면서

"옛날 요, 순, 탕, 무*는 만고의 죄인입니다. 그들 때문에 후세에 여우처럼 아양 부려 임금의 자리를 뺏은 자가 선위*를 빙자하였고, 신하로서 임금을 치고서도 정의를 외쳤습니다. 천 년의 도도한 세월이 흘렀건만 누구도 그 폐해를 구제하지 못했습니다. 그러니 이 네 임금이야말로 도적의 시초가 아니고 무엇이겠습니까?" 임금과 신하들은 고금의 _____에 대해 토론하기 시작해. 먼저 복건 쓴 이는 요, 순, 탕, 무라는 네 명의 임금들을 탓하며 이들이 _____의 시초나 다름없다고 하네.

하였다.

그러자 말이 채 끝나기도 전에 임금은 얼굴빛을 바로잡고,

"아니오. 경은 이게 대체 무슨 말이오? 네 임금의 덕을 지니고 네 임금의 시대를 만났다면 옳거니와, 네 임금의 덕이 없을 뿐더러 네 임금의 시대가 아니라면 아니 될지니, 네 임금이 무슨 허물이 있겠소? 다만 그들을 빙자하는 놈들이 도적이 아니겠소?" 임금은 복건 쓴 이를 나무라며 네 임금에게는 허물이 (있고/없고), 그들을 명분으로 삼고 이득을 취하려는 자들이야말로 _____과 같다고 하네.

하고 말했다. 그러자 복건 쓴 이는 머리를 조아리고 절하며,

"마음속에 불평이 쌓여서 저도 모르는 사이에 지나치게 분개했습니다."

하며 사과했다.

임금은 또,

"그만두시오. 오늘은 귀한 손님이 이 자리에 계시니, 다른 것을 이야기할 필요는 없겠소. 다만 달은 밝고 바람이 맑으니, 이렇게 아름다운 밤에 어찌하려오."

하고 곧 금포를 벗어서 갯마을에 보내어 술을 사 오게 했다. 술이 몇 잔 돌자 임금은 그제야 잔을 잡고 흐느껴 울면서 여섯 사람을 돌아보았다.

"경들은 이제 각기 자기의 뜻을 말하여 남몰래 품은 원한을 풀어 봄이 어떠할꼬."

했다. 여섯 사람은

"전하께옵서 먼저 노래를 부르시면 신들이 그 뒤를 이어 볼까 하옵니다."

하고 대답했다. 임금은 수심에 겨워 옷깃을 여미고 슬픔을 이기지 못한 채 노래 한 가락을 불렀다. 임금과 신하들은 술을 나누어 마시고, _____이 가득한 임금이 먼저 노래를 부르기 시작해.

강물은 울어 옐 제 쉴 줄을 모르는구나
기나긴 나의 시름 이 물에 비길까나
살았을 때는 임금이건만 죽어서는 고혼뿐이거늘
새 임금은 거짓이라 나를 높여 무엇하리
고국의 백성들은 국적이 변했구나
예닐곱 신하만이 죽음으로 나를 따르는구나
오늘 저녁은 어인 밤인가 강루에 함께 올라
차가운 물결 밝은 달이 수심을 자아낼 때
슬픈 노래 한 가락에 천지가 아득하구나

임금은 자신의 죽음과, _____의 거짓된 즉위, 죽음으로 자신을 따른 충신들에 대해 노래했어.

노래가 끝나자 다섯 사람이 각기 절구를 읊었다. 첫째 자리에 앉은 사람이 먼저 읊었다.

어린 임금 못 받듦은 내 재주 엷음이라
나라 잃고 임금 욕보이고 이 몸까지 버렸구나
지금 와 천지를 둘러보니 부끄러울 뿐이로다
당년에 일찍 스스로 도모하지 못했음을 후회하노라

첫째 자리에 앉은 사람은 _____을 제대로 보위하지 못한 일과 나라를 잃어버린 일을 자탄하고 있어. 즉 자허의 꿈에 나타난 임금과 여섯 명의 신하는 바로 새 임금(세조)의 거짓된 즉위로 폐위된 어린 임금(단종)과 그의 충신들인 거야.

(중략)

읊기가 끝나자 만좌는 모두 흐느껴 울었다. 얼마 되지 않아서 어떤 기이한 사내 하나가 뛰어드는데 그는 씩씩한 무인이었다. 키가 훨씬 크고 용맹이 뛰어났으며, 얼굴은 포갠 대추와 같고, 눈은 샛별처럼 번쩍였다. 그는 옛날 문천상의 정의에다 진중자의 맑음을 겸하여 늠름한 위풍은 사람들로 하여금 공경심을 일으키게 했다. 갑자기 뛰어든 _____의 외양을 묘사하고 있어. 정의와 맑음을 겸하고 _____한 위풍을 가졌다고 하네. 그는 임금의 앞에 나아가 뵌 뒤에 다섯 사람을 돌아보며

"애달프다. 썩은 선비들아, 그대들과 무슨 대사를 꾸몄단 말인가."

하고 곧 칼을 뽑아 일어서서 춤을 추며 슬피 노래를 부르는데, 그 마음은 강개하고 그 소리는 큰 종을 울리는 듯싶었다. 그 노래는 다음과 같았다.

바람은 쓸쓸하여 잎 지고 물결 찰 제
칼 안고 긴 휘파람에 북두성은 기울었네
살아서는 충의하고 죽어서는 굳센 혼을
내 금량*이 어떻더뇨 강 속에 둥근 달이로다

함께 일을 도모한 것이 잘못이니 썩은 선비 책하지 마오

사내는 칼을 뽑아 들고 춤을 추며 비분강개의 심정을 노래하고 있어. 살아서 _____ 하고 죽어서도 굳센 혼을 지키고 있다고 하네.

노래가 끝나기 전에 달이 어두컴컴해지고 시름겨운 구름이 끼더니, 비가 쏟아지고 바람이 몰아쳤다. 귀를 찢는 천둥소리가 울리니 모두가 홀연히 흩어졌다. 자허도 역시 놀라 깨어 본 즉 곧 한바탕의 꿈이었다. _____가 울리며 자허는 꿈속 공간에서 현실로 돌아왔어.

장면끊기 01 자허는 꿈속에서 _____을 쓴 이에게 이끌려 간 곳에서 임금과 신하들을 만나. 그들은 _____의 흥망에 대해 논하면서 술을 마시고, 각자의 심회를 노래로 풀어내. 갑자기 나타난 _____ 역시 춤을 추며 자신의 심정을 노래하고, 천둥소리가 울리며 자허는 꿈에서 깨어나지. 꿈속 세계에서 현실로 돌아오고 있으니 여기서 장면을 나누어야 해. 자허의 벗 매월거사*는 이 꿈 이야기를 듣고 통분한 어조로 말했다.

"대체로 보아 옛날로부터 임금이 어둡고 신하가 혼잔*하여 마침내 나라를 망친 자가 많았다. 그런데 이제 그 임금을 보건대 반드시 현명한 왕이며, 그 여섯 신하도 또한 모두 충의의 선비인데 어찌 이런 신하와 이런 임금으로서 패망의 화를 입음이 이렇게 참혹할 수 있겠는가. 아아, 이것은 대세가 이렇게 만든 것일까. 그렇다면 이는 불가불 시세에 맡길 수밖에 없을 것이며 또한 원인을 하늘에 돌리지 않을 수 없겠는가. 하늘에 원인을 돌린다면, 저 착한 이에게 복을 주며 악한 놈에게 재앙을 주는 것이 하늘의 도리가 아니겠는가. 만일 하늘에 원인을 돌릴 수 없다면 곧 어둡고도 막연하여 이 이치를 상세히 알 수 없이 유유한 이 누리에 한갓 지사의 회포만을 돋울 뿐이구려." 자허의 벗인 매월거사는 자허의 꿈 이야기를 듣고 통분하고 있어. 꿈속의 임금과 신하는 _____한 왕이고 충의의 선비인데 _____한 일을 당했다는 거지. 그러한 일의 원인을 하늘에 돌릴 수밖에 없지만, 착한 이에게 복을 주고 악한 놈에게 재앙을 주는 하늘의 _____가 지켜지지 않음에 탄식하는 거야.

장면끊기 02 현실로 돌아온 자허는 자신의 꿈 이야기를 벗인 _____에게 했고, 매월거사는 통분함을 느끼며 임금과 신하들이 _____한 일을 당한 것을 안타까워해.

— 임제, 「원생몽유록」 —

*요, 순, 탕, 무: 고대 중국의 성군(聖君)들.

*선위: 군주가 살아 있으면서 다른 사람에게 군주의 지위를 물려주는 일.

*금량: 마음속에 깊이 품은 생각.

*매월거사: 생육신 중 한 명인 김시습의 별호.

*혼잔: 어리석고 못나서 사리에 어두움.

고전소설 독해의 STEP 2

1 인물 간의 관계를 고려하여 구조도의 빈칸에 적절한 말을 채우세요.

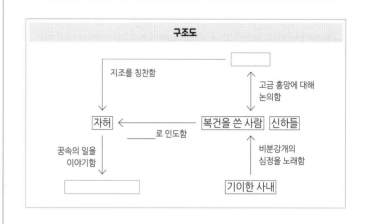

2 1~2번 문제를 풀어 보세요.

1. 윗글의 인물에 대한 이해로 적절하지 않은 것은?

① 임금은 왕위를 잃은 후 자신의 처지를 슬퍼하고 있다.

② 자허는 신하들 사이의 오해를 해소하기 위해 애쓰고 있다.

③ 기이한 사내는 노래를 통해 자신의 충의를 드러내고 있다.

④ 복건 쓴 이는 임금의 지적을 받자 자신의 잘못을 인정하고 있다.

⑤ 첫째 자리에 앉은 사람은 임금을 제대로 보좌하지 못한 것을 안타까워하고 있다.

2. 문학 개념어 OX 확인 문제

① 다양한 관점으로 인물의 성격을 입체적으로 조명하고 있다.　　　　○ ✕

② 대화와 삽입된 노래를 통해 인물들의 심회를 드러내고 있다.　　　　○ ✕

고전소설 독해의 STEP 3

1 선지 판단 공식을 활용하여 빈칸을 채우고 1번 문제의 선지를 OX로 판단해 보세요.

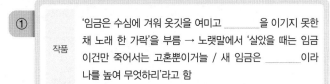

① 작품 '임금은 수심에 겨워 옷깃을 여미고 ＿＿＿＿을 이기지 못한 채 노래 한 가락'을 부름 → 노랫말에서 '살았을 때는 임금 이건만 죽어서는 고혼뿐이거늘 / 새 임금은 ＿＿＿＿이라 나를 높여 무엇하리'라고 함

선지 임금은 왕위를 잃은 후 자신의 처지를 슬퍼하고 있다.
○ ✕

② 작품 자허가 '복건을 쓴 사람'을 따라 간 곳에서 임금과 신하들은 '고금 국가의 흥망을 ＿＿＿＿＿＿＿하게 논하였'음 → 자허는 임금과 신하들이 '각기 자기의 뜻을 말하여 남몰래 품은 ＿＿＿＿＿'을 노래로 풀어내는 것을 봄

선지 자허는 신하들 사이의 오해를 해소하기 위해 애쓰고 있다.
○ ✕

③ 작품 기이한 사내는 '살아서는 ＿＿＿＿하고 죽어서는 굳센 혼을 / 내 ＿＿＿＿이 어떻더뇨 강 속에 둥근 달이로다'라고 노래함

선지 기이한 사내는 노래를 통해 자신의 충의를 드러내고 있다.
○ ✕

④ 작품 복건 쓴 이는 '옛날 요, 순, 탕, 무'의 '네 임금이야말로 도적의 시초'라고 함 → 이에 임금은 '네 임금이 무슨 ＿＿＿＿이 있'냐며 '그들을 빙자하는 놈들이 도적'이라고 함 → 복건 쓴 이는 '마음속에 불평이 쌓여서 저도 모르는 사이에 지나치게 ＿＿＿＿했'다며 사과함

선지 복건 쓴 이는 임금의 지적을 받자 자신의 잘못을 인정하고 있다.
○ ✕

⑤ 작품 첫째 자리에 앉은 사람은 '어린 임금 ＿＿＿＿＿＿은 내 재주 엷음이라 / 나라 잃고 임금 욕보이고 이 몸까지 버렸구나'라고 노래함

선지 첫째 자리에 앉은 사람은 임금을 제대로 보좌하지 못한 것을 안타까워하고 있다.
○ ✕

고전소설 독해의 STEP 1

1 등장인물에 ▭ 표시를 하고 빈칸에 적절한 말을 채우세요.

[앞부분의 줄거리] 수성궁을 찾은 선비 유영은 꿈속에서, 죽은 김 진사와 운영을 만나 그들의 이야기를 듣는다. 안평 대군의 궁녀인 운영은 김 진사와 사랑에 빠진다. 김 진사는 노비인 '특'의 도움을 받아 운영과 달아날 계획을 세우나 특의 배신으로 안평 대군에게 들키게 되고, 운영은 자결을 한다. 김 진사는 특을 불러 지난날의 죄를 용서해 주며 청량사에서 운영을 위한 불공을 드릴 준비를 하라고 분부하나 특은 계속 악행을 저지른다. 앞부분의 줄거리를 통해 이야기의 구조가 드러나고 있네. 이 작품은 선비 _____이 꿈속에서 _____와 _____을 만나는 현재의 이야기 속에서, 김 진사와 궁녀 운영의 비극적인 사랑을 다룬 과거의 이야기가 전개되는 액자식 구성을 취하고 있는 것으로 보여. 김 진사와 운영의 사랑을 파국으로 이끈 '___'이라는 노비는 김 진사의 용서에도 불구하고 계속 악행을 저지르는 악인으로 등장하고 있네.

　때는 마침 해나무 꽃이 노랗게 피는 시절이었습니다. 나는 과거를 볼 생각은 없었으나 공부를 핑계 삼아 청량사에 올라갔습니다. 며칠을 묵으며 특이란 놈이 한 짓을 자세히 듣게 되었지요. 분을 이기지 못했으나 특을 어찌할 방도가 없었습니다. _____가 1인칭 시점의 서술자로서 과거의 이야기를 전달하고 있네. 청량사에서 특의 (선행/악행)에 대한 이야기를 들은 김 진사는 ___을 이기지 못하고 있어. 목욕재계한 다음 부처님 앞에 나아가 두 번 절하고 세 번 머리를 조아린 뒤 향을 살라 합장하고 이렇게 빌었습니다.

　"운영이 죽을 당시 했던 약속이 너무도 서글퍼 차마 저버릴 수 없었나이다. 그래서 특이라는 종놈으로 하여금 정성을 다해 불공을 드리게 하여 명복을 빌려 했었습니다. 그랬건만 지금 이 종놈이 부처님께 빌던 말을 들으니 패악이 극심하여 운영의 마지막 소원마저 모두 물거품이 되고 말았습니다. 특에게 청량사에서 불공을 드리라고 한 것은 _____이 죽을 때에 한 _____ 때문이었나 봐. 특의 패악으로 이를 제대로 지키지 못하게 되니 당연히 화가 나겠지. 이 때문에 제가 감히 다시 비나이다. 부처님, 운영을 다시 살아나게 해 주옵소서. 부처님, 운영을 저의 배필로 맺어 주옵소서. 부처님, 운영과 제가 다음 생에서는 이 같은 원통함을 면하게 해 주옵소서. 부처님, 특이란 종놈의 목숨을 끊고 쇠로 만든 칼을 씌워 지옥에 가두어 주옵소서. 부처님께서 이렇게 해 주신다면 운영은 12층 금탑을 세우고 저는 큰 절을 세 곳에 세워 부처님 은혜에 보답하겠나이다."
　기도를 마치고 일어서서 백번 절하며 머리를 땅에 조아리고 나왔습니다. 김 진사가 부처님에게 부탁한 내용은 운영을 다시 살아나게 하여 자신의 _____로 맺어 달라는 것, 다음 생에서는 이런 _____을 느끼지 않게 해 달라는 것, ___을 죽여 지옥에 가두어 달라는 것이야. 이를 이루어 준다면 운영과 함께 그 은혜에 보답할 것이라고 하지.

　이레 뒤에 특은 우물에 빠져 죽었습니다. 부처님에게 올린 간절한 기원 때문일까? 특은 _____에 빠져서 목숨을 잃었어. 그 뒤로 나는 세상사에 뜻이 없어, 몸을 깨끗이 씻고 새 옷으로 갈아입은 다음 조용한 방에 누웠습니다. 나흘 동안 먹지 않다가 한 번 장탄식을 하고는 마침내 일어나지 못했습니다. 김 진사는 특의 죽음 이후 세상일에 흥미를 잃고, 누운 채 _____ 동안이나 먹지 않다 숨을 거두네.

　장면끊기 01 특이 또다시 자신을 배신했음을 알게 된 김 진사가 부처님에게 소원을 빈 뒤 죽음을 맞이하는 장면이야. 비록 악인인 특이 목숨을 잃게 되기는 했지만, 앞부분의 줄거리에서 운영이 _____한 것에 이어 김 진사마저 목숨을 잃게 되었다는 점에서 결말은

비극적이야. 이 뒤에는 1인칭 주인공 시점이 3인칭 전지적 작가 시점으로 바뀌면서, 운영과 김 진사의 과거 이야기에서 유영이 꿈속에서 김 진사와 운영을 만나고 있는 현재의 이야기로 전환되니 여기서 장면을 끊자.

　적기를 마치고 붓을 놓았다. 두 사람은 마주 보고 슬피 울었는데, 울음을 그치지 못했다. 유영이 위로의 말을 건넸다.
　"두 분이 다시 만나셨으니 소원을 이룬 셈이요, 원수 같은 종놈이 이미 죽었으니 분도 풀렸을 터인데, 어찌 그리도 하염없이 비통해하십니까? 다시 인간 세상에 나지 못한 것을 한스러워하시는 겁니까?" 유영은 이야기를 마치고 통곡하는 김 진사와 운영에게 _____의 말을 건네며, (죄책감/비통함)을 느끼는 이유에 대해 묻고 있어.
　김 진사가 눈물을 거두고 감사의 뜻을 표하며 이렇게 말했다.
　"우리 두 사람 모두 원한을 품고 죽었기에 염라대왕은 우리가 죄 없이 죽은 것을 가련히 여겨 인간 세상에 다시 태어나게 하려 했습니다. 그러나 지하의 즐거움도 인간 세계보다 덜하지 않거늘 하물며 천상의 즐거움이야 말해 무엇하겠습니까? 이 때문에 우리는 인간 세계에 태어나기를 소망하지 않았습니다. 다시 인간 세상에 태어나지 못한 것에 _____을 느끼는 것이냐는 유영의 질문에, 김 진사는 자신들은 천상에서 즐거움을 누리고 있어 _____의 제안에도 인간 세상에 다시 태어나기를 거부했다고 해. 다만 오늘밤 서글퍼하는 것은 다른 이유에서입니다. 대군이 몰락하여 수성궁에 주인이 없어지자 새들은 슬피 울고 사람들의 발길도 끊어졌으니, 이것만 해도 참으로 슬픈 일이지요. 게다가 새로 전쟁을 겪은 뒤 화려하던 집은 잿더미가 되고 고운 담장은 무너져 내려 오직 섬돌의 꽃과 뜨락의 풀만 우거져 있습니다. 봄빛은 예전 모습 그대로이거늘 사람 일은 이처럼 바뀌었으니, 이곳에 다시 와 지난날을 추억하매 어찌 슬프지 않겠습니까!" 김 진사가 느낀 서글픔은 시간이 흘러 사람들의 _____이 끊기고 폐허가 된 _____에서 지난날을 추억하는 슬픔에서 비롯된 것이라고 해.

　유영이 말했다.
　"그렇다면 그대들은 모두 천상에 계신 분들인가요?"
　김 진사가 말했다.
　"우리 두 사람은 본래 천상의 신선으로, 오랫동안 옥황상제를 곁에서 모시고 있었지요. 그러던 어느 날 상제께서 태청궁에 납시어 내게 동산의 과실을 따오라는 명을 내리셨습니다. 나는 반도와 경실과 금련자를 많이 따서 사사로이 운영에게 몇 개를 주었다가 발각되고 말았습니다. 그래서 속세로 유배되어 인간 세상의 고통을 두루 겪는 벌을 받았지요. 이제는 옥황상제께서 죄를 용서하셔서 다시 삼청궁(三淸宮)에 올라 상제 곁에서 시중을 들고 있습니다. 그러다가 때때로 회오리 바람 수레를 타고 내려와 속세에서 예전에 노닐던 곳을 찾아보곤 합니다." 김 진사와 운영은 원래 천상의 _____이었구나. 천상에서 지은 죄 때문에 속세로 _____되어 고통 받다가, 인간으로서의 죽음을 맞이한 뒤에 옥황상제의 _____를 받았다고 하네. 여기에서 천상계의 존재가 인간 세상으로 내려오는 적강 모티프가 사용되었음을 알 수 있군.

　이윽고 눈물을 뿌리며 유영의 손을 잡고 말했다.
　[A] "바닷물이 마르고 바위가 문드러져도 이 사랑의 감정은 사라지지 않을 것이요, 천지가 다해도 이 한은 사그라지지 않을 것입니다. _____이 마르고 _____가 다하는 불가능한 상황을 가정해서 자신의 사랑과 한이 (없어지지 않을/없어질) 것이라는 전망을 드러내어. 오늘 밤 그대와 만나 이렇게 회포를 풀었으니 전생

의 인연이 없었더라면 어찌 이런 일이 있겠습니까? 유영과

의 만남이 이루어진 것은 ＿＿＿＿＿＿＿＿이 있었기 때문이라고 하면서 만남의 의미를 강조하고 있네. 엎드려 바라건대 선생은 저희가 쓴 글을 수습하시어 영원히 전해 주시기 바랍니다. 그리하여 경망스런 사람의 입에 헛되이 전해져 우스갯거리가 되지 않도록 해 주시면 참으로 고맙겠습니다." 앞에서 '적기를 마치고 붓을 높았다.'라고 한 부분과 연결 지어 생각하면, 김 진사가 자신들의 사랑 이야기를 글로 적으며 이야기를 전개해 갔음을 알 수 있지. 김 진사는 이 이야기가 왜곡 없이 전해져 경망한 사람의 ＿＿＿＿＿＿가 되지 않기를 바라고 있어.

김 진사가 취하여 운영에게 몸을 기대며 절구 한 편을 읊었다.

궁중에 꽃 지고 제비 나는데
봄빛은 예와 같되 주인은 간 데 없네.
한밤의 달빛 이리도 서늘하여
버드나무와 가벼운 안개는 푸른 우의(羽衣)* 같네.

김 진사는 궁중의 ＿＿＿＿은 예전과 같은데 ＿＿＿＿은 간 데 없다는 구절로 인생무상을 노래하면서, 자신의 감정을 시로 응축하여 읊고 있네.

운영이 이어서 읊조렸다.

옛 궁궐의 버드나무와 꽃은 새봄을 띠었고
천 년의 호사 자주 꿈에 보이네.
오늘 밤 놀러 와 옛 자취 찾노니
눈물이 수건 적심 금치 못하네.

운영 또한 김 진사와 같이 옛 ＿＿＿＿에서 옛 ＿＿＿＿를 찾으면서 느낀 슬픔을 시로 응축하여 표현하고 있어. 이처럼 고전소설에서 중간에 삽입된 시는 등장인물의 상황이나 정서를 효과적으로 표현해 줘.

유영이 취하여 깜빡 잠이 들었다. 장면끊기 02 앞부분의 줄거리에 따르면 김 진사와 운영과 대화를 나눈 것은 유영의 ＿＿＿＿에서 일어난 일이야. 이 다음에 유영은 현실에서 눈을 뜨게 되니, 꿈에서 현실로 전환되는 이 부분에서 장면을 끊었어. 잠시 뒤 산새 울음소리에 깨어 보니, 안개가 땅에 가득하고 새벽빛이 어둑 어둑하며 사방에는 아무도 보이지 않는데 다만 김 진사가 기록한 책 한 권이 남아 있을 뿐이었다. 유영은 서글프고 하릴없어 책을 소매에 넣고 집으로 돌아왔다. 상자 속에 간직해 두고 때때로 열어 보며 망연자실하더니 침식을 모두 폐하기에 이르렀다. 그 후 명산을 두루 유람하였는데, 그 뒤로 어찌 되었는지는 알 수 없다. 유영과 김 진사, 운영의 대화는 유영의 꿈속에서 이루어진 일이지만, 신기하게도 유영이 현실에서 눈을 떴을 때 김 진사가 기록한 ＿＿＿은 남아 있었어. 그리고 때때로 이를 열어 보며 ＿＿＿＿＿＿＿하던 유영이 잠 자는 일도 먹는 일도 그만두다가 행적이 묘연해지는 것으로 이야기는 마무리되고 있어.

장면끊기 03 잠에서 깨어난 유영이 망연자실해 하다가 행방불명이 되는 장면이야. 김 진사와 운영의 비극적인 사랑 이야기에 이어, 외부 이야기의 주인공인 ＿＿＿＿＿의 삶도 비극적으로 마무리되고 있음을 확인할 수 있지.

－ 작자 미상, 「운영전」－

*우의(羽衣): 신선의 옷.

1 인물 간의 관계를 고려하여 구조도의 빈칸에 적절한 말을 채우세요.

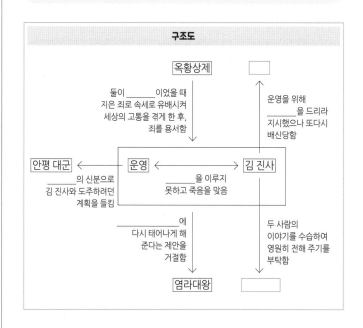

2 1~2번 문제를 풀어 보세요.

1. 윗글의 내용으로 적절하지 않은 것은?

① '김 진사'는 부처님에게 '특'의 죽음을 기원했다.

② '김 진사'는 청량사에서 '특'의 행적을 전해 듣고 분노했다.

③ '김 진사'는 '운영'의 재생을 위해 자신의 목숨을 포기했다.

④ '김 진사'와 '운영'은 가끔씩 속세에 내려와 추억의 장소를 방문하고 있다.

⑤ '김 진사'와 '운영'은 그들을 속세에 환생시키려 한 '염라대왕'의 배려를 거절했다.

2. 인물의 말하기 방식 OX 확인 문제

① [A]의 발화자는 보답을 암시하며 행동의 변화를 촉구하고 있다. ○ ✕

② [A]의 발화자는 상대방이 해야 할 일을 제시하며 협조를 당부하고 있다. ○ ✕

고전소설 독해의 STEP 3

1 선지 판단 공식을 활용하여 빈칸을 채우고 1번 문제의 선지를 OX로 판단해 보세요.

선지 판단의 공식

① 작품
'김 진사'는 '_____ 앞에 나아가' '특이란 종놈의 _____을 끊고 쇠로 만든 칼을 씌워 지옥에 가두어 주옵 소서.'라고 빌었음

선지➡ '김 진사'는 부처님에게 '특'의 죽음을 기원했다. ○ ✕

② 작품
'특'은 '김 진사'에게 '지난날의 죄를 용서'받고도 '계속 _____을 저지'르며, '김 진사'는 '공부를 핑계'로 '_____' 에 올라가 '며칠을 묵으며 특이란 놈이 한 짓을 자세히 듣게 되'고는 '___을 이기지 못'함

선지➡ '김 진사'는 청량사에서 '특'의 행적을 전해 듣고 분노했다.
○ ✕

③ 작품
'김 진사'는 '부처님 앞에 나아가' '_____을 다시 살아나게 해' 준다면 '부처님 은혜에 _____'하겠다고 하고, 특의 죽음 이후 '_____에 뜻이 없'어 '나흘 동안 먹지 않' 다가 죽음을 맞이함

선지➡ '김 진사'는 '운영'의 재생을 위해 자신의 목숨을 포기했다.
○ ✕

④ 작품
'김 진사'와 '운영'은 '본래 천상의 _____'으로, 인간 세상 으로 '유배'되었다가 옥황상제에게 '죄를 용서'받아 '삼청궁' 에서 지내는데, '때때로 회오리 바람 수레를 타고 내려와 속세 에서 _____을 찾아보곤' 함

선지➡ '김 진사'와 '운영'은 가끔씩 속세에 내려와 추억의 장소를 방문하고 있다. ○ ✕

⑤ 작품
'염라대왕'은 '원한을 품고 죽'은 '김 진사'와 운영이 '죄 없이 죽은 것을 가련히 여겨 인간 세상에 _____ 하려 했'으나, 두 사람은 '천상의 즐거움' 때문에 '인간 세계에 태어나기를 _____하지 않았'음

선지➡ '김 진사'와 '운영'은 그들을 속세에 환생시키려고 한 '염라 대왕'의 배려를 거절했다. ○ ✕

고전소설 독해의　STEP 1

1 등장인물에 ☐ 표시를 하고 빈칸에 적절한 말을 채우세요.

[앞부분의 줄거리] 천상에서 벌을 받은 문창성은 꿈을 꾸어 인간 세상에 양창곡으로 다시 태어난다. 천상에 함께 있었던 제방옥녀, 천요성, 홍란성, 제천선녀, 도화성도 인간 세상에서 윤 소저, 황 소저, 강남홍, 벽성선, 일지련으로 다시 태어나 양창곡과 결연을 맺는다. 양창곡은 벼슬하고 공을 세워 연왕에 오른다. 그 뒤 부친 양현, 모친 허 부인, 다섯 아내, 자식들과 영화로운 삶을 살게 된다. _____과 다섯 사람(선녀)은 천상에서 벌을 받고 인간 세상에서 다시 태어나 _____과 그의 다섯 아내가 되는구나. 천상의 존재가 인간 세상으로 내려왔다는 점에서 적강 모티프가 활용되고 있음을 확인할 수 있네. 죄를 짓고 내려오기는 했지만, 여섯 사람은 _____에서 결연을 맺고 영화로운 삶을 살고 있어.

이날 밤에 강남홍이 취하여 취봉루에 가 의상을 풀지 아니하고 책상에 의지하여 잠이 들었더니 홀연 정신이 황홀하고 몸이 정처 없이 떠돌아 일처에 이르매 한 명산이라. 강남홍이 _____에서 잠이 든 상황에서 장면이 시작하고 있네. 즉 강남홍이 떠돌아다니다 _____에 이르게 되는 사건은 강남홍의 꿈속에서 이루어지고 있는 거야. 봉우리가 높고 험준하거늘 강남홍이 가운데 봉우리에 이르니 한 보살이 눈썹이 푸르며 얼굴이 백옥 같은데 비단 가사를 걸치고 석장(錫杖)을 짚고 있다가 웃으며 강남홍을 맞아 왈,

　"강남홍은 인간지락(人間之樂)이 어떠한가?"

　강남홍이 망연히 깨닫지 못하여 왈,

　"도사는 누구시며 인간지락은 무엇을 이르시는 것입니까?" 명산에서 한 _____을 만나게 된 강남홍은 갑자기 _____(인간 세상의 즐거움)이 어떠냐는 질문을 받고 망연함(아무 생각이 없이 멍함)을 느끼고 있어.

　보살이 웃고 석장을 공중에 던지니 한 줄기 무지개 되어 하늘에 닿았거늘 보살이 강남홍을 인도하여 무지개를 밟아 공중에 올라가더니 앞에 큰 문이 있고 오색구름이 어리었는지라. 강남홍이 문 왈,

　"이는 무슨 문입니까?"

　보살 왈,

　"남천문이니 그대는 문 위에 올라가 보라." 보살의 범상치 않은 외모와 신이한 능력으로 보아, 보살은 초월적인 능력을 지닌 존재로 보여. 그런 보살은 강남홍을 _____으로 이끌어 무언가를 깨닫게 해 주려 하고 있네.

　강남홍이 보살을 따라 올라 한 곳을 바라보니 일월(日月) 광채 휘황한데 누각 하나가 허공에 솟았거늘 백옥 난간이며 유리 기둥이 영롱하여 눈이 부시고 누각 아래 푸른 난새와 붉은 봉황이 쌍쌍이 배회하며 몇몇 선동(仙童)과 서너 명의 시녀가 신선 차림으로 난간 머리에 섰으며 누각 위를 바라보니 한 선관과 다섯 선녀가 난간에 의지하여 취하여 자는지라. 보살께 문 왈,

　"이곳은 어느 곳이며 저 선관, 선녀는 어떠한 사람입니까?"

　보살이 미소 지으며 왈,

　"이곳은 백옥루요 제일 위에 누운 선관은 문창성(文昌星)이요 차례로 누운 선녀는 제방옥녀(諸方玉女)와 천요성(天妖星)과 홍란성(紅鸞星)과 제천선녀(諸天仙女)와 도화성(桃花星)이니, 홍란성은 즉 그대의 전신(前身)이니라."

　강남홍이 속으로 놀라 왈,

　"저 다섯 선녀는 다 천상에서 입도(入道)한 선관이라. 어찌 저다지 취하여 잠을 잡니까?" 앞부분의 줄거리에서 제시된 이름들이 다시 등장하고

있네. 남천문 위로 올라간 강남홍은 _____에서 잠들어 있는 자신의 _____(전생의 몸)을 바라보며 놀라고 있어. 아직 자신이 _____이라는 것을 실감하기 어려워하는 것 같지?

　보살이 홀연 서쪽을 보며 합장하더니 시 한 구를 외워 왈,

정이 있으면 인연이 생기고
인연이 있으면 정이 생기도다.
정이 다하고 인연이 끊어지면
만 가지 생각이 함께 텅 비는구나.

　강남홍이 듣고 정신이 상쾌하여 문득 깨달아 왈,

　"나는 본디 천상의 별인데 인연을 맺어 잠깐 하계(下界)에 내려온 것이로다." 보살의 시구를 들은 강남홍은 자신이 정말 홍란성이었고, 강남홍은 _____의 별이었던 자신이 잠시 _____에 내려오면서 된 존재라는 깨달음을 얻게 돼.

(중략)

　강남홍 왈,

　"그러하면 저도 또한 천상의 별이라, 이미 여기 왔으니 다시 인간 세상에 돌아갈 마음이 없나이다."

　보살이 웃으며 왈,

　"하늘이 정한 인연을 인력으로 할 바 아니다. 그대 인간 인연을 마치지 못하였으니 빨리 돌아가라. 사십 년 후에 다시 와 옥황 상제께 조회하고 천상지락(天上之樂)을 누릴지어다."

　강남홍이 문 왈,

　"보살은 뉘십니까?"

　보살이 웃으며 왈,

　"빈도(貧道)는 남해 수월암 관세음보살이라. 부처의 명을 받아 그대를 지도하러 왔노라." 자신이 원래 _____의 존재였다는 것을 깨달은 강남홍은 _____으로 돌아가고 싶어 하지 않지만, 보살은 인간의 _____이 아직 남았다며 돌아가라고 해. 이렇게 강남홍에게 깨달음을 준 보살의 정체는 바로 남해 수월암 _____이었지.

　보살이 말을 마치고 석장을 공중에 던지니 오색 무지개 일어나며 홀연 우렛소리 울리거늘 **장면끊기 01** 강남홍은 꿈에서 _____과 만나 자신의 _____이 홍란성이라는 것을 알게 된 뒤 잠에서 깨어나 현실로 돌아가게 돼. 따라서 꿈과 현실의 경계가 되는 이 부분에서 장면을 끊었어. 강남홍이 놀라 깨어 보니 몸이 취봉루 책상 앞에 누웠는지라.

　강남홍은 꿈속 일이 의아하여 연왕과 윤 부인, 황 부인, 벽성선, 일지련에게 낱낱이 말하니 그들 또한 같은 꿈을 꾸었는지라. 서로 탄식하며 의아해 하더니 허 부인이 듣고 강남홍더러 왈,

　"내 고향에 있을 적 늦도록 무자(無子)하여 옥련봉 돌부처에게 기도하고 연왕을 낳았으니 그 돌부처가 곧 관세음보살이라. 그 한량없는 공덕을 갚지 못하였더니 이제 너의 꿈에 나타나 불사(佛事)를 권하는 것이 아니겠느냐? 듣자 하니 벽성선의 부친 보조국사께서 자개봉 대승사에 계신데 불법(佛法)에 정통하다 하니 청하여 옥련봉 돌부처를 위하여 일개 암자를 짓고 한편으로 대승사에 백일 동안 재(齋)를 올려 관세음보살의 자비로운 공덕을 갚고자 하노라." 연왕과 다섯 부인은 서로 같은 꿈을 꾼 것을 알게 되자 탄식하며 (두려움/의아함)을 느끼네. 이에 대해 연왕의 어머니인 허 부인은 자신이 옥련동 돌부처,

즉 ＿＿＿＿＿＿＿＿에게 기도하고 연왕을 낳았는데 그 공덕을 갚지 못해 ＿＿＿＿＿를 권하는 것이라고 하지. 여기서 공덕을 갚기 위해 벽성선의 아버지인 ＿＿＿＿＿＿＿에게 협력을 구하려 하네.

벽성선이 크게 기뻐하며 즉시 보조국사를 청하여 재 올리기를 시작하고 재물을 후히 보내어 옥련봉에 암자를 창건하였더니, 과연 그 후 사십 년을 부귀를 누리다가 양현과 허 부인은 수(壽)를 팔십 여 세 하고, 연왕은 다시 출장입상하여 또한 수를 팔십을 하고, 윤 부인 삼자 이녀(三子二女)에 수 칠십이요, 황 부인은 이자 일녀에 수 육십을 넘기고, 강남홍은 오자 삼녀에 수 칠십이요, 벽성선, 일지련은 각각 삼자 이녀에 수를 또한 칠십 세를 하니, 연왕의 자녀 합 이십육에 아들 십육 인은 각각 입신양명 부귀영화를 누리고 딸 십 인은 왕공 부인이 되어 다자 다복(多子多福)하더라.

장면끊기 02 꿈에서 깨어난 강남홍이 연왕과 나머지 부인들도 같은 꿈을 꾸었음을 알게 되고, 이후 허 부인의 조언에 따라 ＿＿＿＿＿＿에 암자를 짓고 재를 올려 관세음보살의 공덕을 갚는 장면이야. 그 결과 연왕의 집안은 모두 ＿＿＿＿＿＿＿를 누리며 행복하게 살았다고 하면서 결말을 맺네.

－ 남영로, 「옥루몽」－

고전소설 독해의 STEP 2

1 인물 간의 관계를 고려하여 구조도의 빈칸에 적절한 말을 채우세요.

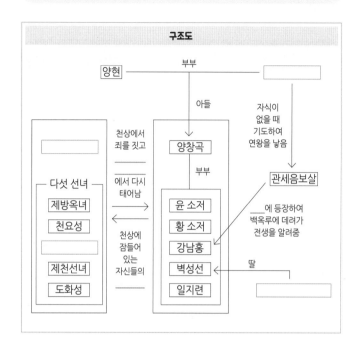

2 1~2번 문제를 풀어 보세요.

1. 윗글에 대한 이해로 적절하지 않은 것은?

① '강남홍'은 '명산'에서 '보살'을 처음 만났다.

② '보살'은 '석장'을 이용하여 '남천문'에 당도하였다.

③ '강남홍'은 선관, 선녀들과 '남천문'에서 재회하였다.

④ '보살'은 '강남홍'이 천상의 존재였음을 알려 주었다.

⑤ '허 부인'은 '옥련봉 돌부처'에게 기도하여 '양창곡'을 낳았다.

2. 문학 개념어 OX 확인 문제

① 대립적인 두 인물을 배치하여 인물 간 갈등을 구체화하고 있다. ○ ✕

② 순간적으로 장면을 전환하여 사건의 환상적 면모를 부각하고 있다. ○ ✕

고전소설 독해의 STEP 3

1 선지 판단 공식을 활용하여 빈칸을 채우고 1번 문제의 선지를 OX로 판단해 보세요.

MEMO

선지 판단의 공식

① 작품
강남홍은 '잠이 들'어서 '떠돌아'다니다 '한 _____'에 이르러 만난 '한 _____'에게 '도사는 _____시며 인간지락은 무엇을 이르시는 것입니까?'라고 물었음

선지 '강남홍'은 '명산'에서 '보살'을 처음 만났다.   ○ ×

② 작품
'보살이 웃고 _____을 공중에 던지니 한 줄기 무지개 되어 하늘에 닿았거늘 보살이 강남홍을 인도하여 무지개를 밟아 공중에 올라가더니 앞에 큰 문이 있'었는데, 보살은 그 문이 '_____'이라고 함

선지 '보살'은 '석장'을 이용하여 '남천문'에 당도하였다.   ○ ×

③ 작품
보살을 따라 '남천문' 위로 올라간 강남홍이 '한 곳을 바라' 보니 한 누각 위에 '_____ 가 난간에 의지하여 취하여 자는' 모습이 보임

선지 '강남홍'은 선관, 선녀들과 '남천문'에서 재회하였다.   ○ ×

④ 작품
보살은 강남홍에게 백옥루에 '차례로 누운 _____는 제방 옥녀와 천요성과 홍란성과 제천선녀와 도화성'인데, '홍란성 은 즉 그대의 _____'이라고 일러줌

선지 '보살'은 '강남홍'이 천상의 존재였음을 알려 주었다.   ○ ×

⑤ 작품
양창곡은 '벼슬하고 공을 세워 _____에 오른' 인물인데, 허 부인은 '내 고향에 있을 적 늦도록 무자하여 _____ _____에게 기도하고 _____을 낳았'다고 함

선지 '허 부인'은 '옥련봉 돌부처'에게 기도하여 '양창곡'을 낳았다.   ○ ×

고전소설 독해의   STEP 1

1 등장인물에 ☐ 표시를 하고 빈칸에 적절한 말을 채우세요.

상공이 신부를 데리고 길을 떠나 날이 저물매, 객점에 들어가 신랑과 신부를 데리고 한방에 들어가더라.

신부 무릎께를 뻗고 앉을새, 그 용모를 보니 형용흉칙하여 보기를 염려론지라. 얽기는 고석 같고 붉은 중에 입과 코가 한데 닿고, 눈은 달팽이 구멍 같고 치불거지고, 입은 크기가 두 주먹을 넣어도 오히려 넉넉하며, 이마는 메뚜기 이마 같고, 머리털은 짧고 심히 부하니 그 형용을 차마 보지 못할러라. 상공과 신랑이 한번 보매, 다시 볼 길 없어 간담이 떨어지는 듯하고 정신이 없어 두 눈이 어두운지라. <u>상공과 신랑은 _____한 신부의 용모를 보고 놀라고 있어.</u> 상공이 겨우 정신을 차려 다시금 생각하되,

'사람이 이같이 추비하니 응당 규중에서 늙힐지언정 남의 집에 출가치는 아니할 터이로되, 구태여 나를 보고 허혼하였으니 이 사람이 필연 아는 일이 있을 터이요 또한 인물은 이러하나 이 또한 인생이라. 만일 내가 박대하면 더욱 천지간 버린 사람이 될 것이니, 아무커나 내가 중히 여겨야 복이 되리라.' <u>상공은 신부가 추비하더라도 _____하지 않고 중히 여기려 다짐하고 있어.</u>

하고, 시백더러 가로되,

"오늘날 신부를 보니 내 집이 복이 많고, 네 몸에 무궁한 경사가 있을 것이니, 어찌 기쁘지 아니하랴."

하고, 행로(行路)에 참참이 신부의 마음을 편케 하며 음식도 각검하더라.

장면끊기 01   첫 번째 장면에서는 신부의 흉측한 용모에 대한 묘사와 그에 대한 인물의 반응이 주된 내용으로 제시되고 있어. _____은 신부를 박대하지 않고 중히 대하여 신부의 _____을 편하게 하고 있네.

여러 날 만에 집에 들어올새, 일가 친척이며 장안 대신댁 부인들이 신부 구경하러 많이 모였는지라. 그러구러 신부 들어와 무릎께를 벗고 중당에 앉으니, 그 형용이 어떻다 하리오.

한 번 보매 침 뱉으며 미소하고 수군수군하다가, 일시에 물결같이 헤어지나, 상공은 희색이 만면하여 외당에 앉아 손님을 대하여 신부의 덕행을 자랑하더라. <u>다른 사람들은 신부의 형용을 보고 수군수군했지만, 상공은 신부의 _____을 자랑하며 신부를 중히 대하고 있네.</u>

상공의 부인이 상공더러 가로되,

"대감께서 한낱 자식을 두어 허다한 장안규수를 다 버리고 허망한 산중 사람의 말을 들어 자식의 일생을 그르치니, 남도 부끄럽고 집안도 낭패할지라. 다시 생각하시어 도로 보내고, 다른 가문에 구혼하여 어진 며느리를 얻으면 어떠하오리까?" <u>상공의 부인은 상공이 수많은 _____를 다 버리고, _____의 말을 듣고 신부를 며느리로 맞이한 것을 (못마땅하게/흡족하게) 생각해.</u>

상공이 대노하여 부인을 꾸짖어 가로되,

"사람이 아무리 절색이라도 행실이 없으면 사람이 공경하지 아니하나니, 이러므로 전하는 말이 양귀비 절색이로되 나라를 망치었으니, 오늘날 신부는 내 집의 복이라. 어찌 색만 취하고 덕을 모르리오. 또 우리 부부 만일 불안히 여기면 자식과 집안을 어떻게 조섭(調攝)하리오. 이제는 내 집이 빛날 때를 당하였으니, 어찌 기쁘지 아니하리오. 이런 말을 다시 내지 말고, 부디 십분 잘 섬기소서." <u>상공은 부인의 말을 듣고 분노하며 신부를 내 집의 _____으로 여기고</u>

잘 섬기라고 당부하고 있네.

부인이 어찌 사랑하며, 또한 범인이라 그 어찌 소견이 넉넉하리오. 이러므로 부인이 미워하고, 시백이 또한 내방에 거처를 전폐하니, 비복들도 박 씨를 또한 박대하더라.

박 씨 독부가 되어 슬픔을 머금고, 매일 밥만 먹고 잠만 자며 매사를 전폐하니, 일가가 더욱 미워하며 꾸지람이 집안에 가득하되, 다만 상공을 꺼려 면을 못하는지라. <u>상공의 꾸짖는 말도 불구하고, _____과 시백, _____들마저 박 씨를 박대했다고 해.</u> 상공이 이 기미를 알고, 노복을 꾸짖어 각별 조섭하며 극히 엄하더라.

또한 시백을 불러 꾸짖어 가로되,

[A]
"대법한 사람이 덕을 모르고 색만 취하면 신상에 복이 없고 집안이 망하니, 네 이제 아내를 얼굴이 곱지 않다 하여 구박하니, 범절이 이러하고 어찌 수신제가 하리오. 옛날 제갈공명의 처 황 씨(黃氏)는 인물이 비록 추비 하나 덕행이 어질고 천지조화 무궁한지라. 이러므로 공명이 화락하여 어려운 일을 의논하여 만고에 어진 이름을 유전하였으니, 네 처는 신선의 딸이요 덕행이 있으며 또한 조강지처는 불하당이라하였으니, 무죄하고 덕 있는 사람을 어찌 박대하리오. 비록 금수라도 부모 사랑하시면 자식이 또한 사랑한다 하니 하물며 사람이야 일러 무엇하리오. 네 만일 일양 박대하면 이는 나를 박대함이라." <u>상공은 ___을 모르고 미색만 취하면 복이 없고 집안이 망한다고 말하며, 용모를 이유로 박 씨를 구박하는 시백을 꾸짖어. 그리고 제갈공명의 처 황 씨의 고사를 들며 _____의 딸이며 덕이 있는 사람인 _____를 박대하지 말라고 당부하고 있어.</u>

장면끊기 02   두 번째 장면은 '_____ 만에 집에 들어올새'로 시작해. (시간/계절)의 변화가 나타나니 여기에서 장면을 끊어주는 것이 좋겠지? 신부(박 씨)의 형용을 보고 사람들이 수군수군하고, 상공의 부인과 시백, 비복들까지도 박 씨를 박대하자 화가 난 _____은 노복과 시백을 엄하게 꾸짖어.

[중략 줄거리] 박 씨는 비범한 능력을 발휘하여 가산을 일으키고 시백의 장원급제를 도운 뒤 그 동안의 허물을 벗고 절대가인이 된다.

이튿날 되매 시백이 피화당 근처로 배회하며, 방에는 감히 들지 못하고 혼자 생각하되,

'어서 해가 지면 오늘 밤에는 들어가 전일 박대하고 잘못한 말을 먼저 말하리라.' <u>시백은 박 씨의 도움으로 _____를 한 후 박 씨에게 지난날의 _____에 대해 말하려고 하고 있어.</u>

황혼을 당하매, 시백이 의관을 정제하니 마음 죄이는 증은 어제보다 조금 나았으나 생각하던 말은 입을 열어 할 도리 없는지라. 박 씨는 더욱 단정히 앉아 위엄이 씩씩하니 이른바 지척이 천리라.

설마 장부가 되어서 처자에게 박대함이 있다 한들 그다지 말 못할 바가 아니로되 3, 4년 부부간 지낸 일이 참혹할 뿐, 박 씨 또한 천지 조화를 가졌으니 짐짓 시백으로 말을 붙이지 못하게 위엄을 베품이라. <u>시백은 박 씨의 _____ 때문에 그동안의 잘못에 대해 쉽사리 말하지 못하고 있네.</u>

장면끊기 03   세 번째 장면은 박 씨의 도움으로 시백이 장원급제를 한 뒤 박 씨가 허물을 벗고 _____이 되었다는 중략 줄거리에 이어 이튿날 _____에서의 이야기야.

이러하기를 여러 날을 당하매, 시백이 철석간장인들 어찌 견디

리오. 자연 병이 되어 식음을 전폐하고 형용이 초췌하니, 어화 이 병은 편작(扁鵲)인들 어이하리오. _____은 여러 날 동안 박 씨에게 다가가지 못하고 마음을 태우다 ___이 났나 봐. 승상이 전념하여 조심하시고 일가 황황한들 시백이 말을 감히 못하고 박 씨 혼자 아는지라.

하루는 박 씨 황혼을 당하매, 계화로 하여 시백을 청하는지라. 시백이 박 씨 청함을 듣고 전지도지(顚之倒之)*하여 피화당에 들어가니, 박 씨 안색을 단정히 하고 말씀을 나직히 하여 가로되,

[B] "사람이 세상에 처하여 어려서는 글 공부에 잠심하여 부모께 영화와 효성으로 섬기며, 취처하면 사람을 현숙히 거느려 만대 유전함이 사람의 당당한 일이온대, 군자는 다만 미색만 생각하여 나를 추비하다 하여 인류에 치지 아니하니, 이러하고 오륜에 들며 부모를 효양하오리까. 이제는 군자로 하여금 여러 날 근고할 뿐 아니라, 군자로 마음이 염려되어 전의 노정을 버리고 그대를 청하여 말씀을 고하나니, 일후는 수신제가하는 절차를 전같이 마옵소서." 박 씨는 _____만 생각하여 자신을 박대한 시백의 잘못을 밝히며 이전처럼 하지 말라고 당부하고 있어.

하고 말씀이 공손하니 시백이 이때를 당하여 마음이 어떻다 하리요. 공순 답하여 가로되,

"소생이 무지하여 그대에게 슬픔을 끼치니 이제는 후회막급타. 부인이 이렇듯 해로하시니 무슨 한이 있으리오." 시백은 그동안 박 씨에게 잘못 행동한 것을 _____하며 미안해 하고 있어.

장면끊기 04 · 네 번째 장면도 공간적 배경은 _____이지만 다시 여러 날이 흐르면서 시간의 변화가 나타났어. 따라서 여기에서도 한 번 상면을 끊어 읽어 주었어.

– 작자 미상, 「박씨전」 –

*전지도지(顚之倒之): 엎드러지고 곱드러지며 아주 급히 달아나는 모양.

---

1 인물 간의 관계를 고려하여 구조도의 빈칸에 적절한 말을 채우세요.

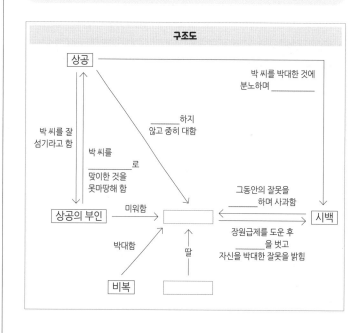

2 1~2번 문제를 풀어 보세요.

1. 윗글을 통해 알 수 있는 사실로 적절하지 <u>않은</u> 것은?

① 상공은 인물에 대한 남다른 안목을 보이고 있다.

② 승상과 일가에서는 시백이 아픈 이유를 알지 못했다.

③ 상공 부인은 외부의 시선을 의식하여 혼사에 대해 거부감을 표현한다.

④ 박 씨는 자신에 대한 부당한 대우에도 불구하고 비복들의 조력으로 견뎌낸다.

⑤ 시백은 자신의 결심과는 달리 박 씨에게 먼저 화해를 청하지 못하고 있다.

2. 인물의 말하기 방식 OX 확인 문제

① [A]는 유교적 명분을 들어 상대방을 질책하고 있다. ○ ✕

② [B]는 자신의 지위를 내세워 상대의 변화를 요구하고 있다. ○ ✕

고전소설 독해의 STEP 3

1 선지 판단 공식을 활용하여 빈칸을 채우고 1번 문제의 선지를 OX로 판단해 보세요.

선지 판단의 공식

①

작품

'상공이 겨우 정신을 차려 다시금 생각하되, '사람이 이같이 추비하니 응당 규중에서 늙힐지언정 남의 집에 출가치는 아니할 터이로되, 구태여 나를 보고 허혼하였으니 이 사람이 _____이 있을 터이요 또한 인물은 이러하나 이 또한 인생이라. 만일 내가 박대하면 더욱 천지간 버린 사람이 될 것이니, 아무커나 내가 _____ 여겨야 복이 되리라."

선지 상공은 인물에 대한 남다른 안목을 보이고 있다. ○ ✕

②

작품

'시백이 철석간장인들 어찌 견디리오. 자연 병이 되어 식음을 전폐하고 형용이 초췌하니, 어화 이 병은 편작인들 어이하리오. _____이 전념하여 조심하시고 일가 황황한들 시백이 _____ 박 씨 혼자 아는지라.'

선지 승상과 일가에서는 시백이 아픈 이유를 알지 못했다. ○ ✕

③

작품

'상공의 부인이 상공더러 가로되, "대감께서 한낱 자식을 두어 허다한 장안규수를 다 버리고 허망한 산중 사람의 말을 들어 자식의 일생을 그르치니, _____ 집안도 낭패할지라. 다시 생각하시어 도로 보내고, 다른 가문에 구혼하여 어진 며느리를 얻으면 어떠하오리까?"'

선지 상공 부인은 외부의 시선을 의식하여 혼사에 대해 거부감을 표현한다. ○ ✕

④

작품

'부인이 미워하고, 시백이 또한 내방에 거처를 전폐하니, _____도 박 씨를 또한 _____하더라.'

선지 박 씨는 자신에 대한 부당한 대우에도 불구하고 비복들의 조력으로 견뎌낸다. ○ ✕

⑤

작품

시백은 '해가 지면 오늘 밤에는 들어가 전일 _____ _____ 말을 먼저 말'려고 했지만 '천지 조화'를 가진 박 씨의 위엄에 '_____' 못함

선지 시백은 자신의 결심과는 달리 박 씨에게 먼저 화해를 청하지 못하고 있다. ○ ✕

고전소설 독해의 STEP 1

1 등장인물에 ☐ 표시를 하고 빈칸에 적절한 말을 채우세요.

비장이 처소에 돌아와서 수일 후에 사령 불러 분부하여, 춘풍을 잡아들여 형틀에 올려 매고,

"이놈, 네 들으라! 네가 이춘풍이냐?"

춘풍이 벌벌 떨며,

"과연 그러하오이다."

"막중 **호조(戶曹)** 돈 수천 냥을 가지고 사오 년이 되도록 일 푼 환납 아니하니 호조 관자(關子)* 내어 너를 잡아 죽이라 하였으니, 너는 그 돈을 다 어찌하였는고. 매우 쳐라." _____이 호조 돈을 갚지 않은 _____을 꾸짖고 있어.

분부하자 사령놈 매를 들어 이십여 도를 힘껏 때리니 춘풍의 다리에 유혈이 낭자하거늘, **비장**이 보고 차마 더 치진 못하고,

"춘풍아, 네 그 돈을 어디다 없앴느냐? 바로 아뢰어라."

춘풍이 대답하되,

"호조 돈을 가지고 평양 와서 일 년을 기생 추월과 놀고 나니 일 푼도 남지 않고, 달리는 한 푼도 쓴 일 없삽나이다." 춘풍이 _____에서 빌린 돈을 _____과 놀며 모두 탕진한 사연을 말하고 있어.

비장이 이 말 듣고 이를 갈고 사령에게 분부하여, 추월을 바삐 잡아들여 형틀에 올려 매고, 별태장(別笞杖) 골라잡고,

"일분도 사정없이 매우 쳐라."

호령하여 십여 장을 중치(重治)하고,

"이년, 바삐 다짐하라. 네 죄를 모르느냐?"

추월이 정신이 아득하여 겨우 여쭈오되,

"춘풍의 돈은 소녀에게 부당하여이다."

비장이 대노하여 분부하되,

"네 어찌 모르리오. 막중 호조 돈을 영문에서 물어 주랴, 본부에서 물어 주랴? 네 먹었는데, 무슨 잔말 아뢰느냐? 너를 쳐서 죽이리라." 비장은 춘풍의 말을 듣고 _____을 잡아다가 벌을 주며 호조 돈을 갚으라고 하고 있네.

몽둥이로 때리면서,

"바삐 다짐하라."

오십 도를 힘껏 치며 서리같이 호령하니, 추월이 기가 막혀 질겁하여 죽기를 면하려고 아뢰되,

"국전(國錢)이 지중하고 관령이 지엄하니 영문 분부대로 춘풍의 돈을 다 물어 바치리이다." 추월은 _____를 면하려고 춘풍의 ___을 다 물어 준다고 하고 있어.

비장이 이르되,

"호조에 관자하여 너를 죽이려 하였으되, 네 죄를 뉘우치고 돈을 모두 바치겠다고 하니, 그런고로 너를 살리나니 호조 돈을 자모지례(子母之例)*로 오천 냥을 바치라."

하니, 추월이 여쭈오되,

"열흘 말미만 주시오면 오천 냥을 바치리이다." 추월에게 이자까지 합친 돈 _____을 받게 되었네.

다짐 써 올리니, 춘풍과 추월을 형틀에서 풀어 놓고 춘풍더러 이르되,

"십 일 내에 오천 냥을 받아 가지고 경성으로 올라오라. 내가 특별한 사정이 있어 먼저 올라가니 내 뒤를 미처 올라와 집으로

찾아오라."

하니, 춘풍이 황황하여 아뢰되,

"나으리 덕택으로 호조 돈을 다 거두어 받으니 은혜 백골난망이로소이다. 경성 가서 댁에 먼저 문안하오리이다." 춘풍은 비장 덕택으로 _____을 받게 되었다며 감사해 하고 있어.

하고 여쭙더라.

장면끊기 01 비장이 _____에 돌아와서 호조 돈을 갚지 않은 _____과 그에게 돈을 빼앗은 추월을 징벌하고 _____에게 돈을 갚으라고 명령하는 내용이 첫 번째 장면으로 제시되었어. 이 뒤로 비장이 협력 관계에 있던 _____와 대화하는 장면이 이어지니, 여기서 장면을 끊을게.

비장이 **감사**께 여쭈되,

"추월에게 설욕하고 춘풍도 찾삽고 호조 돈도 거두어 받으니 은혜 감축 무지하온 중, 소인 몸이 외람되이 존중한 처소에 오래 있삽기 죄송하여 떠날 줄로 아뢰나이다."

감사 그러히 여겨 허락하니, 이튿날 감사께 하직하고 상으로 받은 돈 오만 냥을 환전(換錢) 부쳐 놓고, 떠나서 여러 날 만에 집에 와 정돈하고 환전도 찾은 후 남복을 벗어 놓고 춘풍 오기 기다리더라.

비장은 감사께 하직하고 집으로 돌아와 _____을 벗고 _____을 기다려. 이어서 나오겠지만, 비장은 남장을 한 춘풍의 아내로 방탕하고 무능한 남편 이춘풍을 개과천선하게 만드는 인물이야.

장면끊기 02 두 번째 장면은 비장이 상으로 받은 돈을 부치고 _____보다 먼저 _____에 가서 남복을 벗고 _____을 기다리는 내용이야. 짧은 대목이지만 이 뒤로 중략 부분의 줄거리가 이어지면서 시간과 공간의 변화가 나타나므로 장면을 끊어 읽는 게 좋겠지?

[중략 부분의 줄거리] 돈을 되찾은 춘풍은 경성으로 돌아와 마치 자신이 장사를 잘하고 온 듯 아내 앞에서 거드름을 피우는데, 이에 아내는 다시 비장의 차림으로 춘풍 앞에 나타난다.

비장 가로되,

"남산 밑 박 승지 댁에 가서 술에 대취하여 네 집에 왔더니, 시장도 하거니와 갈증이나 풀게 갈분(葛粉)이나 한 그릇 하여 오너라." 춘풍의 아내는 다시 _____의 차림으로 _____ 앞에 나타나 춘풍에게 명령을 하고 있어.

춘풍이 황공하여 밖으로 내달아서 아무리 제 계집을 찾은들 어디 간 줄 알리요. 주저주저하매 비장이 꾸짖어 가로되,

"네 계집을 어디 숨기고 나를 아니 뵈는고?" 비장은 춘풍을 몰아붙이며 일부러 그의 _____를 찾고 호통을 치고 있어.

차왈피왈(此日彼日)하니,

"너는 벌써 잊었느냐? 평양 일을 생각하여 보라. 네가 집에 왔다고 그리 지위가 높은 체하느냐?"

춘풍이 갈분을 가지고 부엌에 내려가 죽 쑤는 꼴은 차마 볼 수 없더라. 한참 꿈적여서 쑤어 들이거늘, 비장이 조금 먹는 체하고 춘풍을 주며,

"먹어라. 추월의 집에서 깨어진 헌 사발에 누룽밥, 된장 덩이를 이지러진 숟가락도 없이 먹던 생각하고 어서 먹어라." 비장은 춘풍이 돈을 탕진한 후 _____에 있는 추월의 집에서 (**떵떵거리며/비참하게**) 지내던 처지를 언급하며 춘풍을 압박하고 있어.

춘풍이 받아먹으며 제 아내가 밖에서 다 듣는가 하여 속으로 민망히 여기더라. 춘풍은 비장에게 꼼짝없이 당하는 한편으로 _____에게 우스운 꼴을 보였을까 하며 _____해 하고 있어. 비장이 가로되,

"밤이 깊었으니 네 집에서 자고 가리라."

하고 의복 벗고 갓, 망건을 벗으니, 춘풍이 감히 가란 말을 못하고 속마음으로 해포 만에 그리던 아내 만나서 잘 잘까 하였더니, 비장이 잔다 하니 속으로 민망히 여기더라.

관망 탕건 벗어 놓고 웃웃을 훨훨 벗은 후 일어서니 완연한 제 계집이라. 춘풍이 깜짝 놀라 자세히 보니 천만 뜻밖에 제 아내라. 춘풍이 어이없어 묵묵무언 앉았으니 춘풍의 처 달려들며,

"여보소, 아직도 나를 모르시오?" _____의 처(아내)가 남복을 벗고 드디어 자신의 정체를 밝히고 있어.

춘풍이 그제야 아주 깨닫고 깜짝 놀라며, 두 손을 마주 잡고,

"이것이 웬일인가? 평양 회계 비장이 지금 내 아내 될 줄 어이 알리. 이것이 생시인가, 꿈인가?" 비장이 자신의 _____였다는 사실을 알게 된 춘풍이 **(놀라움/배신감)**을 느끼고 있네.

하며 원앙금침에 옛정을 다시 이뤄 은근한 정이 비할 데 없더라.

장면끊기 03 세 번째 장면에서는 _____에 돌아온 _____ 앞에 아내가 다시 _____의 모습으로 나타나 춘풍의 우스운 꼴을 본 후 남복을 벗어 자신의 정체를 밝히는 내용이 제시되었어. 아내의 정체가 비장이었음을 알게 된 춘풍과 그의 아내는 _____을 다시 이루며 행복한 결말로 끝이 나네.

– 작자 미상, 「이춘풍전(李春風傳)」 –

*관자: 관공서에서 작성한 서류나 공증한 문서.

*자모지례: 1년 동안의 변리를 원금의 2할 이내로 정한 이율.

고전소설 독해의 STEP 2

1 인물 간의 관계를 고려하여 구조도의 빈칸에 적절한 말을 채우세요.

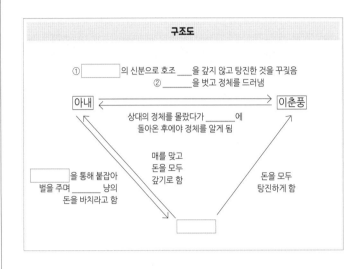

2 1~2번 문제를 풀어 보세요.

1. 윗글에 대한 이해로 적절하지 **않은** 것은?

① '추월'은 자신의 잘못을 스스로 깨닫고 이를 반성하고 있다.

② '호조 돈'은 춘풍과 추월이 호되게 매를 맞는 원인이 되고 있다.

③ '감사'는 비장이 목표한 바를 이룰 수 있도록 도움을 주고 있었다.

④ '춘풍'은 평양에서 만난 비장이 아내인 것을 경성에 돌아와서 알게 되었다.

⑤ '비장'은 춘풍의 행동에 노여워하면서도 한편으로 그를 불쌍히 여기고 있다.

2. 문학 개념어 OX 확인 문제

① 배경 묘사를 통해 인물의 내면 심리를 암시하고 있다.　　○ ✕

② 서술자가 작중 상황에 개입하여 주관적 견해를 드러내고 있다.　　○ ✕

고전소설 독해의 **STEP 3**

1 선지 판단 공식을 활용하여 빈칸을 채우고 1번 문제의 선지를 OX로 판단해 보세요.

선지 판단의 공식

① 작품
비장이 추월을 잡아다 신문하자, 추월은 '춘풍의 돈은 소녀에게 부당하다'고 했지만, 비장이 '_____를 힘껏 치며 서리같이 호령하니, 추월이 기가 막혀 질겁하여 _____를 면하려고', '분부대로 춘풍의 돈을 다 물어 바치'겠다고 함

선지➡ '추월'은 자신의 잘못을 스스로 깨닫고 이를 반성하고 있다. ○ ✕

② 작품
춘풍은 '막중 _____ 수천 냥을 가지고 사오 년이 되도록 일 푼 _____ 아니'한 이유로 '이십여 도'를 맞은 뒤 비장에게 '기생 추월과 놀고 나니 일 푼도 남지 않고, 달리는 한 푼도 쓴 일 없'다고 함 → 비장은 '_____을 바삐 잡아들'이라 한 후 추월을 '매우 쳐라.'라고 호령하며 '춘풍의 돈'에 대해 추궁함

선지➡ '호조 돈'은 춘풍과 추월이 호되게 매를 맞는 원인이 되고 있다. ○ ✕

③ 작품
비장이 감사에게 '추월에게 설욕하고 춘풍도 찾삽고 호조 돈도 거두어 받으니 _____ 감축 무지하'다고 함

선지➡ '감사'는 비장이 목표한 바를 이룰 수 있도록 도움을 주고 있었다. ○ ✕

④ 작품
평양에서 비장의 도움을 받고 경성으로 돌아온 춘풍은 비장이 '관망 탕건 벗어 놓고 웃옷을 훨훨 _____'에야 '자세히 보니 천만 뜻밖에 _____'임을 알게 됨

선지➡ '춘풍'은 평양에서 만난 비장이 아내인 것을 경성에 돌아와서 알게 되었다. ○ ✕

⑤ 작품
'사령놈 매를 들어 이십여 도를 힘껏 때리니 춘풍의 다리에 유혈이 낭자하거늘, _____이 보고 _____ 더 치진 못'함

선지➡ '비장'은 춘풍의 행동에 노여워하면서도 한편으로 그를 불쌍히 여기고 있다. ○ ✕

고전소설 독해의 STEP 1

1 등장인물에 ☐ 표시를 하고 빈칸에 적절한 말을 채우세요.

여공이 물러 나오자 위공과 정렬 부인이 다시 일어나 칭찬하기를,

"어지신 덕택으로 계월을 구하사 친자식같이 길러 입신양명하게 하시니 은혜가 백골난망이로소이다."

하며 슬픈 감회를 금치 못하거늘 *위공과 정렬 부인은 여공이 어진 덕으로 _____을 구하고 친자식같이 길러 _____하게 해준 것에 감사함을 전하고 있어.* 여공이 더욱 감사하며 공손히 응답하더라. ㉠평국과 보국이 또한 엎드려 먼 길에 평안히 행차하심을 치하하더라. 위공과 정렬 부인이며 기주후와 공렬 부인과 춘랑도 또한 자리에 참례하고 양윤이 또한 마음에 기꺼움을 헤아리지 못할지라. 이날 큰 잔치를 배설하고 삼 일을 즐기니라.

장면끊기 01 *계월의 부모님은 계월을 길러 준 여공에게 _____을 전하고, 다같이 잔치를 즐겨. 이 뒤에는 천자의 행동에 초점을 맞춰 전개되니 여기서 한 번 장면을 끊을게.*

이때 천자 신하들을 돌아보고 이르기를,

"평국과 보국을 한 궁궐 안에 살게 하리라."

하시고, 종남산 아래에 터를 닦고 집을 지을새, 천여 칸을 불일성지(不日成之)*로 지으니, 그 장함을 헤아리지 못할지라. *천자는 평국과 보국을 위해 _____을 지었는데, 그 성대함이 헤아리지 못할 정도라고 해. 이렇게 작중에 서술자가 개입하여 자신의 생각, 느낌, 감상을 전달하는 것을 서술자의 개입이나 편집자적 논평이라고 해.* 집을 다 지은 후에 노비 천 명과 수성군 백 명씩 내려 주시고 또 채단과 보화를 수천 바리를 상으로 내려 주시니, 평국과 보국이 황은을 축수하고 한 궁궐 안에 침소를 정하고 거처하니 그 궁궐 안 넓이가 십 리가 남은지라 위의와 거동이 천자나 다름이 없더라. *게다가 _____는 평국과 보국에게 많은 노비와 수성군, 그리고 엄청난 재물을 내렸어. 이를 누리는 평국과 보국의 위의와 거동은 천자에 비견될 만큼 대단했다고 해.*

장면끊기 02 *천자는 _____ 아래에 궁궐을 지어 평국과 보국이 살게 하고, 많은 보화를 하사해 줘. 이 뒤 _____의 정체와 관련된 새로운 사건이 전개되니 여기서 다시 장면을 끊을게.*

이때 평국이 전장에 다녀온 후로 자연 몸이 곤하여 ㉡병이 침중하니 집안이 경동하여 주야 약으로 치료하니, 천자께서 이 말을 들으시고 매우 놀라사 명의를 급히 보내어,

"병세를 자세히 보고 오라. 만일 위중하면 짐이 친히 가 보리라."

하시고 어의(御醫)를 명하사 보내시니, 어의 황명을 받자와 평국의 침소에 와 병세를 진맥하니 병세 위중하지 아니한지라. 속히 약을 가르쳐 쓰라 하고 돌아와 천자께 사실을 아뢰더라.

어의 다녀와 아뢰기를,

"평국의 병세는 위중하지 아니하옵기로 약을 가르쳐 쓰라 하옵고 왔사오나 또한 괴이한 일이 있어 수상하여이다."

하더라. 천자 놀라 묻기를,

"무슨 연고가 있더냐."

어의 땅에 엎드려 아뢰기를,

"평국의 맥을 보오니 남자의 맥이 아니오매 이상하여이다." *전쟁 이후 몸이 안 좋아 병에 든 평국의 건강을 염려하여 천자는 _____를 보냈고, 어의의 진맥으로 평국의 성별이 _____임이 탄로났어.*

천자 그 말을 들으시고 이르기를,

"평국이 여자면 어찌 적진에 나가 적진 십만 대병을 소멸하고

왔으리오. 평국의 얼굴이 도화색(桃花色)이요, 체격이 작고 약하여 혹 미심하거니와 아직은 누설하지 말라."

하시고 자주 문병하시니라. *천자는 평국이 여자라면 십만의 적군을 소멸하지 못했을 것이라며 평국의 뛰어난 (미모를/능력을) 근거로 어의의 말을 바로 받아들이지 않고 있어.*

이때 평국이 병세 점점 나으매 생각하되,

'어의가 나의 맥을 보았으니 필시 본색이 탄로날지라 이제는 할 일 없이 되었으니, 여복을 갈아입고 규중에 몸을 숨겨 세월을 보냄이 옳다.'

하고, 즉시 남복을 벗고 여복을 입고 ㉢부모 앞에 뵈어 느끼며 뺨에 두 줄기 눈물이 종횡하거늘 부모 또한 눈물을 흘리며 위로하더라. *여자라는 사실이 탄로났으니 남은 세월은 _____에 몸을 숨긴 채 지내야 할 것이라 생각하며 _____을 흘리는 계월의 모습에서, 당대 여성들이 겪은 사회적 활동의 제약과 그로 인한 슬픔을 짐작할 수 있어.*

장면끊기 03 *천자가 계월의 건강을 염려하여 보낸 _____에 의해 평국이 여자라는 사실이 밝혀지고, 평국은 여복을 입고 _____에 숨어 살아야 한다는 생각에 슬퍼하고 있어. 하지만 중략 이후에는 다시 새로운 전개가 이어지니 여기서 장면을 끊자.*

[중략 줄거리] 이후 홍계월(평국)은 천자의 주선으로 보국과 혼인을 하게 되는데, 군영 및 집안에서의 사건 등으로 남편 보국과 갈등을 겪으면서 남편과 떨어져 홀로 지내게 된다. *천자의 주선으로 보국과 혼인한 계월은 다양한 문제로 보국과 _____을 겪었군.*

각설. *각설, 화설 등은 고전소설에서 (서술자가/장면이) 바뀜을 나타내주는 표지야.* 이때 남관장이 장계(狀啓)*를 올리거늘 천자 즉시 뜯어 열어 보시니 하였으되,

'오왕(吳王)과 초왕(楚王)이 반하여 지금 장안을 범하고자 하옵나이다. 오왕은 구덕지를 얻어 대원수를 삼고, 초왕은 장맹길을 얻어 선봉을 삼아 장수 천여 명과 군사 십만을 거느려 호주 북지 십여 성을 항복 받고 형주자사 완태를 베고 짓쳐오매 소장의 힘으로는 방비할 길이 없사와 감히 아뢰오니 엎드려 바라옵건대 황상은 어진 명장을 보내어 막으소서.'

하였거늘, 천자 보시고 크게 곤란하사 *남관장은 장계를 올려서 오왕과 초왕이 장안으로 쳐들어오려는 위기가 발생했으니, 어진 _____을 보내 달라고 해. 이를 알게 된 천자는 크게 _____해하고 있어.* 온 조정의 신하들을 모아 의논하시되 우승상 명연태 아뢰기를,

"이 도적을 좌승상 평국을 보내어 방비하올 것이니 급히 영을 내려 부르옵소서." *온 신하들이 모여 의논하던 중 우승상 명연태는 _____을 불러 방비하자고 해. 규중에 있는 평국을 부르는 것으로 보아 외적을 막기 위해선 평국의 뛰어난 능력이 필요하다고 생각하고 있음을 알 수 있군.*

천자 들으시고 한참 뒤에,

"평국이 전일에는 출세하였기로 불러 국사를 의논하였거니와 ㉣지금은 규중 여자라 어찌 영으로 불러 들여 전장에 보내리오." *천자는 예전에는 평국이 _____하여 함께 _____를 의논하였지만 지금은 규중 여자인데 어찌 그럴 수 있겠냐며 망설이고 있어.*

하시되 신하들이 아뢰기를,

"평국이 지금 규중에 처하오나 이름이 조야에 있삽고 또한 작록이 영구하오니 어찌 혐의하오리오."

하거늘, 천자 마지못하여 급히 평국을 영으로 부르시니라. *평국의*

_____이 영구하니 전장에 보내는 것을 꺼리지 않아도 된다고 신하들이 설득하자 천자는 평국을 불러들여. 평국이 여자임이 밝혀졌음에도 좌승상이라는 벼슬은 거두어들이지 않았나 봐.

장면끊기 04 오초 양국의 침범에 어떤 장수를 보내야 할지 고민하던 천자는 신하들의 설득에 평국(계월)을 불러들이게 되었어. 천자가 사관을 보내어 규중에서 홀로 세월을 보내던 계월을 궁에 불러들일 테니 장면을 한번 끊자.

이때 평국이 규중에 홀로 있어 매일 시비를 데리고 장기와 바둑으로 세월을 보내더니 사관이 나와 천자가 부르는 명을 전하거늘, 평국이 크게 놀라 급히 여복을 벗고 조복으로 사관을 따라 어전에 엎드리니 천자 크게 기뻐하며 이르기를,

"ⓔ경이 규중에 처한 까닭에 오래 보지 못하여 주야로 사모하더니 이제 경을 보매 기쁘기 헤아릴 수 없거니와 짐이 덕이 없어 지금 오초 양국 이반하여 호주 북지를 항복 받고 남관을 넘어 황성을 범하고자 한다 하니 경은 마땅히 출사하야 사직을 안보하게 하라." 규중에서 홀로 세월을 보내던 평국은 천자의 명을 전달받고 놀라 _____을 갖춰 입고 돌아왔어. 천자는 평국을 반기며 오초 양국의 침범을 막기 위해 _____하여 조정을 보존할 것을 명령해.

하시되 평국이 엎드려 아뢰기를,

"신첩이 외람하와 폐하를 속이옵고 공후 작록을 받자와 영화로 지내옵기 황공하온데 죄를 사하시고 이토록 사랑하옵시니 신첩이 비록 우매하오나 힘을 다하여 폐하의 성은을 만분의 일이나 갚을까 하오니 근심하지 마옵소서."

하더라. 평국은 여자임을 숨겼던 자신을 용서하고 다시 출사를 명한 천자에게 감사하며 _____을 갚을 것이라 말해.

장면끊기 05 여자임이 밝혀진 후에도 영웅적 능력을 인정받은 평국이 다시 조정으로 불려와, 온 힘을 다해 _____의 은혜를 갚기 위해 노력할 것임을 다짐하며 지문이 끝나고 있어.

– 작자 미상, 「홍계월전」 –

*불일성지: 며칠 안 되어 일이 이루어짐.

*장계: 신하가 임금에게 올리는 일이나 문서.

고전소설 독해의 **STEP 2**

1 인물 간의 관계를 고려하여 구조도의 빈칸에 적절한 말을 채우세요.

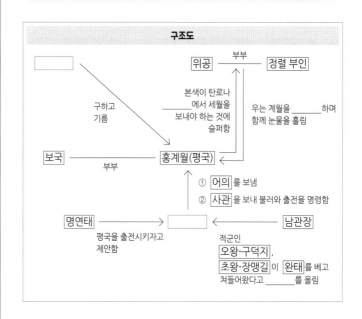

2 1~2번 문제를 풀어 보세요.

1. ㉠~㉤에 대한 이해로 적절하지 않은 것은?

① ㉠: 홍계월과 보국이 멀리서 온 여공에게 고마움을 표하는 모습을 보여 준다.

② ㉡: 홍계월이 병이 나자 집안사람들이 많이 놀라며 지극한 정성으로 치료하는 모습을 보여 준다.

③ ㉢: 홍계월이 부모 앞에서 울음을 터트리며 서러움을 드러내는 모습을 보여 준다.

④ ㉣: 천자가 조정에서 물러나 있는 홍계월을 다시 전쟁터로 보내야 하는지 고민하는 모습을 보여 준다.

⑤ ㉤: 천자가 집안일에 매달려 있는 홍계월을 오랫동안 보지 못해 그리워하는 모습을 보여 준다.

2. 문학 개념어 OX 확인 문제

① 요약적 제시를 통해 사건에 대한 정보를 제공하고 있다. ○ ✕

② 대립된 공간 묘사를 통해 인물 간의 갈등을 제시하고 있다. ○ ✕

H O L S O O

1 선지 판단 공식을 활용하여 빈칸을 채우고 1번 문제의 선지를 OX로 판단해 보세요.

선지 판단의 공식

① 작품
홍계월과 보국은 여공이 '먼 길에 평안히 행차'해 온 것을 엎드려 '_____'하고 있으므로 감사의 뜻을 표시하고 있다고 볼 수 있음

선지➡ ㉠: 홍계월과 보국이 멀리서 온 여공에게 고마움을 표하는 모습을 보여 준다. ○ ×

② 작품
'전장에 다녀온 후' 홍계월의 몸이 곤하여 '___이 침중'하자 집안 사람들이 '_____'하여 밤낮으로 정성을 들여 '약으로 _____'함

선지➡ ㉡: 홍계월이 병이 나자 집안사람들이 많이 놀라며 지극한 정성으로 치료하는 모습을 보여 준다. ○ ×

③ 작품
'본색이 탄로'나 '여복을 갈아입고 규중에 몸을 숨어 세월'을 보내야겠다고 생각한 홍계월은 부모 앞에서 흐느끼며 '_____'을 흘리고 있음

선지➡ ㉢: 홍계월이 부모 앞에서 울음을 터트리며 서러움을 드러내는 모습을 보여 준다. ○ ×

④ 작품
'오', '초' 양국이 침범하여 '_____'이 필요한 상황에 '우승상 명연태'가 '평국을 보내'자고 하자 '천자'는 '지금은 _____ _____'인 홍계월을 어찌 '전장에 보내'겠느냐며 고민하고 있음

선지➡ ㉣: 천자가 조정에서 물러나 있는 홍계월을 다시 전쟁터로 보내야 하는지 고민하는 모습을 보여 준다. ○ ×

⑤ 작품
'규중에 홀로 있'던 홍계월은 '매일 시비를 데리고 _____와 _____으로 세월을 보내'고 있었는데, 천자는 그런 홍계월을 불러들여 '규중에 처'해 있어 오래 보지 못했던 그를 반갑게 맞이함

선지➡ ㉤: 천자가 집안일에 매달려 있는 홍계월을 오랫동안 보지 못해 그리워하는 모습을 보여 준다. ○ ×

고전소설 독해의 STEP 1

1 등장인물에 ▢ 표시를 하고 빈칸에 적절한 말을 채우세요.

이때 이두병이 스스로 황제라 일컫고 국법을 새로이 하여 각국 열읍에 공문을 보내 벼슬도 올려 주는지라. 여러 신하들이 모여 동궁을 폐하여 외객관으로 내치니, 후궁과 벼슬아치들과 내외궁의 노비 등이 하늘을 부르짖고 땅을 치며 끝없이 슬프고 마음 아파하니 푸른 하늘이 부르짖는 듯하고 태양도 빛을 잃은 듯하더라. 이두병은 스스로 _____의 자리에 오른 뒤 여러 신하들과 작당하여 _____(황태자)을 외객관으로 내쫓았는데, 사람들은 이를 보고 슬퍼해. 이때 왕 부인이 이러한 변을 보고 크게 놀라 실색하여,

"마땅히 죽으리로다."

하며, 주야로 하늘을 향해 빌며 말하기를,

"웅의 나이 팔 세에 불과하니 죄 없는 것을 살려 주소서."

하며 애걸하니 그 모습을 차마 보지 못하겠더라. 놀란 왕 부인은 하늘에 ___의 목숨을 살려 달라고 빌고 있어. 이두병이 황제의 자리에 올라 동궁이 내쫓긴 상황에 왜 웅의 목숨을 걱정하는 걸까? 웅이 모친을 붙들고 만 가지로 위로하여 말하기를,

"모친은 불효자식을 생각하지 마시고, 천금같이 귀하신 몸을 보존하소서. 꿈 같은 세상에 유한한 간장을 상하게 하지 마소서. 인생에서 죽는 일 하나만은 제왕도 마음대로 못하옵거늘 어찌 한 번 죽음을 면하오리까? 짐작하옵건대 이두병은 우리의 원수요, 우리는 그의 원수가 아니오니 어찌 조웅이 이두병의 칼에 죽겠사오리까? 조금도 염려치 마옵소서."

하며 분기를 참지 못하더라. 웅은 모친을 안심시키면서 _____인 이두병에 대한 분노를 참지 못해. 앞서 왕 부인이 아들의 목숨을 염려한 것은 황제의 자리에 오른 이두병이 그들의 원수였기 때문이나 봐. 조웅은 이두병이라는 (악인/선인)을 물리치려고 하는 (악인/선인)으로, 두 사람이 대립 구도를 이룬다는 점에서 갈등 관계를 확인할 수 있군.

이때 이두병이 큰아들 관으로 동궁을 봉하고 국호를 고쳐 평순황제(平順皇帝)라 하고 연호를 새로 고쳐 건무(建武) 원년(元年)으로 삼았다. 황제의 자리에 오른 이두병은 자신의 _____을 황태자로 삼고, 국호와 연호를 고쳤어.

이즈음에 송 태자를 외객관에 두었더니, 여러 신하들이 다시 간하여 태산 계량도에 유배하여 주거를 제한하고 소식을 끊게 하였다. 이날 왕 부인 모자가 태자께서 유배되었다는 말을 듣고 망극하여,

"우리 도망하여 태자를 따라 사생(死生)을 한 가지로 하고 싶으나 종적이 탄로나면 이에 앞서 죽을 것이니 어찌하리오?"

하며 모자가 주야로 통곡하더라. 외객관으로 쫓겨났던 태자가 태산 계량도로 _____되었다는 소식을 들은 조웅과 모친은 밤낮으로 _____했어. **장면끊기 01**

이두병이 황제의 자리에 오른 후 _____를 내쫓고 유배 보내자, 이를 알게 된 왕 부인과 웅은 이두병의 행태에 분함과 _____을 느껴. 하루는 웅이 황혼의 명월을 보며 원수 갚을 묘책을 생각하더니, 마음이 아득하고 분기탱천(憤氣撑天)한지라. 이두병에게 ___를 갚을 방법을 생각하던 조웅은 분한 마음이 격렬하게 북받쳐 오르는 심정을 느껴. 울적한 기운을 참지 못하여 부인 모르게 중문에 내달아 장안 큰길 위를 두루 걸어 한 곳에 다다르니 여러 사람들이 모두 모여 시절 노래를 부르거늘, 들으니 그 노래는 이러하더라. 답답하고 쓸쓸한 마음에 _____ 큰길을 배회하던 웅은 _____를 듣게 돼.

국파군망(國破君亡)*하니 무부지자(無父之子)*나시도다.
문제(文帝)가 순제(順帝)되고 태평(太平)이 난세로다. 이 노래에는 태평하던 시절이 이두병이 황제가 되면서 살기 힘든 _____가 되었다는 부정적 인식이 담겨 있어.

천지가 불변하니 산천을 고칠소냐.
삼강이 불퇴하니 오륜을 고칠소냐.
맑고 밝은 하늘에서 소슬히 내리는 비는
충신원루(忠臣寃淚) 아니면 소란스럽게 구는 사람의 하소연이로다. 맑은 하늘에서 내리는 비는 현재의 상황을 슬퍼하는 _____의 원통한 심정이 담긴 눈물에 비유되고 있군.

슬프구나 백성들아, 오호에 한 조각배를 타고
사해에 노니다가 시절을 기다려라.

웅이 듣기를 다함에 분을 이기지 못하고 다시 태평한 시절이 오기를 기다리는 소망이 담긴 노래를 들은 조웅은 이에 (동감하기/동감하지 못하기) 때문에 분을 이기지 못하지. 두루 걸어 경화문에 다다라 대궐을 바라보니, 인적은 고요하고 월색은 뜰에 가득한데 오리와 기러기 몇 쌍이 못에 떠 있고, 십 리나 되는 화원에 전 왕조의 경치와 풍물 아닌 것이 없더라. 전 왕조의 일을 생각하니 일편단심에 굽이굽이 쌓인 근심이 갑자기 생겨나는지라. 노래를 들은 웅은 분함을 이기지 못한 채 걷다가 경화문에서 _____을 바라봐. 전 왕조의 경치를 간직한 궐을 보며 나라를 걱정하는 변함없는 마음, 즉 _____이 근심에 휩싸여. 조웅이 담장을 넘어 들어가 이두병을 만나서 사생을 결단하고 싶으나 힘이 모자랄뿐더러, 문 안에 군사가 많고 문이 굳게 닫혀 있는지라 할 수 없이 그저 돌아서며 분을 참지 못하여 붓을 넣어 차고 다니던 주머니에서 붓을 내어 경화문에 글자가 잘 보이도록 글자를 크게 써서 이두병을 욕하는 글 몇 구를 지어 쓰고는 자취를 감추어 돌아오더라. 이두병과 죽고 사는 것을 돌보지 않고 _____을 내고 싶은 심정을 참은 조웅은 분노를 담아 경화문에 글을 쓰고 돌아갔어.

장면끊기 02 이두병에게 원수를 갚을 방법을 고민하던 웅은 _____의 여러 사람들이 부르는 노래를 들으며 강한 분노를 느껴. _____에 다다라 대궐을 바라본 웅은 지난 왕조에 대한 충심과 이두병에 대한 분노를 담아 이두병을 ___하는 ___을 쓰고 돌아왔어.

(중략)

이날 밤에 황제가 꿈이 몹시 흉하고 참혹하기에 날이 밝기를 기다려 여러 신하들을 궁궐로 불러 들여 꿈속의 일을 의논할 때, 경화문을 지키던 관원이 급히 고하기를,

"밤이 지나고 나니 문밖에 없던 글이 있기에 옮겨 적어 올립니다." 조웅이 이두병을 욕하는 글을 쓴 밤에 이두병은 흉한 ___을 꾸었어. 이는 다음날 자신을 욕하는 글을 보게 되는 사건을 예고하는 복선이었나 봐.

황제가 그 글을 보니,

'송나라 황실이 쇠약하고 미미하니 간신이 조정에 가득하도다! 만민이 불행하여 황제의 상이 나셨도다! 동궁이 장성하지 못했으니 소인이 득세하는 때로다! 만고 소인 이두병은 벼슬이 일품

이라. 무엇이 부족하여 역적이 되었단 말인가? 송나라 황제의 죽음 이후, 동궁이 장성하지 못한 틈을 타 이두병이 역모를 일으켜 황제의 자리에 오른 것이었군. 조웅은 신하의 도리를 저버린 간신 이두병을 _____이라고 해. 천명이 온전하거늘 네 어이 장수하리오. 동궁을 어찌하고 네가 옥새를 전수하느냐? 진시황의 날랜 사슴 임자 없이 다닐 때에 초패왕의 세상 덮는 기운과 범증의 신기한 능력으로도 임의로 못 잡아서 임자를 주었거늘*, 어이할까 저 반적아! 부귀도 좋거니와, 신명을 돌아보아 송업을 끊지 말라. 광대한 천지간에 용납 없는 네 죄목을 조목조목 생각하니 한 줄의 글로도 기록하기 어렵도다.

이 글은 전조 충신 조웅이 삼가 쓰노라.'

하였더라. 조웅은 간신 이두병을 _____(자기 나라를 배반한 역적)이라 부르며, 진시황과 항우의 고사를 활용해 이두병이 황제가 된 것은 부당한 일이라고 하여 송나라의 맥을 끊지 말라고 경고하고 있어.

황제와 여러 신하들이 보고 나서 놀라며 분기등등하여 우선 경화문 관원을 잡아들여 그때에 잡지 못한 죄로 곤장을 쳐서 내치고는 크게 호령하여 조웅 모자를 결박하여 잡아들이라 하니 장안이 분분한지라. 관원들이 조웅의 집을 에워싸고 들어가니 인적이 고요하고 조웅 모자는 없는지라. 죄인을 다스리는 벼슬아치가 돌아와서 도망한 사연을 황제에게 아뢰니, 황제께서 책상을 치며 크게 노하여 대신을 크게 꾸짖어 말하기를,

"조웅 모자를 잡지 못하면 여러 신하에게 중죄를 내릴 것이니 바삐 잡아 짐의 분을 풀게 하라."

하니, 여러 신하들이 매우 급하고 두려워하여 장안을 에워싸고, 또한 황성 삼십 리를 겹겹이 싸고 곳곳을 뒤져 본들 벌써 삼천 리 밖에 있는 조웅을 어찌 잡으리오. 황제와 신하들은 조웅이 글을 쓸 때 잡지 못한 관원에게 벌을 주고 조웅 모자를 잡아들이려 해. 선인으로 대표되는 조웅과 악인으로 대표되는 이두병 사이의 갈등이 고조되고 있어. 그리고 조웅 모자는 이미 이두병을 피해 장안과 황성에서 멀리 달아났기에 잡을 수 없음을 편집자적 _____을 통해 드러내는 것으로 지문이 끝나고 있어.

장면끊기 03 조웅의 글을 본 황제와 신하들은 _____를 잡아들이라 하지만, 이미 조웅 모자는 이두병을 피해 멀리 떠나 있었지.

– 작자 미상, 「조웅전」 –

*국파군망: 나라가 망하고 임금이 돌아가심.

*무부지자: 아버지가 없는 아들.

*진시황의~주었거늘: 진시황이 죽고 초패왕 항우가 그의 용맹함과 비범한 능력을 가진 책사 범증이 있음에도 황제가 되지 못하고 결국 유방이 황제가 된 일을 말함.

고전소설 독해의 STEP 2

1 인물 간의 관계를 고려하여 구조도의 빈칸에 적절한 말을 채우세요.

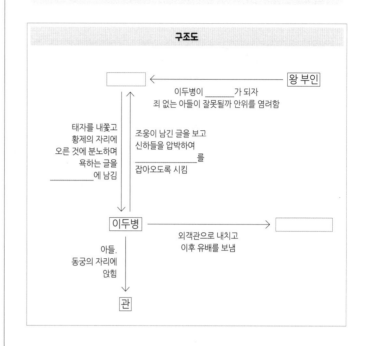

2 1~2번 문제를 풀어 보세요.

1. 윗글에 대한 이해로 적절하지 않은 것은?

① 왕 부인은 이두병이 황제에 오르자 조웅의 안위를 걱정했다.

② 조웅 모자는 송 태자와 사생을 같이 하겠다는 계획을 실행했다.

③ 이두병은 송 태자를 대신하여 자신의 큰아들을 동궁으로 봉했다.

④ 이두병은 송 태자를 유배 보내자는 신하들의 의견을 받아들였다.

⑤ 이두병은 조웅이 쓴 경화문의 글을 보고 조웅을 잡아들이게 했다.

2. 문학 개념어 OX 확인 문제

① 공간적 배경을 묘사하여 인물의 심리를 드러내고 있다.　　　　○ X

② 인물들의 대립 구도를 통해 서사적인 흥미를 높이고 있다.　　　　○ X

고전소설 독해의 STEP 3

1 선지 판단 공식을 활용하여 빈칸을 채우고 1번 문제의 선지를 OX로 판단해 보세요.

선지 판단의 공식

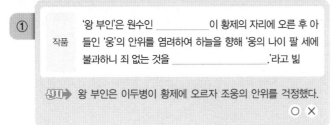

① 작품 '왕 부인'은 원수인 _____이 황제의 자리에 오른 후 아들인 '웅'의 안위를 염려하여 하늘을 향해 '웅의 나이 팔 세에 불과하니 죄 없는 것을 _____.'라고 빎

선지 ➡ 왕 부인은 이두병이 황제에 오르자 조웅의 안위를 걱정했다.
○ ✕

② 작품 '왕 부인 모자'는 태자가 유배되었다는 말을 듣고 '우리 도망하여 태자를 따라 _____을 한 가지로 하고 싶'으나 '종적이 탄로나면 이에 앞서 _____'이라며 염려하고 있음

선지 ➡ 조웅 모자는 송 태자와 사생을 같이 하겠다는 계획을 실행했다.
○ ✕

③ 작품 스스로 황제의 자리에 오른 이두병은 _____이었던 '송 태자'를 내쫓고 '큰아들 관'을 '동궁'으로 봉함

선지 ➡ 이두병은 송 태자를 대신하여 자신의 큰아들을 동궁으로 봉했다.
○ ✕

④ 작품 이두병은 '_____를 외객관에 두었'다가, 여러 신하들이 _____하여 '태산 계량도에 유배'를 보냄

선지 ➡ 이두병은 송 태자를 유배 보내자는 신하들의 의견을 받아들였다.
○ ✕

⑤ 작품 분노를 참지 못한 조웅은 '경화문'에 이두병을 욕하는 글 몇 구를 남기고, 그 글을 본 황제는 _____등등하여 '_____를 결박하여 잡아들이라' 명령함

선지 ➡ 이두병은 조웅이 쓴 경화문의 글을 보고 조웅을 잡아들이게 했다.
○ ✕

고전소설 독해의   STEP 1

■ 등장인물에 ☐ 표시를 하고 빈칸에 적절한 말을 채우세요.

"사부는 어느 곳으로부터 오셨나이까?"

노승이 웃으며 대답하기를,

"평생 알고 지낸 사람을 몰라보시니 일찍이, '귀인은 잊기를 잘한다.'는 말이 옳소이다."

양 승상(양소유)이 자세히 보니 과연 얼굴이 익숙한 듯하였다.

양 승상은 _____을 향해 어디에서 오셨는지를 묻는데, 노승은 양 승상과 평생 알고 지냈는데 자신을 몰라보느냐고 해. 두 사람은 어떤 관계일까? 문득 깨달아 능파 낭자를 돌아보며 말하기를,

"내가 지난날 토번을 정벌할 때 꿈에 동정 용궁의 잔치에 참석하고 돌아오는 길에, 한 화상이 법좌(法座)에 앉아서 경을 강론하는 것을 보았는데 노승이 바로 그 노화상이냐?"

노승이 박장대소하고 가로되, 노승은 자신을 알아보지 못하고 헷갈리는 _____을 보고 박장대소하네.

"옳도다, 옳도다. 비록 그 말이 옳으나 꿈속에서 잠깐 만난 일은 기억하고 십 년 동안 같이 살았던 것은 기억하지 못하니 누가 양 승상을 총명하다 하였는가?"

승상이 망연자실하여 말하기를, 노승은 양 승상이 자신과 십 년 동안 같이 살았던 것을 기억하지 못하니 어찌 _____하다 할 수 있겠느냐 하고, 승상은 기억이 없어 망연자실한 모습이야.

"소유는 십오륙 세 이전에는 부모의 슬하를 떠난 적이 없고, 십육 세에 급제하여 곧바로 직명을 받아 관직에 있었으니, 동으로 연나라에 사신으로 가고 토번을 정벌하러 떠난 것 외에는 일찍이 경사(京師)를 떠나지 아니하였거늘, 언제 사부와 함께 십 년 상종하였으리요?" 승상은 연나라, 토번에 간 것 외에 _____를 떠난 적이 없으므로 노승과 십 년 동안 같이 살지 않았다고 이야기해.

노승이 웃으며 말하기를,

"상공이 아직도 춘몽을 깨지 못하였도다."

승상이 말하기를,

"사부는 어찌하면 저로 하여금 춘몽을 깨게 하실 수 있나이까?"

노승이 이르기를,

"이는 어렵지 않도다." 양 승상이 _____에서 깨어나기를 원하자, 노승이 그 바람을 들어주려는 모양이야.

하고 손에 잡고 있던 지팡이를 들어 돌난간을 두어 번 두드렸다.

장면끊기 01 양 승상은 노승을 만나 춘몽을 깨기 원한다고 해. 다음 장면은 승상이 ____에서 깨어나 현실로 돌아온 상황이니, 여기에서 장면 끊자! 갑자기 네 골짜기에서 구름이 일어나 누각 위를 뒤덮어 지척을 분변하지 못하였다. 승상이 정신이 아득하여 마치 꿈속에 있는 듯하다 소리를 질러 말하기를,

"사부는 어찌하여 정도(正道)로 소유를 인도하지 아니하고 환술(幻術)로써 희롱하시나이까?"

승상이 말을 마치지 못하여 구름이 걷히는데 노승은 간 곳이 없고 좌우를 돌아보니 팔 낭자도 간 곳이 없었다. 승상이 매우 놀라 어찌할 바를 모르는 중에 _____이 가득하여 지척을 분변하지 못하게 되었다가 다시 구름이 걷히자 노승과 _____가 한순간에 없어진 상황이라 양 승상은 매우 놀랐어. 높은 대와 많은 집들이 한순간에 없어지고 자기의 몸은 작은 암자의 포단 위에 앉았는데, 향로에 불은 이미 사라지고 지는 달이 창가에 비치고 있었다.

자신의 몸을 보니 백팔 염주가 걸려 있고 머리를 손으로 만져 보니 갓 깎은 머리털이 가칠가칠하였으니 완연히 소화상의 몸이요 전혀 대승상의 위의가 아니니, 정신이 황홀하여 오랜 후에야 비로소 제 몸이 연화도량의 성진(性眞) 행자(行者)임을 깨달았다. 노승에 의해 춘몽에서 깨어난 승상은 자신이 연화도량의 _____임을 깨닫게 돼. 자신의 본모습을 깨닫게 된 거지.

그리고 생각하기를, '처음에 스승에게 책망을 듣고 풍도옥(酆都獄)*으로 가서 인간 세상에 환도하여 양가의 아들이 되었다가, 장원급제를 하여 한림학사를 한 후 출장입상(出將入相)*, 공명신퇴(功名身退)*하여 두 공주와 여섯 낭자로 더불어 즐기던 것이 다 하룻밤의 꿈이로다. 이는 필연 사부가 나의 생각이 그릇됨을 알고 나로 하여금 그런 꿈을 꾸게 하시어 인간 부귀와 남녀 정욕이 다 허무한 일임을 알게 한 것이로다.' 성진은 자신이 _____에 환도하여 양가의 아들로 태어나 팔 낭자와 함께 공명과 부귀를 누렸음을 깨달아. 자신이 꿈속에서 양 승상의 삶을 살게 된 과정과 이유에 대해 스스로 생각하고 있는 거야.

장면끊기 02 성진이 승상의 삶은 하룻밤 꿈에 불과하며, 육관 대사가 인간 부귀와 남녀 정욕의 _____함을 알게 하기 위해 그러한 꿈을 꾸게 한 것임을 깨닫는 장면이야. 이후 성진은 의관을 정제하여 육관 대사가 있는 처소로 나아가지.

성진이 서둘러 세수하고 의관을 정제하여 처소에 나아가니, 제자들이 이미 다 모여 있었다.

육관 대사가 큰 소리로 묻기를,

"성진아, 인간 부귀를 겪어 보니 과연 어떠하더냐?"

성진이 머리를 조아리고 눈물을 흘리며 하는 말이,

"성진이 이미 깨달았나이다. 제자가 불초하여 생각을 그릇되게 하여 죄를 지었으니 마땅히 인간 세상에서 윤회하는 벌을 받아야 하거늘, 사부께서 자비하시어 하룻밤 꿈으로 제자의 마음을 깨닫게 하시니 사부의 은혜는 천만 겁이 지나도 갚기 어렵나이다." 성진은 자신의 잘못을 반성하며 하룻밤 꿈으로 깨달음을 준 육관 대사의 _____에 감사해.

대사가 말하기를,

"네가 흥을 타고 갔다가 흥이 다하여 돌아왔으니 내가 무슨 간여할 바가 있겠느냐? 또 네가 말하기를, '인간 세상에 윤회한 것을 꿈을 꾸었다.'고 하니, 이는 꿈과 세상을 다르다고 하는 것이니, 네가 아직도 꿈을 깨지 못하였도다. 옛말에 '장주(莊周)가 꿈에서 나비가 되었다가 다시 나비가 장주가 되었다.'고 하니, 어느 것이 거짓 것이고, 어느 것이 참된 것인지 분변하지 못하나니, 이제 성진과 소유에 있어 어느 것이 참이며 어느 것이 꿈이냐?" 육관 대사는 꿈과 _____을 다르다고 하는 성진에게 아직도 깨닫지 못하였다고 해.

성진이 이에 대답하기를,

"제자 성진은 아득하여 꿈과 참을 분별하지 못하겠사오니, 사부는 설법(說法)을 베풀어 제자로 하여금 깨닫게 하소서."

장면끊기 03 성진은 눈물을 흘리며 지난날의 잘못을 반성하고 육관 대사에게 _____을 베풀어 달라고 부탁해.

— 김만중, 「구운몽」—

---

*풍도옥: 지옥을 이르는 말.

*출장입상: 나가서는 장수가 되고 들어와서는 재상이 됨.

*공명신퇴: 공을 세워서 자기의 이름을 널리 드러낸 후 물러남.

고전소설 독해의 STEP 2

1 인물 간의 관계를 고려하여 구조도의 빈칸에 적절한 말을 채우세요.

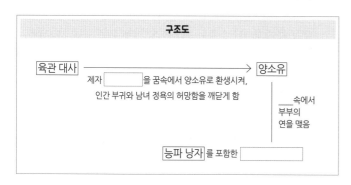

2 1~2번 문제를 풀어 보세요.

1. 윗글의 인물에 대한 이해로 적절하지 <u>않은</u> 것은?

① 성진은 육관 대사의 가르침을 따르려 한다.

② 노승은 양소유가 자각하도록 도와주고 있다.

③ 성진은 꿈속의 노승이 육관 대사임을 알게 된다.

④ 양소유는 팔 낭자와 함께 꿈에서 깨어나고자 한다.

⑤ 성진은 양소유로서의 자신의 삶을 되돌아보고 있다.

2. 문학 개념어 OX 확인 문제

① 내적 독백을 통해 인물의 내면을 드러내고 있다. ○ ✕

② 묘사의 방식을 통해 장면이 전환되었음을 드러내고 있다. ○ ✕

고전소설 독해의 STEP 3

1 선지 판단 공식을 활용하여 빈칸을 채우고 1번 문제의 선지를 OX로 판단해 보세요.

선지 판단의 공식

① 작품 성진은 육관 대사에게 '제자 성진은 아득하여 꿈과 ___을 분별하지 못하겠사오니, 사부는 _____을 베풀어 제자로 하여금 깨닫게 하소서.'라고 함

선지➡ 성진은 육관 대사의 가르침을 따르려 한다. ○ ✕

② 작품 노승은 '상공이 아직도 _____을 깨지 못하였도다.'라고 하며 양 소유의 꿈을 깨워줌. 꿈에서 깨어난 성진에게 '네가 아직도 꿈을 깨지 못하였도다.~이제 성진과 _____에 있어 어느 것이 참이며 어느 것이 ___이냐?'라고 물음

선지➡ 노승은 양소유가 자각하도록 도와주고 있다. ○ ✕

③ 작품 성진은 꿈에서 깨어난 후 '_____가 나의 생각이 그릇됨을 알고 나로 하여금 그런 꿈을 꾸게 하시어 _____와 남녀 정욕이 다 _____ 일임을 알게 한 것이로다.'라고 깨달음

선지➡ 성진은 꿈속의 노승이 육관 대사임을 알게 된다. ○ ✕

④ 작품 양소유가 꿈에서 깨어나자 '노승은 간 곳이 없고 좌우를 돌아보니 _____도 간 곳이 없었'음

선지➡ 양소유는 팔 낭자와 함께 꿈에서 깨어나고자 한다. ○ ✕

⑤ 작품 성진은 꿈에서 깨어나 '_____에 환도하여 양가의 아들이 되었다가, 장원급제를 하여 한림학사를 한 후~두 공주와 여섯 낭자로 더불어 즐기던 것이 다 _____이로다.'라며 자신의 삶을 되돌아봄

선지➡ 성진은 양소유로서의 자신의 삶을 되돌아보고 있다. ○ ✕

고전소설 독해의 STEP 1

1 등장인물에 ☐ 표시를 하고 빈칸에 적절한 말을 채우세요.

[앞부분의 줄거리] 도술이 뛰어난 장단골 김 주부는 조정 간신들에게 쫓기다 딸 매화와 헤어져 아내와 구월산에 들어간다. 매화는 조 병사에게 구원되고 그 아들 양유와 사랑에 빠진다. 양유의 계모 최 씨는 자신의 동생과 혼인시키고자 매화를 탐낸다. 앞부분의 줄거리에서 문제 상황이 드러나네. 이어지는 지문에서는 아마 계모 최 씨가 _____를 탐내는 상황으로 인해 문제가 발생할 것 같아.

하루는 병사 내당에 들어와 부인 최 씨를 대하여 가로되,
"전일 관상쟁이가 이러이러하니 앞으로 닥칠 길흉을 어찌하리요. 매화는 내 집에 있을 뿐 아니라 양유와 동갑이요, 인물이 비범하니 혼사함이 어떠하리이까?" 조 병사는 관상쟁이의 말을 듣고, 자신의 아들 양유와 매화의 _____를 부인 최 씨에게 상의하네.

부인이 변색하여 가로되,
"병사 어찌 그런 말씀을 하시나이까? 양유는 사부(士夫) 후계요, 매화는 유리걸식(流離乞食)하는 아이라. 근본도 아지 못 하고 어찌 인물만 탐하리까?" 부인은 양유는 사대부의 후손이나 매화는 _____을 알 수 없는 아이니 혼사를 반대한다고 해. 앞부분의 줄거리를 참고한다면 부인이 혼사를 반대하는 진짜 이유는 자신의 _____과 매화를 혼인시키고 싶어 하기 때문이야. 부인은 신분을 핑계로 양유와 매화의 혼사를 방해하는 거지.

병사 옳이 여겨 가로되,
"부인 말씀이 옳도다. 일후에 장단골 가서 매화의 근본을 알리라."
하고 나아가거늘,
부인이 그 말을 듣고 제 동생을 불러 이르되,
"병사께서 장단골 가서 매화의 근본을 알고자 하니 네 먼저 가서 재물을 많이 그 근처 사람에게 주어라. 그러면 매화 너의 짝이 될지라. 저런 인물을 어찌 그저 두리요."
한대 최 씨 동생이 이 말을 듣고 재물을 많이 가지고 장단골 연화동을 찾아가더라.

장면끊기 01 조 병사는 매화와 아들 _____의 혼사를 위해 매화의 근본을 알아보러 장단골로 떠나. 부인은 매화를 자신의 동생과 혼인시키려 하기에 병사보다 먼저 장단골로 동생을 보내 양유와의 혼사를 방해하는 계략을 꾸미지. 이제 _____로 장소가 이동되어 사건이 전개되니, 여기에서 장면을 끊자!

이때에 병사 길을 떠나 여러 날 만에 장단골을 찾아가니 어떤 사람 길가에 앉았거늘 병사 말을 머무르고 물어 가로되,
"이곳이 연화동이냐?"
"연화동이로소이다."
병사 물어 가로되,
"연화동이라면 김 주부라 하는 양반 있느뇨?"
그 사람이 웃고 대답하여 가로되,
"주부라 하는 놈이 있더니 남의 재물을 많이 쓰고 도망하였나이다."
하거늘 병사 이 말을 들으매 정신이 아득하여 어찌 할 줄을 모르다가 다시 생각하여 가로되,
"날이 저물은지라 유하고 갈 터이니 주점을 이르라."
한대 그 사람이 한 집을 인도하거늘 병사 들어가니 또 한 사람이 물어 가로되,
"말 타고 온 손님은 어떠한 양반인고?"
주모가 가로되,

"저러한 양반이 김 주부 같은 놈을 찾아 왔다."
하고 냉소하여 가로되,
"주부라 하는 놈은 이미 도망하였거니와 저희 딸 매화 비록 천인(賤人)의 자식이나 인물이 절색이라. 아무 데로 가더라도 남을 속이리라."
하거늘 병사 주모더러 물어 가로되,
"이 곳에 김 주부라 하는 재인이 있느냐?"
주모가 가로되,
"수년 전에 어디론가 도망하였삽더니 들사오니 제 딸 매화는 남복을 입고 황해도 연안 지경에 있단 말을 들었나이다."
병사 이 말을 들으니 다시는 의혹이 없는지라. 앞서 최 씨의 계략대로 최 씨의 동생이 장단골로 먼저 가 사람들에게 _____을 많이 주어 매화의 근본이 천인이라는 잘못된 정보를 말하도록 지시하였어. _____는 영문도 모른 채 장단골 사람들의 말을 믿고 매화의 근본을 오해하게 되었지. **장면끊기 02** 조 병사는 장단골에서 매화의 근본이 _____이라는 사람들의 말을 믿게 돼. 다음 장면은 장단골에서 다시 ____으로 돌아온 상황이니 여기에서 장면을 끊을 수 있겠지? 그날 밤을 겨우 지내어 말을 몰아 집에 돌아와 부인께 답하여 가로되,
"만일 부인의 말씀을 듣지 아니하고 혼사를 하였던들 사대부 집안에 대단 비웃음을 살 뻔하였도다. 매화는 천인 자식이라 내쫓으라."
한대 부인이 가로되,
"매화 아무리 천인의 자식이라도 혼사 아니 하면 무슨 허물 있으리까?"
병사 또 학당에 가 양유를 불러 가로되,
"매화로 더불어 공부하던 일이 분하도다. 앞으로는 매화를 대면치 말라."
하시거늘 양유 이 말을 듣고 정신이 아득하여 엎어지더라.

장면끊기 03 조 병사는 매화와 양유의 혼사 계획을 취소하고, 양유에게 _____를 대면치 말라고 해. 중략 이전에 끊어 읽자.

[중략 부분 줄거리] 조 병사 집을 나온 매화는 부모를 만나 구월산으로 간다. 김 주부는 매화 모르게 동자를 호랑이로 변신시켜 양유를 잡아와 방에 가두고, 양유는 동자에게 살려 달라고 한다. 중략 부분의 줄거리에서 새로운 사건이 전개되었지? 매화는 부모를 만나 _____으로 갔고 김 주부는 매화 몰래 양유를 잡아 왔어.

"동자는 불쌍한 사람을 살려 주소서."
한대 동자 가로되,
"원명* 그뿐이라 낸들 어찌하리요. 만일 여자 혼신(魂神) 들어와 절하거든 맞절하소서. 정성이 지극하면 천행으로 살아갈까 하나이다."
문을 잠그고 나가거늘 양유 촉하에 앉았으니 정신 산란한지라. 창천에 월색은 명랑한데 구름만 얼른하여도 범이 오는가 하고 바람만 수수하여도 귀신인가 의심할 제 이팔청춘 어린아이 일천간장 다 녹인다. 호랑이로 변신한 _____에게 붙잡혀 온 양유는 목숨을 잃을까 두려워하며 방안에 갇혀 있어. 양유와의 혼사가 좌절되었음을 알게 된 김 주부가 손을 쓰는 것 같지?
이윽하여 밖으로 공성이 들리거늘 정신 차려 살펴보니,
"아가 들어가자."
"어머님, 어머님, 못 가겠소."
부인이 가로되,

"밤이 깊었으니 어서 바삐 들어가자."

매화가 가슴을 치며,

"나는 죽어도 못 가겠소."

문고리 떨렁 방문이 와당탕, 양유 깜짝 놀래어 금침을 무릅쓰고 동정을 살펴보니 어떠한 남자 녹의홍상을 입고 들어와 벽을 안고 슬피 울거늘 양유 정신이 아득하여 실로 꿈만 같은지라. 귀신이냐, 호랑이냐, 어찌할 줄을 모르더니 과연 남자 일어나 사배(四拜)하거늘 양유 내념(內念)에 행여 살려 줄까 일어나 극진히 절하고 거동을 살펴보니 문득 광풍이 일어나며 방문이 열치며 한 봉서가 내려지거늘 그 글 보니 하였으되,

'만산초목이 다 피었으되 양유·매화는 봄소식을 모르는도다.'

하였거늘 양유 그 글을 보고 여자를 살펴보니,

"연연한 거동은 매화와 방불하다마는 이러한 산중에 어찌 매화가 왔으리요" 양유는 아직 여자가 _____라는 것을 확신하지 못하네.

낭자도 추파*를 번듯 들어 수재*를 살펴보며 가로되,

"산중이라고 어찌 매화 없으리요마는 양유 없는 게 한이로다."

하거늘 양유 이 말을 듣고 크게 놀라고 매우 기뻐하여 자세히 살펴보니 매화가 분명하거늘 양유가 가로되,

"네가 죽은 혼이냐. 명천이 감동하사 매화 얼굴 다시 보니 죽어도 무슨 한이 있으리요."

하고 기절하거늘 매화는 흉중이 막히어 아무 말도 못 하고 다만 눈물만 흘리는지라. 김 주부 덕분에 다시 만난 _____와 매화는 서로를 알아본 뒤 놀라 기절하거나 눈물만 흘려.

장면끊기 04 양유와 매화가 재회하는 것으로 장면이 마무리되었어.

– 작자 미상, 「매화전」 –

*원명: 본디 타고난 목숨.

*추파: 미인의 맑고 아름다운 눈길.

*수재: 미혼 남자를 높여 부르는 말.

고전소설 독해의   STEP 2

1 인물 간의 관계를 고려하여 구조도의 빈칸에 적절한 말을 채우세요.

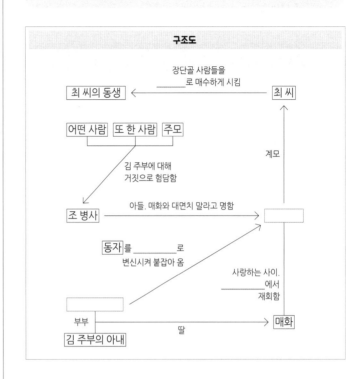

2 1~2번 문제를 풀어 보세요.

1. 윗글에 대한 이해로 적절하지 <u>않은</u> 것은?

① 최 씨 부인의 동생은 조 병사보다 앞서 장단골에 갔다.

② 매화 모녀는 양유가 있는 방 앞에서 실랑이를 벌였다.

③ 양유는 동자가 나간 후 호랑이를 물리칠 결심을 했다.

④ 주모는 조 병사에게 매화가 천인의 자식이라고 말했다.

⑤ 조 병사의 도움을 받은 매화는 양유와 함께 공부를 했다.

2. 문학 개념어 OX 확인 문제

① 우의적인 소재를 통하여 대상을 희화화하고 있다.   ○ ✕

② 인물 간의 대화를 중심으로 사건이 전개되고 있다.   ○ ✕

고전소설 독해의 STEP 3

1 선지 판단 공식을 활용하여 빈칸을 채우고 1번 문제의 선지를 OX로 판단해 보세요.

MEMO

선지 판단의 공식

①

작품
최 씨 부인이 '제 _____을 불러' '병사께서 장단골 가서 매화의 근본을 알고자 하니 네 _____ 가서 재물을 많이 그 근처 사람에게 주어라.'라고 하고, '최 씨 동생'은 이에 '재물을 많이 가지고 _____ 연화동을 찾아'감

선지 최 씨 부인의 동생은 조 병사보다 앞서 장단골에 갔다.
○ ✕

②

작품
매화 모녀는 양유가 붙잡힌 ____ 앞에서 '아가 들어가자.', '어머님, _____.', '나는 죽어도 못 가겠소.'라며 실랑이함

선지 매화 모녀는 양유가 있는 방 앞에서 실랑이를 벌였다.
○ ✕

③

작품
양유는 동자가 '문을 잠그고 나'간 후 '정신 _____'하여 '구름만 얼른하여도 ____이 오는가 하고 바람만 수수하여도 귀신인가 의심할 제 이팔청춘 어린아이 _____ 다 녹'일 정도가 됨

선지 양유는 동자가 나간 후 호랑이를 물리칠 결심을 했다.
○ ✕

④

작품
주모는 '매화 비록 _____의 자식이나 인물이 절색이라.'라고 함

선지 주모는 조 병사에게 매화가 천인의 자식이라고 말했다.
○ ✕

⑤

작품
'조 병사에게 _____'되었던 매화가 천인임을 알게 된 병사는 양유를 불러 '매화로 더불어 _____하던 일이 분하도다.'라고 함

선지 조 병사의 도움을 받은 매화는 양유와 함께 공부를 했다.
○ ✕

고전소설 독해의　STEP 1

1 등장인물에 □ 표시를 하고 빈칸에 적절한 말을 채우세요.

　심청이 수궁에 머물 적에 옥황상제의 명이니 거행이 오죽하랴. 사해 용왕이 다 각기 시녀를 보내어 아침저녁으로 문안하고, 번갈아 당번을 서서 문안하고 호위하며, 금수능라 비단옷에 화용월태 고운 얼굴 다 각기 잘 보이려고 예쁜 모습 웃는 시녀, 얌전하게 차린 시녀, 천성으로 고운 시녀, 수려한 시녀들이 주야로 모실 적에 사흘마다 작은 잔치, 닷새마다 큰 잔치를 베푸니, 상당에는 비단 백 필, 하당에는 진주 서 되였다. 이처럼 받들면서도 오히려 잘못하지나 않을까 조심이 각별했다. <u>사해 용왕들은 _____로부터 명을 받았기 때문에 각기 _____를 보내서 심청을 지극정성으로 받들게끔 하였다.</u>

　장면끊기 01　<u>심청이 _____에 머물면서 극진한 대접을 받고 있음이 드러난 장면이 었어. 다음 문장을 보면 수궁에 있는 심청에서 무릉촌에 있는 장 승상 댁 부인으로 공간적 배경과 주요 서술 대상이 바뀌었음이 드러나지? 그러니 여기서 장면을 끊어볼 수 있어.</u>

　이때 무릉촌 장 승상 댁 부인이 심 소저의 글을 벽에 걸어두고 날마다 징험하되 빛이 변하지 아니하더니, 하루는 ㉠글 족자에 물이 흐르고 빛이 변하여 검어지니, '심 소저가 물에 빠져 죽었는가?' 하여 무수히 슬퍼하고 탄식하더니, 이윽고 물이 걷히고 빛이 도로 황홀해지니, 부인이 괴이히 여겨 '누가 구하여 살아났는가?' 하며 십분 의혹하나 어찌 그러하기 쉬우리오. <u>장 승상 댁 부인은 심청이 쓴 ___을 벽에 걸어놓고, 그 족자의 상태를 통해 심청의 생사 여부를 가늠하고 있어. 하지만 어디까지나 짐작일 뿐이므로, 족자에 ___이 걷히고 빛이 돌아온 것을 보고도 심청이 살아난 것인지를 확신하지는 못하지.</u>

　그날 밤에 장 승상 댁 부인이 제물을 갖추어 강가에 나아가 심 소저를 위하여 혼을 불러 위로하는 제사를 바치려 마음먹고 시비를 데리고 ㉡강가에 다다르니, 밤은 깊어 삼경인데 첩첩이 쌓인 안개 산골짜기에 잠겨 있고, 첩첩이 이는 연기 강물에 어리었다. 편주(片舟)를 흘리저어* 중류에 띄워 놓고, 배 안에 제사상을 차리고 부인이 친히 잔을 부어 오열하며 소저를 불러 위로하니, <u>심청의 혼을 위로하기 위해 _____로 향한 장 승상 댁 부인이 배 안에서 _____를 지내며 심청의 죽음을 슬퍼하고 있어.</u>

　"아아! 슬프다, 심 소저야. 죽기를 싫어하고 살기를 즐거워함은 인정에 당연커늘 일편단심에 양육하신 부친의 은덕을 죽음으로써 갚으려 하고, 한 가닥 쇠잔한 목숨을 스스로 끊으니, 고운 꽃이 흩어지고 나는 나비 불에 드니 어찌 아니 슬플쏘냐. 한 잔 술로 위로하니 응당 소저의 혼이 아니면 없어지지 아니하리니 속히 와서 흠향함을 바라노라."

하며 눈물 뿌려 통곡하니 천지 미물인들 어찌 아니 감동하리. <u>심청을 생각하는 장 승상 댁 부인의 마음은 천지 미물도 _____시킬 정도였다.</u> 뚜렷이 밝은 달도 구름 속에 숨어 있고, 사납게 불던 바람도 고요하고, 용왕이 도왔는지 강물도 고요하고, 백사장에 놀던 갈매기도 목을 길게 빼어 꾸루룩 소리 하며, 심상한 어선들은 가던 돛대 머무른다. 뜻밖에 강 가운데로부터 한 줄 ㉢맑은 기운이 뱃머리에 어렸다가 잠시 뒤에 사라지며 날씨가 화창해지거늘, 부인이 반겨 일어서서 보니 가득히 부었던 잔이 반이나 없었으므로, 소저의 영혼을 못내 슬퍼하더라. <u>한 줄기 _____이 뱃머리에 잠시 어렸다가 사라진 뒤에 보니, 심청을 위해 따른 술잔의 술이 반이나 사라져 있었다. 이를 본 장 승상 댁 부인은 심청의 혼이 왔다간 것이라 생각하여 _____하고 있어.</u>

　장면끊기 02　<u>장 승상 댁 부인이 심청을 위해 정성으로 제사를 지내며 슬픔을 느끼는 모습이 나타난 장면이 었어. _____의 상태가 저절로 변하는 점이나 뱃머리에 맑은 기운이 어린 뒤 잔의 ___이 사라진 점 등에서 전기적 요소가 드러난다고 볼 수 있지. 이어서는 수궁에 옥진 부인이 방문한다는 새로운 사건이 전개되니 여기서 장면을 끊고 넘어가자.</u>

　하루는 광한전 옥진 부인이 오신다 하니 ㉣수궁이 뒤눕는 듯 용왕이 겁을 내어 사방이 분주했다. 원래 이 부인은 심 봉사의 처 곽씨 부인이 죽어 광한전 옥진 부인이 되었더니, 그 딸 심 소저가 수궁에 왔다는 말을 듣고, 상제께 말미를 얻어 모녀 상봉하려고 온 것이었다. <u>심청의 어머니는 죽은 뒤 광한전의 _____으로 다시 태어났는데, 심청의 소식을 듣고는 헤어졌던 딸과 _____하기 위해 수궁을 찾았다.</u>

　심 소저는 뉘신 줄을 모르고 멀리 서서 바라볼 따름이었다. 오색 구름이 어린 오색 가마를 옥기린에 높이 싣고 벽도화 단계화를 좌우에 벌여 꽂고, 각 궁 시녀들은 옆에서 모시고, 청학 백학들은 앞에서 모시며, 봉황은 춤을 추고, 앵무는 말을 전하는데, 보던 중 처음이더라.

　이윽고 교자에서 내려 섬돌에 올라서며,

　"내 딸 심청아!"

하고 부르는 소리에 모친인 줄 알고 왈칵 뛰어 나서며, <u>심청은 옥진 부인이 부르는 소리를 듣고, 그녀가 자신의 _____임을 알게 돼.</u>

　"어머니 어머니, 나를 낳고 초칠일 안에 죽었으니 지금까지 십오 년을 얼굴도 모르오니 천지간 끝이 깊은 한이 갤 날이 없었습니다. 오늘날 이곳에 와서야 어머니와 만날 줄을 알았다면, 오던 날 부친 앞에서 이 말씀을 여쭈었더라면 날 보내고 설운 마음 적이 위로했을 것…… 우리 모녀는 서로 만나 보니 좋지만은 외로우신 부친은 뉘를 보고 반기시리까. 부친 생각이 새롭습니다." <u>얼굴도 알지 못했던 어머니를 다시 만나게 된 것이 기쁘지만, 한편으로는 이러한 사실을 모른 채 홀로 외롭게 지내고 있을 _____ 생각이 떠올라 슬퍼하고 있네.</u>

　부인이 울며 말하기를,

　"나는 죽어 귀히 되어 인간 생각 아득하다. 너의 부친 너를 키워 서로 의지하였다가 너조차 이별하니, 너 오던 날 그 모습이 오죽하랴. 내가 너를 보니 반가운 마음이야 너의 부친 너를 잃은 설움에다 비길쏘냐. 묻노라. 너의 부친 가난에 절어 그 모습이 어떠하냐. 응당 많이 늙었으리라. 그간 십수 년에 홀아비나 면했으며, 뒷마을 귀덕 어미 네게 극진하지 않더냐?" <u>옥진 부인도 심청을 잃고 홀로 남겨진 심 봉사의 심정을 헤아리며 그간의 사정을 묻고 있네.</u>

　얼굴도 대어 보며, 수족도 만져 보며,

　"귀와 목이 희니 너의 부친 같기도 하다. 손과 발이 고운 것은 어찌 아니 내 딸이랴. 내 끼던 ㉤옥지환도 네가 지금 가졌으며, '수복강녕', '태평안락' 양편에 새긴 돈 붉은 줌치 청홍당사 별매듭도 애고 네가 찼구나. <u>심청이 자신의 ___이 틀림없음을 거듭 확인하며 감격하는 모습이야.</u> 아비 이별하고 어미 다시 보니 다 갖추기 어려운 건 인간 고락이라. 그러나 오늘날 나를 다시 이별하고 너의 부친을 다시 만날 줄을 네가 어찌 알겠느냐? 광한전 맡은 일이 직분이 허다하여 오래 비우기 어렵기로 도리어 이별하니 애통하고 딱하나 내 맘대로 못 하니 한탄한들 어이할쏘냐. 후에 다시 만나 즐길 날이 있으리라." <u>옥진 부인은 심청과의 짧은 재회를 끝으로 다시 _____해야 하는 것을 안타까워하고 있어. 이때 훗날을 기약하는 옥진 부인의 말을 통해 심청이 아버지는 물론 옥진 부인과도 다시 _____게 될 것임이 예고된다고 볼 수 있지.</u>

하고 떨치고 일어서니, 소저 만류하지 못하고 따를 길이 없어 울며 하직하고 수정궁에 머물더라.

장면끊기 03 심청과 어머니 옥진 부인의 감격스러운 재회가 그려진 장면이었어. 광한전 옥진 부인의 수궁 방문 소식에 _____이 겁을 내며 사방이 분주했다는 것에서 옥진 부인의 지위를 짐작할 수 있지. 이어서 서술의 초점이 심 봉사에게로 옮겨 가니 여기서 장면을 끊을게.

이때 심 봉사는 딸을 잃고 모진 목숨이 죽지 못하여 근근이 살아갈 제, 도화동 사람들이 심 소저가 지극한 효성으로 물에 빠져 죽은 일을 불쌍히 여겨 비석을 세우고 글을 새겼으되,

앞 못 보는 아버지 위해
제 몸 바쳐 효도하러 용궁에 갔네.
안개 어린 먼 바다에 마음도 푸르니
봄풀에 해마다 한이 가없네.

강가를 오가는 행인이 비문을 보고 아니 우는 이가 없고, 심 봉사는 딸이 생각나면 그 비를 안고 울더라. 심 봉사는 딸 심청과 헤어진 뒤, 극심한 슬픔 속에서 살아가고 있네.

장면끊기 04 심청이 죽은 이후 심 봉사의 상황이 제시된 장면이었어. _____에 새겨진 글귀는 이들 부녀의 사연을 안타깝게 여기는 사람들의 마음을 보여 주면서 심 봉사의 가슴 아픈 처지를 더욱 부각하는 역할을 하고 있지.

– 작자 미상, 「심청전」(완판본, 71장) –

*흘리저어: 배 따위를 흘러가게 띄워서 저어.

고전소설 독해의 STEP 2

1 인물 간의 관계를 고려하여 구조도의 빈칸에 적절한 말을 채우세요.

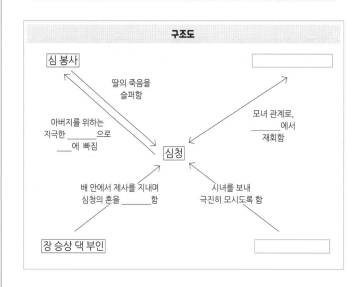

2 1~2번 문제를 풀어 보세요.

1. ㉠~㉤의 서사적 기능에 대한 이해로 적절하지 않은 것은?

① ㉠: 심청의 생사 여부를 짐작하게 하는 징표이다.
② ㉡: 장 승상 댁 부인에게 이승과 저승의 경계로 인식되는 공간이다.
③ ㉢: 장 승상 댁 부인이 지닌 비범한 능력을 보여 주는 증거이다.
④ ㉣: 심청이 자신의 희생에 대해 보상을 받는 공간이다.
⑤ ㉤: 심청과 옥진 부인 사이의 관계를 확인시키는 징표이다.

2. 문학 개념어 OX 확인 문제

① 간결한 문체를 사용하여 사건 전개의 속도감을 높이고 있다.　　○ ✕
② 독백과 대화의 반복적 교차로 인물의 내면 갈등이 드러나고 있다.　　○ ✕

고전소설 독해의 STEP 3

1 선지 판단 공식을 활용하여 빈칸을 채우고 1번 문제의 선지를 OX로 판단해 보세요.

선지 판단의 공식

① 작품: ㉠글 족자에 '물이 흐르고 빛이 변하여 검어'짐 → 장 승상 댁 부인은 심청이 물에 빠져 _____고 생각함 → ㉠글 족자에 '물이 걷히고 빛이 도로 황홀해'짐 → 장 승상 댁 부인은 누군가 심청을 _____ 것인가 하여 의문을 가짐

선지 → ㉠: 심청의 생사 여부를 짐작하게 하는 징표이다. ○ ×

② 작품: 장 승상 댁 부인은 심청의 ____을 불러 위로하기 위해 ㉡강가로 향함

선지 → ㉡: 장 승상 댁 부인에게 이승과 저승의 경계로 인식되는 공간이다. ○ ×

③ 작품: 장 승상 댁 부인이 배 안에 _____을 차리고 슬피 울며 심청의 혼을 _____함 → 뱃머리에 ㉢맑은 기운이 어렸다가 사라짐

선지 → ㉢: 장 승상 댁 부인이 지닌 비범한 능력을 보여 주는 증거이다. ○ ×

④ 작품: 심청은 '앞 못 보는 아버지 위해 / 제 몸 바쳐 _____하러' 물에 빠짐 → 옥황상제의 명으로 ㉣수궁에 머물다가 어머니 _____과 재회함

선지 → ㉣: 심청이 자신의 희생에 대해 보상을 받는 공간이다. ○ ×

⑤ 작품: 심청과 옥진 부인이 수궁에서 재회함 → 옥진 부인은 자신이 생전에 끼던 ㉤_____을 심청이 끼고 있는 것을 봄

선지 → ㉤: 심청과 옥진 부인 사이의 관계를 확인시키는 징표이다. ○ ×

3

주차

3주차
학습 안내

3주차에서는 <보기>가 포함된 문제의 선지를 정확하게 판단하기 위한 훈련을 할 거야. <보기>는 지문을 보다 깊이 이해할 수 있는 정보를 제공해. 즉 작품의 창작 배경이나 작가의 의도, 작품에 활용된 기법의 소개 등을 통해 제시된 지문을 어떻게 해석해야 하는지에 대한 단서를 제공하는 거지. <보기> 문제는 대체로 3점인 경우가 많고 오답률도 높은 편이야. <보기>가 포함된 문제를 풀 때는 선지의 진술이 지문의 내용뿐만 아니라 <보기>에 제시된 내용과도 부합하는지를 종합적으로 판단해야 하기 때문이지.

이에 대비해 3주차에서는 '<보기> 문제 선지 판단의 공식'을 통해 각 선지의 <보기> 속 근거, 작품 속 근거를 확인하여 정리할 수 있도록 했어. 이러한 훈련 과정을 반복하다 보면 작품-<보기>-선지 내용 간의 연결 관계를 유기적으로 판단할 수 있고, 그 과정에서 오답 선지가 구성되는 방식이 눈에 보일 거야. 3주차 훈련을 통해 <보기> 문제 앞에서도 흔들림 없이 선지를 판단해 보자.

고전소설 독해의   STEP 1

❶ 등장인물에 ☐ 표시를 하고 빈칸에 적절한 말을 채우세요.

그 이전에 진 공이 병부에서 벼슬을 살던 때였다. 엄숭의 가자(假子) 조문화는 진 소저가 아름답다는 말을 듣고 제 자식을 위해 진 공에게 혼인을 청한 적이 있었다. 그때 진 공이 엄한 말로 거절하자, 조문화는 매우 노하여 엄숭에게 사주해 공을 노안부 제독으로 내쫓게 했다. 그 무렵에 다시 양석을 시켜 '진 공이 사사로이 태원의 돈 삼십만 냥을 훔쳤다.'고 무고하게 했다. 그리고 금위옥에 가둔 뒤 온갖 방법으로 죄를 조작하게 했다. 지문의 초반에 여러 인물들이 제시되고 있어. 인물들 간의 관계를 잘 정리하면서 읽어야 내용을 이해하기 수월하겠지! 조문화는 진 공에게 자신의 아들과 진 공의 딸 _____의 혼인을 청했지만 _____이 거절하자 그에게 누명을 씌워 고발하고, 죄를 조작했어. 조문화는 오 부인과 진 소저가 옛집으로 올라왔다는 말을 듣고는 부인의 종형 오 낭중이라는 자를 불러 놓고 말했다.

[A]
"진형수는 죽어 마땅한 죄를 지었지. 그렇지만 내가 진실로 한번 입을 연다면 족히 목숨은 구할 수 있을 것이니라. 지난 날에 형수가 나를 지나치게 무시하여 혼인을 박절하게 거절한 적이 있었다. 이제 와서 내가 그 원한을 묻어 둔 채로 덕을 베풀어 주지는 못하겠다. 들으니 그대는 형수와 인척이 된다 하더군. 만일 형수가 살아서 옥문을 나서게 하고 싶다면 시험 삼아 나를 위해 형수의 딸에게 내가 한 말을 전해 주어 보거라. 그녀가 만일 효녀라면 스스로 거취할 방도를 필시 깨우치게 될 것이니라." 고전소설에서 인물이 이렇게 길게 말할 때는 보통 주장, 설득하는 말을 하는 경우가 많아. 그리고 그 경우 문제와 연결될 가능성도 높으니 인물이 주장하고자 하는 내용이 무엇인지 파악하는 게 중요해. 조문화는 _____을 불러 자신이 입을 열면 진형수가 _____을 구할 수 있을 것이라고 하며 진 소저에게 자신의 말을 전하라고 했네.

장면끊기 01 조문화는 _____가 자신의 부탁을 거절하자 거짓 죄를 꾸며 내쫓고 오 낭중을 불러 자신의 말을 _____에게 전하게 했어. 아버지를 인질로 삼아 딸을 압박하면서 혼인을 성사시키기 위함이지. 이에 대한 오 부인과 진 소저의 반응이 다음 장면에 나타나니 여기서 한 번 끊고 갈게.

오 낭중은 본시 권세를 두려워하여 예예 하고 대답만 할 줄 아는 위인이었다. 그는 공손하게 손을 모은 채 명을 받은 뒤 오 부인을 찾아가 조문화가 한 말을 그대로 전했다. 오 낭중은 진형수의 목숨을 빌미로 삼아 진 소저와 자신의 아들을 혼인시키려 하는 _____의 협박을 오 부인에게 전했어.

오 부인은 크게 노했다.
"조가 도적놈이 감히 우리 딸에게 욕을 보이려 한다고?"
그러자 진 소저가 분연히 고했다.
"옛날 효녀 중에는 스스로 관비가 되기를 청하여 제 아비의 죽음을 면하게 한 자가 있었으며, 또한 자신을 팔아 제 부모의 장사를 치르게 한 자도 있었습니다. 소녀의 신체발부는 모두 부모님께서 주신 것입니다. 이제 부친께서 중죄를 받을 형편에 놓이신 마당에 자식 된 자로서 어느 겨를에 일신의 욕과 불욕을 논할 수 있겠습니까?" 진 소저는 자신의 _____는 모두 부모님께서 주신 것이고, 자식 된 자로서 아버지를 구하는 것이 당연하다며 부친을 위해 조문화의 제안을 (받아들이겠다/받아들이지 않겠다)고 주장해.

오 부인은 평소 소저의 빙옥 상설 같은 지조를 잘 알고 있었다.

따라서 그 말을 듣고는 깜짝 놀라 말도 하지 못한 채 한동안 눈물만 흘리다가 마침내 탄성을 발했다. 진 소저의 _____를 잘 아는 오 부인은 진 소저의 결심을 듣고 _____을 흘리며 슬퍼하고 있어.

[B]
"슬프다! 총계정에서 학을 읊은 시가 족히 너의 성안(成案)이 되고 말겠구나. 내가 어찌 네 마음을 의심할 리 있겠느냐? 그러나 딸을 죽여서 그 아비를 구한다면, 산 사람의 마음이 오죽이나 하겠느냐? 옛 사람이 이르기를, '황금을 걸어 놓고 도박을 벌이면 그 지혜가 더욱 어두워진다.'고 했지. 지금 내 마음은 황금을 건 것에 비할 바가 아니로구나. 네 스스로 잘 생각해서 현명하게 처신하거라." 고전소설 속의 인물은 우리에게는 생소한 옛 이야기인 고사를 인용해서 말하고자 하는 바를 강조하는 경우가 많아. 수많은 고사를 일일이 알아두어야 하는 것은 아니야. 결국 고사를 통해 인물이 무엇을 주장하고 있는지가 중요하지. 오 부인은 진 소저의 마음을 _____하지 않고, 자신은 딸을 희생해 진 공을 구하는 문제를 두고 올바른 판단을 할 수 (있다/없다)고 하며 진 소저 스스로 현명하게 _____하라고 해.

진 소저는 추호도 망설이는 기색이 없이 친히 오 낭중을 향해 혼인을 허락했다. 오 낭중은 몹시 기뻐하며 조문화에게 돌아가 그녀의 말을 전했다. 조문화는 미칠 듯이 기뻐하더니 그 이튿날 다시 엄숭을 사주해 진 공의 옥사를 천자에게 아뢰게 했다. 이윽고 천자는 진 공의 사형을 감하는 대신 운남으로 귀양을 보내게 했다. 결국 진 소저는 조문화의 아들과 혼인하겠다는 뜻을 전하고, _____은 사형을 면하게 되었어.

장면끊기 02 부친의 목숨을 구하기 위해 진 소저는 조문화의 아들과 _____하기로 결심했고, 그 덕에 진형수는 사형을 당하는 대신 _____을 가게 되었어.

(중략)

마침내 진 공은 오 부인과 함께 길을 떠났다. 그 뒤 진 소저는 침실로 돌아가 자리에 누운 채 밤낮없이 엉엉 울고 있었다. 그때 조문화의 가인(家人)들이 속속 찾아와 진 소저에게 혼인을 재촉했다. 진 소저는 유모로 하여금 말을 전하게 했다.

"방금 부모님을 작별했으므로 정회가 망극하기 그지없습니다. 앞으로 수십 일 정도를 보내면서 마음을 조금 진정시킨 연후에 성례하면 좋을 듯합니다." 혼인을 재촉하는 조문화의 _____들에게 진 소저는 마음을 진정시킬 시간이 필요하다고 전해.

조문화의 가인이 돌아가 진 소저의 말을 전했다. 그러나 조문화의 아들은 다급하게 서둘러 마지않았다. 조문화가 말했다.

"인정상 본디 그럴 것이니 그 말대로 따르도록 하거라. 또한 저 아이는 이미 주머니 속에 든 물건이나 다름이 없게 되었다. 서두르지 않는다고 달아날 곳이 있겠느냐?" 혼인을 서두르고자 하는 조문화의 아들과 달리 조문화는 진 소저가 (달아날/달아나지 않을) 것이라며 여유로운 태도를 보이네.

사오일 뒤 조문화는 시비로 하여금 진 소저를 찾아가 살펴보게 했다. 진 소저는 머리를 풀어 얼굴을 가린 채 이불을 덮고 신음하고 있다가 희미한 목소리로 유모를 불러 놓고 일렀다.

"슬픔으로 심란하던 차에 다시 감기에 걸리고 말았네. 이제는 마음도 추스르고 병도 조섭하여 속히 쾌차한 후에 부모님을 살려 주신 큰 은혜를 보답하려 하네. 그런데 지금 바깥 사람들이 자주 왔다 갔다 하니 내 마음이 편하질 않구려." 이번에는 _____에 걸렸다는 핑계를 대며 자신을 살피러 온 조문화의 시비를 돌려보내네. 속히 쾌차한 후

_____에 보답해야 하는데 마음이 편하지 않으니 바깥 사람들이 집안에 출입하지 않게 해 달라는 거야.

그 사람이 돌아가 진 소저의 말을 조문화에게 그대로 전했다. 그러자 조문화는 몹시 기뻐했다.

"진실로 뛰어난 효녀로서 은혜를 갚을 줄 아는 사람이로구나. 이제 그 뜻에 순종하여 화를 돋우게 하지 마라. 앞으로도 모름지기 매일 문밖에서 동정을 살피되 집 안에는 다시 함부로 들어 가지 말거라." 조문화는 진 소저의 말을 굳게 믿고 곧 혼례를 올릴 수 있을 거라고 생각하고 있어. 진 소저는 _____를 갚을 줄 아는 사람이니 약속을 지킬 것이므로 진 소저의 집 안에는 함부로 _____지 말라고 하지.

다시 10여 일이 지난 뒤 진 소저는 공의 행차가 이미 멀리까지 갔으리라 짐작하고 유모 및 시녀 운섬 등과 함께 야밤에 간단하게 행장을 꾸렸다. 그리고 모두 남장을 한 뒤 나귀 한 필을 끌고 회남을 향해 떠나갔다. 진 소저는 조문화의 아들과의 혼인을 피하기 위해 _____을 하고 도망치네.

그 이튿날에도 조문화의 가인이 소저를 찾아갔더니 빈집만 황량할 뿐 다시는 인적을 찾아볼 수 없었다. 그 사람은 몹시 놀랍고도 의아하여 마을 사람에게 물어보았다.

"저 집 소저가 어디로 갔습니까?"

마을 사람은 쌀쌀하게 대답했다.

"소저고 대저고 나는 모릅니다."

그 사람은 무안만 당하고 돌아가 조문화에게 고했다. 진 소저가 도망한 후 조문화의 가인이 그 사실을 알게 되면서 지문이 끝나고 있어.

장면끊기 03 진 소저가 이런저런 핑계를 대며 _____을 미루다가 남장을 하고 회남으로 _____간 후 조문화의 집안사람이 이를 알고 조문화에게 알리면서 지문이 끝났어.

– 작자 미상, 「창선감의록」 –

고전소설 독해의 STEP 2

1 인물 간의 관계를 고려하여 구조도의 빈칸에 적절한 말을 채우세요.

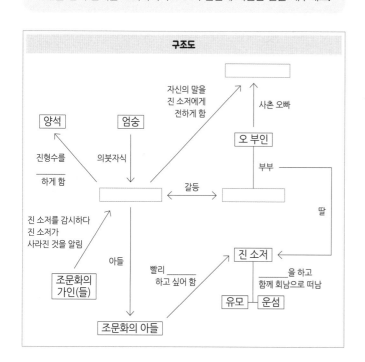

2 1~2번 문제를 풀어 보세요.

1. 〈보기〉를 바탕으로 윗글을 감상할 때 적절하지 <u>않은</u> 것은?

〈보기〉

조선 후기에 들어 가문을 둘러싼 갈등과 정치적 대립이 서사화되는 양상이 두드러진다. 임금과 신하의 권력 관계가 역전된 정치적 구조에서 권세 있는 신하가 정치를 좌우하는 현실이 소설에 반영된다. 이러한 정치적 문제는 가문의 문제에 연결되면서 가족 구성원이 고난을 겪는 서사 구성으로 드러난다. 이때 자신의 판단과 지략으로 해결책을 모색하는 적극적 인물들이 나타난다. 이들은 사리 판별을 돕는 인물이나 주변 인물의 도움을 받기도 한다.

① 오 낭중이 가문 사이를 매개하는 것을 보니, 사리 판별을 하여 가족 구성원이 위기 상황을 극복하게 하는 모습을 알 수 있군.

② 진 공이 옥에 갇히고 귀양을 가게 되는 과정을 보니, 권력을 가진 신하가 정치를 좌우하는 현실의 문제를 추측할 수 있군.

③ 진 소저가 길을 떠나기까지의 과정을 보니, 자신의 판단에 따라 지혜롭게 문제 상황을 해결해 가는 적극적 인물의 면모를 알 수 있군.

④ 조문화가 성사시키려 한 혼인 문제로 진 공의 가족이 고난을 겪게 되는 과정을 보니, 정치적 문제와 가문의 문제가 연결될 수 있음을 알 수 있군.

⑤ 유모가 조문화의 가인과 시비에게 말을 전하고 진 소저와 함께 남장을 하는 정황을 보니, 주변 인물이 적극적 인물에게 도움이 되고 있음을 알 수 있군.

2. 인물의 말하기 방식 OX 확인 문제

① [A]는 청자에게 선택 가능한 여러 방안을 제시하여, [B]는 선택 가능성을 제한하여 청자의 문제를 해결해 주고자 한다. ○ ✕

② [A]는 가정할 수 있는 상황을 들어 자신의 의중을 청자에게 전하고, [B]는 비교할 만한 상황을 들어 자신의 의중을 청자에게 드러낸다. ○ ✕

고전소설 독해의 STEP 3

1 선지 판단 공식을 활용하여 빈칸을 채우고 1번 문제의 선지를 OX로 판단해 보세요.

〈보기〉 문제 선지 판단의 공식

① **〈보기〉** 가족 구성원이 겪는 고난의 해결책을 모색하는 적극적 인물들은 _____을 돕는 인물의 도움을 받기도 함

➕

작품 '_____은 본시 권세를 두려워하여 예예 하고 대답만 할 줄 아는 _____이었다. 그는 공손하게 손을 모은 채 명을 받은 뒤 오 부인을 찾아가 조문화가 한 말을 그대로 전했다.'

선지 오 낭중이 가문 사이를 매개하는 것을 보니, 사리 판별을 하여 가족 구성원이 위기 상황을 극복하게 하는 모습을 알 수 있군. ○ ✕

② **〈보기〉** 조선 후기에 들어 가문을 둘러싼 갈등과 정치적 대립이 서사화되는 양상이 두드러지며, 임금과 신하의 권력 관계가 _____되면서 권세 있는 신하가 _____하는 현실이 소설에 반영됨

➕

작품 '조문화는 매우 노하여 엄숭에게 _____해 공을 노안부 제독으로 내쫓게 했다. 그 무렵에 다시 양석을 시켜 '진 공이 사사로이 태원의 돈 삼십만 냥을 훔쳤다.'고 _____ 하게 했다. 그리고 금위옥에 가둔 뒤 온갖 방법으로 죄를 조작하게 했다.', '_____는 미칠 듯이 기뻐하더니 그 이튿날 다시 엄숭을 사주해 진 공의 옥사를 _____에게 아뢰게 했다. 이윽고 천자는 진 공의 사형을 감하는 대신 운남으로 _____을 보내게 했다.'

선지 진 공이 옥에 갇히고 귀양을 가게 되는 과정을 보니, 권력을 가진 신하가 정치를 좌우하는 현실의 문제를 추측할 수 있군. ○ ✕

③ **〈보기〉** 권세 있는 신하가 정치를 좌우하는 현실 속에서 가족 구성원이 고난을 겪으며, 이때 자신의 _____으로 해결책을 모색하는 _____들이 나타남

➕

작품 '진 소저는 추호도 망설이는 기색이 없이 친히 오 낭중을 향해 _____했다.', '진 소저는 유모로 하여금 말을 전하게 했다. "방금 부모님을 작별했으므로 ~마음을 조금 진정시킨 연후에 _____하면 좋을 듯합니다.",', '다시 10여 일이 지난 뒤 진 소저는 공의 행차가 이미 멀리까지 갔으리라 짐작하고~모두 _____을 한 뒤 나귀 한 필을 끌고 회남을 향해 떠나갔다.'

선지 진 소저가 길을 떠나기까지의 과정을 보니, 자신의 판단에 따라 지혜롭게 문제 상황을 해결해 가는 적극적 인물의 면모를 알 수 있군. ○ ✕

④ **〈보기〉** 조선 후기에 들어 권세 있는 신하가 _____하는 현실이 소설에 반영되었고, 이러한 정치적 문제는 _____에 연결되면서 가족 구성원이 고난을 겪게 됨

➕

작품 '조문화는 진 소저가 아름답다는 말을 듣고 제 자식을 위해 진 공에게 혼인을 청한 적이 있었다. 그때 진 공이 엄한 말로 _____하자, 조문화는 매우 노하여 엄숭에게 사주해 공을 노안부 제독으로 내쫓게 했다.~그리고 금위옥에 가둔 뒤 온갖 방법으로 _____하게 했다.'

선지 조문화가 성사시키려 한 혼인 문제로 진 공의 가족이 고난을 겪게 되는 과정을 보니, 정치적 문제와 가문의 문제가 연결될 수 있음을 알 수 있군. ○ ✕

⑤

〈보기〉 가족 구성원이 겪는 고난의 해결책을 모색하는 적극적 인물들은 _____ 을 돕는 인물이나 주변 인물의 _____ 을 받기도 함

➕

작품 '진 소저는 _____로 하여금 말을 _____ 했다. "방금 부모님을 작별했으므로~마음을 조금 진정시킨 연후에 성례하면 좋을 듯합니다.", '10여 일이 지난 뒤 진 소저는 공의 행차가 이미 멀리까지 갔으리라 짐작하고 _____ _____ 등과 함께 야밤에 간단하게 행장을 꾸렸다. 그리고 모두 남장을 한 뒤 나귀 한 필을 끌고 회남을 향해 떠나갔다.'

선지 유모가 조문화의 가인과 시비에게 말을 전하고 진 소저와 함께 남장을 하는 정황을 보니, 주변 인물이 적극적 인물에게 도움이 되고 있음을 알 수 있군.

○ ✕

고전소설 독해의 STEP 1

1 등장인물에 ☐ 표시를 하고 빈칸에 적절한 말을 채우세요.

[앞부분의 줄거리] 조선조 광해군 때, 청이 명을 공격하자 명은 조선에 군대를 청한다. 요동 출병으로 참전하게 된 영철은 청의 포로가 되어 죽을 위기에 처하나 청의 장수 아라나 덕에 살아남아, 건주(建州)에서 살게 된다. 그러나 부모님이 몹시 그리워 목숨을 걸고 탈출해 14년 만에 고향에 돌아온다.

　신사년(辛巳年, 1641) 봄에 청나라가 금주(錦州)를 공격하면서 조선에 군대를 요청하였다. 조선 군대가 금주에 이르니 청나라가 금주를 반드시 함락하고자 하여 청나라 황제가 친히 나서고, 여덟 명의 고산대장(高山大將) 또한 각기 군대를 이끌고 와서 금주성을 에워쌌다. 고산대장이 매번 사자(使者)를 조선군 진중(陣中)에 보내니 유림이 사자 대접하는 일을 영철에게 맡겼다. 한번은 청나라 장수가 조선군 진중에 와서 일을 논의하는데 영철이 청나라 말의 통역을 맡게 되었다.　앞부분의 줄거리를 통해 영철은 청나라와 명나라의 전쟁에 참전했었고, 고난 끝에 _____에 돌아왔음을 알 수 있어. 그런데 _____가 조선에 군대를 요청하자 영철은 다시 전쟁에 불려 나간 거야. 14년 만에 고향에 돌아온 영철이 다시 참전하게 된 경위가 서술자의 요약적 제시를 통해 밝혀지고 있지. 그때 그 청나라 장수가 영철을 한참 보더니

　"내 너를 처음 보는 것 같지 않은데, 너는 나를 알아보겠느냐?"

　"소신(小臣), 장군이 누구신지 잘 모르겠사옵니다."

하니 청나라 장수가 노하여 말하되

　"내 이제 너를 자세히 보니 누군지 알겠거늘 네가 어찌 나를 모른다고 하느냐?"

　이에 영철이 청나라 장수를 자세히 보니 옛적 건주에 있을 때 자신이 모시고 있던 아라나(阿羅那) 장군이었다.　영철은 자신의 목숨을 구해 주었던 청의 장수 _____를 다시 만나게 된 거야.

[A] 　"이놈아 듣거라! 내가 네게 세 번의 큰 은혜를 베풀었노라. 네가 참수형을 받아야 할 처지였을 때 죽음을 모면하게 한 것이 그 하나요, 네가 두 번이나 도망가다 잡혔지만 죽이지 않고 풀어 준 것이 그 둘이며, 건주의 살림을 맡긴 것이 그 셋이다. 하지만 너는 용서받기 어려운 죄를 진 것이 셋이니, 목숨을 살려 주고 거두어 기른 은혜를 생각지 않고 재차 도망간 것이 그 하나요, 너로 하여금 말을 먹이도록 할 때 진심으로 너에게 맡겼거늘 도리어 명나라 놈들과 짜고 나를 배신한 것이 그 둘이요, 도망가면서 내 천리마를 훔친 것이 그 셋이다. 나는 네가 도망한 것이 한스러울 뿐 아니라 내 천리마 세 필을 잃은 것이 한스러워 지금도 원통하다. 내 이제 다행히 너를 만났으니 반드시 네 목을 베리라!"　아라나는 영철이 죽을 위기에 처했을 때 자신이 살려 주었고, 도망치다 잡힌 영철을 풀어 주고 _____의 살림을 맡겼지만 영철이 자신을 배신하고 _____를 훔쳐 결국 도망쳤다며 분노하고 있어.

　그러고는 휘하 기병을 시켜 영철을 포박하게 했다. 사태가 급박하게 돌아가자 영철은 크게 소리치며 말하기를

[B] 　"주공(主公), 원통하옵니다. 말을 훔쳐 달아난 죄는 제게 있지 않사옵니다. 그건 한족(漢族) 놈들이 한 짓이옵니다. 제가 그들의 계획을 따르지 않았다면 그 한족 아홉이 저를 베는 건 손바닥을 뒤집기보다 쉬웠을 것입니다. 제가 건

주의 살림을 버리고 도망한 것이 어찌 제 본심이었겠습니까? 몇 년 전 장군의 조카께서도 이러한 사정을 아시고 말을 받아 돌아가셨습니다. 바라옵건대 주공께서는 살펴 용서하여 주소서."　아라나의 분노에 영철은 말을 훔쳐 달아난 것이 자신의 잘못이 아니라고 해. 자신은 목숨을 부지하기 위해 _____ 놈들의 계획을 따를 수밖에 없었다는 거야. 또 찻값을 치르기 위해 장군의 조카에게 ____을 바치기도 했다며 _____를 빌고 있어.

　"그 일은 내 이미 알았거니와 네 죄를 생각하면 어찌 말 한 마디로 용서할 수 있겠느냐? 내 이제 너를 만났으니 진실로 용서치 못하리라."　아라나는 영철의 주장에도 용서하지 않아.

　영철이 안타깝게 소리쳤으나 아라나는 들은 체도 하지 않았다. 이에 유림이 아라나를 달래며 말하기를

　"장군, 이 자에게 죄가 있으나 이미 공이 살리셨는데 이제 죽이시면 덕스럽지 않사옵니다. 제가 이 자의 몸값을 후하게 치를 것이니 공께서 호생(好生)하는 덕을 보전하소서."

　그러고는 세남초(細南草) 이백 근을 내어 아라나에게 주니 이때는 담배가 매우 귀한 물건이라 보통 비싼 것이 아니었다. 아라나가 처음에는 받지 아니하였으나 억지로 받는 듯이 하여 허락하였다.　유림이 아라나 장군을 설득하고 _____ 이백 근으로 몸값을 치러 영철은 겨우 목숨을 구했어.

　장면끊기 01　전쟁에 참전해 청나라 말의 _____을 맡은 영철은 예전에 (자신/가족)을 구해 준 아라나를 만나게 돼. 아라나는 영철이 자신을 배신하고 도망친 죄를 물어 죽이려 하지만, _____에게 세남초를 받고 영철을 살려 주지. 중략 이후는 '몇 달 뒤'의 일로 시작하고 있으니 여기서 장면을 나누어야 해.

(중략)

　몇 달 뒤 조선에서 교대할 군대가 오자 영철은 봉황성으로 돌아갔다. 유림이 영철에게 말하되

　"네가 금주에서 아라나에게 잡혀갈 때 세남초 이백 근으로 네 몸값을 치러 너를 구하였는데, 그 물건이 나랏돈에서 나온 줄은 너도 알 것이니라. 이제 각 진영에서 쓰고 남은 것을 계산하여 호조(戶曹)에 바쳐야 하는데 세남초값은 네가 갚도록 하거라."　_____은 영철에게 세남초값을 갚을 것을 요구해.

　영철이 깜짝 놀라 말하기를

　"장군, 제가 일찍이 나라의 부름을 받고 군문(軍門)에 출입하여 재산을 모은 것이 없는데 이렇게 큰돈을 어떻게 마련할 수 있겠습니까? 장군께서 헤아려 주시기를 간절히 청하옵니다."　나라의 부름을 받고 일찍부터 _____에 출입해 온 영철은 모은 재산이 없기 때문에 큰돈을 갚을 수 (있다/없다)며, 자신의 사정을 헤아려 달라고 간청해.

　"네 비록 감당하기 어려울지 모르겠지만, 그렇다고 하더라도 나라의 재산을 아니 갚지는 못할 것이니라."

　"장군, 제가 세 번 전쟁에 나가 그동안 수고한 것과 세운 공이 적지 아니하니, 그것으로 이를 갚은 것으로 해 주시면 안 되겠사옵니까? 이는 장군에게 달렸으니 소신의 청을 헤아려 주소서."　영철은 세 번 _____에 나가 공을 세웠으니 그것으로 세남초값을 갚은 것으로 쳐 달라고 해.

　영철은 몇 번이고 유림에게 간청하였으나 유림은 끝내 영철의 청을 흘려듣고 들어주지 아니하였다. 유림이 이렇게 영철의 간청을

들어주지 않은 것은, 금주에 있을 때 영철이 청나라 황제에게 하사받은 청노새를 자신에게 팔지 않은 것에 앙심을 품은 까닭이었다.

유림은 영철에게 개인적인 _____을 품고 있었기 때문에 그의 부탁을 들어주지 않았어.

영철이 집으로 돌아온 지 얼마 되지도 않았을 때 호조에서 관리를 보내 영철에게 은 이백 냥 갚기를 재촉하였다. 호조에 돈 들어는 일이 늦어지자 영유 현령은 영철의 일가친척을 감옥에 가두고 기한을 정하여 바치도록 하였다. 감옥에 갇힌 일가친척의 원망은 하늘을 찌를 정도였다. 영철은 집으로 돌아왔지만 세남초값을 갚으라는 독촉에

시달리게 되었어. 영유 현령은 영철의 _____을 볼모로 잡아두기까지 하네.

그중 한 명이 분개하여 말하되

"영철이 임경업 장군과 유림 장군을 따라 바다로 육지로 종군(從軍)하면서 들인 노고(勞苦)와 세운 공(功)이 적지 아니한데, 어찌 조정에서는 조그마한 보상조차 주는 일은 없고 도리어 이렇게 살과 뼈를 깎는단 말이냐? 우리는 조선 백성도 아니더란 말이냐?" 영철의 일가친척 중 한 명은 영철의 노고와 공을 무시한 채 세남초값을

갚도록 하는 것이 (정당/부당)하다고 _____했어.

영철이 청노새를 팔고 집안의 세간을 다 파니 호조에 갚을 돈의 반 정도를 간신히 마련할 수 있었다. 하지만 그 나머지는 충당할 길이 없어, 결국 친족들의 도움을 받아 그 나머지를 갚을 수 있었다. 조정에서는 그 후로도 영철에게 상 주는 일이 없었으니 이 어찌 불쌍하다 하지 아니하리오. 결국 영철은 집안 세간을 팔고 친족들의 _____을

받아 겨우 돈을 갚을 수 있었어. 나라의 부름에 따라 전쟁에 세 번이나 차출되었음에도

_____은커녕 큰 빚을 갚아야 했던 것에 대해 (조정/서술자)도 안타까움을 드러내고 있네.

장면끊기 02 집으로 돌아온 영철은 _____에 낼 세남초값을 갚으라는 독촉을 받게 돼.

영철의 _____은 영철이 나라에 공을 세운 백성임에도 대우받지 못했다는 점을

부당하게 여기지. 서술자 역시 그를 _____하다 여기며 지문이 마무리되고 있어.

— 홍세태, 「김영철전(金英哲傳)」 —

고전소설 독해의 **STEP 2**

1 인물 간의 관계를 고려하여 구조도의 빈칸에 적절한 말을 채우세요.

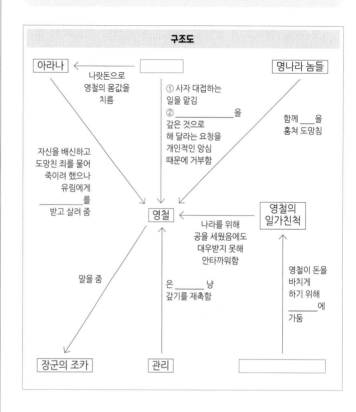

구조도

- 아라나 ← [ ] → 명나라 놈들
- 아라나: 나랏돈으로 영철의 몸값을 치름
- ① 사자 대접하는 일을 맡김 ② _____을 갚은 것으로 해 달라는 요청을 개인적인 앙심 때문에 거부함
- 명나라 놈들: 함께 ___을 훔쳐 도망침
- 자신을 배신하고 도망친 죄를 물어 죽이려 했으나 유림에게 _____를 받고 살려 줌
- 영철 → 영철의 일가친척
- 나라를 위해 공을 세웠음에도 대우받지 못해 안타까워함
- 영철의 일가친척: 영철이 돈을 바치게 하기 위해 _____에 가둠
- 말을 줌
- 은 _____ 냥 갚기를 재촉함
- 장군의 조카 / 관리 / [ ]

도서출판 홀수   099

H O L S O O

⊇ 1~2번 문제를 풀어 보세요.

1. 〈보기〉를 참고하여 윗글을 감상한 내용으로 적절하지 <u>않은</u> 것은?

─── 〈보기〉 ───

1618년 명나라가 조선에 요동 출병을 요청했을 당시, 사대부들은 명에 대한 의리를 명분으로 출병을 주장했지만, 실제 참전한 백성들에게 전쟁이란 명분이 아닌 현실이었다. 작가는 「김영철전」을 통해 영웅의 활약상이 아닌, 고향을 떠나 참전했던 일반 백성들의 현실적 고통을 보여 주고 있다. 또한 그런 백성들의 노고를 외면했던 위정자들을 비판하고 있다.

① 영웅적 면모를 보이는 인물이 아니라 일반 백성인 '영철'을 주인공으로 설정했다는 점에서 작가가 영웅의 활약상이 아닌 일반 백성의 현실적 고통에 주목했음을 알 수 있군.

② 나라를 위해 종군하느라 모은 재산이 없는 영철에게 '세남초값'까지 갚으라고 요구하는 것에서 백성의 어려움을 외면하는 위정자의 모습을 엿볼 수 있군.

③ '천리마'를 잃은 것에 대한 원망으로 영철을 죽이려고 하는 아라나의 모습에서 실리보다 명분을 중시하는 사대부의 모습을 확인할 수 있군.

④ '세간'을 다 팔고 '친족'의 도움까지 받아 '호조'에 돈을 바쳐야 하는 영철의 모습에서 참전 후 고향으로 돌아와서도 전쟁과 관련한 백성의 고통이 이어졌음을 알 수 있군.

⑤ 종군하며 공을 세운 영철에게 조정에서 끝내 아무런 '보상'도 하지 않았다는 점에서 참전한 백성들의 노고에 대해 무책임한 위정자들의 태도를 확인할 수 있군.

2. 인물의 말하기 방식 OX 확인 문제

① [A]는 과거의 사건을 나열하며 상대방에 대한 적대적 감정을 드러내고 있다.

○ X

② [B]는 상대방에게 이익이 되는 제안을 하며 상대의 마음을 변화시키려 하고 있다.

○ X

고전소설 독해의   STEP 3

1 선지 판단 공식을 활용하여 빈칸을 채우고 1번 문제의 선지를 OX로 판단해 보세요.

〈보기〉 문제 선지 판단의 공식

① 〈보기〉 「김영철전」은 _____의 활약상이 아닌, 고향을 떠나 참전했던 _____들의 현실적 고통을 보여 줌

➕ 작품 '유림이 사자 대접하는 일을 _____에게 맡겼다. 한번은 청나라 장수가 조선군 진중에 와서 일을 논의하는데 영철이 청나라 말의 _____을 맡게 되었다.'

선지 ➡ 영웅적 면모를 보이는 인물이 아니라 일반 백성인 '영철'을 주인공으로 설정했다는 점에서 작가가 영웅의 활약상이 아닌 일반 백성의 현실적 고통에 주목했음을 알 수 있군.   ○ ✕

② 〈보기〉 「김영철전」은 고향을 떠나 참전했던 일반 백성들의 현실적 고통을 보여 주며, 그런 백성들의 노고를 _____했던 _____들을 비판함

➕ 작품 '유림이 영철에게 말하되 "네가 금주에서 아라나에게 잡혀갈 때 세남초 이백 근으로 네 _____을 치러 너를 구하였는데,~세남초값은 네가 _____하거라." 영철이 깜짝 놀라 말하기를 "장군, 제가 일찍이 나라의 부름을 받고 군문에 출입하여 _____을 모은 것이 없는데 이렇게 큰돈을 어떻게 마련할 수 있겠습니까? 장군께서 헤아려 주시기를 간절히 청하옵니다."'

선지 ➡ 나라를 위해 종군하느라 모은 재산이 없는 영철에게 '세남초값'까지 갚으라고 요구하는 것에서 백성의 어려움을 외면하는 위정자의 모습을 엿볼 수 있군.   ○ ✕

③ 〈보기〉 명나라의 출병 요청에 _____들은 명에 대한 의리를 _____으로 출병을 주장했으나, 전쟁에 참전한 백성들에게 전쟁이란 명분이 아닌 _____이었음

➕ 작품 '"나는 네가 _____한 것이 한스러울 뿐 아니라 내 _____ 세 필을 잃은 것이 한스러워 지금도 원통하다. 내 이제 다행히 너를 만났으니 반드시 네 목을 베리라!" 그러고는 휘하 기병을 시켜 영철을 포박하게 했다.'

선지 ➡ '천리마'를 잃은 것에 대한 원망으로 영철을 죽이려고 하는 아라나의 모습에서 실리보다 명분을 중시하는 사대부의 모습을 확인할 수 있군.   ○ ✕

④ 〈보기〉 「김영철전」은 영웅의 활약상이 아닌, 고향을 떠나 참전했던 일반 백성들의 _____을 보여 줌

➕ 작품 '영철이 청노새를 팔고 _____을 다 파니 호조에 갚을 돈의 반 정도를 간신히 마련할 수 있었다. 하지만 그 나머지는 충당할 길이 없어, 결국 친족들의 _____을 받아 그 나머지를 갚을 수 있었다.'

선지 ➡ '세간'을 다 팔고 '친족'의 도움까지 받아 '호조'에 돈을 바쳐야 하는 영철의 모습에서 참전 후 고향으로 돌아와서도 전쟁과 관련한 백성의 고통이 이어졌음을 알 수 있군.   ○ ✕

⑤ 〈보기〉 _____

➕ 작품 '어찌 조정에서는 조그마한 _____조차 주는 일은 없고 도리어 이렇게 살과 뼈를 깎는단 말이냐?', '조정에서는 그 후로도 영철에게 상 주는 일이 없었으니 이 어찌 _____하다 하지 아니하리오.'

선지 ➡ 종군하며 공을 세운 영철에게 조정에서 끝내 아무런 '보상'도 하지 않았다는 점에서 참전한 백성들의 노고에 대해 무책임한 위정자들의 태도를 확인할 수 있군.   ○ ✕

30 하루 30분, 고전소설 트레이닝

고전소설 독해의 STEP 1

1 등장인물에 ☐ 표시를 하고 빈칸에 적절한 말을 채우세요.

'콩알 하나 없으니 주린 처자를 어이할꼬? 어떻든 협사촌의 서대주가 도적들과 아래위 낭청을 다니며 함께 도적하여 부유하다 하니 찾아가 얻어 보리라.' 장끼는 콩알 하나 없는 가난한 처지로 고민하다가 _____을 해서 부유하다는 서대주를 찾아가 보려 해.

하고 협사촌을 찾아간다. 허위허위 이 산 저 산 어정어정 걸어가며 생각하되,

'이놈이 본디 큰 쥐로 도적질하는 놈이니 무엇이라 부를꼬? 쥐라 해도 좋지 않고, 서대주라 해도 좋지 않으니, 이놈 부르기 어렵구나. 어떻든 대접함이 으뜸이라.' 서대주를 뭐라고 불러야 할지 고민하던 장끼는 서대주를 _____해서 호의를 얻어내려 해.

길을 재촉해 협사촌을 찾아 서대주 집 문 앞에서 장끼 큰기침 두 번 하고,

"서동지 계시오?" 장끼는 서대주를 _____라고 부르네.

하며 찾으니, 이윽고 시비 쥐 나오거늘 장끼 문왈,

"이 댁이 아래위 낭청으로 다니며 관리하시는 서동지 댁이오?" 물으니 시비 답왈,

"어찌 찾으시오?"

장끼 가로되,

"잠깐 뵈오리다."

이때 서대주 자녀의 재미 보며 아내와 함께 있더니, 시비 와서 왈,

"문전에 어떤 객이 왔으되 위풍이 헌앙(軒昂)*하고 빛갓 쓰고 옥관자 붙이고 여차여차 동지 님을 뵈러 왔다 하나이다."

서대주 동지란 말을 듣더니 대희하여 외헌으로 청하고, 서대주는 찾아온 객이 자신을 _____라고 불렀다는 말을 듣고 크게 (놀라고/기뻐하고) 있어. 정주(頂珠) 탕건 모자 쓰고 평복으로 나아가 장끼를 맞아 예하고 자리를 정하니, 장끼 하는 말이,

"댁이 서동지라 하시오? 나는 양지촌 사는 화충이라고도 하고, 세상에서 부르기를 장끼라고도 혹 꿩이라고도 하는데, 귀댁을 찾아 금일 만나니 구면처럼 반갑소. 한 번도 뵌 적 없으나 평안하시었소?" 장끼는 서대주를 처음 보지만 _____고 하며 안부를 묻고 호감을 표시하고 있어.

서대주 맹랑하다, 탕건을 어루만지며 답왈,

"존객의 이름은 높이 들었더니 나를 먼저 찾아 누지에 와 주시니 황공 감사하오이다."

장끼 답왈,

"서로 찾기에 선후가 있는 것 아니니 아무커나 반갑다 못하여 진저리 나노라."

하거늘 서대주 웃으며 온갖 음식으로 대접하고 고금사를 문답하며 장끼를 조롱하며 벗하더니, 장끼와 서대주는 즐겁게 대화를 나누며 가까워졌어. 장끼 콧소리를 내며 말하기를,

"서동지께 청할 말이 있노라. 내 본시 넉넉지 못해 오늘까지 먹지 못하다가 처음 청하온데 양미 이천 석만 빌려주시면 내년 가을에 갚으리니 동지 님 생각에 어떠시오?"

서대주 웃으며 하는 말이,

"속담에 '우마(牛馬)도 초분식(草分食)하고, 산저(山猪)도 갈분식(葛分食)이라*.' 하였거든 우리 사이에 무엇이 어려우리오?" 장끼는 서대주에게 _____를 빌려달라고 하고 서대주는 흔쾌히 빌려줬어.

(중략)

장끼 감사함을 칭사하고 양지촌으로 돌아가니라. 이때 서대주 노비 쥐를 명하여 창고를 열고 이천 석 콩을 배로 옮겨 양지촌으로 보내니라.

장면끊기 01 장끼가 서대주를 찾아가 아부를 하여 호감을 얻은 뒤 _____를 빌려 온 하나의 사건이 마무리되고, 이후 장면에서는 '_____'로 새로운 사건이 시작됨을 알리고 있어. 따라서 여기서 장면을 나누어야겠지!

각설. 이때 동지촌에 딱부리란 새가 있으되 주먹볏에 흑공단 두루마기, 홍공단 끝동이며, 주둥이는 두 자나 하고 위풍이 헌앙한 짐승이라. 양지촌 장끼를 찾아가 오래 못 본 인사 하고 하는 말이,

"자네는 어찌하여 양식이 저리 풍족하여 쌓아 두었는가?" 동지촌에 사는 _____는 장끼를 오랜만에 찾아와 인사를 하고 어떻게 양식을 _____하게 마련했는지 묻고 있네.

장끼가 협사촌 서대주를 찾아가 양식 빌린 사연을 자세히 말하니, 딱부리 놈이 고개를 끄덕이며,

"자네 마음이 녹녹지 아니하거늘 미천한 도적놈을 무엇이라 찾았는가?" 딱부리는 도적질을 해서 부를 쌓은 서대주를 _____이라 비난하며, 그를 찾아간 장끼를 (나무라고/시기하고) 있어.

장끼 답왈,

"나도 생각이 있으나 옛글에 '교만한 자는 집이 망한다.' 했고, '남을 대접하면 내가 대접을 받는다.' 했고, 내 가난하여 빌리러 갔기로 저를 대접하여 서동지라 존칭하였더니 대희하여 후대하고 종일 문답하며 여차여차하였노라." 장끼는 양식을 빌리러 간 입장이었으므로 서대주를 _____라고 존칭하여 불러 _____하였고, 그에 서대주도 자신을 (박하게/후하게) 대접했다고 하지.

하거늘 딱부리 하는 말이,

"자네 일정 간사하도다. 만일 입신양명하면 충신을 험담하여 귀양 보내고 조정을 농권하며 임금을 어둡게 하리로다. 나는 그놈을 찾아가서 서대주라 하고 도적질한 말을 하면 그놈이 겁내어 만석이라도 추심(推尋)*하리라."

장끼 답왈,

"자네 재주를 몰랐더니 오늘에야 알리로다." 장끼의 말을 들은 딱부리는 장끼의 행동을 _____하다 비난하며 자신은 _____를 찾아가 _____한 것을 지적하며 겁을 주고, 그것을 빌미로 양식을 받아내겠다고 장담하지.

장면끊기 02 _____는 서대주를 대접한 장끼를 비난하며 자신은 서대주를 대접하지 않고 오히려 도적질한 일을 말하여 양식을 얻어내겠다고 했어. 이후 딱부리가 서대주를 찾아가는 사건이 이어지므로 여기서도 장면을 나누어 보자.

딱부리 웃으며 나와 협사촌을 찾아가, 구멍 앞에 나가서 생각은 많으나 이를 갈고 "서대주, 서대주." 찾으니 이윽하여 시비 쥐 나오며 하는 말이,

"뉘 집을 찾아오시니까?"

딱부리 하는 말이,

"네 명색이 무엇이냐? 이 집이 아래위 낭청으로 다니며 도적질하는 서대주 집이냐? 나는 동지촌 사는 딱장군이니 와 계시다 일러라." 딱부리는 서대주 집에 찾아가 _____한 것을 지적하며 (거만/겸손)한 태도를 보이고 있어. 말하는 방식이 중략 전에 장끼가 '아래위 낭청으로 다니며 _____하시는 서동지 댁'이냐고 물었던 것과 크게 다르지?

하거늘 쥐란 놈이 골을 내어 대답하고 들어가 고하니, 서대주 크게

성내고 분부하는 말이,

"어떤 놈이든지 잡아들이라."

하니 수십 명 범 같은 쥐들이 명을 듣고 딱부리를 에워싸고 결박하고 이 뺨 치고 저 뺨 치며 몰아가니 화가 난 서대주는 딱부리를 잡아들이라 하고, 명을 들은 쥐들은 딱부리를 _____하고 매를 치며 몰아가. 딱부리 애걸하며 비는 말이,

"내 무슨 잘못이 있다 이리하시오? 내 손주 노릇할 터이니 놓아 주고 달아났다 하시오."

한데 듣지 않고 잡아들여 서대주 앞에다 꿇리니 서대주 호령하되,

"이놈! 너는 어인 놈이기에 주인 찾을 때 근본을 해하여 찾으니 그중에 너 같은 놈은 만단을 내리라."

하며 매우 치라 하니 딱부리 머리를 조아리고 애걸하며 빌더라. 딱부리는 매를 맞더니 태도가 돌변하여 자신을 _____달라고 애걸복걸하고 있어.

장면끊기 03 서대주를 찾아간 _____는 도적질한 서대주를 무시하는 태도를 보이는데, 이에 화가 난 서대주에게 붙잡혀 ____를 맞는 장면이 이어지면서 지문이 마무리되었어.

– 작자 미상, 「장끼전」 –

*헌앙: 풍채가 좋고 의기가 당당함.

*우마도 초분식하고, 산저도 갈분식이라: 소와 말도 풀을 나눠 먹고, 산돼지도 칡을 나눠 먹는다.

*추심: 찾아내어 가지거나 받아 냄.

고전소설 독해의 STEP 2

1 인물 간의 관계를 고려하여 구조도의 빈칸에 적절한 말을 채우세요.

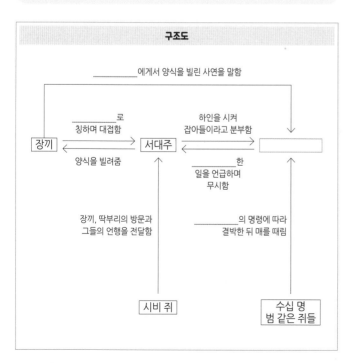

구조도

_____에게서 양식을 빌린 사연을 말함

_____로 칭하며 대접함

하인을 시켜 잡아들이라고 분부함

장끼 → 서대주 ← [   ]

양식을 빌려줌

_____한 일을 언급하며 무시함

장끼, 딱부리의 방문과 그들의 언행을 전달함

_____의 명령에 따라 결박한 뒤 매를 때림

시비 쥐

수십 명 범 같은 쥐들

---

2 1~2번 문제를 풀어 보세요.

1. 〈보기〉를 참고하여 윗글을 감상한 내용으로 적절하지 <u>않은</u> 것은?

〈보기〉

「장끼전」은 '까투리'를 중심으로 남존여비와 여성의 개가 금지 같은 가부장제 사회의 문제를, '장끼'를 중심으로는 몰락 양반의 삶과 조선 후기 향촌 사회의 다양한 변화상을 형상화했다. 이 대목은 가족의 생계 문제를 걱정하는 몰락 양반의 출현과 향촌 사회에 새롭게 등장한 신흥 부호의 생활상을 보여 주고 있다. 또한 신흥 부호의 위세로 인해 빚어지는 신흥 부호와 몰락 양반의 갈등, 그리고 신흥 부호를 둘러싼 몰락 양반 간의 불화를 그려 내고 있다.

① 장끼가 양식이 떨어져 굶주리는 처자식을 위해 부유한 서대주를 찾아가 양식을 빌리는 장면에서, 가장으로서의 책무를 다하려는 몰락 양반의 면모를 알 수 있군.

② 서대주가 '시비 쥐'를 부리고 복색을 갖추어 손님을 '외헌'에서 맞이하는 장면에서, 신흥 부호의 생활상을 알 수 있군.

③ 서대주를 대접하여 양식을 빌린 장끼에게 딱부리가 '간사하도다'라고 언급하는 장면에서, 신흥 부호에 대한 처신을 놓고 몰락 양반 간에 의견 차이가 있었음을 알 수 있군.

④ 서대주의 '시비 쥐'가 딱부리에게 골을 내는 장면에서, 몰락 양반의 경제적 곤궁함을 업신여기는 신흥 부호의 모습을 알 수 있군.

⑤ 서대주가 '수십 명 범 같은 쥐들'에게 명령하여 딱부리를 결박하는 장면에서, 향촌 사회에서의 신흥 부호의 위세를 알 수 있군.

2. 문학 개념어 OX 확인 문제

① 세밀한 외양 묘사를 통해 인물의 속성을 드러내고 있다.　　　○ ✕

② 속담과 옛글을 삽입하여 인물의 내적 갈등을 강조하고 있다.　　　○ ✕

고전소설 독해의 STEP 3

1 선지 판단 공식을 활용하여 빈칸을 채우고 1번 문제의 선지를 OX로 판단해 보세요.

〈보기〉 문제 선지 판단의 공식

① 〈보기〉 「장끼전」은 가족의 _____를 걱정하는 _____ _____의 출현을 보여 줌

➕

작품 '콩알 하나 없으니 _____를 어이할꼬? 어떻든 협사촌의 서대주가 도적들과 아래위 낭청을 다니며 함께 도적 하여 부유하다 하니 찾아가 _____ 보리라.'

선지➡ 장끼가 양식이 떨어져 굶주리는 처자식을 위해 부유한 서대주를 찾아가 양식을 빌리는 장면에서, 가장으로서의 책무를 다하려는 몰락 양반의 면모를 알 수 있군. ○ ✕

---

② 〈보기〉 _____ _____ _____ _____

➕

작품 '서대주 자녀의 재미 보며 아내와 함께 있더니, _____ 와서', '서대주 동지란 말을 듣더니 대희하여 _____으로 청하고, 정주 탕건 모자 쓰고 평복으로 나아가 장끼를 맞아'

선지➡ 서대주가 '시비 쥐'를 부리고 복색을 갖추어 손님을 '외헌'에서 맞이하는 장면에서, 신흥 부호의 생활상을 알 수 있군. ○ ✕

---

③ 〈보기〉 「장끼전」은 조선 후기 향촌 사회의 다양한 변화상을 형상화 하면서 _____를 둘러싼 몰락 양반 간의 _____를 그려 내고 있음

➕

작품 '자네 마음이 녹녹지 아니하거늘_____ 을 무엇이라 찾았는가?', '자네 일정 _____하도다. 만일 입신양명하면 충신을 험담하여 귀양 보내고 조정을 농권하며 임금을 어둡게 하리로다.'

선지➡ 서대주를 대접하여 양식을 빌린 장끼에게 딱부리가 '간사하도다'라고 언급하는 장면에서, 신흥 부호에 대한 처신을 놓고 몰락 양반 간에 의견 차이가 있었음을 알 수 있군. ○ ✕

---

④ 〈보기〉 「장끼전」은 가족의 생계 문제를 _____하는 몰락 양반의 출현과 향촌 사회에 새롭게 등장한 _____의 생활상을 보여 주면서 신흥 부호와 몰락 양반 간의 _____을 그려 냄

➕

작품 '_____ 나오며 하는 말이, "뉘 집을 찾아오시니까?" 딱부리 하는 말이, "네 명색이 무엇이냐? 이 집이 아래위 낭청 으로 다니며 _____ 집이냐? 나는 동지촌 사는 딱장군이니 와 계시다 일러라." 하거늘 쥐란 놈이 ____을 내어 대답하고 들어가'

선지➡ 서대주의 '시비 쥐'가 딱부리에게 골을 내는 장면에서, 몰락 양반의 경제적 곤궁함을 업신여기는 신흥 부호의 모습을 알 수 있군. ○ ✕

---

⑤ 〈보기〉 「장끼전」은 조선 후기 향촌 사회의 다양한 변화상을 형상화 하면서 신흥 부호의 _____로 인해 빚어지는 신흥 부호와 몰락 양반 간의 갈등을 그려 냄

➕

작품 '서대주 크게 성내고 분부하는 말이, "어떤 놈이든지 잡아 들이라." 하니 수십 명 _____들이 명을 듣고 딱부리를 에워싸고 _____하고 이 뺨 치고 저 뺨 치며 몰아 가니'

선지➡ 서대주가 '수십 명 범 같은 쥐들'에게 명령하여 딱부리를 결박하는 장면에서, 향촌 사회에서의 신흥 부호의 위세를 알 수 있군. ○ ✕

고전소설 독해의 STEP 1

🔳 등장인물에 ☐ 표시를 하고 빈칸에 적절한 말을 채우세요.

전라도 남원에 살고 있는 양생은 일찍이 어버이를 여읜 뒤 여태껏 장가를 들지 못하고 만복사 동쪽 골방에서 홀로 세월을 보내고 있었다. 고요한 그 골방 문 앞에는 배나무 한 그루가 우뚝 서 있었는데, 바야흐로 봄을 맞이하여 꽃이 활짝 피어 온 뜰 안 가득 백옥의 세계를 환하게 밝혀 놓았다. 그는 달 밝은 밤이면 언제나 객회(客懷)를 억누르지 못하여 나무 밑을 거닐곤 했는데, 어느 날 밤 그 꽃다운 정서를 걷잡지 못하고 문득 시 두 수를 지어 읊었다. *봄을 맞아 배나무에 ___이 활짝 핀 아름다운 풍경과는 대조적으로 양생은 _____를 들지 못한 채 홀로 세월을 보내는 처지에 울적한 심정을 느끼고 있어.*

한 그루 배꽃나무 적료함을 짝하고
가련하다 달 밝은 밤 헛되이 보내나니
젊은이만 홀로 누운 외로운 창가에
어디서 고운 님은 옥통소를 불고 있나

짝 못 지은 비취새 외로이 날아가고
짝 잃은 원앙도 맑은 강에 노니는데
뉘 집에서 바둑 두리란 약속이 있으련가
밤이면 서러운 창에 기대 불꽃점을 쳐 보네. *양생이 읊은 두 수의 ___에서는 ___ 없이 홀로 밤을 보내며 느끼는 쓸쓸하고 서글픈 심정이 비취새와 원앙 같은 자연물에 투영되어 드러나고 있네.*

시를 다 읊고 나자 별안간 공중에서 이상한 말소리가 들려 왔다.
"진정으로 자네가 좋은 배필을 얻고자 하는데 그 무엇이 어려울 게 있으리오."
이 소리를 듣고 양생은 크게 기뻐하였다. *시를 다 읊은 후 공중에서 들려온 _____에 양생이 기뻐하고 있어. 곧 좋은 배필을 얻을 수 있을 것이라고 생각한 거지.*

장면끊기 01 양생의 외롭고 쓸쓸한 처지가 드러나면서 그가 곧 _____을 만나게 될 것임이 예고된 장면이었다. 다음 문장에서는 이튿날로 (계절적/시간적) 배경이 바뀌면서 새로운 사건이 시작되고 있으니, 여기까지를 첫 번째 장면으로 끊어 보자.

그 이튿날은 마침 삼월 이십사일이었다. 해마다 이날이 되면 그곳 마을의 많은 청춘 남녀들이 으레 만복사를 찾아가 향불을 피우고는 각기 제 소원을 비는 풍습이 있었다. 이날 양생은 저녁에 기도가 끝나자 법당에 들어가서 소매 깊이 간직하고 갔던 저포(樗蒲)를 꺼내어 불전에 던지기 전에 먼저 소원을 빌었다.
"자비로운 부처님, 오늘 저녁엔 제가 부처님과 함께 저포 놀이를 하려고 합니다. 만약에 제가 지면 법연(法筵)을 차려서 부처님께 갚아드릴 것이고, 만일 부처님께서 지시면 반드시 제 소원인 어여쁜 아가씨를 얻게 해 주시옵소서." *다음날 만복사의 법당을 찾은 양생은 _____에게 저포 놀이를 하여 자신이 이기면 아름다운 _____를 배필로 맞을 수 있게 해 달라고 빌어.*

축원을 마치고는 즉시 저포를 던지자, 과연 그는 소원대로 승리를 얻게 되었다. 그는 매우 기뻐서 다시금 불전에 꿇어 앉아 말씀을 드렸다.
"부처님이시여, 저의 아름다운 인연은 이미 정해졌사오니, 원컨대

자비하신 부처님께서는 소생을 저버리지 마시기를 바라옵니다."
저포 놀이에서 이긴 양생은 매우 _____하며, 부처님에게 자신의 소원을 꼭 들어 달라고 다시금 기원하고 있네.
하고 그는 불좌 뒤 깊숙한 곳에 앉아서 동정을 살폈다.
장면끊기 02 양생이 부처님에게 _____을 빌고, 이후 저포 놀이에서 이겨 기뻐하는 모습이 나타난 장면이었다. 과연 양생이 소원대로 아름다운 아가씨를 만나게 될 것인지에 주목하며 다음 장면을 읽어보도록 하자.

얼마 안 되어 과연 아가씨 하나가 들어오는데, 나이는 한 열대여섯 살쯤 되어 보이고, 새까만 머리에 화장을 곱게 한 얼굴이 마치 채운(彩雲)을 타고 내려온 월궁의 선녀와 같고 자세히 보면 볼수록 너무나도 곱고 얌전하였다. *얼마 지나지 않아 월궁의 _____처럼 아름다운 용모와 자태를 지닌 한 아가씨가 양생이 있는 _____ 안으로 들어섰어.*

그녀는 백옥 같은 손으로 등잔에 기름을 부어 불을 켜고 향로에다 향을 꽂은 뒤 세 번 절을 하고는 꿇어앉아 슬피 탄식하였다.
"아아, 인생이 박명하다고는 하나 어찌 이와 같을 줄 알았겠는가?"
여인은 자신의 인생이 _____하다고 한탄하고 있네.
여인은 품속에서 뭔가 글이 적힌 종이를 꺼내어 탁자 앞에 바쳤다. 그 내용은 다음과 같았다.

아무 고을 아무 땅에 사는 아무개가 아뢰옵니다.
지난날 변방을 잘 지키지 못해 왜구가 침략하였습니다. 창과 칼이 난무하고 위급을 알리는 봉화가 몇 해나 이어지더니 가옥이 불타고 백성들이 노략질 당하였습니다. 이리저리로 달아나 숨는 사이 친척이며 하인들은 모두 흩어져 버렸습니다. 저는 연약한 여자인지라 멀리 달아나지 못하고 스스로 규방 속에 들어가 끝내 정절을 지켜서 무도한 재앙을 피하였습니다. *여인이 바친 글을 통해 지난날 _____의 침략으로 인해 고난을 겪었던 여인의 사연이 드러나고 있어.* 부모님은 여자가 절개를 지킨 일을 옳게 여기셔서 외진 땅 외진 곳의 풀밭에 임시 거처를 마련해 주셨으니, 제가 그곳에 머문 지도 이미 삼 년이 되었습니다. 저는 가을 하늘에 뜬 달을 보고 봄에 핀 꽃을 보며 헛되이 세월 보냄을 가슴 아파하고, 떠가는 구름처럼 흐르는 시냇물처럼 무료한 하루하루를 보낼 따름입니다. 텅 빈 골짜기 깊숙한 곳에서 기구한 제 운명에 한숨짓고, 좋은 밤을 홀로 지새우며 오색찬란한 난새가 혼자서 추는 춤에 마음 아파합니다. 날이 가고 달이 갈수록 제 넋은 녹아 없어지고, 여름밤 겨울밤마다 애간장이 찢어집니다. *여인은 짝 없이 헛되이 _____을 보내는 자신의 처지를 한탄하고 있어.* 바라옵나니 부처님이시여, 제 처지를 가엾게 여겨주소서. 제 앞날이 이미 정해져 있다면 어쩔 수 없겠으나, 기구한 운명일망정 인연이 있다면 하루 빨리 기쁨을 얻게 하시어 제 간절한 기도를 저버리지 말아 주소서. *여인도 _____과 마찬가지로 부처님에게 하루 빨리 자신의 인연을 만날 수 있게 해 달라고 빌기 위해 법당을 찾은 것이었군.*

여인은 소원이 담긴 종이를 던지고 목메어 슬피 울었다. 양생이 좁은 틈 사이로 여인의 자태를 보고는 정을 억누르지 못하고 뛰쳐나가 말했다.
"좀 전에 부처님께 글을 바친 건 무슨 일 때문입니까?"
양생은 종이에 쓴 글을 읽어 보더니 기쁨이 얼굴에 가득한 채 이렇게 말했다. *양생은 자신과 비슷한 처지에 있는 여인을 만난 것에 기뻐하고 있어.*
"당신은 도대체 누구시기에 이 밤에 여기까지 오셨소?"

그녀는 대답했다.

"저도 역시 사람입니다. 저를 의아한 눈으로 보지 마십시오. 당신은 다만 좋은 배필을 얻으려는 것이지요?"

이때 만복사는 이미 퇴락하여 승려들은 한쪽 구석진 골방으로 옮겨가 있었고, 법당 앞에는 행랑만이 쓸쓸히 남아 있었으며, 행랑이 끝난 곳에 좁다란 판자방이 하나 있었다.

양생이 여인을 불러 그곳으로 들어가니 여인은 별 주저함 없이 따라갔다. 서로 이야기를 나누며 즐기는 것이 보통 사람과 다름없었다. 양생과 여인이 함께 _____를 나누고 즐거운 시간을 보내면서 인연이 싹트게 되는 모습이야.

장면끊기 03 양생이 자신처럼 부처님에게 배필을 만나게 해 달라고 소원을 비는 여인을 만나 _____을 맺게 되는 내용이었어. 중략 이전이니 한 번 더 장면을 끊고 가야겠지?

(중략)

두 사람은 서로 웃으며 함께 개령동으로 향하였다. 어느 한 곳에 이르니 다북쑥이 들을 덮고 참천한 고목 속에 정쇄한 수간 초당이 나타났다. 양생은 아가씨가 이끄는 대로 따라 들어갔다.

방 안에는 침구와 휘장이 잘 정리되어 있고, 밥상을 올리는데 모든 음식이 어젯밤 만복사의 차림과 차이가 없었다. 양생은 퍽이나 기쁜 마음으로 이틀 동안을 유유히 보냈다. 여인을 따라 그녀의 거처로 향한 양생은 그곳에서 _____을 보냈다고 하네.

시녀는 얼굴이 매우 아름답고 조금도 교활한 면이 없었다. 좌우에 진열되어 있는 그릇들은 깨끗하고 품위가 있어 그는 간혹 의아한 마음을 금하지 못하였다. 그러나 그녀의 은근한 정에 마음이 끌려 다시금 그런 생각을 되풀이하지 않았다. _____의 외양이나 깨끗하고 품위 있게 정돈된 집안 풍경을 보며 양생은 무언가 _____함을 느껴.

어느 날 갑자기 그녀는 양생에게 말했다.

"당신은 잘 모르시겠지만 이곳의 사흘은 인간의 삼 년과 같습니다. 가연을 맺은 지가 잠깐인 듯하오나 오래 되었사오니, 너무 서운하긴 하나 당신은 다시 인간으로 돌아가셔서 옛날의 살림을 돌보심이 어떻겠습니까?" 양생이 의아함을 느꼈던 것은 여인의 집이 인간 세상이 아니었기 때문이었나 보네. 여인은 이곳에서 사흘을 보내는 동안 인간 세상에서는 이미 _____이 지났기 때문에, _____을 돌보기 위해 양생이 다시 인간 세상으로 돌아가는 것이 좋겠다고 말해.

"여보시오. 이별이라니 갑작스레 그게 웬 말이오?"

"오늘 못 다 이룬 소원은 내세에 다시 만나 다 이룰 수 있을 것입니다. 그리고 이곳의 예절도 인간과 다름이 없사오니 저의 친척과 이웃 동무들을 만나보고 떠나심이 어떻겠습니까?"

"그렇게 합시다." 여인의 갑작스러운 이별 통보에 양생은 당황하지만, _____에 다시 만날 수 있을 것이라며 설득하는 말에 여인의 뜻을 따르기로 하지.

대화가 끝나자 그녀는 시녀를 시켜 친척과 이웃 동무들을 초대하였다.

장면끊기 04 여인이 양생과 같은 _____ 세상의 사람이 아니라는 점이 암시된 장면이었어. 그러한 이유로 여인이 양생에게 _____을 고하고 있기에, 두 사람의 인연이 순탄하지만은 않을 것임을 짐작할 수 있기도 하지.

– 김시습, 「만복사저포기」 –

고전소설 독해의 STEP 2

1 인물 간의 관계를 고려하여 구조도의 빈칸에 적절한 말을 채우세요.

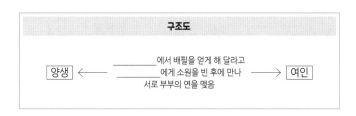

구조도

양생 ← _____에서 배필을 얻게 해 달라고 _____에게 소원을 빈 후에 만나 서로 부부의 연을 맺음 → 여인

2 1~2번 문제를 풀어 보세요.

1. 〈보기〉를 참고하여 윗글을 감상한 내용으로 적절하지 않은 것은?

〈보기〉

「만복사저포기」의 양생은 불우한 삶으로 인해 현실 속에서 자신의 욕망을 실현하지 못하는 인물이다. 양생은 결국 현실에서 문제 해결의 출구를 만들지 못하다가 환상 세계의 존재와 교류하게 됨으로써 욕망의 충족을 경험한다. 하지만 현실 세계와 환상 세계는 서로 다른 질서로 이루어져 있다. 그래서 환상 세계에서 이룬 욕망의 성취는 현실 세계에까지 이어지지 못한다.

① 양생이 부처님에게 저포 놀이를 하자고 제안한 것은, 현실 세계와 환상 세계의 대립을 해소하려는 시도로 볼 수 있겠군.

② 양생과 여인이 서로 만나 즐거움을 나누는 곳이라는 점에서, 만복사는 현실 세계의 존재와 환상 세계의 존재가 교류하는 공간으로 볼 수 있겠군.

③ 여인이 양생에게 이곳의 사흘이 인간 세계의 삼 년과 같다고 말하는 장면은, 현실 세계와 환상 세계의 질서가 다름을 말하는 것으로 볼 수 있겠군.

④ 양생이 여인과 이별하고 인간 세계로 돌아가야 한다는 것은, 환상 세계에서 성취된 욕망이 현실 세계에까지 이어질 수 없음을 의미하는 것으로 볼 수 있겠군.

⑤ 양생이 좋은 배필을 얻고자 했으나 여태껏 장가를 들지 못했다는 것은, 그가 현실 세계에서는 충족되지 못한 욕망을 안고 살아왔다는 것으로 볼 수 있겠군.

2. 문학 개념어 OX 확인 문제

① 과거 회상을 통해 인물이 느끼는 자책감을 드러내고 있다. ○ ✕

② 삽입시를 통해 인물의 다양한 소망이 열거되고 있다. ○ ✕

고전소설 독해의 STEP 3

1 선지 판단 공식을 활용하여 빈칸을 채우고 1번 문제의 선지를 OX로 판단해 보세요.

〈보기〉 문제 선지 판단의 공식

① 〈보기〉 양생은 _____에서 자신의 욕망을 해소하지 못하는 인물로, _____의 존재와 교류하며 욕망의 _____을 경험함

+

작품 '제가 부처님과 함께 _____를 하려고 합니다.~ 만일 부처님께서 지시면 반드시 제 소원인 어여쁜 아가씨를 얻게 해 주시옵소서.'

선지 ▶ 양생이 부처님에게 저포 놀이를 하자고 제안한 것은, 현실 세계와 환상 세계의 대립을 해소하려는 시도로 볼 수 있겠군. ○ ×

② 〈보기〉 양생은 환상 세계의 존재와 _____하면서 욕망의 충족을 경험함

+

작품 '_____는 이미 퇴락하여~법당 안에는 행랑만이 쓸쓸히 남아 있었으며', '양생이 _____을 불러 그곳으로 들어가니~서로 이야기를 나누며 즐기는 것이 보통 사람과 다름없었다.'

선지 ▶ 양생과 여인이 서로 만나 즐거움을 나누는 곳이라는 점에서, 만복사는 현실 세계의 존재와 환상 세계의 존재가 교류하는 공간으로 볼 수 있겠군. ○ ×

③ 〈보기〉 「만복사저포기」에 나타나는 현실 세계와 환상 세계는 서로 다른 _____로 이루어져 있음

+

작품 '이곳의 _____은 인간의 삼 년과 같습니다. 가연을 맺은 지가 잠깐인 듯하오나 _____ 되었사오니,'

선지 ▶ 여인이 양생에게 이곳의 사흘이 인간 세계의 삼 년과 같다고 말하는 장면은, 현실 세계와 환상 세계의 질서가 다름을 말하는 것으로 볼 수 있겠군. ○ ×

④ 〈보기〉 「만복사저포기」에 나타나는 현실 세계와 환상 세계는 서로 다른 질서로 이루어져 있어 _____에서 이룬 성취가 _____에까지 이어지지 못함

+

작품 '당신은 다시 _____으로 돌아가셔서 옛날의 살림을 돌보심이 어떻겠습니까?'

선지 ▶ 양생이 여인과 이별하고 인간 세계로 돌아가야 한다는 것은, 환상 세계에서 성취된 욕망이 현실 세계에까지 이어질 수 없음을 의미하는 것으로 볼 수 있겠군. ○ ×

⑤ 〈보기〉 양생은 _____한 삶으로 인해 현실에서 자신의 _____을 실현하지 못함

+

작품 '양생은 일찍이 어버이를 여읜 뒤 여태껏 _____ _____ 못하고 만복사 동쪽 골방에서 홀로 세월을 보내고 있었다.'

선지 ▶ 양생이 좋은 배필을 얻고자 했으나 여태껏 장가를 들지 못했다는 것은, 그가 현실 세계에서는 충족되지 못한 욕망을 안고 살아왔다는 것으로 볼 수 있겠군. ○ ×

고전소설 독해의 STEP 1

1 등장인물에 ☐ 표시를 하고 빈칸에 적절한 말을 채우세요.

흥부 마음 인후하여 청산유수와 곤륜옥결이라. 성덕을 본받고 악인을 저어하여 물욕에 탐이 없고 주색에 무심하니 마음이 이러하매 부귀를 바랄쏘냐? _____는 어질고 청렴한 성품의 소유자로 _____를 바라지 않는 (선인/악인)이라고 해. 흥부 아내 하는 말이,

"애고 여봅소. 부질없는 청렴 맙소. 안자의 가난함은 주린 염치로 서른에 일찍 죽고, 백이숙제는 주린 염치로 청루 소년이 웃었으니, 부질없는 청렴 말고 저 자식들 굶겨 죽이겠으니, 아주버님네 집에 가서 쌀이 되나 벼가 되나 얻어 옵소." 흥부 아내는 가난한 처지에 흥부의 청렴한 성품은 _____ 것일 뿐이라고 하면서 _____이 굶지 않도록 아주버님(놀부)을 찾아가 먹을 것을 얻어오라고 요구하네.

흥부가 하는 말이,

"형님이 음식 끝을 보면 사촌을 몰라보고 똥 싸도록 때리는데, 그 매를 뉘 아들놈이 맞는단 말이오?" 흥부는 형님에게 ___를 맞을까 염려하여 놀부네에 가는 것을 꺼리고 있어.

"애고 동냥은 못 준들 쪽박조차 깨칠쏜가. 맞으나 아니 맞으나 쏘아나 본다고 건너가 봅소."

장면끊기 01 흥부 아내의 말을 통해서는 _____과 같은 가치보다는 먹고사는 현실의 문제를 중시하는 태도를 엿볼 수 있지. 흥부와 _____의 짧은 대화 이후, 놀부의 집으로 공간이 이동되면서 흥부와 놀부의 갈등 상황이 나타나므로, 여기까지를 한 장면으로 끊자.

흥부 이 말을 듣고 형의 집에 건너갈 제, 치장을 볼작시면, 편자 없는 헌 망건에 박쪼가리 관자 달고 물렛줄로 당끈 달아 대가리 터지게 동이고, 깃만 남은 중치막, 동강 이은 헌 술띠를 흉복통에 눌러 띠고, 떨어진 헌 고의에 칡 노끈 대님 매고, 헌 짚신 감발하고, 세살 부채 손에 쥐고, 서 홉들이 오망자루 꽁무니에 비슥 차고, 바람맞은 병인 같이, 잘 쓰는 대비같이. 어슥비슥 건너 달아 형의 집에 들어가서 전후좌우 바라보니, 아내의 요구에 못 이겨 _____네로 향하는 흥부의 외양이 열거되며 상세하게 묘사되었어. (부유/가난)한 형편으로 인해 볼품없고 초라한 차림새임을 알 수 있지. 앞노적, 뒷노적, 멍에 노적 담불담불 쌓였으니, 흥부 마음 즐거우나 놀부 심사 무거하여 형제끼리 내외하여 구박이 태심하니 흥부가 하릴없어 뜰아래서 문안하니 놀부가 묻는 말이,

"네가 뉜고?"

"내가 흥부요."

"흥부가 뉘 아들인가?"

"애고 형님, 이것이 웬 말이오? 비옵니다. 형님 전에 비옵니다. 세 끼 굶어 누운 자식 살려 낼 길 전혀 없으니 쌀이 되나 벼가 되나 양단간에 주시면 품을 판들 못 갚으며 일을 한들 못 갚을까. 부디 옛일을 생각하여 사람을 살려 주오." 자신을 모른 척하는 놀부에게 흥부가 _____을 생각해 곡식을 꿔 달라고 간절히 빌고 있어.

애걸하니, 놀부 놈의 거동 보소. 성난 눈을 부릅뜨고 볼을 치며 호령하되,

"너도 염치없다. 내 말을 들어 보아라. '하늘은 녹 없는 사람을 내지 않으며, 땅은 이름 없는 풀을 내지 않는다.' 네 복을 누굴 주고 나를 이리 보채느냐? 쌀이 있다 한들 너 주자고 노적 헐며, 벼가 많이 있다 한들 너 주자고 섬을 헐며, 돈이 많이 있다 한들 궤에 가득 든 것을 문을 열랴." 인색한 놀부는 흥부의 애원에도 곡식을

빌려줄 수 (있다/없다)고 말하며 호통을 치고 있네.

장면끊기 02 굶고 있는 자식들의 안타까운 상황과 형제 간의 정을 이야기하며 곡식을 빌려달라고 _____하는 흥부와 이를 단호하게 거절하며 ___을 내는 놀부의 모습이 나타난 장면이었어.

[중간 줄거리] 어렵게 살던 흥부는 어느 날 구렁이의 습격을 받아 다리가 부러진 제비 새끼를 구해 주고 박씨를 얻어 큰 부자가 된다.

놀부 놈의 거동 보소. **동지섣달**부터 제비를 기다린다. 그물 막대 둘러메고 제비를 몰러 갈 제, 한 곳을 바라보니 한 짐승이 떠서 들어오니 놀부 놈이 보고,

"제비 인제 온다."

하고 보니, 태백산 **갈가마귀** 차돌도 못 얻어먹고 주려 청천에 높이 떠 갈곡갈곡 울고 가니, 놀부 눈을 멀겋게 뜨고 보다가 하릴없어 동네 집으로 다니면서 제비를 제 집으로 몰아들이되 제비가 아니 온다. 놀부는 흥부가 _____를 구한 일로 큰 부자가 된 것을 알고는, 자신도 같은 방법으로 재물을 얻고자 제비를 집으로 몰아들이고 있는 거야.

그달 저 달 다 지내고 **삼월 삼일** 다다르니 강남서 나온 제비 옛집을 찾으려 하고 오락가락 넘놀 적에 놀부 사면에 제비집을 지어 놓고 제비를 들이니, 그중 팔자 사나운 제비 하나가 놀부 집에 흙을 물어 집을 짓고 알을 낳아 안으려 할 제, 마침내 놀부네 집에 제비 한 마리가 둥지를 틀고 ___을 낳았대. 놀부 놈이 주야로 제비 집 앞에 대령하여 가끔가끔 만져 보니 알이 다 곯고 다만 하나 깨쳤는지라. 날기 공부 힘쓸 제 구렁배암 아니 오니 놀부 민망 답답하여 제 손으로 제비 새끼를 잡아 내려 두 발목을 자끈 부러뜨리고 제가 깜짝 놀라 이른 말이, "가련하다, 이 제비야." 하고 조기 껍질을 얻어 찬찬 동여 뱃놈의 닻줄 감듯 삼층 얼레 연줄 감듯 하여 제 집에 얹어 두었더니, _____가 제비를 습격하지 않아 답답하던 놀부는 새끼 제비의 다리를 직접 부러뜨린 뒤에 치료해 줘. 장면끊기 03 놀부가 흥부처럼 큰 _____가 되고 싶은 욕심에 멀쩡한 제비의 다리를 일부러 _____는 내용이었어. 이후 강남으로 향한 제비를 중심으로 서술이 이루어지니, 여기서도 장면을 한 번 더 끊어 볼 수 있어. 십여 일 뒤에 그 제비가 **구월 구일**을 당하여 두 날개를 펼쳐 강남으로 들어가니 강남 황제 각처 제비를 점고할 제, 이 제비가 다리 절고 들어와 복지하니, 황제 제신으로 하여금,

"그 연고를 사실하여 아뢰라."

하시니, 제비 아뢰되,

"작년에 웬 박씨를 내어 보내어 흥부가 부자 되었다 하여 그 형 놀부 놈이 나를 여차여차하여 절뚝발이가 되게 하였사오니, 이 원수를 어찌하여 갚고자 하나이다." 놀부 때문에 다리가 부러졌던 제비는 그 _____를 갚고 싶다고 해.

황제가 이 말을 들으시고 대경하사 가라사대,

"이놈 이제 전답 재물이 여유롭되 동기를 모르고 오륜에 벗어난 놈을 그저 두지 못할 것이요, 또한 네 원수를 갚아 주리라."

하고 박씨 하나를 '**보수표(報讐瓢)**'*라 금자로 새겨 주더라. 놀부의 악행을 전해들은 황제는 제비에게 원수를 갚아 주겠다고 약속하며 _____라는 박씨를 건네주네.

장면끊기 04 놀부 때문에 절뚝발이가 된 제비가 _____에게 그 사실을 전하고, 황제로부터 원수를 _____는 약속과 함께 보수표를 받게 되는 내용이었어. 보수표라는 이름을 통해 놀부가 자신의 악행에 대한 첫값을 치르게 될 것임을 짐작할 수 있지.

– 작자 미상, 「흥부전」 –

*보수표: 원수를 갚는 박.

고전소설 독해의 STEP 2

❶ 인물 간의 관계를 고려하여 구조도의 빈칸에 적절한 말을 채우세요.

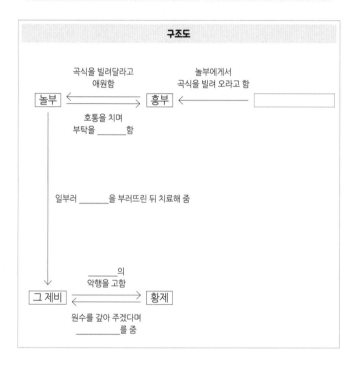

구조도

❷ 1~2번 문제를 풀어 보세요.

1. 〈보기〉를 참고하여 윗글을 감상한 내용으로 적절하지 <u>않은</u> 것은?

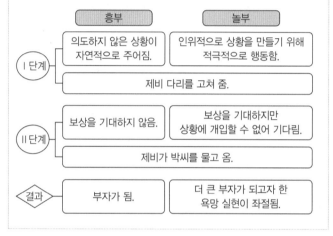

〈보기〉

「흥부전」에서 흥부가 부자가 되었다는 사실을 알게 된 놀부는 자기도 더 큰 부자가 되겠다는 욕망을 품고 흥부의 행위를 악의적으로 모방하다 화를 입게 된다. 이 과정을 흥부의 경우와 비교하여 도식화하면 다음과 같다.

① '동지섣달'부터 올 리 없는 제비를 찾는 놀부의 행동은 〈보기〉의 'Ⅰ단계'에 속하는 것으로, 욕망 실현을 위한 놀부의 조급성을 보여 주는군.

② '갈가마귀'를 제비로 착각하는 놀부의 모습은 〈보기〉의 'Ⅰ단계'에 속하는 것으로, 제비가 아닌 다른 새들을 몰아내는 놀부의 적극적 행동을 보여 주는군.

③ '삼월 삼일'에 제비를 들이모는 놀부의 행위는 〈보기〉의 'Ⅰ단계'에 속하는 것으로, 인위적으로 상황을 만들어 가는 악의적인 모방자의 모습을 보여 주는군.

④ '구월 구일'에 제비가 강남으로 들어가는 상황은 〈보기〉의 'Ⅱ단계'에 속하는 것으로, 상황에 개입할 수 없는 놀부가 욕망 실현을 위해서 기다릴 수밖에 없음을 보여 주는군.

⑤ '보수표'가 제비에게 주어지는 상황은 〈보기〉의 'Ⅱ단계'에 속하는 것으로, 놀부의 기대와는 달리 그의 욕망 실현이 좌절될 것임을 보여 주는군.

2. 문학 개념어 OX 확인 문제

① 인물의 외양을 해학적으로 표현하고 있다.　　　　　　　　○ X

② 동물들이 대화하는 장면을 통해 우화적 공간에서 서사가 진행되고 있음을 보여 주고 있다.　　　　　　　　○ X

고전소설 독해의 **STEP 3**

1 선지 판단 공식을 활용하여 빈칸을 채우고 1번 문제의 선지를 OX로 판단해 보세요.

〈보기〉 문제 선지 판단의 공식

① 〈보기〉 Ⅰ단계: _____적으로 상황을 만들기 위해 _____적으로 행동함

＋

작품 '놀부 놈의 거동 보소. _____부터 제비를 기다린다.', '그달 저 달 다 지내고 _____ 다다르니 강남서 나온 제비 옛집을 찾으려 하고'

선지➡ '동지섣달'부터 올 리 없는 제비를 찾는 놀부의 행동은 〈보기〉의 'Ⅰ단계'에 속하는 것으로, 욕망 실현을 위한 놀부의 조급성을 보여 주는군. ○ ✕

② 〈보기〉 Ⅰ단계: 인위적으로 상황을 만들기 위해 적극적으로 행동함

＋

작품 '"_____ 인제 온다." 하고 보니, 태백산 _____ 차돌도 못 얻어먹고 주려 청천에 높이 떠 갈곡갈곡 울고 가니,~제비를 제 집으로 몰아들이되 제비가 아니 온다.'

선지➡ '갈가마귀'를 제비로 착각하는 놀부의 모습은 〈보기〉의 'Ⅰ단계'에 속하는 것으로, 제비가 아닌 다른 새들을 몰아내는 놀부의 적극적 행동을 보여 주는군. ○ ✕

③ 〈보기〉 Ⅰ단계: 인위적으로 상황을 만들기 위해 적극적으로 행동함

＋

작품 '삼월 삼일 다다르니 강남서 나온 제비 옛집을 찾으려 하고 오락가락 넘놀 적에 놀부 사면에 _____을 지어 놓고 제비를 _____'

선지➡ '삼월 삼일'에 제비를 들이모는 놀부의 행위는 〈보기〉의 'Ⅰ단계'에 속하는 것으로, 인위적으로 상황을 만들어 가는 악의적인 모방자의 모습을 보여 주는군. ○ ✕

④ 〈보기〉 Ⅱ단계: 보상을 기대하지만 상황에 _____할 수 없어 기다림

＋

작품 '그 제비가 구월 구일을 당하여 두 날개를 펼쳐 _____으로 들어가니'

선지➡ '구월 구일'에 제비가 강남으로 들어가는 상황은 〈보기〉의 'Ⅱ단계'에 속하는 것으로, 상황에 개입할 수 없는 놀부가 욕망 실현을 위해서 기다릴 수밖에 없음을 보여 주는군. ○ ✕

⑤ 〈보기〉 Ⅱ단계: _____을 기대하지만 상황에 개입할 수 없어 기다림

＋

작품 '황제가 이 말을 들으시고 _____ 하사~네 _____를 갚아 주리라." 하고 박씨 하나를 '_____'라 금자로 새겨 주더라.'

선지➡ '보수표'가 제비에게 주어지는 상황은 〈보기〉의 'Ⅱ단계'에 속하는 것으로, 놀부의 기대와는 달리 그의 욕망 실현이 좌절될 것임을 보여 주는군. ○ ✕

고전소설 독해의 STEP 1

1 등장인물에 ☐ 표시를 하고 빈칸에 적절한 말을 채우세요.

[앞부분의 줄거리] 명나라 때, 전 승상의 아들로 태어난 장국진은 달마국의 침입으로 어려서 부모와 이별하고 죽을 고비를 넘긴다. 그 후 여학도사의 가르침을 받고 장원급제하여 계양(이 부인)과 혼인한다. 달마왕이 재차 명나라를 침입하자 국진이 이를 막기 위해 나섰으나 병이 들어 위기에 처한다. 이때 이 부인이 남장을 하고 전장으로 달려가 국진을 돕고 그의 병을 치료한다.

현재는 _____에 침입한 달마왕과 전쟁이 이루어지는 중으로, _____의 아내인 계양(이 부인)이 남장을 하고 전장으로 가 남편의 병을 치료하면서 _____에서 벗어나려는 상황이구나.

백운도사와 오금도사는 국진의 회복으로 명나라 진영에 새로운 변화가 왔음을 능히 알 수 있더라. 두 도사는 병세로 인해 진문을 굳게 닫고 있던 국진이 회복하여 싸우러 나오리라는 것을 벌써부터 훤히 알고 있음이더라.

도사들은 그들의 지혜를 가지고도 이 부인의 정체를 알아보지는 못하는 듯하더라. 그러나 그들의 포위를 헤치고 나가는 용감한 태도로 보아 천하의 명장이요, 혹시나 여학도사가 보낸 장군인지도 모른다고 생각하더라. 더구나 이 알 수 없는 장군이 명나라 진에 들어가 국진의 병을 고쳐 주었으니, 그 재주의 비범함은 틀림없다고 짐작하더라. 이에 도사들은 진세를 바꾸지 않으면 아니 된다고 주장하더라. 백운도사와 오금도사는 국진이 병에서 나았으니 _____ 진영이 수비에서 공격 태세로 바뀔 것이라고 예상해. 하지만 국진을 치료한 장군(이 부인)의 정체는 알지 못하고, 국진의 스승인 _____가 보냈을지도 모른다고 생각하지.

이렇게 하여, 달마왕과 천원왕은 포위진을 뜯어 자기의 군사를 원래의 진영으로 다시 정리하더라. 장면끊기 01 _____와 _____가 국진이 회복했음을 파악하고, 달마왕의 진영을 다시 정리하는 장면이야. 두 도사의 주장에 달마왕과 천원왕이 진영을 정리했다는 것에서 두 도사와 천원왕은 _____를 적대하는 달마왕과 같은 편임이 드러나지. 이후 달마왕과 천원왕 진영에서 명나라 진영을 연이어 공격하는 내용이 전개되니, 여기에서 한번 장면을 끊었어.

이런 다음 천원왕은 예의 용천금을 휘두르며 적진으로 호통을 치면서 달려 나가더라. 이에 국진과 이 부인은 서로 나가겠다고 한동안 승강이를 벌였으나, 국진은 이 새로운 사촌 처남의 열의에 어쩔 도리 없이 양보하더라.

이 부인은 천원왕과 마주 싸우니, 보이지 않는 선녀들이 비호한 이 부인의 대담무쌍한 모습은 보는 이로 하여금 격찬을 불러일으키게 할 정도라. 그것을 보고 누가 이 부인을 감히 여자라고 말할 것인가. 따라서 국진이 이 부인을 자기의 처남이라고 생각하는 것도 당연한 귀결이라. 이 부인은 남장한 자신을 국진의 _____이라고 소개한 모양이네. 국진은 자신과 승강이를 벌이고는 _____하게 천원왕과 맞서 싸우는 이 장수가 자신의 아내일 것이라고는 생각하지 못했어.

이 부인은 천원왕과 같은 천하 명장을 고양이가 쥐를 잡듯하니, 이를 보는 국진으로서는 그 통쾌한 솜씨에 자신도 모르게 탄복할 따름이더라.

이러한 놀라움과 찬탄은 적진에서도 마찬가지라. 백운도사와 오금도사는 흥분해서 바라보고 있을 정도였고, 그중에서도 오금도사는 천원왕의 위험을 간파하고는 재빨리 징을 쳐 그를 돌아오게끔 하더라.

땀을 흘리며 지쳐 돌아온 천원왕은 자기의 피로도 잊은 채 적장을 칭찬하기에 정신이 없더라. 그의 말에 따르면, 이 부인은 국진보다 몇 배나 더한 신출귀몰(神出鬼沒)한 명장이더라. 이 부인이 천원왕을 제압하는 솜씨에 같은 편인 _____뿐 아니라, 적진에 있는 백운도사와 오금도사, 심지어는 전투 상대인 _____까지도 감탄스러워했다고 하네.

장면끊기 02 이 부인이 명나라 진영을 공격해 온 _____을 압도적인 능력으로 제압하는 장면이야. 같은 진영과 적진 모두의 찬탄을 산 것에서 _____의 비범한 능력이 드러나지. 다음은 달마왕의 습격이 이어지니, 여기서 장면을 끊자.

날은 캄캄하여, 이튿날 동이 트기도 전에 천원왕은 어제의 분패를 씻으려 나서자, 달마왕이 그를 밀어내고 앞질러 적진으로 나아가더라. 이에 이 부인이 그들 앞으로 나서니, 달마왕이 이 부인을 막아 격전을 벌이더라.

서로의 싸움은 한동안 승패 없이 이어진 듯도 하니 좋은 적수를 만난 것 같기도 하더라. 그러나 얼마 가지 않아, 국진과의 싸움에서처럼 달마왕은 말에서 떨어져 하마터면 이 부인의 비린도에 맞아 머리통이 부서질 뻔하더라. 이것을 본 천원왕이 서둘러 구출하여 제 진으로 돌아가더라. _____은 한동안 이 부인과 호각으로 싸웠지만, 얼마 가지 않아 말에서 떨어졌대. 이와 비슷한 일이 _____과의 싸움에서도 있었던 모양이야. _____의 구출로 간신히 살아서 진으로 돌아가게 됐네.

장면끊기 03 천원왕 대신 적진으로 나아간 달마왕 역시 이 부인에게 (승리/패배)하게 되면서 이 부인의 비범함이 강조되는 장면이야. 하지만 적도 가만히 있지는 않겠지? 이어지는 장면에서 다시 적진의 반격이 이어지니, 여기서 장면을 끊자.

그런 후, 격분한 천원왕은 급히 말을 몰아 이 부인과 싸우더라. 얼마간 싸웠을 때, 천원왕의 용천금이 허공에서 번쩍하고 불이 나는 듯하더니, 그는 온힘을 다하여 용천금을 내리치더라. 이 때문에 이 부인의 비린도가 반 가량 부서지더라. 천원왕이 다시 덤벼서, 자신의 무기인 _____으로 이 부인의 무기인 _____를 부수고 말았네. 계속 승승장구하던 이 부인이 처음으로 위기를 겪게 된 듯해.

이 유일한 무기를 잃었으니 이 부인은 이제 어찌할 것인가? 그러나 이 부인의 비범한 재주는 이를 뛰어넘고도 남을 만하더라. 이 부인은 남은 비린도를 어루만지며 입 속으로 주문(呪文)을 외우자 비린도가 칠척 장검으로 변하는 것이 아닌가. 이에 천원왕은 싸울 기력을 잃고 말았으니, 적장의 비범한 재주에 놀라 하염없이 무릎을 꿇고 빌고 싶을 정도더라. 이 부인은 위기 상황을 가볍게 극복하네. 천원왕과 달마왕을 상대하여 우세하게 싸울 만큼 장수로서의 능력도 뛰어났는데, 주문을 외워서 부서진 비린도를 _____으로 바꿔버리는 신이한 능력까지 발휘하니 천원왕은 싸울 _____을 잃고 말았어.

장대에서 이것을 지켜보던 오금도사와 백운도사가 각각 최후의 그들의 유일한 무기인 물병과 화전을 손에 내어 들더라. 백운도사가 필사의 힘을 다하여 먼저 적장을 향해 화전을 흔드니, 화전이 대번에 불로 화하며 이 부인을 감싸더라. 이를 보는 백운도사의 얼굴에는 승리의 미소가 가득하더라.

다음 순간, 놀랄 만한 일이 그들 앞에 일어나더라. 이 부인은 불에 싸이자 선녀를 명하여 폭포수를 내려 이 불을 끄라고 하달(下達)하니, 두 선녀는 허공에 솟아올라 폭포수를 쏟아 내더라. 이에 불도, 화전도 쓰일 바 없으며 폭포수에 간 곳조차 없더라. 백운도사는 _____을 흔들어 신비한 능력으로 이 부인을 불길로 감쌌지만, 이 부인은 선녀에게 _____를 내려 불을 끄라고 명령함으로써 위기에서 벗어났어. 이를 본 오금도사가 이 때라고 생각하고 물병을 기울더라. 그 결과 순식간에 홍수가 되어 명나라 진영으로 그 물은 흘러가니, 황하의 홍수도 이토록 거창하다면 우임금의 구년치수(九年治水)*를 애초부터 단념시켰을지 모를 일이라.

이 부인은 다시 선녀를 불러 이 물을 적진으로 돌리라고 명하니 두 선녀는 순식간에 그것을 바다로 만들어 적진으로 향하게 하니, 달마국의 백만 군사와 천원국의 이백만 군사는 삽시간에 형체조차 찾을 길 없이 바닷물에 쓸려 가더라. 오금도사는 _____을 기울여 명나라 진영으로 홍수를 흘려보냈지만, 이 부인은 선녀에게 명령하여 그 물을 _____로 만들어 적진으로 보내버려. 이에 달마왕과 천원왕을 따르는 _____과 _____의 군사는 속절없이 바닷물에 쓸려 가버렸네.

이에 국진은 천원왕을 뒤쫓고, 이 부인은 달마왕을 뒤쫓아 달려가더라. 백운도사와 오금도사를 비롯하여 숱한 도사들은 제각기 술법을 다해 이들을 막으며, 두 왕을 멀리 화룡산으로 보호해 피하더라. 이로써 그들은 전쟁을 포기할 수밖에 달리 방법이 없더라. 상황이 명나라에 (유리/불리)해지자 국진과 이 부인은 각각 천원왕과 달마왕을 뒤쫓고, 도사들은 두 왕을 _____으로 피신시켜.

장면끊기 04 천원왕, 백운도사, 오금도사의 공격을 받은 이 부인이 신이한 능력을 발휘해 위기 상황을 극복하고 전쟁에서 승리하는 장면이야. 부서진 무기를 장검으로 바꾸고, _____를 불러 _____들의 술법에 대응하면서 압도적인 힘을 발휘하는 이 부인의 능력이 재차 강조되어 나타나는 장면이지.

– 작자 미상, 「장국진전」 –

*구년치수(九年治水): 9년 동안 홍수를 다스림.

---

2 1~2번 문제를 풀어 보세요.

1. 〈보기〉를 참고하여 윗글을 감상한 내용으로 가장 적절한 것은?

〈보기〉

조선 사회는 남성 위주의 가부장적 사회였으며 그로 인해 여성들의 활동은 많이 위축되었다. 이러한 사회적 분위기 속에서 영웅적 여성의 활약상이 두드러진 소설은 여성들에게 많은 인기를 끌었다.

① '이 부인'이 남장을 하고 남편을 대하는 것을 통해 '국진'에게 자신의 능력을 과시하려 했음을 알 수 있군.

② '이 부인'이 전쟁에서 승리하는 것을 통해 당시의 여성에게 자아실현 기회가 많았음을 짐작할 수 있겠군.

③ '국진'이 자신의 아내를 알아보지 못하는 무지함을 통해 가정에서 남편과 아내의 지위가 변화했음을 추측할 수 있군.

④ '이 부인'이 비범한 능력으로 영웅적인 활약을 하는 모습을 통해 당대 여성들은 현실에서 느끼지 못했던 만족감을 느낄 수 있었겠군.

⑤ '국진'이 적장과의 싸움에 '이 부인'이 나서는 것을 만류하는 행동을 통해 가부장적 사회에서 여성에게 가해졌던 제약을 짐작할 수 있겠군.

2. 문학 개념어 OX 확인 문제

① 사건의 빠른 전개를 통해 긴박한 분위기를 조성하고 있다.　○ ✕

② 장면에 대한 과장된 서술을 통해 비극성을 강화하고 있다.　○ ✕

고전소설 독해의 STEP 2

1 인물 간의 관계를 고려하여 구조도의 빈칸에 적절한 말을 채우세요.

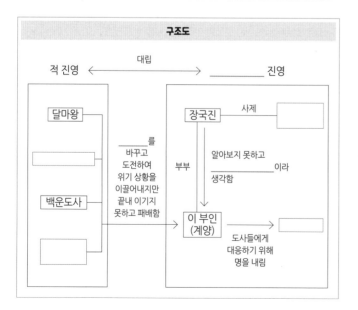

구조도

적 진영 ←—— 대립 ——→ _____ 진영

달마왕

_____를 바꾸고 도전하여 위기 상황을 이끌어내지만 끝내 이기지 못하고 패배함

백운도사

장국진 — 사제 — _____

부부

알아보지 못하고 _____이라 생각함

이 부인 (계양) —→ _____

도사들에게 대응하기 위해 명을 내림

고전소설 독해의 STEP 3

■ 선지 판단 공식을 활용하여 빈칸을 채우고 1번 문제의 선지를 OX로 판단해 보세요.

〈보기〉 문제 선지 판단의 공식

① 〈보기〉 가부장적인 조선 사회에서 영웅적 여성의 _____이 두드러진 소설은 여성들에게 많은 인기를 끌었음

➕ 작품 '국진과 이 부인은 서로 나가겠다고 한동안 승강이를 벌였으나, 국진은 이 새로운 _____의 열의에 어쩔 도리 없이 양보하더라.'

선지➡ '이 부인'이 남장을 하고 남편을 대하는 것을 통해 '국진'에게 자신의 능력을 과시하려 했음을 알 수 있군. ○ ✕

② 〈보기〉 조선 사회는 남성 위주의 가부장적 사회였으며 그로 인해 _____이 많이 위축됨

➕ 작품 '이에 국진은 천원왕을 뒤쫓고, _____은 달마왕을 뒤쫓아 달려가더라.~이로써 그들은 전쟁을 _____ 할 수밖에 달리 방법이 없더라.'

선지➡ '이 부인'이 전쟁에서 승리하는 것을 통해 당시의 여성에게 자아실현 기회가 많았음을 짐작할 수 있겠군. ○ ✕

③ 〈보기〉 조선 사회는 _____ 위주의 _____ 사회였으며 그로 인해 여성들의 활동이 많이 위축됨

➕ 작품 '이 부인의 대담무쌍한 모습은 보는 이로 하여금 격찬을 불러일으키게 할 정도라. 그것을 보고 누가 이 부인을 감히 _____라고 말할 것인가.'

선지➡ '국진'이 자신의 아내를 알아보지 못하는 무지함을 통해 가정에서 남편과 아내의 지위가 변화했음을 추측할 수 있군. ○ ✕

④ 〈보기〉 영웅적 여성의 _____이 두드러진 소설은 가부장적 사회에서 활동이 많이 위축된 조선 사회의 _____들에게 많은 인기를 끌었음

➕ 작품 '이 부인은 _____과 같은 천하 명장을 고양이가 쥐를 잡듯하니', '이 부인은 남은 비린도를 어루만지며 입 속으로 주문을 외우자 비린도가 _____으로 변하는 것이 아닌가.', '이 부인은 불에 싸이자 선녀를 명하여 _____를 내려 이 불을 끄라고 하달하니', '이 부인은 다시 _____를 불러 이 물을 적진으로 돌리라고 명하니'

선지➡ '이 부인'이 비범한 능력으로 영웅적인 활약을 하는 모습을 통해 당대 여성들은 현실에서 느끼지 못했던 만족감을 느낄 수 있었겠군. ○ ✕

⑤ 〈보기〉 조선 사회는 남성 위주의 가부장적 사회였으며 그로 인해 여성들의 활동은 많이 _____됨

➕ 작품 '국진과 이 부인은 서로 나가겠다고 한동안 _____를 벌였으나, 국진은 이 새로운 사촌 처남의 열의에 어쩔 도리 없이 _____하더라.'

선지➡ '국진'이 적장과의 싸움에 '이 부인'이 나서는 것을 만류하는 행동을 통해 가부장적 사회에서 여성에게 가해졌던 제약을 짐작할 수 있겠군. ○ ✕

고전소설 독해의 STEP 1

1 등장인물에 ☐ 표시를 하고 빈칸에 적절한 말을 채우세요.

이때에 호국 강변에 한 사람이 있으되, 성은 용이요 명은 훈이니, 대대로 명가(名家)의 자손이라. 본래 벼슬길에 뜻이 없어 강호에 놀기와 동산에 밭 갈기를 일삼으나, 다만 슬하에 자식 없음을 부부 매일 한탄하기를 마지아니하더니, 일일은 용훈이 앙천 탄 왈,

"대대로 무후(無後)치 아니하더니, 내게 와서 후사가 끊일 줄을 어찌 알리오." 호국 강변에 살던 명망 높은 가문의 자손인 _____은 후사를 얻지 못해 한탄하고 있어.

하며 자탄함을 마지아니하거늘, 부인 관 씨 대 왈,

"불효 삼천에 무후한 죄 크다 하오니, 옛법으로 의논컨대 첩을 내침 직하오나 군자의 후하신 덕을 깊이 생각하와 지금 존문에 의탁하였으나, 봄날에 살얼음판을 디딘 듯하와 어찌 마음이 안연하리이까. 잠깐 듣사오니 태항산 천축사라는 절에 올라가오면 삼불이 극히 영험하시다 하오니, 고단함을 생각지 마시고 첩으로 더불어 정성으로 발원코자 하나이다." _____는 남편인 용훈에게 태항산 _____에 올라가 후사를 내려달라고 정성으로 발원하자고 제안.

용훈이 왈,

"빌어 자식을 낳을진대 천하에 무자(無子)한 자 뉘 있으리까. 그러하오나 한스러운 인생이오니 세존에게 정성으로 발원하여 보사이다."

장면끊기 01 첫 번째 장면은 용훈이 _____를 얻지 못해 한탄하자 부인 관 씨가 태항산 천축사에 올라가 정성으로 _____해 보자고 제안하는 대화의 내용이 제시되었어. 이후 공간적 배경이 변하여 두 사람이 천축사로 가서 _____에게 자손을 내려 달라고 비는 내용이 전개되니 장면을 끊어 보자.

하고, 즉시 태항산 천축사에 올라가 전조 단발하고 삼칠일 목욕재계 후에 불전에 공양 축원하며 반년이나 지내니 외려 산속의 절에서 불도를 닦는 독실한 속인이겠더라. 용훈 부부는 깨끗한 몸과 마음으로 소원을 빌기 위해, 머리를 깎고 이십여 일 동안 _____를 한 후, 산속의 절에서 공양 축원하며 _____이나 지냈나 봐.

일일은 부인 관 씨 일몽(一夢)을 얻으니, 동해에서 동자 일인이 올라와 부인께 세 번 절하고 여쭈오되,

"소자는 천상 삼십삼천 도인도 차지하옵는 신장(神將)이옵더니, 옥황의 명을 받자와 '홍해국 태자를 베라' 하교하시매 그 명을 받들었지만, '정말 가서 베고 왔는지 믿지 못하겠다'하시고 세상에 내치시매 갈 바를 아지 못하옵더니, 마침 천축사 세존께옵서 '부인께 의탁하라' 하시오매 왔사오니, 부인은 어여삐 여기소서." 관 씨는 꿈에서 천상계의 인물인 _____을 만났는데, 그는 홍해국 태자를 베라는 _____의 명을 수행하였으나, 옥황상제가 이를 믿지 못하겠다고 하며 자신을 내쳤기 때문에 천축사 세존의 말에 따라 관 씨에게 _____하기 위해 왔다고 했어.

하거늘, 부인이 반가이 여겨 품 안에 안다가 깨니 남가일몽이라. 즉시 용훈을 깨워 몽사를 여쭈오니, 용훈이 크게 기뻐 즉시 집으로 내려와 생남(生男)하기를 바라더니, 과연 그달부터 태기 있어 십칠 삭 만에 생남하매, 용의 기상이요, 범의 머리며 곰의 등이요, 용의 허리며 잔나비의 팔이라. 소리 웅장하여 큰북 소리 같고, 비록 강보에 있으나 기골이 장대하고 이빨이 두 줄로 박히고 앞니가 밖으로 한 치나 내밀었으니, 관 씨는 (태몽/흉몽)을 꾸고 남자아이를 낳았어. 아이의 외양을 구체적으로 묘사하여 영웅적 면모를 지녔음을 암시하고 있네. 훈이 크게 기뻐 왈,

"이 아이 기상을 보오니 옛날 명인의 풍도를 간직하였으매 어찌 즐겁지 아니하리오."

하고 이름을 문이라 하고 자는 벽력이라 하였다. 용훈은 아이의 _____을 보고 명인의 풍채와 태도를 지녔다고 생각하며 _____했고, 이름을 문이라고 지었어.

장면끊기 02 두 번째 장면은 관 씨의 제안으로 용훈 부부가 태항산 천축사에 올라가 반년 동안 불도를 닦다가, 관 씨가 _____을 꾸고 용문을 낳는 내용이 제시되었어. 중략 이후에는 새로운 전개가 펼쳐지니 여기에서 장면을 끊자.

(중략)

연화 도사 왈,

"이 아이 상을 보니 반드시 귀인이 될 것이니, 부자 정리에 떠나보내기 애달프겠지만 천명을 어기지 말고 노인에게 맡기시면 장래 귀히 되리이다."

훈이 다시 일어나 절하고 여쭈오되,

"하찮은 집안에서 태어난 아이를 선생께옵서 귀인이 되게 하옵소서." 용문의 모습을 보고 _____이 될 것임을 안 _____는 용문을 자신에게 맡길 것을 용훈에게 제안하고, 용훈은 이를 허락했어.

하며 즉시 용문을 허락하거늘, 도사 용문을 데리고 연화산에 들어가 천문 지리, 육도삼략과 황석공의 병법을 팔 년을 가르치니, 용문의 지략과 기량이 천지간 영웅 준걸이라.

도사 왈,

"이제는 술법을 배웠으니 대업을 이룰지라. 빨리 돌아가 빛난 재주를 세상에 베풀고 어진 성군을 만나 웅장한 이름을 천추에 전하도록 하라. 성군을 만나지 못할진대 너의 선생을 용납하게 말라." 연화 도사는 용문을 데리고 _____으로 들어가 ___ 년 동안 천문 지리부터 _____까지 두루 가르쳤고, 그 결과 용문은 영웅적 자질을 떨쳤어. 그러자 연화 도사는 용문에게 돌아가 (성군/스승)을 만나 _____을 이루라고 했어.

하니 용문이 두 번 절하고 여쭈오되,

"소자 팔 년을 선생 문하에 머물러 높은 재주를 배웠사오니, 어찌 선생의 교훈을 일분이나 어기리이까."

하고 하직을 아뢰니 도사 왈,

"부디 좋은 때를 잃지 말라."

하시더라.

장면끊기 03 세 번째 장면은 용문이 팔 년 동안 _____을 배우고 연화산을 떠나며 하직하는 내용이야. 이후 _____ 밖에서 부모와 재회하는 내용이 전개되니 여기서 장면을 끊을 수 있어.

용문이 산문 밖에 나와 부모께 뵈오니, 부모가 크게 기뻐 팔 년 그리던 정을 못내 애연하더라. 인하여 용문이 선생 말씀을 낱낱이 여쭈니, 용훈의 부부 연화 도사를 향하여 은혜를 못내 칭찬하더라. 용훈 부부는 용문의 말을 듣고 _____의 _____에 고마움을 느끼고 있어.

용문이 일일은 강변에 나아가 명랑한 달빛을 따라 배회하더니, 먼 데서 크게 불러 왈,

"내 말이 사나와 내 자식을 물어 죽이고 강을 건넜으니, 그 말을 잡아 주면 은혜를 갚으리라."

하거늘, 용문이 그 소리를 듣고 돌아보니 과연 말이 강변에 섰으되, 높기는 칠 척이요 눈은 방울 같고 몸이 불빛 같더니 진실로 적토마라. 용문이 크게 기뻐하거늘, 그 사람이 가로되,

"이 말을 장군께 드리러 왔나이다. 이 말은 능히 운무를 따르며

한번 채치면 능행만리하고 한번 소리를 한즉 태산과 하해가 뒤 눕는 듯하니, 마땅히 장군의 재주를 베풀지라." 용문은 _____을 배회하던 중 자식을 물어 죽인 ___을 잡아달라는 소리를 듣게 돼. 이후 그 사람은 강변에선 말을 보고 기뻐하는 용문을 장군이라 부르며, 자신은 _____를 용문에게 주기 위해 찾아왔다고 말하지.

하고 말을 마치며 문득 간 데 없거늘, 심중에 크게 기뻐 즉시 말에 올라 시험할새 적토마 한번 소리하며 네 굽을 놀리니, 빠르기 살과 나는 제비라도 미치지 못할러라. **장면끊기 04** 네 번째 장면에는 용문이 _____ 밖에 나와 부모께 인사하고 강변에서 배회하다가 _____를 얻게 되는 이야기가 제시되었어. 한곳에 다다르니 층암절벽상에 한 동자가 머리에 벽도관을 쓰고, 몸에 청룡포를 입고 암상(巖上)으로 내려와 읍하여 왈, "소자는 천상 옥황상제의 명을 받사와 전장 기계(戰場器械)를 장군에게 전하나이다. 차후에 은혜를 잊지 말으소서." 이번에는 한 동자가 나타나 _____의 옥황상제의 명령으로 _____를 전달하고 있어. 중략 이전에 관 씨가 꾸었던 태몽에서 암시한 것과 같이 용문은 천상계와 연결된 영웅적 인물이기에 (**신이한/일상적**) 물건을 획득해 가는 모습이 나타난 것으로 볼 수 있어.

하고 문득 간 데 없는지라. 용문이 괴이히 여겨 동자가 섰던 곳으로 나아가 보니, 석함(石函)이 놓여 있으되 광채 찬란하고 전면에 금자로 새겼으되, '명국 대사마 장군 용문 친집개탁하라' 하였거늘, 용문이 생각하되, '우리 대대로 호국 사람인데 석함에 명국 대사마 장군이라 하였으니, 유한한 천의를 알지 못하거니와 호국 왕상이 천의를 범코자 하기로, 하늘이 나를 호국을 배반하고 명국에 돌아가 대장이 되게 하온 일인가, 명국을 내 함몰하고 통합하게 하온 일인지 장래를 보자.' 하고 강을 향하여 사례하고, 갑주를 갖추고 용천검을 들며 말에 올라 산하에 내려와 청수강을 바라보며 말을 채쳐 재주를 시험하니, 적토마가 한번 솟으며 소리하니 천지가 무너지는 듯하며 검광은 일월을 희롱하는지라. 용문은 _____ 사람임에도 '명국 대사마 장군 용문'이라고 새겨진 _____의 글을 보고 자신의 장래에 대해 궁금해해. 석함 안에는 _____와 _____ 같은 전장 기계가 있었고, 이를 갖추고 적토마에 오른 용문의 모습은 천지를 무너뜨릴 듯 용맹했어.

장면끊기 05 다섯 번째 장면은 _____에서 벽도관을 쓴 동자를 만난 후 그 자리에서 _____을 발견하는 이야기가 제시되었어. 강변에서 층암절벽으로 (**시간/공간**)을 이동하면서 신물(신령스럽고 기묘한 물건)을 획득하는 과정이 나타나 있지.

– 작자 미상, 「용문전」 –

고전소설 독해의 STEP 2

1 인물 간의 관계를 고려하여 구조도의 빈칸에 적절한 말을 채우세요.

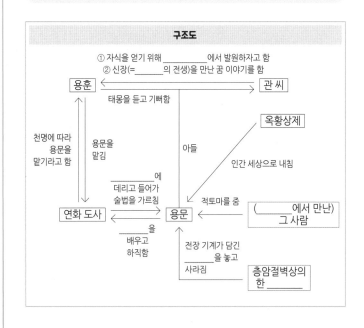

2 1~2번 문제를 풀어 보세요.

1. 〈보기〉를 읽고 윗글에 대해 파악한 내용으로 적절하지 <u>않은</u> 것은?

〈보기〉

영웅 소설에서는 주인공의 영웅성을 드러내기 위한 서사적 장치들이 활용된다. 가령 꿈을 통해 주인공이 천상계와 연결된 고귀한 혈통임을 알려 주거나 특이한 외양을 타고나도록 한다. 그리고 주인공에게 신물을 전해 주거나 영웅적 능력을 갖출 수 있도록 도움을 주는 인물들을 등장시키기도 한다.

① 관 씨의 태몽을 통해 용문이 천상계와 연결된 고귀한 혈통임을 알려 주고 있군.

② 갓 태어난 용문의 외양에 대한 묘사를 통해 용문의 영웅성을 암시하고 있군.

③ 육도삼략과 병법 등을 용문에게 가르치는 연화 도사를 등장시켜 용문이 영웅적 능력을 갖출 수 있도록 하고 있군.

④ 적토마를 전달하는 인물을 등장시켜 용문이 천상계 인물임을 스스로 깨닫게 하고 있군.

⑤ 벽도관을 쓴 동자가 옥황상제의 명으로 용문에게 전장 기계를 전달해 용문이 영웅적 존재임을 드러내고 있군.

2. 문학 개념어 OX 확인 문제

① 비유적 표현을 활용하여 대상의 특성을 드러내고 있다. ○ ✕

② 서술자가 개입하여 인물에 대한 판단을 내리고 있다. ○ ✕

고전소설 독해의 STEP 3

1 선지 판단 공식을 활용하여 빈칸을 채우고 1번 문제의 선지를 OX로 판단해 보세요.

〈보기〉 문제 선지 판단의 공식

① 〈보기〉 영웅 소설에서는 주인공의 영웅성을 드러내기 위해 ____을 통해 주인공이 _____와 연결된 고귀한 혈통임을 알려 줌 ➕ 작품 ' "소자는 _____ 삼십삼천 도인도 차지하옵는 신장이옵더니, _____을 받자와~천축사 세존께옵서 '부인께 의탁하라' 하시오매 왔사오니, 부인은 어여삐 여기소서." 하거늘, 부인이 반가이 여겨 품 안에 안다가 깨니 _____이라.', '과연 그달부터 태기 있어 십칠 삭만에 생남하매'

선지➡ 관 씨의 태몽을 통해 용문이 천상계와 연결된 고귀한 혈통임을 알려 주고 있군.　○ ✕

② 〈보기〉 영웅 소설에서는 주인공의 영웅성을 드러내기 위해 _____을 타고나도록 함 ➕ 작품 '_____이요, 범의 머리며 곰의 등이요, 용의 허리며 잔나비의 팔이라. 소리 웅장하여 큰북 소리 같고, 비록 강보에 있으나 기골이 _____하고 이빨이 두 줄로 박히고 앞니가 밖으로 한 치나 내밀었으니,'

선지➡ 갓 태어난 용문의 외양에 대한 묘사를 통해 용문의 영웅성을 암시하고 있군.　○ ✕

③ 〈보기〉 영웅 소설에서는 주인공의 영웅성을 드러내기 위해 주인공에게 _____을 갖출 수 있도록 _____을 주는 인물들을 등장시킴 ➕ 작품 '도사 용문을 데리고 _____에 들어가 천문 지리, _____과 황석공의 병법을 팔 년을 가르치니, 용문의 지략과 기량이 천지간 _____이라.'

선지➡ 육도삼략과 병법 등을 용문에게 가르치는 연화 도사를 등장시켜 용문이 영웅적 능력을 갖출 수 있도록 하고 있군.　○ ✕

④ 〈보기〉 영웅 소설에서는 주인공의 영웅성을 드러내기 위해 꿈을 통해 주인공이 천상계와 연결된 고귀한 혈통임을 알려 주거나 주인공에게 _____을 전해 주는 인물들을 등장시킴 ➕ 작품 '그 사람이 가로되, "이 말을 장군께 드리러 왔나이다. 이 말은 능히 운무를 따르며 한번 채치면 능행만리하고 한번 소리를 한즉 태산과 하해가 뒤눕는 듯하니, 마땅히 장군의 재주를 베풀지라." 하고 말을 마치며 문득 간 데 없거늘, 심중에 크게 _____ 즉시 말에 올라 시험할새 _____ 한번 소리하며 네 굽을 놀리니, 빠르기 살과 나는 제비라도 미치지 못할러라.'

선지➡ 적토마를 전달하는 인물을 등장시켜 용문이 천상계 인물임을 스스로 깨닫게 하고 있군.　○ ✕

⑤ 〈보기〉 영웅 소설에서는 주인공의 _____을 드러내기 위해 주인공에게 신물을 전해 주거나 영웅적 능력을 갖출 수 있도록 _____을 주는 인물들을 등장시킴 ➕ 작품 '층암절벽상에 한 동자가 머리에 _____을 쓰고, 몸에 청룡포를 입고 암상으로 내려와 읍하여 왈, "소자는 천상 _____의 명을 받사와 전장 기계를 장군에게 전하나이다. 차후에 은혜를 잊지 말으소서."'

선지➡ 벽도관을 쓴 동자가 옥황상제의 명으로 용문에게 전장 기계를 전달해 용문이 영웅적 존재임을 드러내고 있군.　○ ✕

고전소설 독해의 STEP 1

❶ 등장인물에 ☐ 표시를 하고 빈칸에 적절한 말을 채우세요.

이혈룡이 어이가 없어서,
"오냐, 내가 너를 친구라고 찾아왔다가 통지를 할 수 없어 한 달이나 지나서 노자도 떨어지고 기갈을 견디지 못하여 문전걸식하고 다니다가 오늘에야 이 자리에서 너를 보니 죽어도 한이 없다. 이혈룡은 찾아온 지 _____이 지나서야 겨우 _____를 만나 봐. 나는 너를 친구라고 찾아왔는데 어찌 이같이 괄시한단 말이냐? 오랜 친구도 쓸데없고 결의형제도 쓸데없구나. 내가 네 처지라면 이같이는 괄시하지 않을 거다. 다만 돈백이라도 준다면 모친과 처자를 먹여 살리겠다." _____은 친구에게 _____를 받아 서러워하면서 가족들을 먹여 살릴 돈을 구걸하고 있네.
하면서 대성통곡하였다. 이혈룡은 다시 울먹이는 말로,
"이 몹쓸 김진희야, 내가 지금 푼전의 노자가 없으니 멀고 먼 서울 길을 어찌 돌아가랴."
하니, 김 감사는 노발대발,
"이 미친놈 봤나."
호통을 치면서 사공을 불러 엄명하였다.
"이놈을 배에 싣고 가서 강물 한가운데 던져라." 김진희는 부탁을 들어주기는커녕 사공에게 _____을 강물에 던지라고 명령하고 있네.

장면끊기 01 첫 번째 장면에서 김진희는 돈을 구하기 위해 어렵게 찾아온 이혈룡의 부탁을 거절하고 사공에게 이혈룡을 _____에 던지라고 명령하고 있어.

이에 사공들이 영을 받고 물러 나와 이혈룡을 묶어서 배에 실을 때에 연회장에 있던 옥단춘이 넌지시 보니, 비록 의복은 남루하나 얼굴이 비범한 것을 보고 불쌍히 여기고 감사에게 거짓말하여 고하기를, _____은 이혈룡의 _____한 생김새를 보고 그의 처지를 _____하게 여기고 있어.
"소녀 지금 오한이 일어나며 온몸이 괴로워 견딜 수가 없습니다."
하니 감사가,
"그러면 물러가서 치료하라."
하였다. 옥단춘이 물러 나와서 사공을 급히 불렀다.
"저기 가는 저 사공들, 잠깐 기다리시오."
하니 사공들이 머무르거늘 옥단춘이 하는 말이,
"내 이 양반의 몸값을 후하게 줄 것이니 이 양반을 죽이지 말고 죽인 듯이 모래를 덮어서 숨겨 두고 오시오." 옥단춘은 김진희 몰래 _____을 살리려고 해.
하였다.
옥단춘의 부탁을 받은 사공들이,
"아무리 사또 영이 지중하지만 어찌 우리 손으로 죄 없는 사람을 죽이겠는가."
하고 사공들이 이혈룡을 배에 싣고 만경창파 깊은 물에 둥기둥실 떠나갔다. 혈룡은 이런 사실을 전혀 모르고 속절없이 죽는 줄로만 알고 하늘을 우러러 방성통곡하였다. 이혈룡은 자신이 죽게 될 것이라 여기며 슬퍼하고 있어.

장면끊기 02 두 번째 장면에서는 김진희의 명령을 받은 사공들에게 옥단춘이 나타나 돈을 주면서 이혈룡을 죽이지 말라고 부탁하였어. 사공들은 이에 응하지만 이혈룡은 이런 사실을 모르고 통곡하고 있어. 첫 번째 장면에서는 _____과 _____의 대화가 주를 이루었다면, 두 번째 장면에서는 옥단춘이 _____에게 이혈룡을 살려달라고 부탁하는 대화가 주된 내용을 이루네.

[중략 부분의 줄거리] 이혈룡은 옥단춘의 기지로 목숨을 구한 후 그녀의 집에 머물게 된다. 이후 이혈룡은 과거 시험을 치르라는 옥단춘의 권유로 서울로 돌아와 가족을 만나고 그간의 사정을 이야기한다.

그러자 모친과 부인은 그 사실을 듣고 혈룡의 죽을 고생을 생각하고 서로 슬픈 눈물을 흘렸다. 동시에 옥단춘이 혈룡을 구제한 전후 사실을 듣고, 그 은혜를 서로 치사하여 마지않았다. 모친과 부인은 죽을 고생을 했던 이혈룡을 생각하고 슬퍼하며 그의 목숨을 살려준 _____에게 감사하고 있어.
오래간만에 만난 가족들은 그동안의 회포를 서로 다 이야기하여 풀고 다시 원만한 가정을 이루게 되었다. 모친도 죽었던 자식 다시 본 듯, 부인도 잃었던 낭군 다시 본 듯 잠시도 서로 떠날 마음이 없이 행복하게 살게 되었다. 모친과 부인은 죽은 줄 알았던 이혈룡과 다시 만나 살게 되어 _____해하고 있어.

장면끊기 03 옥단춘의 도움으로 목숨을 구한 이혈룡이 옥단춘의 권유로 과거 시험을 보기 위해 _____로 돌아와 가족을 만나는 내용이 세 번째 장면으로 제시되었어. 이후 시간과 공간의 변화가 나타나니 여기서 장면을 끊어야겠지?

이때에 과거 날이 되었으므로 혈룡이 모친의 슬하를 떠나서 대궐 안 과거장에 들어가니 팔도에서 글 잘한다는 선비들이 구름같이 모여 있었다.
이윽고 글제를 살펴보니 천하태평춘(天下泰平春)이라 걸려 있었다. 글을 지을 생각을 가다듬은 후에 용벼루에 먹을 갈아 조맹부의 필체로 단숨에 일필휘지하여 바쳤는데, 전하께서 보시고는 글자마다 비점(批點)이요 글귀마다 관주(貫珠)를 치는 것이었다.
전하께서 칭찬하시는 말씀이,
"참으로 신묘하다. 이 글씨와 글 지은 사람은 범상치 않은 사람이다." 전하는 이혈룡이 쓴 ___을 보고 그의 재능에 대해 높이 평가하며 감탄하고 있어.
하시고, 알성시(謁聖試) 장원급제로 한림학사를 제수하시고, 곧 어전입시(御前入侍)하라는 분부를 내리셨다. 이한림이 입시하여 천은을 사례하자 전하께서 칭찬하시기를,
"충신의 자식은 충신이요, 소인의 자식은 소인이다. 용모를 살펴보니 용안호두(龍顏虎頭)요, 목목지인(穆穆之人)이로다."
하고 칭찬을 아끼지 않으셨다. 전하는 능력만큼이나 뛰어난 이혈룡의 _____를 보고 칭찬하고 있네.
이한림은 어전에 엎드려,
"소신과 같이 무재무능한 자를 이처럼 충신지자충신(忠臣之子忠臣)이라 하시오니 황공무지하오며, 또한 한림을 제수하시니 더욱 황공하옵니다."

장면끊기 04 뛰어난 글재주로 과거 시험에 합격한 이혈룡이 _____의 벼슬을 받고 전하께 칭찬을 받는 모습이 나타나고 있어. 다음 장면에서는 과거 시험장에서 집으로 돌아오면서 (시간/공간)의 변화가 나타났으니 끊어 읽어야겠지?

하고, 수없이 치사하고 물러 나와 집에 큰 잔치를 베풀고 향당과 친지를 청하여 경사를 축하하였다. 그리고 한편으로,
'평양 감사 김진희의 불의무도한 소행을 나만 당하였으랴. 무고한 백성들은 무슨 죄로 한 사람의 학정으로 평양 일도에서 어육(魚肉)이 된다는 말인가. 곰곰 생각하니 나라와 백성을 위해서 마땅히 성상께 여쭙지 않을 수 없다.' 이혈룡은 김진희에게 당한 일을 떠올리며 백성들도 김진희의 _____으로 희생당했을 것이라 여기며 그의 _____한 소행을 성상(전하)께 알리려 하고 있어.

생각하고, 전후 사실을 일일이 밀록(密錄)하여 전하께 바쳤다. 전하
께서는 그 밀록을 받아 보시고 수없이 탄식한 뒤에 봉서(封書) 삼장
을 내리셨다. 전하는 김진희의 학정으로 핍박받은 이야기를 듣고 _____하며 이혈룡
에게 봉서 삼장을 내리셨어. 또 친히 하교하시기를,

　"첫 봉서는 새문 밖에 가서 뜯어보고, 둘째 봉서는 평양에 가서
　뜯어보고, 셋째 봉서는 그 후에 뜯어보라."

하시고, 조심하여 다녀오라 하셨다. 이한림이 사은숙배하고 바로
나와서 모친과 부인에게 하직하였다. 새문 밖에 나가서 첫째 봉서를
뜯어보니, '평안도 암행어사 이혈룡'이라는 사령장과 마패가 들어
있었다.

　장면끊기 05 　김진희의 잘못을 알게 된 전하가 이혈룡을 평안도의 _____로
임명하여 보내는 내용이 지문의 마지막 장면으로 제시되었어.

　　　　　　　　　　　　　　　　　　　　　　　－ 작자 미상, 「옥단춘전」 －

고전소설 독해의　STEP 2

1 인물 간의 관계를 고려하여 구조도의 빈칸에 적절한 말을 채우세요.

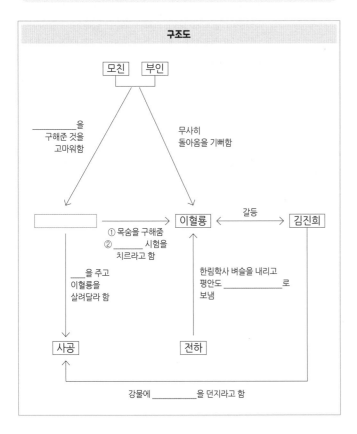

구조도

② 1~2번 문제를 풀어 보세요.

1. 〈보기〉를 참조하여 윗글을 이해한 것으로 적절하지 <u>않은</u> 것은?

〈보기〉

　「옥단춘전」에서 옥단춘은 인물의 비범함을 알아보는 지인지감(知人之鑑)의
소유자이자 기지를 발휘하여 위기에 빠진 인물을 구해 내는 적극적인 조력
자로 그려진다. 그녀는 자신의 조력을 통해 대상 인물의 사회적 지위를 상승
시키고, 애정의 대상을 주체적으로 선택하는 인물이다.

① 옥단춘이 오한을 핑계로 김 감사의 허락을 받은 후 연회장을 빠져나온 것에서
　그녀의 기지를 엿볼 수 있군.

② 옥단춘이 이혈룡을 구해 줄 수 있는 인물로 김 감사를 선택한 것에서 여성
　으로서의 주체적 판단이 작용했음을 알 수 있군.

③ 옥단춘이 김 감사에게 괄시받던 남루한 행색의 이혈룡이 비범한 인물임을
　발견한 데서 그녀의 지인지감을 엿볼 수 있군.

④ 가족들이 어려움에 처했던 이혈룡을 구해 준 옥단춘의 은혜에 감사한 것에서
　조력자인 옥단춘의 역할을 인정한 것임을 알 수 있군.

⑤ 옥단춘이 사공들에게 이혈룡의 몸값을 후하게 제시하고 구체적 방안을 알려 준
　것에서 그녀의 적극적인 조력 의지를 엿볼 수 있군.

2. 인물의 말하기 방식 OX 확인 문제

① 이혈룡은 역지사지를 가정하여 상대방을 질책하고 있다.　　○ ✕

② 옥단춘의 회유로 '사또 영'을 따르지 않기로 한 사공들의 생각이 설의적 표현
　으로 나타나고 있다.　　○ ✕

고전소설 독해의   STEP 3

1 선지 판단 공식을 활용하여 빈칸을 채우고 1번 문제의 선지를 OX로 판단해 보세요.

〈보기〉 문제 선지 판단의 공식

① 〈보기〉 옥단춘은 _____하여 위기에 빠진 인물을 구해 내는 적극적인 조력자로 그려짐

➕

작품 '옥단춘이 넌지시 보니, 비록 의복은 남루하나 얼굴이 비범한 것을 보고 불쌍히 여기고 감사에게 _____하여 고하기를, "소녀 지금 _____이 일어나며 온몸이 괴로워 견딜 수가 없습니다."'

선지 옥단춘이 오한을 핑계로 김 감사의 허락을 받은 후 연회장을 빠져나온 것에서 그녀의 기지를 엿볼 수 있군.   ○ ✕

② 〈보기〉 옥단춘은 위기에 빠진 인물을 구해 내는 적극적인 조력자 이자, 애정의 대상을 _____하는 인물임

➕

작품 '옥단춘이 물러 나와서 사공을 급히 불렀다. "저기 가는 저 _____, 잠깐 기다리시오." 하니 사공들이 머무르거늘 옥단춘이 하는 말이, "내 이 양반의 몸값을 후하게 줄 것이니 이 양반을 죽이지 말고 죽인 듯이 모래를 덮어서 숨겨 두고 오시오."'

선지 옥단춘이 이혈룡을 구해 줄 수 있는 인물로 김 감사를 선택한 것에서 여성으로서의 주체적 판단이 작용했음을 알 수 있군.   ○ ✕

③ 〈보기〉 옥단춘은 인물의 _____을 알아보는 _____의 소유자로 그려짐

➕

작품 '옥단춘이 넌지시 보니, 비록 의복은 남루하나 얼굴이 _____한 것을 보고 _____ 여기고 감사에게 거짓말 하여 고하기를'

선지 옥단춘이 김 감사에게 괄시받던 남루한 행색의 이혈룡이 비범한 인물임을 발견한 데서 그녀의 지인지감을 엿볼 수 있군.   ○ ✕

④ 〈보기〉 옥단춘은 기지를 발휘하여 위기에 빠진 인물을 구해 내는 적극적인 _____로 그려짐

➕

작품 '모친과 부인은 그 사실을 듣고 혈룡의 죽을 고생을 생각하고 서로 슬픈 눈물을 흘렸다. 동시에 옥단춘이 혈룡을 구제한 전후 사실을 듣고, 그 _____를 서로 치사하여 마지않았다.'

선지 가족들이 어려움에 처했던 이혈룡을 구해 준 옥단춘의 은혜에 감사한 것에서 조력자인 옥단춘의 역할을 인정한 것임을 알 수 있군.   ○ ✕

⑤ 〈보기〉 옥단춘은 기지를 발휘하여 위기에 빠진 인물을 구해 내는 _____인 조력자로 그려짐

➕

작품 '옥단춘이 하는 말이, "내 이 양반의 _____을 후하게 줄 것이니 이 양반을 죽이지 말고 죽인 듯이 _____를 덮어서 숨겨 두고 오시오."'

선지 옥단춘이 사공들에게 이혈룡의 몸값을 후하게 제시하고 구체적 방안을 알려 준 것에서 그녀의 적극적인 조력 의지를 엿볼 수 있군.   ○ ✕

고전소설 독해의 STEP 1

❶ 등장인물에 ☐ 표시를 하고 빈칸에 적절한 말을 채우세요.

[앞부분의 줄거리] 까치가 새로 보금자리를 짓고 온갖 날짐승들을 초청하여 잔치를 베풀 적에 심술이 사납고 욕심 많은 비둘기만 초청하지 않았다. 이에 비둘기는 까치에게 불만을 품고 까치의 집을 빼앗으려고 잔치에 와서 횡포를 부린다. 까치가 새집을 지은 기념으로 잔치를 베풀 때 _____만 초청하지 않았고, 비둘기는 이에 앙심을 품고 찾아와 _____를 부렸어. 잔치에 초대받지 못한 것이 발단이 된 비둘기와 까치 사이의 갈등이 이후에 어떻게 전개되는지에 유의하며 읽자.

비둘기가 할미새를 꾸짖어 이르되,
"너는 들어라. 나이 칠십이 넘은 것이 소년들과 함께 무엇을 구경하며, 무엇을 먹자고 와서 깔깔대며 끼여있는고. 아무리 방정맞고 생각 없는 것인들 그런 행실이 어이 있을꼬."
하되, 할미새 무료히 물러가니라. 잔치를 찾아온 비둘기는 _____의 나이와 행실에 대해 트집 잡으며 비난했고, 이에 부끄러움을 느낀 할미새는 물러났어.
또 섬동지 두꺼비를 꾸짖어 가로되,
"네 모양을 보니 키는 세 치가 못 되고 능히 일보를 뛰지 못하고 한갓 눈만 꺼벅거리며, 파리나 잡아먹을 것이어늘 이 잔치에 와서 무슨 면목으로 참견하는고."
하며, 인하여 좌중을 무수히 헐뜯고 욕하니 까치 분노를 이기지 못하여 비둘기를 후려치며 꾸짖어 가로되, 또한 비둘기는 _____의 외모와 행태를 트집 잡으며 비난했어. 이처럼 비둘기가 잔치에 온 좌중에게 시비를 걸자 까치는 _____하며 비둘기를 꾸짖어.

[A]
"불청객이 자리하여 남의 잔치에 감 놓아라 배 놓아라 분별이 무슨 일인고. 내 음식에 내 술 먹고 이렇듯 헐뜯고 욕하니, 너 같은 심술이 어디 있으며 염치가 바이 없다. 까치는 불청객인 비둘기가 잔치에 와서 심술을 부리는 것에 _____없다고 화를 내. 나는 고사하고 동네 늙은이와 남의 늙은 부인네들 모르고 헐뜯으니, 너 같은 무도한 놈이 어디 있으랴. 고서(古書)를 듣지 못하였느냐. 내 집의 노인을 공경하여 그 마음이 다른 집 노인에게 미치게 하라는 성인의 말씀이 있거늘, 전혀 사리를 알지 못하니 너 같은 놈이 어디 있을꼬." 까치는 노인을 _____해야 한다는 성인의 말씀과 이치를 실천하지 않는 비둘기를 _____한 놈이라고 꾸짖어.

하니 비둘기 이 말 듣고 대로하여 달려들며, 두 발길로 까치를 냅다 차니, 만장고목 높은 가지에서 떨어져 즉사하는지라. 이때에 암까치 대성통곡하며 달려들어 비둘기를 쥐어뜯으니, 여러 비금*들이 달려들어 비둘기를 결박하고 인하여 관아에 고발하니라. 까치의 말에 크게 ___가 난 비둘기가 까치를 걷어차자 가지에서 떨어진 까치가 즉시 죽고 말았어. 남편이 억울하게 죽는 것을 본 _____가 비둘기를 쥐어뜯었고, 다른 새들이 달려들어 비둘기를 잡고 _____에 고발했어.

[장면끊기 01] 까치와 비둘기의 갈등과 그로 인한 까치의 _____이 제시되었어. 까치의 집 잔치에서 일어난 하나의 사건이 끝나고, 까치가 죽고 난 후 지방 관아의 관리가 이 살인 사건의 진상을 조사하는 내용이 전개될 것이니 장면을 끊고 가자.

(중략)

군수 증인들을 불러들여 물을 제 할미새 생각하되,

'지은 죄를 사실대로 말하면 흉악한 비둘기에게 이 늙은 것이 구박을 받을 것이요 감추거나 숨기면 중형을 당할 것이니, 노망한 체하고 동문서답하는 것이 좋은 계책이다.'
하고, 군수가 잔치에 참석했던 새들을 불러 사건의 진상을 조사 중이군. 하지만 증인인 할미새는 _____의 보복이 두려워 노망난 체하고 동문서답하려고 계획하고 있네.
센 머리에 먹칠하고 연지 발라 꾸미고, 행주치마 엉덩이에 매고 뜰 아래로 들어갈 제 뾰족한 주둥이를 호물떡호물떡하며, 휘둘러 갈짓자로 걸음하여 무수히 절을 하며 가로되, 할미새가 _____난 척을 하기 위해 외양과 행동을 이상하게 꾸몄음을 열거하여 보여 주는군.

[B]
"들자온즉 사또님이 수청을 소녀로 들라 하신다 하오니 이렇듯 엄하게 명령하시지 않더라도 어느 영이라 거역하리이까. 소녀의 방년이 지금 늙지도 아니하고 젊지도 아니할뿐더러 나이 십오 세부터 칠십이 넘도록 벼슬아치마다 수청들었사오니 어찌 즐겨 거행치 아니하오리이까." 할미새는 군수가 _____을 들라고 자신을 불렀다며 기뻐하는 연기를 하고 있어.
하며, 잠시도 엉덩이를 진정치 못하거늘 군수 그 거동을 보고 반만 웃으니 할미새 모자란 체하고 다시 여쭈오되,
"세상사를 생각하면 가히 우스운 것이 늙으면 죽을 수밖에는 없더이다. 올라가신 구관 사또는 색 고운 젊은 것만 취하옵고 돌아보지 아니하오매 겨울밤 찬 바람에 독수공방하올 적과 봄바람 도화 피는 밤이며 가을 밤에 오동잎 지는 적에 늙고 늙은 수심 절로 나매 참으로 진정 서럽더니 천우신조(天佑神助)하와 사또님이 수청들라 하옵시니 반갑기도 측량없고 즐겁기도 그지 없사외다."
하거늘 군수 크게 웃어 가로되,
"노망 들린 할멈이라." 계속되는 할미새의 노망난 척에 결국 군수는 넘어갔군.
하고, 등 밀어 내치매 할미새 거동 보소. 살기를 모면하고 엉덩춤을 들까불며, 뛰어 달아나니 그 거동 보는 자 뉘 아니 웃으리요. 자신의 계책이 통한 할미새는 기뻐서 엉덩이 춤을 추며 달아났고, 이 거동을 보는 사람들은 (웃지 않을/웃을) 수 없었대. 이때에 군수 여러 증인들을 모두 불러 문초하였으나 사실을 제대로 알 수가 없어 고민하더니 형리 따오기 여쭈오되,
"과연 본방 풍헌을 불러 물으시면, 알 듯하여이다."
군수 옳게 여겨 즉시 솔개미 풍헌을 잡아들여 물으니 군수가 여러 _____을 불러 심문하였으나 비둘기의 보복을 두려워한 이들이 이실직고하지 않았기에 고민하고 있을 때, 형리인 _____가 본방 풍헌인 _____를 불러 묻자고 제안하고 군수는 그 의견을 받아들였어. 솔개미 아뢰되,
"소생은 풍헌의 직책을 맡은 지 불과 몇 개월에 매일 나라에 바칠 세금을 거두어 들이기에 밤낮으로 분주하와 이 마을 저 마을을 돌아다니며 혹 병아리 마리나 얻으면 소생이 먹지도 않고 관청에 바치오며, 삼사월 긴긴 봄날에 굶고 지내는 날도 종종 있나이다. 그러므로 까치 잔치에 초대하는 것을 신은 가지 못하였사오니 그간 사정은 알지 못하옵거니와 미련한 소견에는 초산에 모진 범이 아무리 날래어도 독 틈에 쥐 잡기는 작은 고양이만 못하옵고 풍헌이 아무리 똑똑히 살핀다 해도 동네 일 알기는 동수(洞首)만 못하오니 동수를 잡아들여 물으시면 그 진위를 알 듯하외다."
솔개미는 자신은 까치의 잔치에 가지 못해 사정을 알지 못하며, 풍헌이 된 지 얼마 안 된 자신보다는 _____(한 동네의 우두머리)를 잡아들여 물으면 사건의 _____를 알 수 있을 것이라 말하며 책임을 회피하고 있어.

아뢰거늘 군수 옳게 여겨,

　　"즉시 동수를 잡아들이라."

하니라.

장면끊기 02 불려온 증인들에게서 사실을 듣지 못한 _____는 동수를 잡아들이라 명했어. 이후 새로운 인물인 비둘기 처자 동생이 비둘기를 구하기 위해 일을 꾸미는 얘기가 나오니까 장면을 끊자.

　차시에 두민* 섬동지의 이름은 두꺼비요, 자는 불룩이라. 일찍 중국 병서와 병법에 능통하는지라. 동지의 의사가 창해 같아 그른 일도 옳게 하고 옳은 일도 그르게 하더니 마침 비둘기의 처자 동생이 심야에 찾아가 금백주옥(金帛珠玉)과 온갖 비단을 많이 주며 이르되,

　　"동지님의 바다 같은 도량으로 이 일을 주선하와 아무쪼록 장난을 하다 잘못하여 죽인 것으로 하여주옵소서." _____의 처자 동생은 잘못된 일도 옳게, 옳은 일도 잘못된 일처럼 꾸밀 수 있는 두꺼비를 찾아가 금백주옥, 온갖 _____ 등 뇌물을 바치며 도움을 구하고 있어.

동지 답하여 가로되,

　　"돈이면 귀신도 부린다 하였으니 염려 말라. 내 들으니 책방 구진과 수청기생 앵무새가 군수 영감의 총애를 독차지하고 있다 하니 금은보패를 드려 이리저리 방법을 써 가며 여차여차하자." 두꺼비는 비둘기 처자 동생의 거짓 증언 요청을 수락해. 그러면서 ___이면 귀신도 부린다는 말을 하는데, 이 말에서 조선 후기 화폐 경제의 발달로 돈이면 무엇이든 된다는 황금만능주의가 만연했던 사회상을 확인할 수 있지. 한편 진실을 밝혀내지 못하고 있는 군수의 모습에서는 당대의 무능했던 지방 관리의 실상을, 군수 영감의 _____를 받는 책방 구진과 수청기생 앵무새에게 금은보패 같은 뇌물을 주어 재판을 불공정하게 꾸미려 계획하는 _____의 모습에서는 정의롭지 못한 세력의 결탁으로 힘없는 백성들에게 가해졌던 핍박 같은 문제점을 확인할 수 있어.

하고 약속을 정하고,

　　"각청 두목과 제반 관속에게 뇌물 쓰고 이리이리 하면 암까치 한 마리가 어찌할 수 없으리니 그런즉 자연스럽게 장난을 하다 잘못하여 죽인 것이 되리라."

　비둘기 크게 기뻐하여 그 말같이 하니라. 두꺼비는 각청 두목과 제반 관속에게도 _____을 써서 송사 결과를 조작할 방안을 마련해냈고, 비둘기는 기뻐했다고 해. 이처럼 이 작품은 새를 비롯한 동물을 의인화하여 시비를 분별하지 못하는 군수의 무능과, 증인들의 거짓 증언, 뇌물이 횡행하는 공정하지 못한 송사 과정을 중심으로 지방 향촌 사회의 타락과 힘없는 백성이 핍박받던 당대 현실을 비판·풍자한다는 점에 주목하자.

장면끊기 03 비둘기의 처자 동생은 비둘기를 구하기 위해 두꺼비에게 뇌물을 바치고, 권력과 결탁한 악인인 두꺼비에 의해 _____가 공정하지 않게 진행될 것을 우려하게 하며 지문이 끝났어.

　　　　　　　　　　　　　　　　　－ 작자 미상, 「까치전」 －

---

*비금: 날짐승.

*두민: 동네의 나이가 많고 식견이 높은 사람.

고전소설 독해의　STEP 2

1 인물 간의 관계를 고려하여 구조도의 빈칸에 적절한 말을 채우세요.

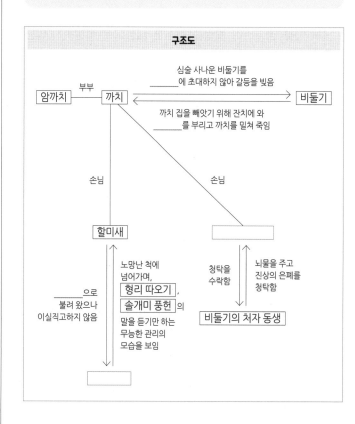

구조도

2 1~2번 문제를 풀어 보세요.

1. 〈보기〉를 참고하여 윗글을 감상한 내용으로 적절하지 <u>않은</u> 것은?

> ─── 〈보기〉 ───
>
> 「까치전」은 까치의 죽음에 대한 두 번의 재판 과정을 보여주는 송사소설이다. 특히 1차 송사는 뇌물과 청탁이 오가고 무능한 관리가 옳고 그름을 판단하지 못하는 가운데 불공정한 판결로 끝난다. 이를 통해 정의롭지 못한 세력이 탐관오리와 손잡고 선량하고 힘없는 백성을 괴롭히는 사회상을 풍자한 것이다.

① 암까치는 정의롭지 못한 세력에게 피해를 입는 인물로 볼 수 있겠군.

② 사건의 진상을 제대로 파악하지 못하고 있는 군수는 무능한 관리라 할 수 있겠군.

③ 할미새와 같이 증언을 회피하려고만 하는 인물로 인해 공정한 판결이 어려워졌겠군.

④ 비둘기를 결박하는 비금들의 등장은 탐관오리를 응징하여 불공정한 재판을 없애려는 서민들의 소망을 드러낸 것이겠군.

⑤ 두꺼비는 돈이면 뭐든지 할 수 있다는 생각을 가진 인물로, 뇌물을 받고 청탁에 관여하는 부정한 세력으로 볼 수 있겠군.

2. 인물의 말하기 방식 OX 확인 문제

① [A]는 [B]와 달리 앞으로 닥칠 부정적 상황을 암시하여 상대를 설득하고 있다.

○ ✕

② [B]는 [A]와 달리 자신의 의도를 숨기며 말하고 있다.　　　○ ✕

고전소설 독해의 STEP 3

1 선지 판단 공식을 활용하여 빈칸을 채우고 1번 문제의 선지를 OX로 판단해 보세요.

〈보기〉 문제 선지 판단의 공식

① 〈보기〉 뇌물과 청탁이 오가는 불의한 송사는 불공평한 판결로 끝나는데 이는 정의롭지 못한 세력에 의해 _____ 이 괴롭힘 당하는 사회상을 보여줌

➕ 작품 '_____의 처자 동생이 심야에 찾아가 금백주옥과 온갖 비단을 많이 주며~아무쪼록 장난을 하다 잘못하여 죽인 것으로 하여주옵소서." 동지 답하여 가로되.~"각청 두목과 제반 관속에게 뇌물 쓰고 이리이리 하면 암까치 한 마리가 어찌 할 수 없으리니 그런즉 자연스럽게 _____ 을 하다 _____ 하여 죽인 것이 되리라.'"

선지 ➡ 암까치는 정의롭지 못한 세력에게 피해를 입는 인물로 볼 수 있겠군. ○ ✕

② 〈보기〉 까치의 죽음에 대한 1차 송사는 뇌물과 청탁이 오가고 _____ 관리가 옳고 그름을 판단하지 _____ 가운데 불공정한 판결로 끝남

➕ 작품 '군수 크게 웃어 가로되, "_____ 들린 할멈이라." 하고, 등 밀어 내치매', '이때에 군수 여러 증인들을 모두 불러 문초하였으나 사실을 제대로 _____ .

선지 ➡ 사건의 진상을 제대로 파악하지 못하고 있는 군수는 무능한 관리라 할 수 있겠군. ○ ✕

③ 〈보기〉 까치의 죽음에 대한 1차 송사는 무능한 관리가 옳고 그름을 판단하지 못하는 가운데 _____ 로 끝남

➕ 작품 '할미새 생각하되, '지은 죄를 사실대로 말하면 흉악한 비둘기에게 이 늙은 것이 구박을 받을 것이요 감추거나 숨기면 중형을 당할 것이니, _____ 한 체하고 하는 것이 좋은 계책이다."

선지 ➡ 할미새와 같이 증언을 회피하려고만 하는 인물로 인해 공정한 판결이 어려워졌겠군. ○ ✕

④ 〈보기〉 불공정한 판결로 끝난 까치의 죽음에 대한 1차 송사를 통해 _____ 와 손잡고 힘없는 백성을 괴롭히는 사회상을 풍자함

➕ 작품 '암까치 대성통곡하며 달려들어 비둘기를 쥐어뜯으니, 여러 _____ 들이 달려들어 비둘기를 결박하고 인하여 관아에 _____ 하니라.'

선지 ➡ 비둘기를 결박하는 비금들의 등장은 탐관오리를 응징하여 불공정한 재판을 없애려는 서민들의 소망을 드러낸 것이겠군. ○ ✕

⑤ 〈보기〉 1차 송사는 뇌물과 _____ 이 오가고 무능한 관리가 옳고 그름을 판단하지 못하는 가운데 불공정한 판결로 끝나는데, 이를 통해 _____ 세력이 백성을 괴롭히는 사회상을 풍자함

➕ 작품 '____이면 귀신도 부린다 하였으니 염려 말라. 내 들으니 책방 구진과 수청기생 앵무새가 군수 영감의 총애를 독차지하고 있다 하니 _____ 를 드려 이리저리 방법을 써 가며 여차여차하자.', '각청 두목과 제반 관속에게 _____ 쓰고 이리이리 하면'

선지 ➡ 두꺼비는 돈이면 뭐든지 할 수 있다는 생각을 가진 인물로, 뇌물을 받고 청탁에 관여하는 부정한 세력으로 볼 수 있겠군. ○ ✕

고전소설 독해의 STEP 1

1 등장인물에 ☐ 표시를 하고 빈칸에 적절한 말을 채우세요.

(가) 정(鄭)나라 어느 고을에 벼슬에 뜻이 없는 선비가 살았으니, 북곽 선생이라 했다. 나이 마흔에 손수 교정해 낸 책이 만 권이었고, 또 구경(九經)의 뜻을 풀어서 다시 지은 책이 일만 오천 권이었다. 천자가 그의 행의(行義)를 가상히 여기고, 제후가 그 이름을 사모했다. ⎯ 정나라 어느 고을에 벼슬에 뜻이 없는 ＿＿＿＿＿＿＿＿이라는 학식 높은 이가 살고 있었는데, 천자와 제후도 이를 인정할 정도군.

그 고을 동쪽에는 동리자라는 미모의 과부가 있었다. 천자가 그 절개를 가상히 여기고 제후가 그 현숙함을 사모하여, 그 고을 몇 리의 땅을 봉하여 '동리과부지려(東里寡婦之閭)'라 했다. 이처럼 동리자는 수절을 잘하는 과부였다. ⎯ 또한 그 고을에는 천자와 제후에게 ＿＿＿와 현숙함을 인정받은 동리자라는 과부도 살고 있었어. 그런데 그녀는 아들 다섯을 두었으니, 그들은 저마다 다른 성(姓)을 지녔다. ⎯ 열녀로 표창을 받을 만큼 절개가 높은 인물로 알려져 있던 동리자에게 ＿＿이 다른 다섯 아들이 있었다는 점에서, 동리자는 세간에 알려진 것과 실제 모습이 (같은/다른) 위선적 인물이라고 볼 수 있겠네.

(나) 어느 날 밤, 다섯 아들이 서로 말했다.

"강 북쪽에선 닭이 울고 강 남쪽에선 별이 반짝이는데, 방 안에서 흘러나오는 말소리는 어찌 그리도 북곽 선생의 목소리를 닮았을까."

다섯 형제가 차례로 문틈으로 들여다보니, 동리자가 북곽 선생에게 청하고 있었다.

"오랫동안 선생님의 덕을 사모했사온데 오늘 밤엔 선생님의 글 읽는 소리를 듣고자 하옵니다."

북곽 선생이 옷깃을 바로잡고 점잖게 앉아서 시를 지어 읊었다.

"병풍에는 원앙새요 반딧불이는 반짝반짝,
가마솥과 세발솥은 무얼 본떠 만들었나.
흥(興)이라." ⎯ 다섯 아들은 밤중에 방 안에서 북곽 선생의 목소리가 들리자 의아하게 여겨 방안을 들여다보는데 북곽 선생과 어머니가 함께 있었어. 어진 인물로 알려진 북곽 선생이 과부의 집에 숨어 들어 은근한 말로 유혹하고 있다는 점에서 북곽 선생 또한 ＿＿＿＿＿적 인물이라고 볼 수 있어.

(다) 이에 다섯 아들이 서로 수군댔다.

"예법에 '과부의 문에는 함부로 들지 않는다.'고 했으니, 북곽 선생은 어진 이라 그런 일이 없을 거야."

"내 들으니, 우리 고을의 성문이 헐었는데 여우 굴이 있다고 하더군요."

"내 들으니, 여우란 놈은 천 년을 묵으면 둔갑하여 사람 시늉을 할 수 있다 하니, 저건 틀림없이 여우란 놈이 북곽 선생으로 둔갑한 것일 게다." ⎯ 다섯 아들은 북곽 선생이 훌륭한 인물이라 믿고 있기 때문에 예법을 어기고 과부의 방에 들지 않았을 것이라 생각해. 그래서 여우가 ＿＿＿＿＿한 것이라 생각하지.

그러고서 함께 의논했다.

"내 들으니, 여우의 갓을 얻으면 큰 부자가 될 수 있고, 여우의 신발을 얻으면 대낮에 그림자를 감출 수 있으며, 여우의 꼬리를 얻으면 애교를 잘 부려서 누구라도 그를 좋아한다더라. 우리 저 여우를 잡아 죽여서 나눠 갖는 게 어떨까?" ⎯ 다섯 아들은 북곽 선생으로 둔갑한 ＿＿＿＿＿를 잡아 이득을 볼 생각을 하지.

(라) 이에 다섯 아들이 같이 어미의 방을 둘러싸고 쳐들어가니 북곽 선생이 크게 놀라서 도망쳤다. 사람들이 자기를 알아볼까 겁이 나 한 다리를 목덜미에 얹고 귀신처럼 춤추고 낄낄거리며 문을 나가서 내닫다가 그만 들판의 구덩이 속에 빠져 버렸다. 그 구덩이에는 똥이 가득 차 있었다. ⎯ 놀라 도망친 북곽 선생은 자신의 정체를 감추기 위해 이상한 행동을 하다가 구덩이 속에 빠졌어. 겉과 속이 다른 북곽 선생의 타락을 똥이 차 있는 ＿＿＿＿＿ 속이라는 공간이 상징적으로 보여주는 것 같아.

장면끊기 01 북곽 선생과 동리자는 각각 덕과 절개가 높은 인물로 이름나 있었지만, 실상은 이와 (같았어/달랐어). 첫 번째 장면에서는 두 인물의 겉과 속이 다른 표리부동한 모습을 확인할 수 있지.

(마) 간신히 기어올라 머리를 내밀고 바라보니 한 범이 길을 막고 있었다. 범이 오만상을 찌푸리고 구역질을 하며 코를 싸쥐고 머리를 왼편으로 돌리며 한숨을 쉬고 말했다

"어허, 유자(儒者)여! 구리도다." ⎯ 구덩이에서 빠져나온 북곽 선생은 ＿＿을 만나는데, 그런 북곽 선생의 모습을 범이 구리다고 평가하지. 이 작품은 이처럼 동물인 범이 북곽 선생을 꾸짖는다는 점에서 우화적 기법을 사용하였음을 알 수 있어.

북곽 선생이 머리를 조아리고 엉금엉금 기어 나와서 세 번 절하고 꿇어앉아 우러러 말했다.

"범님의 덕은 지극하시지요. 대인은 그 변화를 본받고 제왕은 그 걸음을 배우며, 자식 된 자는 그 효성을 본받고 장수는 그 위엄을 취합니다. 범님의 이름은 신룡(神龍)의 짝이 되는지라, 한 분은 바람을 일으키시고 한 분은 구름을 일으키시니, 저 같은 하토(下土)의 천한 신하는 감히 아랫자리에 서옵니다." ⎯ 북곽 선생은 목숨을 구하기 위해 범의 ＿＿과 효성을 칭찬하며 자신을 천한 신하라고 낮추어 표현하는 등 아첨을 떨어. 이 작품은 이렇듯 북곽 선생을 우스꽝스럽고 비굴한 인물로 희화화함으로써 당대 양반의 위선적인 면모를 풍자하고 있다고 볼 수 있어.

범이 꾸짖었다.

"내 앞에 가까이 오지 마라. 앞서 내 듣건대, 유(儒)*란 것은 유(諛)*라 하더니 과연 그렇구나. 네가 평소에 천하의 악명을 모아 망령되게 내게 덮어씌우더니, 이제 사정이 급해지자 면전에서 아첨을 떠니 누가 곧이듣겠느냐. ⎯ 범은 평소에 천하의 악명을 모아 범에게 덮어 씌우던 북곽 선생이 ＿＿＿＿＿하는 말을 하자 꾸짖어. 천하의 원리는 하나다. 범의 본성이 악한 것이라면 인간의 본성도 악할 것이요, 인간의 본성이 선한 것이라면 범의 본성도 선할 것이다." ⎯ 범은 천하의 원리는 ＿＿＿＿＿인데 범의 본성과 인간의 본성을 다르다고 보며 선과 ＿＿＿으로 구분하는 것이 잘못되었음을 꾸짖고 있어. 범이 북곽 선생을 직설적으로 나무라는 것에서 '호질(호랑이가 꾸짖음)'이라는 이 작품의 제목의 의미를 알아챌 수 있겠지?

장면끊기 02 구덩이에서 나온 북곽 선생이 한 범과 마주치고 살기 위해 그에게 ＿＿＿＿하지만, 범은 그런 북곽 선생의 잘못을 꾸짖지. 중략 이후 변화된 상황이 나타나니 여기에서 장면을 끊을게.

(중략)

(바) 북곽 선생이 자리에서 물러나 한참 엎드렸다가 일어나 엉거주춤하더니, 두 번 절하고 머리를 거듭 조아리며 말했다.

"『맹자』에 이르기를, 비록 악한 사람이라도 목욕재계를 한다면 상제(上帝)라도 섬길 수 있다 하였사오니, 이 하토에 살고 있는 천한 신하가 감히 아랫자리에 서옵니다."

숨을 죽이고서 가만히 들어 보았다. 오래도록 아무런 분부가 없으므로 실로 황송키도 하고 두렵기도 하여 손을 맞잡고 머리를 조아리며 우러러보니 동녘이 밝았는데, 범은 벌써 가고 없었다.

마침 아침에 밭 갈러 온 농부가,

"선생님, 무슨 일로 이 꼭두새벽에 들판에 대고 절을 하시옵니까?"

라 물으니, 북곽 선생이 말했다.

"내 일찍이 들으니

'하늘이 높다 하되 머리 어찌 안 굽히며,

땅이 두텁다 하되 어찌 조심스레 걷지 않겠는가.'

하였네그려." 북곽 선생이 두려움에 고개를 들었을 때는 이미 날이 밝고 범은 떠난 뒤였어. 범이 자리를 떠난 줄도 모르고 고개를 조아린 채 절하고 있던 북곽 선생은 _____와 마주치자 하늘을 향해 절하던 척 뻔뻔한 모습을 보여. 아침 일찍부터 일하는 농부는 부지런하고 착실한 인물형이라는 점에서 북곽 선생과 (동질/**대조**)적이지만, 북곽 선생의 표리부동함은 알아채지 못하는군.

장면끊기 03 범 앞에서는 아첨하던 북곽 선생이 농부 앞에서는 어진 인물인 척 거짓말을 꾸미는 것으로 지문이 끝나고 있어.

– 박지원, 「호질」 –

*유(儒): 선비.

*유(諛): 아첨하다.

📗 1~2번 문제를 풀어 보세요.

1. 〈보기〉를 참고하여 (다)를 이해한 내용으로 적절하지 <u>않은</u> 것은?

〈보기〉

이 작품에서 다섯 아들은 북곽 선생을 여우로 여기고 있다. 이는 북곽 선생의 위선을 풍자하기 위하여 작가가 마련한 설정으로, 그들이 여우에 대해 하는 말과 행동은 북곽 선생의 성격과 행위를 암시한다.

① '여우가 사람 시늉을 한다'는 말은 북곽 선생이 진정한 선비가 아님을 암시한다.

② '여우의 갓을 얻으면 부자가 된다'는 말은 북곽 선생이 부를 이용하여 높은 벼슬을 얻었음을 암시한다.

③ '여우의 신발을 얻으면 그림자를 감출 수 있다'는 말은 북곽 선생이 농부 앞에서 자신의 치부를 감추는 행위를 예고한다.

④ '여우의 꼬리를 얻으면 애교를 잘 부린다'는 말은 북곽 선생이 범 앞에서 비위를 맞추려는 행위와 연결된다.

⑤ '여우를 잡아 죽이자'는 말은 북곽 선생이 봉변을 당할 것임을 시사한다.

2. 문학 개념어 OX 확인 문제

① (나)에 비해 (다)는 서술자의 서술 위주로 사건이 진행된다. ○ ✕

② 당시 유학자들의 허위 의식, 이중성을 우화적인 수법으로 풍자하고 있다.

○ ✕

고전소설 독해의 **STEP 2**

1️⃣ 인물 간의 관계를 고려하여 구조도의 빈칸에 적절한 말을 채우세요.

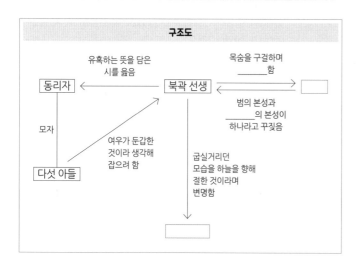

구조도

유혹하는 뜻을 담은 시를 읊음

동리자 ← 북곽 선생

목숨을 구걸하며 _____ 함 → [ ]

범의 본성과 _____의 본성이 하나라고 꾸짖음

모자

여우가 둔갑한 것이라 생각해 잡으려 함

다섯 아들

굽실거리던 모습을 하늘을 향해 절한 것이라며 변명함

[ ]

고전소설 독해의 STEP 3

1 선지 판단 공식을 활용하여 빈칸을 채우고 1번 문제의 선지를 OX로 판단해 보세요.

〈보기〉 문제 선지 판단의 공식

① | 〈보기〉 여우에 대한 다섯 아들의 말과 행동은 _____ 의 성격과 행위를 암시함 | ➕ | 작품 | (나): '방 안에서 흘러나오는 말소리는 어찌 그리도 북곽 선생의 목소리를 닮았을까.'
(다): '예법에 '과부의 문에는 함부로 들지 않는다.'고 했으니, 북곽 선생은 _____ 라 그런 일이 없을 거야.~내 들으니, 여우란 놈은 천 년을 묵으면 _____ 을 할 수 있다 하니, 저건 틀림없이 여우란 놈이 북곽 선생으로 둔갑한 것일 게다.' |

신지➡ '여우가 사람 시늉을 한다'는 말은 북곽 선생이 진정한 선비가 아님을 암시한다.　　　　○ ✕

② | 〈보기〉 여우에 대한 다섯 아들의 말과 행동은 북곽 선생의 _____ 과 행위를 암시함 | ➕ | 작품 | (가): '정나라 어느 고을에 _____ 에 뜻이 없는 선비가 살았으니, 북곽 선생이라 했다.'
(다): '저건 틀림없이 여우란 놈이 북곽 선생으로 둔갑한 것일 게다.', '내 들으니, 여우의 ____ 을 얻으면 _____ 가 될 수 있고' |

신지➡ '여우의 갓을 얻으면 부자가 된다'는 말은 북곽 선생이 부를 이용하여 높은 벼슬을 얻었음을 암시한다.　　　　○ ✕

③ | 〈보기〉 여우에 대한 다섯 아들의 말과 행동은 북곽 선생의 성격과 _____ 를 암시함 | ➕ | 작품 | (다): '내 들으니,~여우의 _____ 을 얻으면 대낮에 그림자를 _____ 수 있으며'
(바): '아침에 밭 갈러 온 농부가, "선생님, 무슨 일로 이 꼭두새벽에 들판에 대고 ____을 하시옵니까?"라 물으니, 북곽 선생이 말했다. "내 일찍이 들으니 '하늘이 높다 하되 머리 어찌 안 굽히며, 땅이 두텁다 하되 어찌 조심스레 걷지 않겠는가.' 하였네그려."' |

신지➡ '여우의 신발을 얻으면 그림자를 감출 수 있다'는 말은 북곽 선생이 농부 앞에서 자신의 치부를 감추는 행위를 예고한다.　　　　○ ✕

④ | 〈보기〉 여우에 대한 다섯 아들의 말과 행동은 북곽 선생의 성격과 행위를 암시하여 북곽 선생의 _____ 을 풍자함 | ➕ | 작품 | (다): '내 들으니,~여우의 _____ 를 얻으면 애교를 잘 부려서 누구라도 그를 좋아한다더라.'
(마): '_____의 덕은 지극하시지요.~저 같은 하토의 _____ 는 감히 아랫자리에 서옵니다.' |

신지➡ '여우의 꼬리를 얻으면 애교를 잘 부린다'는 말은 북곽 선생이 범 앞에서 비위를 맞추려는 행위와 연결된다.　　　　○ ✕

⑤

〈보기〉 여우에 대한 다섯 아들의 말과 행동은 북곽 선생의 성격과 행위를 암시하여 북곽 선생의 위선을 풍자함

➕

작품

(다): '내 들으니, 여우의 갓을 얻으면 큰 부자가 될 수 있고, ~우리 저 _____를 잡아 죽여서 나눠 갖는 게 어떨까?'
(라): '이에 다섯 아들이 같이 어미의 방을 둘러싸고 _____ _____ 북곽 선생이 크게 놀라서 도망쳤다.~문을 나가서 내닫다가 그만 들판의 구덩이 속에 빠져 버렸다. 그 _____에는 똥이 가득 차 있었다.'

실지➡ '여우를 잡아 죽이자'는 말은 북곽 선생이 봉변을 당할 것임을 시사한다.   ○ ✕

30 하루 30분, 고전소설 트레이닝

고전소설 독해의   STEP 1

1 등장인물에 ☐ 표시를 하고 빈칸에 적절한 말을 채우세요.

백선군이 잠깐 주막에서 조는데 ㉠문득 숙영낭자가 몸에 피를 흘리며 방문을 열고 들어와 선군의 곁에 앉아 슬프게 울며 말하기를,

[A]
"낭군이 입신양명하여 영화롭게 돌아오시니 기쁘기 측량 없사오나, 첩은 시운이 불행하여 세상을 버리고 황천객이 되었습니다. 전에 낭군의 편지 사연을 듣사온즉 낭군이 첩에게 향한 마음에 감격하오나, 첩은 천생연분이 천박하여 벌써 유명을 달리하였으니 구천의 혼백이라도 한스럽습니다. 숙영낭자는 몸에 피를 흘리며 문득 _____에게 와서 말을 하기 시작해. 백선군이 입신양명하여 돌아와 기쁘지만, 자신은 시운이 _____하여 혼백이 된 것을 한스러워하네. 첩이 원혼이 된 사연을 아무쪼록 깨끗이 풀어 주시기를 낭군께 부탁하오니, 낭군은 소홀히 여기지 마시고 억울한 누명을 벗겨 주시면, 죽은 혼백이라도 깨끗한 귀신이 될까 합니다." 숙영낭자는 죽은 혼백이라도 깨끗한 귀신이 되고 싶다고 하며 백선군에게 자신의 _____을 벗겨 달라고 요청해.

하고 간 데 없었다. ㉡선군이 놀라 깨어 보니 온몸에 식은땀이 나고 심신이 떨려 진정할 수가 없었다. 백선군은 _____에 나타나 피를 흘리며 말하는 _____낭자의 모습을 보고 진정할 수가 없었어. **장면끊기 01** 숙영낭자가 백선군의 꿈에 나타나 누명을 벗겨 달라고 부탁하는 장면이야. 이어지는 장면은 (꿈을 꾸는 중인/꿈에서 깨어난) 백선군이 말을 타고 이동한 이후의 사건이 나타나니 여기서 장면을 끊지! 아무리 생각해도 그 곡절을 헤아리지 못하여 인마를 재촉하여 여러 날 만에 풍산촌에 이르러 숙소를 정하였으나, 식음을 전폐하고 앉아 밤이 새기를 기다렸다. 문득 하인이 와서,

"상공(相公)께서 오셨습니다."

하고 알렸다. 선군이 즉시 밖에 나가 부친께 문안을 드리고 방으로 뫼시고 들어가서 가내 안부를 여쭈었다. 상공이 주저하며 가족들이 잘 지낸다고 알리고, 선군이 장원하여 높은 벼슬을 하게 됨을 물어 기뻐하다가 이윽고 선군에게 은근한 말로,

"㉢장부가 출세하면 두 부인을 두는 것은 예부터 흔한 일이었다. 내 들으니 이 마을 임 진사의 딸이 매우 현숙하다 하기로 내가 이미 구혼하여 임 진사에게 허락을 받았다. 이왕 이곳에 왔으니 내일 아주 성례하고 집으로 돌아감이 좋지 않겠느냐?"

하고 권하였다. _____은 선군에게 숙영낭자의 죽음을 숨기고, _____의 딸과 혼인할 것을 권해. 선군은 숙영낭자가 꿈에 나타난 뒤로 반신반의하여 마음을 진정치 못하던 차에 부친의 이런 말을 듣고 생각하되, '㉣낭자가 죽은 것이 분명하구나. 그래서 나를 속이고 임 낭자를 취하게 하여 훗날을 도모하고자 함이로다.' 하고 이에 아뢰되,

"아버님 말씀은 지당하시나, 제 마음이 아직 급하지 아니합니다. 나중에 성혼하여도 늦지 아니하오니 그 말씀은 다시 이르지 마옵소서."

하였다. 백선군은 꿈에서 만난 숙영낭자의 말을 내심 의아해하다가, 임 낭자와의 ____ ____을 권하는 상공의 말을 듣고 숙영낭자가 죽은 것을 확신하게 됐어. 이제 숙영낭자의 소원대로 억울한 누명을 벗겨 주고자 하겠지? 상공은 아들이 변심치 아니할 줄 알고 다시 말하지 못하고 밤을 지냈다. 첫닭이 울자마자 선군은 인마를 재촉하여 길에 올랐다. **장면끊기 02** 임 진사의 딸과 성례하라는 상공의 말을 들은 백선군은 _____가 죽은 것이 분명하다고 생각하게 돼. 중략 이후에는 숙영낭자의 부탁대로 그녀의 억울한 _____을 벗겨 주는 백선군의 모습이 나타나겠지?

(중략)

㉤선군이 소매를 걷고 빈소에 들어가 이불을 헤치고 보니, 낭자의 용모가 산 사람 같아서 조금도 변함이 없었다. 백선군이 집으로 돌아와 숙영낭자의 시신을 보게 된 거야. 용모가 _____ 같이 조금도 변함이 없는 모습이네. 선군이 부축하여 이르기를,

"백선군이 왔으니, 이 칼이 빠지면 원수를 갚아 낭자의 원혼을 위로하리라."

하고 몸에서 칼을 빼니, 칼이 문득 빠지며, 그 구멍에서 파랑새 한 마리가 나오며,

"매월이다, 매월이다, 매월이다."

세 번 울고 날아갔다. 다시 파랑새가 한 마리가 또 나오며,

"매월이다, 매월이다, 매월이다."

세 번 울고 날아갔다. 신기한 일이 벌어졌지? 숙영낭자의 몸에서 ___을 빼니 파랑새가 연달아 나오면서 '_____'이라는 이름을 불렀어. 아마도 숙영낭자의 억울한 죽음은 _____과 관련된 것인가 봐. 그제야 선군이 시비 매월의 소행인 줄 알고, 화를 이기지 못하여 급히 밖에 나와 형구를 벌이고 모든 노복을 차례로 신문하였다. 간악한 매월이 매를 견디지 못하여 승복하여 울며 가로되,

"상공께서 숙영낭자를 의심하시기로 제가 마침 원통한 마음이 있던 차에 때를 타서 감히 간계를 행하였으니, 함께 일을 꾸민 놈은 돌이로소이다."

하거늘, 선군이 크게 노하여 돌이를 또 때리니 돌이가 매월의 돈을 받고 시키는 대로 했노라 승복하였다. 선군이 이에 매월을 죽여 숙영낭자를 위한 제물로 삼고 제문을 읽었다. 백선군은 숙영낭자를 모함한 매월과 _____의 간계를 밝혀내고 이들을 처벌해.

[B]
"성인도 속세에 노닐고, 숙녀도 험한 구설을 만남은 예부터 없지 않았으나, 낭자같이 지극 원통한 일이 어디 다시 있으리오. 슬프다! 모두 나 선군의 탓이니 누구를 원망하리오. 백선군은 숙영낭자의 죽음이 모두 (매월/자신)의 탓이라고 말하며 괴로워하네. 오늘날 매월의 원수는 갚았으나 낭자의 화용월태를 어디가 다시 보리오. 다만 선군이 죽어 지하에 가 낭자를 좇을 것이니, 부모에게 불효가 되어도 어찌할 수 없으리로다." 백선군은 살아서는 숙영낭자를 다시 볼 수 없으니 부모님에게 _____하는 일이 되더라도 숙영낭자를 따라 죽겠다고 해.

제문 읽기를 마치매 신체를 어루만지며 통곡한 후 돌이를 본읍에 넘겨 먼 절도로 귀양 보내게 하였다.

이때 상공 부부는 선군에게 바로 이르지 아니하였다가 일이 이같이 탄로 남을 보고 도리어 무색하여 아무 말도 못하거늘 선군이 화평한 얼굴로 재삼 위로하였다. 숙영낭자가 죽은 것을 백선군에게 바로 알리지 않은 것에 대해 상공 부부는 미안해하나, 백선군은 _____한 얼굴로 부모님을 위로해. **장면끊기 03** 백선군이 _____의 원수를 갚고 원혼을 위로해 주는 것으로 지문이 끝이 났네.

– 작자 미상, 「숙영낭자전」 –

고전소설 독해의 STEP 2

① 인물 간의 관계를 고려하여 구조도의 빈칸에 적절한 말을 채우세요.

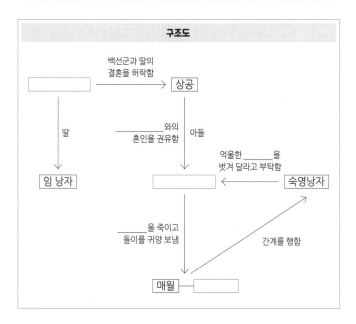

구조도

② 1~2번 문제를 풀어 보세요.

1. 〈보기〉를 참조하여 윗글을 감상한 내용으로 가장 적절한 것은?

─〈보기〉─

고전소설에서 주인공은 과제를 수행하는 경우가 많다. 과제는 여러 단계를 거쳐 수행된다. 처음에 과제를 부여받은 주인공은 왜 자신에게 그런 과제가 주어졌는지 의심한다. 더구나 방해자가 나타나 주인공의 과제 수행을 방해하기도 한다. 그러나 오히려 이 과정에서 주인공은 과제 수행자로서 자신의 정체성을 이해하고 사명감을 갖게 된다. 결국 주인공은 과제 해결에 요구되는 행위를 적극 실행하여 과제를 완수한다. 이로써 주인공은 새로운 정체성을 획득한다.

① ㉠은 과제를 부여받게 되는 단계에 해당하는데, 이를 통해 숙영낭자와 선군의 관계가 과제 수행의 전제임을 알 수 있어.

② ㉡은 과제 제시의 까닭을 의심하는 단계에 해당하는데, 이를 통해 숙영낭자가 나타나게 된 원인을 선군이 꿰뚫어 보고 있음을 알 수 있어.

③ ㉢은 과제 수행이 방해받는 단계에 해당하는데, 이를 통해 부자간의 갈등과 화해가 외부 세력에 의해 주도되고 있음을 알 수 있어.

④ ㉣은 과제에 대한 사명감을 갖게 되는 단계에 해당하는데, 이를 통해 아버지의 의사에 부응하여 도리를 다하려는 선군의 태도를 알 수 있어.

⑤ ㉤은 과제 해결이 완수된 단계에 해당하는데, 이를 통해 숙영낭자의 원한이 해소되었음을 알 수 있어.

2. 인물의 말하기 방식 OX 확인 문제

① [A]는 '꿈'이라는 상황을 활용하여 자신의 누명을 벗겨줄 것을 부탁하고 있다. ○ ✕

② [B]는 상대방의 처지를 환기하는 표현으로 시작하고 있다. ○ ✕

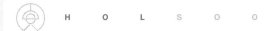
고전소설 독해의 STEP 3

1 선지 판단 공식을 활용하여 빈칸을 채우고 1번 문제의 선지를 OX로 판단해 보세요.

〈보기〉 문제 선지 판단의 공식

① 〈보기〉 고전소설에서 주인공은 _____ 를 수행하는 경우가 많음

➕

작품 '㉠문득 _____가 몸에 ___를 흘리며 방문을 열고 들어와 선군의 곁에 앉아 슬프게 _____ 말하기를, "_____이 입신양명하여 영화롭게 돌아오시니 기쁘기 측량 없사오나, ___은 시운이 불행하여 세상을 버리고 황천객이 되었습니다."'

선지 ➡ ㉠은 과제를 부여받게 되는 단계에 해당하는데, 이를 통해 숙영낭자와 선군의 관계가 과제 수행의 전제임을 알 수 있어.   ○ ✕

② 〈보기〉 처음에 과제를 부여받은 주인공은 ___ 자신에게 그런 과제가 주어졌는지 _____ 함

➕

작품 '㉡선군이 놀라 깨어 보니~아무리 생각해도 그 _____을 헤아리지 못하여'

선지 ➡ ㉡은 과제 제시의 까닭을 의심하는 단계에 해당하는데, 이를 통해 숙영낭자가 나타나게 된 원인을 선군이 꿰뚫어 보고 있음을 알 수 있어.   ○ ✕

③ 〈보기〉 _____ 가 나타나 주인공의 과제 수행을 방해하기도 함

➕

작품 '㉢장부가 출세하면 _____을 두는 것은 예부터 흔한 일이었다. 내 들으니 이 마을 _____의 딸이 매우 현숙하다 하기로 ___가 이미 구혼하여 임 진사에게 허락을 받았다. 이왕 이곳에 왔으니 내일 아주 _____하고 집으로 돌아감이 좋지 않겠느냐?', '아버지 말씀은 지당하시나, 제 마음이 아직 급하지 아니합니다.'

선지 ➡ ㉢은 과제 수행이 방해받는 단계에 해당하는데, 이를 통해 부자간의 갈등과 화해가 외부 세력에 의해 주도되고 있음을 알 수 있어.   ○ ✕

④ 〈보기〉 주인공은 _____로서 자신의 정체성을 이해하고 _____을 갖게 됨

➕

작품 '㉣_____가 죽은 것이 분명하구나. 그래서 나를 속이고 임 낭자를 취하게 하여 훗날을 도모하고자 함이로다.', "'그 말씀은 다시 이르지 _____."~첫닭이 울자마자 선군은 인마를 재촉하여 길에 올랐다.'

선지 ➡ ㉣은 과제에 대한 사명감을 갖게 되는 단계에 해당하는데, 이를 통해 아버지의 의사에 부응하여 도리를 다하려는 선군의 태도를 알 수 있어.   ○ ✕

⑤ 〈보기〉 주인공은 과제 _____ 에 요구되는 행위를 적극 실행하여 과제를 _____ 함

➕

작품 '㉤선군이 소매를 걷고 _____에 들어가 이불을 헤치고 보니, 낭자의 용모가 산 사람 같아서 조금도 변함이 없었다.', '이 칼이 빠지면 _____를 갚아 낭자의 _____을 위로 하리라.'

선지 ➡ ㉤은 과제 해결이 완수된 단계에 해당하는데, 이를 통해 숙영낭자의 원한이 해소되었음을 알 수 있어.   ○ ✕

하루 30분, 고전소설 트레이닝

고전소설 독해의 STEP 1

1 등장인물에 ☐ 표시를 하고 빈칸에 적절한 말을 채우세요.

[앞부분의 줄거리] 김선옥이 가출한 뒤 보상금에 욕심이 난 형옥은 가짜 선옥을 집으로 데려오는데, 부인 이씨만은 그가 남편이 아니라며 거부하다가 병자로 몰려 친정으로 쫓겨난다. 결국 조정에까지 이 일이 알려지면서 임금은 어사를 파견하고, 진어사는 삼 년 만에 상원암에서 진짜 김선옥을 찾는다. 그리고 이씨의 정절을 선옥에게 확인시키고자 그를 종인(從人)으로 변장시킨 후 재판을 재개한다. 이때 김선옥의 부친인 김 처사와 이씨의 부친인 이 통판을 비롯한 양가 가족들과 하인 등도 관청에 모이게 한다. 앞부분의 줄거리에 많은 인물들이 등장하네. _____ 이 집으로 데려온 가짜 선옥에게 모두가 속지만, 부인 이씨만은 가짜임을 알고 거부하다 친정으로 쫓겨나게 되었어. 진어사는 진짜 _____을 찾아내고, 양가 가족들과 하인 등을 관청에 모이게 하여 _____을 재개하지. 부인 이씨의 억울함이 어떻게 풀어질지 살펴보자!

[A] "옛말씀에 하였으되, '만승지군(萬乘之君)은 빼앗기 쉬우나 필부필부(匹夫匹婦)의 뜻은 빼앗지 못 한다.' 하였으니, 이제 왕명으로 죽이시면 진실로 달게 여기는 바이오나, 다만 부군을 만나지 못하고 죽사오면 미망인의 원혼은 구제할 것이 없을 것이요, 일후에 부군이 비록 돌아와도 진위를 분변할 자가 없사오니 지아비의 신세가 마침내 걸인을 면치 못할지라."

라고 하고 죽기를 재촉하였다. 진어사가 재개한 재판에서 이씨는 김선옥을 만나지 못하고 죽게 되면 자신의 원혼을 _____할 방법이 없고, 누가 진짜 김선옥인지 _____를 분변할 자가 없어 진짜 김선옥은 걸인 신세를 면치 못할 것이라 해. 어사가 크게 노하여,

"네 일개 요망한 여자가 심성이 교활하고 사악하여 아래로 김씨 문중의 천륜을 의심케 하고, 위로 천청(天聽)*을 놀라게 하여 조정과 영읍이 분란케 되었으매, 벌써 거리에 머리를 달아 여러 백성을 징계할 것이로되, 성상의 호생지덕(好生之德)으로 나를 보내셔서 자세히 살피라 하시어, 내 열읍에서부터 너의 요사스럽고 교활한 심정을 이미 알았으나 성상의 너그럽고 어진 도를 본받아 형장(刑杖)*을 쓰지 아니하고 좋은 말로 자식같이 알아듣도록 타일렀으니, 사람이 목석(木石)이 아니거늘 일향 고집하여 조정 명관(命官)을 무단히 면박하며 어지럽고 사나운 말로 송정(訟庭)*에 발악함이 가하겠는가?" 진어사가 사건을 조사하게 된 과정을 이야기하고 있어. 진어사는 진짜 김선옥을 찾아냈음에도 일부러 _____를 꾸짖고 있는 것 같지? 앞부분의 줄거리에 나온 대로 종인으로 변장시킨 김선옥에게 이씨의 _____을 보여 주기 위해서일 거야.

하고 종인(從人)을 꾸짖어,

"이씨를 형추(刑推)* 거행하라." 하였다.

선옥이 소리를 크게 하여 나졸을 불러,

"병인(病人) 이씨를 형추하라."

하니, 나졸들이 미처 거행치 못하여, 문득 이씨가 가마 속에서 크게 외쳐 이르기를,

"어사는 왕인(王人)*이라, 이 곧 백성의 부모요, 상하 관속(官屬)은 모두 나의 집 하인이라."

하고 가마의 주렴을 떨치고 바로 청상(廳上)에 올라 어사의 종인을 붙들고,

"장부가 어디에 갔다가 이제야 왔나뇨?"

하며 인하여 혼절하니, _____으로 변장시켰음에도 불구하고 이씨는 김선옥을 한눈에 알아봤어. 통판이 딸 아이의 혼절함을 보고 대경실색하여 약을 갈아 입에 넣고 사지를 만지며 부르짖었다. 낭자가 겨우 정신을 수습하여 눈을 들어 보니 부군이 또한 기절해 있었다. 김선옥을 다시 만난 이씨가 혼절했다가 깨어나니 이번엔 _____이 기절했어. 부친으로 더불어 치료하니, 당상 당하에서 보는 자가 놀라 괴이하게 여기지 않는 자가 없었고 처사의 부부와 송정에 있던 자가 그 곡절을 알지 못하고 면면이 서로 보아 어떻게 할 바를 깨닫지 못하며, 가짜 선옥과 형옥은 낯이 흙빛이 되어 떨기를 마지 아니하였다. 통판과 처사 부부, 재판을 지켜보던 자들은 이씨와 종인(김선옥)이 서로를 보고 기절한 모습을 괴이하게 여겨. 다만 _____과 형옥은 두려움에 떨게 되지.

장면끊기 01 재판에서 몰아붙여지던 이씨는 종인이 김선옥임을 알아채고 _____해 버려. 김선옥 역시 자신을 알아챈 이씨를 보고 기절하지. 다음 장면에서는 이씨의 절개와 지혜에 탄복한 진어사가 이씨와 선옥을 데리고 들어와 그동안의 자초지종을 이야기하도록 하니, 여기에서 장면을 끊고 가는 게 좋겠지?

이때 **어사**가 광경을 보니 이씨의 절개도 갸륵하거니와 그 선옥의 진위를 아는 지혜를 마음으로 더욱 탄복하고 몸소 창밖에 나아와 이씨와 선옥을 데리고 들어와 즉시 **이씨로 수양딸을 정**하였다. 어사는 이씨의 절개와 지혜에 _____하여 이씨를 _____로 삼게 돼. 이씨가 부녀지례(父女之禮)로 뵈니 어사가 선옥과 이씨를 가까이 앉히고 이씨더러 물었다.

"여아는 어찌 가부의 진가를 알았느뇨?"

이씨가 대답하였다.

"가부의 **앞니**에는 참깨만한 **푸른 점**이 있사오매 이로써 안 것이요, 다른 데는 저 놈과 과연 추호도 차이가 없소이다." 부모조차 알 수 없었던 진짜 김선옥을 구별할 수 있었던 이유는 앞니에 있는 _____ 때문이었구나.

어사가 그 영민함을 차탄하고 선옥에게 일러,

"너의 부인이 나의 여아가 되었으니 너는 곧 나의 사위라. 너희 둘이 이제 만났으니 각각 정회도 펴려니와 우선 네가 절에서 떠난 연고를 자세히 하여 피차 의혹되는 마음이 없게 하라."

라고 하니, 선옥이 주저하고 즉시 말을 못하였다. 어사는 선옥에게 ____에서 떠난 연고를 자세히 일러 이씨와 _____되는 마음이 없도록 할 것을 권하지만, 선옥은 주저하네. 이씨가 말하였다.

"장부가 할 말이면 반드시 실상(實相)으로 할 것이거늘 어찌 이같이 주저하느뇨?"

선옥이 그제야 이씨를 향하여 말하였다.

"내 모년월일야(某年月日夜)에 중의 의관을 바꾸어 입고 내려와 그대의 처소에 이르러 보니 그대 어떤 의관한 남자와 더불어 희롱하는 그림자가 창밖에 비쳤으매, 매우 분노하여 들어가 그대와 그 놈을 모두 죽이고자 하다가 도로 생각하니, '만일 그러하면 누명이 나타나 나의 집안의 명성이 더러워질 것이라. 차라리 내 스스로 죽어 통한한 모양을 아니 보리라.' 하고 강변에 나아가 굴원(屈原)을 찾고자 하다가 차마 물에 들지 못하고 도로 절을 향하고 오다가 또 생각하니, '내 만일 집으로 돌아가면 그 분한 심사를 항상 풀지 아니할지라. 이러할진댄 어찌 가정을 이룬 즐거움이 있으리오? 차라리 내 몸을 숨겨 세상을 하직하고 세월을 보내리라.' 하여 그 길로 운산을 바라보고 창망히 내달려 우연

히 함경도 단천 땅에 이르러 상원암이라 하는 절에 들어가 수운 대사의 상좌가 되었으나, **대인을 만나** 종적을 감추지 못하고 이 제 이같이 만났으니 알지 못하겠도다. 그때 그 사람이 어떠한 사람이더뇨?" 김선옥이 집을 떠나 _____이라는 절에 들어간 이유가 밝혀 졌어. 이씨가 어떤 의관한 남자와 _____하는 장면을 목격한 선옥은 이씨를 의심하여 괴로워하다 가출하게 된 거야.

낭자가 눈물을 흘려 의상을 적시며 이르기를,

[B]
> "장부가 이렇게 나의 마음을 모르나뇨? 이같이 의심할진 댄 어찌 그때 바로 들어와 한을 풀지 아니하였나뇨? 그때 그 사람은 지금 송정에 있으매 장부가 보고자 하나이까?"

이씨는 자신의 절개를 _____하고 떠나버린 선옥을 원망하면서 섭섭한 마음을 드러내고 있어.

하고 시비 옥란을 부르니 청하에 이르렀다. 낭자가 가리켜 말하기를,

"이 곧 그때의 의관한 남자라."

하니 선옥이 물었다.

"여자가 어찌 의관이 있으리오?"

낭자가 대답하였다.

"첩에게 묻지 말고 옥란에게 물어보소서."

하니, 선옥이 옥란에게 물었다.

"네가 육년 전 모월 모일 밤에 어떤 의관을 입었더뇨?"

옥란이 반나절이나 생각하더니 고하였다.

"소비(小婢)가 그때 아이 적이라, 낭자가 공자의 도복을 지으시매 앞뒤 수품과 길이 장단이 맞는가 시험코자 하여 소비에게 입히 시고 두루 보실 제, 소비가 어리고 지각이 없어 공자가 절에서 보낸 **갓**이 벽에 있거늘 **장난으로 내려 쓰**고 웃으며 낭자께 여쭈되, '소비가 공자와 어떠하나이까?' 하니, 낭자가 또한 웃으시고 꾸 짖어 바삐 벗으라고 하기로 즉시 벗어 도로 걸었사오니 이밖에는 의관을 입은 적이 없사옵니다."

라고 하였다. 선옥이 오해했던 의관한 남자는 이씨의 시비 _____이었어. 이로써 이씨의 억울함이 해소되었어. 선옥이 듣기를 다하고 자기의 지혜가 없음과, 빙설 같은 이씨를 의혹하던 일과, 이씨의 중간 **축출***하던 일을 일 일이 생각하니 후회막급이라. 선옥은 자신이 섣불리 이씨를 _____하고 그 때문에 이씨가 친정으로 쫓겨나게 된 일을 생각하며 _____해.

장면끊기 02 선옥이 가출한 이유는 부인 이씨의 _____을 의심했기 때문이야. 하지만 이씨와 희롱했다고 오해한 남자가 이씨의 시비 옥란임을 알게 되자 선옥은 자신의 _____ 없음과 이씨가 축출되었던 일을 생각하며 후회하게 돼.

— 작자 미상, 「화산중봉기」 —

*천청(天聽): 임금의 귀, 곧 임금을 가리킴.

*형장(刑杖): 형벌을 집행하는 도구.

*송정(訟庭): 송사를 처리하는 곳.

*형추(刑推): 죄인을 치며 죄를 캐어 물음.

*왕인(王人): 왕명에 의해 내려온 관원.

*축출(逐出): 쫓아내거나 몰아냄.

① 인물 간의 관계를 고려하여 구조도의 빈칸에 적절한 말을 채우세요.

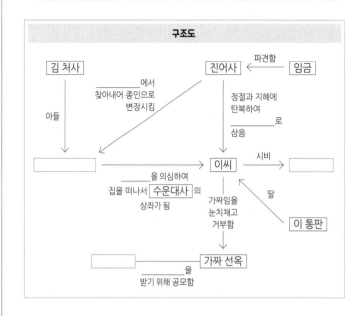

② 1~2번 문제를 풀어 보세요.

1. 〈보기〉를 바탕으로 윗글을 감상한 내용으로 적절하지 **않은** 것은?

〈보기〉

이 작품에는 고전소설의 다양한 양상이 포함되어 있다. 우선 남녀 주인공이 헤어져 고통과 시련을 겪다가 재회하는 구조가 드러난다. 또한 남자 주인공의 실종으로 인해 진가(眞假) 여부를 밝히는 재판까지 벌어지는 등 송사소설의 특징이 나타나기도 하며, 마지막으로 궁지에 몰리면서도 절개를 지키려는 여자 주인공의 모습을 통해 정절담(貞節談)의 특징도 지니고 있다.

① '어사'가 '이씨로 수양딸을 정'하는 것에는, 여자 주인공의 지조와 절개가 영향을 끼쳤다고 할 수 있군.

② '앞니'의 '푸른 점'은, 여자 주인공이 남자 주인공의 진가 여부를 판단하는 중요한 근거라고 할 수 있군.

③ '대인을 만나'게 된 사건은, 시련을 겪던 남녀 주인공이 재회하는 바탕이 되는군.

④ '갓'을 '장난으로 내려 쓰'는 것은, 여자 주인공의 정절을 시험하는 행위이자 남녀 주인공이 분리되는 원인이 되는군.

⑤ '축출하던 일'은, 남자 주인공의 실종 이후에 일어난 사건이자, 여자 주인공이 궁지에 몰렸던 상황과 관련되는군.

2. 인물의 말하기 방식 OX 확인 문제

① [A]에는 타인의 권위를 인정하는, [B]에는 타인을 원망하는 태도가 드러난다.

○ ✕

② [A], [B] 모두 자기 미래를 낙관적으로 전망하는 태도가 드러난다.

○ ✕

고전소설 독해의 STEP 3

1 선지 판단 공식을 활용하여 빈칸을 채우고 1번 문제의 선지를 OX로 판단해 보세요.

〈보기〉 문제 선지 판단의 공식

① 〈보기〉 이 작품에는 궁지에 몰리면서도 _____를 지키려는 여자 주인공이 등장함

➕ 작품 '어사가 광경을 보니 이씨의 _____도 갸륵하거니와 그 선옥의 진위를 아는 _____를 마음으로 더욱 탄복하고 몸소 창밖에 나아와 이씨와 선옥을 데리고 들어와 즉시 이씨로 _____을 정하였다.'

선지 ➡ '어사'가 '이씨로 수양딸을 정'하는 것에는, 여자 주인공의 지조와 절개가 영향을 끼쳤다고 할 수 있군. ○ ✕

② 〈보기〉 이 작품에는 남자 주인공의 실종으로 인해 _____ 여부를 밝히는 재판까지 벌어지는 등 송사소설의 특징이 나타남

➕ 작품 '가부의 앞니에는 참깨만한 _____이 있사오매 이로써 안 것이요, 다른 데는 저 놈과 과연 추호도 _____가 없도소이다.'

선지 ➡ '앞니'의 '푸른 점'은, 여자 주인공이 남자 주인공의 진가 여부를 판단하는 중요한 근거라고 할 수 있군. ○ ✕

③ 〈보기〉 이 작품에는 남녀 주인공이 헤어져 고통과 _____을 겪다가 _____하는 구조가 드러남

➕ 작품 "내 몸을 _____ 세상을 하직하고 세월을 보내리라.' 하여 그 길로 운산을 바라보고 창망히 내달려 우연히 함경도 단천 땅에 이르러 _____이라 하는 절에 들어가 수운대사의 상좌가 되었으나, _____을 만나 종적을 감추지 못하고 이제 이같이 만났으니 알지 못하겠도다'

선지 ➡ '대인을 만나'게 된 사건은, 시련을 겪던 남녀 주인공이 재회하는 바탕이 되는군. ○ ✕

④ 〈보기〉 이 작품에는 남녀 주인공이 헤어지고, _____ 이 궁지에 몰리면서도 절개를 지키려는 모습이 나타남

➕ 작품 '소비가 어리고 지각이 없어 공자가 절에서 보낸 _____이 벽에 있거늘 _____으로 내려 쓰고 웃으며 낭자께 여쭈되, '소비가 공자와 어떠하나이까?' 하니, 낭자가 또한 _____ _____ 꾸짖어 바삐 벗으라고 하기로 즉시 벗어 도로 걸었사오니'

선지 ➡ '갓'을 '장난으로 내려 쓰'는 것은, 여자 주인공의 정절을 시험하는 행위이자 남녀 주인공이 분리되는 원인이 되는군. ○ ✕

⑤ 〈보기〉 이 작품에서 남자 주인공은 _____되고, 여자 주인공은 _____에 몰리면서도 절개를 지키려는 모습을 보임

➕ 작품 '김선옥이 가출한 뒤 보상금에 욕심이 난 형옥은 _____ _____을 집으로 데려오는데, 부인 이씨만은 그가 남편이 아니라며 거부하다가 _____로 몰려 친정으로 쫓겨난다.'

선지 ➡ '축출하던 일'은, 남자 주인공의 실종 이후에 일어난 사건이자, 여자 주인공이 궁지에 몰렸던 상황과 관련되는군. ○ ✕

고전소설 독해의 STEP 1

1 등장인물에 ▢ 표시를 하고 빈칸에 적절한 말을 채우세요.

"여보 장모! 춘향이나 좀 보아야제?"

"그러지요. 서방님이 춘향을 아니 보아서야 인정이라 하오리까?"

향단이 여짜오되,

"지금은 문을 닫았으니 바라를 치거든 가사이다."

이때 마침 바라를 뎅뎅 치는구나. 향단이는 미음상 이고 등롱 들고 어사또는 뒤를 따라 옥문간 당도하니 인적이 고요하고 사정이도 간곳없네. 어사또가 자신의 _____에게 아내인 _____을 만나고 싶다고 하네. 두 사람과 향단이 도착한 곳이 _____이라고 한 것으로 보아, 춘향은 옥에 갇힌 상황인 모양이야.

장면끊기 01 어사또와 향단, 어사또의 장모가 _____을 만나기 위해 나서는 장면이야. 이후 공간이 바뀌어 ___에서 춘향과 어사또의 만남이 이루어지니, 여기서 장면을 한 번 끊을게.

이때 춘향이 비몽사몽간에 서방님이 오셨는데, 머리에는 금관(金冠)이요 몸에는 홍삼(紅衫)이라. 상사일념(相思一念) 끝에 만단정회(萬端情懷)하는 차라, 춘향은 _____한 상태에서, 출세하여 _____을 쓰고 _____을 두른 어사또를 보고 있네. 어사또를 그리워해 온 춘향의 마음이 느껴져.

"춘향아." 부른들 대답이나 있을쏘냐. 어사또 하는 말이,

"크게 한번 불러 보소."

"모르는 말씀이오. 예서 동헌이 마주치는데, 소리가 크게 나면 사또 염문(廉問)할 것이니, 잠깐 지체하옵소서."

"무어 어때, 염문이 무엇인고? 내가 부를게 가만있소! 춘향아!"

부르는 소리에 깜짝 놀라 일어나며,

"허허, 이 목소리, 잠결인가, 꿈결인가? 그 목소리 괴이하다."

어사또 기가 막혀 "내가 왔다고 말을 하소."

"왔단 말을 하게 되면 기절담락(氣絶膽落)할 것이니, 가만히 계시옵소서." _____는 자신이 왔음을 춘향이 얼른 알아줬으면 하는 모양이야. 반면 춘향의 어머니는 춘향에게 어사또가 왔다는 소식을 알리면 _____할까 봐 신중한 태도를 보이네.

춘향이 저의 모친 음성 듣고 깜짝 놀라,

"어머니, 어찌 와 계시오? 몹쓸 딸자식을 생각하와 천방지방(天方地方) 다니다가 낙상(落傷)하기 쉽소. 이훌랑은 오실라 마옵소서." 아직 어사또가 온 것을 눈치채지 못한 춘향은 어머니가 _____하여 다칠까 걱정하며 이후로는 자신을 찾아오지 말라고 해.

"날랑은 염려 말고 정신을 차리어라. 왔다."

"오다니 누가 와요?"

"그저 왔다."

"갑갑하여 나 죽겠소! 일러 주오. 꿈 가운데 임을 만나 만단정회 하였더니, 혹시 서방님께서 기별 왔소? 언제 오신단 소식 왔소? 벼슬 띠고 내려온단 노문(路文) 왔소? 애고, 답답하여라!" 춘향의 어머니가 쉽게 말을 꺼내지 않자, 춘향은 혹 _____의 기별을 알려주러 온 것인지 물으며 _____한 심정을 드러내고 있어.

"너의 서방인지 남방인지, 걸인 하나 내려왔다!" 춘향의 어머니가 어사또에게 어딘지 모르게 못마땅한 태도를 보여 온 이유가 나타나네. 어사또는 _____ 행색을 하고 찾아온 모양이야.

"허허, 이게 웬 말인가? 서방님이 오시다니 몽중에 보던 임을 생시에 본단 말가?"

문틈으로 손을 잡고 말 못하고 기색하며,

"허허, 이게 누구시오? 아마도 꿈이로다. 상사불견(相思不見) 그린 임을 이리 쉬이 만날쏜가? 이제 죽어 한이 없네. 어찌 그리 무정한가? 박명하다, 나의 모녀. 서방님 이별 후에 자나 누우나 임 그리워 일구월심(日久月深) 한(恨)일러니, 이내 신세 이리 되어 매에 감겨 죽게 되니, 날 살리러 와 계시오?" 춘향은 내내 그리워하던 어사또를 만나게 되어 죽어도 ___이 없다고 하면서도 한편으로는 죽을 위기에 처한 자신의 _____를 한탄하며 어사또가 혹시 자신을 살리러 온 것인지 기대를 드러내고 있어.

장면끊기 02 춘향이 어사또와 재회하는 장면이야. _____간에도 어사또의 모습을 볼 정도로 그리워하던 춘향이, 마침내 어사또를 만나 기뻐하고 있어. 하지만 이어지는 장면에서 이 반가움이 실망으로 전환되니, 여기서 장면을 다시 끊을게.

한참 이리 반기다가 임의 형상 자세 보니, 어찌 아니 한심하랴.

"여보 서방님, 내 몸 하나 죽는 것은 설운 마음 없소마는 서방님 이 지경이 웬일이오?" 재회에 대한 반가움을 표출하던 춘향은 어사또의 _____한 형상을 보고 놀라. 춘향의 어머니가 말했듯 어사또가 _____과 같이 초라한 모습을 하고 있기 때문이겠지.

"오냐 춘향아, 설워 마라. 인명이 재천인데 설만들 죽을쏘냐?"

춘향이 저의 모친 불러,

"한양성 서방님을 칠 년의 큰 가뭄에 백성들이 비 기다린들 나와 같이 자진(自盡)턴가. 심은 나무 꺾어지고 공든 탑이 무너졌네. 가련하다, 이내 신세, 하릴없이 되었구나. 춘향은 기다리던 어사또가 초라한 모습으로 나타난 것을 보고, 자신의 신세가 _____하다고 하며 한탄하고 있어.

어머님, 나 죽은 후에라도 원이나 없게 하여 주옵소서. **(중략)** 만수운환(漫垂雲鬢) 흐트러진 머리 이렁저렁 걷어 얹고 이리 비틀 저리 비틀 들어가서 매 맞아 죽거들랑, 삯군인 척 달려들어 둘러 업고 우리 둘이 처음 만나 놀던 ⓐ부용당(芙蓉堂)의 적막하고 요적한 데 뉘어 놓고 서방님 손수 염습(殮襲)하되, 나의 혼백 위로하여 입은 옷 벗기지 말고 양지 끝에 묻었다가, 서방님 귀히 되어 청운에 오르거든 일시도 둘라 말고 육진장포(六鎭長布) 다시 염하여 조졸한 상여 위에 덩그렇게 실은 후에 북망산천 찾아갈 제, 앞 남산 뒤 남산 다 버리고 한양으로 올려다가 ⓑ선산(先山)발치에 묻어 주고, 비문에 새기기를, '수절원사(守節冤死)* 춘향지묘(春香之墓)'라 여덟 '자만 새겨 주오. _____(조상의 무덤이 있는 산)에 묻힌다는 것은, 곧 양반 가문의 일원이었음을 인정받는다는 것을 뜻해. 춘향은 어사또가 두 사람이 처음 만났던 공간인 _____에서 자신의 시신을 _____하고, 높은 자리에 오른 뒤 선산발치에 묻고 _____를 지켜냈다는 내용의 _____을 놓아 주기를 바라고 있어. 망부석이 아니 될까. 서산에 지는 해는 내일 다시 오련마는 불쌍한 춘향이는 한번 가면 어느 때 다시 올까. 신원(伸冤)* 이나 하여 주오. 애고 애고, 내 신세야."

장면끊기 03 춘향이 _____의 초라한 모습을 보고 자신의 신세를 한탄하며, 자신이 죽은 뒤에라도 마음에 맺힌 _____을 풀어 달라고 부탁하는 장면이야.

— 작자 미상, 「열녀춘향수절가」 —

---

*수절원사: 절개를 지키다 원통하게 죽음.

*신원: 가슴에 맺힌 원한을 풀어 버림.

고전소설 독해의 STEP 2

1 인물 간의 관계를 고려하여 구조도의 빈칸에 적절한 말을 채우세요.

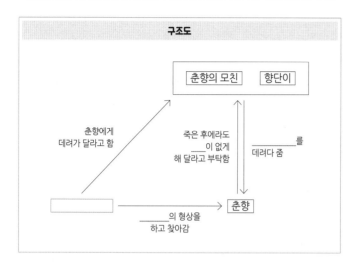

2 1~2번 문제를 풀어 보세요.

1. 〈보기〉를 참고하여 ㉠, ㉡에 대해 토의하였다. 토의한 내용으로 적절하지 <u>않은</u> 것은?

〈보기〉

「춘향전」은 춘향과 이몽룡의 신분을 초월한 사랑 이야기를 중심으로 여성의 정절 및 신분 상승의 문제를 다루면서 당대 사회에 대한 비판 의식을 드러내고 있다.

① ㉠은 춘향과 어사또의 사랑이 싹튼 곳이니까 두 사람의 추억이 어린 공간이라 할 수 있어.

② ㉠을 춘향의 혼백이 위로받는 장소로 본다면 춘향이 어사또의 사랑을 다시 확인받고자 하는 공간이라 할 수 있어.

③ ㉡은 수절원사라는 표현으로 보아 춘향의 정절에 대한 보상이 이루어지는 공간이라 할 수 있어.

④ ㉡은 춘향의 한이 풀어지는 장소이자 신분 상승을 상징하는 공간이라 할 수 있어.

⑤ ㉡은 춘향에게 정절을 강요하는 당대 사회에 대한 춘향의 비판 의식이 투영된 공간이라 할 수 있어.

2. 문학 개념어 OX 확인 문제

① 순차적 사건 진행으로 갈등이 해소되었음을 보여 주고 있다.　　　○ ✕

② 인물 간의 대화를 통해 주인공이 처한 상황과 내면을 드러내고 있다. ○ ✕

고전소설 독해의 STEP 3

1 선지 판단 공식을 활용하여 빈칸을 채우고 1번 문제의 선지를 OX로 판단해 보세요.

〈보기〉 문제 선지 판단의 공식

① 〈보기〉 「춘향전」은 _____과 _____의 신분을 초월한 사랑 이야기임

　➕

작품 '죽거들랑, 샀군인 척 달려들어 둘러업고 _____ _____㉠부용당의 적막하고 요적한 데 뉘어 놓고'

선지➤ ㉠은 춘향과 어사또의 사랑이 싹튼 곳이니까 두 사람의 추억이 어린 공간이라 할 수 있어.　○ ✕

② 〈보기〉 「춘향전」은 춘향과 이몽룡의 신분을 초월한 _____ 이야기임

　➕

작품 '㉠부용당의 적막하고 요적한 데 뉘어 놓고 _____ 손수 염습하되, 나의 혼백 위로하여'

선지➤ ㉠을 춘향의 혼백이 위로받는 장소로 본다면 춘향이 어사또의 사랑을 다시 확인받고자 하는 공간이라 할 수 있어.　○ ✕

③ 〈보기〉 「춘향전」은 여성의 _____ 및 신분 상승의 문제를 다룸

　➕

작품 '㉡선산발치에 묻어 주고, _____에 새기기를, '_____ 춘향지묘'라 여덟 자만 새겨 주오.'

선지➤ ㉡은 수절원사라는 표현으로 보아 춘향의 정절에 대한 보상이 이루어지는 공간이라 할 수 있어.　○ ✕

④ 〈보기〉 「춘향전」은 여성의 정절 및 _____의 문제를 다룸

　➕

작품 '서방님 _____ 청운에 오르거든~앞 남산 뒤 남산 다 버리고 _____으로 올려다가 ㉡선산발치에 묻어 주고', '_____이나 하여 주오. 애고 애고, 내 신세야.'

선지➤ ㉡은 춘향의 한이 풀어지는 장소이자 신분 상승을 상징하는 공간이라 할 수 있어.　○ ✕

⑤ 〈보기〉 「춘향전」은 여성의 정절 및 신분 상승의 문제를 다루면서 당대 사회에 대한 _____을 드러냄

　➕

작품 '㉡선산발치에 묻어 주고, 비문에 새기기를, '_____ 춘향지묘'라 여덟 자만 새겨 주오.'

선지➤ ㉡은 춘향에게 정절을 강요하는 당대 사회에 대한 춘향의 비판 의식이 투영된 공간이라 할 수 있어.　○ ✕

고전소설 독해의 STEP 1

❶ 등장인물에 ▢ 표시를 하고 빈칸에 적절한 말을 채우세요.

[앞부분의 줄거리] 윤 승상의 아들 지경은 사리 분별력과 문장력이 뛰어나 과거에서 장원을 한다. 지경은 사랑하는 사이인 최연화와 혼례를 올리던 중 임금의 부름을 받고 궁에 가 자신이 귀인 박 씨의 딸인 연성 옹주의 남편으로 간택된 사실을 알게 된다. 부마가 된 지경은 옹주를 멀리하고 연화를 만나기 위해 밤마다 연화의 방에 숨어들기를 반복한다. 그러던 중 지경은 연화의 부친인 최 공에게 발각된다. 주어진 상황과 인물 간의 관계를 잘 파악하고 넘어가자! 지경은 사랑하는 연화와 ____를 올리던 중 ____의 남편으로 간택되었어. 그런데 부마가 되어서도 몰래 연화를 만나고 있군.

공이 애련하여 등을 쓰다듬어 가로되,
"네 어찌 그리 미혹한가. 옹주를 중대하여 자녀를 낳고 살며 옹주를 잘 타이르면, 네 부친과 주상(主上)께 이런 절박한 사연을 고할 것인즉, 주상은 인군(仁君)이시라 허하시리니, 그때 빛나게 해로하기는 생각지 아니하고, 갈수록 옹주를 박대하며 귀인의 험담을 이르고 복성군을 미워하며, 밤을 타 도망하여 날마다 내 집에 오니, 옹주가 알면 화가 적지 아니하리니, 끝을 어이할꼬." 최 공은 지경을 ____하게(애처롭고 가엾게) 여기면서도 옹주와 잘 지내다 나중에 윤 승상과 임금에게 사연을 말씀드려 연화와 ____할 생각을 하는 대신, 옹주를 박대하고 몰래 연화를 만나러 오는 지경의 행동을 ____하다며 나무라고 있어.

부마가 가로되,
"낸들 어찌 모르리이까마는 옹주는 천하 괴물 박색이고, 귀인은 간악이 견줄 데가 없고, 복성군은 남 헐기 심한데 홍명화, 홍상이 박 귀인과 결탁하여 필연 **그윽한 흉계**를 지을지라, 옹주를 후대하고 그 당에 들었다가 멸문지환(滅門之患)을 면치 못하리니, 아내를 애중하고 옹주를 박대하면 불과 빙부와 부친의 죄가 큰즉 정배(定配)요, 적은즉 삭직(削職)이요, 소저는 귀양밖에 더 가리이까. 싫은 것을 강인하고 **그른 것을 어이 견디리이까.**" 지경은 옹주를 후대하고 박 씨의 ___에 들었다가는 가문이 모두 화를 당하는 것을 면치 못하겠지만, 연화를 아끼고 옹주를 박대하면 자신의 아버지와 ____은 귀양, 혹은 관직 박탈, ____는 귀양밖에 더 가겠냐며 싫고 그른 것을 견딜 수 없다고 말해.

공이 말이 없다가,
"어찌하든 밤이 깊었으니 들어가 자라."

장면끊기 01 ____과 ____이 대화를 나누는 부분을 첫 번째 장면으로 끊어볼 수 있겠네. 최 공은 ____가 되고도 몰래 연화를 만나러 찾아오는 지경을 꾸짖지만, 지경은 그 말을 듣지 않아.

생이 사례하고 이후로는 주야로 오니, 공과 소저가 민망하여 아무리 간하여도 듣지 아니하더니, 윤 공이 알고 불러 대책하고 옹주 궁을 떠나지 못하게 하나, 산 사람을 동여 두지 못하고, 날마다 최 씨에게 가니 옹주 어찌 모르리요. 지경은 이후로도 밤낮으로 연화를 찾아가고, 결국 ____도 이를 알게 되는군. 부마 내당에 들어간 때 옹주 가로되,

["내 비록 용렬하나 임금의 딸이요, 빙례로 부마의 아내가 되었거늘 업수이 여겨 천대하기 심하도다. 최 씨를 얻어 고혹*하였으되 태부(太夫)는 두 아내 두는 법이 없거늘, 부마 어찌 두 아내 있으리요. 최홍일은 어떠한 사람이완대 부마에게 재취를 주어 주상과 첩을 업수이 여김이 심하뇨."

[A] [옹주는 지경에게 어찌 ____의 딸인 자신을 천대하고, 부마로서 ____를 두냐고 따지고 있네.

지경이 정색하여 가로되,
"내 할 말을 옹주 하시는도다. 일국에 도령이 가득하거늘, 이미 얻은 사람을 내 어찌 조강지처를 버리고 부귀를 탐하여 옹주와 화락하리요. 옹주 만일 최 씨를 청하여 한 집에서 화목하기를 황영*을 본받을진대, 최 씨와 같이 공경하고 화락하려니와, 투기하여 나를 원망한즉 평생 박명을 면치 못하리로다." 지경은 어찌 ____인 연화를 버리고 옹주와 즐겁게 지내겠냐며, 연화를 불러 한 집에서 ____하게 지내지 않고 질투하며 지경을 ____한다면 박명(복이 없고 팔자가 사나움)을 면하지 못할 거라고 해.

옹주 웃으며 가로되,
"당초에 조강지처 있는지 없는지 내 심궁 처녀로 어찌 알리요. 상명으로 부마의 아내가 되어 나온 지 거년이나, 천대가 태심하여 행로(行路) 보듯 하니, 어찌 통한치 아니하리요." 옹주는 부마가 되기 전 지경에게 ____가 있었는지 알지 못했었구나. 또 임금의 명령으로 혼례를 했는데 지경의 ____가 심하다며 원통해하고 있어.

지경이 웃으며 가로되,
"여염 사람이 부부 간에 하사하되 옹주 너무 지극 공경하여 구실 삼아 하루에 두어 번 들어가 앉기도 편치 못하고 꿇어 앉으니 이밖에 더 공경하리요. 주상이 현명하시니 나를 그르다 아니하실지라. 본대 **간악한 후궁은 두려워 아니하나니,** 아내 사랑하는 묘리를 배우다가 가르치소서." 자신을 업신여긴다는 옹주에게 지경은 이보다 더 ____할 수 있겠냐며 비아냥거리고 있어. 그러면서 지경은 '간악한 후궁은 두려워 아니'라고 하는데, 이때 '간악한 후궁'은 귀인 ____를 가리키는 거겠지? 장모에 대해서도 지경은 부정적인 태도를 드러내고 있는 거지.

하고 크게 웃고 소매를 떨치고 나오니, 옹주 종일토록 울더니, 그 후 입궐하여 박 씨더러 일일이 고하며 설워하니, 박 씨 대로하여 상게 이대로 주하여,
"**최 씨를 없이하고 부마를 죄 주어 주오이다.**"

청하니, 종일 울던 옹주는 ____에게 찾아가 지경과의 일을 말하고, 박 씨 ____가 나서 임금에게 이를 고하는군. 장면끊기 02 이 작품은 (인물 간 대화/인물의 독백) 중심으로 전개되고 있어. 두 번째 장면은 ____와 지경의 대화 장면을 중심으로 구성된다고 볼 수 있지. 이들은 지경이 ____를 만나고 옹주를 박대하는 것으로 인해 다투고, 이 일은 ____를 거쳐 임금에게까지 전해져. 상이 윤지경을 불러 책망하여 가로되,

"네 아낸즉 옹주요 정처(正妻)란 것이 유의 중하고, 또 여염 필부 회매와 달라 금지옥엽(金枝玉葉)이어늘, 네 최 씨를 퇴채하였거늘, 퇴혼* 취하라 한 명을 거역하고 감히 교통하여 좇기를 위법하는가. 네 또 빙모*를 간악한 유로 훼방한다 하니, 네 무슨 일로 보았는가. 네 또한 빙자지의 있고 처부라 하였으니, 어버이를 훼방하는 자식이 어디 있으리요." 임금은 지경을 불러 지경의 아내는 옹주이며, 연화와 ____을 취하라 한 명령을 ____했다며 꾸짖네. 또한 박 씨를 훼방(남을 헐뜯어 비방함)한 점도 지적하지.

지경이 머리를 땅에 닿아 사죄하여 가로되,
"하교 이리하시니 황공하여이다. 신이 외람하오나 소회를 세세히 전달하리이다. 참판 최홍일은 신의 아비 종매부라. 어려서부터

죽장지의와 아비 형제지의로 신이 부형같이 공경하고 홍일이 신을 자식같이 사랑하옵더니, 조강 윤 씨 작고하옵고 후처 이 씨 들어와 생녀하오니, 자못 총혜하고 자색이 빼어나오니, 아비와 홍일이 서로 약속하여 피차 서로 소신은 최가 사위 될 줄 알고, 최 씨도 소신의 아내 될 줄 아옵더니, 지경과 연화의 부친끼리 _____ 하여 지경과 연화는 서로 부부가 될 거라고 생각했었군. 전년 봄에 혼인날을 정하와 신이 최가에 가 전안하옵고 배례를 겨우 하온 후, 명패를 급히 받아 신이 합친을 못 하고 들어오니, 부마위를 주시고 연성 옹주를 맡기시니, 신이 과연 옹주의 탓이 아니온 줄 아오되, 최 씨는 어려서부터 서로 보아 사랑하옵던 마음이 깊었삽고, 옹주로 하와 이제까지 참았사오니 부귀빈천이 다르오나, 원억*하옴은 비상지원*이 없지 아니하오리까. 연화와 혼례를 치르던 중 지경은 부마로 간택되는데, 지경은 이것이 _____은 아닌 줄 알면서도 억울한 마음을 갖고 있군. 옹주를 대접하고 최 씨를 다른 데 출가하라 하신들 언약이 깊고 빙채와 교배합환하였으니, 어찌 다른 데로 **신의를 버리고 갈 생각**을 하리이까마는, 엄교를 두려워 홍일이 신을 거절하여 오지 못하게 하오나, 홍일을 속이고 가만히 가서 만나온 일이 있사오나, 옹주 신에게 온 지 겨우 거년에 신정의 뜻을 모르며, 투기하여 신을 준책하옵다가 또 전하께 고하니 이도 여자의 부덕(婦德)이라 하시리이까." _____은 임금의 명령을 두려워하여 지경을 오지 못하게 했지만, 지경은 몰래 연화를 찾아갔다고 솔직하게 털어놓네. 한편 옹주는 _____하며 남편인 자신을 책망하고 아버지인 임금에게 고하니 지경은 이것은 부녀자의 덕행이냐고 말해.

상이 탄식하여 가로되,

"네 나이 어리되 소견이 높아 **급암*의 직간(直諫)**을 가졌도다. 그러나 옹주는 내 딸이라, 생심도 박대치 말라." 임금은 지경의 _____이 높다고 하면서도, 자신의 딸인 옹주를 _____하지 말라고 해.

장면끊기 03 임금과 지경의 대화가 제시되는 부분을 마지막 장면으로 끊어 보면 되겠지? 임금은 _____을 불러 옹주를 박대하고 귀인 박 씨를 훼방한 것에 대해 꾸짖어. 하지만 지경은 임금에게 _____에 대한 사랑과 옹주에 대한 불만을 고해.

— 작자 미상, 「윤지경전」 —

*고혹: 아름다움이나 매력 같은 것에 홀려서 정신을 못 차림.

*황영: 중국 순제의 두 황비인 아황과 여영.

*퇴혼: 정한 혼인을 어느 한 편에서 물림.

*빙모: 장모.

*원억: 원통한 누명을 써서 억울함.

*비상지원: 억울한 옥살이로 인한 원한.

*급암: 황제에게 간(諫)하는 것을 잘했던 중국 전한의 정치가.

1 인물 간의 관계를 고려하여 구조도의 빈칸에 적절한 말을 채우세요.

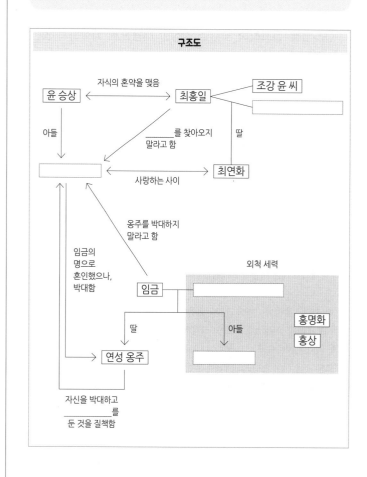

구조도

⚌ 1~2번 문제를 풀어 보세요.

1. 〈보기〉를 참고하여 윗글을 감상한 내용으로 적절하지 <u>않은</u> 것은?

〈보기〉

「윤지경전」은 애정 소설로 남자 주인공이 사랑하는 사람과의 결연을 위해 여러 장애와 시련에 맞서고 있는 것이 특징이다. 이 과정에서 최 씨를 정처 (正妻)라고 주장하면서 자신의 사랑을 지키고자 하는 주인공의 소신 있는 태도 가 부각되고 있다. 이러한 주인공의 태도는 당대 독자들에게 지지를 받을 수 있는 것이었는데, 이는 처첩(妻妾)을 엄격히 구별하고 정처에 대한 남편의 도리 를 중시했던 당대의 사회적 인식과 관련이 있다. 또한 조선 중종 때 후궁인 박 씨와 그의 아들 복성군을 중심으로 외척 세력이 형성되고 그들에 의해 정치 질서가 문란해졌던 역사적 사실을 배경으로 삼고 있는 점도 이 작품의 중요한 특징이다. 이러한 역사적 배경과 관련해 이 작품에서는 주인공의 언행을 통해 외척 세력에 대한 비판적 의식을 드러내고 있다.

① '박 귀인', '홍명화', '홍상' 등이 '그윽한 흉계'를 꾸밀 것이며 그들이 결국 큰 화를 초래할 것이라고 '지경'이 생각한 데서 외척 세력에 대한 비판적 의식이 드러나고 있다고 할 수 있어.

② '그른 것을 어이 견디리이까'라는 말은 '급암의 직간을 가졌도다'라는 '임금'의 말과 함께 소신을 굽히지 않는 '지경'의 태도를 부각해 주고 있다고 할 수 있어.

③ '간악한 후궁은 두려워 아니하나니'라는 '지경'의 말은 '최 씨'와 '옹주'의 인물 됨됨이의 차이를 드러낸 말로 처첩을 엄격히 구별했던 당대의 사회상을 보여 주는 것이라고 할 수 있어.

④ '부마를 죄 주어 주오이다'라고 말하고 있는 '귀인'은 사랑하는 사람과의 결연을 위해 '지경'이 맞서야 하는 장애에 해당한다고 할 수 있어.

⑤ '최 씨'에 대한 '신의를 버리고 갈 생각'이 없다는 '지경'의 말은 정처(正妻)에 대한 도리를 지키고자 한 것으로 당대 독자들에게 지지를 받을 수 있었던 말이라고 할 수 있어.

2. 인물의 말하기 방식 OX 확인 문제

① [A]에서 '옹주'는 '지경'에게 닥칠 일을 예견하며 태도의 개선을 요구하고 있다.

○ ✕

② [A]에서 '지경'은 자신의 입장을 밝히는 데 '옹주'가 한 말의 논리를 활용하고 있다.

○ ✕

고전소설 독해의 STEP 3

1 선지 판단 공식을 활용하여 빈칸을 채우고 1번 문제의 선지를 OX로 판단해 보세요.

〈보기〉 문제 선지 판단의 공식

① 〈보기〉 이 작품에서는 주인공의 언행을 통해 _____ 에 대한 비판적 의식을 드러내고 있음

➕

작품 '홍명화, 홍상이 박 귀인과 _____ 하여 필연 그윽한 _____ 를 지을지라, 옹주를 후대하고 그 당에 들었다가 _____ 을 면치 못하리니'

선지➡ '박 귀인', '홍명화', '홍상' 등이 '그윽한 흉계'를 꾸밀 것이며 그들이 결국 큰 화를 초래할 것이라고 '지경'이 생각한 데서 외척 세력에 대한 비판적 의식이 드러나고 있다고 할 수 있어. ○ ×

② 〈보기〉 이 작품에서는 주인공의 _____ 있는 태도가 부각되고 있음

➕

작품 '싫은 것을 강인하고 _____ _____.', '네 나이 어리되 소견이 높아 급암의 직간을 가졌도다.'

선지➡ '그른 것을 어이 견디리까'라는 말은 '급암의 직간을 가졌도다'라는 '임금'의 말과 함께 소신을 굽히지 않는 '지경'의 태도를 부각해 주고 있다고 할 수 있어. ○ ×

③ 〈보기〉 당대 사회는 _____ 을 엄격히 구별하고 정처에 대한 남편의 도리를 중시했음

➕

작품 '본대 간악한 _____ 은 두려워 아니하나니, 아내 사랑하는 묘리를 배워다가 가르치소서.'

선지➡ '간악한 후궁은 두려워 아니하나니'라는 '지경'의 말은 '최 씨'와 '옹주'의 인물 됨됨이의 차이를 드러낸 말로 처첩을 엄격히 구별했던 당대의 사회상을 보여 주는 것이라고 할 수 있어. ○ ×

④ 〈보기〉 당대 사회는 _____ 을 엄격히 구별하고 정처에 대한 남편의 도리를 중시했음

➕

작품 '_____ 대로하여 상께 이대로 주하여, "최 씨를 없이하고 부마를 ___ 주어 주오이다."'

선지➡ '부마를 죄 주어 주오이다'라고 말하고 있는 '귀인'은 사랑하는 사람과의 결연을 위해 '지경'이 맞서야 하는 장애에 해당한다고 할 수 있어. ○ ×

⑤ 〈보기〉 이 작품에서는 최 씨를 _____ 라고 주장하면서 자신의 사랑을 지키고자 하는 주인공의 소신 있는 태도가 부각되고 있음

➕

작품 '옹주를 대접하고 _____ 를 다른 데 출가하라 하신들 언약이 깊고 빙채와 교배합환하였으니, 어찌 다른 데로 _____ _____ 을 하리이까마는'

선지➡ '최 씨'에 대한 '신의를 버리고 갈 생각'이 없다는 '지경'의 말은 정처(正妻)에 대한 도리를 지키고자 한 것으로 당대 독자들에게 지지를 받을 수 있었던 말이라고 할 수 있어. ○ ×

4
주차

4주차
학습 안내

4주차에는 지금까지 배운 것을 적용하여 조금 더 수준 높고, 실전적인 학습을 해볼 거야. 우선 4주차부터는 '장면끊기'가 새로운 형태로 제시될 거야. 3주차까지 어떤 기준에 따라 장면을 끊을 수 있는지를 살펴보았으니 이를 바탕으로 스스로 장면을 끊어 가면서 지문의 흐름을 이해해 보자. 이후 '장면끊기' 표에 각 장면의 내용을 정리하면 돼. 장면을 구분하는 단서를 형광펜으로 표시해 두었으니 지문에서 해당하는 부분을 확인하면 빈칸을 채우기 어렵지 않을 거야.

4주차에 수록된 1번 문제들은 많은 학생들이 어려워했던, 비교적 오답률이 높은 것으로 골랐어. 하지만 지금까지 성실하게 학습해 왔다면 2주차와 3주차에 활용된 '선지 판단의 공식' 혹은 '<보기> 문제 선지 판단의 공식'을 채워 가며 선지의 정·오답을 정확하게 판단할 수 있을 거야. 이와 관련해 해설 책의 '함정 피하기'에서 오답을 피하고 실수를 최소화할 수 있는 방안을 설명해두었으니, 이를 통해 헷갈리거나 어려운 문제를 맞닥뜨렸을 때 어떻게 대처할 수 있는지를 알아 보자.

고전소설 독해의 STEP 1

① 등장인물에 ☐ 표시를 하고, 빈칸에 적절한 말을 채우세요.
② 시간, 공간, 서술 대상이 바뀌는 곳을 찾아 직접 장면을 3개로 나누어 보세요.

[앞부분의 줄거리] 사 씨는 유한림과 혼인하여 안정된 결혼생활을 하나 첩 교 씨의 음모로 가문에서 쫓겨난다. 사 씨는 온갖 고난을 겪다 강에 뛰어들려 하지만 여종(차환)의 만류로 뜻을 이루지 못한다. 사 씨는 통곡하다 잠들고 꿈속에서 낭랑을 만난다.

낭랑은 시비를 시켜 사 씨에게 차를 올리게 했다. 차를 마시고 사 씨에게 말했다.
"부인이 이곳에 온 지 오래되었으니 시비들이 반드시 의심할 거예요. 빨리 돌아가세요." 낭랑은 사 씨에게 이제 그만 ___에서 깨어 돌아가 라고 하네.

[A] "낭랑께서 부르시어 첩이 짧은 목숨을 겨우 이었습니다만, 실로 의탁할 곳이 없으니 돌아가 봐야 응당 물에 뛰어들 뿐입니다. 낭랑께서 첩을 비루하게 여기시지 않아 시비의 말석 옆자리에라도 머물게 허락하시면 이곳에서 낭랑을 모시며 지내고 싶습니다." 사 씨는 자신을 도와 준 낭랑에게 감사를 표하면서 현실로 돌아가지 않고 _____ 곁에서 지내고 싶다고 해.

낭랑이 웃으며 말했다.
"부인은 다른 날 마땅히 이곳으로 와서 조대가*, 맹광*과 어깨를 나란히 할 거예요. 지금은 기한이 차지 않으니 머물고자 해도 어찌 가능하겠어요? 남해도인이 그대와 깊은 인연이 있으니 잠시 의탁하도록 하세요. 이 또한 하늘의 뜻이지요." 낭랑은 후에 사 씨가 다시 이곳에 오게 될 것이라고 하며, 지금은 _____에게 의탁하라고 해.
"첩이 듣기에 남해는 세상의 한구석으로 길이 멀고 험하다 했습니다. 첩에게는 수레도 없고 양식도 없으니 어찌 갈 수 있겠습니까?"
"곧이어 반드시 인도할 사람이 생길 터이니 심려치 마세요." 낭랑은 사 씨의 앞날을 (낙관적/비관적)으로 예견하고 있네.
이어서 동쪽 벽 자리의, 얼굴이 매우 아름답고 두 눈이 별처럼 빛나는 사람을 가리키며 말했다.
"저 사람이 바로 그대가 말한 위나라의 장강*이랍니다."
또 용모가 밝은 꽃과 같고 얼굴이 수려한 사람을 가리키며 말했다.
"저 사람이 한나라의 반첩여*예요."
또 서쪽 벽 자리의, 거동이 한아하면서 얼굴이 반첩여 같은 사람을 가리키며 말했다.
"저 사람이 후한의 조대가예요."
또 얼굴이 살지고 피부가 조금 검은 사람을 가리키며 말했다.
"저 사람이 양처사의 아내인 맹 씨예요." 낭랑은 장강, 반첩여, 조대가, 맹 씨 등 부녀자의 ___을 실천한 것으로 유명한 여성들을 소개하고 있어.
사 씨가 다시 일어나 인사를 드리고 말했다.
"여러 부인께서는 첩이 평생 모시고 심부름이라도 하길 바랐던 분들이옵니다. 오늘 직접 얼굴을 뵐 수 있을 거라고 어찌 생각이나 했겠습니까?" 사 씨는 평소에도 이들을 존경해온 듯해.
네 부인은 각각 눈빛으로 마음을 보냈다.
사 씨가 절하고 물러나오는데, 낭랑이 말했다.

"힘쓰고 힘써, 선을 행하세요. 오십 년 뒤에 마땅히 이곳에서 만날 수 있을 거예요." 낭랑은 사 씨에게 ___을 행하라 권하고, 훗날을 기약하고 있어.
다시 여동에게 명해 사 씨를 모시도록 했다. 사 씨가 대전에서 내려오자마자 대전에 열두 개의 주렴이 드리워졌고, 그 소리가 땅을 흔들었다.
사 씨는 마음이 놀라 몸이 움찔했다. 유모와 차환은 사 씨가 소생한 것을 알고 큰 소리로 부르짖었다. _____이 드리워지는 소리와 함께 사 씨가 꿈에서 깨어 현실로 돌아왔어. 사 씨가 일어나 앉으니 날은 이미 저물었다.
사 씨는 정신이 어질어질하여 오랜 뒤에야 비로소 안정되었다. 차의 향은 여전히 입안에 남아 있었고 낭랑의 말도 귀에 생생했다. 사 씨는 꿈속에서 ___를 마신 일, 낭랑과 대화한 일을 모두 생생하게 느끼고 있어. 유모에게 말했다.
"내가 조금 전에 어디를 다녀왔는가?"
"부인께서 한동안 숨이 막힌 듯하더니 다시 깨어나셨습니다. 모르겠습니다, 혼백이 어디라도 다녀오셨나요?"
사 씨가 이어 꿈속에서 낭랑을 만나 서로 문답한 말을 전하고, 후원의 대숲을 가리키며 말했다.
"내가 분명히 푸른 옷의 여동을 따라서 저 길로 갔네. 자네들이 내 말을 믿지 못하겠거든 나를 따라오게."
마침내 작은 길을 따라 대숲 밖으로 가니 과연 묘당 한 채가 있었다. 현판에 '황릉묘'라 써 있으니, 정말로 아황과 여영의 묘당이었다. 묘당의 모습은 꿈속에서 본 것과 다름없었으나 단청은 떨어지고 전각은 황량했다. 묘당의 문으로 들어가 대전 위까지 올라갔다. 흙으로 빚은 두 비(妃)의 소상(塑像)이 엄연히 꿈에서 본 것과 같았다. 사 씨는 유모와 차환을 데리고 꿈속의 장소로 향했으나 아무도 없고 _____한 모습이지. 그러나 꿈에서 본 물건들을 현실의 공간에서도 발견할 수 있었어.
사 씨가 향을 사르고 공손히 아뢨다.
"천첩이 낭랑의 도우심을 입었습니다. 뒷날 하늘에서 뵙더라도 마땅히 큰 은혜를 잊지 않을 것입니다."
물러나 서쪽 행랑에 앉았다. 굶주림이 자못 심하여 차환에게 묘당을 지키는 집에서 음식을 얻어오게 했다. 세 사람이 음식을 나눠 요기하고 서로 말했다.
"묘당 근처에 의지할 만한 곳이 없으니 신령이 우리를 희롱했도다." 사 씨는 집에서 쫓겨나 유랑하던 처지이기 때문에 굶주림을 달랠 _____을 얻어와야 할 정도로 곤란한 상황이야.
그 무렵 해가 서산에 지고 달빛이 어둑했다. 갑자기 두 사람이 묘당의 문으로 들어왔다. 한동안 사 씨 일행을 바라보다가 말했다.
"이 사람이 아닐까?"
사 씨가 나아가 바라보니 한 명은 여승이요, 다른 한 명은 여동이었다. 여승과 여동이 _____를 찾아왔어.
두 사람이 말했다.
"낭자께서는 어려움을 만나 강물에 뛰어들려 하지 않았나요?" 앞부분의 줄거리를 통해 제시된 내용이네. 고난을 겪던 사 씨가 강에 뛰어들었지만 _____이 만류했다고 했는데, 갑자기 찾아온 두 사람이 이걸 어떻게 알고 있는 것일까?
세 사람이 놀라며 말했다.
"스님이 어찌 그것을 아시나요?"

여승이 놀라, 예를 올리며 말했다.

"저희는 동정호의 군산에 있습니다. 방금 비몽사몽간에 백의관음께서 말하기를 '어진 여인이 어려움을 만나 물에 뛰어들려 하니 빨리 황릉묘에 가서 구하라' 하여 배를 저어 왔더니 과연 낭자를 여기서 만나게 되었습니다. 부처님 말씀이 정말 신이하군요."

백의관음의 명에 따라 _____에 와서 사 씨를 찾은 거구나.

사 씨가 말했다.

[B] "우리는 거의 죽기 직전이었습니다. 이제 스님께서 구해 주시니, 매우 고마워 잊을 수 없을 것입니다. 하지만 스님을 따라가면 혹 암자에 폐를 끼칠까 걱정입니다."

"출가한 사람은 자비를 근본으로 삼습니다. 게다가 보살의 명까지 받았습니다. 낭자께서는 염려치 마십시오."

모두가 서로를 부축해 언덕을 내려와 배를 타고 노를 저어 갔다. 갑자기 한 줄기 순풍이 황릉묘로부터 불어와 순식간에 군산에 도착했다. 사 씨 일행은 여승과 여동의 도움을 받아 _____으로 이동했어. 군산은 그 이름처럼 동정호 칠백 리 가운데 홀로 우뚝했다. 사방이 모두 물이고 기이한 바위들이 모였으며, 대숲은 빽빽하고 솔숲은 무성하여 예로부터 사람의 발자취가 닿지 않는 곳이었다. 군산이라는 공간은 (세속적/탈속적) 공간으로 볼 수 있겠군.

— 김만중, 「사씨남정기」 —

*조대가, 맹광(맹 씨), 장강, 반첩여: 부녀자의 덕을 실천한 여성들로 알려짐.

고전소설 독해의 STEP 2

1 형광펜이 그어진 부분을 근거로 장면을 다시 한번 나누어 보고, 장면별 내용을 요약해 보세요.

장면끊기 01	사 씨는 꿈속에서 _____을 만나 차를 마시며 대화를 나누고, _____의 덕을 실천한 여성들로 알려진 이들을 만나 인사함
장면끊기 02	꿈에서 깨어난 사 씨는 _____
장면끊기 03	해가 진 뒤 여승과 여동이 사 씨를 찾아오고 두 사람의 도움으로 함께 _____에 감

---

2 인물 간의 관계를 고려하여 구조도의 빈칸에 적절한 말을 채우세요.

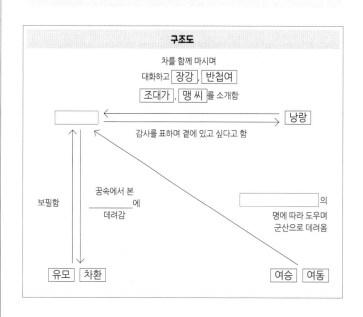

구조도

차를 함께 마시며 대화하고 [장강], [반첩여], [조대가], [맹 씨]를 소개함

□ ← 감사를 표하며 곁에 있고 싶다고 함 → 낭랑

보필함 / 꿈속에서 본 _____에 데려감

□의 명에 따라 도우며 군산으로 데려옴

[유모] [차환]   [여승] [여동]

---

3 1~2번 문제를 풀어 보세요.

1. 윗글의 내용을 잘못 이해한 것은?

① '사 씨'는 깨어난 뒤에도 꿈에서 경험한 일을 생생히 느꼈다.

② '사 씨' 일행이 찾아간 '황릉묘'는 초라하고 황량한 곳이었다.

③ '사 씨' 일행은 남에게 음식을 얻어먹어야 할 정도로 어려운 형편에 처해 있었다.

④ '사 씨' 일행은 '황릉묘'를 떠나 정처 없이 방랑하던 중에 '여승' 일행을 만났다.

⑤ '사 씨'가 도착한 '군산'은 예로부터 세속인이 쉽게 접근할 수 없는 곳이었다.

2. 인물의 말하기 방식 OX 확인 문제

① [A]에서는 과거와 현재의 상황을 대조하여 상대방의 동정심을 자아내고 있다.

○ ✕

② [B]에서는 상대에게 감사의 뜻을 표하면서도 폐를 끼칠 것을 염려하는 마음을 밝히고 있다.

○ ✕

1 선지 판단 공식을 활용하여 빈칸을 채우고 1번 문제의 선지를 OX로 판단해 보세요.

선지 판단의 공식

① 작품 사 씨는 꿈에서 깬 뒤에도 '차의 향은 _____ 입안에 남아 있었고 낭랑의 말도 귀에 _____'하게 느낌

선지 ▶ '사 씨'는 깨어난 뒤에도 꿈에서 경험한 일을 생생히 느꼈다.   O X

② 작품 꿈에서 깬 사 씨는 '작은 길을 따라 대숲 밖으로 가'서 '황릉묘'를 찾아감 → '_____의 모습은 꿈속에서 본 것과 다름없었으나 단청은 떨어지고 전각은 _____했'음

선지 ▶ '사 씨' 일행이 찾아간 '황릉묘'는 초라하고 황량한 곳이었다.   O X

③ 작품 사 씨는 '_____이 자못 심하여 차환에게 묘당을 지키는 집에서 _____을 얻어'오게 하여 '세 사람이 음식을 나눠 요기'함

선지 ▶ '사 씨' 일행은 남에게 음식을 얻어먹어야 할 정도로 어려운 형편에 처해 있었다.   O X

④ 작품 사 씨 일행은 '_____에 의지할 만한 곳이 없어'서 곤란해했음 → '갑자기 두 사람이 _____의 문으로 들어'왔고 그들은 여승과 여동이었음

선지 ▶ '사 씨' 일행은 '황릉묘'를 떠나 정처 없이 방랑하던 중에 '여승' 일행을 만났다.   O X

⑤ 작품 사 씨는 여승, 여동과 함께 '한 줄기 순풍'을 타고 '순식간에 _____에 도착'함 → 군산은 '대숲은 빽빽하고 솔숲은 무성하여 예로부터 사람의 발자취가 _____ 곳이었'음

선지 ▶ '사 씨'가 도착한 '군산'은 예로부터 세속인이 쉽게 접근할 수 없는 곳이었다.   O X

고전소설 독해의 STEP 1

❶ 등장인물에 ☐ 표시를 하고, 빈칸에 적절한 말을 채우세요.
❷ 시간, 공간, 서술 대상이 바뀌는 곳을 찾아 직접 장면을 3개로 나누어 보세요.

[앞부분의 줄거리] 정수정은 남복을 하고 전쟁에서 공을 세워 장연과 함께 제후가 된다. 정수정이 자신을 부마로 삼으려는 황제에게 여인임을 밝히고, 황제는 정수정과 공주를 장연과 혼인시킨다. 한편 정수정은 장연의 첩이 방자하게 굴자 참수한다.

궁중 상하 크게 놀라 태부인께 고한대 태부인이 대경실색하여 즉시 장 후를 불러 대책(大責) 왈

"네 벼슬이 공후에 있어 한 여자를 제어하지 못하고 어찌 세상에 행신하리오? 며느리가 되어 나의 신임하는 시비를 매로써 벌하는 것도 불가하거든 하물며 참수지경에 이르니 이는 남이 듣는다면 참으로 부끄러운 일이라." 태부인은 ____을 불러 집안을 제대로 돌보지 못해 불미스러운 일이 생겼음을 책망하고 있어. 정수정이 참수한 장연의 첩은 태부인이 신임하던 ____였구나.

하거늘 장 후가 머리를 조아리며 사죄하고 물러나서 이에 정 후의 신임하는 시녀를 잡아내어 무수 곤책하고 죽이고자 하거늘 공주와 원 부인이 힘써 간하여 그치니라. 장연은 정수정에게 앙갚음하기 위해 그녀가 신임하는 시녀를 잡아 죽이려 했지만 ____와 원 부인이 말렸어. 이후로부터 장 후가 정 후를 마뜩잖게 여겨 조석정성(朝夕定省)에 만나매 외대(外待)함이 많은지라. 정 후가 마음에 극히 불쾌하면서도 장 후의 냉대함은 거리끼지 않았다. 장연은 정수정을 냉대하고, 정수정은 이를 불쾌해하면서도 거리끼지 않으며 두 사람의 갈등이 점차 (해소되고/**깊어지고**) 있어. 일일은 중당에서 장 후를 대하여 왈

"군후가 일개 희첩으로 말미암아 첩을 깊이 한하시나 군자의 제가(齊家)하시는 근본이 아닌가 하나이다." 정수정은 장연에게 일개 ____ 때문에 자신을 원망하는 것은 가정을 돌봐야 할 ____의 자세가 아니라고 지적해.

장 후가 대로 왈

"그대 한낱 공후의 위를 믿고 여자의 경부(敬夫)하는 도리 없어 감히 가부의 희첩을 처살하여 교만 방자함이 이를 데가 없으니 가히 온순한 부덕(婦德)인가?" 장연은 정수정이 ____로서의 권위를 믿고 남편을 공경하는 여자의 도리를 다하지 않으며 첩을 죽이는 _____한 일을 벌였다고 크게 화내.

정 후가 분해하여 함루(含淚) 왈

"내 일찍 이 같음이 본대 부모 유교(遺敎)를 저버리지 못함이요, 다시 황은을 받듦으로 옛 약속을 지키기 위하여 부부 되었으나 어찌 녹록한 아녀자의 소임을 기꺼이 하리오?" 정수정은 장연과 부부가 된 것은 부모님의 ____(유언)를 따르고 황제의 은혜에 보답하기 위해서였을 뿐이라며, 자신은 평범한 아녀자의 소임을 (하겠다/**하지 않겠다**)고 말해.

하고 즉시 외당에 나와 진시회를 불러 분부하되

"내 이제 청주로 가려 하나니 군마를 대령하라."

하고 이에 정당에 들어가 태부인께 하직을 고한대 태부인 발연 왈

"어찌 연고 없이 가려 하나뇨?"

정 후 왈

"봉읍이 중대하옵고 군무 긴급하옵기 돌아가려 하나이다."

하고 공주와 원 부인을 이별하고 외당에 나와 위의(威儀)를 재촉

하여 청주에 돌아와 좌정 후 전령하여 삼군을 호상하고 무예를 연습하며 성지(城地)를 굳게 하여 불의지변(不意之變)을 방비하라 하다. 장연과 갈등을 빚던 정수정은 ____가 긴급하다는 이유로 집을 떠나 청주에 왔어. 그리고 군사들을 호령하고 ____를 연습하며 성을 방비하는 데에 힘쓰지.

차설. 이전에 철통골이 겨우 일명(一命)을 보전하여 호왕을 보고 패한 연유를 고한대 호왕이 대성통곡 왈

"허다 장졸을 죽여시니 어찌 원수를 갚지 아니하리오?" 전쟁에서 패한 ____은 많은 장졸들이 죽은 일을 원통해하며 원수를 갚으려 해.

하고 문무를 모아 대장을 의논할새 문득 한 장수가 왈

"마웅은 신의 형이라. 원컨대 병사를 주시면 당당히 형의 원수를 갚고 태종의 머리를 베어 대왕 휘하에 드리리다."

하거늘 모두 보니 이는 거기장군 마원이라. 범의 머리에 잔나비의 팔이며 곰의 등에 이리 허리니 만부부당지용(萬夫不當之勇)이 있는지라. 마웅의 동생인 ____이 나서고 있는데, 그의 외양은 많은 사람이 당해 낼 수 없을 만큼 용맹했다고 해. 호왕이 대희하여 마원으로 대원수를 삼고 철통골로 선봉장을 삼아 정병 오만을 징발하여 출사할새 수삭지내(數朔之內)에 하북 삼십여 성을 항복받고 이미 양성에 다다랐는지라. 마원과 _____을 비롯한 호국의 군사들은 여러 성을 함락시키며 진격하고 있어.

양성 태수 범규홍이 대경하여 바삐 상표 고변한대 상이 대경하사 문무를 모아 의논할새 제신(諸臣)이 다 정수정 아니면 대적할 자 없나이다 하거늘 상 왈

"전일에는 정수정이 남장한 줄 모르고 전장에 보냈거니와 이미 여자인 줄 알진대 어찌 만 리 전진에 보내리오?"

제신 왈

"차인이 비록 여자이나 하늘이 각별 폐하를 위하여 내신 사람이오니 폐하는 염려 마소서." 황제는 정수정이 ____라는 이유로 전장에 보내는 것을 망설이지만 신하들은 _____이 아니면 적들을 ____할 수 없다고 하며 황제를 설득해.

하거늘 상이 마지못하여 사관(仕官)을 청주에 보내어 정 후를 명초(命招)하신대 정 후가 대경하여 즉시 사관을 따라 황성에 이르러 입궐 숙사하니 상이 반기시며 왈

"이제 국운이 불행하여 북적(北狄)이 다시 일어나 여차여차 하였다 하니 가장 위급한지라. 만조가 경을 천거하나 짐이 차마 경을 전장에 보내지 못하여 의논함이니 경의 소견이 어떠하뇨?" 황제는 우선 정수정을 황성으로 불러 ____을 물어보네.

정 후가 왈

"신첩이 규중에 침몰하오나 성은을 감축하옵는 바라. 차시를 당하여 어찌 안연히 앉아 있으리잇고? 신첩의 몸이 바스러지는 한이 있더라도 북적을 소멸하여 천은을 만분지일이나 갚사올까 바라나이다." 정수정은 황제의 은혜에 감사함을 표하며 전장에 나서 ____을 소멸하겠다고 해.

(중략)

원수가 소와 양을 잡아 삼군을 위로할새 원수 또한 술이 연하여 나와 취흥이 도도하매 문득 생각하고 좌우를 호령하여 중군 장연을 나입하라 하니, 무사 쇠사슬로 장연의 목을 옭아 장하에 이르매 장 후 꿇지 아니하거늘 원수가 대로 왈

"이제 도적이 지경을 침노함에 황상이 근심하사 나로 도적을

막으라 하시니 내 황명을 받자와 주야로 근심하거늘 그대는 어찌하여 막중 군량을 때에 맞추어 대령치 아니하였느뇨? 장령을 어긴 죄를 면치 못하였는지라. 군법은 사사 없으니 그대는 나를 원(怨)치 말라." 원수는 전장의 군사들을 위로하는 잔치 자리에서 _____이 오르자 장연을 잡아들여 _____을 때에 맞게 대령하지 않아 군법을 (어긴/지킨) 것을 탓하고 있어.

하고 무사를 명하여 내어 베라 한대 장 후가 대로 왈

"내 비록 용렬하나 그대의 가부이거늘 소소 혐의로써 군법을 빙자하고 가부를 곤욕하니 어찌 여자의 도리이오?" 장연은 정수정의 말에 잘못도 빌지도 않고, 오히려 정수정이 군법을 _____하여 남편을 곤욕스럽게 한다며 화를 내고 있지.

하거늘 원수가 차언(此言)을 듣고 항복을 받고자 하는 뜻이 더욱 강해져 짐짓 꾸짖어 왈

"그대 일의 형세를 모르는도다. 국가 중임을 맡음에 그대는 내 수하에 있는데 그대 이미 범법하였은즉 어찌 부부지의를 생각하여 군법을 착란케 하리오. 그대 나를 초개(草芥)같이 여기는데 내 또한 그대 같은 장부는 원치 아니하노라."

하고 무사를 재촉하는지라. 정수정은 장연의 _____을 받을 생각으로 더욱 강하게 몰아붙이고 있네. 이미 법을 어겼으니 _____ 사이인 것은 소용이 없다며 꾸짖고 있어.

– 작자 미상, 「정수정전」 –

2 인물 간의 관계를 고려하여 구조도의 빈칸에 적절한 말을 채우세요.

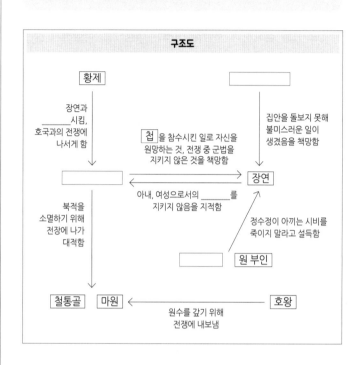

고전소설 독해의 **STEP 2**

1 형광펜이 그어진 부분을 근거로 장면을 다시 한번 나누어 보고, 장면별 내용을 요약해 보세요.

장면끊기 01	장연의 첩을 _____한 사건으로 정수정과 장연은 갈등하게 되고, 이후 정수정은 군사 업무를 이유로 집을 떠나 _____에 감
장면끊기 02	전쟁에서 패했던 호왕은 _____를 갚기 위해 다시 군사를 꾸려 침략을 하고, 이에 신하들은 _____을 다시 전장에 내보내자고 함
장면끊기 03	원수가 된 정수정은 전장에서 _____

3 1~2번 문제를 풀어 보세요.

1. 〈보기〉를 참고하여 윗글을 이해한 내용으로 적절하지 <u>않은</u> 것은?

〈보기〉

조선 후기에는 남성 중심의 가부장제에 균열이 생겨 여성의 역할에 대한 새로운 인식이 나타났다. 하지만 여전히 가부장제 질서를 중시하는 분위기가 만연하여 가부장의 권위를 약화시키려는 것을 억누르는 태도 역시 강하게 나타났다. 이와 같은 사회상을 반영하고 있는 이 작품은 여성을 주인공으로 삼아, 가부장적 질서에 대응하며 사회에서 공적 역할을 수행하는 능력을 인정받는 새로운 여성상을 보여 주고 있다.

① 장연을 만류하는 공주와 원 부인의 행동에서, 여성의 역할에 대한 새로운 인식을 엿볼 수 있겠군.

② 장연을 질책하는 태부인의 말에서, 남성 중심의 가부장제 질서를 중시하는 태도를 엿볼 수 있겠군.

③ 제신들이 황제에게 정수정을 천거하는 것에서, 공적 역할의 수행 능력을 인정받은 여성의 모습을 발견할 수 있겠군.

④ 장연이 정수정에게 경부하는 도리가 없음을 책망하는 것에서, 가부장의 권위를 약화시키려는 것을 억누르는 태도를 확인할 수 있겠군.

⑤ 정수정이 녹록한 아녀자의 소임을 기꺼이 할 수 없다고 말한 것에서, 가부장적 질서에 대응하는 새로운 여성상의 일면을 찾아볼 수 있겠군.

2. 문학 개념어 OX 확인 문제

① 비유적 서술을 통해 인물의 특성을 부각하고 있다.　　　　○ ✕

② 대화를 통해 인물 간의 갈등을 제시하고 있다.　　　　○ ✕

고전소설 독해의 STEP 3

① 선지 판단 공식을 활용하여 빈칸을 채우고 1번 문제의 선지를 OX로 판단해 보세요.

〈보기〉 문제 선지 판단의 공식

①
〈보기〉
조선 후기에는 남성 중심의 가부장제에 균열이 생겨 여성의 역할에 대한 _____이 나타남

➕

작품
'장 후가 머리를 조아리며 사죄하고 물러나서 이에 정 후의 신임하는 시녀를 잡아내어 무수 곤책하고 죽이고자 하거늘 공주와 원 부인이 힘써 _____ 그치니라.'

선지 ➡ 장연을 만류하는 공주와 원 부인의 행동에서, 여성의 역할에 대한 새로운 인식을 엿볼 수 있겠군. ○ ✕

②
〈보기〉
조선 후기에는 _____의 가부장제에 균열이 생겨 여성의 역할에 대한 새로운 인식이 나타났지만, 여전히 가부장제 질서를 _____하는 분위기가 만연했음

➕

작품
'태부인이 대경실색하여 즉시 장 후를 불러 _____ 왈 "네 벼슬이 공후에 있어 한 여자를 _____ 하지 못하고 어찌 세상에 행신하리오?"'

선지 ➡ 장연을 질책하는 태부인의 말에서, 남성 중심의 가부장제 질서를 중시하는 태도를 엿볼 수 있겠군. ○ ✕

③
〈보기〉
이 작품은 여성을 주인공으로 삼아, 가부장적 질서에 대응하며 사회에서 _____을 수행하는 능력을 인정받는 새로운 _____을 보여 줌

➕

작품
'상이 대경하사 문무를 모아 의논할새 제신이 다 _____ _____ 아니면 대적할 자 없나이다 하거늘', '차인이 비록 _____이나 하늘이 각별 폐하를 위하여 내신 사람이오니 폐하는 염려 마소서.'

선지 ➡ 제신들이 황제에게 정수정을 천거하는 것에서, 공적 역할의 수행 능력을 인정받은 여성의 모습을 발견할 수 있겠군. ○ ✕

④
〈보기〉
조선 후기에는 남성 중심의 가부장제에 _____이 생겼으나, 가부장의 권위를 약화시키려는 것을 _____ _____ 역시 강하게 나타남

➕

작품
'장 후가 대로 왈 "그대 한낱 공후의 위를 믿고 여자의 _____ 하는 도리 없어 감히 가부의 희첩을 처살하여 교만 방자함이 이를 데가 없으니 가히 _____ 인가?"'

선지 ➡ 장연이 정수정에게 경부하는 도리가 없음을 책망하는 것에서, 가부장의 권위를 약화시키려는 것을 억누르는 태도를 확인할 수 있겠군. ○ ✕

⑤
〈보기〉
_____
_____
_____
_____
_____

➕

작품
'정 후가 분해하여 함루 왈 "내 일찍 이 같음이 본대 부모 유교를 저버리지 못함이요, 다시 황은을 받듦으로 옛 약속을 지키기 위하여 _____ 되었으나 어찌 _____ _____의 소임을 기꺼이 하리오?"'

선지 ➡ 정수정이 녹록한 아녀자의 소임을 기꺼이 할 수 없다고 말한 것에서, 가부장적 질서에 대응하는 새로운 여성상의 일면을 찾아볼 수 있겠군. ○ ✕

고전소설 독해의 STEP 1

1 등장인물에 ☐ 표시를 하고, 빈칸에 적절한 말을 채우세요.
2 시간, 공간, 서술 대상이 바뀌는 곳을 찾아 직접 장면을 3개로 나누어 보세요.

[앞부분의 줄거리] 채봉과 장필성은 혼약을 하지만, 김 진사는 허 판서에게 돈을 주는 것과 채봉을 허 판서의 첩으로 들이는 것을 대가로 벼슬을 약속받는다.

김 진사 내외가 상경하여 이왕 객줏집으로 임시 거처를 정하고, 이튿날 허 판서를 가서 보니, 허 판서가 김 진사를 보고 반겨,

"아! 김 현감 오시나. 그래 올라오는데 노독이나 아니 났나? 자, 우선 급한데 과천 현감을 구경하려나."

하더니, 문갑에서 현감 칙지*를 내어 주는지라. 김 진사가 칙지를 보고 가슴이 주저앉으며 혼 빠진 사람처럼 앉아서 눈물만 흘리고 받지를 못한다. 허 판서가 거동을 보고 껄껄 웃으며,

"왜 그래? 너무 반가워서 그러하지."

김 진사가 일어나 절을 하여 칙지를 받아 앞에 놓고,

"대감 혜택으로 천은을 입었습니다마는, 운수가 불길하여 올라오다가 죽을 풍파를 겪고 올라왔으나, 대감 뵈올 낯이 없습니다."

김 진사는 ＿＿을 바치고 자신의 딸 ＿＿＿＿을 허 판서의 첩으로 들이는 것을 대가로 과천 ＿＿＿＿＿ 자리를 약속받았어. 하지만 어쩐 일인지 눈앞의 칙지를 보고도 눈물만 흘리네. 아마 김 진사가 겪은 ＿＿＿＿＿＿＿＿로 인해 허 판서에게 대가를 지급하지 못하게 되었기 때문이겠지.

허 판서가 깜짝 놀라며,

"응, 그게 무슨 소리냐? 풍파를 겪다니?"

김 진사가 전후의 말을 다하니, 허 판서가 별안간 눈이 실쭉하여지며, 조금도 가엾은 생각이 없이,

"허! 이런 맹랑한 놈 보아! 제가 어찌하였든지 과천 현감은 할 터이니까, 내려갈 때에는 허락을 다하고 지금은 딴소리를 해."

허 판서는 대가를 받지 못하게 되었음을 알게 되자 더 이상 ＿＿＿＿＿＿에게 호의적인 태도를 보이지 않아.

하며, 부르르 놀라는 체하고 김 진사의 얼굴을 훑어보며,

"대단히 놀라운 말일세. 재물은 도적이 가져갔거니와, 딸이야 못 찾아 가지고 온단 말인가?"

"아무리 찾아도 찾을 수가 있어야지요. 대감 위력이나 빌어 가지고 찾고자 하여 올라왔습니다."

허 판서가 왈칵 성을 내어 큰 소리로 꾸짖어 가로되,

"이놈, 부모가 되어서 난(亂)중에 자식을 잃고 찾을 생각도 아니하고, 뉘 위력을 빌어서 찾으려고 내버리고 왔어. 맹랑한 놈."

＿＿＿＿＿에게 재물을 잃고, 딸도 찾지 못한 김 진사는 허 판서의 ＿＿＿＿＿을 빌어 딸을 찾고자 했나 봐. 허 판서는 그런 김 진사를 꾸짖으며 화를 내고 있네.

하더니, 하인을 불러서 구류를 시키라 하며,

"이놈, 네 딸을 데려오든지, 그렇지 않으면 돈 오천 냥을 마저 바치든지 해야 무사하리라. 이놈아, 이따위 소리를 뉘 앞에서 하느냐. 시골 내려간 동안에 주선을 다 해서 주마고 하였더니, 현감은 할 터이니까, 지금 와서 그까짓 소리를 한단 말이냐."

하고, 다시 말할 새 없이 가두더라. 약속한 대가를 전하지 못한 김 진사는 결국 허 판서에게 붙잡혀 ＿＿＿＿＿되고 마네. 딸인 채봉을 찾아 데려오든지, 돈 ＿＿＿＿ 냥을 마련하든지 해야만 무사히 풀려날 수 있는 위기에 처했어.

(중략)

이때 채봉은 취향과 약속한 후 만리교에서 이 부인이 잠든 틈을 타서 도망하여 취향과 취향 어미를 데리고 평양으로 도로 내려와 취향의 집에서 있으며, 부친의 기별을 기다리고, 차차 길을 얻어 장필성에게 통하려고 우선 서화(書畵)에서 즐거움을 찾고 있었다. 채봉이는 만리교에서 도적이 들기 전 두어 식경이나 앞서 도망한 고로, 김 진사가 그 지경이 된 줄 모르고 있더라. 김 진사가 재물과 딸을 모두 잃은 것은 ＿＿＿＿＿에서 있었던 일이구나. 채봉은 이 부인이 잠든 새 도망쳐서 ＿＿＿＿에 있는 취향의 집에 가 있었으며 김 진사에게 무슨 일이 벌어졌는지 모르고 있었다는 정황이 드러나. 이때 부인이 주야 열흘 만에 평양에 당도하니 어디로 가리오. 속으로 생각하되,

'애기가 이리로 오면 필연 취향의 집으로 왔을 터이니, 취향의 집으로 찾아가는 것이 옳다.'

하고 대동문을 들어서며 좌우를 돌아보고, 탄식하는 말이,

"㉠산천과 물색은 의구하다마는 나는 불과 한 달 동안에 행색이 이렇게 초췌하여졌단 말이냐?" 이 부인도 ＿＿＿＿＿으로 와서, 채봉을 찾아 취향의 집으로 가려 해. 남편인 김 진사가 구류된 뒤 편치 않은 시간을 보냈는지, ＿＿＿＿＿해진 자신의 행색에 대해 탄식하고 있어.

이렇듯 한숨지으며 고을에 들어서서 취향의 집으로 들어가니, 이때 채봉은 취향을 데리고 선후 방침을 의논하며 앉았는데, 이 부인이 안으로 들어오며 취향부터 부른다.

"취향아, 취향아!"

채봉과 취향이 부인의 음성을 어찌 모르리오. 한걸음에 우르르 뛰어나오는데, 이 부인이 미처 채봉은 보지 못하고 앞선 취향부터 보고,

"취향아, 우리 댁 아기씨 여기 왔니?"

채봉이 급히 이 부인의 손을 잡고,

"어머니, 나 여기 있소." ＿＿＿＿＿＿에서 이 부인과 채봉이 재회했어.

이 부인이 얼싸안고,

"이 일을 어찌하면 좋단 말인가? 우리 집이 오늘날같이 불시에 망할 줄을 꿈에나 생각하였을까?"

채봉이 이 말을 듣고 소스라쳐 놀라 울며,

"망하다니! 불초녀(不肖女)로 무슨 풍파가 났소?" 아버지인 김 진사에게 무슨 일이 있었는지 알지 못했던 채봉은, 이 부인의 말에 놀라고 자신 때문에 무슨 ＿＿＿＿＿가 발생한 것인가 하며 울음을 터뜨리고 있어.

이 부인이 정신을 진정하고 방으로 들어가 앉으며,

"어떻게 되어서 네가 이리로 왔니?"

채봉이 부인의 행색을 보고, 이 말에는 대답을 아니하고 도리어 묻기부터 한다.

"글쎄 어머니, 나 여기에 온 것을 장차 이야기할 것이니, 어머니의 이야기부터 하시오. 아버지는 어디 계시며, 어머니는 무슨 일로 이렇듯이 혼자 오시오?" 이 부인은 ＿＿＿＿이 사라진 경위가 스스로 도망친 것이었음을 (모르고/알고) 있었나 봐. 어쩌다가 취향의 집으로 왔냐는 물음에 채봉은 대답하지 않고, 먼저 ＿＿＿＿＿＿에게 무슨 일이 있었는지 묻네.

하는데, 부인은 한참 동안 가슴이 답답하여 앉았다가, 만리교에서 도적을 만난 일과, 서울에 갔다가 허 판서가 영감을 가두고 억박지르던 말을 다 하며,

"이를 어떻게 하면 좋으냐? 돈을 오천 냥을 하여 놓든지, 너를

데려오든지 하라 하니, 너는 아버지를 살리려거든 나와 같이 서울로 올라가자."

채봉이 이 말을 듣고 눈물을 머금고 지난날 만리교 주막에서 취향과 약속하고 밤중에 도망하여 온 말을 대강하여 말하고,

"어머니, 나는 죽어도 서울로 올라가기는 싫소. 이 자식은 죽은 걸로 아십시오." 이 부인은 김 진사가 허 판서에게 붙잡혀 갇힌 상황을 전해. 하지만 채봉은 _____에 올라가는 것은 싫다고 하네. 서울에 간다는 것은 곧 _____의 첩이 된다는 뜻이니, _____과 혼약한 사이인 채봉은 이를 거부할 수밖에 없겠지.

"네가 아니 가면 아버지는 아주 돌아가시란 말이냐. 너를 찾아 놓든지, 돈을 해서 놓아라 하니, 너라도 가야지."

채봉이 묵묵히 앉아서 홀로 사세를 생각하니,

'ⓛ가련한 부모는 이미 범의 아구리에 들었으며, 가산은 탕진한 것과 다를 바가 없고, 이 몸은 죽어도 먹은 마음 변할 생각이 없으니 이 일을 어찌하리오. 내가 올라가면 장필성의 죄인이 될 것이요, 돈도 못 하고 나도 아니 올라가면 부모는 환란을 면하지 못할 것이니 차라리 이 몸이 죽으면 모를까. 죽으면 나는 허물이 없는 사람이 되려니와, 늙고 병든 부모는 속절없이 죽는 사람이라. 죽기도 살기도 어려우니 슬프다. 천지가 광활하나 가련한 박명 여자의 한 몸을 용납할 곳이 없는가. 세상에 뉘가 만일 돈을 주어 내 부모를 구하게 하는 사람이 있으면, 나를 데려다가 종 노릇을 시키거든 종 노릇을 하고, 기생 노릇을 시키거든 기생 노릇이라도 하리라.'

이와 같이 결심하니, 세상에 한없는 것은 눈물이라. 부모님은 위기에 빠졌지만 자신도 마음을 바꿀 수 없고, 죽기도 살기도 어려운 진퇴양난의 상황이야. 하지만 _____을 배신하고 서울로 올라갈 수는 없던 채봉은 ___을 마련하기 위해 무엇이든 하기로 결심해. 그러면서 흘리는 _____은 채봉의 서러운 심정을 나타내지.

– 작자 미상, 「채봉감별곡(彩鳳感別曲)」 –

*칙지: 왕이 내린 명령.

고전소설 독해의 STEP 2

1 형광펜이 그어진 부분을 근거로 장면을 다시 한번 나누어 보고, 장면별 내용을 요약해 보세요.

장면끊기 01	김 진사 내외는 서울로 상경한 이튿날 허 판서에게 가서 도적에게 _____을 잃고 _____ 또한 찾을 수 없는 사정을 전하고, 이를 들은 _____는 분노하며 김 진사를 구류함
장면끊기 02	이때 채봉은 _____에서 도망한 뒤 평양으로 내려와 _____의 사정을 알지 못한 채 취향의 집에서 머물고 있었음
장면끊기 03	이때 열흘 만에 평양에 있는 취향의 집으로 찾아온 이 부인은 _____에게 김 진사의 사정을 전하고, 채봉은 _____로 올라갈 것을 거부하며

---

2 인물 간의 관계를 고려하여 구조도의 빈칸에 적절한 말을 채우세요.

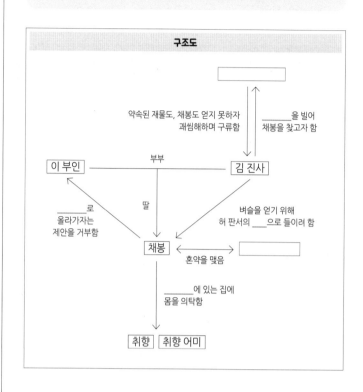

구조도

---

3 1~2번 문제를 풀어 보세요.

1. 윗글에 대한 이해로 가장 적절한 것은?

① 이 부인은 재물을 잃은 것이 채봉의 탓이라고 생각했다.

② 채봉은 도망 후 부모와 연을 끊으려고 취향의 집에 숨었다.

③ 김 진사는 허 판서에게 채봉을 찾아 데려오겠다고 약속했다.

④ 채봉은 이 부인과 재회한 후, 도망 온 대강의 사연을 이 부인에게 말했다.

⑤ 김 진사는 허 판서와의 약속을 지키지 못했기 때문에 칙지를 받는 것을 끝까지 거부했다.

2. 문학 개념어 OX 확인 문제

① ㉠에서는 자연과 대비되는 '이 부인'의 상황을 제시하여 '이 부인'의 암담한 처지를 드러내고 있다.   ○ ✕

② ㉡에서는 비유적 표현을 통해 채봉의 '부모'가 직면한 상황의 절박함을 드러내고 있다.   ○ ✕

고전소설 독해의 **STEP 3**

1 선지 판단 공식을 활용하여 빈칸을 채우고 1번 문제의 선지를 OX로 판단해 보세요.

선지 판단의 공식

① **작품** 이 부인은 '돈을 _____을 하여 놓든지, 너를 데려 오든지 하라'고 한 허 판서의 말을 _____에게 전하며, '너는 아버지를 살리려거든 나와 같이 서울로 올라가'자고 함

선지 이 부인은 재물을 잃은 것이 채봉의 탓이라고 생각했다.
○ ✕

② **작품** 채봉은 '만리교에서 이 부인이 잠든 틈을 타서 _____' 하여 '평양'에 있는 '취향의 집에서 있'으면서 '_____ _____을 기다리고, 차차 길을 얻어' 가고자 함

선지 채봉은 도망 후 부모와 연을 끊으려고 취향의 집에 숨었다.
○ ✕

③ **작품** 김 진사는 '____이야 못 찾아 가지고 온단 말인가?'라는 허 판서의 말에 '아무리 찾아도 찾을 수가 있어야지요. _____ _____ 하여 올라왔습니다.'라고 답함

선지 김 진사는 허 판서에게 채봉을 찾아 데려오겠다고 약속했다.
○ ✕

④ **작품** 채봉은 이 부인의 사연을 전해 들은 후 '눈물을 머금고 _____ 만리교 주막에서 취향과 약속하고 _____ _____ 말을 대강하여 말'함

선지 채봉은 이 부인과 재회한 후, 도망 온 대강의 사연을 이 부인 에게 말했다.
○ ✕

⑤ **작품** 김 진사는 '죽을 풍파'로 인해 '허 판서에게 _____ _____과 채봉을 허 판서의 첩으로 들이는 것'을 하지 못하게 되어, '칙지'를 보고도 '가슴이 주저앉으며 혼 빠진 사람처럼 앉아서 _____ _____'함, 그 후 '절을 하여 칙지를 _____ 앞에 놓'음

선지 김 진사는 허 판서와의 약속을 지키지 못했기 때문에 칙지를 받는 것을 끝까지 거부했다.
○ ✕

고전소설 독해의 STEP 1

1. 등장인물에 ☐ 표시를 하고, 빈칸에 적절한 말을 채우세요.
2. 시간, 공간, 서술 대상이 바뀌는 곳을 찾아 직접 장면을 3개로 나누어 보세요.

[앞부분 줄거리] 옹고집은 성격이 고약한 부자이다. 어느 날 옹고집 앞에 가짜 옹고집이 나타나, 서로가 자신이 진짜라고 주장한다.

[A]
두 옹고집이 송사 가는 제, 읍내를 들어가니 짚옹고집 거동 보소. 가짜 옹고집은 ___으로 만들어진 존재라 서술자가 짚옹고집이라 부르는 것 같아. 주저 없이 제가 앞에 가며 읍의 촌가인 하나와 만나 보면 깜짝 반겨 두 손을 잡고, "나는 가변을 송사하러 가는지라. 자네와 나와 아무 연분에 서로 알아 죽마고우로 지냈으니 나를 몰라볼쏘냐."

또 하나를 보면, "자네 내게서 아무 연분에 돈 오십 냥을 취하여 갔으니 이참에 못 주겠느냐. 노잣돈 보태 쓰게 하라."

또 하나 보면, "자네 쥐골평 논 두 섬지기 이때까지 소작 할 제, 거년 선자(先資)* 스물닷 말을 어찌 아니 보내는가." 짚옹고집은 참옹고집보다 ___에 가며 마을 사람들을 보면 먼저 인사하거나 이런 저런 말을 건네.

이처럼 하니 참옹고집이 짚옹고집을 본즉 낱낱이 내 소견 대로 내가 할 말을 제가 먼저 하니 기가 질려 뒤에 오며, 실성 한 사람같이, 아는 사람도 오히려 짚옹고집같이도 모르는 지라. _____은 자신과 마을 사람들 사이의 일을 모두 알고 있는 짚옹고집을 보며 ___가 질렸어.

짚옹고집이 노변에서 지나가는 사람 데리고 하는 말이, "가운이 불길하여 어떠한 놈이 왔으되 용모 나와 비슷해 제가 내라 하고 자칭 옹고집이라 하기로, 억울한 분을 견 디지 못하여 일체 구별로 송사하러 가는지라. 뒤에 오는 사람이 기네. 자네들도 대소간 눈이 있거든 혹 흑백을 가릴 쏘냐."

참옹고집이 뒤에 오면서 기가 막히고 얼척도 없어 말도 못하고 울음 울 제, 행인들이 이어 보고 하는 말이, "누가 알아 보리오. 뉘 아들인지 알 수가 없다. 아마도 상동이란 말밖에 또 하리오." 참옹고집은 자신이 진짜라는 짚옹고집의 말에 화가 나고 억울해. 행인들은 참옹고집과 _____의 생김새가 똑같아 누가 알아보겠느냐며 헷갈려 하지.

(중략)

짚옹고집 반만 웃고 집으로 돌아와서 바로 내정으로 들어가니 처자 권속이 내달아 잡고 들어가니, "하늘도 무심치 아니하기로 내 좋은 형세와 처자를 빼앗기지 아니하였다."

송사를 이긴 내력을 말하니 처자 권속이며 상하 노복 등이 참옹 고집으로 알고, 마누라는, "우리 서방님이 그런 고생이 또 있을까." 뭇 아들 나서며, "그런 자식에게 아버지가 큰 봉재를 보았다." 노복 종이며 마을 사람들이 다 칭찬하거늘, (참옹고집/짚옹고집)이 진짜 옹고집으로 인정받고 _____에서 이겨 집으로 돌아온 상황인가 봐. 짚옹고집이,

"내가 혈혈단신으로 자수성가하였기로 전곡을 과연 아낄 줄만 알았더니 내빈 왕객 접대 상과 만가 동냥 거지들을 독하게 박대

하였더니 인심부득 절로 되어 이런 재변이 난 듯싶으니, 사람 되고 개과천선 못할쏘냐. 오늘부터 재물과 곡식을 흩어 활인구제 (活人救濟)하리라." 짚옹고집의 말을 통해 참옹고집은 그동안 인심이 박하게 살아왔음을 알 수 있어. 짚옹고집은 참옹고집의 재물과 _____을 풀어 주변 사람들을 _____하고자 하네.

전곡을 흩어 사방에 구차한 사람을 구제한단 말이 낭자하니 팔도 거지들과 각 절 유걸승들이 구름 모이듯 모여드니 백 냥 돈 천 냥 돈을 흩어 주니 옹고집은 인심 좋단 말이 낭자하더라.

하루는 주효를 낭자케 장만하고 원근에 모모한 친구며 사방 사람 을 청좌하여 대연을 배설할 제, 이때의 참옹고집 전전걸식 하다가 맹랑촌 옹고집 활인구제한단 말 듣고 분심으로 하는 말이,

"남의 재물 갖고 제 마음대로 쓰는 놈은 어떤 놈의 팔자인고. 찾아가서 내 집 망종 보고 죽자." 참옹고집은 자신의 _____을 마음대로 사용하는 짚옹고집의 소식을 듣고 분노해. 죽더라도 자신의 ___에 찾아가서 일이 어떻게 된 것인지를 보고 싶어하지.

하고 죽장망혜로 찾아갈 제, 짚옹고집 도술 보고 근처에 참옹고집 온 줄 알고 사환을 분부하되,

"오늘 큰 잔치에 음식도 낭자하고 걸인도 많을 제, 타일 천하게 다투던 거짓 옹가 놈이 배도 고프고 기한(飢寒)을 견디지 못하여 전전걸식 다닐 제, 잔치 소문을 듣고 마을 근처에 왔으나 차마 못 들어오는가 싶으니 너희 등은 가서 데려오라. 일변 생각하면 되도 못할 일 하다가 중장(重杖)만 맞았으니 불쌍하다." 짚옹고집은 _____로 참옹고집이 근처에 온 줄 알게 돼. 그런데 참옹고집을 내쫓으려 하기는커녕 _____을 시켜 참옹고집을 데려오라고 하네.

사환 등이 영을 듣고 사방으로 나가 보니 과연 마을 뒷산에 앉아 잔치하는 데를 보고 눈물을 흘리고 앉았거늘 사환들이 바로 가서 엉겁결에 배례하고 문안하니, 슬프다. 참옹고집이 대성통곡 절로 난다. 참옹고집은 쫓겨난 자신의 처지와는 상반되게 _____가 벌어진 자신의 집을 보자 설움이 북받쳐 _____해.

사환들이 가자 하니, "갈 마음 전혀 없다."

[B]
여러 놈이 부축하여 들어가서 좌상에 앉히니 짚옹고집 일어 서며 인사 후에,

"네 들어라. 형세 있어 좋다 하는 것이 활인구제하여 만인 적선이 으뜸이거늘 천여 석 거부로서 첫째로는 부모 박대 하니 세상에 용납지 못할 놈이요, 둘째는 유걸산승 욕보 이니 불도가 어찌 허사리오. 짚옹고집은 참옹고집이 _____(큰 부자) 임에도 불구하고 _____를 박대하고 유걸산승을 욕보였던 잘못을 이야기해. 우리 절 도승이 나를 보내어 묘하신 불법으로 가르쳐서 너의 죄목을 잡아 아주 죽여 세상에 영영 자취 없게 하여 세상 사람에게 모범이 되게 하라 하시거늘 너를 다시 세상 에 내어 보내기는 나의 어진 용심으로 살린 것이니, 이만 해도 후생에게 너 같은 행실을 징계한 사례가 될 듯싶으니 이후는 아무쪼록 개과하라." 짚옹고집은 _____이 참옹고집을 벌하기 위해 보낸 것이구나. 짚옹고집은 참옹고집이 _____해서 좋은 사람이 될 것을 바라고 있어.

하고, 좌상에 나앉으며 문득 자빠지니 허수아비 찰벼 짚묶음 이라.

이로 좌상이 다 놀라 공고를 하고 옹고집이 이날부터 개과 천선하여 세상에 전하여 일가친척이며 원근친고 사람에게 인심을 주장하니 옹고집의 인심을 만만세에 전하더라.

– 작자 미상, 「옹고집전」 –

*선자 : 일을 시작하기에 앞서 드는 돈.

고전소설 독해의 STEP 2

1 형광펜이 그어진 부분을 근거로 장면을 다시 한번 나누어 보고, 장면별 내용을 요약해 보세요.

장면끊기 01	참·_____ 옹고집을 가리기 위해 두 옹고집이 송사하러 가는 길에, 진짜인 척하는 _____을 보고 참옹고집은 어이가 없어 억울해 함
장면끊기 02	송사에서 이긴 _____은 집으로 돌아와서 재물과 곡식을 풀어
장면끊기 03	하루는 _____

2 인물 간의 관계를 고려하여 구조도의 빈칸에 적절한 말을 채우세요.

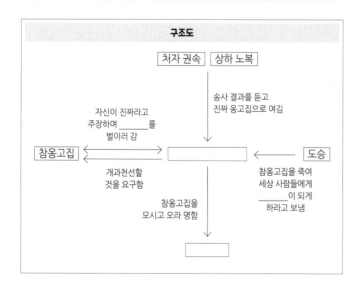

구조도

[처자 권속] [상하 노복]

송사 결과를 듣고
진짜 옹고집으로 여김

자신이 진짜라고
주장하며 _____를
벌이러 감

[참옹고집] ⟷ [_____] ← [도승]

개과천선할
것을 요구함

참옹고집을 죽여
세상 사람들에게
_____이 되게
하라고 보냄

참옹고집을
모시고 오라 명함

---

3 1~2번 문제를 풀어 보세요.

1. 〈보기〉는 「옹고집전」 이본의 일부이다. [B]와 〈보기〉를 비교하여 이해한 내용으로 적절하지 **않은** 것은?

〈보기〉

참옹고집 듣기를 다하여 천방지방 도사 앞에 급히 나아가 합장배례하며 공손히 하는 말이, "이놈의 죄를 생각하면 천사(千死)라도 무석(無惜)이요 만사라도 무석이나 명명하신 도덕하에 제발 덕분 살려 주오. 당상의 늙은 모친 규중의 어린 처자 다시 보게 하옵소서. 원건지 하온 후 지하에 돌아가도 여한이 없을까 하나이다. 제발 덕분 살려 주옵소서."

만단으로 애걸하니 도사 하는 말이, "천지간에 몹쓸 놈아. 인제도 팔십 당년 늙은 모친 냉돌방에 구박할까. 불도를 능멸할까. 너 같은 몹쓸 놈은 응당 죽일 것이로되 정상(情狀)이 불쌍하고 너의 처자 가여운 고로 놓아주니 돌아가 개과천선하라."

부적을 써 주며 왈, "이 부적을 몸에 붙이고 네 집에 돌아가면 괴이한 일 있으리라."

하고 홀연 간데없거늘 참옹고집 즐겨 돌아와서 제 집 문전 다다르니 고루거각 높은 집에 청풍명월 맑은 경은 옛 놀던 풍경이라.

① '참옹고집'을 살려 두는 이유로 [B]는 '나의 어진 용심'을, 〈보기〉는 '정상이 불쌍'함을 제시하는 것으로 보아, [B]에서는 용서하는 이의 마음을 고려했고, 〈보기〉에서는 용서받는 이의 처지까지도 고려하였군.

② '참옹고집'을 살려 두는 이유로 [B]는 '이만해도 후생에게' '징계한 사례'가 됨을, 〈보기〉는 '너의 처자 가여'움을 제시하는 것으로 보아, [B]에서는 징계의 사회적 효용이, 〈보기〉에서는 징계로 인한 가족의 피해가 고려되었군.

③ '참옹고집'의 악행으로 [B]는 '부모 박대'를, 〈보기〉는 '모친' '구박'을 거론하는 것으로 보아, [B]와 〈보기〉에서 모두 '참옹고집'의 비인륜적 행위가 징계의 사유에 포함되었군.

④ '참옹고집'에게 개과천선하라는 요청이 [B]와 〈보기〉 모두 인물의 발화에 나타나는 것으로 보아, [B]와 〈보기〉에서 모두 인물의 발화는 '참옹고집'이 용서를 구하기 시작하는 계기에 해당하는군.

⑤ '참옹고집'을 훈계하던 존재가 [B]에서는 '허수아비'로 변하고, 〈보기〉에서는 '홀연' 사라지는 것으로 보아, [B]와 〈보기〉에서 모두 신이한 사건이 벌어지는군.

2. 문학 개념어 OX 확인 문제

① [A]는 송사 가는 이의 답답한 심정이 서술자에 의해 직접 드러난다.　○ ✕

② [A]는 송사 가는 길에 새롭게 등장한 인물의 외양이 묘사된다.　○ ✕

고전소설 독해의 STEP 3

1 선지 판단 공식을 활용하여 빈칸을 채우고 1번 문제의 선지를 OX로 판단해 보세요.

〈보기〉 문제 선지 판단의 공식

① 〈보기〉 '너 같은 몹쓸 놈은 응당 죽일 것이로되 정상이 _____ 하고'

➕

작품 '너의 죄목을 잡아 아주 죽여 세상에 영영 _____ 없게 하여 세상 사람에게 모범이 되게 하라 하시거늘 너를 다시 _____ 에 내어 보내기는 나의 어진 _____ 으로 살린 것이니,'

선지 ➡ '참옹고집'을 살려 두는 이유로 [B]는 '나의 어진 용심'을, 〈보기〉는 '정상이 불쌍'함을 제시하는 것으로 보아, [B]에서는 용서하는 이의 마음을 고려했고, 〈보기〉에서는 용서받는 이의 처지까지도 고려하였군. ○ ✕

② 〈보기〉 '너의 _____ 가여운 고로 놓아주니'

➕

작품 '이만해도 후생에게 너 같은 행실을 _____ 한 사례가 될 듯싶으니 이후는 아무쪼록 개과하라.'

선지 ➡ '참옹고집'을 살려 두는 이유로 [B]는 '이만해도 후생에게' '징계한 사례'가 됨을, 〈보기〉는 '너의 처자 가여'움을 제시하는 것으로 보아, [B]에서는 징계의 사회적 효용이, 〈보기〉에서는 징계로 인한 가족의 피해가 고려되었군. ○ ✕

③ 〈보기〉 '천지간에 몹쓸 놈아. 인제도 팔십 당년 늙은 _____ 냉돌방에 _____ 할까.'

➕

작품 '첫째로는 _____ 하니 세상에 용납지 못할 놈이요.'

선지 ➡ '참옹고집'의 악행으로 [B]는 '부모 박대'를, 〈보기〉는 '모친' '구박'을 거론하는 것으로 보아, [B]와 〈보기〉에서 모두 '참옹고집'의 비인륜적 행위가 징계의 사유에 포함되었군. ○ ✕

④ 〈보기〉 '참옹고집 듣기를 다하여 천방지방 도사 앞에 급히 나아가~ 만단으로 _____ 하니 도사 하는 말이, "천지간에 몹쓸 놈아. 인제도 팔십 당년 늙은 모친 냉돌방에 _____ 할까, 불도를 능멸할까.~돌아가 _____ 하라."'

➕

작품 '_____ 일어서며 인사 후에, "네 들어라. 형세 있어 좋다 하는 것이 _____ 하여 만인적선이 으뜸 이거늘 천여 석 거부로서 첫째로는 부모 박대하니 세상에 용납지 못할 놈이요, 둘째는 유걸산승 욕보이니 _____ 가 어찌 허사리오.~이후는 아무쪼록 _____ 하라."'

선지 ➡ '참옹고집'에게 개과천선하라는 요청이 [B]와 보기 모두 인물의 발화에 나타나는 것으로 보아, [B]와 〈보기〉에서 모두 인물의 발화는 '참옹고집'이 용서를 구하기 시작하는 계기에 해당하는군. ○ ✕

⑤ 〈보기〉 '부적을 써 주며 왈, "이 부적을 몸에 붙이고 네 집에 돌아가면 괴이한 일 있으리라." 하고 _____ 간데없거늘'

➕

작품 '"이후는 아무쪼록 개과하라." 하고, 좌상에 나앉으며 문득 자빠지니 허수아비 찰벽 _____ 이라.'

선지 ➡ '참옹고집'을 훈계하던 존재가 [B]에서는 '허수아비'로 변하고, 〈보기〉에서는 '홀연' 사라지는 것으로 보아, [B]와 〈보기〉에서 모두 신이한 사건이 벌어지는군. ○ ✕

고전소설 독해의　STEP 1

❶ 등장인물에 ☐ 표시를 하고, 빈칸에 적절한 말을 채우세요.
❷ 시간, 공간, 서술 대상이 바뀌는 곳을 찾아 직접 장면을 3개로 나누어 보세요.

[앞부분의 줄거리] 아들 유세기가 부모의 허락 없이 백공과 혼사를 결정했다고 여긴 선생은 유세기를 집에서 내쫓는다.

백공이 왈,
"혼인은 좋은 일이라 서로 헤아려 잘 생각할 것이니 어찌 이같이 좋지 않은 일이 일어나는가? 내가 한림의 재모를 아껴 이같이 기별해 사위를 삼고자 하였더니 선생 형제는 도학 군자라 예가 아닌 것을 문책하시는도다. 내가 마땅히 곡절을 말하리라." 백공은
유세기의 재주와 용모를 아껴 _____를 삼고자 했는데, 이로 인해 유세기가 _____
_____에게 오해를 사게 되었나 봐. 백공은 이에 대해 자신이 직접 해명하려 하네.
이에 백공이 유씨 집안에 이르러 선생 형제를 보고 인사를 하고 나서 흔쾌히 웃으며 가로되,
"제가 두 형과 더불어 죽마고우로 절친하고 또 아드님의 특출함을 아껴 제 딸의 배필로 삼고자 하여, 어제 세기를 보고 여차여차하니 아드님이 단호하게 말하고 돌아가더이다. 제가 더욱 흠모하여 염치를 잊고 거짓말로 일을 꾸며 구혼하면서 '정약'이라는 글자 둘을 더했으니 이는 진실로 저의 희롱함이외다. 두 형께서 과도히 곧이듣고 아드님을 엄히 꾸짖으셨다 하니, 혼사에 도리어 훼방이 되었으므로 어찌 우습지 않으리까? 원컨대 두 형은 아드님을 용서하여 아드님이 저를 원망하게 하지 마오."
자신의 제안을 단호하게 거절한 유세기의 모습에 백공이 _____로 일을 꾸민 거였구나. 백공은 선생 형제에게 직접 해명하며 _____를 용서해주기를 바란다고 말하고 있어.
선생과 승상이 바야흐로 아들의 죄가 없는 줄을 알고 기뻐하면서 사례하여 왈,
"저희 자식이 분에 넘치게 공의 극진한 대우를 받으니 마땅히 그 후의를 받들 만하되, 이는 선조로부터 대대로 내려오는 가법이 아니기에 감히 재취를 허락하지 못하였소이다. 저희 자식이 방자함이 있나 통탄하였더니 그간 곡절이 이렇듯 있었소이다."
백공의 해명으로 선생과 승상은 세기에게 잘못이 (있다/없다)는 것을 알게 되었네.
백공이 화답하고 이윽고 돌아가서 다시 혼삿말을 이르지 못하고 딸을 다른 데로 시집보냈다. 선생이 백공을 돌려보낸 후에 한림을 불러 앞으로 더욱 행실을 닦을 것을 훈계하자 한림이 절을 하면서 명령을 받들었다. 차후 더욱 예를 삼가고 배우기를 힘써 학문과 도덕이 날로 숙연하고, 소 소저와 더불어 백수해로하면서 여덟 아들, 두 딸을 두고, 집안에 한 명의 첩도 없이 부부 인생 희로를 요동함이 없더라. 혼사 문제에 관한 오해와 그로 인한 갈등이 백공의 해명으로 해소되고, 이후 세기가 _____와 함께 행복하게 살았다는 내용으로 하나의 이야기가 마무리되었어.
승상의 둘째 아들 세형의 자는 문희이니, 형제 중 가장 **빼어났**으니 산천의 정기와 일월의 조화를 타고 태어나 아름다운 얼굴은 윤택한 옥과 빛나는 봄꽃 같고, 호탕하고 깨끗한 풍채는 용과 호랑이의 기상이 있으며, 성품이 호기롭고 의협심이 강하여 맑고 더러움의 분별을 조금도 잃지 않으니, 부모가 매우 사랑하여 며느리를 널리 구하더라. 승상의 둘째 아들인 _____의 외양과 성품에 대한 (긍정적/부정적)

평가가 제시되고 있어. 그리고 부모가 _____를 구한다는 것으로 보아, 이어지는 내용에서는 세형의 혼사 문제에 관련된 상황이 전개될 것임을 짐작할 수 있지.

(중략)

화설, 새로운 (갈등/장면)이 시작되었음을 알려 주는 표지야. 장 씨 이화정에 돌아와 긴 단장을 벗고 난간에 기대어 하늘가를 바라보며 평생 살아갈 계책을 골똘히 헤아리자, 한이 눈썹에 맺히고 슬픔이 마음속에 가득하여 생각하되,

[A]
'내가 재상가의 귀한 몸으로 유생과 백년가약을 맺었으니 마음이 흡족하고 뜻이 즐거울 것이거늘, 천자의 귀함으로 한 부마를 뽑는데 어찌 구태여 나의 아름다운 낭군을 빼앗아가 위세로써 나로 하여금 공주 저 사람의 아래가 되게 하셨는가? 도리어 저 사람의 덕을 찬송하고 은혜를 읊어 한없는 영광은 남에게 돌려보내고 구차한 자취는 내 일신에 모이게 되었도다. 우주 사이는 우러러 바라보기나 하려니와 나와 공주의 현격함은 하늘과 땅 같도다. 나의 재주와 용모가 저 사람보다 떨어지는 것이 없고 먼저 혼인 예물까지 받았는데 이처럼 남의 천대를 감심할 줄 어찌 알리오? 공주가 덕을 베풀수록 나의 몸엔 빛이 나지 않으리니 제 짐짓 능활하여 아버님, 어머님이나 시누이를 제편으로 끌어들인다면 낭군의 마음은 이를 좇아 완전히 달라질지라. 슬프다, 나의 앞날은 어이 될고?'
장 씨의 내적 독백이 길게 제시되었어. 자신과 백년가약을 맺은 유생이 _____가 되어서, 즉 남편이 임금의 사위가 되어 자신이 공주의 아랫사람이 되었다는 거야. 인물을 지칭하는 말이 여러 가지로 바뀌고 인물 관계도 함께 제시되고 있어서 자칫 잘못하면 머릿속에서 관계가 뒤엉킬 수 있으니 정확히 정리하자. 장 씨는 자신이 유생과 먼저 혼인했음에도 공주에 비해 _____를 받게 된 처지를 한탄하며, 자신의 _____을 걱정하고 있어.

생각이 이에 미치자 북받쳐 오르는 한이 마음속에 가득 쌓이기 시작하니 어찌 좋은 뜻이 나리오? 정히 눈물을 머금고 마음을 붙일 곳 없어하더니, 문득 세형이 보라색 두건과 녹색 도포를 가볍게 나부끼며 이르러 장 씨의 참담한 안색을 보고 옥수를 잡고 어깨를 비스듬히 기대게 하며 물어 왈,
"그대 무슨 일로 슬픈 빛이 있나뇨? 나를 좇음을 원망하는가?"
슬퍼하고 있는 장 씨를 본 _____이 걱정하며 이유를 묻고 있어. 그럼 장 씨와 혼인한 유생이 바로 세형이겠네.
장 씨가 잠시동안 탄식 왈,

[B]
"낭군은 부질없는 말씀 마옵소서. 제가 낭군을 좇는 것을 원망했다면 어찌 깊은 규방에서 홀로 늙는 것을 감심하였사오리까? 다만 제가 귀댁에 들어온 지 오륙일이 지났으나 좌우에 친한 사람이 없고 오직 우러르는 바는 아버님, 어머님과 낭군뿐이라 어린 여자의 마음이 편안하지 못한 바이옵니다. 공주가 위에 계셔 온 집의 권세를 오로지 하시니 그 위의와 덕택이 저로 하여금 변변찮은 재주 가진 하졸이 머릿수나 채워 우물 속에서 하늘을 바라보는 것 같게 만드옵니다. 제가 감히 항거할 뜻이 있는 것이 아니나 평생의 신세가 구차하여 슬프고, 진양궁에 나아가면 궁비와 시녀들이 다 저를 손가락질하며 비웃어 한 가지 일도 자유롭게 하지 못하게 하옵고, 제 입에서 말이 나면 일천여 시녀가 다 제 입을 가리니, 공주의 은덕에 의지하여 겨우 실례를 면하고 돌아왔사옵니다." 장 씨는

주변에 친한 사람이 없고 오직 아버님, 어머님, 낭군을 우러를 뿐인데, _____의 권세가 높은 와중에 궁비와 시녀들이 자신을 비웃고 자유롭게 행동할 수조차 없어서 마음이 _____하지 않다고 말해.

부마가 바야흐로 장 씨의 외로움을 가련하게 여기고 공주의 위세가 장 씨를 억누르는 것을 좋지 않게 여기고 있다가 장 씨의 이렇듯 애원한 모습을 보자 크게 불쾌하여 장 씨를 위한 애정이 샘솟는 듯하였다. 은근하고 간곡하게 장 씨를 위로하고 그 절개와 외로움에 감동하여 이날부터 발자취가 이화정을 떠나지 않았다. 연리지와 같은 신혼의 정은 양왕의 꿈에 빠진 듯 어지럽고, 낙천의 마음이 취한 듯 기쁘고 즐거워 바라던 바를 다 얻은 듯한 마음은 세상에 비할 데가 없더라. 장 씨의 하소연을 들은 세형은 _____를 가련히 여기고 공주의 위세가 높은 것을 _____하게 여겨. 이에 장 씨를 더욱 아끼고 사랑하게 되지.

– 작자 미상, 「유씨삼대록」 –

고전소설 독해의 STEP 2

1 형광펜이 그어진 부분을 근거로 장면을 다시 한번 나누어 보고, 장면별 내용을 요약해 보세요.

장면끊기 01	선생과 승상의 오해는 백공이 직접 해명함으로써 해소되고, 이후 유세기와 소 소저가 _____함
장면끊기 02	세형은 용모와 기상, 성품 등이 매우 빼어났으며 부모는 _____를 구하고 있음
장면끊기 03	장 씨는 세형이 _____로 뽑히면서 자신이 공주의 위세에 눌리게 됨을 한탄하고, 세형은 그런 장 씨를 가련하게 여기며 애정을 줌

2 인물 간의 관계를 고려하여 구조도의 빈칸에 적절한 말을 채우세요.

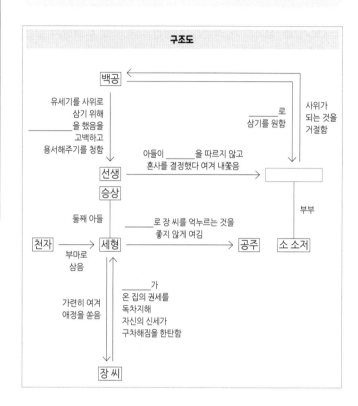

구조도

백공 ← _____로 삼기를 원함

유세기를 사위로 삼기 위해 _____을 했음을 고백하고 용서해주기를 청함

사위가 되는 것을 거절함

선생 승상 — 아들이 _____을 따르지 않고 혼사를 결정했다 여겨 내쫓음

둘째 아들 _____로 장 씨를 억누르는 것을 좋지 않게 여김

천자 → 세형 → 공주 소 소저

부마로 삼음

부부

_____가 온 집의 권세를 독차지해 자신의 신세가 구차해짐을 한탄함

가련히 여겨 애정을 쏟음

장 씨

③ 1~2번 문제를 풀어 보세요.

1. 〈보기〉를 참고하여 윗글을 감상한 내용으로 적절하지 <u>않은</u> 것은?

─〈보기〉─

「유씨삼대록」은 유씨 3대 인물들의 이야기들을 연결한 국문 장편 가문 소설 이다. 각 이야기는 그 자체로 완결성을 갖추고 있어 독립적이지만, 혼사나 그 로부터 파생된 각각의 갈등이 동일한 가문 내에서 전개된다는 점에서 연결된 다. 이러한 갈등은 가법이나 인물의 성격에서 유발된다. 가문의 구성원들은 혼 사를 둘러싼 갈등이 가문의 안정과 번영을 저해한다고 여겼기에, 가문 차원에 서 이를 해결해 간다.

① 유세기 이야기와 유세형 이야기를 보니, 각각의 갈등이 한 가문의 혼사를 중심 으로 발생한다는 점에서 두 이야기가 서로 연결되어 있음을 알 수 있군.

② 유세기의 혼사 문제에 선생과 승상이 관여한 것을 보니, 혼사를 둘러싼 갈등 해결이 가문 구성원들의 문제로 다루어짐을 알 수 있군.

③ 유세기가 혼사와 관련한 곤욕을 치른 것과 유세형이 공주를 멀리한 것을 보니, 가법과 인물의 성격 간의 대립이 갈등의 원인임을 알 수 있군.

④ 백공이 유세기를 사위 삼으려는 것과 천자가 유세형을 부마 삼은 것을 보니, 혼사가 혼인 당사자 개인의 문제에 그치지 않음을 알 수 있군.

⑤ 유세기가 평생 첩을 두지 않고 소 소저와 해로했다는 것을 보니, 유세기를 둘러싼 혼사 갈등이 해소되며 이야기 하나가 마무리됨을 알 수 있군.

2. 인물의 말하기 방식 OX 확인 문제

① [B]는 [A]와 달리 대화 상대의 환심을 사기 위해 자신의 우월한 지위를 드러내고 있다.　　　　　　　　　　　　　　　　　　　　○ X

② [A]는 앞으로의 일을 추정하는, [B]는 지난 일을 토로하는 방식으로 자신의 우려를 제시하고 있다.　　　　　　　　　　　　　　　○ X

고전소설 독해의 STEP 3

1 선지 판단 공식을 활용하여 빈칸을 채우고 1번 문제의 선지를 OX로 판단해 보세요.

〈보기〉 문제 선지 판단의 공식

① 〈보기〉 각 이야기는 그 자체로 완결성을 갖추고 있어 독립적이지만, _____나 그로부터 파생된 각각의 갈등이 _____ 내에서 전개된다는 점에서 연결됨

➕ 작품 '저희 자식이 분에 넘치게 공의 극진한 대우를 받으니 마땅히 그 후의를 받들 만하되, 이는 선조로부터 대대로 내려오는 가법이 아니기에 감히 재취를 허락하지 못하였소이다.', '부마가 바야흐로 장 씨의 외로움을 가련하게 여기고 _____ _____가 장 씨를 억누르는 것을 좋지 않게 여기고 있다가 장 씨의 이렇듯 애원한 모습을 보자 크게 불쾌하여 장 씨를 위한 애정이 샘솟는 듯하였다.'

선지➡ 유세기 이야기와 유세형 이야기를 보니, 각각의 갈등이 한 가문의 혼사를 중심으로 발생한다는 점에서 두 이야기가 서로 연결되어 있음을 알 수 있군. ○ ×

② 〈보기〉 _____

➕ 작품 '저희 자식이 분에 넘치게 공의 극진한 대우를 받으니 마땅히 그 후의를 받들 만하되, 이는 _____로부터 대대로 내려오는 _____이 아니기에 감히 재취를 허락하지 못하였소이다.'

선지➡ 유세기의 혼사 문제에 선생과 승상이 관여한 것을 보니, 혼사를 둘러싼 갈등 해결이 가문 구성원들의 문제로 다루어짐을 알 수 있군. ○ ×

③ 〈보기〉 혼사나 그로부터 파생된 각각의 갈등은 _____이나 _____에서 유발됨

➕ 작품 '아들 유세기가 부모의 허락 없이 백공과 _____ _____했다고 여긴 선생은 유세기를 집에서 내쫓는다.', '저희 자식이 분에 넘치게 공의 극진한 대우를 받으니 마땅히 그 후의를 받들 만하되, 이는 선조로부터 대대로 내려오는 _____이 아니기에 감히 재취를 허락하지 못하였소이다.', '부마가 바야흐로 장 씨의 외로움을 가련하게 여기고 공주의 위세가 장 씨를 _____을 좋지 않게 여기고 있다가 장 씨의 이렇듯 애원한 모습을 보자 크게 불쾌하여 장 씨를 위한 애정이 샘솟는 듯하였다.'

선지➡ 유세기가 혼사와 관련한 곤욕을 치른 것과 유세형이 공주를 멀리한 것을 보니, 가법과 인물의 성격 간의 대립이 갈등의 원인임을 알 수 있군. ○ ×

④ 〈보기〉 가문의 구성원들은 혼사를 둘러싼 갈등이 가문의 안정과 번영을 저해한다고 여겼기에, 가문 차원에서 이를 해결함

➕ 작품 '백공이 왈, "혼인은 좋은 일이라 서로 헤아려 잘 생각할 것이니 어찌 이같이 좋지 않은 일이 일어나는가? 내가 한림의 재모를 아껴 이같이 기별해 _____를 삼고자 하였더니 _____는 도학 군자라 예가 아닌 것을 문책하시는도다.", '천자의 귀함으로 한 _____를 뽑는데 어찌 구태여 나의 아름다운 낭군을 빼앗아가 위세로써 나로 하여금 공주 저 사람의 아래가 되게 하셨는가?'

선지➡ 백공이 유세기를 사위 삼으려는 것과 천자가 유세형을 부마 삼은 것을 보니, 혼사가 혼인 당사자 개인의 문제에 그치지 않음을 알 수 있군. ○ ×

⑤

〈보기〉
각 이야기는 그 자체로 _____을 갖추고 있어 독립적이지만, 혼사나 그로부터 파생된 각각의 갈등이 _____ 내에서 전개된다는 점에서 연결됨, _____ _____은 가문 차원에서 해결됨

➕

작품
'차후 더욱 예를 삼가고 배우기를 힘써 학문과 도덕이 날로 숙연하고, 소 소저와 더불어 _____하면서 여덟 아들, 두 딸을 두고, 집안에 한 명의 첩도 없이 부부 인생 희로를 _____함이 없더라.'

🔥 유세기가 평생 첩을 두지 않고 소 소저와 해로했다는 것을 보니, 유세기를 둘러싼 혼사 갈등이 해소되며 이야기 하나가 마무리됨을 알 수 있군.

○ ✕

고전소설 독해의   STEP 1

1️⃣ 등장인물에 ☐ 표시를 하고, 빈칸에 적절한 말을 채우세요.

2️⃣ 시간, 공간, 서술 대상이 바뀌는 곳을 찾아 직접 장면을 5개로 나누어 보세요.

이때 명 황제가 유문정을 보내시고 날마다 첩서를 기다리시더니 문득 표를 보시고 대경하사 즉시 승상 유기로 대원수를 명하시고 유문정을 도우라 하시니 유 원수가 하직하고 군사를 거느려 문정의 진에 이르니 문정이 반겨 적세 강성함을 이르고 장백 잡기를 의논할 새 유기가 문정더러 말하기를,

"이제 적병이 강성하여 졸연히 피하기 어려우니 이날 밤에 적병이 잠자기를 기다려 그대 삼만 명을 거느려 적진 우편을 치고 이덕으로 삼만 명을 거느려 적진 좌편을 치고, 나는 삼만 명을 거느려 전면을 치면 제 비록 용맹하나 어찌 당하리오?" 명 황제의 명령으로 _____을 돕기 위해 온 유기는 _____을 잡기 위한 전략을 문정과 의논하고 있어.

하고 약속을 정하고 밤을 기다려 방포일성에 사면으로 엄살하니 적장이 불의지변(不意之變)을 만나매 장 원수가 대경하여 급히 이정을 불러 말하기를,

"아까 천문을 보니 수상에 주성이 살기를 띠어 방위를 떠났으매 복병이 올 줄을 알되 어찌 이 같으리오." 밤중에 별안간 습격을 당한 장백은 주성이 _____를 띠어 방위를 떠난 천문을 보고 _____이 올 것임을 알고 있었대.

하고 풍백(風伯)을 불러 호령하니 풍우대작하며 벽력이 진동하니 명진이 도리어 황급하여 본진으로 돌아올 새 유 원수가 이덕을 거느리고 제쳐 들어가니 백운단이 맞아 싸워 십 합이 못하여 운단이 이덕을 베니 유기가 대로하여 바로 운단을 취하니 이정이 앞을 막아 유기를 치니 유기가 당치 못하여 본진으로 돌아오니 장백, 이정 등이 일시에 엄살하여 유문정을 생금(生擒)하여 가거늘 유기가 급히 본진으로 돌아와 관찰하여 머무니라. 장백이 문정을 잡고 대희하여 못내 즐기더라. 명진의 유 원수(_____), 유문정, 이덕이 장백을 잡기 위해 공격했으나, 백운단, 장백, 이정과의 전투에서 최종적으로 **(승리하는/패배하는)** 과정과 이에 유기가 본진으로 돌아가는 내용이 제시되었어. _____은 장백과 이정에게 사로잡혔고, 장백은 크게 **(기뻐했어/놀랐어)**.

[A] ┌ 장백이 장중에서 졸더니 사몽간에 철관도사가 이르러 말하기를,

"너더러 이른 말을 어찌 잊었느냐? 천자는 곧 주 씨거늘 네 비록 옥새(玉璽)를 얻었으나 천명이 네게 있지 아니하거늘 공연히 민심만 소동케 하니 어찌 해를 면하리오? 하물며 황후는 너의 누이라 골육상잔(骨肉相殘)함을 알지 못하니 어찌 한심치 않으리오?" 장백은 꿈속에서 _____로부터, 천자는 주 씨인데 장백이 옥새를 얻었다는 이유로 천명에 어긋나는 행동을 해 민심을 **(수습하고/어지럽히고)** 있다는 꾸짖음을 들어.

└ 하고 간데없는지라.

[B] ┌ 원수가 그 말을 듣고 심히 괴이히 여겨 생각하되,

'내게 과연 누이가 있더니 도적에게 잡히어 갔다가 욕을 볼까하여 소상강에 익사한 지 벌써 십 년이라. 이따금 생각하여 사후나 만남을 원하더니 이제 선생의 가르치심이 약차(若此)하시니 실로 괴이하도다.'

└ 하였다. 장백은 어린 시절 _____와 이별하게 된 사연을 떠올리며 철관도사의 말을 _____하게 여기고 있어.

[C] ┌ 군중에 호령하여 군사를 쉬게 하고 문정을 잡아들여 서안을 치며 크게 꾸짖기를,

"내 벌써 원 황제를 잡아 항복 받고 옥새를 가졌거늘 네 거짓 황제를 내고 천병을 항거하니 어찌 살기를 바라리오?"

└ 장백은 문정에게 자신이 **(명 황제/원 황제)**의 항복을 받고 _____를 취했음을 언급하고 있어.

문정이 노하여 꾸짖기를,

"우리 황상이 성신문무(聖神文武)하사 먼저 장안에 들어와 추호를 범치 아니하시고 대위(大位)에 오르시며 벌써 국호를 정하시고 장 씨를 취하여 황후를 봉하시니 굳음이 반석같거늘, 너는 부질없는 군사를 일으켜 만대에 더러운 사람이 되고자 하느냐? 빨리 죽이지 무슨 말을 하나뇨?" 문정은 장백에게 황상이 먼저 _____에 들어와 국호를 정하고 _____를 황후로 봉했으며, _____은 _____를 일으켜 세상을 어지럽히고 있다며 그 잘못을 지적하고 있네.

장 원수가 대로하여 즉시 죽이고자 하나 황후가 장 씨란 말을 듣고 선생의 말을 생각하며 노여움을 그치고 아직 진중에 두니라.

[중략 부분의 줄거리] 적장이 장 씨라는 소식을 들은 황후는 그를 보려 하고, 이에 명 황제 주원장은 잔치를 열어 장백을 부르고자 한다.

'승상 유기는 글월을 장 원수께 전하나니 우리는 남쪽에서 군사를 일으켰고 장군은 서쪽에서 군사를 일으킴에 천하 명장이 좇기를 원하는지라. 무도한 원제를 내치고 창업코자 함은 피차일반이나 하늘이 먼저 주 천자를 뫼시게 하였으니 실로 임자 있음을 알거니와 명 황제 먼저 장안을 얻으시니 그 공이 크고 장군은 옥새를 취하였으니 또한 큰 공이라. 이러므로 황제 대의를 생각하시고 이곳에 대연을 배설(排設)하여 모든 장졸로 그 공을 표하고자 하나니 장군이 만일 혐의치 아닐진대 한번 이르러 즐김이 어떠하뇨?' 유기가 전달한 글월에는 황제가 먼저 장안을 얻은 것과 장백이 옥새를 취한 것 모두 공이 크며, 황제께서 장백의 그러한 ___을 표하는 대연(잔치)을 열고자 하니 오라는 내용이 담겨 있어.

장 원수가 글을 끝까지 읽어 본 후 제장과 의논하기를,

"적진에서 잔치를 배설하고 나를 청하니 무슨 흉계 있음을 알지 못하나 아니 가면 약함을 보임이라. 그러나 어찌 저를 두려워하리오?"

하고 이정으로 군사를 거느려 뒤를 따르라 하고 명진에 이르니 유기가 진문을 크게 열고 장 원수를 맞아 들어가니 양진이 상합하매 살기충천하더라.

명제가 맞아 동서로 나누어 앉으니라.

이때 황후가 주렴 사이로 자세히 보니 과연 장백이나 신수가 건장하여 어려서 보던 모습이 변하나 성음(聲音)이 익은지라. 반가운 중 눈물 남을 깨닫지 못하더니 홀연 대풍이 일어나 주렴을 거두치니, 장백이 술잔을 받다가 눈결에 황후를 보고 그 얼굴이 누이와 같음을 슬퍼하여 눈물을 흘리거늘 장백은 _____를 보고 _____가 떠올라 눈물을 흘리고 있어. 명제 그 연고를 물은대 장백이 탄식하기를,

"우리 서로 적국 되어 천하를 다투매 사정을 이를 바 아니로되 소장이 어려서 양친을 여의고 남매 의지하여 지내더니 동리 노고의 흉계에 빠져 외가로 가더니 중로에 도적을 만나 누이를 잃

으매 그때 소장의 연유하므로 따르지 못하고 망극한 중 집에 돌아와 살기를 원치 아니하더니, 세월이 여류(如流)하여 지금까지 목숨을 보전하나 매양 누이를 생각하면 서러워하더니 아까 대풍에 주렴 중 부인을 보매 누이와 방불하기로 자연 비창하도소이다."

_____은 어린 시절 _____와 헤어지게 된 사연을 이야기하며 서럽고 슬픈 심정을 토로하고 있어.

상이 답을 하기 전에 황후가 이 말 듣고 좌우를 물리고 급히 나와 장백의 손을 잡고 방성대곡하며 오래도록 말을 못하다가 정신을 차려 말하기를,

"네가 내 동생 장백이냐? 그 사이 죽었더냐 살았더냐?"

그때 도적에게 잡히어 갈 때에 중로에서 잃고 어찌할 줄 모르더니 소상강 원혼을 면하고 자연 구하는 사람을 만나 부지하던 말이며 전후사를 이르니 황후는 어린 시절 도적에게 잡혀 _____ 원혼이 되려고 하였으나 다행히 은인을 만나 목숨을 건지게 되었나 봐. 장백이 슬퍼하며 희한하게 살아나 이처럼 만남을 신기히 여기고 즉시 계하에 내려 복지하며 옥새를 올려 말하기를,

[D]
"나의 누이가 죽은 줄로 슬퍼하였더니 하늘의 도움을 입어 목숨을 부지하였으나 상이 그 처지를 혐의치 아니하고 황후를 삼으시니 은혜 망극하온지라. 수삼 년 전쟁에 민심을 요란케 하오니 만사무석(萬死無惜)하온지라. 복망 폐하는 진을 걷우사 환궁하심을 바라나이다." 장백이 어린 시절 헤어진 누이와 상봉한 후에 명 황제에게 _____를 올리며, 누이를 황후로 삼은 것에 대한 감사함을 표하고 있어.

[E]
상이 장 원수가 돈수사죄(頓首謝罪)하고 옥새를 올리는 것을 보시고 환희하사 위로하기를,
"짐이 이제 제업을 이루었으니 경의 공이 아니면 어찌 이에 이르리오." 장백이 옥새를 올리며 수 년의 전쟁으로 민심을 어지럽힌 것을 사죄하자 명 황제가 기뻐하며 _____의 공을 인정하고 있어.

– 작자 미상, 「장백전(張伯傳)」 –

1 형광펜이 그어진 부분을 근거로 장면을 다시 한번 나누어 보고, 장면별 내용을 요약해 보세요.

장면끊기 01	명 황제가 _____에게 문정을 도와 장백 잡기를 명령하여 공격하지만 결국 장백이 _____을 잡고 기뻐함
장면끊기 02	장백이 졸다가 사몽간에 철관도사를 만나 천자는 _____이고 황후는 장백의 _____라는 말을 듣고 잠에서 깨어 괴이하다고 생각함
장면끊기 03	장백이 문정을 잡아들여 서안을 치며 자신이 원 황제의 항복을 받고 _____를 얻었다고 하자, _____은 장백의 잘못을 지적함
장면끊기 04	명 황제가 _____를 열어 장백을 부르고자 하여 유기는 글월을 _____에게 보내 그 뜻을 전함
장면끊기 05	장백이 잔치에 가고자 명진에 이르니 유기와 명제(명 황제)가 맞이하였으며, 장백은 _____가 어린 시절 헤어졌던 _____라는 사실을 알게 되자 명 황제에게 _____를 바침

2 인물 간의 관계를 고려하여 구조도의 빈칸에 적절한 말을 채우세요.

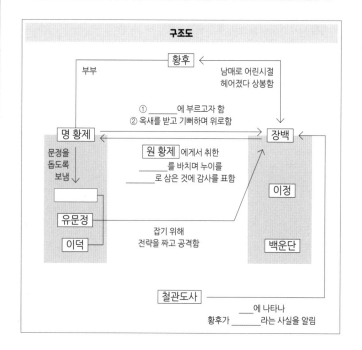

구조도

황후 ← 부부 — 명 황제
황후 — 남매로 어린시절 헤어졌다 상봉함 → 장백
명 황제 → ① _____에 부르고자 함 ② 옥새를 받고 기뻐하며 위로함 → 장백
원 황제에게서 취한 _____를 바치며 누이를 _____로 삼은 것에 감사를 표함
명 황제 — 문정을 돕도록 보냄 → 유문정 / 이덕
유문정 — 잡기 위해 전략을 짜고 공격함 → 장백
이정
백운단
철관도사 — _____에 나타나 황후가 _____라는 사실을 알림

3 1~2번 문제를 풀어 보세요.

1. 〈보기〉를 참고하여 윗글을 감상한 내용으로 적절하지 <u>않은</u> 것은?

〈보기〉

'천명(天命)'은 인간에게 내리는 하늘의 명령으로 인간이 임의로 거스를 수 없는 절대적 운명이다. 「장백전」에서 주원장은 대명 건국이라는 천명을, 장백은 황제가 될 사람을 찾아 그를 도와야 하는 천명을 부여받은 인물이다. 자신의 천명을 알고도 장백은 이를 부정하며 주원장과 황제의 자리를 두고 대립하게 되지만, 결국 천명에 따라 주원장과 화합을 이루게 된다. 여기에 남매의 이별과 상봉이라는 작품 내적 장치는 두 인물의 갈등을 해소하는 결정적 역할을 수행하고 있다.

① [A]에서 장백의 꿈에 나타난 철관도사는 장백이 품고 있는 계획이 천명에 어긋나는 일임을 환기시켜 주고 있군.

② [B]에서 장백은 누이와 이별하게 된 사연을 떠올리며 천명을 거스르고 있는 자신의 행위에 잘못이 있음을 깨닫고 있군.

③ [C]에서 장백은 원 황제에게서 확보한 옥새를 천명을 부정하는 근거로 삼으면서 황제가 될 인물이 자신임을 밝히고 있군.

④ [D]에서는 누이를 만난 장백이 주원장을 인정하는 것을 통해 남매 상봉이 천명을 수용하게 되는 계기로 작용하고 있음을 보여 주고 있군.

⑤ [E]에서는 주원장에게 옥새를 올리는 모습을 통해 장백이 결국 절대적 운명의 길을 따르고 있음을 보여 주고 있군.

2. 문학 개념어 OX 확인 문제

① 인물 간 대결 상황을 제시하여 긴장감을 드러내고 있다.　　　　○ ✕

② 상징적 배경을 설정하여 환상적인 분위기를 조성하고 있다.　　　○ ✕

고전소설 독해의 STEP 3

1 선지 판단 공식을 활용하여 빈칸을 채우고 1번 문제의 선지를 OX로 판단해 보세요.

〈보기〉 문제 선지 판단의 공식

① 〈보기〉 천명은 인간에게 내리는 하늘의 명령으로 인간이 임의로 거스를 수 없는 절대적 운명을 의미함, 「장백전」에서 장백은 _____ 을 찾아 그를 _____야 하는 천명을 부여받은 인물임

➕

작품 '사몽간에 _____ 가 이르러 말하기를,~천자는 곧 _____거늘 네 비록 옥새를 얻었으나 _____ 네게 있지 아니하거늘 공연히 민심만 소동케 하니 어찌 해를 면하리오?'

선지 [A]에서 장백의 꿈에 나타난 철관도사는 장백이 품고 있는 계획이 천명에 어긋나는 일임을 환기시켜 주고 있군. ○ ×

② 〈보기〉 「장백전」에서 장백은 자신의 천명을 알고도 이를 부정하며 주원장과 황제의 자리를 두고 _____하게 되지만, 남매의 _____과 상봉이라는 작품 내적 장치를 통해 두 인물의 갈등이 해소됨

➕

작품 '내게 과연 누이가 있더니 도적에게 잡히어 갔다가 욕을 볼까 하여 소상강에 익사한 지 벌써 십 년이라. 이따금 생각하여 사후나 만남을 원하더니 이제 선생의 가르치심이 약차하시니 실로 _____.'

선지 [B]에서 장백은 누이와 이별하게 된 사연을 떠올리며 천명을 거스르고 있는 자신의 행위에 잘못이 있음을 깨닫고 있군. ○ ×

③ 〈보기〉 「장백전」에서 장백은 황제가 될 사람을 찾아 그를 도와야 하는 천명을 부여받은 인물이지만, 자신의 _____을 알고도 이를 _____하며 주원장과 황제의 자리를 두고 대립함

➕

작품 '내 벌써 원 황제를 잡아 항복 받고 _____를 가졌거늘 네 _____ 황제를 내고 천병을 항거하니 어찌 살기를 바라리오?'

선지 [C]에서 장백은 원 황제에게서 확보한 옥새를 천명을 부정하는 근거로 삼으면서 황제가 될 인물이 자신임을 밝히고 있군. ○ ×

④ 〈보기〉 「장백전」에서 장백은 결국 천명에 따라 _____ 을 이루게 됨, 남매의 이별과 _____이라는 작품 내적 장치는 두 인물의 갈등을 해소하는 결정적 역할을 수행함

➕

작품 '계하에 내려 복지하며 옥새를 올려 말하기를, "_____ 가 죽은 줄로 슬퍼하였더니~상이 그 처지를 혐의치 아니하고 _____를 삼으시니 은혜 망극하온지라. 수삼 년 전쟁에 민심을 요란케 하오니 만사무석하온지라. 복망 _____는 진을 걷우사 _____하심을 바라나이다."'

선지 [D]에서는 누이를 만난 장백이 주원장을 인정하는 것을 통해 남매 상봉이 천명을 수용하게 되는 계기로 작용하고 있음을 보여 주고 있군. ○ ×

⑤ 〈보기〉 천명은 인간이 임의로 거스를 수 없는 _____ 운명임, 「장백전」에서 장백은 결국 _____ 주원장과 화합을 이루게 됨

➕

작품 '상이 _____ 가 돈수사죄하고 _____ 것을 보시고 환희하사 위로하기를, "짐이 이제 제업을 이루었으니 _____ 이 아니면 어찌 이에 이르리오."'

선지 [E]에서는 주원장에게 옥새를 올리는 모습을 통해 장백이 결국 절대적 운명의 길을 따르고 있음을 보여 주고 있군. ○ ×

고전소설 독해의 STEP 1

1️⃣ 등장인물에 ☐ 표시를 하고, 빈칸에 적절한 말을 채우세요.

2️⃣ 시간, 공간, 서술 대상이 바뀌는 곳을 찾아 직접 장면을 4개로 나누어 보세요.

[앞부분 줄거리] 김진옥은 승전 후 귀국하던 도중 풍랑으로 표류했다가 부친을 만나 용궁에 가게 된다. 남해 용왕의 요청에 따라 김진옥은 등곡 용왕을 물리친다. 이때 무양 공주는 김진옥이 자신과의 혼인을 거부했던 것에 앙심을 품고 이선영, 정동한 등과 계교를 짜 김진옥의 아내 유 부인과 아들 애운을 죽이려 한다. 용궁으로 돌아와 환대를 받은 김진옥은 용궁을 떠나려 한다. 김진옥이 ＿＿＿＿＿＿＿의 요청을 들어 준 사건과 무양 공주의 계교로 인해 김진옥의 아내와 ＿＿＿＿＿이 위기에 처해 있다는 상황이 설명되었어.

용왕 왈,

"이는 수중의 귀한 보배라. 이 비단으로 옷을 지어 입으면 엄동설한이라도 춥지 않을 것이요, 이 진주를 몸에 두면 칠십이 넘도록 녹발(綠髮)이 장춘(長春)이요, 또 죽은 사람의 입에 넣으면 환생하나니, 이는 극한 보배로소이다." 용왕이 자신의 ＿＿＿＿을 들어 준 김진옥에게 그 보답으로 신이한 능력이 담긴 ＿＿＿＿과 진주를 주었네.

원수가 사양하다가 받으니, 용왕 왈,

"원수는 대국의 신하라. 수부에 들어와 과인의 수부를 보전케 하니, 어찌 천자께 현신을 두신 치하를 아니하리오." 또한 용왕은 김진옥이 용궁(수부)을 보전하는 데 도움을 준 사연을 ＿＿＿＿에게 전하여 김진옥과 같은 어진 신하(현신)를 둔 것을 ＿＿＿＿하겠다고 해.

하고, 글월을 닦아 원수께 부치고, 예단을 봉하여 주니, 원수가 사례하고 받으니, 일광노 왈,

"이제 이별을 당하니 무엇으로 표하리오."

하고, 일광주(日光珠) 한 낱을 주고, 여동빈은 또 한 낱 부채를 주어 왈,

"이 부채를 한 번 부치면 운무가 자욱하고, 비 올 때에 부치면 꽃나무 가지마다 꽃이 만발하나니, 이는 큰 보배라. 그대는 잘 간수하라."

하고, 두목지는 칼 하나를 주며 왈,

"이 칼자루에 불을 켜면 밤이 낮 같고, 몸에 차면 귀신이 범하지 못할지니 가져가소서."

이적선이 또한 금표통(金瓢桶) 하나를 주며 왈,

"이것이 비록 적으나 이 가운데 분로주라 하는 술이 있으니, 천만 인이 먹어도 진(盡)치 못하나니 가져가라." 김진옥은 용왕뿐만 아니라 일광노, ＿＿＿＿＿, ＿＿＿＿＿, 이적선에게서도 진귀한 보배들을 하나씩 받게 돼.

하니, 원수가 받아 가지고 모든 사람이 이별하고 용왕께 하직하고 부친을 모셔 길을 떠나 황성으로 향하여 오더라.

각설, 차시에 무사가 애운을 물속에 넣으려 잡아가더니, 애운이 통곡 왈,

"우리 모친은 어디 계시고 나는 어디로 데려가노. 우리 모친도 야속하시도다." 김진옥의 아들 ＿＿＿＿이 어머니와 헤어진 뒤, 물에 빠질 위기에 처해 있는 상황이야.

하며 슬피 통곡하니, 무사가 잔잉히 여기고 불쌍히 여겨 달래어 왈,

"진실로 가련하다. 천자의 명이 급하시니 우리 어찌 거역하리오."

하고, 이끌어 가다가 강수에 던지고 가니, 어찌 가련치 아니하리오.

소소(昭昭)한 창천(蒼天)이 굽어살피실지라. 어머니를 찾으며 슬피 통곡하는 애운을 무사도 ＿＿＿＿하게 여기지만, 천자의 명을 ＿＿＿＿할 수는 없다고 하며 애운을 물에 던져버리고 마네.

용왕이 그 강의 용신(龍神)에게 칙지를 내리사 물에 들어온 아이를 살리라 하시니, 용신이 오직 칙지를 받자와 물 밖으로 도로 내치니, 애운이 정신이 아득한 중 물을 무수히 토하고 모친을 부르고 동서로 방황하더라. 다행히 ＿＿＿＿에게 칙지를 내린 용왕의 도움으로 애운은 목숨을 건졌어. 하지만 죽을 고비를 넘긴 후 어머니를 찾으며 ＿＿＿＿하는 모습에서 안쓰러움이 느껴지네.

(중략)

무사가 달려들어 거상(車上)에 실으려 하니, 난영이 소저를 붙들고 슬피 통곡하여 왈,

"가련하고 애닯을사, 유 부인 같은 요조숙녀 이렇게 참혹히 원사(冤死)할 줄 꿈에나 생각하였으리오. 천지신명과 일월성신과 황천후토(皇天后土) 굽어살피옵소서." 난영은 ＿＿＿＿＿＿＿이 죽을 위기에 처한 것을 한탄하며 통곡하고 있어.

하고, 낭자를 붙들고 방성통곡하며, 남녘을 멀리 바라본들 그림자나 있으리오.

한참 이렇듯 힐난할 제, 선영과 동한 등의 호령이 추상 같아서, '바삐 베라.' 재촉이 성화 같으니, 무사가 달려들어서 수레를 재촉하더라. 앞부분 줄거리에서 언급되었듯 무양 공주의 계교에 동참한 이선영과 정동한은 무사들을 ＿＿＿＿하며 유 부인을 한시라도 빨리 없애려 하고 있어.

[가]
> 각설, 김원수가 애운을 데리고 만리강에 다다르니, 강변에 한 척의 배도 없거늘, 가장 민망하여 사공을 찾으니, 한 사람이 나와 대답 왈,
>
> "어제 예부에서 관리를 보내 만리강에 있는 배 수천 척을 도사공으로 하여금 계명(鷄鳴) 전에 다 올려 가게 했사오니, 비록 행차가 바쁘셔도 무가내하*로소이다." 김진옥과 애운은 ＿＿＿＿＿을 건너고자 하지만 예부에서 내려온 명령으로 인해 강 주변에 한 척의 ＿＿도 남아 있지 않아 난감한 상황에 처해 있어.

원수가 차언을 듣고 앙천 탄식하며 화산을 향하여 배례 왈,

"이 강은 길이가 만 리요, 너비가 삼십 리라. 몸에 날개가 없으니 어찌 건너리꼬. 선생은 진옥의 사정을 급히 살피소서."

하고 무수히 배례하더니, 이때 화산 도사가 천지 산간에서 낭자를 죽이려 하는 거동과, 원수가 강에 이르러 배가 없어 건너지 못하는 양을 보고 대경하여 급히 조화를 부려 일엽소선을 지휘하여 빨리 강변에 닿으니, 김진옥이 화산을 향해 절을 하며 자신의 다급한 사정을 이야기하자, ＿＿＿＿＿가 이를 보고 배 한 척을 강변으로 보내 주었네. 원수가 대희하여 그 배를 타고 순식간에 강을 건너 남산을 돌아들어 석교를 지나 정히 종남산을 바라고 말을 짓쳐 들어가며 자세히 살펴보니, 장안 삼거리에 무수한 사람이 삼대같이 모여 있는데, 그 가운데 오색 기치를 세우고 한 수레 위에 한 부인을 달았거늘, 원수가 생각하되,

'이는 반드시 부인이로다.' 화산 도사의 도움으로 빠르게 강을 건너 ＿＿＿＿ 삼거리에 다다른 김진옥은 수레에 실려 가는 부인의 모습을 발견하게 돼.

하고 금편을 들어 말을 치니, 이 말은 비룡마(飛龍馬)라.

순식간에 살같이 달려 법장(法場)에 다다라 살펴보니, 부인은

기절하였고 무사는 시각을 기다릴 제, 한 대장이 비룡마를 타고 나는 듯이 달려들어 일진(一陣)을 헤치고 수레를 박차며 낭자를 안고 슬피 울거늘, 정동한 등이 대경실색하여 어찌할 줄 모르는지라.

_____를 타고 나타난 김진옥이 무사히 부인을 구해내었네.

원수가 낭자를 보고 기절하였더니, 이윽고 정신을 진정하여 울며 왈,

"부인아! 부인아! 김진옥이 여기 왔나니, 부인은 정신을 수습하옵소서."

하니, 이때 애운이 곁에 앉아 울며 왈,

"한강수에 빠져 죽었던 애운이 여기 왔나이다. 모친은 진정하옵시고 부친을 뵈옵소서."

하고, 얼굴을 한데 대고 뒹굴며 통곡하니, 천지 일월이 무광하고 산천초목이 다 슬퍼하더라. 김진옥과 애운이 정신을 잃은 유 부인을 부르며 슬피

_____하였고 이 모습을 본 산천초목도 슬퍼했대.

낭자 어찌 살아나지 못하리오. 원수가 용왕이 주던 진주를 입에 넣으니, 오래지 아니하여 호흡이 통하며 눈을 떠 원수를 보고, 아무 말도 못하고 애운의 손목을 잡고 느끼거늘, 김진옥이 용왕에게서 받았던

_____를 입에 넣어주자 유 부인이 정신을 차렸어. 원수가 그 모자의 경상을 보니 가슴이 미어지는 듯하니 분심이 충천하여 동한 등을 잡아 급히 죽이려 하되, 일반 대관(大官)을 천자의 명령 없이 자진 처치함이 신자의 도리가 아니라, 십분 잉분(仍憤)하고 오직 부인을 구호하여 집으로 돌아오니라. 김진옥은 당장이라도 계교를 꾸민 정동한 등의 무리를 잡아

원수를 갚고 싶은 마음이지만, _____의 허락 없이 임의로 처치함이 신하된 _____가 아니라고 생각해 참고 집으로 돌아왔어.

– 작자 미상, 「김진옥전」 –

*무가내하(無可奈何): 달리 어찌할 수 없음.

고전소설 독해의 STEP 2

1 형광펜이 그어진 부분을 근거로 장면을 다시 한번 나누어 보고, 장면별 내용을 요약해 보세요.

장면끊기 01	_____을 물리치고 용궁으로 돌아와 환대를 받은 김진옥은 남해 용왕과 일광노, 여동빈, 두목지, 이적선으로부터 진귀한 _____들을 선물로 받은 뒤 용궁을 떠남
장면끊기 02	무사에게 잡힌 애운이 강수에 던져졌다가 _____
장면끊기 03	죽을 위기에 처한 유 부인이 _____에 실려감
장면끊기 04	화산 도사의 도움으로 만리강을 건너 장안에 도착한 김진옥이 _____

---

2 인물 간의 관계를 고려하여 구조도의 빈칸에 적절한 말을 채우세요.

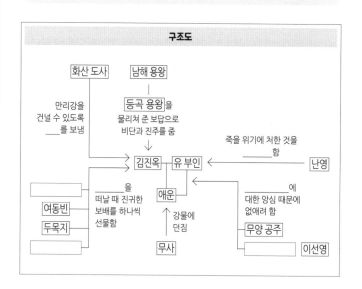

---

3 1~2번 문제를 풀어 보세요.

1. 윗글을 읽고 알 수 있는 내용으로 적절하지 않은 것은?

① 김진옥은 장안에 이르기 전 유 부인이 있을 곳을 생각하고 그곳의 특성을 이용하여 유 부인을 구했다.

② 김진옥은 유 부인을 해치려 한 선영과 동한 등을 응징하려면 천자의 허락을 받아야 한다고 생각했다.

③ 용왕은 김진옥의 공과 관련된 내용을 글로 적어 천자에게 알리려 하고 있다.

④ 난영은 유 부인이 억울하게 죽을 상황에 처하게 된 것을 알고 있다.

⑤ 애운을 죽이라는 명을 받은 무사는 애운의 처지를 애처롭게 여겼다.

2. 문학 개념어 OX 확인 문제

① 수중계와 지상계라는 이질적 세계에서 벌어지는 사건들 간의 연관 관계를 보여 주고 있다.　　　　○ ✕

② [가]는 주인공에게 일어난 사건의 발생 원인과 진행 과정을 제시하여 사건의 결말을 예고하고 있다.　　　　○ ✕

고전소설 독해의　STEP 3

1 선지 판단 공식을 활용하여 빈칸을 채우고 1번 문제의 선지를 OX로 판단해 보세요.

선지 판단의 공식

① 작품
김진옥은 만리강을 건넌 뒤, '종남산을 바라고 말을 짓쳐 들어'감 → '_____ 삼거리에 무수한 사람'이 모여 있고 '수레 위에 한 _____'이 있는 것을 봄

선지 ➡ 김진옥은 장안에 이르기 전 유 부인이 있을 곳을 생각하고 그곳의 특성을 이용하여 유 부인을 구했다. ○ ✕

② 작품
김진옥은 '_____이 충천하여 동한 등을 잡아 급히 죽이'고자 함 → '_____의 도리'를 생각하여 '오직 부인을 구호하여 집으로 돌아'감

선지 ➡ 김진옥은 유 부인을 해치려 한 선영과 동한 등을 응징하려면 천자의 허락을 받아야 한다고 생각했다. ○ ✕

③ 작품
김진옥이 남해 용왕의 요청에 따라 '등곡 용왕을 물리'침 → 용왕은 '천자께 _____을 두신' 것을 치하하는 내용의 '_____을 닦아 원수께 부'침

선지 ➡ 용왕은 김진옥의 공과 관련된 내용을 글로 적어 천자에게 알리려 하고 있다. ○ ✕

④ 작품
난영은 '_____ 같은 요조숙녀'가 '참혹히 _____' 하게 된 상황에 '슬피 통곡'함

선지 ➡ 난영은 유 부인이 억울하게 죽을 상황에 처하게 된 것을 알고 있다. ○ ✕

⑤ 작품
'무사가 애운을 _____에 넣으려 잡아'감 → 애운이 모친을 찾으며 통곡함 → 무사는 애운을 불쌍히 여기며 _____지만 결국 '강수에 던지고' 감

선지 ➡ 애운을 죽이라는 명을 받은 무사는 애운의 처지를 애처롭게 여겼다. ○ ✕

고전소설 독해의 STEP 1

❶ 등장인물에 ☐ 표시를 하고, 빈칸에 적절한 말을 채우세요.
❷ 시간, 공간, 서술 대상이 바뀌는 곳을 찾아 직접 장면을 5개로 나누어 보세요.

이때 한림이 인향의 오라비인 인형과 같이 인형의 집으로 돌아와 인형에게 이르되,

"인향 소저 나와 백년가약을 맺었으니 필연 나를 위하여 의복을 지어 두었을 것이니 들어가 찾아보리라."

하니 인형이 즉시 누이가 있던 방에 들어가 세간을 열고 보니 과연 비단 의복이 겹겹이 있는지라. _{한림의 말대로 인향의 방에는 그녀가 한림을 위해 지은 _____이 있었대. 두 사람이 _____을 맺었다는 말이 사실임을 알 수 있지.} 인형이 일장통곡하다가 가지고 나와 한림께 드리니, 한림이 의복을 받아 보고 더욱 슬픔을 견디지 못하여 눈물이 옷깃을 적시더라. 수품 제도를 자세히 살펴보고 칭찬 왈,

"아깝도다, 이 재주를 어디 가서 다시 볼꼬." _{의복을 보고 슬퍼하는 인형과 한림의 반응으로 보아, _____은 죽어서 다시 볼 수 없는 상황임을 짐작할 수 있어.}

하며 탄식하다가 인형을 작별하고 집으로 돌아오나라. 한림이 저녁을 먹은 후 노곤하므로 일찍 취침하더니, 비몽사몽간에 인향 소저 소매로 낯을 가리고 한림 앞에 와 재배하고 여쭈오되, _{한림의 꿈에 인향이 나타났어.}

"한림은 나를 모르시나이까. 첩은 다른 사람이 아니오라 심천동에 가서 죽은 인향의 혼백이로소이다. 가련한 혼백이 의지할 곳도 없고 위로하여 줄 사람도 없사와 슬픔을 이기지 못하였삽더니 천만에 한림의 덕택으로 축문까지 읽어 주시고 원혼을 위로하여 주시니 귀신이라도 어찌 그 은혜를 모르리까. _{한림이 축문을 읽으며 _____을 위로해 준 것에 대해 고마움을 드러내고 있어.} 제문에 하시기를 죽은 귀신이라도 한림 댁 귀신이라 하시오니 그 은혜를 어찌 다 측량하오며 하해 같은 덕택을 입사와, 첩이 전생의 죄 중하여 일찍 모친을 이별하고 계모의 누명을 애매히 쓰고 죽사와 철천지한을 설원할 길이 없삽더니 명찰하신 성주님을 만나 원수를 갚삽고 또한 한림이 금의환향하사 원혼을 위로하여 주시었사오니 이제는 한이 없는지라. _{계모가 씌운 _____ 때문에 인향이 억울하게 죽었다는 사실이 드러나네. 그 원한을 성주님이 갚아주었고, _____이 돌아와 자신의 원혼을 위로해 주었기에 인향은 더 이상 한이 없다고 말해.} 한림은 저를 재생코자 하시거든 하늘께 축수하와 금생 연분을 이루게 하옵소서. 첩의 모친은 옥황상제께 상소하시었삽고 첩은 염라대왕께 발원하였사오니, 한림은 진심으로 하옵소서." _{한림이 하늘을 향해 진심으로 _____하면 자신이 다시 살아날 수 있을 것이라는 정보를 전하였네.}

하며 눈물을 흘리고 나가거늘 한림이 언덕에 미끄러져서 깨니 ㉠꿈이라. 한림이 날이 새기를 기다려 부모께 몽사(夢事)를 아뢰고, 일가친척과 원근 제족(諸族)을 모으고 각 처에 법사를 불러 심천동으로 나아가니 산천은 첩첩하고 녹수는 잔잔한데 뭇 새소리 사람의 심회를 돕는 듯하더라. 심천동에 다다라 묘전에 제물을 차려 놓고, 모든 중들이 가사를 입은 후 하늘께 축수하며 옥황님을 불러 축원하고, _{_____에서 깬 한림은 인향이 말한 대로 하늘에 축수하기 위해 _____으로 향하였네.}

"옥황상제님은 살피사 불쌍하온 김 낭자를 다시 회생케 하옵소서."

하며 무수히 축원하고,

"김 낭자가 지부(地府)의 왕께 발원하였나이다. 만일 회생하면 어찌 황천후토께서 모르시리이까."

이와 같이 지성껏 축원하니 정성이 하늘에 사무치더라. _{한림은 인향을 살리기 위해 지극정성으로 _____을 올렸대.} 석양이 되매 제전을 파하고 집에 돌아와 등촉을 밝히고 있더니, 홀연 김 낭자 완연히 들어와 한림께 절하고 여쭈오되,

"오늘 정성하심을 하늘이 감동하옵시고 첩을 측은히 여기사 다시 환생케 하오니, 한림은 명일 아침에 음식과 이 약물을 가지고 심천동으로 오소서. 이 약물은 옥황상제께서 주신 회생수오니 그리 아옵소서."

하고 일어나 두 번 절하고 나가거늘, 놀라 깨니 ㉡꿈이라. _{인향이 다시금 한림의 꿈에 나타나 _____를 건네주었어. 한림의 정성에 감동한 옥황상제가 인향을 _____시키고자 결정한 것이지.} 한림이 자세히 살펴보니 그 옆에 약병이 있거늘, 한림이 대희하여 날 새기를 기다려 부친 전에 이 사연을 고하고 즉시 제물을 차려 가지고 인형과 같이 심천동으로 찾아가니 낙락장송은 희색을 띠어 한림을 반기는 듯, 산간에 두견새는 한림을 부르는 듯, 비금주수(飛禽走獸)가 모두 다 임을 보고 환영하는 듯하더라. _{인향의 회생을 앞두고 주변의 자연물 모두 이를 기뻐하고 반기는 듯한 느낌이었대.} 한림 일행이 심천동에 당도하여 묘전에 제물을 차려 놓고 분향재배한 후 제문을 읽으니, 그 제문에 하였으되,

"유세차 모년 모월 모일에 감소고우* 한림은 옥황상제 전에 일배주로 축원하오니 불쌍하온 김 낭자를 다시 회생케 하옵시면 미진한 인연을 다시 이어 백년동락으로 지낼까 하오니, 복원 옥황상제님은 다시 회생케 하옵소서." _{한림은 인향이 회생하면 끊어졌던 _____을 다시 이어 백년동락할 수 있기를 바라고 있어.}

하며 빌기를 무수히 한 후 제물을 파하고 다시 제물을 차려 묘전에 벌여 놓고 재배한 후 축문을 읽으니, 하였으되,

"유세차 모년 모월 모일에 한림 유성윤은 일배주를 김 낭자 좌하에 올리나니 흠향*하옵소서. 도시 액운이 한림의 죄오니 모든 것을 용서하시고, 구구히 축원하는 한림을 보아 회생하여 인연을 다시 이어 살았으면 지금 죽어도 한이 없겠나이다."

하고 즉시 인형과 같이 분묘를 헐고 신체를 보니 목과 얼굴이 조금도 썩지 아니하고 인향과 동생 인함이 자는 듯하거늘 한림이 즉시 회생수를 뿌리니, 얼마 후에 숨을 후유 쉬고 두 소저 서로 돌아눕는지라. _{회생수를 뿌리자 함께 묻혀 있던 인향과 동생 _____의 숨이 돌아오며 다시 살아나게 되었어.} 한림이 일변 하인들에게 명하여 보교를 가져오라 하여 두 소저를 태워 가지고 기뻐 어쩔 줄을 몰라 하여 집으로 돌아오니라. 이때 유공 부부 한림을 심천동에 보내고 궁금히 여기더니 이윽고 하인들이 보교를 메고 들어오는지라.

유공이 물어 왈,

"뉘 댁 내행(內行)을 우리 집으로 뫼시는다."

하니 하인들이 여쭈오되,

"댁내 행이오이다."

하는지라. 유공 부부 즉시 보교 문을 열고 보니 두 소저 앉았거늘 이때 한림이 들어와 전후수말을 고하고 즉시 방에 불을 더웁게 때고 소저를 누인 후 한림이 친히 사지를 주무르니, 얼마 후에 두 소저 정신을 차리는지라. 유공 부부며 한림과 인형이 매우 기뻐하여 그 즐거함은 이루 측량하지 못할러라. _{집으로 데려온 인향, 인함이 마침내}

_____을 차리자 유공 부부와 한림, 인형이 모두 크게 기뻐하고 있어. 노부인이 즉시 의복을 갈아입히니, 전일 보던 인향과 인함이 조금도 다름이 없더라. 이 소문이 평안도 일경에 자자하니, 일가 친척들이 신기하게 여김은 물론이요 일읍에 노소 부인이 구경 오는 자가 구름 같더라. 인형이 두 누이의 손을 잡고 눈물을 흘리며 지난 일에 대한 회포를 이기지 못하여 못내 좋아라 춤을 추더라.

이러구러 세월이 여류하여 어언간 원려(遠慮)가 지나매 유공 부부 즉시 장 승지 댁에 통혼하여 인형을 혼인시키니 장 소저의 아리따운 태도가 선녀 같은지라. 유공이 즉시 또 택일하여 한림과 인향 소저의 혼례를 지낼새 일가친척이며 동네 남녀 빈객이 인산인해를 이루었더라. 인향이 회생하고 어느 정도 시간이 흐른 뒤, 인형과 장 소저, 한림과 인향은 모두 _____를 올렸대.

– 작자 미상, 「김인향전」 –

*감소고우: 감히 밝혀 아룀.

*흠향: 신명(神明)이 제물을 받아서 먹음.

고전소설 독해의 STEP 2

1 형광펜이 그어진 부분을 근거로 장면을 다시 한번 나누어 보고, 장면별 내용을 요약해 보세요.

장면끊기 01	한림이 인형의 집에서 인향이 자신을 위해 손수 지은 _____을 발견하고 _____함
장면끊기 02	그날 밤 한림의 꿈에 인향이 나타나 은혜에 감사하는 뜻을 전하며 자신이 _____할 수 있는 방법을 이야기함
장면끊기 03	다음날 심천동으로 향한 한림은 하늘을 향해 정성으로 _____고, 이후 꿈에 나타난 인향이 _____로부터 받은 회생수를 건네줌
장면끊기 04	다시 심천동을 찾은 한림이 함께 묻혀 있던 _____의 몸 위로 회생수를 뿌리자, 두 소저가 모두 _____
장면끊기 05	집으로 돌아온 인향과 인함은 가족들과 기쁨의 재회를 나누고, 세월이 흘러 인향은 _____

---

2 인물 간의 관계를 고려하여 구조도의 빈칸에 적절한 말을 채우세요.

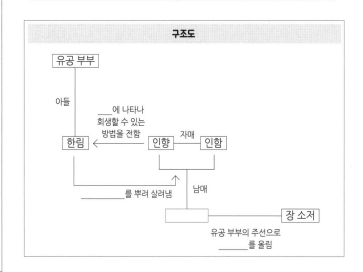

3 1~2번 문제를 풀어 보세요.

1. 〈보기〉를 참고하여 윗글을 감상한 내용으로 적절하지 <u>않은</u> 것은?

〈보기〉

문학 작품에서 모티프들은 서로 결합해 서사적 의미를 생성한다. 「김인향전」의 서사에는 전처의 소생이 계모와 갈등하며 비극적 사건이 발생하고 그로 인한 원한을 해소하는 계모 모티프가 반영되어 있는데, 여기에 혼사 장애를 극복하고 혼인을 하는 혼사 장애 모티프가 결합되어 있다. 그리고 인물들의 노력으로 혼사 장애를 극복하는 과정에서 서로에 대한 믿음과 진실된 마음을 중시하는 태도가 나타나고 있다.

① 한림이 인향에게 제물을 올리고 자신의 죄에 대해 용서를 구하는 데서 계모에 대해 남아 있는 인향의 한을 모두 푸는 것이 한림과 인향의 혼인에 전제 조건이 됨을 알 수 있군.

② 한림이 자신을 위한 의복을 인향이 지어 놓았을 것이라고 확신하는 데서 인향이 죽은 혼사 장애의 상황에서 그가 인향에 대한 믿음을 잃지 않고 있음을 알 수 있군.

③ 한림이 인향과의 인연을 이어 함께 살았으면 좋겠다는 바람을 반복적으로 드러내는 데서 인향을 향한 그의 진실된 마음이 나타나고 있음을 알 수 있군.

④ 인향이 한림의 노력을 통해 회생하고 혼인을 하는 데서 계모에 의해 초래된 비극적 사건의 해결과 혼사 장애의 극복이 결합되어 있음을 알 수 있군.

⑤ 인향이 계모의 누명을 애매히 쓰고 죽었다고 한림에게 말한 데서 인향과 계모 간의 갈등이 혼사 장애의 요소로 작용했음을 알 수 있군.

2. 문학 개념어 OX 확인 문제

① ㉠에서는 상대방의 과거 행위를 언급하며 감사의 뜻을 드러내고 있다. ○ ✕

② ㉡에서는 상대방에게 해야 할 일을 일러 주며 부탁하는 뜻을 드러내고 있다.

○ ✕

고전소설 독해의 STEP 3

1 선지 판단 공식을 활용하여 빈칸을 채우고 1번 문제의 선지를 OX로 판단해 보세요.

〈보기〉 문제 선지 판단의 공식

① 〈보기〉 「김인향전」에는 전처의 소생이 _____와 갈등하여 비극적 사건이 발생하고 그로 인한 _____을 해소하는 계모 모티프가 반영되어 있음

+

작품 '첩이 전생의 죄 중하여~원수를 갚삽고 또한 한림이 금의 환향하사 원혼을 위로하여 주시었사오니 이제는 한이 _____.', '제물을 차려 묘전에 벌여 놓고~"도시 액운이 _____의 죄오니 모든 것을 용서하시고"'

선지 ➡ 한림이 인향에게 제물을 올리고 자신의 죄에 대해 용서를 구하는 데서 계모에 대해 남아 있는 인향의 한을 모두 푸는 것이 한림과 인향의 혼인에 전제 조건이 됨을 알 수 있군.　　　　○ ✕

② 〈보기〉 「김인향전」에는 _____를 극복하는 과정에서 서로에 대한 _____과 진실된 마음을 중시하는 태도가 나타남

+

작품 '인향 소저 나와 백년가약을 맺었으니 필연 ____를 위하여 의복을 _____ 것이니 들어가 찾아보리라.'

선지 ➡ 한림이 자신을 위한 의복을 인향이 지어 놓았을 것이라고 확신하는 데서 인향이 죽은 혼사 장애의 상황에서 그가 인향에 대한 믿음을 잃지 않고 있음을 알 수 있군.　　　　○ ✕

③ 〈보기〉 「김인향전」에는 혼사 장애를 극복하는 과정에서 서로에 대한 믿음과 _____을 중시하는 태도가 나타남

+

작품 '불쌍하온 _____를 다시 회생케 하옵시면 미진한 인연을 다시 이어 백년동락으로 지낼까 하오니', '구구히 축원하는 한림을 보아 회생하여 _____을 다시 이어 살았으면'

선지 ➡ 한림이 인향과의 인연을 이어 함께 살았으면 좋겠다는 바람을 반복적으로 드러내는 데서 인향을 향한 그의 진실된 마음이 나타나고 있음을 알 수 있군.　　　　○ ✕

④ 〈보기〉 「김인향전」에는 _____ 모티프와 _____ 모티프가 결합되어 있음

+

작품 '오늘 정성하심을 하늘이 _____하옵시고 첩을 측은히 여기사 다시 _____케 하오니', '유공이 즉시 또 택일하여 한림과 인향 소저의 혼례를 지낼새'

선지 ➡ 인향이 한림의 노력을 통해 회생하고 혼인을 하는 데서 계모에 의해 초래된 비극적 사건의 해결과 혼사 장애의 극복이 결합되어 있음을 알 수 있군.　　　　○ ✕

⑤ 〈보기〉 「김인향전」에는 계모 모티프와 혼사 장애 모티프가 결합되어 있음

+

작품 '인향 소저 나와 _____을 맺었으니', '_____을 애매히 쓰고 죽사와'

선지 ➡ 인향이 계모의 누명을 애매히 쓰고 죽었다고 한림에게 말한 데서 인향과 계모 간의 갈등이 혼사 장애의 요소로 작용했음을 알 수 있군.　　　　○ ✕

고전소설 독해의 STEP 1

❶ 등장인물에 ☐ 표시를 하고, 빈칸에 적절한 말을 채우세요.
❷ 시간, 공간, 서술 대상이 바뀌는 곳을 찾아 직접 장면을 4개로 나누어 보세요.

[앞부분의 줄거리] 계모 노 씨와 친척 노태의 모해(謀害)로 인해 첫날밤 정을선에게 버림받은 유춘연은 적삼에 혈서를 남기고 자결한다. 유 승상은 딸 춘연의 혈서를 읽은 후 노 씨의 시비를 심문한다. 유춘연이 _____와 _____의 계략으로 정을선에게 버림받게 되자 자결하고, _____이 딸의 혈서를 읽고 시비를 심문하는 상황이 제시되고 있네. 무고한 유춘연을 죽음으로 내몬 사람들이 심판을 받으려는 대목으로 추론할 수 있겠어.

 승상이 시비가 죄상을 털어놓지 않으매 노하여 형벌(刑罰)로 추문하더니, 홀연 공중으로서 외쳐 왈,
 "부친은 애매한 시비를 엄형(嚴刑)치 마르소서. 소녀의 애매한 누명을 자연 알리이다." _____(아버지)에게 애매한 시비를 엄히 다스리지 말라고 부탁하는 것으로 보아, 공중에서 외치고 있는 것은 자결한 _____이겠군.
하더니, 홀연 방안에 앉았던 노 씨 문 밖에 나와 엎어지며 안개 자욱하고 무삼 소리 나더니 노 씨 피를 무수히 토하고 죽는지라. 모두 이르되,
 "불측한 행실을 하다가 이렇듯 죽으니, 신명이 무심치 아니타."
하고,
 "불쌍한 소저는 이팔청춘에 몹쓸 악명을 쓰고 죽으니 철천(徹天)한 원한을 뉘라서 씻으리오?"
 노태는 그 경상을 보고 스스로 목숨을 끊고 노 씨 자녀는 그날부터 말도 못 하고 세상일을 버렸더라. _____가 갑자기 피를 토하고 죽으니, 모두들 노 씨의 불측한 _____에 따른 것이라 하고, 한편으로 젊은 나이에 몹쓸 _____을 쓰고 죽은 유춘연을 동정하고 있네. 이를 본 _____가 스스로 목숨을 끊으면서 유춘연을 자결하게 한 인물들이 모두 죽음으로 대가를 치렀어.

(중략)

 익일에 유모를 따라 한가지로 소저의 빈소에 이르르는 유모가 먼저 들어가 이르되,
 "소저야, 정 시랑 상공이 오셨나이다."
 소저가 대 왈,
 "어미는 어찌 저런 말을 하나뇨? 시랑이 나를 버렸거든 다시 오기 만무하니라."
 유모가 다시 이르되,
 "내 어찌 소저에게 허언을 하리잇고? 지금 밖에 오신 상공이 곧 정 시랑이시니 들어오시라 하리잇가?"
 소저가 이르되,
 "정 시랑이신지 분명히 옳으냐?"
 유모 왈,
 "어찌 거짓말을 하리잇고?" 유춘연은 죽어서 혼령이 된 상태로 계속 남아 있었나 봐. 그런 유춘연의 _____로 정을선이 찾아왔다는 유모의 말에, 유춘연은 자신을 버린 정을선이 찾아왔을 리가 없다며 회의적인 태도를 보이고 있어.
하고 나와 이대로 고한대, 어사가 친히 문 밖에서 소리하여 왈,
 "생이 곧 정을선이니 나의 어리석음으로 부인이 누명을 쓰고

저렇듯 원혼(冤魂)이 되었으니, 그 외 다른 말씀을 어찌 다 헤아릴 수 있으리잇고. 을선이 곧 황명(皇命)을 받자와 이곳에 와서 부인의 애매함을 깨닫사오니, 백골이나 보고 이곳에서 한가지로 죽어 부인의 각골지원(刻骨之冤)을 위로코자 하나니, 부인의 명백한 혼령은 용렬한 을선의 죄를 사(赦)하시면 잠깐 뵈옵고 위로함을 바라나이다." 정을선은 유춘연이 _____이 된 후에야 그녀가 억울하게 _____을 썼다는 것을 알게 되었나 봐. 유춘연의 원한을 _____하기 위해 만나기를 간절히 요청하고 있네.
 말 끝에 크게 우니, 소저가 유모를 불러 말을 전하여 왈,
 "정 시랑이 이곳에 오시기 만무하니 어디서 과객이 와서 원통하고 억울하게 죽은 몸을 이렇듯 조르나뇨? 부질없이 조르지 말고 빨리 가라." 하지만 유춘연은 여전히 자신을 찾아온 상대가 _____이라는 것을 받아들이지 않고 거부해.
하는 소리가 애절(哀切)하여 원근에 사무치는지라. 유모가 수차 타이르되, 듣지 않으니, 시랑이 유모를 대하여 왈,
 "내가 이렇듯 말하되 소저 듣지 아니하니 내 도리에 어긋나더라도 들어가 보리라."
 유모가 말려 왈,
 "그러하면 좋지 아님이 있을지라. 깊이 생각하소서." _____에 어긋나더라도 빈소로 들어가겠다는 정을선을 _____가 만류하고 있네.
 어사가 생각하되, '이는 철천지원(徹天之冤)이니 범연히 보지 못하리라'하고, 황급히 생각하고 즉시 익주자사에게 관자(關子)*하되,
 '익주 순무어사(巡撫御使) 정을선은 자사에게 급히 할 말이 있으니 수일 내로 유 승상 부중(府中) 녹림원상(綠林苑上)으로 대령하라.'
하니, 익주자사가 관자를 보고 황황히 예를 갖추어 녹림원상으로 오니, 어사가 그늘에 앉아 민간(民間) 사정을 묻고 왈,
 "내 전일에 유 승상에게 여차여차한 일이 있더니 마침 이리 지나다가 유모를 만나 그동안 사연을 자세히 들으니, 그 소저가 별세한 지 삼 년이로되 이리이리하오니 어찌 가련치 않으리오? 이러므로 그 원혼을 위로코자 하니 자사는 나를 위하여 의혹을 풀게 하라." 유춘연은 죽은 뒤 _____이 지나도록 빈소에 원혼으로 남아 있었던 모양이야. 정을선은 그런 유춘연을 위로하고자 하는데, 정작 유춘연이 자신의 신분조차 믿어 주지 않자 _____로 하여금 의혹을 풀게 하라고 지시하고 있어.
 자사가 듣기를 다 마치매 소저 빈소에 나아가 무릎을 꿇고 말하길,
 "이는 곧 정 상공일시 분명하고 나는 이 고을 자사옵더니, 정 어사의 분부를 들어 아뢰옵나이다 존위(尊威)하신 신령은 살피소서."
 소저가 유모를 불러 말을 전하여 왈,
 "아무리 유명(幽明)이 다르나 남녀 분명하거늘 어찌 외인(外人)을 만나리오? 아무리 분명한 정 시랑이라 하되 내 어찌 곧이 들으리오?" 자사가 빈소로 가서 만남을 청하는 사람인 _____의 신원을 보증했지만, 유춘연은 여전히 사실을 받아들이기를 거부해.
 어사가 하릴없어 이 연유를 천자께 주(奏)한대, 상이 들으시고 애처롭게 여기사 원혼에게 벼슬을 하사하여 충렬부인을 봉하시고 직첩과 교지(敎旨)*를 내리시니, 언관(言官)이 밤낮으로 내려와 소저 빈소 방문 앞에서 교지를 자세히 읽으니,
 '아무리 유명이 다르나 아비를 모르고 님군을 모르리오? 교지를 나려 너의 원혼을 깨닫게 하노라. 정을선의 상소를 보니 너의 참혹한 말을 어찌 다 헤아리리오? ㉠너를 위하여 조서(詔書)를

내리나니 짐의 뜻을 저버리지 말라. 만일 조서를 거역한즉 역명을 면치 못하리라.'

하였더라. 소저가 듣기를 다하매 그제야 유모를 불러 왈,

"천은이 망극하사 아녀자의 혼백을 위로하시고 또 가부(家夫)가 틀림없는 줄을 밝히시니 황은이 태산 같도다." 유춘연은 _____로부터 직첩과 교지를 받고 나서야 정을선을 받아들이게 되네.

인하여 시랑을 청하여 들어오라 하거늘, 어사가 유모를 따라 들어가 보니, ⓛ좌우 창호(窓戶)가 겹겹이 닫혔거늘, 어사가 좌우로 살피나 티끌이 자욱하여 인귀(人鬼)를 분변치 못할지라. 마음에 비창(悲愴)하여 이불을 들고 보니 비록 살은 썩지 아녔으나 시신이 뼈만 남은지라. 정을선이 마침내 _____이 자욱한 빈소로 들어와서 보니, 삼 년 동안이나 묻히지 않고 그 자리에 있던 유춘연의 시신은 ____만 남아 있었네. 어사가 울며 왈,

"낭자야, 나를 보면 능히 알소냐?"

그 소저가 공중으로서 대답하되,

"첩의 용납지 못할 죄를 사하시고 천 리 원정에 오시니 아무리 백골인들 어찌 감격치 않으리오? 첩이 박명한 죄인으로 상공의 하해 같은 인덕을 입사와 외람하온 직첩을 받자오니 어찌 감은치 않으리잇가?" 유춘연은 자신을 위해 원정을 온 정을선에 대한 _____과, 그의 인덕으로 직첩을 받게 된 것에 _____(은혜를 고맙게 여김)하는 마음을 표출하고 있어.

어사 왈,

"어찌하면 낭자가 다시 살아날꼬?"

소저가 답 왈,

"첩을 살리려 하시거든 금성산 옥륜동을 찾아가 금성진인을 보고 약을 구하여 오시면 첩이 회생하려니와 상공이 어찌 가 구하여 오심을 바라리잇고?"

어사가 기뻐 즉시 유모를 분부하여 '행장을 차리라'하여, 유모 부처(夫妻)를 데리고 길에 올라 여러 날 만에 옥륜동에 이르러 기험(崎險)한 산천을 넘어 도관(道觀)을 찾으되, 운무가 자욱하여 능히 찾을 길이 없는지라. 유춘연은 자신이 되살아날 방법을 알고 있었나 봐. 정을선은 유춘연의 말에 기뻐하며 곧바로 _____에게서 약을 구하기 위해 _____으로 떠나네.

– 작자 미상, 「정을선전」 –

*관자: 상급 관청에서 하급 관청으로 보내던 공문서.

*교지: 임명, 해임 등 인사에 관한 임금의 명령.

고전소설 독해의 STEP 2

1 형광펜이 그어진 부분을 근거로 장면을 다시 한번 나누어 보고, 장면별 내용을 요약해 보세요.

장면끊기 01	유 승상이 딸 춘연의 혈서를 읽은 후 노 씨의 시비를 심문할 때, 공중에서 _____의 목소리가 들린 후 _____는 피를 토하며 죽고 _____는 자결함
장면끊기 02	유춘연이 별세한 지 삼 년이 지난 후, 정을선이 빈소에 찾아와 _____를 시켜 자신의 신원을 보증하게 하지만,
장면끊기 03	천자가 _____과 교지를 내리며 빈소로 들려는 사람이 _____임을 밝히자, 유춘연이 이를 감사히 받아들임
장면끊기 04	유춘연은 마침내 시랑(정을선)을 청하여 들어오라 하고, 빈소 안에서 대화하며 자신이 살아나기 위해 옥륜동의 _____에게서 약을 구해 와야 함을 전함

2 인물 간의 관계를 고려하여 구조도의 빈칸에 적절한 말을 채우세요.

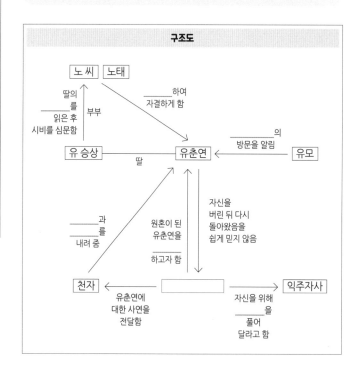

구조도

③ 1~2번 문제를 풀어 보세요.

1. 윗글에 대한 이해로 가장 적절한 것은?

① 정을선은 춘연의 혼령을 위로하고자 춘연과의 만남을 시도하고 있다.

② 정을선은 자사를 불러 춘연의 원한에 얽힌 사연을 알려 달라고 부탁하고 있다.

③ 승상은 노 씨의 시비를 통해 딸이 죽은 이유를 알게 된다.

④ 춘연은 황명을 이유로 자신의 죽음을 확인하러 온 정을선을 모른 척하고 있다.

⑤ 유모는 춘연의 빈소 앞에서 교지를 읽어 춘연이 충렬부인으로 봉해졌음을 알리고 있다.

2. 문학 개념어 OX 확인 문제

① ㉠에서는 천자의 권위를 내세워 춘연에게 자신의 뜻을 따라야 함을 촉구하고 있다.　　　　○ ✕

② ㉡에서는 공간에 대한 묘사를 통해 정을선에게 닥칠 위기 상황을 암시하고 있다.　　　　○ ✕

① 선지 판단 공식을 활용하여 빈칸을 채우고 1번 문제의 선지를 OX로 판단해 보세요.

선지 판단의 공식

① 작품　정을선은 춘연에게 '나의 어리석음으로 부인이 누명을 쓰고 저렇듯 _____이 되었'으니 '백골이나 보고 이곳에서 한가지로 죽어 부인의 각골지원을 _____코자' 한다며 '잠깐 뵈옵'기를 바란다는 의사를 전달함

선지▶ 정을선은 춘연의 혼령을 위로하고자 춘연과의 만남을 시도하고 있다.　　　　○ ✕

② 작품　정을선은 자사를 불러 자신이 정을선임을 인정하지 않는 춘연의 '원혼을 위로코자 하니 자사는 나를 위하여 _____을 풀게 하'라고 부탁함

선지▶ 정을선은 자사를 불러 춘연의 원한에 얽힌 사연을 알려 달라고 부탁하고 있다.　　　　○ ✕

③ 작품　유 승상은 '딸 춘연의 _____를 읽은 후 _____를 심문'하지만, '시비가 _____을 털어놓지 않'아 '형벌로 주문'함

선지▶ 승상은 노 씨의 시비를 통해 딸이 죽은 이유를 알게 된다.　　　　○ ✕

④ 작품　정을선은 억울하게 죽은 춘연의 원혼을 위로하기 위해 빈소로 찾아가지만, 춘연은 '나를 버'린 '_____이 이곳에 오시기 만무'하다고 하며 정을선을 부질없이 만남을 조르는 '_____'으로 취급하고 있음

선지▶ 춘연은 황명을 이유로 자신의 죽음을 확인하러 온 정을선을 모른 척하고 있다.　　　　○ ✕

⑤ 작품　천자는 춘연의 사연을 듣고 '벼슬을 하사하여 _____을 봉'하고 '직첩과 교지'를 내리는데, 이후 '_____이 밤낮으로 내려와 _____ 방문 앞에서 교지를 자세히 읽'음

선지▶ 유모는 춘연의 빈소 앞에서 교지를 읽어 춘연이 충렬부인으로 봉해졌음을 알리고 있다.　　　　○ ✕

고전소설 독해의 STEP 1

❶ 등장인물에 ☐ 표시를 하고, 빈칸에 적절한 말을 채우세요.
❷ 시간, 공간, 서술 대상이 바뀌는 곳을 찾아 직접 장면을 4개로 나누어 보세요.

윤백이 즉시 일어나서 별당으로 다가가서는, 창문을 두드리며 호통을 쳤다.

"이놈, 이놈, 이 서방아! 내가 여기에 왔느니라. 연분이 이미 맺어졌고 나라의 법이 삼엄한데 혼인이 무엇이냐?"

윤백이 소리를 지르면서 뛰어들어 병풍을 들이치고 저고리를 찾아 쥐고는 거침없이 뛰어나가니, 이 서방의 거동 보소. 원앙금 비취침에 사람의 이목을 물리치고 단잠을 자고 있었는데, 뇌성벽력 같은 소리에 정신이 산란하여 경황없이 일어나더니, 이 서방은 ＿＿의 호통에 깜짝 놀라 일어났어. 별당 뒷문으로 뛰어나가 대감의 방에 뛰어들어서는 창황히 아뢰기를,

"아버님, 잠을 깨옵소서. 밤중에 큰 변이 났으니 잠을 깨옵소서. 어서 다들 잠을 깨옵소서. 아버님께서는 무슨 일로 음행 있는 신부를 찾느라 이곳까지 오셨나이까?"

라 하니, 대감이 크게 놀라 하인들을 불러 모으되 분기가 치밀어 어찌할 줄 몰랐다. 아들로부터 신부(설낭자)에 대한 의심의 말을 전해들은 ＿＿이 분노하고 있어. 설진사 또한 그 소리를 듣고 어찌된 일인지 알 수 없어, 석 자짜리 칼을 손에 들고 별당으로 달려가 설낭자에게 물었다.

"너와 내가 한집에서 이십 년을 살았느니라. 너의 행실이 흠잡을 데 없었는데 내가 아무 것도 알지 못하니, 너는 바른대로 다 아뢰어라. 너와 내가 한 목숨으로 죽기가 두려우냐? 이병판은 세도가 제일이라 치죄(治罪)하지 못할 것이 없으니 무사하지 못할 것이다. 죽어도 무슨 일인지 알고나 죽고 싶다. 죄를 모르고 이리 죽으면 오죽하겠느냐? 바른대로 아뢰어라." ＿＿는 딸인 설낭자로부터 사건의 진실에 대해 듣기를 원하고 있어.

설낭자의 거동 보소. 번개 같은 두 눈을 뜨더니 백옥 같은 손을 들어 구슬 같은 눈물을 닦고 단호히 말했다.

"소녀는 이 일에 무죄하옵니다. 하늘이 아시고 귀신이 아옵니다. 오늘 이 지경에 떨어진 것은 어찌된 일인지 소녀는 알지 못하옵니다. 어찌 죽기를 주저하리이까마는, 이 자리에서 죽사오면 죽어도 억울한 원혼이 되어 황천구원(黃泉九原)에 갈 곳이 없사옵니다." 설낭자는 ＿＿이라는 극단적인 상황을 가정하며 자신을 향한 의심에 ＿＿함을 호소하고 있어.

하고는 통곡을 그치지 않았다. 설진사가 그 거동을 보니 차마 더는 추궁하지 못하고, 사랑으로 돌아와서는 식사를 물리치고 굶어 죽기만 기다렸다.

이병판 대감과 이도령은 창황한 중에 장안으로 돌아갔는데, 노하고 놀란 마음을 가라앉히지 못했다. 이병판 대감과 이도령은 설낭자에 대한 의심스러운 일 때문에 ＿＿으로 돌아가며 분노와 당황스러움을 느끼고 있어. 이도령이 그 부친께 나아가더니,

"소자는 강산 구경을 하고 돌아오겠나이다."

라고 고하고는 떠나갔다.

정부인과 황부인이 밤낮 모여 앉아 윤백이 돌아오기를 기다리고 있던 차에, 윤백이 돌아와서는 자기가 한 일을 아뢰고 훔쳐 온 저

고리를 내놓았다. 두 부인이 크게 기뻐하며 천금을 상으로 주고는, 그 저고리를 꼭꼭 싸서 농 안에 숨겨 놓고는 대감이 돌아오기를 기다렸다. ＿＿이 설낭자를 모함하는 데 성공하자 ＿＿과 ＿＿이 기뻐하고 있어. 이들이 설낭자에게 누명을 씌운 주모자들인가 보군.

[중략 줄거리] 설낭자는 누명을 벗기 위해 점쟁이를 찾아간다. 그곳에서 설낭자는 장안으로 김동지 며느리를 데리고 가야만 누명을 벗을 수 있다는 말을 듣고 김동지 며느리와 함께 장안으로 간다.

하인들을 거느린 김동지 며느리가 정부인이 있는 방으로 한달음에 뛰어 들어가서는, 설낭자의 저고리를 감추어 두었던 장롱을 대번 끌어내려 했다. 정부인과 황부인이 놀라, 정부인과 황부인은 ＿＿가 발견되어 자신들이 꾸민 일이 들킬까 봐 놀라고 있네.

"네가 어떤 년이기에 이 방에 들어와서 이 장롱을 도적질하느냐? 그 죄가 죄사무석(罪死無惜)*이로다."

호통을 치면서 한사(限死)하고* 달려들었으나, 김동지 며느리가 그 붙잡는 손을 뿌리치고 따라온 하인들이 또한 가로막았다. 끝내 김동지 며느리가 장롱을 든 채 밖으로 뛰어나와서는, 한 주먹으로 장롱을 때려 부수고 저고리를 찾아내었다. 김동지 며느리가 그것을 손에 높이 들고 소리쳤다.

"작은색시, 이것 보오. 작은색시가 잃어버렸던 저고리가 여기 와 있나이다."

이때 정부인이 뒤쫓아 나와서는 하인들을 꾸짖고 김동지 며느리에게 호통을 쳤다.

"그 더러운 년의 저고리가 어찌 내게 있단 말이냐? 대감께 이를 것이라." 설낭자의 저고리를 발견한 ＿＿＿＿에게 정부인은 오히려 화를 내고 있어.

그러자 김동지 며느리가 그 저고리를 들고는 대감의 거처로 들어갔다. 대감 앞에 저고리를 펼쳐 놓고 고하기를,

"우리 작은색시가 첫날밤에 잃었던 저고리가 어찌하여 정부인이 거처하는 방의 장롱 안에 있사오니까? 괴이한 일이옵니다. 정부인은 이것이 자기 저고리라 하니, 정부인과 설낭자를 불러 저고리의 사연을 들어 보시옵소서."

하였다. 대감이 듣고는 과연 괴이하다 여기고, 먼저 정부인을 불러들였다.

"이 저고리에 대해 말해 보아라."

"그 저고리의 품마기는 길이가 한 자 한 치옵고, 소매와 진동은 이러저러하옵니다."

뒤이어 김동지 며느리가 설낭자를 불렀다.

"이 저고리에 죽고 사는 것, 흥하고 망하는 것, 누명을 쓴 것과 결백을 증명할 길이 있사오니 정신을 차리고 단단히 말씀하오." 김동지 며느리는 설낭자에게 ＿＿을 벗기 위해 ＿＿을 증명하라고 단호히 말하고 있어.

설낭자가 일어나서는 팔자아미를 숙이면서 가는 목소리를 길게 빼어 옥구슬이 구르는 듯한 소리로 대답하였다.

"영남 여자의 옷은 별다른 것이 없사옵니다. 그러나 소녀가 일곱 살에 이 저고리를 지었을 때, 소녀의 어머니께서 기특하다 여겨 저고리 안에 붉은 실로 '설운설'이라고 소녀의 아명을 수놓아 새기셨사옵니다. 그것을 보면 모두 알 것이옵니다."

김동지 며느리가 그 말대로 저고리 안을 뜯어내고 보니, 정말로 붉은 실로 '설운설'이라 새겨져 있는 것이었다. 대감이 크게 분노하여 맏며느리를 잡아 하옥하고는, 즉시로 설낭자를 행례*하여 별당으로 보내어 거처하게 하였다. 대감은 저고리에 새겨진 '_____'이라는 글자를 확인하고 사건의 전모를 알게 되자 _____에게 누명을 씌운 며느리 정부인에게 분노하며 벌을 내리고 있어.

대감이 이로써 정부인의 간사함을 알았으나, 어찌하여 일이 그리 되었는지는 몰랐다. 대감이 정부인과 황부인을 모두 잡아 들여서는 자백을 받고자 물었다. 대감은 설낭자를 모함한 일에 대한 정부인과 황부인의 _____을 받고자 하네.

"너희들이 무슨 일로 내 아들을 시기하여 내 집을 망하게 하려 하였느냐? 그러고도 너희가 살기를 바랐더냐? 이 불측한 일은 어느 하인에게 시켜서 하였느냐?"

그러나 정부인도 황부인도 대답하지 않았다. 이때 김동지 며느리가 대감 앞에 나섰다.

"그 하인이 누구인지 알아내는 것은 묻지 아니하여도 아옵니다. 대감님네 수청지기* 윤백이라 하는 놈이옵니다. 정부인을 잡아 오라고 대감께서 분부할 때, 그놈이 죽을 듯 겁을 내면서 얼굴색이 변하였으니, 그놈의 행동이 아무래도 수상하옵니다."

대감이 듣고는,

"그 말이 옳다."

하고, 윤백을 곧 잡아내어 주리채에 올려 묶어 놓았다. 정부인과 황부인이 입을 열지 않았지만 윤백의 행동이 _____함을 눈여겨본 김동지 며느리 덕분에 무사히 진실이 밝혀질 것으로 보이네.

– 작자 미상, 「설낭자전」 –

*죄사무석: 죄가 무거워서 죽어도 안타깝지 아니함.

*한사하다: 죽기를 각오함.

*행례: 예식을 행함.

*수청지기: 주인을 가까이에서 시중들고 심부름하는 노복.

고전소설 독해의 STEP 2

1 형광펜이 그어진 부분을 근거로 장면을 다시 한번 나누어 보고, 장면별 내용을 요약해 보세요.

장면끊기 01	별당으로 뛰어 든 윤백은 설낭자가 자신과 이미 _____을 맺은 사이라고 모함하고, 설낭자는 _____을 주장함
장면끊기 02	이대감 부자는 장안으로 돌아가고, 설낭자에 대한 모함을 사주했던 _____과 _____은 계획이 성공했음을 알고 _____함
장면끊기 03	김동지 며느리가 정부인의 방에서 그들이 감추어 두었던 _____를 발견함
장면끊기 04	김동지 며느리가 대감의 거처로 가서 _____

2 인물 간의 관계를 고려하여 구조도의 빈칸에 적절한 말을 채우세요.

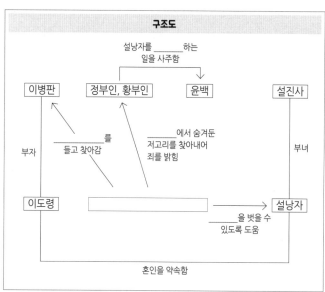

3 1~2번 문제를 풀어 보세요.

1. 〈보기〉를 참고하여 윗글을 감상한 내용으로 적절하지 않은 것은?

〈보기〉

「설낭자전」은 고전 소설에서 자주 등장하는 선과 악의 대립 구도를 통해 권선징악이라는 주제를 드러내고 있다. 이 작품에서 선과 악의 대립은 한 가정에 속한 기존 인물들이 그 가정에 편입하려는 인물을 배척하려는 과정에서 나타난다. 이러한 과정에서 가정 외부의 인물인 조력자는 사건의 내용을 간파하고 주인공이 제시한 결정적인 단서를 활용하여 사건을 해결한다.

① 설낭자가 어머니와의 추억을 말하는 모습에서 주인공의 경험이 사건 해결의 결정적 단서로 활용됨을 알 수 있군.

② 설진사가 칼을 들고 설낭자에게 첫날밤에 일어난 사건에 대해 추궁하는 모습에서 선과 악이 대립하고 있음을 알 수 있군.

③ 이대감이 정부인을 하옥하고 설낭자를 행례하게 하는 모습에서 권선징악이라는 주제가 드러나고 있음을 알 수 있군.

④ 김동지 며느리가 사건과 관련된 인물을 지목하는 모습에서 가정 외부의 인물인 조력자가 사건의 내용을 간파하고 있음을 알 수 있군.

⑤ 정부인과 황부인이 윤백에게 시킨 일로 인해 곤경에 처하는 설낭자의 모습에서 가정에 편입하려는 새로운 인물이 배척당하고 있음을 알 수 있군.

2. 문학 개념어 OX 확인 문제

① 인물의 행동을 제시하여 상황의 긴박함을 드러내고 있다. ○ ✕

② 꿈과 현실의 교차를 통해 사건의 비현실성을 부각하고 있다. ○ ✕

고전소설 독해의 STEP 3

1 선지 판단 공식을 활용하여 빈칸을 채우고 1번 문제의 선지를 OX로 판단해 보세요.

〈보기〉 문제 선지 판단의 공식

① ┃

〈보기〉「설낭자전」에서 _____이 제시한 결정적인 _____를 활용하여 사건을 해결함

➕

작품 '"영남 여자의 옷은 별다른 것이 없사옵니다. 그러나 _____에 이 저고리를 지었을 때, 소녀의 _____께서 기특하다 여겨 저고리 안에 붉은 실로 '설운설'이라고 소녀의 아명을 수놓아 새기셨사옵니다. 그것을 보면 모두 알 것이옵니다." 김동지 며느리가 그 말대로 저고리 안을 뜯어내고 보니, 정말로 붉은 실로 '설운설'이라 새겨져 있는 것이었다.'

선지 설낭자가 어머니와의 추억을 말하는 모습에서 주인공의 경험이 사건 해결의 결정적 단서로 활용됨을 알 수 있군. ○ ✕

② ┃

〈보기〉「설낭자전」에서 _____의 대립은 한 가정에 속한 기존 인물들이 그 가정에 편입하려는 인물을 배척하려는 과정에서 나타남

➕

작품 '_____ 또한 그 소리를 듣고 어찌된 일인지 알 수 없어, 석 자짜리 칼을 손에 들고 별당으로 달려가 설낭자에게 물었다.'

선지 설진사가 칼을 들고 설낭자에게 첫날밤에 일어난 사건에 대해 추궁하는 모습에서 선과 악이 대립하고 있음을 알 수 있군. ○ ✕

③ ┃

〈보기〉「설낭자전」은 고전 소설에서 자주 등장하는 선과 악의 대립 구도를 통해 _____이라는 주제를 드러냄

➕

작품 '대감이 크게 분노하여 맏며느리를 잡아 하옥하고는, 즉시로 설낭자를 _____하여 별당으로 보내어 거처하게 하였다.'

선지 이대감이 정부인을 하옥하고 설낭자를 행례하게 하는 모습에서 권선징악이라는 주제가 드러나고 있음을 알 수 있군. ○ ✕

④ ┃

〈보기〉「설낭자전」에서 _____는 사건의 내용을 _____하고 주인공이 제시한 결정적인 단서를 활용하여 사건을 해결함

➕

작품 '이때 _____가 대감 앞에 나섰다. "그 하인이 누구인지 알아내는 것은 묻지 아니하여도 아옵니다. 대감님네 수청지기 _____이라 하는 놈이옵니다. 정부인을 잡아 오라고 대감께서 분부할 때, 그놈이 죽을 듯 겁을 내면서 얼굴색이 변하였으니, 그놈의 행동이 아무래도 수상하옵니다."'

선지 김동지 며느리가 사건과 관련된 인물을 지목하는 모습에서 가정 외부의 인물인 조력자가 사건의 내용을 간파하고 있음을 알 수 있군. ○ ✕

⑤ ┃

〈보기〉「설낭자전」에서 선과 악의 대립은 한 가정에 속한 기존 인물들이 그 가정에 _____을 _____하려는 과정에서 나타남

➕

작품 '정부인과 황부인이 밤낮 모여 앉아 _____이 돌아오기를 기다리고 있던 차에, 윤백이 돌아와서는 자기가 한 일을 아뢰고 훔쳐 온 저고리를 내놓았다. 두 부인이 크게 _____하며 천금을 상으로 주고, 그 저고리를 꼭꼭 싸서 농 안에 숨겨 놓고는 대감이 돌아오기를 기다렸다.'

선지 정부인과 황부인이 윤백에게 시킨 일로 인해 곤경에 처하는 설낭자의 모습에서 가정에 편입하려는 새로운 인물이 배척당하고 있음을 알 수 있군. ○ ✕

고전소설 독해의 STEP 1

1️⃣ 등장인물에 ☐ 표시를 하고, 빈칸에 적절한 말을 채우세요.
2️⃣ 시간, 공간, 서술 대상이 바뀌는 곳을 찾아 직접 장면을 3개로 나누어 보세요.

"이곳은 서방 세계(西方世界)라, 속객이 어찌 오시니잇가?"

성의가 공손히 답례하고 가로되,

"나는 안평국 사람이러니 천성금불 보탑존자를 뵈러 왔사오니 어디 계시니잇가?"

화상이 왈,

"보탑존자는 금강천불대사라. 인간 육신으로 이곳을 들어왔으니 정성을 가히 알지라. 그대 정성을 신령이 감동함이나 마음이 부정(不淨)하면 대사를 보지 못할지라. 물러가 칠 일 재계(齋戒) 후에 대사를 보소서." 성의는 인간의 육신으로 _____ 로 들어갔어. 천성금불 보탑존자를 만나기 위해서지. 화상은 _____ 동안 몸과 마음을 깨끗이 한 후에 대사를 만나야 한다고 말해. 보탑존자는 마음이 _____ 하면 볼 수 없기 때문이지.

하거늘 성의가 슬프게 눈물 흘리며 재배 왈,

"소자 무변광해를 주유하와 천신만고하여 왔삽거늘 어찌 물러가 칠 일 머물리잇가? 바라건대 스님은 살피사 일각이 삼추 같 사온 성의 마음을 불쌍히 여기지 아니하시면 차라리 이곳에 죽어 사부의 어엿비 여기심을 바라나이다." 성의는 보탑존자를 당장 만날 수 없다는 말에 _____을 흘리며 이 자리에서 죽을 수 있을 정도로 절박한 마음을 전해.

하니 화상이 왈,

"이곳을 한 번 보면 삼재팔난이 소멸되나니 귀객의 효성이 창천에 사무치는지라. 작일에 존자 분부하시되, '명일 유시에 안평국 왕자 내게 올 것이니 오는 즉시 아뢰라.' 하시더니, 생각건대 그대를 이르심이라." 성의의 말을 들은 화상은 보탑존자가 전에 이야기했던 _____ 가 성의인 줄 알게 돼.

하고,

"잠깐 머무소서."

하며 들어가더니 이윽고 나와 청하거늘 성의 따라 들어가니 칠층 전각의 일위 존자 머리에 누런 송라를 쓰고 칠건 가사를 메고 좌수에 금강경을 쥐고 우수로 백팔염주를 두르며 경문을 외우니, 좌편의 오백 나한이며 우편의 칠백 중들이 합송하니 송경 소리 반공에 사무치는지라. 보탑존자의 외견과, 수많은 나한·중들과 함께 _____을 외우는 모습을 묘사하고 있어. 성의 칠보대 아래에서 재배하는데, 존자 왈,

"내 일찍 수도하여 천하제국 중생의 선악을 보는지라. 이제 네 효도하여 위친지성(爲親至誠)이 지극하여 극락서역이 창해 누만 리거늘 부모에게 효도함에 위친지성으로 길을 삼아 금일로 올 줄을 알았더니 과연 오도다." 존자는 성의가 오늘 부모님께 지극하게 _____ 하는 마음으로 서방 세계에 찾아올 줄 알고 있었다고 하네.

하며 환약 일봉을 주며 왈,

"이 약이 일영주니 바삐 돌아가 모환을 구하라. 성의가 보탑존자를 찾아온 것은 어머니를 위해 _____을 얻기 위함이었구나. 너는 본디 하계(下界) 사람이 아니라. 전세에 묘일성신과 혐의* 있더니, 금세에 형제 됨에 곤액(困厄)*이 있으나 필경에 원한을 풀 날이 있으 리라." 동시에 존자는 성의가 본래 _____에 속한 사람이 아닌, 천계에 속한 사람임을 이야기해 줘. 전세에 _____ 과 혐의가 있었는데, 금세에 인간 세상에 내려와 _____가 되면서 불운함이 있으나 결국 원한을 풀 날이 있으리라고 말해 주네.

[중략 줄거리] 일영주를 구해 돌아오던 중 성의는, 왕위를 이어받는 데 위협을 느낀 형 항의에게 공격을 당해 일영주를 빼앗기고 눈이 먼다. 보탑존자의 말을 통해 형 _____가 묘일성신임을 짐작할 수 있어. 그런 형에게 공격당해 위기에 처하는 성의의 모습에서 전생의 악연이 금세까지 이어져 곤욕을 치르고 있음을 알 수 있네.

각설, 이때 성의 한 조각 판자를 의지하였으니 어찌 가련치 아니하리오. 두 눈이 어두웠으니 천지일월성신이며 만물을 어찌 알리오. 동서남북을 어찌 분별하며 흑백장단을 어이 알리오. 다만 바람이 차면 밤인 줄 알고 일기가 따스한즉 낮인 줄 짐작하나 만경창파에 금수 소리도 없는지라. 형 항의의 공격으로 ___이 먼 성의가 한 조각 _____에 의지한 채 천지를 분간하지 못하고 바다 위를 떠도는 비참한 상황이야.

삼일 삼야 만에 판자 조각이 다다른 곳이 있는지라. 놀래어 손으로 어루만지니 큰 바위라. 기어 올라가 정신을 수습하여 바위를 의지하고 앉아 탄식 왈,

"사형(舍兄)*이 어찌 이다지 불량하여 무죄한 인명을 창파 중에 원혼이 되게 하고, 나로 하여금 이 지경이 되게 하였으니 이제는 부모가 곁에 계신들 얼굴을 알지 못하게 되었으니 어찌 통한치 아니하리오. 그러나 모친 환우가 어떠하신지, 일영주를 썼는지 알지 못하니 어찌 원통치 아니하며, 인자하신 우리 모친이 속절 없이 황천에 돌아가시겠도다." 성의는 자신의 처지를 탄식하고 _____을 걱정하며 슬퍼하지.

하고 슬피 통곡하니 창천이 욕열하고 일월이 무광한지라.

사고무인(四顧無人) 적막한데 십이 세 적공자가 불량한 사형에게 두 눈을 상하고서 일시에 맹인이 되어 외로운 암석 상에 홀로 앉아 자탄하니 그 아니 처량한가. 적적무인(寂寂無人) 야삼경의 추풍은 삽삽하여 원객의 수심을 자아내고, 강수동류원야성(江水東流猿夜聲)의 잔나비 슬피 울고, 유의한 두견성과 창파만경의 백구들은 비거비래(飛去飛來) 소리 질러 자탄으로 겨우 든 잠을 놀라 깨니 첩첩원한 무궁리라. 두 눈이 먼 채 홀로 떠내려온 성의의 _____한 모습이 제시되고 있네. 하늘을 우러러 탄식을 마지 아니하더니 문득 청아한 소리 들리거늘 귀를 기울여 들으며 헤아리되, '이는 분명한 대 소리로다. 이 같은 대해 중에 어찌 대밭이 있는고.' 하며 '이는 반드시 촉나라 땅이로다.' 하고 소리를 좇아 내려가고저 하더니, 문득 오작(烏鵲)이 우지지며 손에 자연 짚이는 것이 있거늘 이는 곧 실과라. 먹으니 배 부른지라 정신이 상쾌하거늘, 오작에게 사례하고 인하여 바위에 내려 죽림을 찾아가니 울밀한 죽림이라. 들으니 그중에 한 대가 금풍을 따라 스스로 응하여 우는지라. 여러 대를 더듬어 우는 대를 찾아 잡고 주머니에서 칼을 내 대를 베어 단저*를 만들어서 한 곡조를 부니 소리 처량하여 산천초목이 다 우짖는 듯하더라.

차시에 성의 오작에게 밥을 부치고 단저로 벗을 삼아 심회를 덜며 일분도 그 형을 원망치 아니하고, 주야에 부모를 생각하니 그 천성 대효(天性大孝)를 천지신명이 어찌 돕지 아니하리오. 성의는 사방에 아무도 없는 바위 위에서 _____이 주는 음식을 먹으며 대밭에서 만든 _____로 벗을 삼아 마음에 맺힌 슬픔과 막막함을 덜고 있어. 자신을 공격한 형을 _____하지 않고 밤낮으로 부모를 생각하다니 대단하지?

각설, 이때 중국에 호마령이라 하는 재상이 있으니 벼슬이 승상에 오른지라. 황명을 받자와 남일국에 사신 갔다가 삼 삭 만에 돌아오더니 이곳에 이르러 일행을 쉬더니 청풍은 서래하고 수파는 고요한데, 처량한 피리 소리 풍편에 들리거늘 이 피리 소리는 두 눈이 먼

_____가 부는 피리 소리겠지? 호 승상이 혜오되, '이곳은 무인지경(無人之境)이라. 분명 선동(仙童)이 옥저를 불어 속객을 희롱하는도다.' 하고 시동(侍童)을 명하여,

"피리 소리 나는 곳을 찾아보라."

하시되 시동 승명하고 피리 소리를 따라 한곳에 이르니 한 동자 죽림 암상에 비겨 앉아 단저를 처량하게 불거늘 시동이 왈,

"그대 신동인가? 선동인가?"

하니 성의 놀라더라. _____은 사람이 살지 않는 지역에서 _____가 나자 어디서 소리가 나는지 찾아보고자 시동을 보내고, 성의는 갑작스러운 말소리에 깜짝 놀라지.

– 작자 미상, 「적성의전」 –

*혐의: 꺼리고 미워함.

*곤액: 몹시 딱하고 어려운 사정과 재앙이 겹친 불운.

*사형: 자기의 형을 겸손하게 이르는 말.

*단저: 짧은 피리.

고전소설 독해의 STEP 2

1 형광펜이 그어진 부분을 근거로 장면을 다시 한번 나누어 보고, 장면별 내용을 요약해 보세요.

장면끊기 01	성의는 서방 세계에서 _____를 만나고 어머니를 구할 _____를 얻음
장면끊기 02	성의는 형 항의에게 공격을 받고 _____ _____ _____
장면끊기 03	중국의 호마령은 _____ _____ 시동을 보내 성의를 발견함

2 인물 간의 관계를 고려하여 구조도의 빈칸에 적절한 말을 채우세요.

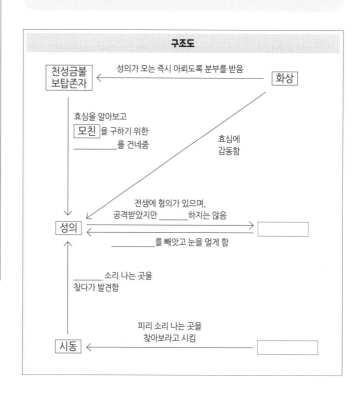

구조도

천성금불보탑존자 ←— 성의가 오는 즉시 아뢰도록 분부를 받음 — 화상

천성금불보탑존자 → 효심을 알아보고 모친을 구하기 위한 _____를 건네줌

화상 → 효심에 감동함

성의 — 전생에 혐의가 있으며, 공격받았지만 _____하지는 않음 → □
성의 ← _____를 빼앗고 눈을 멀게 함

성의 ← _____ 소리 나는 곳을 찾다가 발견함

시동 ←— 피리 소리 나는 곳을 찾아보라고 시킴 — □

3 1~2번 문제를 풀어 보세요.

1. 윗글의 내용에 대한 이해로 가장 적절한 것은?

① 화상은 인간 육신으로 서방 세계에 온 성의를 의심하여 그의 능력을 시험하였다.

② 성의는 죽어서라도 대사의 제자가 되기를 원한다고 화상에게 전했다.

③ 보탑존자는 성의가 찾아올 것이라고 화상에게 미리 일러두었다.

④ 호 승상은 남일국에 사신으로 가는 길에 선동에게 희롱당하고 일행과 함께 자리를 떴다.

⑤ 시동은 사람이 살지 않는 곳에 혼자 나서는 것을 두려워하여 호 승상의 명령을 따르지 않았다.

2. 문학 개념어 OX 확인 문제

① 서술자가 직접 개입하여 생각을 드러내고 있다.　　　　○ X

② 등장인물의 탄식을 통해 자연물의 공감을 얻고 있다.　　　○ X

고전소설 독해의 STEP 3

1 선지 판단 공식을 활용하여 빈칸을 채우고 1번 문제의 선지를 OX로 판단해 보세요.

MEMO

선지 판단의 공식

① 작품
화상은 '이곳은 _____'라고 하며 성의에게 '인간 육신으로 이곳을 들어왔으니 _____을 가히 알지라.'라고 함

선지 ▶ 화상은 인간 육신으로 서방 세계에 온 성의를 의심하여 그의 능력을 시험하였다. ○ ×

② 작품
성의는 '소자 무변광해를 주유하와 _____하여 왔삽거늘 어찌 물러가 _____을 머물리잇가? 바라건대 스님은 살피사 일각이 삼추 같사온 성의 마음을 불쌍히 여기지 아니하시면 차라리 이곳에서 죽어 사부의 _____을 바라나이다.'라고 함

선지 ▶ 성의는 죽어서라도 대사의 제자가 되기를 원한다고 화상에게 전했다. ○ ×

③ 작품
_____은 성의에게 '작일에 _____ 분부하시되, '명일 유시에 안평국 왕자 내게 올 것이니 오는 즉시 아뢰라.' 하시더니, 생각건대 _____를 이르심이라.'라고 함

선지 ▶ 보탑존자는 성의가 찾아올 것이라고 화상에게 미리 일러두었다. ○ ×

④ 작품
피리 소리를 들은 호 승상은 "이곳은 _____이라. 분명 _____이 옥저를 불어 속객을 희롱하는도다.' 하고 시동을 명하여, "_____ 나는 곳을 찾아보라.'"라고 함

선지 ▶ 호 승상은 남일국에 사신으로 가는 길에 선동에게 희롱당하고 일행과 함께 자리를 떴다. ○ ×

⑤ 작품
'시동 승명하고 피리 소리를 따라 한곳에 이르니 한 _____ 죽림 암상에 비겨 앉아 단저를 처량하게 불거늘 시동이 왈, "그대 신동인가? _____인가?"라고 물으며 성의를 발견하게 됨

선지 ▶ 시동은 사람이 살지 않는 곳에 혼자 나서는 것을 두려워하여 호 승상의 명령을 따르지 않았다. ○ ×

H O L S O O

고전소설 독해의 STEP 1

1 등장인물에 ☐ 표시를 하고, 빈칸에 적절한 말을 채우세요.

2 시간, 공간, 서술 대상이 바뀌는 곳을 찾아 직접 (나)는 장면을 3개로, (다)는 장면을 1개로 나누어 보세요.

(가)

우화소설(寓話小說)은 동물을 인격화하여 풍자를 바탕으로 교훈을 전달하는 작품을 말한다. 동물들의 언행을 통해 그 이면에 담겨 있는 인간 세계의 진면목을 보여 준다는 점에서 우회적인 방식으로 주제를 드러내는 서사 양식이다. 우화소설의 주요 유형으로는 소송 사건을 다루는 송사형 소설과 시비를 가리는 쟁론형 소설 등이 있다. 우화소설: _____을 인격화해 풍자를 통해 인간 세계를 보여 주며 우회적으로 교훈을 전달하는 소설로, 주요 유형으로 _____ 소설, 쟁론형 소설 등이 있음

우화소설은 인물의 성격이나 가치관의 대립을 보여 주는 사건을 중심으로 전개된다. 이러한 대립 구도는 소설의 갈등을 부각하는 서사적 장치로 독자의 흥미를 유발한다. 또한 동물의 외형이나 생태적 특성을 반영하여 인물을 형상화하며, 구어나 비속어 또는 기지나 재치 있는 언술을 활용하여 해학적 분위기를 조성한다. 우화소설은 이러한 소설적 형상화 방식을 통해 인간 세태에 대한 풍자를 드러내는 문학이라 할 수 있다. 성격이나 가치관의 _____ 구도, 동물의 외형이나 생태적 특성을 반영한 인물, 구어나 비속어 또는 기지나 재치 있는 언술 → 인간 _____에 대한 _____

조선 후기의 「서대주전」은 쥐를 의인화한 대표적 우화소설이다. 서대주가 타남주가 모아 놓은 밤을 몰래 훔치자 타남주가 서대주를 관가에 고소하는 사건을 통해 당대 관리들의 행태를 고발하고 있다. 「서대주전」: _____를 의인화해 당대 _____들의 행태 고발 또한 「별주부전」은 용왕이 토끼의 간을 구하기 위해 자라를 시켜 토끼를 용궁으로 데려오는 사건을 통해 인간의 잘못된 본성과 지배층의 횡포를 잘 보여 주고 있다. 「별주부전」: 인간의 잘못된 본성과 _____의 횡포 보여 줌

이 두 작품들과 같이 우화소설은 동물을 소재로 하여 인간의 부정적인 면모나 봉건 사회의 부조리한 모습을 풍자한다. 즉 우화소설은 인간의 삶과 사회에 대한 문제의식을 드러내어 인간에게 필요한 윤리 의식과 도덕적 교훈을 제시한다는 점에서 바람직한 사회상을 모색하려는 문학적 시도라고 평가할 수 있다. 우화소설은 동물을 소재로 인간에게 필요한 _____ 의식과 _____적 교훈을 제시함

(나)

사령이 데리고 가 옥졸(獄卒)에게 넘겨주자, 옥에 끌어넣어 단단히 가두고 돈을 내라 졸라댔다. 서대주는 갖고 온 물건을 옥의 수졸(守卒)에게 많이 주자, 수졸들이 대단히 좋아하며 큰 칼을 풀어 주어 편히 쉬게 하고, 하인과 같이 돌봐 주는 것이었으니, 돈이 마르면 귀(貴)하다고 할 수 있는 것이다. 서대주는 옥졸과 수졸에게 ___을 주고 ___에서 편하게 지내. (가)를 참고하면 이 부분은 죄를 지어 갇힌 악인에게 뇌물을 받는 부패한 _____를 비판하는 부분으로 볼 수 있겠네.

서대주가 곤하여 누워 있으니, 대서(大鼠)는 그 손을 주무르고, 중서(中鼠)는 그 다리를 안마하고 동서(童鼠)는 그 허리를 밟으며 대주의 심란스러운 바를 위로하며, 대추, 밤 등속의 것을 주어 요기시키면서 밤을 새우니, 이것을 보는 자가 배를 움켜잡고 웃지

않는 사람이 없었다. 큰 쥐, 중간 쥐, 아이 쥐가 죄를 지어 옥에 갇힌 _____에게 안마하고 먹을 것을 주는 모습을 보고 웃지 않는 사람이 없었다는 서술에서 돈에 휘둘리는 관리의 행태에 대한 (긍정/**풍자**)적 시각이 드러나.

다음 날에 주쉬가 두 자리 크게 설치하고, 둘을 잡아들여 동서(東西)로 나누어 꿇어앉히고, 책상을 치며 크게 꾸짖어 말하기를,
"네 이놈, 조그마한 것이 잔악하기도 심하게 남의 물건을 하루 저녁에 다 도적질해 갔다 하는데, 그게 정말이냐? 바른 대로 말할 것이지, 다소라도 거짓말이 있다면 당장에 엄한 형벌로 무겁게 치죄를 할 것이다."
라고 형리가 고성으로 소리치니, 그 소리가 우렁차, 담보가 큰 자라 하더라도 놀래어 겁을 낼 지경이었는데, 더군다나 죄가 있는 약한 자로서는 말할 나위가 없었다. 원님과 형리가 서대주와 타남주를 잡아들여 꿇어앉히고 서대주가 타남주의 물건을 _____한 것이 맞는지 심문하고 있어. (가)를 참고했을 때, 이 지문은 서대주와 타남주 사이의 소송 사건을 다루는 (**송사형**/쟁론형) 소설의 성격을 보여 준다고 볼 수 있겠지.

서대주가 이 말을 듣고 속으로는 벌벌 떨리는 것이었으나, 겉으로는 일상과 같이 태연히 정신을 진정하고 안색을 변치 않고서 우러러보며 대소(大笑)하고, 죄를 지은 서대주는 속으로는 벌벌 떨리면서도 안색을 진정시키고 웃으며 대응하네.

(중략)

[A] "저는 본시 대대로 부유하여 이와 같은 흉년에 한 홉조차 다른 것들한테 꾸지 않아도 되는데, 빌어먹는 놈의 밤을 훔쳤다는 것이 어찌 옳겠습니까? 서대주는 자신은 원래 _____하여 흉년에도 식량을 꾸지 않아도 되는데, 가난하여 빌어먹는 타남주의 밤을 훔쳤겠냐며 반박해. 이놈의 평상시 소행을 제가 하나하나 다 아뢰겠나이다. 매년 봄여름이 되면 농사 잘 짓는 자들을 널리 구하여 밤낮으로 가을걷이를 한 후에는, 그들 중에서 절름발이, 도둑놈, 귀머거리, 맹인, 쓸모없는 늙은 할미는 쫓아내어 흩어지게 하였는데, 또 봄여름이면 이와 같이 그대로 하였습니다. 매년 겨울이 되면 이들을 마을에 떠돌아다니는 거지가 되게 하여, 보는 자가 차마 볼 수 없고 들을 수 없는 짓을 행하였기 때문에 분개하는 바가 있었습니다. 서대주는 타남주의 평상시 소행을 언급하며 타남주의 부도덕함을 거짓으로 고발하고 이에 대해 자신이 평상시에 _____했다고 말하지. 마침 사냥하러 나갔을 때, 소토산 왼편의 용강산(龍岡山) 기슭에서 만나고도 인사조차 하지 않기에 그 행실머리 없음을 아주 심하게 꾸짖었습니다.

그 후로 자기의 잘못을 스스로 알지 못한 채 항상 분노의 마음을 품고는, 사리에 맞지 아니한 터무니없는 말로 저를 얽어매는, 도리에 어긋난 간악한 송사를 꾀했으니, 세상 천지에 이와 같은 맹랑하고 무뢰한 놈이 있겠습니까? 서대주는 자신이 타남주의 행실을 꾸짖은 적이 있어 타남주가 자신에게 나쁜 마음을 먹고 _____를 꾀해 자신이 잡혀 왔다고 말하며 억울함을 토로하고 있지. 제가 비록 매우 졸렬하기는 하지만 역시 대대로 공훈이 있는 가문의 후손으로서, 이러한 무도하고 못난 놈한테 구차하게 고소를 당하여 선조의 공훈에 더럽힘을 끼치고 관정을 소란스럽게 하오니, 죽으려고 하여도 죽을 만한 곳이 없어서 사는 것이 죽는 것만 못합니다. 밝게 살피시는 원님께 엎드려 바라건대, 사정을 살피시어 원한을 풀어 주옵소서." 서대주는

자신의 졸렬함을 토로하는 겸양을 떨면서, 자기 가문과 _____의 공훈을 근거로 자신의 억울함을 풀어 달라고 간청하고 있어.

서대주가 옷섶을 고쳐 여미며 단정히 꿇어앉았는데, 뾰족한 입이 오물거리고 두 귀가 발쪽거리며 두 눈이 깜짝거리면서 두 손을 모아 슬피 빌고 눈물이 흘러내려 옷깃을 적시니, 보는 자가 더할 나위 없이 애처롭고 불쌍하다고 할 만한 것이었다.

원님이 서대주의 진술하는 말을 들으니 말마다 사리에 꼭 들어 맞고, _____은 서대주의 거짓말과 불쌍한 척에 넘어갔군. 형세가 본디부터 그러하여 죄를 주기도 어려워, 결박한 것을 풀고 씌운 큰 칼을 벗겨 주고는, 술을 내려 주어 놀랜 바를 진정케 하고 특별히 놓아주었다. 타남주는 도리에 어긋난 간악한 소송을 한 죄로 몽둥이 세 대를 맞고 멀리 떨어진 외딴 섬으로 귀양을 가니, 서대주가 거듭거듭 절하고 머리를 조아리며 갔다. 잘못된 판결을 한 원님은 서대주를 풀어주고, 오히려 타남주에게는 매질을 하며 _____을 보내는 벌을 주었어. 진실을 명명백백히 밝혀 옳은 판결을 내려야 할 원님이 사리에 (맞지 않는/맞는) 판단을 내리는 모습을 통해 무능한 판관을 풍자하고 있다고 볼 수 있어.

서대주는 후에 수백의 여자를 취(娶)하고 자손이 번성하여 주(州), 군(郡), 현(縣), 읍(邑), 항려(巷閭), 향곡(鄕谷)에 살지 않음이 없고, 그들은 다 도적질로 생활을 하매, 세상의 아동, 적은 것들, 부녀 또는 가마 메는 졸부 등이 만나기만 하면 죽여 버리니, 이것은 즉 서대주가 사람을 해친 마음에 대한 앙갚음이 아닌가 생각한다. 간악한 서대주의 자손이 번성하여 여러 곳에서 도적질하며 살았는데, 이를 본 사람들이 서대주의 자손을 만나기만 하면 죽인 것이 서대주의 악한 마음에 대한 _____이 아닌가 한다는 편집자적 논평으로 지문이 마무리되고 있군.

– 작자 미상, 「서대주전(鼠大州傳)」 –

(다)

이때에 뜰아래 섰던 군사들이 일시에 달려들려 하니 토끼 무단히 허욕을 내어 자라를 좇아왔다가 수국원혼이 되게 되니 이는 모다 자취(自取)한 화라, 누구를 원망하며 누구를 한하리오. 군사들이 달려 들어 토끼를 잡자, 헛된 욕심으로 자라를 좇아와 _____이 되게 생긴 것이 토끼 스스로의 잘못이기에 누구를 _____할 수도, 한탄할 수도 없다고 해. 세상에 턱없이 명리(名利)를 탐하는 자는 가히 이것을 보아 징계할지로다. 그래서 서술자는 분수에 맞지 않게 _____를 탐하는 사람은 토끼를 보면서 깨달음을 얻을 수 있다고 평하지.

이때에 토끼 이 말을 들으며 청천벽력이 머리를 깨치는 듯 정신이 아득하여 생각하되 '내 부질없이 영화부귀를 탐내어 고향을 버리고 오매 어찌 이 외의 변이 없을소냐. 이제 날개가 있어도 능히 위로 날지 못할 것이오, 또 축지(縮地)하는 술법이 있을지라도 능히 이때를 벗어나지 못하리니 어찌하리오.' 토끼는 자신이 부질없이 _____를 탐내어 변을 당하게 되었음을 후회하며 위기에서 쉽게 벗어나지 못할 것임을 직감하고 있어. 또 생각하되, '옛말에 이르기를 죽을 때에 빠진 후에 산다 하였으니 어찌 죽기만 생각하고 살아 갈 방책을 헤아리지 아니하리오.' 하더니 문득 한 꾀를 생각하고 위기에 처한 토끼는 살아 나갈 수 있는 방법을 생각해냈어. 이에 얼굴빛을 조금도 변치 아니하고 머리를 들어 전상을 우러러보며 가로되,

"소토(小兎) 비록 죽을지라도 한 말씀 아뢰리다. 대왕은 천승의 임금이시오 소토는 산중의 조그마한 짐승이라 만일 소토의

간으로 대왕의 환후 십분 나으실진대 소토 어찌 감히 사양하오며 또 소토 죽은 후에 후장하오며 심지어 사당까지 세워 주리라 하옵시니 이 은혜는 하늘과 같이 크신지라, 소토 죽어도 한이 없사오나 다만 애달픈 바는 소토는 비록 짐승이오나 심상한 짐승과 다르와 본디 방성정기를 타고 세상에 내려와 날마다 아침이면 옥같은 이슬을 받아 마시며 주야로 [B] 기화요초(琪花瑤草)를 뜯어 먹으매 그 간이 진실로 영약이 되는지라. 이러하므로 세상 사람이 모두 알고 매양 소토를 만난즉 간을 달라하와 보챔이 심하옵기로 그 괴로움을 견디지 못하와 염통과 함께 끄집어 청산녹수 맑은 물에 여러 번 씻사와 고봉준령 깊은 곳에 감추어 두옵고 다니옵다가 우연히 자라를 만나 왔사오니 만일 대왕의 환후 이러하온 줄 알았던들 어찌 가져오지 아니 하였으리오." 토끼가 낸 꾀는 자신의 _____이 영약이어서 달라는 이가 많아 깊은 산속에 감추어 두었기 때문에 지금 대왕의 병을 낫게 하기 위해 바칠 수 없다고 말하는 것이었어.

하며 또 자라를 꾸짖어 가로되,

"네 임금을 위하는 정성이 있을진대 어이 이러한 사정을 일언 반사도 날 보고 말하지 아니하였느뇨."

하거늘 용왕이 이 말을 듣고 크게 노하여 꾸짖어 가로되,

"네 진실로 간사한 놈이로다. 천지간에 온갖 짐승이 어이 간을 출입할 이치가 있으리오. 네 얕은 꾀로 과인을 속여 살기를 도모하니 과인이 어이 근리(近理)치 아닌 말에 속으리오. 네 과인을 기만한 죄 더욱 큰지라. 자라를 꾸짖는 토끼의 말을 들은 용왕은 _____로 자신을 속이지 말라고 화를 내지. 용왕은 자신의 목숨을 위해 토끼 목숨을 하찮게 여기는 권력의 횡포를 보여 주는 인물로도 볼 수 있어. 빨리 너의 간을 내어 일변 과인의 병을 고치며 일변 과인을 속이는 죄를 다스리리라." (다)는 이처럼 토끼, 자라 등 동물을 의인화하고, 토끼 간의 거취를 둘러싸고 토끼와 _____이 갈등하는 대립 구도를 취하고 있어.

토끼 이 말을 듣고 또한 어이없고 정신이 산란하며 간장이 없고 가슴이 막히어 심중에 생각하되 속절없이 죽으리로다 하다가 다시 웃으며 가로되,

"대왕은 소토의 말씀을 다시 자세히 들으시고 굽어 살피옵소서. 이제 만일 소토의 배를 갈라 간이 없사오면 대왕의 환후도 고치지 못하옵고 소토만 부질없이 죽을 따름이니 다시 누구에게 간을 구하오려 하시나이까. 그때는 후회막급하실 터이오니 바라건대 대왕은 세 번 생각하옵소서."

용왕이 이 말을 듣고 또 그 기색이 태연함을 보고 심중에 심히 의아하여 가로되,

"네 말과 같을진대 무슨 간을 출입하는 표적이 있는가." 토끼가 _____한 기색으로 말하자 그 거짓말에 속아 넘어간 용왕이 간을 출입하는 표적에 대해 물었네.

토끼 이 말을 듣고 크게 기뻐이 생각하되 이제는 내 살아날 도리 쾌히 있도다 하고 여쭈오되,

"세상의 날짐승 가운데 소토는 홀로 하체에 구멍이 셋이 있사오니 하나는 대변을 통하옵고 하나는 소변을 통하옵고 하나는 특별히 간을 출입하는 곳이오니다." 용왕이 자신의 거짓말에 속아 넘어가고 있음을 간파한 토끼의 설명으로 지문이 끝나고 있어. (가)를 참고했을 때, 이 지문은 토끼에게 간이 있느냐 없느냐, 시비를 따지는 (송사형/쟁론형) 소설의 성격을 보여 준다고 볼 수 있어.

– 작자 미상, 「별주부전(鼈主簿傳)」 –

고전소설 독해의 STEP 2

1 형광펜이 그어진 부분을 근거로 장면을 다시 한번 나누어 보고, 장면별 내용을 요약해 보세요.

(나)	
장면끊기 01	옥에 갇힌 서대주는 _____을 써 감옥 안에서도 편하게 생활함
장면끊기 02	다음 날 서대주와 타남주가 불려와 심문을 받는데, 서대주의 거짓 증언을 들은 원님은 _____
장면끊기 03	소송 후에 서대주의 자손이 번성했지만, 서대주의 자손은 사람들과 만날 때마다 _____당함

(다)	
장면끊기 01	자라에게 속아 수국으로 끌려온 토끼는 영화부귀를 탐낸 것을 _____하지만 한 꾀를 내어 용왕에게 거짓말을 하여 위기에서 벗어나려 함

2 인물 간의 관계를 고려하여 구조도의 빈칸에 적절한 말을 채우세요.

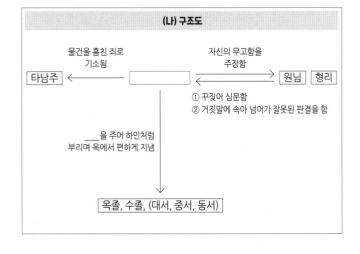

(나) 구조도

(다) 구조도

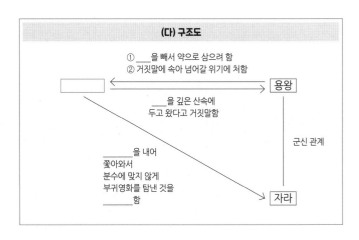

3 1~2번 문제를 풀어 보세요.

1. (가)를 바탕으로 (나), (다)를 감상한 내용으로 적절하지 않은 것은?

① (나)에서 서대주의 모습을 뾰족한 입이 오물거리고 두 귀가 발쪽거린다고 묘사한 것은 '동물의 외형'을 반영한 것이겠군.

② (나)에서 타남주가 섬으로 귀양을 가도록 결말을 구성한 것은 신의를 지켜야 한다는 '윤리 의식'을 강조한 것이겠군.

③ (나)에서 서대주의 자손들이 사람에게 앙갚음을 당한 것은 올바른 삶에 대한 '도덕적 교훈'을 제시한 것이겠군.

④ (다)에서 토끼와 용왕의 대립 구도를 설정한 것은 '독자의 흥미를 유발'하기 위한 서사적 장치라고 할 수 있겠군.

⑤ (다)에서 토끼가 하체에 간이 출입하는 특별한 구멍이 따로 있다고 말하는 것은 등장인물의 '기지'를 드러낸 것이겠군.

2. 인물의 말하기 방식 OX 확인 문제

① [A]는 [B]와 달리 무고를 당한 자신의 억울함을 풀어 달라고 호소하고 있다.　　　　○ X

② [A]와 [B]는 청자를 높이고 자신을 낮추는 겸양의 표현을 사용해 설득하고 있다.　　　　○ X

고전소설 독해의 STEP 3

1 선지 판단 공식을 활용하여 빈칸을 채우고 1번 문제의 선지를 OX로 판단해 보세요.

융합 문제 선지 판단의 공식

① **설명글** 「서대주전」은 쥐를 의인화한 대표적인 우화소설로, 우화소설은 동물을 인격화하여 풍자를 바탕으로 교훈을 전달하며 _____이나 생태적 특성을 반영하여 인물을 형상화함

+

작품 (나): '서대주가 옷섶을 고쳐 여미며 단정히 꿇어앉았는데, 뾰족한 ____이 오물거리고 두 ____가 발쪽거리며 두 눈이 깜짝거리면서 두 손을 모아 슬피 빌고 눈물이 흘러내려'

선지 (나)에서 서대주의 모습을 뾰족한 입이 오물거리고 두 귀가 발쪽거린다고 묘사한 것은 '동물의 외형'을 반영한 것이겠군. ○ ✕

② **설명글** 「서대주전」 같은 우화소설은 동물을 소재로 인간의 _____ _____ 면모나 _____ 사회의 부조리한 모습을 풍자하여 인간에게 필요한 _____과 도덕적 교훈을 제시함

+

작품 (나): '원님이 서대주 진술하는 말을 들으니~결박한 것을 풀고 씌운 큰 칼을 벗겨 주고는, 술을 내려 주어 놀랜 바를 진정케 하고 특별히 _____.', '타남주는 도리에 어긋난 간악한 소송을 한 죄로 몽둥이 세 대를 맞고 멀리 떨어진 외딴 섬으로 _____을 가니'

선지 (나)에서 타남주가 섬으로 귀양을 가도록 결말을 구성한 것은 신의를 지켜야 한다는 '윤리 의식'을 강조한 것이겠군. ○ ✕

③ **설명글** 「서대주전」은 쥐를 의인화한 대표적 우화소설로, 우화소설은 동물을 소재로 하여 인간의 부정적인 면모나 봉건 사회의 부조리한 모습을 풍자하여 인간에게 필요한 윤리 의식과 _____을 제시함

+

작품 (나): '서대주는 후에 수백의 여자를 취하고 _____이 번성하여~_____로 생활을 하매, 세상의 아동, 적은 것들, 부녀 또는 가마 메는 졸부 등이 만나기만 하면 죽여 버리니, 이것은 즉 서대주가 사람을 해친 마음에 대한 _____이 아닌가 생각한다.'

선지 (나)에서 서대주의 자손들이 사람에게 앙갚음을 당한 것은 올바른 삶에 대한 '도덕적 교훈'을 제시한 것이겠군. ○ ✕

④ **설명글** 우화소설은 인물의 성격이나 가치관의 _____을 보여 주는 사건을 중심으로 전개되며, 이러한 대립 구도는 소설의 갈등을 부각하는 서사적 장치로 독자의 _____를 유발함

+

작품 (다): '용왕이 이 말을 듣고 크게 노하여 꾸짖어 가로되~ "네 과인을 기만한 죄 더욱 큰지라. 빨리 너의 _____ 일변 과인의 병을 고치며 일변 과인을 속이는 죄를 다스리리라." 토끼 이 말을 듣고 또한 어이없고 정신이 산란하며 간장이 없고 가슴이 막히어 심중에 생각하되 속절없이 _____ 하다가'

선지 (다)에서 토끼와 용왕의 대립 구도를 설정한 것은 '독자의 흥미를 유발'하기 위한 서사적 장치라고 할 수 있겠군. ○ ✕

⑤ **설명글** 우화소설은 구어나 비속어 또는 _____나 재치 있는 언술을 활용하여 해학적 분위기를 조성함

+

작품 (다): '세상의 날짐승 가운데 소토는 홀로 하체에 구멍이 셋이 있사오니 하나는 대변을 통하옵고 하나는 소변을 통하옵고 하나는 특별히 _____ 곳이오니다.'

선지 (다)에서 토끼가 하체에 간이 출입하는 특별한 구멍이 따로 있다고 말하는 것은 등장인물의 '기지'를 드러낸 것이겠군. ○ ✕

고전소설 독해의 STEP 1

1 등장인물에 ☐ 표시를 하고, 빈칸에 적절한 말을 채우세요.
2 시간, 공간, 서술 대상이 바뀌는 곳을 찾아 직접 (나)의 장면을 3개로 나누어 보세요.

(가)

우리나라 전기소설(傳奇小說)은 중국의 전기(傳奇)와 우리의 설화 등 다양한 서사 갈래의 영향을 받아 성립했다. _____소설: 중국의 전기와 우리나라 설화 등의 영향을 받아 성립됨 중국의 전기는 기이한 사건을 다채로운 문체로 엮은 서사 양식이다. 이는 당나라 문인들이 자신의 글 솜씨가 담긴 작품집을 출세의 수단으로 삼았던 관습에서 유래했다. 기이한 사건은 흥미를 끌기 위한 소재로만 쓰여서, 서사 구조가 유기적이지 못했고 결말의 양상도 다양했다. 중국 전기에서의 기이한 사건: _____를 끌기 위한 소재, 유기적 서사 구조 (O/X), 결말 다양 이에 비하면 우리의 전기소설에서 기이한 사건은 작가의 불우함을 위로하기 위한 창작 동기에 걸맞게 유기적으로 짜였다. 우리 전기소설의 기이한 사건: 작가의 _____을 위로하려는 동기에 따라 유기적 서사 구조 (O/X) 작가의 분신으로서 불우한 처지에 놓인 전기소설의 남주인공은 기이한 사건을 겪으면서 자신의 능력을 인정받고 위로받지만, 결국 비극적 종결을 맞이하는 전형성을 보인다. 전기소설의 남주인공(작가의 분신): _____처지 → 기이한 사건 경험 → _____ 인정 및 위로받음 → 비극적 종결 이처럼 우리의 전기소설은 중국 전기의 영향을 받아 기이한 사건을 다루면서도, 비극적 종결을 통해 전기와 구별되는 독자성을 보인다.

우리 전기소설의 성립에는 민담과 전설 등 설화도 영향을 끼쳤다. 구전되던 설화를 기록하면서 작가의 역량이 발휘되었고, 이 과정에서 새로운 유형의 인물이 등장하여 전기소설의 갈래적 성격을 드러내었다. _____를 기록하는 과정에서 전기소설에 새로운 유형의 인물이 등장함 전기소설 주인공의 특질은 다음과 같다. 첫째는 외로움이다. 주인공은 사회적으로 소외된 존재이거나 짝을 얻지 못한 상태에서 실의에 빠져 있는 존재이다. 외로운 주인공은 현실에서의 소외를 부당하다고 느껴 온갖 금기를 넘어선 사랑을 하거나 용궁과 같은 이계(異界)에 가기를 주저하지 않는다. 전기소설 주인공의 특질 ① 외로움: _____되거나 실의에 빠진 존재가 모험에 나섬 둘째는 내면성이다. 주인공은 풍부한 감성을 지녀서 외로움을 토로하거나 시를 자주 짓고 시를 통해 자신의 능력을 인정받거나 서로 소외감을 나누고 싶어 한다. 전기소설 주인공의 특질 ② _____: 풍부한 감성을 지님 셋째는 소극성이다. 남주인공은 소심하고 나약한 존재로서 자신으로서는 받아들이기 어려운 상황이나 모순된 현실에 대해 적극적으로 저항하지는 않는다. 사랑에 몰두하거나 세상을 등지는 등 세상과 소통하지 않으려는 폐쇄성을 통해 모순된 현실에 대한 비극적 인식을 보여 줄 뿐이다. 전기소설 주인공의 특질 ③ 소극성: 현실에 적극적으로 _____하지 않고 세상과 소통하지 않으려는 _____을 보임 이처럼 전기소설의 주인공은 서사 문학사에서 새로운 인물이었다. 이런 주인공을 내세운 작품들은 설화로부터 분기되어 '소설'로 접근하게 되었고 동시에 다른 작품들과 달리 '전기소설'로 구분되었다. ①, ②, ③ 같은 특질을 가진 주인공을 내세운 작품들이 _____로 구분됨

물론 전기소설의 정립은 점진적으로 진행되어서, 「조신」, 「김현감호」, 「최치원」 등은 정도의 차이는 있지만 설화와 전기소설 중 어느 한쪽만으로 갈래적 성격을 규정할 수 없는 작품들로 평가받

는다. 이들 작품은 남녀의 기이한 만남과 파국을 그린다는 점에서 전기소설의 성격을 지녔지만, 기이한 사건으로써 환기되는 현실에 대한 이해는 전설의 성격을 띤다. 전설에서 인물은 특정한 시공간에서 현실의 문제에 부딪히지만 이것은 인간의 힘으로는 어찌할 수 없는 경이로운 세계의 일부분으로 다루어진다. 「조신」, 「김현감호」, 「최치원」 등: _____의 성격(남녀의 기이한 만남과 파국) + _____의 성격(기이한 사건으로써 환기되는 현실에 대한 이해) 가령 「김현감호」는 벼슬에 대한 김현의 간절함에 부처가 감동하여 범의 희생으로 응답하고, 김현이 이를 기린다는 이야기이다. ㉠개인의 욕망을 포용하는 부처의 전능함을 형상화한 것이다. 전설과 달리 소설에서 인물은 구체적인 사회 현실에서 현실의 문제에 부딪히고 갈등함으로써 인간과 세계는 서로 맞서는 관계로 다루어진다. 가령 「이생규장전」은 사랑하는 남녀가 전쟁 때문에 이별했다가 기이한 방식으로 다시 결연하지만 결국 비극적으로 종결되는 이야기이다. 생사를 초월한 사랑을 통해 개인과 세계의 갈등 관계를 형상화한 것이다. 「김현감호」와 「이생규장전」의 특징: 인간(개인)과 세계의 _____ 관계가 나타남 전기소설은 『금오신화』를 통해 소설사에 안착했고, 『금오신화』는 현실의 문제를 드러내는 다양한 소설적 면모를 보였다. 그리고 이는 후대로 계승되었다. 사대부 남성이 이계를 체험하고 돌아오는 구도는 몽유록 소설로, 이원적 공간 구도는 적강한 영웅의 일생을 다룬 영웅 소설로 계승되었다. 금기에 도전하는 애정 추구의 구도와 능동적인 여인상 그리고 애정 교류의 매개로써의 시의 활용은 애정 소설로 이어졌다. 「_____」를 통해 소설사에 안착한 전기소설은 몽유록 소설, 영웅 소설, 애정 소설로 계승됨 이렇게 보면 전기소설은 우리나라 최초의 소설 양식인 것이다.

(나)

김현이 말하기를, "사람과 사람의 사귐은 인륜의 도리이지만 다른 유와 사귀는 것은 대개 정상이 아닙니다. 이미 조용히 만난 것은 진실로 천행이라고 할 것인데, 어찌 차마 배필의 죽음을 팔아서 일생의 벼슬을 바랄 수 있겠소?"라고 하였다. 김현은 배필의 죽음을 팔아 자신의 _____을 바랄 수 없다고 말해. 참고로 이 작품은 인간과 호랑이 사이의 진실한 사랑을 다루고 있어. 그래서 김현이 말한 다른 유와 사귐은 사람인 김현과 호랑이인 처녀의 인연을 말한다고 보면 돼.

처녀가 말하기를, "낭군은 그런 말 마십시오. 지금 제가 일찍 죽는 것은 천명이며, 또한 저의 소원이요, 낭군의 경사요, 우리 일족의 복이요, 나라 사람들의 기쁨입니다. 한 번 죽어 다섯 이로움이 갖춰지니 어떻게 그것을 어길 수 있겠습니까? 다만 저를 위하여 절을 짓고 불경을 강하여 불법(佛法)을 얻도록 도와주시면 낭군의 은혜는 더없이 클 것입니다."라고 하였다. 처녀는 자신을 죽여 다섯 가지의 _____을 얻고, 대신 자신을 위해 ___을 지어 줄 것을 부탁하지. 자신을 희생해 김현과 일족과 나라 등에 도움이 되길 바라는 것에서 처녀의 희생적 성격을 확인할 수 있어.

드디어 서로 울면서 헤어졌다.

다음 날 과연 사나운 범이 성 안으로 들어왔는데, 매우 사나워 감당할 수가 없었다. 원성왕이 이 소식을 듣고 범을 잡은 자에게는 벼슬 2급을 주라고 하였다. 김현이 대궐로 들어가서, "소신이 잡을 수 있습니다."라고 아뢰자, 임금이 우선 벼슬을 주어 그를 격려하

였다. (가)에서 '벼슬에 대한 김현의 간절함에 부처가 감동하여 범의 희생으로 응답'한다고 한 것을 참고하면, 김현은 _____(범)의 희생을 바탕으로 간절히 원하던 _____을 얻게 된 것이라고 볼 수 있겠네. 김현이 단도를 지니고 숲 속으로 들어갔다. 범이 처녀로 변하여 반갑게 웃으면서, "간밤에 낭군과 함께 마음속 깊이 정을 맺던 일을 잊지 마십시오. 오늘 내 발톱에 상처를 입은 사람들은 모두 흥륜사의 간장을 바르고 그 절의 나발 소리를 들으면 나을 것입니다."라고 하였다. 김현이 _____으로 들어갔을 때 범이 처녀로 변한 것에서 변신 모티프를 확인할 수 있어. 이 작품에 나타난 '기이한 사건'은 범이 처녀로 변해 사람인 김현과 인연을 맺는 것이었군.

이에 처녀가 김현의 칼을 뽑아 스스로 목을 찔러 쓰러지니 곧 범이었다. 김현이 숲 속에서 나와, "지금 범을 쉽게 잡았다."라고 소리쳤다. 그 사정은 누설하지 않았다. 일러 준 대로 상한 사람들을 치료하니 그 상처가 모두 나았다. 지금도 세간에서는 그 방법을 쓰고 있다. 처녀는 스스로 목을 찔러 자결하고, 김현은 처녀가 알려준 대로 범에게 다친 사람들을 치료했군. (가)에 제시된 전기소설 주인공의 특질을 참고할 때, 배필의 죽음을 막지 못하는 나약한 모습을 보인다는 점에서 김현은 '_____'을 지닌 인물이라고 볼 수 있겠지.

김현은 등용된 뒤 서천(西川)에 절을 세워 호원사(虎願寺)라고 하고 항상 『범망경』을 강설하여 범의 저승길을 인도하고, 범이 제 몸을 죽여서 자기를 성공시켜 준 은혜에 보답하였다. 김현이 처녀의 부탁대로 절을 세우고 불경을 강하면서 그 _____에 보답하는 것으로 지문이 끝났어. 이 장면에서 이 작품이 _____라는 절이 어떻게 세워지게 되었는지 유래를 밝힌 사원연기설화의 성격을 지녔음을 확인할 수 있어.

– 작자 미상, 「김현감호」 –

고전소설 독해의 STEP 2

1 형광펜이 그어진 부분을 근거로 장면을 다시 한번 나누어 보고, 장면별 내용을 요약해 보세요.

(나)	
장면끊기 01	벼슬을 위해 배필을 죽일 수 없다는 김현에게 처녀는 다섯 가지의 _____ _____을 위해 자신을 죽이는 대신 ___을 지어 달라고 부탁하고, 두 사람은 이별함
장면끊기 02	다음 날 김현은 _____을 얻어 범을 죽이러 숲 속으로 들어가고 처녀는 김현의 ___을 뽑아 자결함
장면끊기 03	김현은 등용된 뒤 _____라는 이름의 절을 세워 범의 은혜에 보답함

2 인물 간의 관계를 고려하여 구조도의 빈칸에 적절한 말을 채우세요.

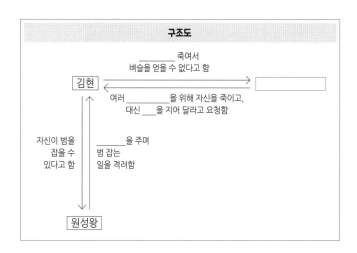

3 1~2번 문제를 풀어 보세요.

1. ㉠을 참고하여 (나)를 이해한 것으로 가장 적절한 것은?

① 처녀가 자신의 죽음을 '낭군의 경사'라고 말하는 장면은 김현에 대한 부처의 응답을 암시한다.
② 매우 '사나운 범'이 사람들을 해치는 장면은 김현 개인의 욕망 실현을 가로막는 현실의 경이로움을 보여 준다.
③ 김현이 임금에게 범을 '잡을 수 있다'고 아뢰는 장면은 김현과 범 사이의 긴장감이 해소됨을 보여 준다.
④ 임금이 김현에게 '벼슬을 주어' 격려하는 장면은 부처의 전능함을 실현하려는 임금 개인의 의지를 드러낸다.
⑤ 범이 김현 앞에서 '처녀로 변하여 반갑게 웃'는 장면은 부처가 남녀의 기이한 만남에 감동하는 계기를 드러낸다.

2. 문학 개념어 OX 확인 문제

① (나)에는 사원연기설화이자 공덕을 쌓는 행위에 의미를 부여한다는 측면에서 불교적 성격이 드러난다. ○ ✕
② (나)에는 호랑이가 인간으로 변할 수 있다는 변신 모티프가 사용되었다는 측면에서 전기적 요소가 드러난다. ○ ✕

고전소설 독해의 STEP 3

1 선지 판단 공식을 활용하여 빈칸을 채우고 1번 문제의 선지를 OX로 판단해 보세요.

융합 문제 선지 판단의 공식

① 설명글 「김현감호」는 _____ 에 대한 김현의 간절함에 _____ 가 감동하여 범의 희생으로 _____ 하는 이야기로, ⓐ개인의 욕망을 포용하는 부처의 전능함을 형상화함

➕ 작품 (나): '낭군은 그런 말 마십시오. 지금 제가 일찍 죽는 것은 천명이며, 또한 저의 소원이요, _____ 요, 우리 일족의 복이요, 나라 사람들의 기쁨입니다. 한 번 죽어 다섯 이로움이 갖춰지니 어떻게 그것을 어길 수 있겠습니까?'

선지 ➡ 처녀가 자신의 죽음을 '낭군의 경사'라고 말하는 장면은 김현에 대한 부처의 응답을 암시한다. ○ ✕

② 설명글 「김현감호」는 벼슬에 대한 김현의 _____ 에 부처가 감동하여 범의 희생으로 응답하는 이야기로, ⓐ개인의 _____ 을 포용하는 부처의 전능함을 형상화함

➕ 작품 (나): '다음 날 과연 _____ 이 성 안으로 들어 왔는데, 매우 사나워 감당할 수가 없었다.', '김현이 대궐로 들어가서,~임금이 우선 _____ 을 주어 그를 격려하였다.'

선지 ➡ 매우 '사나운 범'이 사람들을 해치는 장면은 김현 개인의 욕망 실현을 가로막는 현실의 경이로움을 보여 준다. ○ ✕

③ 설명글 「김현감호」는 벼슬에 대한 김현의 간절함에 부처가 감동하여 범의 희생으로 응답하는 이야기로, ⓐ개인의 욕망을 포용하는 부처의 전능함을 형상화함 → 소설에서 인물은 구체적인 사회 현실에서 현실의 문제에 부딪히며 _____ 와 서로 맞섬

➕ 작품 (나): '다음 날 과연 사나운 범이 성 안으로 들어왔는데,~ 김현이 대궐로 들어가서, "_____ 이 잡을 수 있습니다." 라고 아뢰자, 임금이 우선 벼슬을 주어 그를 격려하였다.'

선지 ➡ 김현이 임금에게 범을 '잡을 수 있'다고 아뢰는 장면은 김현과 범 사이의 긴장감이 해소됨을 보여 준다. ○ ✕

④ 설명글 「김현감호」는 벼슬에 대한 김현의 간절함에 _____ 가 감동하여 범의 희생으로 응답하는 이야기로, ⓐ개인의 욕망을 포용하는 _____ 을 형상화함

➕ 작품 (나): '다음 날 과연 사나운 범이 성 안으로 들어왔는데, 매우 사나워 감당할 수가 없었다. 원성왕이 이 소식을 듣고 범을 잡은 자에게는 벼슬 2급을 주라고 하였다. 김현이 대궐로 들어가서, "소신이 잡을 수 있습니다."라고 아뢰자, 임금이 우선 _____ 을 주어 그를 격려하였다.'

선지 ➡ 임금이 김현에게 '벼슬을 주어' 격려하는 장면은 부처의 전능함을 실현하려는 임금 개인의 의지를 드러낸다. ○ ✕

⑤ 설명글 남녀의 _____ 만남과 파국을 그리는 「김현감호」는 벼슬에 대한 김현의 간절함에 부처가 _____ 하여 범의 희생으로 응답하는 이야기로, ⓐ개인의 욕망을 포용하는 부처의 전능함을 형상화함

➕ 작품 (나): '김현이 단도를 지니고 숲 속으로 들어갔다. 범이 _____ 로 변하여 반갑게 웃으면서~김현의 칼을 뽑아 스스로 목을 찔러 쓰러지니 곧 범이었다.'

선지 ➡ 범이 김현 앞에서 '처녀로 변하여 반갑게 웃'는 장면은 부처가 남녀의 기이한 만남에 감동하는 계기를 드러낸다. ○ ✕

고전소설 독해의   STEP 1

1 등장인물에 ☐ 표시를 하고, 빈칸에 적절한 말을 채우세요.

2 시간, 공간, 서술 대상이 바뀌는 곳을 찾아 직접 (나)의 장면을 2개로 나누어 보세요.

(가)

전쟁을 다룬 소설 중에는 실재했던 전쟁을 제재로 한 작품들이 있다. 이런 작품들은 허구를 매개로 실재했던 전쟁을 새롭게 조명하고 있다. <u>전쟁을 다룬 소설: _____를 매개로 실재했던 _____을 새롭게 조명하기도 함</u> 가령, 「박씨전」의 후반부는 패전했던 병자호란을 있는 그대로 받아들이고 싶지 않았던 조선 사람들의 욕망에 따라, 허구적 인물 박씨가 패전의 고통을 안겼던 실존 인물 용골대를 물리치는 장면을 중심으로 허구화되었다. 외적에 휘둘린 무능한 관군 탓에 병자호란 당시 여성은 전쟁의 큰 피해자였다. 「박씨전」에서는 이 비극적 체험을 재구성하여, 전화를 피하기 위한 장소인 피화당(避禍堂)에서 여성 인물과 적군이 전투를 벌이는 장면을 설정하고 있다. <u>「박씨전」에서는 _____이 적군과 전투를 벌이는 장면을 설정하여 허구를 통해 실재했던 전쟁인 _____을 새롭게 조명함</u> 이들 간의 대립 구도 하에서 전개되는 이야기는 조선 사람들의 슬픔을 위로하고 희생자를 추모함으로써 공동체로서의 연대감을 강화하였다. <u>실제로는 _____했지만 허구적 여성 인물의 활약으로 적군을 물리치는 이야기 → 공동체로서의 _____ 강화</u> 한편, 「시장과 전장」은 한국전쟁이 남긴 상흔을 직시하고 이에 좌절하지 않으려던 작가의 의지가, 이념 간의 갈등에 노출되고 생존을 위해 몸부림치는 인물을 통해 허구화되었다. 이 소설에서는 전장을 재현하여 전쟁의 폭력에 노출된 개인의 연약함이 강조되고, 무고한 희생을 목도한 인물의 내면이 드러남으로써 개인의 존엄이 탐색되었다. <u>「시장과 전장」은 허구를 통해 전쟁의 _____에 노출된 인간의 연약함과 내면을 드러내어 실재했던 전쟁인 _____을 새롭게 조명함</u>

우리는 이런 작품들을 통해 전쟁의 성격을 탐색할 수 있다. 두 작품에서는 외적의 침략이나 이념 갈등과 같은 공동체 사이의 갈등이 드러나고 있다. <u>「박씨전」과 「시장과 전장」에는 공동체 사이의 _____이 드러남</u> 그런데 전쟁이 폭력적인 것은 이 과정에서 사람들이 죽기 때문만은 아니다. 전쟁의 명분은 폭력을 정당화하기에, 적의 죽음은 불가피한 것으로, 우리 편의 죽음은 불의한 적에 의한 희생으로 간주된다. 전쟁은 냉혹하게도 아군이나 적군 모두가 민간인의 죽음조차 외면하거나 자신의 명분에 따라 이를 이용하게 한다는 점에서 폭력성을 띠는 것이다. <u>전쟁의 폭력성: ① 그 과정에서 사람들이 죽음, ② _____조차 외면하거나 명분에 따라 이를 이용하게 함</u> 두 작품에서 사람들이 죽는 장소가 군사들이 대치하는 전선만이 아니라는 점도 주목된다. 전쟁터란 전장과 후방, 가해자와 피해자가 구분되지 않는 혼돈의 현장이다. 이 혼돈 속에서 사람들은 고통 받으면서도 생의 의지를 추구해야 한다는 점에서 전쟁은 비극성을 띤다. <u>전쟁의 비극성: 전후방, _____가 구분되지 않는 혼돈 속에서 고통받으면서도 생의 의지를 추구해야 함</u> 이처럼, 전쟁의 허구화를 통해 우리는 전쟁에 대한 인식을 새롭게 할 수 있다. <u>전쟁의 _____ → 전쟁에 대한 새로운 인식 가능</u>

(나)

문득 나무들 사이에서 한 여인이 나와 크게 꾸짖어 왈, "무지한 용골대야, 네 아우가 내 손에 죽었거늘 너조차 죽기를 재촉하느냐?" 용골대가 대로하여 꾸짖어 왈, "너는 어떠한 계집이완데 장부의 마음을 돋우느냐? 내 아우가 불행하여 네 손에 죽었지만, 네 나라의 화친 언약을 받았으니 이제는 너희도 다 우리나라의 신첩(臣妾)이라. 잔말 말고 바삐 내 칼을 받아라." <u>'한 여인'은 _____를 죽였군. 용골대는 여인의 말에 화를 내며 칼을 받으라고 해.</u>

계화가 들은 체 아니하고 크게 꾸짖어 왈, "네 동생이 내 칼에 죽었으니, 네 또한 명이 내 손에 달렸으니 어찌 가소롭지 아니리오." 용골대가 더욱 분기등등하여 군중에 호령하여, "일시에 활을 당겨 쏘라." 하니, 살이 무수하되 감히 한 개도 범치 못하는지라. 용골대 아무리 분한들 어찌하리오. 마음에 탄복하고 <u>용골대의 명으로 군사들이 _____을 쏘지만 _____에게는 한 개의 화살도 맞지 않아. 용골대는 분하게 여기면서도 속으로는 감탄하고 있어.</u> 조선 도원수 김자점을 불러 왈, "너희는 이제 내 나라의 신하라. 내 영을 어찌 어기리오." 자점이 황공하여 왈, "분부대로 거행하오리다." <u>용골대의 말에 따르면 이미 청나라는 조선으로부터 _____을 받았어. 그래서 용골대는 조선의 도원수인 _____을 자신의 나라의 신하라고 하며, 자신의 명을 따르라고 하지.</u>

용골대가 호령하여 왈, "네 군사를 몰아 박 부인과 계화를 사로잡아 들이라." 하니, 자점이 황겁하여 방포일성에 군사를 몰아 피화당을 에워싸니, <u>김자점은 용골대의 명령에 복종하여 박 부인과 계화를 잡아 오기 위해 _____을 에워싸는군.</u> 문득 팔문이 변하여 백여 길 함정이 되는지라. 용골대가 이를 보고 졸연히 진을 깨지 못할 줄 알고 한 꾀를 생각하여, 군사로 하여금 피화당 사방 십 리를 깊이 파고 화약 염초를 많이 붓고, 군사로 하여금 각각 불을 지르고, "너희 무리가 아무리 천변만화지술이 있은들 어찌하리오." 하고 군사를 호령하여 일시에 불을 놓으니, 그 불이 화약 염초를 범하매 벽력 같은 소리가 나며 장안 삼십 리에 불길이 충천하여 죽는 자가 무수하더라. <u>_____을 깨지 못할 것 같자 용골대는 피화당 주변에 _____을 질러. 이에 불길이 치솟고 많은 사람이 죽게 되네.</u>

박씨가 주렴을 드리우고 부채를 쥐어 불을 부치니, 불길이 오랑캐 진을 덮쳐 오랑캐 장졸이 타 죽고 밟혀 죽으며 남은 군사는 살기를 도모하여 다 도망하는지라. 용골대가 할 길 없어, "이미 화친을 받았으니 대공을 세웠거늘, 부질없이 조그만 계집을 시험하다가 공연히 장졸만 다 죽였으니, 어찌 분한(憤恨)치 않으리오." 하고 회군하여 발행할 제, 왕대비와 세자 대군이며 장안 미색을 데리고 가는지라. <u>박씨가 _____로 불을 부치니 불길이 오랑캐 진을 덮쳐 형세가 뒤집혔어. 용골대는 이미 화친을 받아 공을 세웠는데, 박씨를 _____하다가 군사를 잃은 것을 분하게 여기며 청나라로 돌아가려 해. 이때 조선 사람들을 데리고 가네.</u>

박씨가 시비 계화로 하여금 외쳐 왈, "무지한 오랑캐야, 너희 왕 놈이 무식하여 은혜지국(恩惠之國)을 침범하였거니와, 우리 왕대비는 데려가지 못하리라. 만일 그런 뜻을 두면 너희들은 본국에 돌아가지 못하리라." <u>계화는 박씨의 _____였구나. 박씨는 오랑캐들이 _____를 데려가지 못하게 막으려고 해.</u> 하니 오랑캐 장수들이 가소롭게 여겨,

"우리 이미 화친 언약을 받고 또한 인물이 나의 장중(掌中)에 매였으니 그런 말은 생심(生心)도 말라." 하며, 혹 욕을 하며 듣지 아니하거늘, 박씨가 또 계화로 하여금 다시 외쳐 왈, "너희가 일양 그리하려거든 내 재주를 구경하라." 하더니, 이윽고 공중으로 두 줄기 무지개 일어나며, 모진 비가 천지를 뒤덮게 오며, 음풍이 일어나며 백설이 날리고, 얼음이 얼어 군마의 발굽이 땅에 붙어 한 걸음도 옮기지 못하는지라. 그제야 오랑캐 장수들이 황겁하여 아무리 생각하여도 모두 함몰할지라. 마지못하여 장수들이 투구를 벗고 창을 버려, 피화당 앞에 나아가 꿇어 애걸하기를, "오늘날 이미 화친을 받았으나 왕대비는 아니 뫼셔 갈 것이니, 박 부인 덕택에 살려 주옵소서." 박씨는 왕대비를 데려가지 말라는 자신의 요구를 무시하는 _____에게 자신의 재주를 보여 주지. 박씨의 신이한 도술에 오랑캐 장수들은 겁을 먹고 왕대비를 모셔 가지 않을 테니 살려 달라고 _____해.

박씨가 주렴 안에서 꾸짖어 왈, "너희들을 모두 죽일 것이로되, 천시(天時)를 생각하고 용서하거니와, 너희 놈이 본디 간사하여 외람된 죄를 지었으나 이번에는 아는 일이 있어 살려 보내나니, 조심하여 들어가며, 우리 세자 대군을 부디 태평히 모셔 가라. 만일 그렇지 아니하면 내 오랑캐를 씨도 없이 멸하리라."

이에 오랑캐 장수들이 백배 사례하더라. 박씨는 오랑캐 장수들을 용서하여 살려 보내되 _____을 명하고, 오랑캐 장수들은 이에 고마워해.

                    – 작자 미상, 「박씨전」 –

고전소설 독해의 STEP 2

1 형광펜이 그어진 부분을 근거로 장면을 다시 한번 나누어 보고, 장면별 내용을 요약해 보세요.

(나)
장면끊기 01   계화를 공격하는 데 실패한 용골대가 피화당 주변에 _____
장면끊기 02   박씨가 _____를 데려가지 말라는 자신의 요구를 무시하는 오랑캐 장수들을 공격하여, 이들을 살려 보내되 왕대비를 데려가지 않을 것과 _____을 명함

2 인물 간의 관계를 고려하여 구조도의 빈칸에 적절한 말을 채우세요.

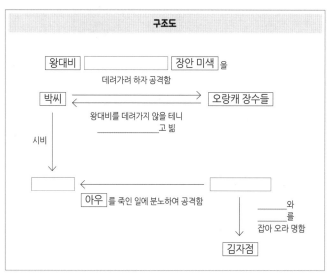

3 1~2번 문제를 풀어 보세요.

1. (가)를 바탕으로 (나)를 설명한 것으로 적절하지 <u>않은</u> 것은?

① 장안 삼십 리에 불길이 충천하고 장안 미색이 끌려가는 장면은 조선 백성들의 비극적 체험을 드러내고 있다.

② 용골대에게 조선 도원수가 복종하여 명령을 따르는 장면은 관군의 무능함을 허구를 매개로 조명하고 있다.

③ 박씨의 재주에 오랑캐 장수들이 황겁해 하는 장면에서, 패전의 고통이 허구적 인물의 활약을 통해 위로받고 있다.

④ 오랑캐군의 침략이 은혜지국에 대한 침범이라는 박씨의 비난은 용골대를 비롯한 오랑캐군이 불의한 존재임을 드러내고 있다.

⑤ 용골대가 장졸들의 죽음에 탄식하는 장면에서, 죽음의 책임을 폭력적인 방식으로 박씨에게 돌리려는 오랑캐의 모습이 드러나고 있다.

2. 문학 개념어 OX 확인 문제

① (나)는 전기적 요소를 활용하여 비현실적 장면을 부각하고 있다.   ○ ✕

② (나)는 배경 묘사를 통해 인물 간의 갈등을 암시하고 있다.   ○ ✕

고전소설 독해의 **STEP 3**

1 선지 판단 공식을 활용하여 빈칸을 채우고 1번 문제의 선지를 OX로 판단해 보세요.

융합 문제 선지 판단의 공식

① 설명글: 「박씨전」에서는 패전했던 전쟁인 _____의 비극적 체험을 재구성함

➕

작품: (나): '군사를 호령하여 일시에 ____을 놓으니, 그 불이 화약 염초를 범하매 벽력 같은 소리가 나며 장안 삼십 리에 불길이 충천하여 죽는 자가 무수하더라.', '회군하여 발행할 제, 왕대비와 _____을 데리고 가는지라.'

선지 ➡ 장안 삼십 리에 불길이 충천하고 장안 미색이 끌려가는 장면은 조선 백성들의 비극적 체험을 드러내고 있다. ○ ✕

② 설명글: 외적에 휘둘린 무능한 _____ 탓에 병자호란 당시 여성은 전쟁의 큰 피해자였음

➕

작품: (나): '용골대 아무리 분한들 어찌하리오. 마음에 탄복하고 _____ 김자점을 불러 왈, "너희는 이제 _____라. 내 영을 어찌 어기리오." 자점이 황공하여 왈, "분부대로 _____하오리다."'

선지 ➡ 용골대에게 조선 도원수가 복종하여 명령을 따르는 장면은 관군의 무능함을 허구를 매개로 조명하고 있다. ○ ✕

③ 설명글: 「박씨전」은 _____했던 병자호란을 있는 그대로 받아들이고 싶지 않았던 조선 사람들의 욕망에 따라 허구적 인물 _____가 패전의 고통을 안겼던 실존 인물 용골대를 물리치는 장면을 중심으로 허구화된 작품으로, 이들 간의 대립 구도 하에서 전개되는 이야기는 조선 사람들의 슬픔을 _____함

➕

작품: (나): '오랑캐 장수들이 _____하여 아무리 생각하여도 모두 함몰할지라. 마지못하여 장수들이 투구를 벗고 창을 버려, 피화당 앞에 나아가 꿇어 _____하기를, "오늘날 이미 화친을 받았으나 왕대비는 아니 뫼셔 갈 것이니, 박 부인 덕택에 살려 주옵소서."'

선지 ➡ 박씨의 재주에 오랑캐 장수들이 황겁해 하는 장면에서, 패전의 고통이 허구적 인물의 활약을 통해 위로받고 있다. ○ ✕

④ 설명글: 전쟁의 명분은 폭력을 정당화하기에, 적의 죽음은 불가피한 것으로, 우리 편의 죽음은 _____한 적에 의한 희생으로 간주됨

➕

작품: (나): '무지한 _____야, 너희 왕 놈이 무식하여 은혜지국을 _____하였거니와, 우리 왕대비는 데려가지 못하리라.'

선지 ➡ 오랑캐군의 침략이 은혜지국에 대한 침범이라는 박씨의 비난은 용골대를 비롯한 오랑캐군이 불의한 존재임을 드러내고 있다. ○ ✕

⑤ 설명글: 전쟁의 명분은 _____을 정당화하기에, 적의 죽음은 불가피한 것으로, 우리 편의 죽음은 불의한 _____으로 간주됨

➕

작품: (나): '이미 화친을 받았으니 대공을 세웠거늘, 부질없이 조그만 계집을 _____하다가 공연히 _____만 다 죽였으니, 어찌 분한치 않으리오.'

선지 ➡ 용골대가 장졸들의 죽음에 탄식하는 장면에서, 죽음의 책임을 폭력적인 방식으로 박씨에게 돌리려는 오랑캐의 모습이 드러나고 있다. ○ ✕

"매일 30분씩 꼼꼼하게 독해하면, 4주 후 고전소설 선지 판단력이 달라진다"

하루 30분,
고전소설 트레이닝

수능 국어 만점을 위한 **선지 판단력 강화** 프로그램

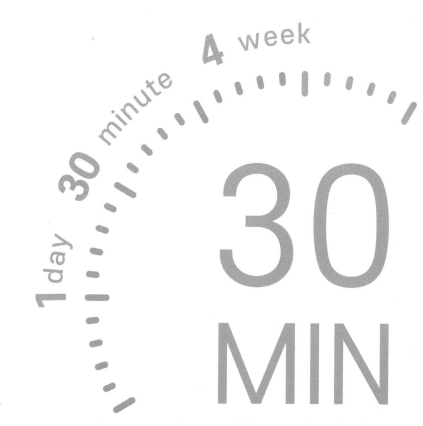

1 day 30 minute 4 week

30
MIN

도서출판 홀수
Holsoo Publishers

하루 30분, 수능 국어 만점을 향해 가는 28일

DAY 01	DAY 02	DAY 03	DAY 04	DAY 05	DAY 06	DAY 07
트레이닝 날짜	트레이닝 날짜	트레이닝 날짜	트레이닝 날짜	트레이닝 날짜	트레이닝 날짜	트레이닝 날짜
월 일	월 일	월 일	월 일	월 일	월 일	월 일

DAY 08	DAY 09	DAY 10	DAY 11	DAY 12	DAY 13	DAY 14
트레이닝 날짜	트레이닝 날짜	트레이닝 날짜	트레이닝 날짜	트레이닝 날짜	트레이닝 날짜	트레이닝 날짜
월 일	월 일	월 일	월 일	월 일	월 일	월 일

DAY 15	DAY 16	DAY 17	DAY 18	DAY 19	DAY 20	DAY 21
트레이닝 날짜	트레이닝 날짜	트레이닝 날짜	트레이닝 날짜	트레이닝 날짜	트레이닝 날짜	트레이닝 날짜
월 일	월 일	월 일	월 일	월 일	월 일	월 일

DAY 22	DAY 23	DAY 24	DAY 25	DAY 26	DAY 27	DAY 28
트레이닝 날짜	트레이닝 날짜	트레이닝 날짜	트레이닝 날짜	트레이닝 날짜	트레이닝 날짜	트레이닝 날짜
월 일	월 일	월 일	월 일	월 일	월 일	월 일

하루의 학습이 끝나면 색을 채워 가며 향상된 선지 판단력을 확인해 보세요.

1
주차

하루 30분, 고전소설 트레이닝

고전소설 독해의 STEP 1

1 다음 글을 읽고 등장인물을 잘 파악했는지, 빈칸에 적절한 말을 채웠는지 확인해 보세요.

📅 고3 2017학년도 6월 모평 – 조위한, 「최척전」

경자년(庚子年, 1600년) 늦봄, 최척(崔陟)은 주우(朱佑)*와 함께 배를 타고 이곳저곳을 돌아다니며 차(茶)를 팔다가 마침내 안남*에 이르게 되었다. 이때 일본인 상선(商船) 10여 척도 강어귀에 정박하여 10여 일을 함께 머물게 되었다. 이야기의 계절적 배경과 공간적 배경이 모두 제시되어. 배를 타고 떠돌던 최척은 경자년 늦봄 안남에 이르렀다고 하네.

날짜는 어느덧 4월 보름이 되어 있었다. 하늘에는 구름 한 점 없고 물은 비단결처럼 빛났으며, 바람이 불지 않아 물결 또한 잔잔하였다. 이날 밤이 장차 깊어 가면서 밝은 달이 강에 비치고 옅은 안개가 물 위에 어리었으며, 뱃사람들은 모두 깊은 잠에 빠지고 물새만이 간간이 울고 있었다. 고요하고 서정적인 배경을 묘사하여 분위기를 조성하고 있네. 이때 문득 일본인 배 안에서 염불하는 소리가 은은히 들려왔는데, 그 소리가 매우 구슬펐다. 최척은 홀로 선창에 기대어 있다가 이 소리를 듣고 자신의 신세가 처량하게 느껴졌다. 그래서 즉시 행장에서 피리를 꺼내 몇 곡을 불어서 가슴속에 맺힌 회한*을 풀었다. 때마침 바다와 하늘은 고요하고 구름과 안개가 걷히니, 애절한 가락과 그윽한 흐느낌이 피리 소리에 뒤섞이어 맑게 퍼져 나갔다. 이에 수많은 뱃사람들이 놀라 잠에서 깨어났으며, 그들은 처연하게* 앉아 피리 소리에 조용히 귀를 기울였다. 격분해서 머리가 곤추선 사람도 피리 소리에 분을 가라앉힐 정도였다. 안남에 정박한 일본인 배 안에서 염불 소리가 들렸고, 이에 최척은 자신의 신세를 생각하다가 피리를 연주하며 회한을 풀어.

잠시 후에 일본인 배 안에서 조선말로 칠언절구(七言絶句)를 읊었다.

> 왕자진*의 피리 소리에 달마저 떨어지려 하는데,
> [王子吹簫月欲底]
> 바다처럼 푸른 하늘엔 이슬만 서늘하구나.
> [碧天如海露凄凄]

시를 읊는 소리는 처절하여 마치 원망하는 듯, 호소하는 듯하였다. 시를 다 읊더니, 그 사람은 길게 한숨을 내쉬었다. 최척은 그 시를 듣고 크게 놀라서 피리를 땅에 떨어뜨린 것도 깨닫지 못한 채, 마치 실성한 사람처럼 멍하니 서 있었다. 일본인 배 안에 있는 누군가가 최척의 피리 연주에 화답하는 시를 읊은 듯해. 이에 최척은 깜짝 놀랐지. 이를 보고 주우가 말했다.

"어디 안 좋은 곳이라도 있는가?"

최척은 대답을 하고 싶었으나 목이 메고 눈물이 떨어져 말을 할 수 없었다. 크게 놀란 최척을 보고 주우가 걱정하는 말을 건네지만 최척은 대답을 하지 못해. 시간이 조금 흐른 뒤에 최척은 기운을 차려 말했다.

"조금 전에 저 배 안에서 들려왔던 시구는 바로 내 아내 (=옥영)가 손수 지은 것이라네. 다른 사람은 평생 저 시를 들어도 절대 알아내지 못할 것일세. 게다가 시를 읊는 소리마저 내 아내의 목소리와 너무 비슷해 절로 마음이 슬퍼진 것이라네. 하지만 어떻게 내 아내가 여기까지 와서 저 배 안에 있을 수 있겠는가?" 일본인

배에서 시를 읊는 소리가 들려왔는데, 그 시구는 아내가 지은 것이고 목소리도 아내와 비슷하여 최척이 크게 놀라고 슬퍼했던 거야.

이어서 온가족이 왜군에게 포로로 잡혀간 일을 말하자, 배 안에 있던 사람들 가운데 비탄*에 젖지 않은 사람이 없었다. 최척과 그의 가족이 겪은 고난에 대해 들은 사람들은 매우 가슴 아파하고 있어. 그 가운데는 두홍(杜洪)*이라는 사람이 있었는데, 젊고 용맹한 장정이었다. 그는 최척의 말을 듣더니, 얼굴에 의기를 띠고 주먹으로 노를 치면서 분연히* 일어나며 말했다.

"내가 가서 알아보고 오겠소."

주우가 저지하며 말했다.

"깊은 밤에 시끄럽게 굴면 많은 사람들이 동요할까 두렵네. 내일 아침에 조용히 물어보아도 늦지 않을 것일세." 주우는 밤에 소란을 일으키게 될까 봐 걱정하며 두홍을 저지하고 있어.

주위 사람들이 모두 말했다.

"그럽시다."

최척은 앉은 채로 아침이 되기를 기다렸다. 장면끊기 01 이곳저곳을 떠돌다 안남에 이르게 된 최척은 어느 날 서글픈 마음에 피리를 불었고, 일본인 배 안에서 들려온 시 읊는 소리에 놀라 사람들에게 자신의 사연을 이야기했어. 이후 시간이 흘러 아침이 되고 최척이 어젯밤의 일에 대해 알아보기 시작하니 여기서 장면을 나누어 보자!

동방이 밝아 오자, 즉시 강둑을 내려가 일본인 배에 이르러 조선말로 물었다.

"어젯밤에 시를 읊었던 사람은 조선 사람 아닙니까? 나도 조선 사람이기 때문에 한번 만나 보았으면 합니다. 멀리 다른 나라를 떠도는 사람이 비슷하게 생긴 고국 사람을 만나는 것이 어찌 그저 기쁘기만 한 일이겠습니까?"

옥영(玉英)도 어젯밤에 들려왔던 피리 소리가 조선의 곡조인 데다 평소에 익히 들었던 것과 너무나 흡사하여 남편(=최척) 생각에 감회가 일어 저절로 시를 읊게 되었던 것이다. 일본인 배 안에서 시를 읊은 사람은 옥영이었어. 최척이 연주한 피리 소리에 남편 생각이 나서 시를 읊었던 거야.

옥영은 자기를 찾는 사람의 목소리를 듣고는 황망*하게 뛰어나와 최척을 보았다. 두 사람은 서로 마주 바라보고는 놀라서 소리를 지르며 끌어안고 모래밭을 뒹굴었다. 목이 메고 기가 막혀 마음을 안정할 수가 없었으며, 말도 할 수 없었다. 눈에서는 눈물이 다하자 피가 흘러내려 서로를 볼 수도 없을 지경이었다. 최척과 옥영은 재회를 감격스러워하며 눈물을 흘렸어. 두 나라의 뱃사람들이 저잣거리처럼 모여들어 구경하였는데, 처음에는 단지 친척이나 잘 아는 친구인 줄로만 알았다. 뒤에 그들이 부부 사이라는 것을 알고 사람마다 서로 돌아보며 소리쳐 말했다.

"이상하고 기이한 일이로다! 이것은 하늘의 뜻이요, 사람이 이룰 수 있는 일이 아니로다. 이런 일은 옛날에도 들어 보지 못하였다." 최척과 옥영의 사연을 들은 주변 사람들도 두 사람의 재회를 기이한 일로 여기며 놀라워하네.

최척은 옥영에게 그간의 소식을 물으며 말했다.

"산속에서 붙들려 강가로 끌려갔다는데, 그때 아버님과 장모님은 어떻게 되었소?"

옥영이 말했다.

"날이 어두워진 뒤에 배에 오른 데다 정신이 없어 서로 잃어버리게 되었으니, 제가 두 분의 안위를 어찌 알 수 있었겠습니까?"

두 사람이 손을 붙들고 통곡하자, 옆에서 지켜보던 사람들도 슬퍼

하며 눈물을 닦지 않는 이가 없었다. 그동안의 사연을 나누며 두 사람은 **통곡**하고 그들을 지켜보는 사람들도 함께 **슬퍼**하고 있어.

주우는 돈우(頓于)*를 만나 백금 세 덩이를 주고 옥영을 사서 데려오려고 하였다. 그러자 돈우가 얼굴을 붉히며 말했다.

"내가 이 사람 (=옥영)을 얻은 지 이제 4년 되었는데, 그의 단정하고 고운 마음씨를 사랑하여 친자식처럼 생각해 왔습니다. 그래서 침식을 함께하는 등 잠시도 떨어진 적이 없었으나, 지금까지 그가 아낙네인 것을 몰랐습니다. 오늘 이런 일을 직접 겪고 보니, 이는 천지신명도 오히려 감동할 일입니다. 내가 비록 어리석고 무디기는 하지만 진실로 목석은 아닙니다. 그런데 차마 어떻게 그를 팔아서 먹고살 수 있겠습니까?" 돈우도 최척과 옥영의 재회에 **감동**을 받았어. 그리고 옥영이 아낙네라는 것은 몰랐지만 **친자식**처럼 여기며 무척 아꼈다고 하네. 그래서 돈을 받고 옥영을 팔 수는 없다고 해.

돈우는 즉시 주머니 속에서 은자(銀子) 10냥을 꺼내어 전별금 (餞別金)*으로 주면서 말했다.

"4년을 함께 살다가 하루아침에 이별하게 되니, 슬픈 마음에 가슴이 저리기만 하오. 돈우는 옥영과의 **이별**을 슬퍼하고 있어. 온갖 고생 끝에 살아남아 다시 배우자를 만나게 된 것은 실로 기이한 일이며, 이 세상에는 없었던 일일 것이오. 내가 그대를 막는다면 하늘이 반드시 나를 미워할 것이오. 사우(沙于)* (=옥영)여! 사우여! 잘 가시게! 잘 가시게!"

장면끊기 02 아침이 되자 최척은 일본인 배에 찾아가 옥영과 재회하고, 돈우는 이별을 아쉬워하면서도 **전별금**을 주며 옥영을 보내 줬어.

— 조위한, 「최척전(崔陟傳)」 —

*주우, 두홍: 최척과 함께 장사를 하는 중국인들.

*안남: 베트남.

*왕자진: 주나라 영왕의 태자로, 죄를 입어 서인이 되었음.

*돈우: 옥영을 데리고 장사를 하는 일본인.

*사우: 돈우가 옥영에게 붙여 준 이름.

고전 **필수** 어휘

*회한: 뉘우치고 한탄함.

*처연하다: 애달프고 구슬프다.

*비탄: 몹시 슬퍼하면서 탄식함.

*분연히: 떨쳐 일어서는 기운이 세차고 꿋꿋하게.

*황망: 마음이 몹시 급하여 당황하고 허둥지둥하는 면이 있음.

*전별금: 보내는 쪽에서 예를 차려 작별할 때에 떠나는 사람을 위로하는 뜻에서 주는 돈.

고전소설 독해의 STEP 2

1 구조도의 빈칸에 적절한 말을 채웠는지 확인해 보세요.

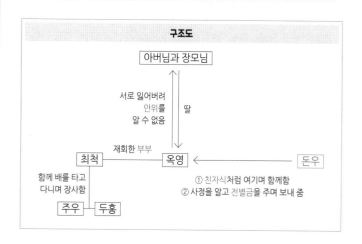

2 1~2번 문제의 정답과 해설을 확인해 보세요.

1. 최척과 옥영의 재회에 대한 이해로 가장 적절한 것은?

정답풀이

② 두 인물이 공유하고 있는 과거의 기억을 매개로 하여 이루어진다.

최척의 '피리 소리'를 들은 옥영은 '피리 소리가 조선의 곡조인 데다 평소에 익히 들었던 것과 너무나 흡사하여서 남편 생각에 감회가 일어 저절로 시를 읊게' 된다. 이를 들은 최척은 시구가 '아내가 손수 지은 것'이며 '시를 읊는 소리마저 내 아내의 목소리와 너무 비슷'하다고 여겨 다음날 일본인의 배를 찾아 가게 되고 그곳에서 옥영과 재회하게 된다. 즉 이들의 재회는 최척의 피리 소리, 옥영의 시 등 두 인물이 공유하고 있는 과거의 기억을 매개로 하여 이루어진 것이라고 할 수 있다.

오답풀이

① 타국에서 만난 동포의 도움을 통해 우연히 이루어진다.

최척의 사연을 들은 두홍이 시를 읊은 사람이 누구인지를 알아봐 주려고 하였지만 주우의 저지로 이를 행동에 옮기지는 못하였고, 최척과 옥영의 재회는 이튿날 일본인 배를 직접 찾아간 최척의 행동으로 인해 이루어진 것이다. 따라서 다른 사람의 도움을 통해 우연히 재회가 이루어진 것은 아니며, 두홍과 주우 등은 최척과 함께 장사를 하는 중국인들이므로 타국에서 만난 동포라는 진술 역시 적절하지 않다.

③ 두 인물이 평소에 주변 사람들에게 베푼 자비로 인해 이루어진다.

> 주우와 두홍, 돈우 등이 보여 주는 모습을 통해 최척과 옥영이 평소에 주변 사람들과 우호적인 관계를 맺어온 것으로 짐작할 수 있으나, 윗글에서 두 인물이 주변 사람들에게 자비를 베푼 내용은 나타나지 않으며, 이로 인해 재회가 이루어지지도 않는다.

④ 주변 사람들의 오해로 인해 우여곡절을 겪다가 기적적으로 이루어진다.

> '지금까지 그가 아낙네인 것을 몰랐습니다.'로 보아 돈우가 옥영을 남자로 오해한 것은 알 수 있지만, 윗글에 주변 사람들의 오해로 인한 우여곡절은 나타나지 않는다.

⑤ 주변 인물들 중 대다수에게는 환영을 받지만 일부에게는 의구심을 유발한다.

> '두 사람이 손을 붙들고 통곡하자, 옆에서 지켜보던 사람들도 슬퍼하며 눈물을 닦지 않는 이가 없었다.'라고 하였으므로 최척과 옥영의 재회는 대다수에게 환영을 받았다고 할 수 있다. 이때 두 사람의 재회로 인해 옥영과 헤어져야 하는 돈우는 슬퍼하지만, 의구심(믿지 못하고 두려워하는 마음)을 갖지는 않으므로 두 사람의 재회가 그와 같은 일부에게 의구심을 유발했다고 볼 수는 없다.

2. 문학 개념어 OX 확인 문제

> ① ✗
>
> • 초월적 존재: 능력이나 지혜가 보통의 인간으로서는 생각할 수 없을 만큼 뛰어난 존재.
>
> ② ✗
>
> • 내적 갈등: 한 인물이 자신의 내면에서 일으키는 심리적 갈등. 개인의 심리적 모순이나 욕망의 대립으로 일어나는 고뇌, 괴로움을 말함.

고전소설 독해의 STEP 1

1 다음 글을 읽고 등장인물을 잘 파악했는지, 빈칸에 적절한 말을 채웠는지 확인해 보세요.

📅 고3 2015학년도 수능A – 작자 미상, 「소대성전」

일일은 [승상]이 술에 취하시어 책상에 의지하여 잠깐 졸더니 문득 봄바람에 이끌려 한 곳에 다다르니 이곳은 승상이 평소에 고기도 낚으며 풍경을 구경하던 조대(釣臺)*라. 그 위에 상서로운 기운이 어렸거늘 나아가 보니 청룡이 조대에 누웠다가 승상을 보고 고개를 들어 소리를 지르고 반공에 솟거늘, 깨달으니 일장춘몽*이라. 승상이 잠시 잠에 들어 꿈에서 **청룡**을 보고 깼어.

> **장면끊기 01** 잠에 든 승상이 꿈속에서 조대에 가 청룡을 보고 잠에서 깨어 현실로 돌아왔어. 꿈과 현실의 경계이니 여기서 장면을 끊어야겠지!

심신이 황홀하여 죽장을 짚고 월령산 조대로 나아가니 [나무 베는 아이](=소대성)가 나무를 베어 시냇가에 놓고 버들 그늘을 의지하여 잠이 깊이 들었거늘, 승상은 잠에서 깨어난 뒤 꿈에서 청룡을 보았던 조대로 갔어. 그곳에서 승상은 한 아이를 발견했어. 보니 의상이 남루하고* 머리털이 흩어져 귀밑을 덮었으며 검은 때 줄줄이 흘러 두 뺨에 가득하니 그 추레함*을 측량치 못하나 그 중에도 은은한 기품이 때 속에 비치거늘 승상이 깨우지 않으시고, 옷에 무수한 이를 잡아 죽이며 잠 깨기를 기다리더니, 승상은 잠든 아이를 깨우지 않고 이를 잡아 주며 기다려. 그 아이가 돌아누우며 탄식 왈,

"형산백옥이 돌 속에 섞였으니 누가 보배인 줄 알아보랴. 여상의 자취 조대에 있건마는 그를 알아본 문왕의 그림자 없고 와룡은 남양에 누웠으되 삼고초려한 유황숙의 자취는 없으니 어느 날에 날 알아줄 이 있으리오."

하니 그 소리 웅장하여 산천이 울리는지라. 승상이 꿈에서 청룡을 본 것은 이 아이와의 만남을 예언하기 위함이나 봐. 아이의 겉모습은 추레하지만 보통 아이가 아닌 것 같아. 아이는 고사를 활용해 자신을 돌 속에 섞인 **형산백옥**으로 표현하며 뛰어난 인재인 자신을 **알아줄** 이가 없음을 한탄하고 있네.

탈속한* 기운이 소리에 나타나니, 승상이 생각하되, '영웅을 구하더니 이제야 만났도다.' 하시고, 깨우며 물어 왈,

"봄날이 심히 곤한들 무슨 잠을 이리 오래 자느냐? 일어앉으면 물을 말이 있노라."

"어떤 사람이관데 남의 단잠을 깨워 무슨 말을 묻고자 하는가? 나는 배고파 심란하여 말하기 싫도다."

아이 머리를 비비며 군말하고 도로 잠이 들거늘, 승상이 왈,

"네 비록 잠이 달지만 어른을 공경치 아니하느냐. 눈을 들어 날 보면 자연 알리라."

그 아이 눈을 뜨고 이윽히 보다가 일어앉으며 고개를 숙이고 잠잠하거늘, 승상이 자세히 보니 두 눈썹 사이에 천지조화를 갈무리하고 가슴속에 만고흥망을 품었으니 진실로 영웅이라. 승상의 명감(明鑑)*이 아니면 그 누가 알리오. 잠을 자던 아이는 승상의 모습을 보고 바로 그의 말에 따르고 있어. 승상은 뛰어난 **명감**을 가진 인물이기 때문에 아이에게서 **영웅**의 면모를 발견한 것이겠지.

> **장면끊기 02** 승상은 현실의 조대에서 잠든 아이를 만나고 아이의 모습에서 영웅의 면모를 발견하었어. 이후 중략 부분의 줄거리가 이어지니 여기서도 장면을 끊어 주자.

[중략 부분의 줄거리] 승상은 아이([소대성])를 자기 집에 묵게 하고 [딸]과 부부의 연을 맺도록 하지만, 승상이 죽자 그 [아들들]이 대성을 제거하려고 한다. 이에 대성은 영보산으로 옮겨 공부하다가 [호왕]이 난을 일으킨 소식에 산을 나가게 된다. 중략 부분의 줄거리는 지문 이해나 문제 풀이에 필요한 내용이라서 출제자가 정리해 준 것이니 반드시 그 내용을 이해하고 넘어가야 해. 승상의 죽음 후 집을 나선 대성은 난을 일으킨 **호왕**을 막기 위해 자신이 머물던 영보산을 떠나.

한 [동자] 마중 나와 물어 왈, 새로운 인물이 등장했어. 중요한 인물이 아닐 수 있지만 주인공에게 말을 걸면 어떤 역할을 하는지 정도는 체크하는 것이 좋아.

"[상공](=소대성)이 해동 소상공 아니십니까?"

"[동자], 어찌 나를 아는가?"

[소생](=소대성)이 놀라 묻자, 동자 답 왈,

"우리 [노야](=이 승상)의 분부를 받들어 기다린 지 오랩니다."

"노야라 하시는 이는 뉘신고?"

"아이 어찌 [어른](=이 승상)의 존호를 알리까? 들어가 보시면 자연 알리이다." 동자는 어른의 명으로 대성을 마중나온 거야.

생이 동자를 따라 들어가니 청산에 불이 명랑하고 한 [노인](=이 승상)이 자줏빛 도포를 입고 금관을 쓰고 책상을 의지하여 앉았거늘 생이 보니 학발 노인은 청주 이 승상일러라. 중략 부분의 줄거리에서 승상은 죽었다고 했는데, **동자**를 따라 들어간 곳에서 **승상**을 다시 만나네. 죽은 사람과의 만남이라는 기이한 사건이 발생했어. 생이 생각하되, '승상이 별세하신 지 오래이거늘 어찌 이곳에 계신가?' 하는데, 승상이 반겨 손을 잡고 왈,

"내 그대를 잊지 못하여 줄 것이 있어 그대를 청하였나니 기쁘고도 슬프도다."

하고 동자를 명하여 저녁을 재촉하며 왈,

"[내 자식](=아들들)이 무도하여 그대를 알아보지 못하고 망령된* 의사를 두었으니 어찌 부끄럽지 아니하리오. 하나 그대는 대인 군자로 허물치 아니할 줄 알았거니와 모두 하늘의 뜻이라. 오래지 아니하여 공명을 이루고 용문에 오르면 딸과의 신의를 잊지 말라." 승상은 아들들이 대성을 제거하려 했던 일에 대해 **부끄러워**하면서, 그래도 용문에 오르면 딸과의 **신의**를 잊지 말라고 해.

하고 갑주 한 벌을 내어 주며 왈,

"이 갑주는 보통 물건이 아니라 입으면 내게 유익하고 남에게 해로우며 창과 검이 뚫지 못하니 천하의 얻기 어려운 보배라. 그대를 잊지 못하여 정을 표하나니 전장에 나가 대공을 이루라."

생이 자세히 보니 쇠도 아니요, 편갑도 아니로되 용의 비늘 같이 광채 찬란하며 백화홍금포로 안을 대었으니 사람의 정신이 황홀한지라. 생이 매우 기뻐 물어 왈,

"이 옷이 범상치 아니하니 근본을 알고자 하나이다."

"이는 천공의 조화요, 귀신의 공역이라. 이름은 '보신갑'이니 그 조화를 헤아리지 못하리라. 다시 알아 무엇 하리오?" 승상은 대성에게 **보신갑**이라는 이름의 갑주를 선물로 주었어.

승상이 답하시고, 차를 내어 서너 잔 마신 후에 승상 왈,

"이제 칠성검과 보신갑을 얻었으니 만 리 청총마를 얻으면 그대 재주를 펼칠 것이나, 그렇지 아니하면 당당한 기운을 걷잡지 못하리라. 하나 적을 가벼이 여기지 말라. 지금 적장은 천상 [나타]의 제자 [익성](=호왕)이니 북방 호국 왕이 되어 중원을 침노하니 지혜와 용맹이 범인과 다른지라. 삼가 조심하라."

"만 리 청총마를 얻을 길이 없으니 어찌 공명을 이루리까?" 대성은 **칠성검**과 보신갑은 얻었지만, 아직 청총마는 얻지 못한 상황이군. 세 가지 요소가 모두 갖춰져야 만만치 않은 적인 호왕에 맞서 **재주**를 펼칠 수 있나 봐.

생이 묻자, 승상이 답 왈,

"**동해 용왕**이 그대를 위하여 이리 왔으니 내일 오시에 얻을 것이니 급히 공을 이루라. 지금 싸움이 오래되었으나 중국은 익성을 대적할 자 없으며 황제 지금 위태한지라. 머물지 말고 바삐 가라. 할 말이 끝없으나 밤이 깊었으니 자고 가라." 만 리 청총마를 어떻게 얻느냐는 대성의 물음에 승상은 동해 **용왕**을 통해 내일 얻을 것이라고 하고 있네. 동시에 황제의 상황이 **위태**하니 바삐 가라고 하는 말에서 전쟁의 상황이 위급함을 알 수 있어.

하시고 책상을 의지하여 누우시니 생도 잠깐 졸더니, 홀연 찬 바람, 기러기 소리에 깨달으니 승상은 간데없고 누웠던 자리에 갑옷과 투구 놓였거늘 좌우를 둘러보니 소나무 밑이라.

장면끊기 03 대성은 동자를 따라 들어간 곳에서 죽은 승상을 다시 만나 보신갑을 받고, 이후 만 리 **청총마**를 얻을 방법을 들은 후 잠에 깨어. 중략 이후 사건의 배경이 꿈속이라는 직접적인 언급은 없었지만, 죽은 승상을 다시 만났다는 점과 지문 끝부분에서 대성이 잠을 깨는 모습을 통해 대성과 승상의 대화는 **꿈속**에서 이루어진 것임을 알 수 있지.

– 작자 미상, 「소대성전」 –

*조대: 낚시터.

*명감: 사람을 알아보는 뛰어난 능력.

고전 **필수** 어휘

*일장춘몽: 한바탕의 봄꿈이라는 뜻으로, 헛된 영화나 덧없는 일을 비유적으로 이르는 말.

*남루하다: 옷 따위가 낡아 해지고 차림새가 너저분하다.

*추레하다: 겉모양이 깨끗하지 못하고 생기가 없다.

*탈속하다: 속세를 벗어나다.

*망령되다: 늙거나 정신이 흐려서 말이나 행동이 정상을 벗어난 데가 있다.

고전소설 독해의   STEP 2

1 구조도의 빈칸에 적절한 말을 채웠는지 확인해 보세요.

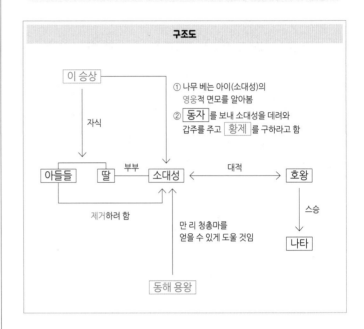

2 1~2번 문제의 정답과 해설을 확인해 보세요.

1. 윗글의 '승상'에 대한 감상으로 가장 적절한 것은?

정답풀이

① 곤히 잠든 '아이'를 깨우지 않고 이를 잡아 주며 기다리는 모습에서 따뜻한 인정을 느낄 수 있군.

> 승상은 곤히 잠든 나무 베는 아이(소생)를 깨우지 않고 아이의 옷에 있는 이를 잡아 주며 잠이 깨기를 기다린다. 이러한 승상의 모습을 통해 따뜻한 인정을 느낄 수 있다.

오답풀이

② 나이 어린 '소생'에게 자신이 범한 과오를 시인하고 부끄러워하는 모습에서 자신을 비우고 낮추는 겸허함을 볼 수 있군.

> 승상은 소생에게 '내 자식이 무도하여 그대를 알아보지 못하고 망령된 의사를 두었으니' '부끄럽'다고 말한다. 즉 과오는 승상이 범한 것이 아니라 승상의 자식이 범한 것이다. 따라서 승상이 자신이 범한 과오를 시인하고 부끄러워한다는 진술은 적절하지 않다.

MEMO

③ '소생'에게 '딸과의 신의'를 잊지 않아야 공명을 이룰 수 있다고 당부하는 모습에서 신의를 중시하는 가치관을 볼 수 있군.

> 승상은 소생에게 '공명을 이루고 용문에 오르면 딸과의 신의를 잊지 말라.'라고 한다. 이를 통해 신의를 중시하는 승상의 가치관을 엿볼 수 있다. 하지만 이는 소생이 먼저 출세를 하여 높은 지위에 오르게 되면 그 다음으로 자신의 딸의 신의를 지켜주기를 당부한 것이지, 신의를 잊지 않아야만 공명을 이룰 수 있음을 말하기 위한 것은 아니다.

④ '청총마'를 이미 얻고 '동해 용왕'의 도움까지 얻은 '소생'에게 적을 가벼이 여기지 말라고 하는 모습에서 신중한 자세를 볼 수 있군.

> '적을 가벼이 여기지 말라.'라고 당부하는 승상의 모습에서 신중한 자세를 엿볼 수 있다. 하지만 '만 리 청총마를 얻을 길이 없으니'라는 소생의 말과 이를 얻게 해 줄 '동해 용왕이 그대를 위하여 이리 왔으니 내일 오시에 얻을 것'이라는 승상의 말을 통해 소생이 아직 청총마와 동해 용왕의 도움을 얻지 못했음을 알 수 있다. 따라서 소생이 청총마를 이미 얻고 동해 용왕의 도움까지 얻었다는 진술은 적절하지 않다.

⑤ 살아서는 '소생'을 도왔지만 죽은 몸으로 '소생'을 도울 수 없어 안타까워하는 모습에서 남을 도우려는 한결같은 성품을 느낄 수 있군.

> 승상은 살아서는 아이(소생)를 자기 집에 묵게 하고 딸과 부부의 연을 맺도록 했으며, 죽어서는 소생이 전장에 나가 대공을 이루도록 갑주를 준다. 즉 승상은 살아서나 죽어서나 소생을 돕고 있으므로, 죽은 몸으로 소생을 도울 수 없어 안타까워한다는 진술은 적절하지 않다.

2. 문학 개념어 OX 확인 문제

① O

• 외양 묘사: 인물의 겉모습을 그림 그리듯이 구체적이고 감각적으로 표현함.

> 근거 '의상이 남루하고 머리털이 흩어져 귀밑을 덮었으며 검은 때 줄줄이 흘러 두 뺨에 가득하니 그 추레함을 측량치 못하나 그 중에도 은은한 기품이 때 속에 비치거늘', '한 노인이 자줏빛 도포를 입고 금관을 쓰고 책상을 의지하여 앉았거늘 생이 보니 학발 노인은 청주 이 승상일러라.'

② X

• 회상: 지난 일을 돌이켜 생각함. 또는 그런 생각. 단순 과거 회상과 과거 장면의 제시를 구분할 수 있어야 함. 단순히 과거 사건에 대해 언급한 것이라면 단순 과거 회상이며, 시간적 배경이 과거로 바뀌어 인물의 대화나 행동이 묘사된다면 과거 장면의 제시로 볼 수 있음.

고전소설 독해의 STEP 1

1 다음 글을 읽고 등장인물을 잘 파악했는지, 빈칸에 적절한 말을 채웠는지 확인해 보세요.

📅 고3 2017학년도 4월 학평 – 작자 미상, 「어룡전」

이때 강씨 상서가 집에 없음을 기뻐하여 월을 불러 날로 구박하며 눈앞에 잠시도 섰지 못하게 하고, 음식을 먹이되 독약이 들지 아니하였으니 알고 먹으라 하며 박대*가 자심한지라*. 고전소설에서는 선인과 악인의 구분이 비교적 명확하게 이루어져. 상서가 집에 없으니 강씨가 월을 구박하며 괴롭힌다는 것으로 보아 **강씨**가 악인인 듯하지.

강씨 일일은 월의 없음을 괴히 여겨 후원에 가보니 차영을 데리고 서로 우는지라. 대로하여 고성 대책 왈,

"너희 노주*가 무슨 모함을 의논하느냐."

하고, 무수히 치며 두 발을 끌고 의복을 찢으며 형벌하고, 또 차영을 잡아내어 꾸짖어 왈,

"네 나와 무슨 혐의* 있어 노주 의논하고 흉계를 꾸미고자 하느냐. 너 같은 년은 죽이리라." 월과 차영의 관계가 드러나지. **노주** 관계라고 했으니 월이 주인이고 차영이 월의 몸종인 듯해.

하고 형구 차려 형틀에 올려 매고 무수 난장하여 제정으로 끌어내어 협실에 가두고 분부하되,

"너희 다시 소저(=월)와 상대하는 자는 즉시 죽이리라."

하니, 차영이 또한 기절하여 아무 말도 못하더라. 강씨는 괴롭힘을 당하던 월이 **차영**과 슬픔을 나누자 그것을 핑계로 월을 더욱 학대하고 있어. 월과 상대하는 사람은 **죽이**겠다고까지 하며 월을 사지로 몰아넣고 있지.

슬프다. 월이 차영을 보지 못하고 죽인들 뉘가 알며, 음식인들 뉘가 권하리오.

이때 용이 제 밥을 가지고 누이(=월) 앞에 놓고 간권하니, 소저가 어찌 먹고 살고져 하리오마는 어린 동생이 권하는 정을 생각하고, 용과 월은 **남매** 관계로 우애가 돈독하군. 또 부친(=상서)의 얼굴도 보지 못하고 죽으면 원귀 되지 아니하며, 또한 부친으로 하여금 비희를 끼쳐 눈물을 지시게 하리오. 부친을 볼 수 없다는 것으로 보아 집을 떠나 있는 상서가 바로 남매의 **아버지**겠네. 나의 사생은 어렵지 아니하거니와 용의 일신이 부모에게 중한 몸이라. 내 죽으면 여액이 다 용에게 미칠 것이니 어찌하리오. 월은 자신이 죽으면 동생 용에게 더한 괴롭힘이 가해질까 봐 **걱정**하고 있어. 또한 내 죽으면 불효막대할 것이니, 근근 보명하였다가 부친 오심을 기다림이 옳다 하고, 용이 가져온 음식을 서로 먹고 밤을 당하매, 불기 없는 빈방에 남매 서로 붙잡고 밤을 새우더니, 용은 어린 것이라 잠을 자나 소저는 만신이 아파 견디지 못하여 소리는 아니하고 앓고 누웠더니, 이때 강씨 생각하되

"이때를 지내면 다시 설치*할 기회를 얻기 어려우리라."

하고 월의 자는 방에 들어가니, 소저가 홀로 엎어져 앓는 소리 나거늘 문을 열고 들어가 꾸짖어 왈,

"이 아이년아, 누구를 모함하려고 누웠느냐. 너 같은 자식은 보기 싫으니 바삐 나가고 눈앞에 보이지 말라."

하는 소리 추상같은지라. 강씨는 월과 용이 서로 의지하며 지내는 모습에도 화를 내며 집에서 **나가라**고 해.

장면끊기 01 강씨는 상서가 집에 없을 때 월과 용 남매를 구박하며 학대했어. 또 이 기회에 남매를 집에서 내쫓으려 하지. 이후 중략 줄거리를 통해 남매가 결국 쫓겨나고 상서가 그들을 찾아 나서게 됨을 알 수 있으니 여기서 장면을 나누어야겠지!

[중략 줄거리] 강씨의 구박으로 어룡 남매(=월+용)는 집에서 쫓겨나 온갖 고초를 겪는다. 이후 어룡은 통천도사의 도움으로 도술과 무예를 배워 나라에 큰 공을 세우고 월은 윤 시랑의 양녀가 되어 임선과 결혼한다. 한편, 어룡 남매를 찾아 집을 나섰던 상서는 기이한 꿈을 꾼다.

이때 날이 이미 저물고 갈 길이 바이 없으매, 슬픔을 이기지 못하여 실혼한 사람같이 앉았더니, 또 비몽사몽간에 아까 보이던 도사가 다시 이르되,

"죽림 도원 본집으로 가면 자연 반가운 소식이 있을 것이니 급히 황성으로 가라." 어룡 남매를 찾아나섰으나 갈 길을 찾지 못한 상서의 꿈에 도사가 나타나 갈 곳을 알려주고 있어.

하고 간 데 없거늘, 상서가 깨어 공중을 향하여 무수 사례한 후, 그 밤을 지내고 이튿날 길을 떠나 여러 날 만에 죽림 도원 ⓐ본집으로 가니, 집은 여구하나* 장원이 퇴락하고 후뜰에 초목이 무성하여 사람 자취 그친 지 오랜지라. 슬픈 마음을 금치 못하여 눈물 내림을 깨닫지 못할레라. 상서는 꿈속의 도사가 이른 대로 **본집**에 도착했지만 사람의 흔적이 없어 슬퍼하고 있어.

학사(=상서) 마음을 진정하고 두루 살펴보니 노복 등도 다 사냥하고 다만 차영이 홀로 있다가 상서를 보고 반겨 복지 통곡 왈,

"노야(=상서) 어디로 다니다가 이제 오시니까."

하며 못내 슬퍼하다가, 다시 여쭈오되,

"소저와 아기 용을 찾아 보아 계시니까." 상서는 월의 몸종인 **차영**을 만났네. 차영은 월과 용 남매를 찾았냐고 묻고 있어.

하며 반김을 마지 아니하거늘, 상서가 차영의 손을 잡고 눈물을 흘리며 왈,

"차영아, 그간 몸 성히 잘 있었느냐. 난 여러 해 돌아다니되 월의 남매를 보지 못하고 왔노라."

하시니, 차영이 상서 말씀을 듣고 정신이 아득하여 이윽히 앉았다가 눈물을 흘리며 왈,

"그러하오면 어디로 가 죽었는가 아닌가. 진적 유무를 알 수 없으니 이런 답답한 일이 어디 있사오리까. 노야 나가신 후에 나라에서 한림(=상서)으로 패소*하여 계시오니, 황성에나 올라가사 소저와 공자(=용)를 찾게 하옵소서." 본집에 있던 차영도 월과 용 남매의 행적을 알지 못해 답답해하고 있어. 차영은 상서에게 **황성**에 올라가 보라고 하네.

하거늘, 상서가 내심에 현몽하시던 일을 생각하고 황명을 받자와 택일 발행하올새, 여러 날 만에 ⓑ황성에 득달하여 천자께 숙배하온대, 상(=천자)이 보시고 크게 반기사 좌를 주시고 가로되,

"경(=상서)의 아들이 멀리 집을 떠난단 말을 들었더니 그간 만나 보았는가." 황제도 상서가 **아들**을 다시 만났는지 묻고 있어.

하시거늘, 상서가 복지 주왈,

"소신의 불초한* 자식이 있사옵더니, 나이 어려 우연 집을 떠나 나아가 우금 십여 년이 되옵되 종적을 알지 못하나이다." 상서와 어룡 남매가 헤어진 지 **십여 년**이 되었나 봐.

하며 슬픈 빛이 나타나거늘, 상이 보시고 측은히 여기시며 가라사대,

"금번 북흉노 병란에 경의 아들 곧 아니던 종묘와 사직이 위태하고 짐의 몸이 마칠 것을 하늘이 도우사 경의 영자를 만나 북적을 소멸하고 천하를 평정하였으니, 그 공을 무엇으로 갚으리오." 황제는 상서의 아들인 용의 활약으로 북적과의 전쟁에서 이길 수 있었다고 하며 크게 칭찬하고 있어.

하시고, 좌승상 어룡 (=용)을 급히 명초*하시니, 이때 승상이 부친 오신다는 말을 듣고 전지도지*하여 나오더니, 나라에서 부르심을 듣고 급히 예궐 숙배하온대, 상이 인견하시고 가라사대,

"지금 경 (=용)의 부친을 대하면 그 얼굴을 능히 기억할소냐."

승상이 대왈,

"어려서 아비 (=상서)를 이별하였사오나 지금도 그 형용이 주야 눈에 있나이다."

하고 설위함을 마지 아니하거늘, 상이 그 사친지정이 절로 골수에 맺힘을 불쌍이 여기시고, 상서와 대면케 하시니, 승상이 부친 앞에 나아가 엎어져 실성 통곡하며 말을 이루지 못하거늘, 한림이 혼미하여 꿈인지 생시인지 분별치 못하고 묵묵히 앉았다가, 이윽한 후 정신을 차려 용의 손을 잡고 가로되,

"네가 진정 나의 아들 용이냐 아니냐."

하며 안고 서로 슬피 우니, 보는 사람은 고사하고 산천초목도 다 슬퍼할러라. 상서가 드디어 아들 용을 만났어. 용은 집을 떠난 후 나라에 큰 공을 세워 (좌)승상이 되었고, 천자의 도움으로 아버지와 만날 수 있게 된 거지.

장면끊기 02 어룡 남매를 찾기 위해 떠돌던 상서는 꿈에 나온 도사의 말에 따라 본집으로 갔고, 그곳에서 만난 차영의 조언대로 황성으로 갔어. 그리고 드디어 좌승상이 된 용을 만나게 되었고 십여 년 만의 재회에 둘은 슬피 울었다고 해.

– 작자 미상, 「어룡전」 –

*노주: 노비와 주인.

*설치: 치욕을 씻음.

*패소: 임금이 신하를 급히 만나야 할 때 패를 써서 입궐하게 하는 경우.

*명초: 임금의 명령으로 신하를 부름.

*전지도지: 엎드러지고 곱드러지며 몹시 급히 달려가는 모양.

고전 필수 어휘

*박대: 인정 없이 모질게 대함.

*자심하다: 더욱 심하다.

*혐의: 꺼리고 미워함.

*여구하다: 모양이나 상태가 옛날과 같다.

*불초하다: 못나고 어리석다. 아버지를 닮지 않았다는 뜻에서 나온 말이다.

고전소설 독해의 STEP 2

1 구조도의 빈칸에 적절한 말을 채웠는지 확인해 보세요.

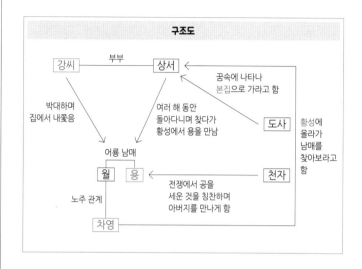

구조도

2 1~2번 문제의 정답과 해설을 확인해 보세요.

1. ⓐ, ⓑ에 대한 설명으로 가장 적절한 것은?

정답풀이

④ ⓐ와 ⓑ는 모두 '상서'가 타인에게서 정보를 제공받는 공간이다.

'상서'는 ⓐ(본집)에서 차영을 통해 '나라에서 한림으로 패소하여 계'신다는 정보를 제공받고, ⓑ(황성)에서는 상을 통해 '금번 북흉노 병란'에서 아들인 용이 큰 공을 세웠다는 정보를 제공받는다.

오답풀이

① ⓐ와 달리 ⓑ는 '상서'가 기대감을 갖고 향하는 공간이다.

'상서'는 꿈속 도사의 말을 듣고 ⓐ로 가면 '자연 반가운 소식이 있을 것'이라는 기대감을 가지게 되므로 적절하지 않다.

② ⓐ와 달리 ⓑ는 '상서'가 권위자에게 적대감을 드러내는 공간이다.

'상서'는 ⓑ에서 만난 권위자인 '천자'에게 적대감을 드러내지 않는다.

③ ⓑ와 달리 ⓐ는 '상서'가 지혜를 발휘해 위기를 벗어나는 공간이다.

'상서'가 도사가 꿈속에서 알려준 바에 따라 ⓐ로 가서 '차영'을 만나게 될 뿐, 위기에 처하거나 위기에서 벗어나지는 않는다.

⑤ ⓐ와 ⓑ는 모두 '상서'가 타인에게 비판적으로 인식되는 공간이다.

> ⓐ에서 '상서'가 '차영'에게 비판적으로 인식되거나, ⓑ에서 '상서'가 '천자'
> 에게 비판적으로 인식되지는 않는다.

2. 문학 개념어 OX 확인 문제

① ○

• **서술자의 개입:** 서술자가 인물이나 사건에 대해 평가나 감정적 대응을
하거나 사건 전개에 대해 독자들에게 안내하는 말을 하는 경우.

근거 '슬프다. 월이 차영을 보지 못하고 죽인들 뉘가 알며, 음식인들 뉘가 권하리오.',
'보는 사람은 고사하고 산천초목도 다 슬퍼할러라.'

② ✕

• **상징:** 추상적인 개념을 구체적인 대상으로 나타내는 방법. 비유와 달리
원관념이 나타나지 않고 보조 관념을 통해 함축적 의미를 전달하며,
1:다(多)로 대응됨.

• **암시:** 뒤에 일어날 사건을 넌지시 알림.

고전소설 독해의 STEP 1

❶ 다음 글을 읽고 등장인물을 잘 파악했는지, 빈칸에 적절한 말을 채웠는지 확인해 보세요.

📅 고3 2016학년도 수능AB – 작자 미상, 「토끼전」

┌─────┐
│ 자라 │가 기막혀 우는 말이,
└─────┘

"못 보것네, 못 보것네, 병든 용왕 못 보것네. 나의 충성 부족던가, 나의 정성 부족던가? 객사 신세 자라 팔자, 이 아니 불쌍한가? 명천* 감동하와 백호(=호랑이)를 죽여 주오, 애고애고 설운지고." 자라는 용왕에게 줄 약을 구하지 못하고 호랑이를 만나 객사하게 될 신세가 된 자신의 처지를 서러워하고 있어.

이렇듯이 슬피 우니 호랑이 듣더니,
"이놈, 무슨 내게 해로운 소리만 하느냐?"
자라 생각하되,
'왕명을 뫼와 만 리 밖에 나와 이 지경을 당하니 일사(一死)면 도무사(都無死)라. 무이불식(無以不食)이라, 모조리 먹는다 하니 내 한번 고기 값이나 하리라.' '일사면 도무사'는 한 번 죽으면 모든 것이 끝난다는 것을, '무이불식'은 먹지 못할 것이 없다는 것을 뜻해. 모조리 먹는다면 고기 값이나 하겠다고 생각하는 자라는 어차피 죽을 것, 이판사판으로 호랑이에게 맞서 덤벼 보기로 해.

하고 모진 마음을 굳게 먹고,
"어따, 네가 내 근본을 알려느냐?"
하며 호랑이 앞턱을 냅다 물고 매어 달리니, 호랑이가,
"애고, 놓아. 아니 먹으마."
자라 놓고 나앉으며 움쳐 든 목을 길게 빼어 염려 없이 기를 보이니, 호랑이 보더니,
"이크, 장사 갑주 속의 방망이 총 나온다." 자신에게 달려드는 자라를 보고 호랑이는 놀라서 경계하고 있어. 등껍질에서 목을 길게 뺀 자라의 모습을 장사 갑주 속에 있던 방망이 총이 나오는 것처럼 여기고 있어.

하며 저만치 물러앉으니, 자라 호랑이 질리는 기색을 알고,
"게서 내 근본을 자세히 아는가? 나는 수국 충신 간의대부 겸 시랑 별주부, 별나리(=자라)라 하네."
호랑이 무식하여 자라 별자 몰라듣고 무수히 새겨,
"별나리, 별나리, 그저 나리도 무섭다 하되 별나리 더 무섭다. 생긴 모양보다는 직품은 높고 찬란한데, 그러면 목은 어찌 그리 되었으며, 이곳엔 어찌 나왔는가?" 자라는 호랑이가 자신을 무서워하는 것을 눈치채고 허세를 부리고 있어. 호랑이는 자라에 대해서 잘 모르나 봐. '별'이 '자라 별(鼈)' 자임을 모른 채 '별나리'라는 말을 듣고 무서움을 느끼고 있어.

자라 대답하되,
"이곳 나오고 목이 이리 된 근본을 알려나?"
"어디 좀 알아봄세."
"㉠우리 수궁이 퇴락하여 새로 다시 지은 후에 천여 개 기와를 내 손으로 이어갈 제, 추녀 끝에 돌아가다 한 발길 미끄러져 공중 뚝 떨어져 빙빙 돌아 나려오다 목으로 쩔꺽 나려 박혀 목이 이리 되었기로 명의더러 물어본즉 호랑이 쓸개가 약이 된다 하기에 벽력 장군 앞세우고 도로랑 귀신 잡아타고 호랑 사냥 나왔으니 게가 호랑이면 쓸개 한 보 못 주겠나. 도로랑 귀신 게 있느냐? 어서 급히 빨리 나와 용천검 드는 칼로 이 호랑이 배 갈라라, 도

로랑!" 자라는 수궁을 지을 때 사고가 발생해 자신의 목이 이렇게 된 것이라며 그 배경을 설명하고 있어. 또한 자라는 목이 이렇게 된 것을 치료하는 데 호랑이 쓸개가 약이 된다는 말을 듣고 도로랑 귀신을 타고 호랑이 사냥을 나왔다며 큰소리를 쳐 호랑이를 위협하고 있지.

하고 달려드니 호랑이 깜짝 놀라 물똥을 와락 싸고, 초가성중(楚歌聲中) 놀란 패왕 포위 뚫고 남쪽으로 달아나듯, 적벽강 불 싸움에 패군장 위왕 조조 정욱 따라 도망하듯, 북풍에 구름 닫듯, 편전살 달아나듯, 왜물 조총 철환 닫듯, 녹수를 얼른 건너 동림(東林)을 헤치면서 쑤루쑤루 달아나 만첩청산 바위틈에 혼자 앉아 장담하고 하는 말이,
"내 재주 아니런들 도로랑 귀신 피할손가? 하마터면 죽을 뻔하였구나." 호랑이는 자라의 말에 깜짝 놀라서 겁을 먹고 정신없이 도망쳤어. 호랑이가 달아나는 모습을 여러 가지 상황에 비유하여 나열함으로써 리듬감을 형성하는 부분에서 판소리 소설의 특징이 드러나. 그리고 자라의 말에 감쪽같이 속아 넘어가 달아났으면서 자신의 재주가 없었다면 귀신을 어떻게 피했겠냐며 우쭐대는 호랑이의 모습은 웃음을 유발하지.

장면끊기 01 자라가 겁을 주면서 덤벼드는 모습에 놀란 호랑이가 달아나는 장면이야. 중략 뒤에는 새로운 인물인 '토끼'를 중심으로 한 별개의 사건이 전개되니, 여기에서 장면을 끊을게.

(중략)

한창 이리 춤을 출 제, 대장 범치 토끼 옆에 섰다가,
"이크, 토끼 뱃속에 간이 촐랑촐랑하는고."
토끼 깜짝 놀라,
'어떤 게 간이라고? 뱃속에 물똥이 들어 촐랑거리는 걸 간이라 하것다. 아뿔싸, 낌새를 보아 떠나라고 하였거니 즉시 가는 것만 못할지고.' 토끼는 간의 이야기가 나오자 깜짝 놀랐어. 낌새를 보아 도망치려던 계획이 틀어지고 말았거든.

이리할 제 별주부 연석에 참여하였다가 눈을 부릅떠 토끼를 보며 가만히 꾸짖어 왈,
"내 듣기에도 촐랑촐랑하는 것이 분명한 간인 듯하거든 네 저러한 꾀로 우리 대왕(=용왕)을 속이려 하느냐?"
토끼 마음에 분하여 파연(罷宴)* 후에 왕(=용왕)께 주왈, 자라가 용왕(대왕)을 속이려는 토끼를 꾸짖자, 토끼는 분함을 느끼며 연회가 끝난 후 용왕께 말을 올려.
"소토(=토끼) 세상에서 약간 의서를 보았거니와 음허화동(陰虛火動)의 병에 원기 회복하옵기는 왕배탕이 제일 좋다 하오니 왕배는 곧 자라라, 오래 묵은 자라를 구하여 쓰면 기운 자연 회복하올 것이요, 그 다음에 소토의 간을 쓰면 병세 불일내(不日內) 평복(平復)하오리다." 자라에게 앙심을 품은 토끼가 왕의 병을 낫게 하기 위해서는 먼저 오래 묵은 자라를 써서 왕배탕을 해 먹어야 한다고 해. 자라에게는 청천벽력 같은 소식이겠지.

왕이 이때 토끼 말이라 하면 지록위마(指鹿爲馬)*라도 믿고 듣는지라. 즉시 하령하되,
"출세(出世)하였던 별주부 오래 묵은지라. 법을 좇아 잡아들이라." 왕은 토끼가 무슨 말을 해도 믿을 상황이라, 그 말을 듣자마자 자라를 잡아들이라고 명령하네.

하니 현의도독 거북 이 아뢰되,
"㉡옛 말씀에 '토끼를 다 잡으면 사냥개를 삶아 먹고 높이 뜬 새

정답 및 해설 013

없어지면 좋은 활이 숨는다.' 하였사오니 選生(=토끼) 말씀이 옳사오나 主簿(=자라)는 만리타국의 정성을 다하여 공을 이루고 왔삽거늘 제후로 봉하기는 고사하고 죽이는 것은 불가사문어인국(不可使聞於隣國)*이라. 특별히 권도(權道)*를 좇아 暗자라로 대용하심을 바라나이다."

왕 왈,

"윤허하노라."

하시니. **거북**은 자라가 먼 곳에서 공을 이루고 왔는데, 제후로 봉하기는커녕 죽여서는 안 된다고 해. 왕이 공을 세운 신하를 이용하고 버린다는 게 밖으로 알려져서는 안 된다고 말이야. 그리고 자라 대신 **암자라**를 써서 대용하라고 하지. 왕은 이를 **윤허**하며 허가의 뜻을 밝히고 있네.

장면끊기 02 왕배탕이 원기 회복에 좋다고 하는 **토끼**의 말과, 자라(별주부) 대신 암자라로 대용하라는 **거북**의 말에 용왕이 암자라를 잡아들이라고 하는 장면으로 줏대 없이 남의 말을 따르는 **용왕**의 모습을 확인할 수 있어. 이 뒤에는 공간적 배경이 자라의 집으로 바뀌면서, 용왕의 결정으로 인해 자라가 어떠한 행동을 하게 되는지가 제시되니 여기에서 장면을 끊을게.

이때 주부 천지 망극하여 집에 돌아와서 부부 서로 손을 잡고 통곡하다가 문득 생각하여 왈, 자라와 암자라는 **부부** 사이였나 봐. 자라는 부인이 죽게 될 상황에 처하자 **통곡**하며 슬퍼하고 있어.

"내 일시 경솔한 말로 음해를 만나 무죄한 夫人(=암자라)을 이 지경을 당하게 하였거니와 천 리 동행한 정분이 적지 아니하고 제 마음이 악독하여 고집스럽지 않으니 우리 정성을 다하여 빌면 다시 측은히 생각하여 구하리라."

하고, 즉시 별당을 소쇄(掃灑)하고 잔치를 배설*하여 토끼를 정으로 청하여 상좌에 앉히고 주부 내외 당하*에 꿇어 백배 애걸하는 말이,

"오늘날 우리 兩人(=자라+암자라) 목숨이 선생께 달렸으니 넓으신 도량으로 짐작하여 잔명을 구하여 주옵소서." 자라는 **잔치**를 열고 토끼를 초청하여 간절히 빌면서 자신과 부인의 목숨을 구하고자 **애걸**하고 있어.

토끼 수염을 만작이며 웃어 왈,

"네 당초에 날 죽을 곳으로 유인함도 심장에 고이하거늘 하물며 없는 내 간을 있다 하여 기어이 죽이려 함은 무슨 일이며, 위태한 때에 이르러 애걸하는 것은 나를 조롱함이냐?" 토끼는 자신을 용궁으로 유인해 위험에 빠뜨리고, 토끼에게 간이 있다며 죽이려 하던 자라가 오히려 제가 위태로워졌을 때 목숨을 구걸하는 모습을 보면서, 자신을 **조롱**하는 것이냐며 비웃고 있어.

장면끊기 03 두 번째 장면에서 용왕이 암자라를 죽이라고 명령한 결과, 자라는 토끼에게 목숨을 구해 달라고 **애걸**하고, 토끼는 그런 자라를 보며 비웃는 장면으로 마무리되고 있어.

– 작자 미상, 「토끼전」 –

*불가사문어인국: 이웃 나라에 알려져서는 안 됨.

고전 필수 어휘

*명천: 밝은 하늘.

*파연: 잔치를 끝냄.

*지록위마: 윗사람을 농락하여 권세를 마음대로 함을 이르는 말. 중국 진나라의 조고가 자신의 권세를 시험하여 보고자 황제 호해에게 사슴을 가리키며 말이라고 한 데서 유래함.

*권도: 목적 달성을 위하여 그때그때의 형편에 따라 임기응변으로 일을 처리하는 방도.

*배설: 연회나 의식에 쓰는 물건을 차려 놓음.

*당하: 대청 아래.

고전소설 독해의 STEP 2

1 구조도의 빈칸에 적절한 말을 채웠는지 확인해 보세요.

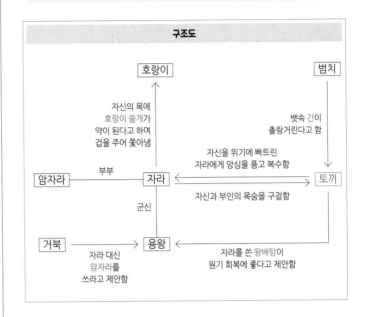

구조도

2 1~2번 문제의 정답과 해설을 확인해 보세요.

1. 윗글에 대한 이해로 가장 적절한 것은?

정답풀이

① 별주부가 호랑이 앞에서 고기 값이나 하겠다는 것은 죽음을 각오하고 상대에 맞서겠다는 의지를 드러낸 것이다.

별주부는 호랑이 앞에서 고기 값이나 하겠다고 하며 '호랑이 앞턱을 냅다 물고 매어 달리'고 있으므로, 죽음을 각오하고 호랑이에게 맞서겠다는 의지를 드러낸 것으로 볼 수 있다.

오답풀이

② 호랑이가 별주부의 외양에서 떠올린 갑주와 방망이 총은 상대와 맞설 의지를 갖게 하는 것이다.

호랑이는 자라가 목을 빼고 달려드는 외양을 보고 '장사 갑주 속의 방망이 총 나온다.'라고 하며 저만치 물러앉는다. 즉 별주부의 외양은 호랑이로 하여금 별주부와 맞설 의지를 갖게 하는 것이 아니라, 오히려 겁에 질려 두려워하며 별주부를 경계하게 만드는 요소라고 볼 수 있다.

③ 호랑이가 바위틈에서 자기 재주를 장담하는 것은 패배를 설욕하려는 의지를 다지는 것이다.

> 호랑이는 자라가 도로랑 귀신을 부르자마자 부리나케 도망쳐 바위틈으로 도망간다. 그 후 '내 재주 아니런들 도로랑 귀신 피할손가? 하마터면 죽을 뻔하였구나.'라고 말하는 것에서 호랑이는 패배의 부끄러움을 씻으려는 것이 아니라, 자신의 재주 덕분에 간신히 죽을 위기에서 벗어난 것에 안도하고 있음을 알 수 있다.

④ 토끼가 낌새를 보아 떠나라는 말을 떠올리고 즉시 가야겠다고 생각하는 것은 용왕의 믿음을 저버릴 수 없다는 의지 때문이다.

> 토끼는 '토끼 뱃속에 간이 촐랑촐랑'한다는 범치의 말에 '낌새를 보아 떠나라고 하였거니 즉시 가는 것만 못할지고.'라고 하며 급히 도망칠 생각을 한다. 그러나 이는 자신의 간을 빼앗길 것을 두려워했기 때문이지, 용왕의 믿음을 저버릴 수 없다는 의지 때문은 아니다.

⑤ 별주부가 부인이 대신 죽게 된 것을 자신의 경솔한 말과 음해 때문이라고 하는 것은 아내가 아니라 자신이 죽겠다는 의지를 가지고 있기 때문이다.

> 별주부는 자신의 '경솔한 말'로 인해 부인이 대신 죽게 되었다며 토끼에게 빌기로 한다. 그러나 별주부가 토끼에게 빌며 '오늘날 우리 양인(아내와 자신 두 사람)의 목숨이 선생께 달렸'다고 하는 것으로 보아 자라는 아내 대신 자신이 죽겠다는 의지를 가진 것이 아니라 자신과 아내 모두 살아남고자 하는 마음을 가진 것으로 볼 수 있다.

2. 인물의 말하기 방식 OX 확인 문제

① ○

- 의태어: 사람이나 사물의 모양이나 움직임을 흉내 낸 말. 참고로 사람이나 사물의 소리를 흉내 낸 말인 '의성어'와 함께 묶여 '음성 상징어'로 지칭되기도 함.
  근거 '뚝', '빙빙', '쩔꺽'

② ○

- 고사(故事): 유래가 있는 옛날의 일이나, 그런 일을 표현한 어구.
  근거 '토끼를 다 잡으면 사냥개를 삶아 먹고 높이 뜬 새 없어지면 좋은 활이 숨는다.'라는 고사를 인용하여 토끼의 말을 인정하면서도 자라의 공을 고려하여 죽이는 것은 옳지 않다는 의견을 전달하고 있음.

30 하루 30분, 고전소설 트레이닝

고전소설 독해의 STEP 1

1 다음 글을 읽고 등장인물을 잘 파악했는지, 빈칸에 적절한 말을 채웠는지 확인해 보세요.

📅 고3 2015학년도 3월 학평A – 작자 미상, 「장풍운전」

[앞부분의 줄거리] 천자의 아우인 명현왕이 장풍운에게 자신의 딸과의 혼인을 청하지만, 장풍운은 이 부인과 이미 결혼하였기에 이를 거절한다. 천자의 권유로 마지못해 명현왕의 딸 유씨와 혼인한 장풍운은 토번이 침략하자 출정*을 위해 경성을 떠난다. 앞부분의 줄거리에서 인물 간의 관계가 요약적으로 드러나고 있어. 장풍운은 이 부인과 결혼한 사이인데, 천자의 권위로 인해 명현왕의 딸인 유씨와도 마지못해 결혼하게 되는구나.

유씨가 좌승상 장풍운이 대원수가 되어 출정한 틈을 타 이 부인을 모해하려 하여 한 계교를 생각해 내고 시비* 난향을 불러 조용히 물었다.

"너는 나의 수족과 같으니, 나의 계교를 맡아서 해내려느냐?"

"소비(=난향)가 어찌 부인의 명을 불속인들 피하리까?" 장풍운이 자리를 비운 틈에 유씨가 이 부인을 모해하려 계획을 짰네. 그리고 난향은 이런 유씨의 협력자로 나타나고 있어.

유씨가 매우 기뻐하며 물었다.

"바깥문 출입 단속을 누가 책임지고 맡아 하느냐?"

"수문장은 강공철인데, 운향의 지아비이나이다."

유씨가 계교를 이르고 당부했다.

"이리이리하되 삼가 누설치 말라!"

장면끊기 01 유씨는 장풍운이 없는 틈을 타서 이 부인을 모해하기 위해 계교를 생각해 내. 그런 유씨와 시비인 난향은 협력 관계를 구축하게 되지. 이 다음 장면부터는 강공철을 이용해 이 부인을 함정에 빠뜨리는 계교의 내용이 본격적으로 제시될 테니, 여기에서 장면을 한 번 끊었어.

난향이 웃고 이날부터 금은을 나누어 주며 운향과 더불어 사귐이 심히 은근하니, 오래지 아니하여 두 사람의 정이 동기간 같았고, 행동거지와 목소리까지 서로 방불하여 구별하기가 어려웠다. 유씨가 기뻐하여 계교 행하기를 재촉하니, 난향이 응낙하고 운향의 침소에 가서 담소하다가 물었다.

"요사이 강 무사(=강공철)는 어디 갔는가?"

"응당 해야 할 일이 많기로 오지 못하더니, 오늘은 마침 틈을 내어 올 것이네."

난향이 이 말에 대답하지 않고 다른 말만 하다가 돌아와서 그 사실을 유씨에게 알렸다. 유씨가 난향에게 다시금 당부하여 '이리 이리하라'하고, 날이 저물기를 기다려 이 부인께 전갈했다. 유씨의 계교를 시행하기 위해 난향은 의도적으로 운향에게 접근해 수문장인 강공철을 이용하려 하고 있어. 그리고 그가 오랜만에 돌아온다는 것을 듣고, 유씨는 본격적으로 계책을 시행하려 하고 있네.

"승상(=장풍운)이 출정하신 후 궁중이 쓸쓸하고 고요하니, 시비 운향을 보내 주시면 아름다운 말씀도 듣고 노닐며 경치를 구경하고자 하나이다." 운향은 이 부인의 시비였나 봐.

이 부인은 정숙하고 기품 있는 여자인지라 유씨의 간계를 모르고 즉시 운향을 보내 주었다. 서술자는 이 부인이 정숙하고 기품 있는 인물이라고 긍정적으로 평가하고 있어. 이런 이 부인을 모함하기 위해 간계를 짜는 유씨는 **부정적**

인물로 볼 수 있겠지. 유씨는 흔쾌히 정성껏 운향을 대접하고 머무르게 하고는 돌려보내지 아니하니, 운향은 공철이 온다고 했으므로 민망했다. 유씨는 짐짓 운향을 아니 보내고 난향에게 눈짓을 하니, 난향이 즉시 운향 침소에 가서 살림 도구 및 이부자리와 베개 등을 다 옮기고 불을 끄고 앉아 있었다. 유씨는 일부러 운향을 붙잡아두고, 운향과 행동거지와 목소리가 비슷해진 난향을 운향의 침소로 보내 **강공철**을 맞이하게 해. 밤이 깊어지자 공철이 오는데, 난향이 운향인 체하고 더디 옴을 원망하며 물었다.

"위왕 어르신께서 몸이 불편하시므로 부인과 두 낭자가 다 내당에 머무시나이다. 그래서 정당이 비었는지라 나는 정당에 거처하겠으니, 당신도 나를 따라 정당에 가서 머묾이 어떠하겠소?"

공철이 응낙하지 않고 도리어 물었다.

"비록 그러하나, 어찌 내당에 들어간단 말이오?"

"밤이 깊고 사람이 없으니 의심 마소서."

공철의 소매를 이끌어 바로 이 부인 침소에 들어갔다. 이때 밤이 깊었으니, 시비가 다 자고 ㉠정당이 고요했다. 공철이 의심하지 않고 난향의 음성이 운향과 서로 비슷하므로 속은 바가 되어 매우 위험한 지경에 처하니, 어찌 비참하고 끔찍하지 아니하랴. 난향이 강공철에게 정당이 비었다고 속여서 이 부인의 침소로 이끌었어. 외간 남자가 남편이 있는 여인의 침소에 들어간 셈이니, 이 사실이 누군가에게 발각되면 큰일이 날 거야! 이런 상황이 매우 **위험**한 지경이라고 하며, 서술자는 **비참**하고 **끔찍**하다고 이야기하고 있어.

난향이 공철을 인도하여 안방에 딸린 작은 방에 앉히고 말했다.

"여기 누워 있으면 내 불을 켜오리다."

난향이 이러하고는 곧장 유씨 부인 침소로 돌아와 운향을 위로하며 말했다.

"부인을 모시고 평안히 지냈는가?"

유씨가 이어서 말했다.

"밤이 깊고 이 부인께서 외로이 계시니, 내 몸소 가서 위로하리라."

그러고는 등촉*을 밝히고 정당에 이르렀다. 공철이 불빛을 보고 놀라 몸을 피하여 따로 곁붙은 방에 숨었다. 아무것도 모른 채 이 부인의 침소에 있던 강공철은 아무도 없어야 할 정당에 불빛이 비치자 놀라서 방에 숨었어. 상황이 **유씨**가 생각한 대로 흘러가고 있네. 유씨가 방문을 열고 침실에 두른 휘장을 걷어 올리며 말했다.

"부인은 잠을 들어 계시나이까?"

그리하며 유씨가 협방 문을 밀치니, 공철이 놀라 내닫다가 유씨와 마주쳤으나 밀치고 달아났다. 이에 유씨가 거짓으로 얼굴빛을 달리하며 물러섰다. 이 부인은 아무것도 모르고 잠결에 몸을 일으키며 말했다.

"어찌 이리 떠들썩한가?"

유씨가 버럭 성을 내며 꾸짖었다.

"이 음탕하고 방탕한 계집아! 너는 좌승상의 정실부인*이요, 직접 이 정렬에 있거늘, 어찌 이런 음란한 짓을 한단 말이냐?"

시비를 시켜 서둘러 이 부인을 결박 짓게 했다. 강공철과 이 부인이 부정을 저질러 하룻밤을 보낸 것처럼 꾸미려 한 것이 바로 유씨의 계략이었던 거야. 유씨는 자신이 상황을 다 꾸며놓고는 이 부인을 비난하며 결박 짓게 하고 있어.

이 부인이 미처 깨닫지도 못하는 사이 이 지경에 처하니 놀랍고 분함을 이기지 못하나, 일이 되어 가는 형세가 어찌 된 것인지 알지 못하여 심신을 가다듬지 못했다. 이 부인은 놀라고 **분함**을 느꼈지만, 어떤 상황인지 몰라 **심신**을 가다듬어 침착하게 대응할 수도 없었어.

이즈음에 공철이 도망하여 중문으로 나왔다. 그러나 문을 지키는 군사가 이왕 난향과 약속이 있었는지라 칼을 들어서 공철을 베니, 어찌 가련치 아니하랴. **강공철**은 유씨와 난향의 계략에 휘말려 목숨을 잃고 말았네. 이에 대해 서술자는 **가련**하다고 생각하고 있어.

장면끊기 02 이 부인이 유씨의 함정에 걸려 외간 남자와 함께 방에 있었다는 누명을 쓰게 된 일련의 과정이 제시되는 장면이야. 그 과정에서 이 부인의 시비인 **운향**은 이용당하고, 운향의 남편인 **강공철**은 목숨을 잃게 되지. 이때 전개되는 상황에 대한 주관적인 생각을 드러내는 서술자의 개입 부분도 눈여겨보면 좋아. 이 뒤에는 이러한 위기 상황이 어떻게 해소되는지가 제시되니, 여기에서 장면을 끊었어.

[중략 부분의 줄거리] 천자의 명령으로 이 부인은 감옥에 갇히고 장풍운은 금산사 부처의 **계시**에 이어 그간의 사정을 알리는 왕 부인의 편지를 본다. 이 부인이 처형당하는 날, 장풍운이 경성으로 돌아온다. 유씨의 계략으로 이 부인은 죽을 위기에 처하게 되었나 봐. 장풍운은 부처의 **계시**와 왕 부인의 **편지**로 이런 사정을 알게 되었구나.

좌승상(=장풍운)이 말을 달려 수많은 사람의 무리를 헤치고 형을 집행하는 감형관에게 가서 전후사연을 이르며 "참하는 시각을 늦추라." 하고는, 바로 입궐하여 벌줄 것을 청했다. 천자가 크게 놀라셨지만 먼저 먼 길 갔다 온 것을 위로하시고, 다음으로 옥사를 말씀하셨다. 좌승상이 싸움에 나가 이겨 공을 세운 경위를 아뢰고는, 옥사에 관한 자신의 의견을 개진했다.

"금일 옥사는 저의 집안의 사사로운 일이오니 스스로 맡아서 처리하게 해 주소서." 전쟁에서 공을 세운 장풍운은 경성으로 돌아와서 감형관에게 이 부인의 **처형**을 미뤄달라고 말하고, 천자에게는 자신의 **집안**에서 일어난 일은 자신이 맡아서 처리하도록 해 달라고 요청하고 있어.

천자가 이를 윤허하셨다. 좌승상이 본가로 돌아와 양 부인을 뵌 후, 형구를 차려 놓고 모든 시비를 죄주려 하니, 엄한 형벌 아래서 쥐 같은 무리들이 어찌 죄를 감출 수가 있으랴. 불하일장, 곧 한 대도 때리기 전에 이미 난향 등이 잘못을 낱낱이 순순히 자백했다. 장풍운이 돌아와 모든 시비를 엄하게 다스리자, 유씨와 협력했던 난향 등이 자신의 죄를 **자백**했어. 좌승상이 표를 올려 옥사를 뒤집고, 유씨를 그 수레에서 사형에 처하고, 난향 등을 능지처참한 후, 이씨(=이 부인)를 구호했다. 천자가 몹시 노하여 명현왕의 녹봉*을 거두셨다. 장풍운은 이 부인을 처형시키려 한 **옥사**를 뒤집어, 주모자인 유씨와 난향을 죽게 하고 이 부인을 **구호**했네. 천자는 이런 사정을 알고 유씨의 아버지인 명현왕의 **녹봉**을 거두었대.

장면끊기 03 출정에서 돌아온 장풍운이 집안에서 일어난 일을 알아채고 모든 상황을 바로잡는 장면이야. 주인공에 의해 악한 인물인 유씨와 난향은 처벌받고, 선한 인물인 이 부인은 구원받으면서 권선징악의 서사 구조가 드러나고 있어.

– 작자 미상, 「장풍운전」 –

┌─────────────┐
│ 고전 **필수** 어휘 │
└─────────────┘

*출정: 군사를 보내어 정벌함.

*시비: 곁에서 시중을 드는 계집종.

*등촉: 등불과 촛불을 아울러 이르는 말.

*정실부인: 남의 정실('본처'를 달리 이르는 말)을 높여 이르는 말.

*녹봉: 벼슬아치에게 일 년 혹은 계절 단위로 나누어 주던 금품을 통틀어 이르는 말.

고전소설 독해의 STEP 2

1 구조도의 빈칸에 적절한 말을 채웠는지 확인해 보세요.

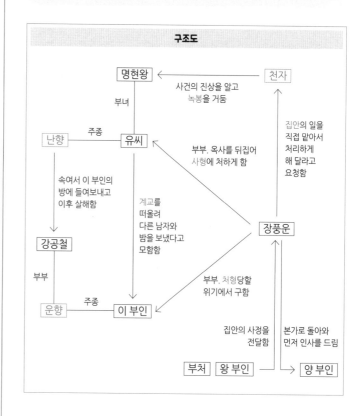

구조도

2 1~2번 문제의 정답과 해설을 확인해 보세요.

1. ㉠에 대한 이해로 가장 적절한 것은?

정답풀이

④ '공철'이 불의한 무리에게 이용당하는 공간이다.

'(강)공철'은 '이 부인'을 모함하려는 '유씨'에게 협력한 '난향'에게 속아서 밤중에 '이 부인'이 거처하는 공간인 ㉠(정당)으로 들어가게 된다. 이후 계교에 빠진 '공철'은 ㉠에서 빠져나오려다 중문에서 억울하게 죽음을 맞이한다. 따라서 ㉠은 '공철'이 불의한 무리인 '유씨'와 '난향'에게 이용당하는 공간으로 볼 수 있다.

오답풀이

① '운향'이 계교를 꾸미고 실행하는 공간이다.

> 계교를 꾸민 것은 '유씨'이며, 그런 '유씨'에게 협력하여 계교를 실행한 것은 '운향'이 아닌 '난향'이다. '운향'은 '공철'의 아내로, 계교에 대해서는 전혀 알지 못했다.

② '천자'가 신분적 위계를 강조하는 공간이다.

> '천자'는 '장풍운'과 '유씨'의 결혼을 권유하거나 사건의 진상을 알지 못한 채 '이 부인'을 감옥에 가두는 등의 권력을 지닌 인물로 드러나지만, ㉠을 배경으로 신분적 위계를 강조하는 부분은 찾을 수 없다.

③ '이 부인'이 세속적 욕망을 추구하는 공간이다.

> 윗글에서 '이 부인'이 세속적 욕망을 추구하고 있는지의 여부는 알 수 없다. ㉠에서 '이 부인'은 '유씨'의 계교에 빠져 억울하게 누명을 쓰고 있을 뿐이다.

⑤ '장풍운'이 자신의 비범한 능력을 입증하는 공간이다.

> '장풍운'이 집안에서 일어난 일들을 해결하는 것은 ㉠에서 '유씨'에 의한 계략이 이루어진 이후의 일로, ㉠에서 '장풍운'이 자신의 비범한 능력을 입증하는 부분은 찾을 수 없다.

2. 문학 개념어 OX 확인 문제

> ① ○
>
> 근거 '유씨가 매우 기뻐하며 물었다.', '이 지경에 처하니 놀랍고 분함을 이기지 못하나, 일이 되어 가는 형세가 어찌 된 것인지 알지 못하여 심신을 가다듬지 못했다.' 등

> ② ○
>
> • 대화와 행동 중심의 서사: 등장인물의 심리나 생각을 중점적으로 다루지 않고, 인물의 발화와 행동에 대한 묘사가 주로 제시되고 있을 경우, 대화와 행동을 중심으로 서사가 전개된다고 볼 수 있음.

고전소설 독해의 **STEP 1**

1 다음 글을 읽고 등장인물을 잘 파악했는지, 빈칸에 적절한 말을 채웠는지 확인해 보세요.

📅 고3 2012학년도 9월 모평 – 서유영, 「육미당기」

이윽고 백 소부 가 백 소저 에게 명하여 가로되,
"오늘 너를 위해 좋은 배필을 얻었으니 지극한 소원을 이루었도다. 아비의 명을 사양치 말고 이 시에 화답하여 맹약을 정하라."
백 소부는 백 소저에게 좋은 **배필**이 준 시에 화답하여 **맹약**(굳게 맹세한 약속)을 하라고 말하고 있어.

하니, 백 소저가 얼굴에 수줍은 빛을 띠고 오래 주저하다가 화선지 한 폭에 오언 절구 두 수를 쓰더라.

봉황새가 단산(丹山)에서 나왔거늘
깃들인 곳 벽오동 아니로다.
날개가 꺾어짐을 탄식지 말지니
마침내 하늘에 오름을 보리라.

무성함은 고송(高松)의 자질이요
푸르름은 고죽(孤竹)의 마음이라.
사랑스럽다, 세한(歲寒)의 절조*여!
바람과 서리에도 굴하지 않네. 바람과 **서리**에도 굴하지 않는 소나무와 대나무의 속성을 예찬하는 내용의 시구를 통해 백 소저의 강직하고 지조 있는 성품을 짐작할 수 있어.

백 소부가 여러 번 낭독하다 감탄하여 가로되,
"시의 격이 빼어나고 아름다우니 가히 소선 의 시와 더불어 서로 백중(伯仲)*이 될 만하다. 만일 남자였다면 마땅히 장원 급제 하리로다. 백 소부는 시를 듣고 백 소저가 뛰어난 재능을 지녔다고 칭찬하고 있어. 그러나 시의 뜻이 스스로 송죽의 절조에 비함은 어찌 된 일이뇨? 후에 시참(詩讖)*이 되지 않을까 두렵노라." 백 소부는 백 소저가 시에서 스스로를 송죽의 **절조**에 비유한 것 때문에 앞으로 백 소저에게 종지 않은 일이 일어나지는 않을지 **두려워**하고 있어.

이때 김소선 은 대면한 백 소저의 용모를 보지는 못하나, 시구를 듣고는 그 청아함을 사랑하고 품은 뜻에 감복*하여 크게 감탄하더라. 김소선은 백 소저를 직접 보지는 못했으나 백 소저의 **시구**를 듣고 **감탄**하고 있어.
백 소부가 김소선의 시를 화선지에 베껴 백 소저에게 주며 가로되,
"반드시 이 시를 깊이 간직하였다가 후에 신물(信物)*을 삼으라."
하고, 또 소저의 쓴 시를 김소선에게 전하여 가로되,
"그대 또한 이 시를 간직하였다가 부귀하게 되면 이 자리의 맹약을 잊지 마시게." 백 소부는 **김소선**에게 시를 주며 백 소저와의 **맹약**을 잊지 말라고 당부하고 있어.

하니, 소선과 소저가 절하고 명을 받더라.
장면끊기 01 첫 번째 장면은 백 소부가 자신의 딸 백 소저와 김소선을 약혼시키며 그 맹약의 증표로 **시**를 주고받게 하는 장면이 제시되었어. 이후 중략 줄거리가 나오니까 여기에서 장면을 끊어주어야겠지?

[중략 줄거리] 세력가인 배연령 의 아들 배득량 은 백 소저의 정혼 사실을 알면서도 백 소저와 혼인하고자 한다. 배득량은 백 소저의 외삼촌 석 시랑 을 통해 그 뜻을 전하나 백 소부는 단호히 거절한다.

석 시랑이 감히 입을 열지 못하고 물러나와, 배득량에게 가 백 소부의 말을 자세히 전하니 득량이 낙담하더라. 이윽고 배연령에게 간청하여 세력으로 억지로 혼인하고자 하더라. 배득량은 아버지 **배연령**의 힘을 통해 억지로라도 **백 소저**와 혼인하려고 하고 있어. 배연령이 평소 득량을 가장 사랑한 고로 말만 하면 들어주지 아니하는 것이 없더니, 이에 석 시랑을 불러 가로되,
"우리 집이 그대의 제부와 벼슬을 함께 하는 우의가 있고 문벌도 서로 걸맞으니, 혼인을 맺어 가문의 친밀함을 더한다면 어찌 아름다운 일이 아니리오? 그대는 나를 위해 백 소부에게 말하여 혼약을 이루고 속히 좋은 결과를 전할지어다." 배연령은 백 소저와 **배득량**을 혼인시키기 위해 **석 시랑**에게 백 소부를 설득하라고 하고 있어.
장면끊기 02 중략 줄거리에서 배득량이 백 소저의 외삼촌인 석 시랑을 통해 백 소저와 혼인하고 싶다는 뜻을 전했으나 백 소부가 **거절**의 뜻을 밝혔다고 했어. 두 번째 장면에서는 배득량이 이를 듣고 아버지에게 간청하자 배연령이 석 시랑을 불러 다시 백 소부를 설득하라고 말하고 있지. 다음에 이어지는 내용은 이튿날의 상황이므로 여기에서 장면을 나누자!

시랑이 이튿날 다시 백 소부의 집에 가 배연령의 말을 전하여 가로되,

[A]
"누이 말을 들은즉 생질녀 (=백 소저)와 정한 배필은 눈먼 폐인이라 하더이다. 아름답고 어진 생질녀를 두고 반드시 이런 폐인을 사위로 삼고자 하니 어찌 사려 깊지 못한 것이 아니리오? 이는 아름다운 옥을 구덩이에 버리고 상서로운 난새를 까막까치의 짝으로 삼음과 같으니, 깊이 애석하도다. 석 시랑은 생질녀(**백 소저**)를 아름다운 옥과 상서로운 난새에, 김소선을 구덩이와 **까막까치**에 비유하며 안타까워하고 있어. 지금 배 승상 (=배연령)은 가장 천자의 총애를 입어 위세와 복록을 이루어 그 권세가 두려울 만하거늘, 생질녀의 어짊을 듣고 그 아들 득량을 위하여 반드시 혼약을 맺고자 하니 그 호의를 저버려서는 안 될지라. 바라건대 다시 깊이 헤아려 뒷날 크게 후회하지 않게 하소서." 석 시랑은 뒷날 **후회**하지 않으려면 백 소저를 배득량과 **혼약**을 맺게 하라며 백 소부를 설득하고 있어.

소부가 듣자마자 크게 노하여 가로되,
"어찌 식견 없는 말을 내는고? 배연령이 아무리 하늘을 태울 기세가 있고, 바다를 기울일 수완이 있더라도 나는 두려워 아니하노라. 더구나 딸아이는 이미 다른 사람에게 허락하였은즉, 폐인이며 폐인이 아님을 논할 것 없이 자네가 간여할 바가 아니로다." 백 소부는 **배연령**의 제안에 거절하는 뜻을 다시금 분명히 하며 김소선에 대해 함부로 논하지 말라고 하고 있어.

시랑이 크게 부끄러워 감히 말 한마디 못하고 돌아가 배연령을 뵈어 가로되,
"백 소부의 뜻이 이미 굳건하니, 온갖 구실로 설득할지라도 돌이키지 못할 것입니다."
하거늘 연령이 노하여 꾸짖어 가로되,
"백문현 (=백 소부)이 어떤 존재이기에 감히 내 말을 거역하는가?"
배연령은 자신의 말을 **거역**한 **백문현**(백 소부)에게 분노하고 있어.

장면끊기 03 세 번째 장면에서 석 사랑은 배연령의 말대로 백 소부를 설득하지만, 백 소부는 이를 단호히 거절하고, 이를 전해 들은 배연령이 **분노**하게 돼. 뒤에는 배연령이 황보박을 부추겨 백 소부를 무고하는 내용이 나와. 따라서 여기에서도 끊어 읽어 주는 게 좋겠지?

드디어 공부 좌시랑 황보박을 부추겨서, 평장사 백문현이 비밀히 변방의 오랑캐와 결탁하여 사직을 위태롭게 꾀한다고 무고(誣告)하게 하니, 천자가 크게 노하여 백 소부를 형리에게 부쳐 장차 죽이고자 하더라. 여러 대신이 교대로 상소를 올려 지극히 간하니 천자의 노여움이 누그러져서 소부의 작위를 거두고 애주 참군으로 강등시켜 당일로 압송케 하니라. 조명(詔命)*이 한번 내리매 만조백관이 두려워하여 감히 다시 간하지 못하고, 백 소부의 집은 상하가 다 통곡함을 마지아니하더라.

장면끊기 04 세 번째 장면에서 배연령은 자신의 제안을 거절한 백 소부에게 분노의 감정을 느끼지? 네 번째 장면은 이에 앙심을 품고 황보박을 부추겨 백 소부를 **무고**하여 유배를 가게 만든 상황이 제시되었어.

– 서유영, 「육미당기(六美堂記)」 –

*시참: 우연히 지은 시가 이상하게도 뒷일과 꼭 맞는 일.
*조명: 천자의 명령을 적은 문서.

고전 **필수 어휘**

*절조: 절개와 지조를 아울러 이르는 말.
*백중: 재주나 실력, 기술 따위가 서로 비슷하여 낫고 못함이 없음. 또는 그런 형세.
*감복: 감동하여 충심으로 탄복함.
*신물: 뒷날에 보고 증거가 되게 하기 위하여 서로 주고받는 물건.

1 구조도의 빈칸에 적절한 말을 채웠는지 확인해 보세요.

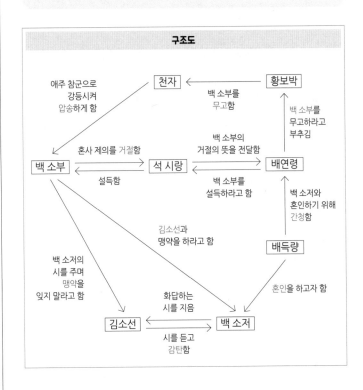

구조도

2 1~2번 문제의 정답과 해설을 확인해 보세요.

1. 윗글을 통해 알 수 있는 내용으로 적절한 것은?

정답풀이

② 개인의 혼사 문제가 가문의 성쇠와 관련되고 있다.

> 배득량은 백 소저의 정혼 사실을 알면서도 백 소저와 혼인하고자 하고, 백 소부는 이를 거절한다. 이를 알게 된 배연령은 노하여 '공부 좌시랑 황보박을 부추겨서, 평장사 백문현(백 소부)이 비밀히 변방의 오랑캐와 결탁하여 사직을 위태롭게 꾀한다고 무고'하고, 이를 듣고 화가 난 천자는 '소부의 작위를 거두고 애주 참군으로 강등시켜 당일로 압송케' 한다. 이는 개인의 혼사 문제가 가문의 성쇠와 관련되고 있음을 보여 준다.

오답풀이

① 부모의 개입 없이 배우자 선택이 이루어지고 있다.

> 백 소저는 아버지가 자신을 위해 '좋은 배필을 얻었'으니 '아비의 명을 사양치 말고 이 시에 화답하여 맹약을 정하'라는 말에 따라 화답시를 적고 있으며, 이로 인해 김소선과의 정혼이 이루어지고 있다. 또한 배득량이 자신의 아버지인 '배연령에게 간청하여 세력으로 억지로 혼인하고자 하'고 있기에, 부모의 개입 없이 배우자 선택이 이루어지고 있다고 볼 수는 없다.

③ 재물의 많고 적음에 따라 인물의 운명이 결정되고 있다.

'세력가인 배연령'의 아들인 배득량은 '세력으로 억지로 혼인하고자' 하며, 석 시랑이 '배 승상은 가장 천자의 총애를 입어 위세와 복록을 이루어 그 권세가 두려울 만하'고 한 것을 통해 윗글에서는 재물의 많고 적음이 아니라 세력의 크고 작음에 따라 인물의 운명이 결정되고 있음을 알 수 있다.

④ 대신들 간의 다툼으로 천자의 지위가 위태로워지고 있다.

배연령이 '공부 좌시랑 황보박을 부추겨서, 평장사 백문현'을 무고한 것을 대신들 간의 싸움으로 볼 수 있지만, 이로 인해 천자의 자리가 위태로워지지는 않았다.

⑤ 간신들이 오랑캐와 결탁하여 나라를 위기로 몰아가고 있다.

배연령이 '공부 좌시랑 황보박을 부추겨서, 평장사 백문현이 비밀히 변방의 오랑캐와 결탁'했다고 무고했을 뿐, 윗글에서 간신들이 오랑캐와 결탁하여 나라를 위기로 몰아가고 있지는 않다.

2. 인물의 말하기 방식 OX 확인 문제

① ○

• 비유: 어떤 현상이나 사물을 직접 설명하지 아니하고 다른 비슷한 현상이나 사물에 빗대어 설명하는 것으로, 직유법, 은유법, 의인법 등이 이에 해당함.

근거 [A]에서 석 시랑은 '아름답고 어진 생질녀'를 '아름다운 옥', '상서로운 난새'로 비유하며 용모와 인품을 치켜세우고 있음.

② ○

근거 [A]에서 석 시랑은 '다시 깊이 헤아려 뒷날 크게 후회하지 않게 하'라며 장차 닥칠 수 있는 어려움을 암시하면서 백 소부를 설득하고자 함.

고전소설 독해의 STEP 1

1 다음 글을 읽고 등장인물을 잘 파악했는지, 빈칸에 적절한 말을 채웠는지 확인해 보세요.

📅 **고3 2019학년도 10월 학평 – 작자 미상, 「양풍전」**

[앞부분 줄거리] 양태백은 첩 송녀에게 미혹되어 부인과 세 남매를 내쫓는다. 부인은 병을 얻어 죽게 되고, 세 남매는 양태백을 찾아간다. 양태백은 송녀의 뜻에 따라 세 남매를 노복처럼 부리다가, 수년이 지나 장녀인 채옥을 송녀의 사촌과 결혼시키려 한다. 채옥이 이를 거절하자 양태백은 세 남매를 모두 내친다. _{줄거리는 지문 이해나 문제 풀이에 필요한 내용이라서 출제자가 정리해 준 거니까 반드시 그 내용을 이해하고 넘어가야 해. 인물들의 관계와 장녀 채옥을 포함한 세 남매의 처지를 파악하고 넘어가자.}

　채옥 등이 또 불의지경을 당하매 더욱 망극하여 하늘을 우러러 통곡하다가 정신을 차려 생각하되, '다시 영산으로 갈밖에 없다.' 하고, 인하여 풍을 이끌고 영산으로 찾아간즉, 할미가 이미 죽었는지라. 흉격이 막혀 모친(=양태백의 부인) 묘하에 가 일장통곡하고, _{채옥은 풍을 이끌고 영산으로 찾아갔지만 할미는 이미 죽었고, 모친 묘하에 가서 슬픔을 토로하고 있어.} 일신이 고달파 잠깐 졸더니 문득 모친이 곁에 앉으며 왈,
　"너희 나를 보려 하거든 옥룡전을 찾아오라."
하거늘, 채옥 등이 놀라 깨어 체읍하다가 생각하매, _{병을 얻어 죽은 모친이 곁에 앉아 말을 하자 놀라 잠에서 깨어났대.}
　'모친 영혼이 아무리 옥룡전을 찾아오라 하신들, 십여 세 여아(=채옥)가 어찌 누만 리를 찾아가리오. 차라리 이곳에서 죽어 지하에 가 모친을 뵈옴만 같지 못하다.'
하고 자결코자 하더니, 다시 생각하매,
　'나는 죽어 관계치 않거니와, 어린 동생(=풍)을 어찌 차마 버리리오.'
하고, _{채옥은 십여 세의 어린 나이에 혼자 힘으로 옥룡전을 찾아가기는 어렵다고 생각해 자결하고자 했지만, 어린 동생을 책임져야 한다는 생각에 마음을 고쳐먹고 있어.} 설운 마음을 억제하고 동녘을 바라보니 버들가지 난만한지라. 그것을 취하여 먹은즉 적이 요기되매, 다시 모친 묘에 하직하고 동으로 행하여 가더니, 한곳에 이른즉 산수는 기구하고, 송죽은 소슬하여 슬픈 마음을 돕는 곳에 일색이 저물고 인적이 끊인지라.
　_{장면끊기 01 첫 번째 장면은 채옥 남매가 쫓거나 영산으로 간 뒤 꿈속에서 죽은 모친을 만나는 내용이 제시되었어. 이후 공간의 이동과 함께 채옥 남매가 새로운 인물을 만나게 되니 여기에서 장면을 끊을게.}

　서로 붙들고 앉았다가 동편을 바라보니 한 누각이 있거늘, 마음에 반가이 여겨 찾아들어 가니, 사람은 없고 전상(殿上)에 일위 부인(=후토부인)이 머리에 화관을 쓰고 몸에 황포를 입고 앉았으니, 보기에 가장 거룩한지라. 나아가 재배하니, 부인 왈,
　"너희 어떤 사람으로 이 심산에 들어왔느뇨."
　채옥이 대왈,
　"소녀(=채옥) 등이 당금 승상 양태백의 자녀러니, 부친이 애첩 송녀의 참소*를 듣고 모친과 소녀 등을 내치시매, 모친은 영산에서 기세(棄世)하사* 동해 숭산 옥룡전으로 가신고로 소녀 등이 방금 찾아가다가 이곳에 이르렀사오니, 바라건대 부인은 어여삐 여기사 앞길을 가르쳐 주실까 하나이다." _{채옥은 부인에게 남매가 겪은 일을}

요약적으로 설명하며 낯선 곳에 이르러 어디로 가야 할지 모르니 옥룡전으로 가는 길을 알려달라고 부탁하고 있어.

　부인이 듣고 가긍히 여겨 시녀를 불러 음식을 가져오라 하여 주거늘, 채옥 등이 받아먹기를 다하매, 부인 왈,
　"숭산이 여기서 만 사천 리나 되니 너희 어찌 가려 하느뇨. 오늘은 이미 저물었으니 이곳에서 머물고 명일에 떠나가라."
　채옥 등이 사례 왈,
　"죽게 된 인생을 선찬으로 먹이시고, 또 앞길을 가르쳐 주시니, 은혜 태산이 낮사옵거니와, 감히 묻잡나니 부인 칭호를 듣고자 하나이다." _{음식을 먹고 기력을 회복한 채옥 등은 은혜를 입은 것에 감사하며 부인의 칭호를 묻고 있어.}
　"나는 이 산 지키는 후토부인이노라."
하고, 인하여 간 데 없거늘, 채옥 등이 대경하여* 살펴본즉, 누각은 없고 나무 아래 바위 밑에 있는지라. _{갑자기 후토부인이 사라지면서 배경이 바뀌는 것은 환상성이 부각되는 대목이야.}
　_{장면끊기 02 두 번째 장면은 채옥 남매가 모친 묘에서 누각으로 이동하여 후토부인을 만나 도움을 받는 내용이야. 이어지는 내용에서는 큰 범이 등장하면서 새로운 사건이 일어나니 다시 한 번 장면을 끊을게.}

　그제야 산신(=후토부인)인 줄 알고 공중을 향하여 배사하고, 그 바위 밑에서 밤을 지내더니, 문득 큰 범(=신령)이 발톱을 세우며 입을 벌리고 달려들어 물려 하거늘, 채옥 등이 대경실색하여 죽는 줄로 알아 이에 담을 크게 하고 경계 왈,
　"우리 남매 물욕을 탐하여 가는 길이 아니라, 우리 서모(=송녀)의 참소를 만나 모친을 여의고, 우리들이 길로 헤매이다가 이곳에서 삼 남매 목숨이 진할 줄 어찌 알았으리오."
하며 대성통곡하니, 그 범이 듣는 체하다가 한 번 곤두치더니, 문득 중이 되어 채옥 등을 붙들고 왈,
　"나는 이 산 신령이더니, 너희 정성을 시험코자 하여 내 변하여 범이 되어 너희를 놀램이러니, 도리어 불안하도다."
하고, 바랑을 열어 실과를 내어 주며 왈,
　"이것을 먹으면 기갈*을 면하리라."
하거늘, 채옥 등이 받아먹은즉 정신이 쇄락*한지라 꿇어 사례 왈,
　"어린 인생을 이같이 관대하시니 은덕이 망극하거니와 동해 가는 길을 인도하시면 결초보은하리이다." _{채옥은 산신령이 준 실과를 받아먹고 정신이 맑아져 그 은덕에 감사하며 나중에 은혜를 갚겠다고 하고 있어.}
　그 중이 왈,
　"너희 소원을 아노니, 이 고개를 넘어가면 천황보살이 있을 것이니, 거기 가 지성으로 빌면 길을 가르쳐 줄 것이매, 부디 조심하여 가라."
　_{장면끊기 03 세 번째 장면은 채옥 남매가 바위 밑에서 밤을 지내고 큰 범을 만난 내용이 제시되었어. 중략 이후에는 또 새로운 인물과 사건이 제시되니 여기에서 장면을 끊자!}

(중략)

　석불(=천황보살)이 가로되,
　"네 말이 심히 가긍한지라* 길은 가르쳐 주려니와, 네 능히 득달할소냐."
　채옥 왈,
　"십여 세 아이로 누만 리 득달함을 어찌 기필(期必)하리오마는,

다만 주야 원하는 바는 한 번 모친을 뵈옵고 죽고자 하오니, 가다가 길에서 죽사와도 한이 없을까 하나이다." 채옥은 석불에게 죽더라도 **모친**을 만나고 싶다는 소망을 드러내고 있어.

석불 왈,

"네 정성이 감천(感天)할지라, 네 모친을 만난 후 돌아와 내 제자 됨이 어떠하뇨."

채옥 등이 왈,

"모친을 만나게 하시는 은혜 가이없삽거든, 하물며 제자를 삼고자 하시니, 이는 가위 불감청(不敢請)이언정 고소원(固所願)*이오니 어찌 거역하리이까." 채옥은 모친을 만나고 돌아와 자신의 **제자**가 되라는 석불의 제안을 받아들이고 있네.

석불 왈,

"그러하면 내 낙화*를 주나니 이를 가지고 내 말을 자세히 들어 행하라. 이곳에서 동으로 삼십 리를 가면 돌문 둘이 있으되, 좌편은 서양국으로 가는 길이요, 우편은 용궁으로 가는 문이라. 낙화를 흔들면 우편 문이 열릴 것이니, 그 문에 들어 십 리쯤 가면 길을 막는 선관(仙官)과 짐승이 있을 것이니, 낙화를 흔들어 여차여차하여 나아가면 반드시 구하여 줄 선관이 있을지라. 이렇듯 하여 자연히 옥룡전에 이르러 너의 모친을 볼 것이니, 부디 조심하여 가라."

하거늘, 채옥이 절하려 몸을 굽힐 즈음에 잠을 깨니 남가일몽이라.

장면끊기 04 네 번째 장면은 채옥이 꿈에서 석불을 만나 **낙화**를 받고 모친을 만나는 방법을 듣는 내용이야. 이후 **잠**을 깼다고 하며 현실로 돌아오니 여기까지 네 번째 장면으로 볼 수 있어.

몽중의 수작이 명백하고, 또 곁에 낙화가 놓였거늘 채옥이 기이히 여겨 천황보살의 영험함에 감격하여 즉시 백배 하직하고, 인하여 동으로 삼십 리를 가서 과연 돌문 둘이 있거늘, 낙화를 한 번 흔드니 그 문이 절로 열리는지라.

장면끊기 05 다섯 번째 장면은 채옥이 꿈속에서 **천황보살**이 알려준 대로 낙화로 돌문을 여는 내용이 제시되었어.

— 작자 미상, 「양풍전」 —

*쇄락: 기분이나 몸이 상쾌하고 깨끗함.

*불감청이언정 고소원: 마음속으로 간절하지만 감히 청하지 못한 것이나 본디부터 바라던 바.

*낙화: 모란의 별칭.

(고전 **필수** 어휘)

*참소: 남을 헐뜯어서 죄가 있는 것처럼 꾸며 윗사람에게 고하여 바침.

*기세하다: 웃어른이 돌아가시다. 세상을 버린다는 뜻에서 나온 말이다.

*대경하다: 크게 놀라다.

*기갈: 배고픔과 목마름을 아울러 이르는 말.

*가긍하다: 불쌍하고 가엾다.

고전소설 독해의 STEP 2

▮ 구조도의 빈칸에 적절한 말을 채웠는지 확인해 보세요.

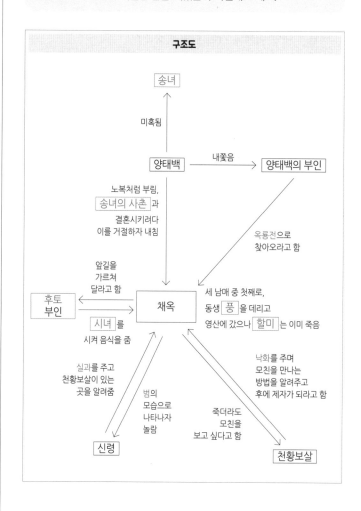

☑ 1~2번 문제의 정답과 해설을 확인해 보세요.

1. 윗글에 대한 이해로 가장 적절한 것은?

정답풀이

③ 집에서 쫓겨난 채옥 남매는 영산에 가 할미가 죽은 것을 알고 절망감을 느꼈다.

> 채옥이 송녀의 사촌과 결혼하는 것을 거절하자 양태백은 채옥 남매를 집에서 쫓아내고, 채옥 남매는 '다시 영산으로 갈밖에 없다.'라고 생각하며 '영산'으로 가지만 '할미'는 이미 죽은 후였다. 이에 채옥 남매는 '흉격이 막혀 모친 묘하에 가 일장통곡'하므로, 절망감을 느꼈다고 볼 수 있다.

오답풀이

① 채옥은 화관과 황포를 통해 후토부인이 산신임을 알아차렸다.

> 채옥은 '머리에 화관을 쓰고 몸에 황포를 입고 앉'은 부인을 보고 거룩한 느낌을 받았을 뿐, 이때 후토부인이 산신임을 알아차리지는 못했다. 채옥은 후토부인이 사라지고 난 후에야 후토부인이 산신인 것을 알게 된다.

② 범으로 나타난 신령은 시험을 통해 채옥 남매가 지닌 능력을 알아보고자 했다.

> 범은 채옥 남매에게 자신은 '이 산 신령'이라고 말하며 '정성을 시험코자' '범이 되어 너희를 놀'라게 한 것이라고 했을 뿐, 채옥 남매가 지닌 능력을 알아보고자 한 것은 아니다.

④ 채옥은 동생들을 책임져야 한다는 것에 대한 부담감이 커져 자결하는 것이 낫다고 판단했다.

> 채옥은 '모친 영혼이 아무리 옥룡전을 찾아오라 하신들, 십여 세 여아가 어찌 누만 리를 찾아가리오.'라고 하며 자결하고자 하지만, '나는 죽어 관계치 않거니와, 어린 동생을 어찌 차마 버리리오.'라고 생각하며 마음을 고쳐 먹는다. 따라서 채옥이 동생들을 책임져야 한다는 것에 부담감이 커져 자결하려고 판단한 것이라 볼 수 없다.

⑤ 석불은 채옥 남매가 자신의 말대로 용궁으로 가더라도 옥룡전에 이르지 못할 수 있다고 생각했다.

> 석불은 채옥 남매에게 '낙화를 흔들어 여차여차하여 나아가면 반드시 구하여 줄 선관이 있을지라. 이렇듯 하여 자연히 옥룡전에 이르러 너의 모친을 볼 것'이라고 말하고 있다.

2. 문학 개념어 OX 확인 문제

① ○

- **대립**: 의견이나 처지, 속성 따위가 서로 반대되거나 모순됨. 또는 그런 관계.

> **근거** 채옥이 '부친이 애첩 송녀의 참소를 듣고 모친과 소녀 등을 내치시매, 모친은 영산에서 기세하'셨다고 말하는 데에서 송녀와 채옥 남매의 대립 관계가 드러남.

② ○

> **근거** 채옥이 '고달파 잠깐 졸'자 꿈에 죽은 모친이 나타나 '너희 나를 보려 하거든 옥룡전을 찾아오라.'라고 말하고, 이를 계기로 채옥 남매는 '후토부인', '천황보살'과 같은 천상계 인물의 도움을 받으며 옥룡전으로 향하는 환상의 여로에 오르게 됨.

고전소설 독해의 STEP 1

1 다음 글을 읽고 등장인물을 잘 파악했는지, 빈칸에 적절한 말을 채웠는지 확인해 보세요.

📅 고3 2014학년도 수능A – 허균, 「홍길동전」

[앞부분의 줄거리] 홍 판서와 시비 춘섬 사이에서 서자로 태어난 길동은 자신의 처지를 괴로워하다가 부친(=홍 판서)께 호부호형을 허락받고, 집을 나와 활빈당 활동을 벌여 조정과 대립하다가 병조판서 벼슬을 받는다. 작품 내용을 이미 알고 있더라도, 줄거리에서는 뒤에 나올 내용에 영향을 미친 사건, 등장인물의 관계 등을 설명해주니 주목해서 읽어보는 게 좋아. 길동은 **서자**라는 신분으로 인해 괴로워했고, 이 때문에 **활빈당** 활동으로 조정과 대립했군.

음력 구월 보름에 임금이 달빛을 받으며 후원을 걸으실새, 문득 맑은 바람이 일어나며 공중에서 피리 소리가 청아한* 가운데 한 소년(=홍길동)이 내려와 주상(=임금) 앞에 엎드렸다. 어느 밤 임금이 후원을 걷고 있을 때, 맑은 바람이 일고, 맑고 아름다운 **피리 소리**가 들리면서 공중에서 갑자기 한 소년이 나타나셔. 임금이 놀라 묻기를,

"선동(仙童)*(=홍길동)이 어찌 인간 세상에 내려왔으며 무슨 일을 말하고자 하나뇨?"
소년이 땅에 엎드려 아뢰기를,
"신(=홍길동)은 전임 병조판서 홍길동이옵니다."
상(=임금)이 또 놀라 묻기를,
"네가 어찌 심야에 왔느냐?" 선동이 스스로 **홍길동**임을 밝히자 놀란 임금은 늦은 밤 자신을 찾아온 이유를 물어.
길동이 대답해 가로되,
"신이 전하(=임금)를 받들어 만세를 모실까 했으나, 천한 종의 몸에서 태어났기에 문(文)으로는 홍문관 벼슬이 막히고 무(武)로는 선전관 벼슬이 막히었습니다. 이런 까닭에 활빈당으로 더불어 사방을 멋대로 떠돌아다니며 관청에 폐를 끼치고 조정에 죄를 지었던 것인데, 이는 전하로 하여금 아시게 하려 함이었습니다. 길동은 자신이 **활빈당**으로 활약했던 이유가 서자라는 신분의 제약으로 인해 **벼슬**에 오를 수 없다는 문제를 알리기 위함이었다고 말해. 이제 벼슬을 내리어 신의 소원을 풀어 주셨으니 전하를 하직하고 조선을 떠나가옵니다. 엎드려 바라건대 전하는 만수무강하소서." 자신의 소원으로 **병조판서**라는 벼슬을 받은 길동은 조선을 떠나기 전 임금께 **하직**하기 위해 온 것이었어.
하더니 공중에 올라 아득히 날아가거늘, 임금이 그 재주를 못내 칭찬하였다. 그 후로는 길동의 폐단이 없으니 사방이 태평하였다. 공중에서 갑자기 나타났던 길동은 하직 후 다시 공중으로 사라졌고, 길동의 **폐단**이 없어지자 조선은 태평을 이루었어.

길동이 조선을 하직하고 남경 땅 제도라는 섬으로 들어가, 수천 호의 집을 짓고 농업에 힘쓰고 무기 창고를 지으며 군법을 연습하니, 병사는 잘 훈련되고 양식은 풍족하게 되었다.
장면끊기 01 후원을 걷던 임금 앞에 나타난 길동은 신분의 제약으로 벼슬에 오르지 못했지만, 바라던 소원을 이루어 **조선**을 떠나겠다고 말한 후 **남경 땅** 제도라는 섬으로 들어갔고, 그곳을 살기 좋은 곳으로 만들었어. 이후 중략되니 장면을 끊자.

(중략)

상주* 인형이 자세히 보니, 곧 길동이라 붙잡고 통곡하며, "아우야, 그 사이 어디 갔더냐? 아버지께서 평소에 유언이 간절하셨는데, 이제 오니 어찌 자식의 도리이겠느냐?" 하며, 손을 이끌고 내당에 들어가 모부인(母夫人)을 뵈옵고 춘섬을 상면하여 한바탕 통곡하였다. 부친 홍 판서가 죽은 뒤에야 돌아온 길동을 붙잡고 인형과 춘섬은 **통곡**하고 있어.

"네가 어찌 중이 되어 다니느냐?"
하니, 길동이 대답했다.
"소자(=홍길동)가 조선을 떠나 머리 깎고 중이 되어 지술(地術)을 배웠습니다. 이제 부친을 위하여 좋은 터를 구했으니, 모친(=춘섬)은 염려 마소서."
인형이 크게 기뻐하며 말하였다.
"너의 재주 기이한지라, 좋은 터를 얻었으면 무슨 염려가 있으리오." 길동은 풍수지리설에 따라 묏자리나 집터의 좋고 나쁨을 알아내는 지술을 배웠다고 말하며 부친의 묘를 모실 **좋은 터**를 구했다고 하고, 인형은 홍길동의 뛰어난 능력을 믿기에 기뻐하고 있어.
장면끊기 02 길동이 가족을 만나 돌아가신 아버지를 위해 좋은 터를 구했다고 말하자 가족들은 기뻐하였다. 이어지는 장면에서 다음날이 되어 길동과 가족 일행이 부친을 위해 구한 터로 이동하므로 장면을 끊자.

[A]

다음날 길동이 운구하여 제 모친을 모시고 서강 강변에 이르니, 지휘해 놓은 대로 배가 기다리고 있었다. 배에 올라 화살같이 빨리 저어 한 곳에 다다르니, 여러 사람이 수십 척의 배를 대어 놓고 있었다. 서로 반기며 호위하여 가니 그 광경이 대단하였다. 어언간 산 위에 다다르매, 인형이 자세히 본즉 산세가 웅장한지라, 길동의 지식을 못내 탄복하였다. 길동이 정해 놓은 터의 웅장한 **산세**를 본 인형은 아버지를 모시기에 좋은 곳이라 여겨 길동의 능력에 감탄해. 일을 마치고 함께 길동의 처소로 돌아오니, 백씨와 조씨가 시어머니(=춘섬)와 시숙(=인형)을 맞아 뵈옵는 한편, 인형과 춘섬은 못내 길동의 지식을 탄복하였다.
장면끊기 03 길동의 안내대로 아버지를 산소에 모신 후 일행은 처소로 돌아왔어.

여러 날이 되자, 인형은 길동과 춘섬을 이별하면서 산소를 극진히 모시라 당부한 후, 산소에 하직하고 출발했다. 본국에 이르러 모부인을 뵈옵고 전후 사실을 고하니, 부인이 신기하게 여겼다. 길동이 제사를 극진히 받들어 삼년상을 마치매 모든 영웅을 모아 무예를 익히며 농업에 힘쓰니, 병사는 잘 조련되고 양식도 풍족했다. 인형은 본래 집으로 돌아가고, 길동은 제사를 받들어 아버지의 **삼년상**을 잘 마쳤다는 사실을 요약하여 전달했어. 참고로 조선 시대에 돌아가신 부모님의 제사를 지내는 것은 장자의 의무였으나, 서자인 길동이 이를 맡았다는 점도 눈여겨볼 만하지.
장면끊기 04 인형은 길동과 춘섬에게 산소를 잘 모시라 당부하며 본국으로 돌아가고, 홍길동은 아버지의 삼년상을 잘 마치고 병사를 훈련시키며 농업에 힘쓰는 등 섬을 잘 다스렸어.

남쪽에 율도국이라는 나라가 있었으니, 기름진 평야가 수천 리나 되며 덕화(德化)*가 행해지니 실로 살기 좋은 나라라, 길동이 매양 생각해 오던 바였다. 모든 사람을 불러 말하기를,
"내가 이제 율도국을 치고자 하니 그대들은 정성을 다하라."
하고는 그날로 진군하였다. 길동은 넓고 기름진 평야를 가졌으며, 덕화가 행해져 살기 좋은 나라였던 **율도국**을 정복할 결심을 했네. 길동은 스스로 선봉장이 되고 마숙으로 후군장을 삼아, 정예병 오만을 거느리고 율도국 철봉산

에 다다라 싸움을 걸었다. 율도국 태수 김현충 이 난데없는 군사가 이름을 보고 크게 놀라 왕에게 보고하는 한편, 한 부대의 군사를 거느리고 내달아 싸웠다. 길동이 이를 맞아 싸워 한 번에 김현충을 베고 철봉을 얻어 백성을 달래어 위로하였다. 정철 로 철봉을 지키게 하고, 전쟁 혹은 전투 장면은 여러 인물이 등장하고 전투 과정도 서술되어 복잡하게 느껴질 수 있어. 대군을 지휘하여 바로 도성을 칠새, 격서(檄書)를 율도국에 보냈으니, 내용은 이러하였다.

"의병장 홍길동은 글을 율도왕 에게 부치나니, 대저 임금은 한 사람의 임금이 아니요 천하의 임금이라. 내 하늘의 명을 받아 병사를 일으키매, 먼저 철봉을 깨뜨리고 물밀듯 들어오니, 왕은 싸우고자 하거든 싸우고, 그렇지 않으면 일찍 항복하여 살기를 도모하라." 철봉을 친 길동과 군사들은, 율도왕에게 **항복**하라는 내용의 격서를 보냈어. 길동은 자신이 **하늘**의 명을 받아 병사를 일으켜 율도국을 정복하러 왔다는 명분을 제시하고 있음을 확인할 수 있어.

왕이 보기를 마치자 크게 놀라,

"우리나라가 철봉을 굳게 믿었거늘, 이제 잃었으니 어찌 대항하리오."

하고는, 모든 신하를 거느리고 항복했다. 율도왕과 그 신하들은 저항 없이 **항복**했네.

길동이 성중에 들어가 백성을 달래어 안심시키고 왕위에 오른 후, 율도왕을 의령군에 봉했다. 마숙과 최철 로 각각 좌의정과 우의정을 삼고, 나머지 여러 장수에게도 각각 벼슬을 내리니, 조정에 가득 찬 신하들이 만세를 불러 하례하였다. 왕이 나라를 다스린 지 삼 년에 산에는 도적이 없고 길에 떨어진 물건도 주어 갖지 않으니, 태평세계라고 할 만하였다. 왕위에 오른 길동은 삼 년 만에 율도국에 **태평세계**를 이루어 살기 좋은 나라를 만들었어.

장면끊기 05 군사들을 이끌고 율도국에 쳐들어간 길동은 율도국의 왕이 되고, 그곳을 잘 다스려 태평세계를 이루었어.

– 허균, 「홍길동전」 –

고전 필수 어휘

*청아하다: 속된 티가 없이 맑고 아름답다.
*선동: 선경에 살면서 신선의 시중을 든다는 아이.
*상주: 주가 되는 상제. 대개 장자가 된다.
*덕화: 옳지 못한 사람을 덕행으로 감화함. 또는 그런 감화.

고전소설 독해의 STEP 2

1 구조도의 빈칸에 적절한 말을 채웠는지 확인해 보세요.

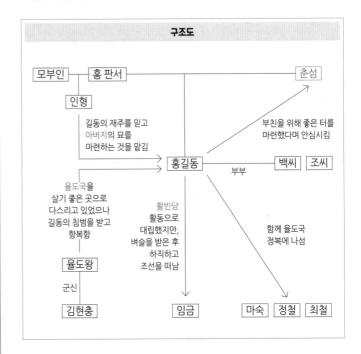

2 1~2번 문제의 정답과 해설을 확인해 보세요.

1. [A]에 대한 이해로 가장 적절한 것은?

정답풀이

② 부친의 생전에 호부호형을 허락받았던 길동이 부친의 사후에는 산소를 모시게 됨으로써, 자식으로서의 지위가 강화되고 있다.

> 앞부분의 줄거리에 따르면, 길동은 서자라는 자신의 처지에 괴로워하다가 부친께 호부호형하는 것을 허락받는다. 그리고 [A]에서 부친의 사후에는 길동이 구한 터에 부친의 산소를 모시게 되며 삼년상까지 직접 치른다. 이로써 길동의 자식으로서의 지위가 강화되고 있음을 알 수 있다.

오답풀이

① 부친의 삼년상을 길동이 영웅들을 모아 함께 치르는 과정에서, 길동과 부하들 간의 유대감이 공고해지고 있다.

> 길동은 부친의 삼년상을 마치고 나서 '모든 영웅을 모아 무예를 익히며 농업에 힘'쓴다. 길동이 부친의 삼년상을 영웅들을 모아 함께 치렀다고 볼 수는 없으며, 이를 통해 길동과 부하들 간의 유대감이 공고해지고 있다고 볼 수도 없다.

③ 부친을 운구하는 일에 많은 사람들이 엄숙하게 참여함으로써, 부친의 평소 넓은 인간관계가 사회적 차원에서 확인되고 있다.

> 부친을 운구한 사람들은 모두 길동의 사람이므로 이는 부친의 인간관계를 보여 주는 것과는 관련이 없다.

④ 부친을 산소에 모시는 자리에 모부인이 참석하였다는 점에서, 부친 사후 모부인을 중심으로 길동의 가족 관계가 재편되고 있다.

> 인형이 산소에 하직하고 출발하여 '본국에 이르러 모부인을 뵈옵고 전후 사실을 고하니'라고 했으므로 모부인은 산소를 모시는 자리에 참석하지 않았음을 알 수 있다. 또 부친 사후 모부인을 중심으로 길동의 가족 관계가 재편되고 있지도 않다.

⑤ 부친을 위해 좋은 터를 마련하고자 지술을 배운 길동을 모친이 염려하는 데서, 주술을 용인하지 않으려는 가족의 태도가 드러나고 있다.

> '지술'이란 풍수지리설에 바탕을 두고 지리를 보아 묏자리나 집터 따위의 좋고 나쁨을 알아내는 술법을 의미하고, '주술'은 불행이나 재해를 막으려고 주문을 외거나 술법을 부리는 일을 의미한다. [A]에서는 길동이 지술을 배워 부친을 위하여 좋은 터를 구했다는 말에 '인형이 크게 기뻐'하고 있을 뿐, 이를 염려하는 모친의 모습이나 주술을 용인하지 않으려는 가족의 태도가 드러나지는 않는다.

2. 문학 개념어 OX 확인 문제

① ✕

> 근거 '임금이 달빛을 받으며 후원을 걸으실새,~주상 앞에 엎드렸다.' 등에서 신비로운 분위기가 조성된다고 볼 수 있으나, 해당 장면의 공간적 배경은 임금이 걷고 있던 '후원'으로, 이를 비현실적 공간으로 보기는 어려움. 또한 윗글에서 언급된 '남경 땅 제도', '율도국' 등도 비현실적인 공간이라고 볼 수는 없음.

② ○

> • 요약적 제시: 사건 전개를 서술할 때 대화나 행동을 보여주거나 묘사하지 않고 이를 간략하게 요약하여 서술하는 것.

> 근거 '신이 전하를 받들어 만세를 모실까 했으나, 천한 종의 몸에서 태어났기에 문으로는 홍문관 벼슬이 막히고~이런 까닭에 활빈당으로 더불어 사방을 멋대로 떠돌아다니며 관청에 폐를 끼치고 조정에 죄를 지었던 것이온데, 이는 전하로 하여금 아시게 하려 함이었습니다.'

하루 30분, 고전소설 트레이닝

고전소설 독해의 STEP 1

1 다음 글을 읽고 등장인물을 잘 파악했는지, 빈칸에 적절한 말을 채웠는지 확인해 보세요.

📖 고3 2011학년도 10월 학평 – 신광한, 「하생기우전」

[앞부분의 줄거리] 하생은 재주가 뛰어났으나 벼슬을 못하고 울적한 날들을 보낸다. 그러던 어느 날 하생은 점쟁이의 도움을 받아 남문 밖에 있는 한 여인과 인연을 맺고 하룻밤을 보내게 된다. 다음 날 여인은 자신이 장사 지낸 지 사흘 된 귀신임을 밝히면서, 자기 대신 무덤에서 나가 금척(金尺)*을 하마석(下馬石) 위에 놓아 달라고 부탁한다. 산 사람인 하생과 죽은 사람, 즉 귀신인 여인의 인연이 제시되었군. 이처럼 사람과 영혼(귀신) 사이의 사랑이 나오는 것을 명혼 모티프라고 해. 이 작품은 사람과 귀신의 사랑 이야기라는 비현실적 요소를 지니고 있어. 하생이 무덤에서 나와 시킨 대로 하자, 여인의 집 비복*들이 하생을 무덤 도둑으로 의심하여 여인의 부모 앞에 끌고 간다. 하생은 여인의 아버지인 시중에게 지금까지 있었던 일들을 모두 고한다.

시중이 말했다.

"그렇군. 즉시 삽과 삼태기를 준비하고 가마를 대령해라. 내가 직접 가 봐야겠다." 여인이 하생에게 준 금척이 여인의 무덤 속 물건이기에 하생은 무덤 도둑으로 몰리게 되었어. 이 일을 계기로 하생은 여인의 부모에게 전후사정을 전할 수 있게 되었고, 하생의 이야기를 들은 시중은 딸의 무덤을 직접 보러 가.

시중은 하인 몇 명을 남겨 하생을 지키게 하고 길을 나섰다. 잠시 후 묘역에 이르러 보니 봉분의 모습은 예전 그대로 변함이 없었다. 시중은 의아히 여겨 무덤을 파 보았다. 무덤 속의 딸은 안색이 산 사람과 같았다. 심장 있는 쪽을 만져 보니 조금 온기가 있는 것이 아닌가. 이미 죽어 장례를 치르고 묻은 딸의 안색이 산 사람과 같고, 온기가 있다니 비현실적이군. 시중은 유모를 시켜 딸을 안게 하고 가마에 태워 돌아왔다. 무당이나 의원을 부를 겨를도 없이 가만히 안정을 취하도록 할 따름이었다. 해질녘이 되자 시중의 딸이 깨어났다. 여인은 부모를 보더니 한 번 가느다란 소리를 내어 흐느꼈다. 기운이 차츰 진정되자 부모가 물었다.

"네가 죽고 난 뒤에 무슨 이상한 일이 있었느냐?"

"저는 꿈인 줄만 알고 있었는데, 제가 정말 죽었었나요? 별다른 일은 없었어요."

여인은 그렇게 말하며 뭔가 수줍어하는 기색이었다. 부모가 무슨 일이 있었는지 재차 캐묻자 여인이 어쩔 수 없이 이야기를 시작하는데 하생이 했던 말과 꼭 들어맞는 것이었다. 온 집안사람들이 무릎을 치며 놀랐다. 다시 살아난 여인에게 지난 일을 묻자, 여인이 하생과 똑같은 얘기를 했으니 집안 사람들은 크게 놀랐지. 참고로 죽은 여인이 되살아난 것에서 재생 모티프를 확인할 수 있는데, 이처럼 현실에서는 일어나기 어려운 비현실적인 일들이 일어날 때 작품이 전기성을 지닌다고 해. 이제 하생은 그 집 사람들에게 매우 융숭한 대접을 받게 되었다.

장면끊기 01 하생의 말을 들은 시중은 딸의 무덤을 파서 아직 온기가 남아 있는 딸을 집으로 데려왔고 얼마 안 있어 여인은 소생했어. 여인이 되살아나는 데 기여한 하생은 집안 사람들에게 융숭한 대접을 받지.

며칠이 지나자 여인은 평상시의 모습을 완전히 회복하였다. 시중은 하생을 위해 성대한 잔치를 베풀었다. 그 자리에서 시중은 하생의 집안에 대해 묻고, 또 하생이 혼인했는지 여부를 물었다.

하생은 아직 혼인하지 않았다고 말한 뒤 부친은 평원(平原) 고을의 유생으로 오래 전에 작고*하셨다고 대답했다. 시중은 고개를 끄덕이더니 안으로 들어가서 아내(=부인)와 의논하였다.

"하생의 용모와 재주 참으로 범상치 않으니 사위로 삼는다 해도 문제될 건 전혀 없겠소만 집안이 서로 걸맞지 않는구려. 더구나 이번에 겪은 일이 너무 괴상망측하고 보니 이 일을 계기로 혼인을 시켰다가는 세상 사람들의 입에 오르내리지 않을까 싶소. 그래서 나는 그냥 재물이나 후하게 주어 사례하는 것으로 끝냈으면 싶소." 시중은 하생의 용모와 재주가 뛰어나지만, 집안이 걸맞지 않고 두 사람의 인연이 괴상하여 세상 사람들의 입에 오르내릴 것이 염려된다는 이유로 혼인 대신 재물로 사례하자고 해. 하생과 여인은 부모님의 반대라는 혼사 장애에 부딪혔어.

부인이 말했다.

"이 일은 당신이 결정할 문젠데, 아녀자가 어찌 나서겠어요?" 부인은 하생과 여인의 혼인을 반대하는 시중의 뜻에 동조해.

장면끊기 02 여인이 살아난 뒤 시중은 다양한 이유를 들어 하생과 여인의 혼인을 반대하지.

하루는 시중이 또 잔치를 열어 하생을 위로하며, 하생의 소원을 물었는데 혼사에 관한 언급은 일체 없었다. 하생은 답답하고 불쾌한 마음으로 숙소에 돌아와 가슴을 치고 속을 태우며 약속을 저버린 여인을 원망했다. 시중이 여인과 하생의 혼인을 언급하지 않자, 하생은 여인과 둘 사이의 혼인 약속이 깨졌다고 생각해서 속을 태우며 여인을 원망해. 하생은 곧바로 절구 한 편을 지어 작은 종이에 쓰더니 여인의 유모더러 여인에게 전해 달라고 부탁했다. 하생의 시는 다음과 같다.

옥에 티끌이 묻었다 해서 더럽혀질 건 없나니
둥지로 돌아간 봉황새가 난새를 다시 돌아볼 리 있겠는가.
팔뚝 위의 눈물 자국 사라지지 않았거늘
꿈속의 좋았던 만남 지금 외려 부끄럽네.
하생은 자신의 심경을 담은 시를 써 여인에게 전달해. '둥지로 돌아간 봉황새'는 여인, '난새'는 하생을 빗대어 표현한 것으로 해석할 수 있어.

여인은 하생의 시를 보고 깜짝 놀랐다. 저간의 사정을 물은 뒤에야 비로소 부모가 하생의 마음을 저버렸다는 사실을 알게 되었다. 여인은 그 즉시 병들었다며 음식을 입에 대지 않았다. 하생의 시를 보고 놀란 여인은 부모님이 하생과 자신의 혼인을 반대한다는 사실을 알고 앓아누웠어. 부모가 딸의 속마음을 짐작하고 병이 난 이유를 묻자 여인은 눈물을 흘리며 말했다.

"부모님의 큰 잘못을 남의 일인 양 원망하지 않는 것도 불효요, 부모님의 작은 잘못을 지나치게 따지는 것도 불효입니다. 남의 일인 양 소원하게 대할 수 없어 말씀드리려는 건데, 지나치게 따지는 일이 될까 봐 걱정이에요." 여인은 하생의 마음을 저버린 부모님의 잘못에 대해 말하는 것이 불효를 저지르는 일이 될까 봐 걱정하고 있어.

부모가 말했다.

"하고 싶은 말을 해 보아라. 숨길 것이 무어 있겠느냐?"

여인은 비녀와 귀걸이를 빼고 일어나 절한 뒤 죄를 청하며 말했다.

장면끊기 03 여인과 나눈 혼인 약속이 깨졌다고 생각해 속 상한 하생은 여인에게 원망의 마음을 담아 시를 써 전달했어. 이를 받은 여인이 앓아눕자 부모가 와서 그 이유를 물었으니 이후 여인은 자신의 심경을 전달하겠지? 하생과 여인, 그리고 여인의 부모님은 두 사람의 혼인을 두고 갈등 중이라고 정리할 수 있어.

(중략)

아버지 어머니시여 / 지금부터 이제 / 다복하시기를 바라신다면 / 자손을 편안하게 해 주세요. / 어찌 운명을 거역하시며 / 제 마음을 몰라주시나요. / 기러기 화락하게 우는 / 해 뜨는 아침에 혼례를 올리고 싶어요. / 아리따운 처녀 혼기가 찼으니 / 길일을 놓치지 말았으면 해요. / 우리 둘 다시 만나는 게 / 저의 소원이고 저의 도리예요. / 백주(柏舟)* 시로 맹세하나니 / 다른 마음 품지 않으려 해요. / 이리 될 줄 알았다면 / 살아나지 않는 편이 나았을 거예요. / 공강의 혼령 있으리니 / 그와 손잡고 함께 갈까 해요.

여인은 하생과 자신이 운명이라고 말하며 하생과의 혼인을 허락해 줄 것을 간청해.

시중은 눈물을 흘리며 한숨을 내쉬더니 이렇게 말했다.
"내가 진실하지 않고 자애롭지 못해 너를 이 지경에 이르게 했구나! 지금 뉘우친들 무슨 소용이 있겠느냐? 월하노인*이 붉은 실을 발에 묶어 이미 정해진 운명인 터이니 네 뜻대로 해야겠다."

하생과의 혼인을 간청하는 여인의 말을 들은 **시중**은 자신의 행동을 뉘우치며 여인의 뜻대로 진행할 것임을 밝혀.

장면끊기 04 하생과의 혼인을 반대하던 시중이 결국 딸의 뜻대로 혼인을 허락하며 혼사 장애가 해결되는 것으로 지문이 마무리되고 있어. 참고로 이후 내용에서 하생은 여인과 혼인 후 과거에 급제하여 행복하게 살아. 앞부분의 줄거리에서 확인할 수 있는 것처럼 능력이 있어도 벼슬을 하지 못했던 하생이 기이한 인연을 계기로 원하는 바를 성취하는 결말을 맺는다는 점도 참고하자.

– 신광한, 「하생기우전」 –

*백주(柏舟): 위(衛)나라의 세자 공백이 죽은 후 그 아내 공강이 수절하고자 하는 굳은 마음을 표현한 노래.
*월하노인(月下老人): 부부의 인연을 맺어 준다는 전설상의 노인.

[고전 **필수** 어휘]

*금척: 금빛이 나는 자.
*비복: 계집종과 사내종을 아울러 이르는 말.
*작고: 고인이 되었다는 뜻으로, 사람의 죽음을 높여 이르는 말.

❶ 구조도의 빈칸에 적절한 말을 채웠는지 확인해 보세요.

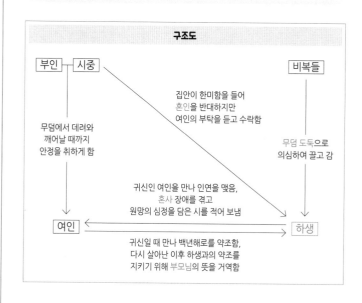

❷ 1~2번 문제의 정답과 해설을 확인해 보세요.

1. 윗글로 미루어 알 수 있는 것은?

정답풀이

② 하생과 여인은 모두 무덤에서 맺은 인연을 소중하게 여기고 있다.

[앞부분의 줄거리]에 따르면 하생과 여인은 무덤 속에서 인연을 맺었는데, 무덤에서 나온 이후 하생은 시중이 '혼사에 관한 언급은 일체 없'는 것에 대해 '가슴을 치고 속을 태우'다 여인에게 시를 지어 보낸다. 그리고 여인 역시 '하생의 시를 보고 깜짝 놀'라며 자신의 부모에게 눈물로 하생과의 혼사를 요청하고 있으므로, 하생과 여인은 모두 무덤에서 맺은 인연을 소중하게 여기고 있다고 볼 수 있다.

오답풀이

① 시중은 딸이 환생한 후에도 하생의 사람됨을 의심하였다.

시중은 딸이 깨어난 뒤 하생에게 '매우 융숭한 대접을' 하며, 그의 '용모와 재주가 참으로 범상치 않다'고 여긴다. 따라서 딸이 환생한 후에도 하생의 사람됨을 의심하였다고 보기 어렵다.

③ 부인은 딸이 부모의 뜻을 따르지 않는 것을 못마땅하게 여기고 있다.

> 부인이 혼사에 대한 부모의 뜻을 따르지 않고, 하생과의 혼례를 요청하는
> 딸(여인)을 못마땅하게 여기는 모습은 나타나지 않는다.

④ 하생은 여러 사람 앞에서 자신의 뛰어난 능력을 과시하려 하고 있다.

> 하생은 그의 집안과 혼인 여부를 묻는 시중의 질문에 대답할 뿐, 여러 사람
> 앞에서 자신의 뛰어난 능력을 과시하지는 않는다.

⑤ 여인은 부모님의 잘못을 모른 척하는 것이 자식의 도리라고 믿고 있다.

> 여인은 '부모님의 큰 잘못을 남의 일인 양 원망하지 않는 것도 불효요, 부
> 모님의 작은 잘못을 지나치게 따지는 것도 불효입니다.'라고 말한 뒤 하생
> 과의 혼사를 무산시키려 한 부모님의 잘못에 대해 말하고 있다. 따라서 여
> 인이 부모님의 잘못을 모른 척하는 것이 자식의 도리라고 믿고 있는 것은
> 아니다.

2. 문학 개념어 OX 확인 문제

① ○

- 전기성: 비현실적이고 기이한 요소가 나타나는 것. 죽은 사람이 살아나
거나, 인물이 둔갑을 하거나, 하늘의 인물이 지상에 내려오는 등의 이야기가
펼쳐짐.

  근거 '어느 날 하생은 점쟁이의 도움을 받아 남문 밖에 있는 한 여인과 인연을
  맺고 하룻밤을 보내게 된다. 다음 날 여인은 자신이 장사 지낸 지 사흘 된 귀신임을
  밝히면서', '시중은 의아히 여겨 무덤을 파 보았다.~해질녘이 되자 시중의 딸이
  깨어났다.' 등

② ○

- 삽입시: 산문 안에 삽입된 시나 노래. 인물의 심리와 감정을 효과적으로
  전달할 수 있고, 사건이 전개될 방향을 암시하거나 주제를 집약적으로
  전달하는 기능을 하며, 서정적이고 낭만적인 분위기 조성에 기여하기도 함.

  근거 '옥에 티끌이 묻었다 해서 더럽혀질 건 없나니 / 둥지로 돌아간 봉황새가 난
  새를 다시 돌아볼 리 있겠는가. / 팔뚝 위의 눈물 자국 사라지지 않았거늘 / 꿈속의
  좋았던 만남 지금 외려 부끄럽네.'

고전소설 독해의 STEP 1

❶ 다음 글을 읽고 등장인물을 잘 파악했는지, 빈칸에 적절한 말을 채웠는지 확인해 보세요.

📅 고3 2020학년도 10월 학평 – 작자 미상, 「반씨전」

[앞부분의 줄거리] 명나라 양 부인에게 삼 형제가 있는데, 맏이 위윤은 현숙한* 반씨를 아내로 맞아 아들 흥을 얻는다. 위진의 아내 채씨와 위준의 아내 맹씨가 반씨를 모해*하자 양 부인이 채씨를 친정으로 보낸다. 채씨의 부친 채 승상은 이에 분노하여 위윤을 귀양 보내고, 양 부인은 채씨를 들이지 말라는 유언을 남기고 죽는다. 양 부인의 세 아들과 그들이 맞이한 아내들의 이름, 그리고 인물 간의 갈등 관계(양 부인, 위윤, 반씨, 흥 ↔ 채씨, 맹씨, 채 승상)가 제시되었어. 한 번에 여러 명의 인물이 소개되었으니 헷갈리지 않도록 인물 관계를 정확히 확인하고 넘어가자!

반씨가 시체를 붙들고 통곡 혼절하니, 반씨는 시어머니인 **양 부인**의 죽음에 몹시 슬퍼하고 있어. 흥이 대경*하여 수족을 주무르며 약물을 드리오니 이윽고 진정하거늘, 흥이 위로 왈,

"모친(=반씨)은 진정하사 초상을 극진히 하소서." 반씨의 아들 흥은 그런 어머니를 위로하며 양 부인의 **초상**을 정성으로 치르자고 이야기하네.

반씨 망극한 중이나 그 말을 옳게 여겨 치상(治喪)할새, 문중*이 모여 채씨에게 부고*를 알릴 것을 의논하니, 위진이 왈,

"㉠채씨가 잘못함이 아니라 모친(=양 부인)이 잠깐 노하여 보내 계시니, 무슨 일로 알지 아니하리오."

하고, 즉시 시비를 불러 왈,

"채씨의 집에 가 부고를 전하되 상복 입기 전에 오라 하라. 그렇지 않으면 부부의 의를 끊으리라." 양 부인의 아들 위진은 **채씨**를 들이지 말라는 어머니의 유언에도 불구하고, 아내 채씨에게 **부고**를 알려 집으로 불러들이려 하고 있어.

장면끊기 01 위진이 양 부인의 **유언**을 어기려고 하면서 앞으로 이로 인해 갈등 상황이 벌어질 것임을 짐작할 수 있어. 중략 이전까지의 내용과 인물 관계를 정확히 숙지하고서, 중략 이후에는 어떤 사건이 이어지는지 계속해서 읽어보도록 하자.

(중략)

차설, 위진이 크게 노하여 왈,

"반씨는 어떤 사람인데 상중에 시비(是非)를 돋우어 요란하게 하느뇨. 형님(=위윤)이 아니 계시어 내가 주장*할 것이니, 두 번 이르지 말라." 채씨에게 양 부인의 부고를 알리는 일로 위진과 반씨 사이에 언쟁이 있었던 모양이야. 위진은 장남인 **위윤**이 **귀양**을 가 부재하는 상황에서 양 부인의 장례와 관련한 모든 책임은 자신이 맡을 것이라고 하며 반씨의 말을 막아.

하고 노복을 재촉하여 보내니, 흥이 죽은 양 부인의 옆에 엎드려 통곡하더니 큰 소리로 왈,

"숙부(=위진)는 주장이 되었을 따름이거늘 초상 망극 중에 벌써 할머니(=양 부인)의 유언을 저버리시니, 한갓 아내만 중히 여기사 저다지 노하시니, 소질(=흥)*이 알 바는 아니로되, 금일 문중이 모두 다 공론이 여차한데도 구태여 유언을 저버리니, 이는 문중의 뜻에도 맞지 아니하오며 소질의 마음에도 불가하니이다." 흥은 양 부인의 유언을 저버리고 **문중**의 공론마저 듣지 않으려 하는 위진의 행동을 지적하고 있어.

반씨가 꾸짖어 왈,

"너는 조그만 아이라. 어찌 방자히 어른을 시비하리오." 위진이 크게 노하여 왈,

"이는 분명 너의 말이 아니다. 누구의 부탁을 듣고, 내 말이 여차여차하거든 너는 대답을 이리이리하라 한 것이 아니더냐. 너에게 기걸한 사람은 극한 요물이라. 너 혼자의 말이라면 어찌 이러하리오. 내 비록 유약하나 네 말대로 시행할까 보냐." 위진은 조카인 흥이 누군가의 사주를 받고 그런 말을 하는 것이라 여기며 크게 **화**를 내고 있어.

하니, 모든 친척이 칭찬 불이하더라.

흥이 숙부의 불측한 심사를 듣고 큰 소리로 왈,

"㉡아까 소질이 사뢴 바를 어른에게 배운 바라 하시니, 말씀이 옳사오면 따를 것이요, 비록 어른의 말이라도 부당하오면 따를 이유 없으니, 할머니의 상사를 당하였어도 부친(=위윤)이 삼천 리 밖에 계셔 상변(喪變)을 알지 못하시고 발상*도 못하오니, 비록 아니 계시나 장자(=위윤) 장손(=흥)이 발상함은 예문(禮文)에 당당하옵거늘, 그는 의논치 아니하시니 누구와 더불어 대상*하시나니이까. 금일 문중이 다 모였으니 결정하소서." 흥은 장자가 부재할 경우, **장손**이 발상하는 것이 예법에 맞는 일임을 들며 위진의 독단적인 행동을 저지하려고 해.

위진 형제 왈,

"형님이 비록 귀양살이를 하고 있으나 죽지 아니하였고, 미처 부고를 알리지 못하였으나, 조그만 아이가 알 바가 아니라. 예문에 이상이라는 말이 없으니 불가하니라." 하지만 위진 형제는 아직 어린 **아이**인 흥이 끼어들 일이 아니라고 하며 그의 말을 무시하고 있어.

모든 사람이 왈,

"흥이 비록 어리나 소견에 이치가 있어 우리도 생각지 못한 일이거늘, 이 말이 가장 옳은지라. 바삐 대상하라."

위진 형제가 큰 소리로 노하여 왈,

"어찌 어린아이의 말로 인하여 상중 대사를 그릇되게 하리오. 우리는 예문대로 하리니 어찌 장자를 두고 대상하리오." 문중 사람들은 비록 흥이 어릴지라도 옳은 말을 했다고 여기고 장손인 흥이 장례를 주관하게끔 하라고 말하고, 위진 형제는 이를 **거부**하였어.

하고 일시에 피신하니, 문중이 상의하여 왈,

"상인(喪人)(=위진)이 이제 우리를 피하니 더 있어 무엇하리오."

하고 상복 입는 것을 보지 아니하고 모두 귀가하니, 흥이 망극하여 실성통곡 왈,

"우리 집의 가세는 어찌 남과 다른고. 숙부가 불의를 행하여 문중이 따로따로 흩어지니 무슨 아름다운 일이 있으리오." 위진 형제의 반응에 결국 문중 사람들이 모두 집으로 돌아가 버리자, 흥은 숙부의 **불의**를 원망하며 통곡하고 있어.

장면끊기 02 흥이 위진의 잘못된 행동을 지적하면서 두 사람이 대치하는 모습이 나타난 장면이었어. 이러한 갈등 상황은 위진 형제가 크게 화를 낸 뒤 자리를 피하고, 이에 문중 사람들 역시 모두 집으로 돌아가 버리면서 일단락되지. 그러니 여기서 한 번 더 끊어 읽으며 내용을 정리하고, 이후 채씨의 등장과 함께 어떤 내용이 전개되는지를 이어서 확인해 보도록 하자.

말을 마치기 전에 채씨가 이르러 부인의 영위*에 곡하고 반씨를 보며 왈,

"나는 시댁에 득죄하여 본가에 있기로 존고(=양 부인)*께 통신을 못하니 어찌 부끄럽지 아니하리오. 그대는 지극한 정성을 가지고

어찌 존고의 뒤를 따르지 아니하고 지금까지 부지하였느뇨. 그 사이 우애가 지극하여 저 나를 기다렸다 죽으려 하였느뇨. 지금도 참소와 아첨을 존고께 고하리잇고." 그 사이 집으로 돌아온 채씨는 **반씨**를 보자마자 **비난**의 말을 쏟아내고 있네.

하고 욕설이 무수하니, 반씨가 분함을 겨우 참아 다만 대답지 아니하더라.

채씨가 흥을 꾸짖어 왈,

"너는 황구소아*라. 무슨 일을 아는 척하고 우리를 원수로 지목하니, 네 그러면 우리 일문을 다 삼킬 줄 아느냐." 또한 흥을 향해서도 비난을 가하는 모습을 통해 이들 사이의 첨예한 갈등 관계를 확인할 수 있어.

흥이 대답치 아니할 뿐이더라. 장례일을 당하니, 부인을 선산에 안장하고 집안을 정리할새 집안 형세가 모두 채씨와 맹씨에게 돌아가니, 두 사람이 주야로 남편을 미혹하게 하여 반씨 모자를 백 가지로 모해하니, 양 부인의 장례가 끝난 후, 집안의 **형세**를 장악한 채씨와 맹씨는 **남편**들을 앞세워 반씨와 흥을 집안에서 몰아내고자 해. 반씨가 흥을 불러 왈,

"우리 모자가 이제 독수(毒手)를 면치 못할지니 미리 화를 피할 곳을 정하라."

하고, 인하여 양 부인 묘소에 초막(草幕)을 짓고 삼년상을 마친 후에, 다시 거취를 정하고자 하여, 이에 약간의 비복을 거느리고 조상을 모신 사당에 올라 통곡하고 산중으로 들어가니, 보는 사람들이 저마다 비창해* 하지 않을 이 없더라. 결국 채씨와 맹씨의 모해를 피하기 위해 반씨 모자는 집을 떠나 **산중**으로 들어가게 돼. 이 모습을 본 다른 사람들도 매우 슬퍼했다고 해.

장면끊기 03 마지막 장면에서는 집으로 돌아온 채씨가 맹씨와 합심해 반씨 모자를 몰아내기 위해 갖은 모해를 하고, 이에 반씨 모자가 집을 떠나는 상황이 제시되었어. 정리하자면, 이 지문은 양 부인의 죽음 이후 반씨 모자에게 닥쳐온 시련과 위기의 상황을 보여 준 것이었네.

– 작자 미상, 「반씨전」 –

*주장: 어떤 일을 책임지고 맡음. 또는 그런 사람.

*소질: 조카가 아저씨를 상대하여 자기를 낮추어 이르는 말.

*발상: 상례에서 초상난 것을 알림.

*대상: 장자가 없을 시 장손이 대신 상례를 주관함.

*영위: 상가에서 모시는 혼백이나 가주(假主)의 신위.

*존고: 시어머니를 높여 이르는 말.

*황구소아: 철없이 미숙한 사람을 낮잡아 이르는 말.

고전 **필수** 어휘

*현숙하다: 여자의 마음이 어질고 정숙하다.

*모해: 꾀를 써서 남을 해침.

*대경: 크게 놀람.

*문중: 성과 본이 같은 가까운 집안.

*부고: 사람의 죽음을 알림. 또는 그런 글.

*비창하다: 마음이 몹시 상하고 슬프다.

고전소설 독해의 **STEP 2**

1 구조도의 빈칸에 적절한 말을 채웠는지 확인해 보세요.

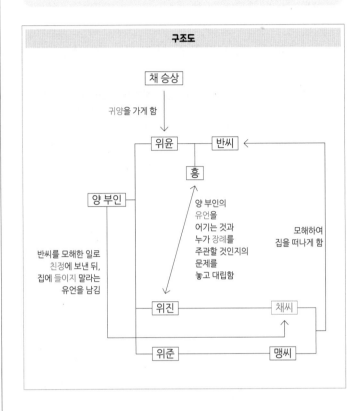

구조도

2 1~2번 문제의 정답과 해설을 확인해 보세요.

1. 윗글에 대한 이해로 가장 적절한 것은?

정답풀이

① 흥은 문중 사람들의 의견을 근거로 채씨에게 부고를 알리는 것에 반대했다.

'금일 문중이 모두 다 공론이 여차한데도 구태여 유언을 저버리니, 이는 문중의 뜻에도 맞지 아니하오며'에서 흥이 문중 사람들의 의견을 근거로 하여 채씨에게 부고를 알리는 것에 반대하고 있음이 드러난다.

오답풀이

② 채씨는 자신을 본가로 보낸 양 부인에게 지속적으로 사죄의 뜻을 전했다.

'나는 시댁에 득죄하여 본가에 있기로 존고께 통신을 못하니 어찌 부끄럽지 아니하리오.'라고 하였으므로, 채씨가 자신을 본가로 보낸 양 부인에게 지속적으로 사죄의 뜻을 전한 것은 아님을 알 수 있다.

③ 반씨는 남편에게 부고를 전하지 않으려는 위진을 질책했다.

> 윗글에서 위진 형제가 '형님이 비록 귀양살이를 하고 있으나 죽지 아니하였고, 미처 부고를 알리지 못하였으나'라고 한 것을 통해 그들이 위윤에게 부고를 전하지 않았음을 알 수 있으나, 이에 대해 반씨가 질책하는 모습은 나타나지 않는다.

④ 문중 사람들은 위진에게 모친의 묘소를 정하도록 위임했다.

> 문중 사람들은 '장자 장손이 발상함'이 '예문에 당당하'다는 흥의 말을 옳다고 여겨 위진 형제에게 '바삐 대상하라.'라고 말했다. 윗글에서 문중 사람들이 위진에게 모친의 묘소를 정하도록 위임하는 모습은 나타나지 않는다.

⑤ 위진은 위윤의 뜻에 따라 자신이 대상할 것을 주장했다.

> 위진은 '형님이 아니 계시어 내가 주장할 것'이라고 일방적으로 말한 것일 뿐, 자신이 장자인 위윤의 뜻에 따라 대상할 것이라 말하는 모습은 나타나지 않는다.

2. 인물의 말하기 방식 OX 확인 문제

> ① ○
>
> 근거 ㉠에서 위진은 '양 부인'이 반씨를 모해한 '채씨를 친정으로 보낸' 과거의 사건에 대해 '채씨가 잘못함이 아니라 모친이 잠깐 노하여 보'낸 것일 뿐이라는 자신의 판단을 제시하며, 채씨에게 양 부인의 부고를 알리고 채씨를 다시 집으로 불러들이려는 행위의 정당성을 강조하고 있음.

> ② ✕
>
> 근거 ㉡에서 흥은 '소질이 사뢴 바를 어른에게 배운 바'라고 여기며 화를 낸 위진에게 자신은 옳고 그름을 스스로 판단하여 '비록 어른의 말이라도 부당'하면 따르지 않음을 말하고 있음. 따라서 다른 사람의 권위에 기댄 모습이 나타났다고 볼 수는 없음.

고전소설 독해의 STEP 1

1 다음 글을 읽고 등장인물을 잘 파악했는지, 빈칸에 적절한 말을 채웠는지 확인해 보세요.

📅 **고3 2013학년도 6월 모평 – 작자 미상,「임진록」**

이때 동래 부사 송정 이 사신 (=사명당) 온다는 공문을 보고 웃으며 왈,

"조정에 사람이 무수하거늘 어찌 구태여 중 (=사명당)을 보내리오. 이는 더욱 패망할 징조라." 송정은 중(스님)이 사신으로 온다는 공문의 내용을 보고는 패망할 징조라며 비웃고 있어.

하더니 하인 이 보하되,

"사명당 행차* 온다 하오니 어찌 접대하리이까."

송정이 분부 왈,

"상례로 대접하라. 제 비록 부처라 한들 어찌 곧이들으리오." 송정은 사명당이 사신의 신분으로 행차하는 것임에도 그의 신분을 낮잡아 보았기 때문에 대수롭지 않게 여기며, 보통 있는 일처럼 대충 대접하라고 분부했어.

하고 심상히 여기거늘, 하인 분부를 듣고 나와 부사 (=송정)의 말을 이르고 왈,

"지방관 (=송정)의 도리에 봉명 사신(奉命使臣)* (=사명당)을 가벼이 여기거니와 반드시 화를 면치 못하리로다." 하인은 송정이 임금의 명을 받드는 봉명 사신을 가볍게 여긴 대가로 화를 입게 될 것이라고 생각하고 있네.

하더니 자연 삼일 만에 이르렀는지라. 대접하는 도리와 수응하는 일이 가장 소홀하거늘 사명당이 대로하여 객사에 좌기하고 무사에게 명하여 송정을 잡아 계하에 꿇게 하고 이르되, 사신 대접이 소홀함을 본 사명당이 크게 화가 나 송정에게 책임을 물으려는 모양이야.

"네 벼슬이 비록 옥당이나 지방관이요, 내 비록 중이나 일국 대사마대장군 (=사명당)이요 봉명 사신이어늘 네 한갓 벼슬만 믿고 국명을 심상히 여겨 방자함*이 태심하니 내어 베어 국법을 엄히 하라."

하고 즉시 나라에 장문하여 선참후계(先斬後啓)*하고 인하여 길을 떠날 새 순풍을 만나 행선하니라. 자신의 벼슬만 믿고 국법을 심상히 여겨 태만하게 군 송정은 결국 사명당에 의해 참형을 당하고 말아.

장면끊기 01 사명당이 봉명 사신으로 행차하던 중 동래에서 있었던 일이 제시된 장면이야. 사명당의 본래 신분이 중이라는 이유만으로 그를 업신여기던 동래 부사 송정이 지엄한 국법에 의해 처벌을 받는데, 이를 통해 사명당이 지닌 사신으로서의 지위와 권위가 부각되고 있지.

[중략 줄거리] 사명당이 일본에 도착하자 왜왕 은 사명당의 신통력을 여러 가지로 시험한다. 사명당이 사신으로서 행차하는 목적지는 일본이었구나. 이어지는 장면은 왜왕이 사명당에게 제시한 시험과 관련된 내용일 거야.

채만홍 이 주왈,

"신의 소견은 철마를 만들어 불같이 달구고 사명당을 태우면 비록 부처라도 능히 살지 못하리이다."

왜왕이 그 말을 옳게 여겨 즉시 풀무를 놓고 철마를 지어 만든 후 백탄을 뫼같이 쌓고 철마를 그 위에 놓아 불같이 달군 후에 사명당을 청하여 가로되,

"저 말을 능히 타면 부처 법력을 가히 알리라." 왜왕은 사명당이 지닌 법력을 시험한다는 명목으로 불에 달군 철마를 타 보라는 무리한 요구를 하고 있어.

사명당이 심중에 망극하여 납관을 쓰고 조선 향산을 향하여 사배하더니 문득 서녘에서 오색구름이 일어나며 천지가 희미하거늘 사명당이 마지못하여 정히 철마를 타려 하더니 홀연 벽력 소리 진동하며 천지 뒤눕는 듯하고 태풍이 진작하여 모래 날리고 돌이 달음질하고 비 바가지로 담아 붓듯이 와 사람이 지척을 분변치 못하는지라. 경각 사이에 성중에 물이 불어 넘쳐 바다가 되고 성 외의 백성들이 물에 빠져 죽는 자 수를 아지 못하되 사명당 있는 곳은 비 한 방울이 아니 젖는지라. 사명당이 철마를 타려는 순간, 갑자기 천지가 뒤집힐 듯 벼락이 치고 태풍이 불고 폭우가 쏟아지면서 성안이 물바다가 되었대. 그 와중에 사명당이 서 있는 곳만 비 한 방울 내리지 않고 멀쩡했다는 것에서 사명당의 신이한 능력과 전기적인 요소를 확인할 수 있어. 왜왕이 경황실색하여 이르되, 왜왕은 사명당의 신통력을 보고 크게 놀라며 두려워하고 있네.

"어찌하여 천위를 안정하리오."

예부상서 한자경 이 주왈,

"처음에 신의 말씀을 들었사오면 어찌 오늘날 환*이 있으리까. 방금 사세를 생각하옵건대 조선에 항복하여 백성을 평안히 함만 같지 못하나이다." 한자경은 상황을 수습하고 일본 백성들의 평안을 도모하기 위해서는 조선에 항복해야 한다고 말해.

왜왕이 자경의 말을 듣고 마지못하여 항서를 써 보내니 사명당이 높이 좌하고 삼해 용왕 을 호령하더니 문득 보하되,

"네 나라 항복받기는 내 손아귀에 있거니와 왜왕의 머리를 베어 상에 받쳐 들이라. 만일 그렇지 아니하면 일본을 멸하여 산 것을 하나도 남기지 아니하리라. 네 돌아가 왜왕에게 자세히 이르라." 왜왕이 항서를 써 보내자 이를 본 사명당은 왜왕의 목숨을 바쳐야 항복을 받아들이겠다고 해.

사자 돌아가 전말을 고하니 왜왕이 이 말을 듣고 머리를 숙이고 능히 할 말을 못하거늘 관백 이 주왈, 사명당의 강경한 태도에 왜왕은 할 말을 잃고 어찌할 바를 몰라 해.

"전하 (=왜왕)는 모름지기 옥체*를 진중하소서."

왕이 정신을 차려 살펴보니 남은 백성이 살기를 도모하여 사면 팔방으로 헤어져 우는 소리, 유월 염천에 큰비 오고 방초 중의 왕머구리 소리 같은지라. 왕이 이 광경을 보니 만신이 떨려 능히 진정치 못하거늘 갑작스럽게 물난리를 당해 큰 피해를 입은 일본 백성들의 모습을 보며 왕은 진정하지 못하고 있어. 관백이 다시 가지고 들어가 사명당께 드리니 사명당이 항서를 보고 대책 왈,

"네 왕이 항복할진대 일찍이 항서를 드릴 것이어늘 어찌 감히 나를 속이려 하느냐."

하고 용왕을 불러 이르되,

"그대는 얼굴을 드러내어 일본 사람을 보게 하라." 사명당은 일본이 왜왕의 머리를 바치지 않자 용왕을 불러내어 다시금 자신의 신통력을 보이려 하고 있어.

용왕이 공중에서 이 말을 듣고 사람의 머리를 베어 들고 소리를 벽력같이 지르고 운무 중에 몸을 드러내니 사명당이 관백에게 왈,

"네 빨리 돌아가 왜왕에게 일러 용의 거동을 보게 하라."

관백이 돌아가 그대로 고하니 왜왕이 창황 중 눈을 들어 하늘을 치밀어 보니 중천에 삼룡이 구름을 피우고 사람의 머리를 베어 들었으니 형세 산악 같고 고기비늘이 어지러이 번쩍여 일광을 바수고 소리 벽력같아 천지진동하는지라. 용왕의 위엄 있는 모습이 묘사된 이 부분에서도 전기적 요소를 확인할 수 있어. 이진걸 이 주왈,

"본국 보화를 다 바치고 항표(降表)*를 올려 애걸하소서."

왕이 즉시 이진걸을 명하여 항표를 올린대 사명당이 대로 왈,
"네 나라 임금의 머리를 베어 들이라 한대 마침내 거역하니 일본을 무찔러 혈천을 만들리라." 사명당은 자신의 거듭된 요구에도 일본에서 왜왕의 머리를 바치지 않고 계속해서 항서만을 보내오자 크게 **분노**하였어. 결국 처음에 말한 대로 일본을 멸하겠다고 하네.

하고 인하여 육환장을 들어 공중을 향하여 축수*하더니 문득 뇌성벽력이 진동하여 산악이 무너지는 듯 천지 컴컴한지라. 왜왕이 이때를 당하여 삼혼(三魂)이 흩어지며 칠백(七魄)이 달아나니라.

장면끊기 02 사명당의 **신통력**을 시험하려던 왜왕이 큰 난리를 당한 뒤 **조선**에 항복하기로 결정하게 되었어. 사명당이 항복의 뜻을 밝히는 일본에 왜왕의 머리를 바치라며 강경한 태도를 보이고, 이후 일본을 멸하기 위해 신통력을 발휘하는 모습이 제시된 부분이었지. 용왕의 등장 등에서 **전기적인 요소**가 두드러지게 나타난 장면이라고 할 수 있어.

– 작자 미상, 「임진록」 –

*봉명 사신: 임금의 명령을 받고 외국으로 가던 사신.

*선참후계: 군율을 어긴 자를 먼저 처형한 뒤에 임금에게 아뢰던 일.

[고전 **필수** 어휘]

*행차: 웃어른이 차리고 나서서 길을 감. 또는 그때 이루는 대열.

*방자하다: 어려워하거나 조심스러워하는 태도가 없이 무례하고 건방지다.

*환: 근심과 재난을 통틀어 이르는 말.

*옥체: 임금의 몸.

*항표: 항복의 글.

*축수: 두 손바닥을 마주 대고 빎.

고전소설 독해의 STEP 2

1 구조도의 빈칸에 적절한 말을 채웠는지 확인해 보세요.

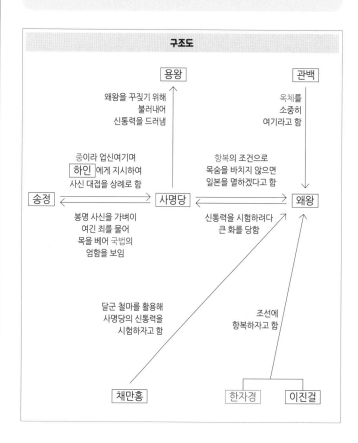

2 1~2번 문제의 정답과 해설을 확인해 보세요.

1. '사명당'과 '송정' 사이의 갈등에 대한 이해로 적절한 것은?

정답풀이

⑤ 사명당은 명분과 직위를, 송정은 신분을 중시하는 데에서 비롯된다.

송정은 사명당의 신분이 '중'이라는 점에서 왕의 명령을 받고 사신의 지위로 외국으로 가는 사명당을 소홀하게 대접한다. 반면 사명당은 자신이 비록 중이지만, 왕의 명령을 받아 한 나라의 '대사마대장군이요 봉명 사신'이라는 명분과 직위를 가졌음에도 '지방관'인 송정이 예를 갖추지 않았다는 점에서 분노하고 있다.

H O L S O O

오답풀이

① 제삼자를 통한 의사소통 과정에서 생긴 오해에서 비롯된다.

> 제삼자인 하인은 사명당이 온다는 소식을 전하며 송정의 처사가 후에 화를
> 부를 것이라고 염려하고 있을 뿐, 의사소통 과정에서 오해할 만한 말을 전하
> 고 있지는 않는다.

② 외교적 문제의 핵심 사안에 대한 인식의 차이에서 비롯된다.

> 윗글에 사명당과 송정이 외교적 문제에 대해 어떠한 인식을 가졌는지는
> 나타나 있지 않다.

③ 사대부의 사회적 소임에 대한 서로 다른 이해에서 비롯된다.

> 사명당과 송정의 갈등은 사대부가 어떤 사회적 소임을 다해야 하는가와는
> 관련이 없다.

④ 사명당의 종교적 신념과 송정의 윤리적 신념의 충돌에서 비롯된다.

> 윗글에 사명당의 종교적 신념과 송정의 윤리적 신념에 대한 내용은 나타나
> 있지 않다.

2. 문학 개념어 OX 확인 문제

① ○

- 갈등의 해소: 갈등을 일으키던 요인이 해결된 상태. 반드시 행복한 결말
  만을 말하지는 않음. 어느 한쪽의 승리, 혹은 비극적 결말 또한 갈등의
  해소로 볼 수 있음.
  근거 일본을 멸할 능력을 지닌 사명당이 '삼해 용왕을 호령'하는 등의 신통력을 발휘
  하고, 이에 왜왕이 항복 의사를 밝힘으로써 사명당의 승리로 갈등이 해결되고 있음.

② ○

> 근거 중략 줄거리 이전에는 사명당이 '동래'에서 겪은 일을 제시하고, 중략 줄거리
> 이후에는 '사명당이 일본에 도착'한 이후 왜왕에게 신통력을 시험 받으면서 불에
> 달군 철마를 타게 되는 사건이 제시되고 있음. 따라서 국내에서 국외로 공간이 이동
> 하면서 서사적 긴장감이 고조되었다고 볼 수 있음.

고전소설 독해의 STEP 1

1 다음 글을 읽고 등장인물을 잘 파악했는지, 빈칸에 적절한 말을 채웠는지 확인해 보세요.

📅 고3 2009학년도 7월 학평 – 작자 미상, 「서대주전」

타남주가 작은 다람쥐에게 등불을 환하게 밝히게 하니 좌우의 기물, 주옥, 패물, 초구, 단필 등이 하룻밤 사이에 모두 털렸음을 알았다. 상하가 놀라 당황하며 얼굴색이 달라지고 있는데, 한 작은 다람쥐가 허겁지겁 달려와 고하였다.

"바위 위에 쌓아 놓은 알밤도 다 잃어버리고 하나도 남김이 없습니다."

타남주가 이 말을 듣고는 뼈에 사무치듯 크게 울부짖었다.

"주옥과 보패야 설령 도적을 맞았을지언정 어찌 말할 것이랴! 하지만 흉년으로 인해 굶주리는 시절임에도 여러 해에 걸쳐 쌓아 두었던 곡식을 하룻밤 사이에 강도에게 죄다 잃고 말았단 말인가! 이 같은 흉황한 때에 장차 수많은 족속이 생활을 지탱하고 보존할 방도를 어찌해야 할 것인가?"

눈물이 흘러내려 옷깃을 적시니, 좌중*의 여러 무리들도 슬퍼하고 놀래어 입을 다문 채 말이 없는 것이 마치 벙어리들의 무리와 같았다. **타남주**와 그의 족속들은 강도에게 주옥과 보패뿐 아니라 오랜 시간 동안 모아 온 **곡식**을 도둑맞아 버렸어. 타남주 등은 이에 놀라 당황했고, 흉황한 때에 족속이 생활을 지탱할 방법을 잃은 슬픔과 놀람에 말을 할 수 없을 정도였대.

이에, 타남주는 다시 한참 만에 말하였다.

"근래 들으니, 농서 소토산(小兎山)의 절벽 밑에 새로 모여든 강도 중 서대주란 이름난 놈이 도적놈들을 불러 모아서, 위로는 주군현읍(州郡縣邑)에서부터 아래로는 마을의 부호나 서인에 이르기까지 절도하지 않음이 없다고 한다. 이번에 우리가 물건을 잃은 것도 실로 다른 놈이 아니라 반드시 그 놈의 소행일 것이다. 즉시 원님께 고소장을 먼저 올려, 하나하나 옳고 그름을 따지어 바로 잡으시도록 해야겠다." 타남주는 강도 사건의 범인으로 **서대주**를 지목하고 원님께 **고소장**을 올리겠다고 해.

좌중에 있던 한 늙은 다람쥐가 황급히 말하였다.

"주옹(主翁)(=타남주)께서 하신 말씀이야 진실로 옳습니다. 그렇지만 옛말에 '그 도적질한 바를 밝히어야 도적이 곧 굴복한다.'라고 했습니다. 대저 도적을 잡는 법은 이전의 행각*으로 잡는 것이지 앞으로 일어날 일로는 잡지 못할 것이니, 그 도적을 보지도 않고 먼저 고소를 하는 것은 사리에 맞지 않는 듯합니다. 우리들 중 영리하고 판단력 있는 자가 서대주가 있는 소굴로 가서 그 허실*을 살펴 들은 연후*에 고소를 하여도 늦지는 않을 것입니다." 타남주의 말에 한 **늙은 다람쥐**는 서대주를 찾아서 그를 살펴본 이후에 고소를 하는 것이 옳다는 의견을 말해.

장면끊기 01 타남주가 다스리는 곳에 도적이 들어 온갖 보물과 곡식을 잃어버린 사건이 제시되었어. 타남주는 **서대주**를 범인으로 지목하고 바로 고소장을 올리려 하지만, 한 늙은 다람쥐의 의견에 따라 우선 영리한 자를 보내 허실을 살피기로 해. 이후 중략 줄거리가 나오고 서대주가 붙잡혀 온 이후의 사건이 전개되니 여기에서 장면을 끊자.

[중략 줄거리] 타남주는 서대주 소굴에 작은 다람쥐를 보내 절취* 사건의 전모를 확인한 후 고소장을 올린다. 이에 원님은 사령에게 서대주를 붙잡아 올 것을 명령한다. 붙잡혀 온 서대주는 타남주와 함께 원님 앞에서 재판을 받게 된다. 서대주가 잡힌 후 절취 사건에 대한 **재판**이 시작되었어. 이어지는 장면에서는 재판 과정이 자세하게 나타나겠지?

"저놈이 올린 고소야말로 어찌 윗분을 속인 것이 아니겠습니까? 하물며 또한 근년 이래 흉년이 극심하여 살아갈 길이 없는 터에 어떻게 알밤을 갈무리*해둘 수가 있겠습니까? 이것은 더욱 맹랑한 말이옵니다. 서대주는 타남주의 고소가 거짓이라고 주장해. 근거 ①은 **흉년**이 극심한 때에 곡식을 쌓아둘 수 없었을 것이므로, 자신이 타남주의 곡식을 훔쳤다는 것은 헛된 거짓말이라는 거야.

저는 본시 대대로 부유하여 이와 같은 흉년에 한 홉조차 다른 것들한테 꾸지 않아도 되는데, 빌어먹는 놈의 밤을 훔쳤다는 것이 어찌 옳겠습니까? 근거 ②는 서대주는 대대로 **부유**하여 곡식을 꾸거나 훔칠 필요가 없었다는 거야. 이놈의 평상시 소행을 제가 하나하나 다 아뢰겠나이다. 매년 봄여름이 되면 농사 잘 짓는 자들을 널리 구하여 밤낮으로 가을걷이를 한 후에는, 그들 중에서 절름발이, 도둑놈, 귀머거리, 맹인, 쓸모없는 늙은 할미는 쫓아내어 흩어지게 하였는데, 또 봄여름이면 이와 같이 그대로 하였습니다. 매년 겨울이 되면 이들을 마을에 떠돌아다니는 거지가 되게 하여, 보는 자가 차마 볼 수 없고 들을 수 없는 짓을 행하였기 때문에 분개하는 바가 있었습니다. 마침 사냥하러 나갔을 때, 소토산 왼편의 용강산(龍岡山) 기슭에서 만나고도 인사조차 하지 않기에 그 행실머리 없음을 아주 심하게 꾸짖었습니다.

[A]

그 후로 자기의 잘못을 스스로 알지 못한 채 항상 분노의 마음을 품고는, 사리에 맞지 아니한 터무니없는 말로 저를 얽어매는, 도리에 어긋난 간악한 송사를 꾀했으니, 세상 천지에 이와 같은 맹랑하고 무뢰한 놈이 있겠습니까? 근거 ③에서는 **타남주**의 잘못된 행실을 나열한 후, 과거에 서대주가 이를 꾸짖은 적이 있기 때문에 타남주가 이에 원한을 품고 간악한 **송사**를 꾀한 것이라고 말하고 있어. 제가 비록 매우 졸렬하기는 하지만 역시 대대로 공훈이 있는 가문의 후손으로서, 이러한 무도하고 못난 놈한테 구차하게 고소를 당하여 선조의 공훈에 더럽힘을 끼치고 관정을 소란스럽게 하오니, 죽으려고 하여도 죽을 만한 곳이 없어서 사는 것이 죽는 것만 못하옵니다. 밝게 살피시는 원님께 엎드려 바라건대, 사정을 살피시어 원한을 풀어 주옵소서."

서대주가 옷섶을 고쳐 여미며 단정히 꿇어앉았는데, 뾰족한 입이 오물거리고 두 귀가 발쪽거리며 두 눈이 깜짝거리면서 두 손을 모아 슬피 빌고 눈물이 흘러내려 옷깃을 적시니, 보는 자가 더할 나위 없이 애처롭고 불쌍하다고 할 만한 것이었다. 서대주는 원님 앞에 꿇어앉아 **슬피** 빌며 자신의 억울함을 아뢰고 자신의 **원한**을 풀어 달라고 말하고 있어. 타남주에게 죄를 뒤집어씌우는 서대주의 말과 애처롭게 보이는 행동에서 서대주의 교활한 성격을 간접적으로 확인할 수 있군.

원님이 서대주의 진술하는 말을 들으니 말마다 사리에 꼭 들어 맞고, 형세가 본디부터 그러하여 죄를 주기도 어려워, 결박한 것을 풀고 씌운 큰 칼을 벗겨 주고는, 술을 내려주어 놀랜 바를 진정케 하고 특별히 놓아주었다. 원님도 서대주의 진술을 듣고 죄를 주기 어렵다고 판단하며 술을 내려주고는 그를 놓아주었다고 해. 타남주는 도리에 어긋난 간악한 소송을 한 죄로 몽둥이 세 대를 맞고 멀리 떨어진 외딴 섬으로 귀양을 가니, 서대주가 거듭거듭 절하고 머리를 조아리며 갔다. 재판 결과 타남주가 간악한 소송을 벌인 죄를 받고 **귀양**을 가게 되었어. 원님이 서대주의 말만 듣고 잘못된 판결을 내린 거야.

장면끊기 02 서대주를 붙잡아 재판을 하게 되었지만, 억울해하며 슬피 비는 서대주의 말을 들은 원님은 오히려 타남주에게 벌을 주고 귀양을 보내지.

－ 작자 미상, 「서대주전(鼠大州傳)」 －

고전 **필수** 어휘

*좌중: 여러 사람이 모인 자리. 또는 모여 앉은 여러 사람.
*행각: (주로 부정적인 의미로 쓰여) 어떤 목적으로 여기저기 돌아다님.
*허실: 참과 거짓을 아울러 이르는 말.
*연후: 그런 뒤.
*절취: 남의 물건을 몰래 훔치어 가짐.
*갈무리: 물건 따위를 잘 정리하거나 간수함.

고전소설 독해의 STEP 2

1 구조도의 빈칸에 적절한 말을 채웠는지 확인해 보세요.

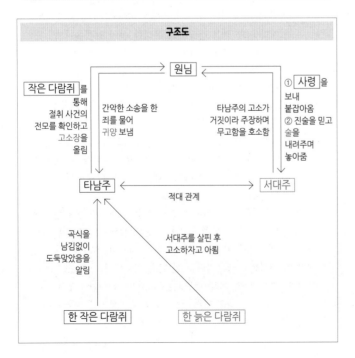

구조도

작은 다람쥐 를 통해 절취 사건의 전모를 확인하고 고소장을 올림

원님

간악한 소송을 한 죄를 물어 귀양 보냄

타남주의 고소가 거짓이라 주장하며 무고함을 호소함

① 사령 을 보내 붙잡아옴 ② 진술을 믿고 술을 내려주며 놓아줌

타남주 ← 적대 관계 → 서대주

곡식을 남김없이 도둑맞았음을 알림

서대주를 살핀 후 고소하자고 아룀

한 작은 다람쥐   한 늙은 다람쥐

✅ 1～2번 문제의 정답과 해설을 확인해 보세요.

1. 윗글의 내용과 일치하는 것은?

정답풀이

② 타남주는 서대주가 절취 사건의 범인이라고 판단하고 있다.

> 타남주는 '새로 모여든 강도 중 서대주란 이름난 놈이～이번에 우리가 물건을 잃은 것도 실로 다른 놈이 아니라 반드시 그 놈의 소행일 것'이라고 생각하며 '서대주 소굴에 작은 다람쥐를 보내 절취 사건의 전모를 확인한 후 고소장을 올'리므로 타남주는 서대주가 절취 사건의 범인이라고 판단하고 있음을 알 수 있다.

오답풀이

① 원님은 뇌물을 받고 잘못된 판결을 내리고 있다.

> 원님은 서대주의 말만 듣고 잘못된 판결을 내리고 있으나 윗글에 원님이 서대주의 뇌물을 받는 모습은 나타나지 않는다.

③ 서대주는 원님이 사건의 진위를 밝혀낼 것을 기대하고 있다.

> 서대주는 타남주를 모함하며 '두 손을 모아 슬피 빌고 눈물이 흘러내려 옷깃을 적시'는 모습을 한 채 거짓으로 진술하고 있다. 따라서 원님이 사건의 진위를 밝혀낼 것을 기대하고 있다고 볼 수 없다.

④ 서대주는 가난한 자들을 돕기 위해 마을 부호의 재물을 탈취했다.

> 윗글에서 서대주가 무슨 이유로 타남주의 보화와 곡식 등을 빼앗아 취했는지는 알 수 없다.

⑤ 타남주는 모든 것을 도둑맞은 절박한 상황에서도 의연한 태도를 보이고 있다.

> 타남주는 주옥과 보패뿐 아니라 곡식까지 도둑맞은 소식을 듣고 '뼈에 사무치듯 크게 울부짖'고 있으므로 의연한 태도를 보이고 있다고 볼 수 없다.

2. 인물의 말하기 방식 OX 확인 문제

① ✕

> 근거 서대주는 원님에게 타남주가 '올린 고소야말로' '윗분을 속인' '맹랑한 말'이라고 하며 여러 근거를 들어 타남주의 고소가 거짓이라고 주장하고, 자신의 '원한을 풀어' 달라고 요청할 뿐, 타남주의 주장을 부분적으로 인정하고 있지 않음.

② ○

> 근거 서대주는 자신이 타남주의 재물을 훔쳤다는 진실을 은폐하기 위해 '알밤을 갈무리해' 두었다는 타남주 주장이 허황된 말이며, 타남주의 '평상시 소행'이 바르지 못했고, 타남주가 자신에게 '항상 분노의 마음을 품고' 있었기에 '사리에 맞지 아니한 터무니없는 말로 저를 얽어매는, 도리에 어긋난 간악한 송사를 꾀'했다며 모함함.

고전소설 독해의 STEP 1

☑ 다음 글을 읽고 등장인물을 잘 파악했는지, 빈칸에 적절한 말을 채웠는지 확인해 보세요.

📅 고3 2011학년도 9월 모평 – 작자 미상, 「김원전」

하루는 승상 이 심사가 상쾌하여 정신을 깨달아 내당에 들어가 부인 을 위로하여 말하기를,

"우리가 어려서부터 남에게 해를 끼친 일이 없는지라. 아무리 생각하여도 저것 (=원)이 우리의 골육*이니, 남은 다 흉물이라 하여도 출산할 때에 선녀 의 말이 있었을 뿐만 아니라, 무심한 것이라면 어찌 선녀가 와서 해산까지 시켰으리오? 필경 무슨 이상한 일이 있을 듯하니, 아무리 흉악해도 집에 두고 나중을 보사이다." 승상은 남들이 다 **흉물**이라 하여도 선녀가 와서 해산까지 시켰으니, 우리의 **골육**인 '저것'을 집에 두고 지켜보자며 부인을 위로해.

하고 저녁을 먹으니, 그것 (=원)이 밥상 곁에서 밥 먹는 소리를 듣고는 이불 속에서 데굴데굴 굴러 나와 승상 곁에 놓이었다. 승상이 크게 놀라 이슥히 보다가 갑자기 생각하되, '이것이 귀와 눈이 없건마는 밥 먹는 소리를 듣고 나오니 필연 밥을 먹고자 함이라. 아무렇거나 밥을 주어 보리라.' 하였다. 부인도 고이하여* 밥을 갖다가 곁에 놓으니, 그것의 한쪽 옆이 들먹들먹하더니 한 모서리가 봉긋하며 마치 주걱 모양 같은 부리를 내밀어 밥을 완연히 먹었다. 승상이 하도 고이하여 부인을 돌아보고 말하기를,

"이것이 입이 없는가 하였는데 밥을 먹으니, 사람일 것 같으면 태어난 지 십여 일 만에 어찌 한 그릇 밥을 다 먹으리오? 아무렇거나 밥을 더 주어 보라."

하였다. 승상이 '그것'의 몰골이 흉악하다고 했던 이유는 '그것'에 귀와 눈, **입**이 없었기 때문이었나 봐. 그러나 '그것'은 마치 사람처럼 밥 먹는 소리를 알아듣고는 이불 속에서 데굴데굴 굴러 나와 부리를 내밀어 밥을 먹었어. 이를 본 승상 부부는 **괴상**하다고 생각하는군.

부인이 웃고 밥을 또 가져다 놓으니, 그것이 주는 대로 먹으매 승상과 부인이 더욱 고이하게 여겼다.

그것이 밥 먹는 대로 점점 자라 큰 동이만 하게 되었다. 승상이 부인을 청하여 함께 보고 크게 의혹하여 가로되,

"이후는 밥을 끊지 말고 아침저녁으로 먹이라."

하고,

"매양 이것저것 하지 말고 이름을 지어 원(圓) 이라 하라."

하였다. 밥을 먹는 대로 점점 자라는 '그것'을 본 **승상**은 수상히 여기면서도 **이름**을 지어 줘. '원'이라는 이름과 데굴데굴 **굴러** 나왔다는 서술을 보면 '그것'은 공처럼 동그란 모양이었나 보군.

장면끊기 01 승상과 부인은 선녀가 해산하게 했지만 몰골이 흉측한 '그것' 때문에 고민이 많았어. 밥을 먹는 대로 점점 자라 큰 동이만 해진 '그것'에 '원'이라고 이름을 지어 준 후 빠른 시간의 흐름에 따른 전개가 나타나니 여기서 장면을 한 번 끊을게.

밥 먹기를 잘하여 점점 자라 큰 방 안에 가득하니, 더욱 흉하고 고이함을 측량치 못하여 말하기를,

"원이 더 자라면 방을 찢을까 싶으니 넓은 집으로 옮기자."

하고, 노복에게 명령하여 이르되,

"이것을 여럿이 옮겨 후원 월영각에 가져다 두라."

하였다. 비복*이 겨우 옮겨 월영각에 두고 아침과 저녁을 공급하였다.

밥 먹기를 잘하는 원은 큰 방 안에 가득할 만큼 커지고, 후원 월영각으로 옮겨지게 돼. 몇 년 안에 한 섬의 밥을 능히 먹으니, 원이 점점 자라 방이 터지게 되었다. 승상 부부와 비복들이 그 연고*를 알지 못하여 답답하여 밤낮 근심으로 지내는데, 세월이 물 흐르듯 하여 어느덧 십여 년이 되었다. 원은 몇 년 동안 쑥쑥 자라 월영각에 있는 방도 터질 지경에 이르렀어. 연고도 모르는 승상 부부는 **답답한** 마음과 근심으로 **십여 년**이라는 긴 시간을 보냈을 거야.

장면끊기 02 원은 점점 자라 월영각 방이 터질 지경에 이르렀어. 중략 이후에는 장면이 전환되면서 새로운 사건이 등장하니 여기에서 장면을 끊자.

(중략)

이때 승상이 부인과 함께 집에 돌아오니 내실(內室)이 텅 비어 있었다. 가뜩이나 염려하던 차에 의혹이 가슴에 가득하여 집안 내외인을 다 찾으니, 비복 중에 한 사람이 먼저 와서 아뢰되,

"월영각에 난데없는 선동(仙童)* (=원)이 노복 등을 부르시나 차마 혼자 가지 못하여 모두 보온즉, 방 안에 가득한 것은 없고 한 소년 선동이 앉아서 '아버님 (=승상)께서 집에 돌아와 계시냐.' 물으시니, 그 연고를 알지 못하겠나이다." 월영각에 있어야 할 원은 없고 소년 **선동**이 나타나 아버님을 찾았대. 이 소년은 누구일까?

승상이 이 말을 듣고 의혹하여 그 비복을 데리고 월영각에 가보니, 한 소년 (=원)이 승상을 보고 섬돌 아래로 내려와 엎드려 가로되,

"소자 (=원)는 십 년을 부모 걱정시키던 불초자* 원이로소이다."

승상이 우연히 그 형상을 보고 급히 부인을 청하여 좌정하고 소년을 불러 대청 위에 앉히고 묻기를,

"이 일이 하도 고이하니 사실을 자세히 이르라." 승상은 자신이 '원' 이라고 말하는 소년으로부터 일의 진상을 자세히 전해듣기를 원해.

하였다.

소년이 아뢰기를,

"오늘 묘시(卯時)에 붉은 도포를 입은 선관 이 내려와 이르기를, '남두성 (=원)이 옥황상제께 득죄하여 십 년 동안 허물을 쓰고 세상을 보지 못하게 하였는데, 죄악이 다 끝났다.' 하고, 허물을 벗겨 방 안에 두고 이르기를, '이 허물을 가져갈 것이로되 네 부모께 뵈어 확실한 자취를 알게 하라.' 하고 갔사오니, 소자가 보자기를 벗고 보온즉 허물이 곁에 놓여 있고 책 세 권이 놓였사오니, 십 년 불효를 어찌 다 아뢰리이까?" 원은 천상계에서 옥황상제께 죄를 지어 벌을 받아야 했던 남두성이었어. 십 년 동안 **허물**을 쓰고 세상을 보지 못하게 한 죄악이 끝나자 허물을 벗고 선동의 모습이 된 거야.

승상이 자세히 살펴보니 과연 허물이 방 안에 놓여 있고 천서(天書) 세 권이 분명히 놓였거늘, 마음에 크게 놀라고 기뻐하여 소년의 손을 잡고 마음 가득 기뻐하여 말하기를,

"네가 십 년 동안을 보자기 속에 들어 있었으니 무슨 알 만한 일이 있을 것이니, 자세히 일러서 우리의 의혹을 덜게 하라."

원이 고개를 숙여 재배하고 말하기를,

"소자가 보자기 속에서 십 년 동안 고행하였사오나 아무런 줄을 몰랐사오니 황송함을 이길 수 없사옵니다."

승상 부부가 그제야 원을 안고 등을 어루만지며 가로되,

"네가 어이하여 십 년 고생을 이다지도 하였느냐?"

하고 못내 기뻐하였다. 내외 상하(內外上下)며 이웃과 친척 가운데 뉘 아니 기뻐하리오. **허물**과 천서 세 권은 승상 부부로 하여금 선동이 원이라는

사실을 믿게 하는 증거야. 원이 십 년 고생을 마치고 사람의 모습으로 돌아온 것을 승상 부부가 **기뻐**하네.

장면끊기 03 원의 정체가 옥황상제께 득죄하여 벌을 받았던 남두성이었음이 밝혀지고, 승상 부부는 기뻐하게 돼.

― 작자 미상, 「김원전」―

고전 **필수 어휘**

*골육: 부자, 형제 등의 혈족 관계가 있는 사람.

*고이하다: 괴이하다. 정상적이지 않고 별나며 괴상하다.

*비복: 계집종과 사내종을 아울러 이르는 말.

*연고: 일의 까닭.

*선동: 선계에서 신선의 시중을 든다는 아이.

*불초자: 아들이 부모를 사대하여 자기를 낮추어 이르는 일인칭 대명사.

고전소설 독해의 STEP 2

1 구조도의 빈칸에 적절한 말을 채웠는지 확인해 보세요.

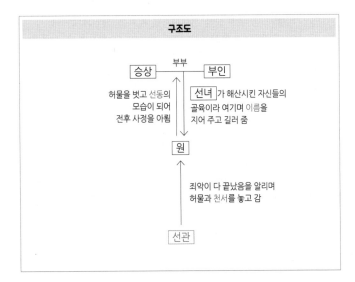

2 1~2번 문제의 정답과 해설을 확인해 보세요.

1. 윗글의 내용에 대한 이해로 적절한 것은?

정답풀이

④ 김원은 흉한 모습이 부모께 걱정을 끼쳤다고 여겼다.

허물을 벗게 된 김원은 승상을 보고 자신은 '십 년을 부모 걱정시키던 불초자'라고 말한다. 이는 자신의 흉한 모습이 부모께 걱정을 끼쳤다고 여기는 생각에서 비롯된 것으로 볼 수 있다.

오답풀이

① 김 승상은 흉물의 탄생을 자신의 탓으로 여겼다.

승상은 부인을 위로하며 '우리가 어려서부터 남에게 해를 끼친 일이 없는지라.', '출산할 때에 선녀의 말이 있었을 뿐만 아니라, 무심한 것이라면 어찌 선녀가 와서 해산까지 시켰으리오?'라고 말한다. 즉 승상은 흉물의 탄생을 의아해할 뿐, 그것을 자신의 탓으로 여기고 있지는 않다.

② 부인은 흉물이 밥을 먹자 근심했다.

부인은 흉물이 밥을 먹자 '웃고 밥을 또 가져다' 놓으며 이를 '고이하게' 여길 뿐, 근심하고 있지는 않다.

③ 노복은 흉물을 대하는 부인의 태도를 비웃었다.

노복은 승상의 명령에 따라 흉물을 월영각에 옮기고 아침과 저녁을 공급할 뿐, 흉물을 대하는 부인의 태도를 비웃고 있지는 않다.

⑤ 김 승상 부부는 이웃의 반응을 보고 의혹을 해소했다.

김 승상 부부는 흉물이 허물을 벗고 선동이 되었다는 말을 듣고는 원에게 '자세히 일러서 우리의 의혹을 덜게' 하라고 할 뿐, 이웃의 반응을 보고 의혹을 해소하고 있지는 않다.

2. 문학 개념어 OX 확인 문제

① ○

근거 원은 '오늘 묘시에 붉은 도포를 입은 선관이 내려와~십 년 불효를 어찌 다 아뢰리이까?'에서 자신이 흉물로 태어나 자란 뒤 선동의 모습으로 거듭나게 된 사건의 전후 과정을 설명함.

② ✕

• 묘사: 어떤 대상이나 인물의 외양, 행동, 내면 등을 그림을 보여 주듯 표현하는 것.

• 갈등: 개인이나 집단 사이에 목표나 이해관계가 달라 서로 적대시하거나 충돌하는 경우를 이르는 말. 소설이나 희곡에서 등장인물 사이에 일어나는 대립과 충돌 또는 등장인물과 환경 사이의 모순과 대립을 나타내기도 하고, 한 인물이 두 가지 이상의 상반되는 요구나 욕구, 기회 또는 목표에 직면했을 때 선택하지 못하고 괴로워하는 상태를 나타내기도 함.

고전소설 독해의 STEP 1

1 다음 글을 읽고 등장인물을 잘 파악했는지, 빈칸에 적절한 말을 채웠는지 확인해 보세요.

📅 고3 2016학년도 6월 모평B – 작자 미상, 「전우치전」

이때 함경도 가달산에 한 도적(=엄준)이 있어 재물을 노략하며 인민을 살해하매 본읍 원이 관군을 발하여 잡으려 하되 능히 잡지 못하고 나라에 장계(狀啓)*하니, ㉠상(=임금)이 크게 근심하사 조정에 전지(傳旨)하사 도적을 칠 계책을 의논하라 하시니, 우치 아뢰길, "도적의 형세 심히 크다 하오니 신(=전우치)이 홀로 나아가 적세를 보온 후 잡을 묘책을 정하리이다." 임금은 도적으로 인해 근심하고, 우치는 도적을 잡겠다고 나서.

㉡상이 크게 기뻐하사 어주(御酒)와 인검을 주셔 왈, "적세 심히 크거든 이 칼로 사졸을 호령하라." 하시니 우치 사은*하고 물러 나와 **장면끊기 01** (전)우치가 도적을 잡겠다고 나서고, 임금이 이를 허락하는 장면이야. 여기에서 장면을 끊은 이유는 이어지는 내용에서 우치가 장졸을 거느리고 가달산 근처로 장소를 이동하고 있기 때문이야. 즉시 말에 올라 장졸을 거느리고 여러 날 만에 가달산 근처에 다다라 보니 큰 산이 하늘에 닿은 듯하고 수목이 빽빽하며 기암괴석이 첩첩하니 가장 험악한지라, 우치 군사를 산하에 머무르고 스스로 하사하신 인검을 가지고 몸을 흔들어 변하여 솔개되어 가달산을 바라고 가니라. 가달산 근처에 도착한 우치는 산세가 험악하자 군사를 산하에 머무르게 한 후, 자신은 솔개로 변신하여 가달산으로 향해.

원래 가달산 산중에 수천 명 적당 중에 한 괴수(=엄준)가 있으니, 성은 엄이요 명은 준이라. 용맹이 절륜하고 무예 출중하더라.

이때 우치 공중에서 두루 살피더니, 엄준이 엄연히 홍일산*을 받고 천리백총마(千里白驄馬)를 타고 채의홍상(彩衣紅裳)한 시녀를 좌우에 벌이고 종자 백여 인을 거느리고 바야흐로 사냥을 하거늘, 우치 자세히 살펴보니 기골이 장대하고 신장이 팔 척이요 낯빛이 붉고 눈이 방울 같으며 수염은 바늘을 묶어 세운 듯하니 곧 일대 걸물*이러라. 엄준은 기골이 장대하고 평범하지 않은 풍채를 가졌어. 우치가 엄준을 어떻게 잡게 될까? 엄준이 추종들을 거느리고 이 골 저 골로 한바탕 사냥하다가 분부하되, "오늘은 각처에 갔던 장수들이 다 올 것이니 마땅히 소 열 필만 잡고 잔치하리라." 하는 소리 쇠북을 울림 같더라.

장면끊기 02 전우치가 솔개로 변해 괴수 엄준을 살펴보네. 여기까지 엄준의 모습을 제시하는 데 초점이 맞추어져 있었다면, 이후에는 전우치의 계략이 빛을 발하는 장면이 이어지니 여기에서 장면을 끊고 갈게.

이때 우치 일계*를 생각하고 나뭇잎을 훑어 신병을 만들어 창검을 들리고 기치를 벌여 진을 이루고, 머리에 쌍봉투구를 쓰고 몸에 황금 갑옷에 황색 비단 전포를 겹쳐 입고 천리오추마(千里烏騅馬)를 타고 손에 청사양인도(靑蛇兩刃刀)를 들고 짓쳐 들어가니, 성문을 굳게 닫았거늘 우치 문 열리는 진언*을 염하니 문이 절로 열리는지라. 나뭇잎으로 군사를 만들고, 주문을 외워 닫힌 성문을 열게 하는 전우치의 초월적인 능력이 제시되면서 비현실적인 요소가 다양하게 나타나고 있네. 들어가며 좌우를 살펴보니 장려한 집이 두루 펼쳐졌고 사방 창고에 미곡이 가득하며 차차 전진하여 한 곳에 이르니, 전각이 굉장하여 주란화동*

이 반공에 솟았거늘, 우치 이윽히 보다가 몸을 변하여 솔개 되어 날아 들어가 보니, 으뜸 도적(=엄준)이 황금 교자에 높이 앉고 좌우에 제장을 차례로 앉히고 크게 잔치하며 그 뒤에 대청이 있으니 미녀 수백 인이 열좌하여 상을 받았거늘, 엄준의 성 안은 무척 아름답고 풍족했어. 그 안에서 엄준은 장수들과 잔치를 벌이고 있었군. 우치 하는 양을 보려 하고 진언을 염하니, 무수한 수리가 내려와 모든 장수의 상을 걷어치워 가지고 중천에 높이 떠오르며 광풍이 대작*하여 눈을 뜨지 못하고 그러한 운문차일과 수놓은 병풍이 움직여 공중으로 날아가니, 엄준이 정신을 진정치 못하여 뜰 아래 나뭇둥걸을 붙들고 모든 군사가 차반을 들고 바람에 떠서 구르더라. 우치의 도술에 잔치는 엉망이 되고, 엄준은 혼란스러운 모습이야.

장면끊기 03 전우치는 도술을 부려 엄준 일당의 잔치를 망쳐. 이후 중략이 등장하면서 지금까지 전개된 것과 전혀 다른 사건이 제시되니 여기에서 장면을 끊어.

(중략)

이때 우치 문사낭청*으로 임금을 모시고 있더니, 불의에 이름이 역도(逆徒)의 진술에 나오는지라. ㉢상이 크게 노하사 왈, "우치의 역모를 짐작하되 나중을 보려 하였더니, 이제 발각되었으니 빨리 잡아 오라." 임금은 우치가 역모에 가담했음을 알고 화가 나 우치를 잡아들이라 명해.

하시니, 나졸이 명을 받아 일시에 달려들어 관대를 벗기고 옥계하에 꿇리니, ㉣상이 진노하사 형틀에 올려 매고 죄를 추궁하며 왈, "네 전일 나라를 속이고 도처마다 작난함도 용서치 못할 바이거늘, 이제 또 역모를 꾸몄으니 변명하나 어찌 면하리오?" 하시고, 나졸을 호령하사 한 매에 죽이라 하시니, 임금은 전우치를 용서하지 못하고 죽이려고 해. 집장과 나졸이 힘껏 치나 능히 또 매를 들지 못하고 팔이 아파 치지 못하거늘, 우치 아뢰되, "신이 전일 죄상은 죽어 마땅하오나, 금일 일은 만만 애매하오니 용서하옵소서." 하고, 심중에 생각하되 '주상(=임금)이 필경 용서치 않으시리라.' 하고 다시 아뢰길, "신이 이제 죽사올진대 평생에 배운 재주를 세상에 전하지 못하올지라. 지하에 돌아가오나 혼백이 되리니 원컨대 성상(=임금)은 원을 풀게 하옵소서." 우치는 임금이 자신을 용서하지 않을 것이라 여기고, 자신이 죽으면 평생 배운 재주를 세상에 전하지 못할 것이니 원을 풀게 해 달라고 요청해.

㉤상이 헤아리시되, '이놈이 재주가 능하다 하니 시험하여 보리라.' 하시고 왈, "네 무슨 능함이 있어 이리 보채느뇨?" 우치 아뢰길, "신이 본시 그림 그리기를 잘하니, 나무를 그리면 나무가 점점 자라고 짐승을 그리면 짐승이 기어가고 산을 그리면 초목이 나서 자라오매 이러므로 명화라 하오니, 이런 그림을 전하지 못하옵고 죽사오면 어찌 원통치 않으리잇고?" ㉥상이 가만히 생각하시되, '이놈을 죽이면 원혼이 되어 괴로움이 있을까.' 하여 즉시 맨 것을 끌러 주시고 지필을 내리사 원을 풀라 하시니, 임금은 전우치를 이대로 죽이면 해를 입을까 걱정하며 원을 풀 수 있도록 해 줘. 우치 지필을 받자와 산수를 그리니 천봉만학과 만장폭포가 산 위로부터 산 밖으로 흐르게 그리고 시냇가에 버들을 그려 가지 늘어

지게 그리고 밑에 안장 없은 나귀를 그리고 붓을 던진 후 사은하되, 상이 물어 왈,

"너는 방금 죽을 놈이라. 사은함은 무슨 뜻이뇨?"

우치 아뢰길,

"신이 이제 폐하(=임금)를 하직하옵고 산림에 들어 여년을 마치고자 하와 아뢰나이다."

하고 나귀 등에 올라 산 동구에 들어가더니, 이윽고 간 데 없거늘 상이 크게 놀라사 왈,

"내 이놈의 꾀에 또 속았으니 이를 어찌하리오?" 우치는 도술로 위기를 모면하여 달아나고, 임금은 자신이 전우치에게 **속았음**을 깨달아.

하시고 그 죄인들은 내어 베라 하시고 친국을 파하시니라.

장면끊기 04 전우치는 역모로 몰려 붙잡히자, 도술을 사용하여 도망가. 전우치가 보여주는 도술은 그가 **초현실적**인 면모를 지닌 인물임을 드러내지.

– 작자 미상, 「전우치전」 –

*홍일산: 붉은 양산.

*주란화동: 단청을 곱게 하여 아름답게 꾸민 집.

*문사낭청: 임금의 심문 내용을 기록하고 낭독하는 직분.

고전 **필수** 어휘

*장계: 신하가 중요한 일을 왕에게 보고하던 일.

*사은: 받은 은혜에 대하여 감사히 여겨 사례함.

*걸물: 뛰어난 사람이나 잘난 사람을 비유적으로 이르는 말.

*일계: 한 가지 꾀.

*진언: 비밀스러운 어구를 이르는 말. 주문.

*대작: 바람, 구름, 아우성 따위가 크게 일어남.

고전소설 독해의 STEP 2

1 구조도의 빈칸에 적절한 말을 채웠는지 확인해 보세요.

구조도

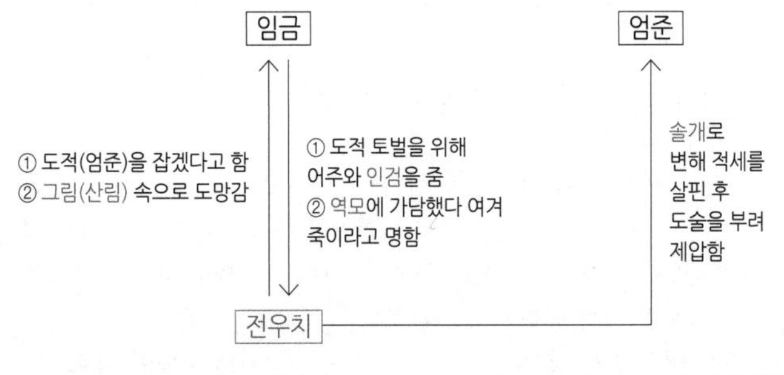

2 1~2번 문제의 정답과 해설을 확인해 보세요.

1. ㉠~㉥에 대한 설명으로 가장 적절한 것은?

정답풀이

⑤ ㉤과 ㉥은 우치의 의도대로 상황이 전개되고 있음을 드러낸다.

우치는 역모의 누명을 쓰게 되자 '주상이 필경 용서치 않으시리라.'라고 생각하고, 꾀를 내어 '평생에 배운 재주를 세상에 전하지 못'하고 죽게 되어 한스럽다고 말한다. 이에 임금은 ㉤과 ㉥의 생각하는 과정을 거쳐 우치를 그냥 죽이면 원혼에게 괴롭힘을 당할까 봐 '맨 것을 끌러 주시고 지필을 내'린다. 따라서 ㉤과 ㉥은 우치의 의도대로 상황이 전개되고 있음을 드러낸다고 할 수 있다.

오답풀이

① ㉠의 원인이 되는 사건이 ㉡을 유발한 우치에 의해서 야기되고 있다.

㉡은 우치가 도적을 잡겠다고 나서자 임금이 기뻐하는 내용이므로, ㉡을 유발한 것이 우치라는 진술은 적절하다. 그러나 ㉠의 원인이 되는 사건은 함경도 가달산의 도적 엄준에 의해서 야기된 것이므로, ㉠의 원인이 되는 사건이 ㉡을 유발한 우치에 의해서 야기되고 있는 것은 아니다.

② ㉡은 사건 해결의 실마리를 찾은 것에 대한, ㉢은 사건 해결의 실마리가 사라진 것에 대한 반응을 보여 준다.

㉡은 우치가 도적을 잡겠다고 나서자 임금이 기뻐하는 내용이므로, 도적과 관련된 사건 해결의 실마리를 찾은 것에 대한 반응이라고 할 수 있다. 그러나 ㉢은 우치가 역도라는 말을 들은 임금이 화를 내는 것이므로, 사건 해결의 실마리가 사라진 것에 대한 반응이라고 할 수 없다.

③ ㉢으로 인해 형성된 임금과 우치의 갈등에 제삼자가 개입하여 ㉣을 촉발하고 있다.

㉢과 ㉣은 모두 우치가 역도라는 말을 들은 뒤 임금이 보인 반응으로, ㉢으로 인해 임금과 우치 사이에 갈등이 형성되었다고 볼 수는 있다. 그러나 윗글에서 이러한 갈등에 제삼자가 개입하는 내용은 찾을 수 없다.

④ ㉣에서 ㉤으로의 변화는 임금과 우치의 갈등 원인이 제거되어 사건이 해결되는 과정을 보여 준다.

㉣에서 진노했던 임금이 ㉤과 같이 변화한 것은 우치의 재주를 시험해 보고자 마음먹게 되었기 때문이다. 윗글에서 임금과 우치의 갈등 원인이 제거되어 사건이 해결되는 과정은 나타나지 않는다.

2. 문학 개념어 OX 확인 문제

① **X**

- **대비**: 두 가지의 차이를 밝히기 위하여 서로 맞대어 비교함.

  근거 전우치의 초월적 능력이 부각되고 있기는 하지만, 이때 과거와 현재의 대비는 나타나지 않음.

② **O**

- **외양 묘사**: 인물의 겉모습을 그림 그리듯이 구체적이고 감각적으로 표현함.

  근거 '우치 자세히 살펴보니 기골이 장대하고 신장이 팔 척이요 낯빛이 붉고 눈이 방울 같으며 수염은 바늘을 묶어 세운 듯하니 곧 일대 걸물이러라.'

하루 30분
선지 판단력
강화 프로그램
고전소설 트레이닝

2
주차

고전소설 독해의 STEP 1

❶ 다음 글을 읽고 등장인물을 잘 파악했는지, 빈칸에 적절한 말을 채웠는지 확인해 보세요.

📅 **고3 2018학년도 4월 학평 – 작자 미상, 「옥주호연」**

삼아(三兒) (=삼소저) 점점 자라 십 세에 미치매 절세한* 용색과 선연(嬋妍)한 품성이 비상특이하고 문견(聞見)이 통하고 민첩하여 시서백가(詩書百家)에 모를 것이 없고 매양 후원에서 조약돌로 진(陣)을 벌이며 칼 쓰기와 말 달리기를 익히거늘 왕씨 알고 가장 민망히 여겨 삼녀 (=삼소저)를 타이르며 왈, 세 아이가 자라며 외모와 품성이 뛰어나게 되고, 지성과 무예까지 두루 연마하며 훌륭히 성장했대. 그런데 **왕씨**는 왜 민망하게 여겼을까?

"여자의 도(道)는 내행(內行)을 닦으며 방적(紡績)을 힘써 규중 외 나지 아니함이 마땅하거늘 너희는 어찌 외도(外道)를 행하여 고인에게 득죄함을 감심(勘審)코자 하는가? 우리 팔자 무상하여 너희 셋을 얻으매 비록 여자나 어진 배필을 얻어 우리 사후를 의탁할까 하였더니 이제 너희 조금도 규녀의 행실을 생각지 아니하니 이는 사리에 맞지 않아 남들이 알게 해서는 안 됨이라. 만일 네 부친 (=유생)이 아니시면 특별히 대죄할 것이매 내 차라리 죽어 모르고자 하나니 너희 소견은 어떠하뇨?" 왕씨는 세 아이의 어머니구나. 세 딸이 당시에 여인에게 요구되던 규방 예절을 익히는 데에 힘쓰기보다 남성의 영역이었던 학문을 익히고 무예를 갈고닦는 것이 **사리**에 맞지 않는다고 생각해 꾸짖고 있는 거야. 딸들의 아버지가 알면 **대죄**할 것이라고 하며 딸들을 나무라고 있어.

삼소저 이 말을 듣고 대경 사죄 왈,

"소녀 등이 어찌 부모의 은덕을 모르고 뜻을 거역하리오마는 소녀 등이 규방의 소소한 예절을 지키다가는 부모께 영화*를 뵈올 길이 없사온지라. 옛날에 당 태종의 누이 장원공주도 평생 무예를 배워 천하에 횡행하여 빛난 이름이 지금 유전하오니* 소녀 등도 이 일을 본받아 공명을 세워 부모께 현양(顯揚)코자 하옵고 하물며 방금 천하 크게 어지러우매 소녀의 득시지추(得時之秋)* 이어늘 어찌 한갓 여도를 지키어 세월을 허비하리이꼬." 삼소저는 **규방**의 예절을 지키는 것으로는 이름을 빛낼 수 없다는 것과 당 태종의 누이인 장원공주에 관한 고사를 근거로 하여 **여도**를 지키며 세월을 허비하기보다 나아가 **공명**을 세우고 천하의 어지러움을 평정하겠다고 주장하고 있어.

하니 왕씨 듣기를 마치고 삼녀 의지 굳건하고 정해진 마음이 비속함을 보고 어이없어 다만 탄식뿐이러니 그 후에 삼소저 또 후원에서 무예를 익힐새 유생 이 다다라 보고 대경하여 궁시와 병서를 다 불지르고 왕씨를 몹시 꾸짖으며 왈,

"여자는 그 어미 행사를 본받나니 여아의 행사를 엄하게 단속하는 일이 없음은 이 어쩐 일이뇨? 일후 다시 이런 일이 있으면 부부지간이라도 결단코 용서치 아니 하리라." 삼소저의 아버지인 **유생**은 후원에서 무예를 익히는 삼소저를 보고 크게 놀랐어. 유생 또한 세 딸의 뜻에 **반대**하여, 활과 화살, **병서**를 모두 불지르고 세 딸의 어머니인 왕씨에게 딸들의 행동을 **단속**하라고 꾸짖었어.

장면끊기 01 삼소저는 공을 세우고 입신양명해 천하의 어지러움을 평정하겠다는 다짐을 간직하고 있었기 때문에 왕씨의 만류에도 불구하고 **무예**를 익혔어. 하지만 전통적 유교 사회에서는 성별에 따른 역할이 확연히 구별되었기 때문에 삼소저의 부모는 딸들의 행동을 못마땅하게 생각해. 이어서 중략 부분의 줄거리가 제시되었으니 여기서 우선 장면을 끊자!

[중략 부분의 줄거리] 남장을 하고 가출한 삼소저(자주, 벽주, 명주)는 최완, 최진, 최경과 형제를 맺는다. 진원 도사에게 수행을 마친 육 인(六人)은 조광윤을 찾아 섬기기로 한다. 한편, 북군이 변방을 침노하자 육 인과 조광윤은 원양성을 뺏기 위해 전투를 벌인다.

차설. 육 인이 원양성 십 리에 주둔하고 계교를 의논할 새 명주 왈,

"여차여차 하면 어떠하뇨?"

최완이 대희 왈,

"그대 말이 정히 내 뜻과 일반이라." 중략 부분의 줄거리를 고려하면 명주는 **원양성**을 뺏기 위한 계교를 제안한 것이겠지!

하고 명일* 이른 아침에 최완과 명주 각각 변복하고 원양성하에 나아가 크게 불러 왈,

"아등(我等) (=명주+최완)이 태수께 고할 말씀이 있노라."

하니 수성장 장임이 친히 문루에 올라 바라본 즉 양인이 손에 병기 없이 황망한 낯빛으로 성하에 이르렀거늘 장임이 이르되,

"여등(汝等) (=명주+최완)은 어떤 사람이완대 성에 들고자 하느뇨?"

양인(兩人)이 왈,

"아등은 절강에 사는 백성이러니 장군 (=장임)께 고할 말씀이 있으매 문을 열어 주소서." 명주와 최완은 정체를 숨긴 채 원양성에 들어가려 하고 있어.

하거늘 장임 이 그 용모 행동거지를 보고 조금도 의심하지 아니하여 즉시 영을 내려 문을 열어 들이니 양인이 천연히 들어와 장하에서 읍고 왈,

"아등은 원래 물화를 가지고 태원성에 와 환매하여 자생하더니 대원수 조광윤이 물화를 다 앗고 우리로 하여금 호풍령을 지키어 우리 만일 성공치 못하거든 인하여 죽이라 하니 우리 본래 창검과 궁시를 모르거늘 어찌 이 소임을 당하리오. 여러 가지로 생각하고 헤아림에 마지못하여 장군께 항복하고 고향에 돌아가 부모나 만나 보고자 하여 왔나니 장군은 어여삐 여겨 잔명을 구하심을 바라나이다." 중략 부분의 줄거리에서 명주와 최완을 포함한 여섯 사람은 **조광윤**을 섬긴다고 했어. 즉 명주와 최완은 창검과 궁시를 모르는 상인인 척하며 대원수 조광윤을 피해 장임에게 **항복**하기 위해 온 것처럼 말하고 있지만, 실제로는 **장임**을 속여 원양성을 빼앗으려 하는 거지.

하거늘 장임이 청파에 의심치 아니하고 장에 올리고 술을 내와 관대하니 부장 원견이 간(諫) 왈,

"양진이 상대하매 천만 가지 계교로 진중 허실을 탐지하거늘 장군은 어찌 차인 등을 이같이 믿어 그 진위를 살피지 아니하느뇨. 익히 생각하여 타일 뉘우침이 없게 하소서."

하니 명주 읍 왈,

"우리 전혀 장군을 부모같이 바라고 투항하였더니 이제 이렇듯 의심하매 가위 진퇴유곡*이라. 차라리 장군 앞에서 죽어 넋이라도 장군을 의지하리라."

하고 말을 마치고 허리춤으로부터 단검을 빼어 자결코자 하거늘 장임이 급히 만류 왈,

"원수 (=원견)의 말이 당연하거니와 그러나 그대 사정이 이 같은 즉 어찌 다시 의심하리오." 장임의 부하인 **원견**은 현재 양쪽이 천만 가지 계교를 부리는 전쟁 중이니, 명주와 최완이 한 말의 **진위**를 살펴야 한다고 간언했어. 이에 명주는 죽음을 각오하는 의지를 보여 주어 의심에서 벗어났어.

하고 양인을 머물러 주육으로 정성껏 대접하더니 수일이 지난 후 최유 양인이 장임더러 왈,

"우리 대장 석수신이 조빈의 심복이라. 일을 지체하면 후환이 되리니 삼일 후 장군이 병을 거느려 진을 여차여차 덮치면 아등이 합력 내응하리라."

하고 돌아가려 하더니 장임이 응낙하고 즉시 보내니라. 명주와 최완은 **장임**이 군사(북군)를 이끌고 본진에 쳐들어오도록 유도했어.

장면끊기 02 명주와 최완은 원양성을 빼앗기 위해 장임에게 거짓으로 항복했어. 그리고 장임이 군사를 이끌고 원양성을 나와 본진에 쳐들어오도록 했지. 이어지는 장면에서 명주와 최완이 본진으로 이동했음을 알 수 있고, '차설'은 **장면**이 바뀌었음을 알려 주는 표지이니 여기서 장면을 끊으면 돼!

차설. 양인이 본진에 돌아와 거짓으로 항복한 소유를 이르고 땅굴을 깊이 판 후 최진과 벽주는 각각 일천 군마를 거느려 대진 뒤에 매복하고, 최완은 이천 군을 거느려 북군의 의복과 깃발을 같이 하여 원양성 북문 밖에 매복하였다가 삼경 후 복병에게 패한 체하고 북문을 열라 하며 급히 들어가 수성장을 베고 나와 장임을 막으라 하고, 최경은 일천을 거느려 땅굴 좌우에 매복하고 차일 야심한 후 대전에서 불을 놓으니 화광이 충천한지라. 최진과 벽주, 최경 등은 장임의 군사들을 함정에 빠뜨리기 위해 **땅굴**을 파고 주변에 매복하는 등 전투를 준비하고 있어. 최완은 **북군**인 체하며 다시 원양성 안으로 들어가기 위해 북군의 의복과 깃발을 갖추는 등 치밀하게 계획을 세웠어. 장임이 불 일어남을 보고 최완 등의 내응이라 하여 부장 **한양**으로 성을 지키오고 스스로 군사를 재촉하여 크게 고함하고 짓쳐 들어가더니 이윽고 장임의 전군이 낱낱이 땅굴에 빠지며 일성 대포 소리에 사면 복병이 일어나니 북군이 불의지변을 만나 사방으로 흩어지며 죽는 자 또한 부지기수라. 장임과 **원평**이 겨우 도망하여 원양성으로 달아나니라. 명주와 최완의 계획대로 장임은 **한양**에게 원양성을 맡기고 직접 군사들을 이끌고 본진으로 쳐들어왔고, 장임의 군사들은 땅굴에 빠지거나 매복하고 있던 자들에 의해 죽게 되지. 차시 최완이 본진에 불 일어남을 바라보고 원양 북문에 나아가 대호(大號) 왈,

"우리 북한(北漢) 패군이니 빨리 문을 열라."

하니 한양이 그 진을 살피지 못하고 문을 쾌히 열거늘 최완이 급히 군을 몰아 짓쳐 들어가니 한양이 대경하여 대적하다가 최완의 창을 맞아 죽은지라. **최완**도 계획대로 북군인 척 원양성 안으로 들어가 한양을 죽이고 성을 차지해. 최완이 승세하여 서문으로 충돌하여 나오니 장임이 자주를 맞아 십여 합을 싸울 새 장임의 기운이 쇠진하여 달아나거늘 문득 벽주 고성 왈,

"장임 적자는 닫지 말라."

하며 활을 한 번 당기어 장임의 어깨를 맞추니 장임이 몸을 번드쳐 말에서 떨어지매 최경이 달려들어 장임을 생포하여 돌아가거늘 원평이 대로하여 말을 놓아 자주로 더불어 교전하여 십여 합에 이르는 자주의 칼이 번듯하며 원평이 탄 말이 거꾸러지니 원평이 말에서 내려 할 일 없어 항복하는지라. 자주와 **벽주**, 최경이 도망치는 장임과 원평을 제압하면서 전투에서 승리하고 있어.

장면끊기 03 자주, 벽주, 명주, 최완, 최진, 최경 육 인이 북군과의 전투에서 승리하는 과정이 나타나고 있어. **공간**의 이동에 따라 전투 상황이 긴박하게 서술되며 마지막 장면이 마무리되었어.

– 작자 미상, 「옥주호연」 –

*득시지추: 기다리던 때를 얻게 된 때.

고전 필수 어휘

*절세하다: 세상에 견줄 데가 없을 정도로 아주 뛰어나다.

*영화: 몸이 귀하게 되어 이름이 세상에 빛남.

*유전하다: 오래 전하다.

*명일: 오늘의 바로 다음 날. 내일.

*진퇴유곡: 이러지도 저러지도 못하고 꼼짝할 수 없는 궁지.

고전소설 독해의 STEP 2

1 구조도의 빈칸에 적절한 말을 채웠는지 확인해 보세요.

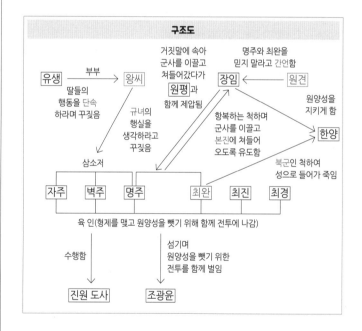

구조도

2 1~2번 문제의 정답과 해설을 확인해 보세요.

1. 윗글의 인물에 대한 이해로 적절하지 <u>않은</u> 것은?

정답풀이 ▷

① '한양'은 원양 북문을 개방하여 북군의 승리에 기여하고 있다.

> 최완은 '북군의 의복과 깃발'을 갖추고 북군인 척하며 '문을 열라'고 하였고, 이에 한양은 '그 진을 살피지 못하고 문을 쾌히 열'어 '최완의 창을 맞아 죽'는다. 즉 한양은 최완에게 속아 원양 북문을 개방함으로써 북군의 승리가 아닌 북군의 패배에 영향을 미쳤다.

오답풀이 ▷

② '유생'은 '삼소저'의 행동을 단속하지 못한 '왕씨'를 책망하고 있다.

> '유생'은 '후원에서 무예를 익'히는 '삼소저'의 행동을 보고 '여아의 행사를 엄하게 단속하'지 않은 '왕씨'를 꾸짖고 있다.

③ '왕씨'는 '삼소저'가 자신의 기대를 저버린 것에 대해 한탄하고 있다.

> '왕씨'는 '삼소저'에게 '어진 배필을 얻'도록 하여 '우리 사후를 의탁할까' 기대했으나, 딸들이 '규녀의 행실을 생각지 아니하'고 '외도를 행'한 것에 대해 한탄하고 있다.

④ '삼소저'는 천하가 어지러움을 제시하며 자신들의 의견을 표출하고 있다.

> '왕씨'가 '규녀의 행실을 생각지 아니하'고 무예를 익힌다는 이유로 '삼소저'를 타이르자, '삼소저'는 무예로 '공명을 세워 부모께 현양'할 것이며 '천하 크게 어지러우'므로 세상에 나아갈 때가 온 것이라고 하며 자신들의 의견을 드러내고 있다.

⑤ '장임'은 '원견'의 간언에도 불구하고 '명주'와 '최완'을 환대하고 있다.

> '원견'은 '장임'이 '명주'와 '최완'을 '믿어 그 진위를 살피지 아니'함을 지적하며 간언하고 있으나, '장임'은 의심을 받자 자결하려는 '명주'를 보고는 이를 만류하며 '명주'와 '최완'을 '주육으로 정성껏 대접하'고 있다.

2. 문학 개념어 OX 확인 문제

① ○

- **긴박**: 매우 다급하고 절박함. '긴박한 상황', '긴박한 분위기', '긴박감' 등과 같은 개념을 판단할 때는 지문의 내용이 긴박하고 긴장감이 있는지를 먼저 고려하도록 함. 짧은 호흡의 문장을 반복하거나 장면의 전환이 빈번하다고 하더라도, 긴박하거나 긴장감이 있는 내용이 아니라면 긴박하거나 긴장감이 있다고 할 수 없음.

> 근거 명주와 최완은 북군에 거짓 항복을 한 후 '본진'으로 돌아오고, 북군을 무찌를 계획을 세움. 최완은 '원양 북문'으로 나아가 한양과 대적하며, 장임은 '원양성'에서 군사들을 이끌고 '본진'으로 쳐들어 갔다가 다시 '원양성'으로 되돌아와 생포되는 등 공간의 이동을 확인할 수 있음. 이에 따른 인물의 행위를 통해 긴박감이 조성됨.

② ✕

- **해학**: 남을 웃기려고 일부러 하는 말이나 행동을 통해 웃음을 유발함.

고전소설 독해의 STEP 3

■ 1번 문제의 선지 판단 공식에 대한 답을 확인해 보세요.

MEMO

선지 판단의 공식

①

작품   '최완'이 '원양 북문에 나아가' '북한 패군'인 척하며 문을 열라고 함 → '한양이 그 진을 살피지 못하고 문을 쾌히 열'어 줌 → '최완이 급히 군을 몰아 짓쳐 들어가' '한양'을 죽임 → 이후 최경이 '장임'과 '원평'을 생포함

선지→ '한양'은 원양 북문을 개방하여 북군의 승리에 기여하고 있다.
  ✕

②

작품   '삼소저'가 '후원에서 무예를 익'히는 모습을 '유생'이 봄 → '유생'은 '왕씨를 몹시 꾸짖으며' 어머니인 왕씨가 '여아의 행사를 엄하게 단속'해야 한다고 함

선지→ '유생'은 '삼소저'의 행동을 단속하지 못한 '왕씨'를 책망하고 있다.
  ○

③

작품   '삼아(삼소저)'가 '후원에서 조약돌로 진을 벌이며 칼 쓰기와 말 달리기를 익'힘 → 이를 안 '왕씨'는 '삼소저'로 하여금 '어진 배필을 얻어 우리 사후를 의탁할까' 기대했으나 '규녀의 행실을 생각지 아니'함에 대해 나무라고 한탄함

선지→ '왕씨'는 '삼소저'가 자신의 기대를 저버린 것에 대해 한탄하고 있다.
  ○

④

작품   '후원에서 조약돌로 진을 벌이며 칼 쓰기와 말 달리기를 익히'는 '삼소저'를 본 '왕씨'가 딸들을 나무람 → '삼소저'는 '공명을 세워 부모께 현양'할 것이며 '천하 크게 어지러우매 소녀의 득시지추'라고 하여 세상에 나아갈 것을 주장함

선지→ '삼소저'는 천하가 어지러움을 제시하며 자신들의 의견을 표출하고 있다.
  ○

⑤

작품   '명주'와 '최완'이 계교를 세워 '절강에 사는 백성'으로 위장하여 원양성 안에 들어감 → 두 사람은 '장임'에게 항복하고자 한다고 거짓을 고하고 '장임'은 이를 '의심치 아니'함 → '원견'이 두 사람을 '믿어 그 진위를 살피지 아니'하는 장임에게 잘못을 지적함 → '명주'가 의심을 피하기 위해 '자결코자 하거늘 장임이 급히 만류'하며 '정성껏 대접'함

선지→ '장임'은 '원견'의 간언에도 불구하고 '명주'와 '최완'을 환대하고 있다.
  ○

고전소설 독해의 STEP 1

1 다음 글을 읽고 등장인물을 잘 파악했는지, 빈칸에 적절한 말을 채웠는지 확인해 보세요.

📖 고2 2017학년도 11월 학평 – 작자 미상, 「유문성전」

[앞부분 줄거리] 원나라 때, 혼약을 맺은 유문성과 이춘영은 간신 달목에 의해 온갖 시련을 겪게 되고 일광도사를 만나 병법과 도술을 익혀 장수가 된다. 이때 달목이 황제를 내치고 스스로 황제 달황(=달목)이 되니, 민심이 들끓게 되고 주원장이 건국의 뜻을 품고 장수 유기와 난을 일으켜 진군한다. 주원장, 유기와 형제의 의를 맺은 유문성과 이장(남장을 한 이춘영)은 각각 원수(=유문성), 도독(=이춘영)이 되어 달목의 부하인 장발과 전투를 벌인다.

<small>앞부분 줄거리에 제시된 인물과 이들 간의 갈등 관계는 반드시 확인하고 넘어가도록 하자. 이 지문에서는 **유문성**, 이춘영, 주원장, 유기와 악인인 **달목** 사이의 대립이 서사의 핵심임을 알 수 있어.</small>

날이 저물어 황혼이 되니, 유기는 기력이 쇠진하고*, 장발은 조금도 쇠진치 아니하여, 유기의 형세 만분 위태하여 돌아오고자 하나, 만일 잠시 실수하면 생명이 경각*에 있는지라, 가만히 기문법을 베풀어 몸을 구름 속에 감추어 혼백을 풍백에 붙이고 성세를 수기에 의지하여 달아나니, 장발이 비록 재주 있으나 어찌 알리오. <small>장발과 싸우던 유기는 형세가 **불리**해지자 도술을 사용하여 본진으로 돌아갔어.</small>

밤새도록 싸우다가 그 이튿날 평명에 보니, 유기는 없고 다만 한 기를 데리고 싸웠는지라, 크게 놀라고 냉렁하여 무료히 돌아오며 생각하되,

"유기는 필시 천인이요 인간 사람은 아니로다."

하고 가장 의아하더라. <small>밤새도록 유기의 허상과 싸운 것임을 알게 된 장발은 크게 놀라며 유기가 평범한 사람이 아니라 **천인**일 것이라고 생각하게 돼.</small>

유기 밤 삼경에 본진에 돌아오니, 모두 보고 대경하여 연고*를 묻거늘 수말을 설화하니, 온 군중이 다 칭찬하며 우러러보더라.

<small>[장면끊기 01] 장발과 전투를 벌이다 기력이 다한 유기가 **도술**을 발휘해 무사히 본진으로 돌아가는 내용이었어. 하나의 전투 상황이 마무리되면서 공간의 이동 역시 나타났으니 여기서 한 번 끊어 읽으면 좋겠지?</small>

이때 유원수(=유문성) 장발 잡기를 가장 염려한대, 유기 왈,

"장발은 한갓 검술만 믿고 대적치 못하리니, 용맹과 둔갑을 겸하여야 능히 제어하리라. 우리 진중에는 유원수밖에 당할 이 없나이다." <small>장발과 직접 싸워 본 유기는 **유원수**만이 장발과 대적할 수 있을 것이라고 해.</small>

이때 주원수(=주원장) 유원수의 손을 잡고 왈,

"이제 모든 장졸은 거재두량*이라. 장군(=유문성)은 장차 어찌하면 좋으리오."

유원수 답왈,

"소장(=유문성)이 능히 당하오리니 근심치 마옵소서. 승패는 병가 상사라, 어찌 장발을 근심하여 천하 대사를 등한히 하오리까." <small>유원수는 근심하는 **주원수**를 안심시키며 장발과 직접 대적하겠다는 뜻을 밝히네.</small>

바로 나아가려 하더니, 도독이 또한 원수를 만류하여 왈,

"소장(=이춘영)이 한번 나아가 장발을 잡으리이다."

하고, 칼을 들고 말을 내몰아 급히 진전에 나아가니, <small>도독은 그런 유원수를 **만류**하고는 자신이 대신하여 장발과 대적하고자 해.</small> 장발이 또한 창을 들고 나서며 가로되,

"저 백면 서생 어린 아이야, 가련하다. 네 오늘 비명에 세상을 버리고자 하니, 멀고 먼 황천 길에 조심하여 가라."

하고 나는 듯이 달려드니, 이낭자(=이춘영) 미처 몸을 돌리지 못하여 말이 엎어지거늘, 장발이 창으로 겨누며 왈,

"가련타. 네 얼굴을 보니 차마 죽일 마음이 없다마는, 범의 새끼를 놓으면 후환*을 끼치는 법이라, 어찌 살려 보내리오."

하고, 호통 일성에 창을 들어 치려 하니, 이장이 정신이 없어 하늘을 우러러 다시 유생(=유문성)을 보지 못함을 생각하고 눈물이 비 오듯 하더니, <small>장발과의 전투에서 죽을 위기에 처한 도독이 **유원수**(유문성)를 떠올리며 눈물을 흘리고 있어.</small> 이때 유원수 진중에서 바라보다가, 이장의 위급함을 보고 대경하여 급히 말을 타고 크게 소리하여 왈,

"도적은 감히 나의 장사를 해치 말라."

하고 바로 달려들어 치니, 장발이 미처 손을 놀리지 못하여 원수의 은하검이 번뜻하며 장발의 창 든 팔이 맞아 떨어지는지라. <small>상황이 **위급**함을 본 유원수가 바로 달려 나와 장발을 저지하면서 도독의 목숨을 구하였어.</small> 일변 이장을 옆에 끼고 말에 올라 칼을 들고 달려들어 장발을 치려 하니, 장발이 비록 한 팔을 잃었으나 소리 벽력같이 지르고, 좌수로 삼백근 철퇴를 두르며 달려드니, 이때 유원수가 한 팔에 이장을 안았으매, 한 손으로 칼을 들어 대적할새, 급한 바람이 벽력을 치는 듯, 놀란 용이 벽해를 치는 듯, 천지 진동하고 산천이 무너지는 듯하더라. <small>장발은 유원수의 칼에 한 **팔**을 잃은 채로, 유원수는 도독을 한 팔에 **안은** 채로 전투를 이어가네.</small>

삼십여 합에 승부를 결단치 못하매, 장발은 한 팔을 잃고 자연 기운이 태반이나 감하고, 유원수는 또 한편에 사람을 안았으매 자연 군속함이 많더라. <small>장발과 유원수 모두 제 힘을 온전히 발휘할 수 없는 상황에서 전투가 길어지자 어려움을 겪고 있는 모습이야.</small>

이장이 정신없어 장발에게 잡혀가는가 하였더니, 이윽고 진정하여 가만히 본즉, 유원수에게 안겨 한 말에 실렸는지라, 필시 나를 위하여 한편 팔을 쓰지 못하면 반드시 기력이 쇠진하여 극히 곤색할까 저어하여, 몸을 요동하여 내리고자 하나, 유장(=유문성)이 또한 생각하되, 이장을 내릴 즈음에 혹시 상할까 염려하여, 허리를 단단히 안고 놓지 아니하며 한 팔로 장발을 대적하더니, 유원수를 쳐다보며 빌어 왈,

"만일 나를 놓지 아니하시면 필연 둘이 다 위태할 것이니 바삐 놓으소서."

한대, 유장이 종시 놓지 않고 왈,

"둘이 다 죽을지언정 놓지 못하리라." <small>도독은 자신 때문에 **유원수**가 위태로워질 것을 염려하여 놓아달라고 하지만, 유원수 역시 **도독**을 걱정하여 설령 두 사람 모두 죽는다 할지라도 도독을 놓지 않을 것이라고 말하네.</small>

<small>[장면끊기 02] 유기에 이어 장발과 대적하기 위해 나선 도독이 죽을 **위기**에 처하고, 이를 구한 유원수가 장발과 직접 대결을 벌이는 내용이었어. 유원수가 지닌 장수로서의 뛰어난 능력과 서로를 **걱정**하는 유원수와 도독의 애틋한 마음이 돋보이는 장면이었어.</small>

(중략)

장발을 맞아 싸워 오십여 합에 이르매, 칼빛은 번개 같고 호통 소리는 천둥 같으며, 고각 함성은 천지 진동하고, 기치 창검은 일월을 가리웠는데, 운무는 자욱하고 말굽은 분분하여, 급한 바람에 모진 상설이 뿌리는 듯, 장수는 정신을 잃고 군사는 넋을 잃어, 구렁

에 올챙이떼같이 몰려 서서 구경만 하더라.

홀연 광풍이 대작하며 공중에서 벽력같은 소리 나며 은하검이 번뜻하더니, 장발의 머리 검광을 좇아 떨어지니 한 줄기 무지개 일어나며, 마침내 유원수가 장발을 물리쳤어. 그러자 자욱하게 깔려 있던 운무 속에서 한 줄기 **무지개**가 일어났다고 하며 분위기의 전환이 이루어지고 있어. 슬프다, 이 같은 장사로 천수를 알지 못하고 몸을 그릇 역적에게 허하여 천의를 거스르니, 제 비록 천하 명장이요 만고 영웅인들, 당시 창업 주씨(=주원장)를 어찌 대적하며 유문성을 당하리오. 산천이 슬퍼하는 듯하고, 일월이 무광하더라. 한편 서술자는 뛰어난 장수인 장발이 **역적**을 따른 탓에 이렇듯 죽을 수밖에 없었던 상황에 대해 **안타까움**을 드러내고 있어. 장발이 죽었으니 뉘라서 대적하리오. 무인지경같이 짓쳐들어가니, 삼국 청병 장졸과 본진 장졸의 머리 추풍낙엽일러라.

이때 달황이 할 수 없어 수백기를 거느리고 북문을 향하여 도망하거늘, 유원수 그 행동을 알고 급히 좇아가 사로잡고, 간신 당파 수백명을 잡아 무사로 하여금 차례로 처참하고, 본진으로 돌아와 서로 치하 분분하더라. 장발의 죽음 이후, 더 이상 유원수에 대적할 장수가 없었던 **달황**의 무리는 모두 사로잡힌 뒤 처단되었어.

장면끊기 03 긴 전투 끝에 유원수가 장발을 물리치고, 그 기세를 몰아 달황과 그 무리까지 모두 소탕하는 내용이었어. 상황에 대한 감각적인 묘사가 두드러지는 장면이었지. 이어서 **차시**라는 장면 전환 표지가 나타나고 있으니, 여기까지 끊어 읽어야겠지?

차시, 유원수 이도독과 더불어 전후 지낸 일과 달목 잡은 말을 좌중에 세세히 설화하며 왈,

"달목은 우리와 지극한 원수라. 평생의 품은 원을 오늘에야 풀리라."

하니, 이때 억만 군졸이 이 말을 듣고 대경하여, 그제야 이장이 여자인 줄 알고 칭찬불이하더라. 달목을 사로잡은 후, 원수의 말을 통해 도독이 **여자**였다는 사실이 밝혀지면서 모두가 놀라고 있네.

주원수와 유기 다시 치사하여 왈,

"부부 동심하여 천하를 평정하고, 대공을 세워 평생 원수를 갚고 원을 이루니, 이는 천고에 드문 일이라. 임의로 처치하옵소서." 주원수와 유기는 **부부**가 힘을 합쳐 큰 **공**을 세운 것에 감사를 표하며 달목의 처분을 그들에게 맡기고 있어.

한대, 유원수 도독과 더불어 칼을 들어 호령하여 왈,

"달목은 들으라. 네 이제 우리 양인을 아는가 모르는가. 나는 여남 땅 유문성이요, 저는 낙양 땅 이상서의 여자 이씨(=이춘영)로다. 네 무도하여 음흉한 행실로 감히 우리 선군을 구박하고, 천조를 모함하여 남의 인륜을 작희(作戲)하여 백옥 같은 정절을 자결하게 하니, 그 죄 어떠하며, 또 천위를 찬역하여 현인군자를 참살하며 백성을 도탄*에 빠지게 하였으니, 네 죄는 하늘에 사무치는지라. 빨리 목을 베어 천하에 회시하라." 달목이 자신들에게 행한 악행, 나라에 끼친 해를 언급하며 처단할 것을 명하고 있네.

하니, 달가의 처와 간신 당류 등이 황겁하여 감히 한 말도 못하고 우러러보지도 못하더라.

장면끊기 04 유원수와 도독의 사연이 밝혀지고, 이들이 직접 달목의 처분을 결정 내리면서 그동안의 사건이 모두 해결되는 장면이었어. 유원수와 도독은 달목에 대한 개인적인 원한을 갚음과 동시에 도탄에 빠졌던 **국가**를 구해내며 영웅이 된 것이지.

　　　　　　　　　　　　　　　　　　－ 작자 미상, 「유문성전」 －

*거재두량: 물건이나 인재 따위가 흔해서 귀하지 않음.

고전 필수 어휘

*쇠진하다: 점점 쇠퇴하여 바닥이 나다.

*경각: 눈 깜빡할 사이. 또는 아주 짧은 시간.

*연고: 일의 까닭.

*후환: 어떤 일로 말미암아 뒷날 생기는 걱정과 근심.

*도탄: 진구렁에 빠지고 숯불에 탄다는 뜻으로, 몹시 곤궁하여 고통스러운 지경을 이르는 말.

고전소설 독해의 STEP 2

① 구조도의 빈칸에 적절한 말을 채웠는지 확인해 보세요.

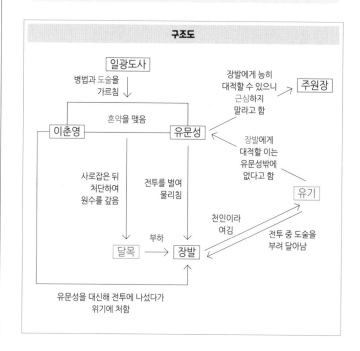

구조도

유문성을 대신해 전투에 나섰다가 위기에 처함

■ 1~2번 문제의 정답과 해설을 확인해 보세요.

■ 1번 문제의 선지 판단 공식에 대한 답을 확인해 보세요.

1. 윗글에 대해 이해한 내용으로 적절하지 <u>않은</u> 것은?

정답풀이

① 주원수는 사로잡힌 달황에게 관용을 베풀었다.

> 윗글에서 주원수는 유원수의 공을 치하하며 그가 사로잡은 달황을 '임의로 처치'하라고 했을 뿐, 달황에게 관용을 베푸는 모습은 나타나지 않는다.

오답풀이

② 유기는 도술을 사용해 불리한 상황에서 벗어났다.

> 장발과 전투를 벌이던 유기는 '기력이 쇠진'하여 형세가 위태로워지자 '기문법을 베풀어 몸을 구름 속에 감추어 혼백을 풍백에 붙이고 성세를 수기에 의지하'는 도술을 통해 본진으로 돌아온다.

③ 이장이 여자라는 사실은 달목이 잡힌 후 밝혀졌다.

> 유원수가 '이도독과 더불어 전후 지낸 일과 달목 잡은 말을 좌중에 세세히 설화'한 것을 들은 '억만 군졸'은 '그제야 이장이 여자인 줄 알고 칭찬불이' 했다고 하였다.

④ 달황은 장발이 죽은 뒤 전장에서 도망칠 수밖에 없었다.

> 달황은 장발이 죽은 뒤 유원수에게 대적할 장수가 없자 '할 수 없어 수백 기를 거느리고 북문을 향하여 도망'쳤다고 하였다.

⑤ 이장은 유원수의 안위를 걱정하여 자신을 희생하려 하였다.

> 이장은 자신이 '유원수에게 안겨 한 말에 실렸'음을 깨달은 뒤, '필시 나를 위하여 한편 팔을 쓰지 못하면 반드시 기력이 쇠진하여 극히 곤색할까 저어하여, 몸을 요동하여 내리고자' 했다고 하였다.

2. 문학 개념어 OX 확인 문제

> ① ✕
>
> **근거** 윗글에 꿈속의 장면은 나타나지 않으므로, 꿈과 현실을 교차하여 환상적 분위기를 조성한다고 볼 수 없음.
>
> ② ○
>
> • **편집자적 논평**: 사건 전개나 인물에 관해 서술자가 직접 논평하는 것. '서술자의 개입'보다 좁은 의미의 개념이지만, 실전에서 편집자적 논평과 서술자의 개입을 엄밀히 구분할 것을 요구하지는 않음.
>
> **근거** '장발이 비록 재주 있으나 어찌 알리오.', '제 비록 천하 명장이요 만고 영웅인들, 당시 창업 주씨를 어찌 대적하며 유문성을 당하리오.'

선지 판단의 공식

①
작품
유원수가 장발을 물리치고 달황을 사로잡음 → 주원수는 유원수의 공을 치하한 뒤 달황을 '임의로 처치'하라고 함 → 유원수는 달목의 죄가 '하늘에 사무'친다며 '목을 베어 천하에 회시하라'고 함

선지→ 주원수는 사로잡힌 달황에게 관용을 베풀었다.   ✕

②
작품
유기가 달목의 부하 장발과 전투를 벌임 → 기력이 쇠진하자 '기문법을 베풀어' 본진으로 돌아감 → 이튿날 밤새 '유기는 없고 다만 한 기를 데리고 싸웠'음을 알게 된 장발은 유기를 천인이라고 생각함

선지→ 유기는 도술을 사용해 불리한 상황에서 벗어났다.   ○

③
작품
유원수가 장발을 물리치고 달황을 사로잡음 → '이도독과 더불어 전후 지낸 일과 달목 잡은 말'을 좌중에게 전함 → 군졸들이 이장이 여자임을 깨달음

선지→ 이장이 여자라는 사실은 달목이 잡힌 후 밝혀졌다.   ○

④
작품
유원수가 장발을 물리침 → 유원수를 대적할 군사가 없어 장졸들이 속수무책으로 패배함 → 달황은 북문을 향해 도망함 → 유원수가 급히 좇아가 사로잡음

선지→ 달황은 장발이 죽은 뒤 전장에서 도망칠 수밖에 없었다.   ○

⑤
작품
장발과 맞서던 이장이 위기에 처함 → 유원수가 이장을 구하여 한 팔에 안은 뒤 전투를 이어감 → 이장은 전투 중 유원수의 기력이 쇠진할 것을 걱정하여 내리고자 함

선지→ 이장은 유원수의 안위를 걱정하여 자신을 희생하려 하였다.   ○

고전소설 독해의 STEP 1

1 다음 글을 읽고 등장인물을 잘 파악했는지, 빈칸에 적절한 말을 채웠는지 확인해 보세요.

📅 고3 2015학년도 9월 모평AB – 작자 미상, 「유충렬전」

이때 天子가 옥새*를 목에 걸고 항서*를 손에 든 채 진문 밖으로 나오다가 보니, 뜻밖에 호통 소리가 나며 어떤 한 대장(=유충렬)이 적장 문걸의 머리를 베어 들고 중군으로 들어가거늘, 매우 놀라고 또 기뻐서 말하기를, 천자는 적에게 항복하려던 위기의 순간에 나타나 적장 문걸을 해치운 대장의 모습을 보고 매우 놀라며 기뻐하고 있어.

"적장 벤 장수(=유충렬) 성명이 무엇이냐? 빨리 모시고 들어오라."

충렬이 말에서 내려 천자 앞에서 땅에 엎드리니, 천자 급히 물어 말하기를,

"그대는 뉘신데 죽을 사람을 살리는가?"

충렬이 부친 유심의 죽음과 어려서 홀로 된 자신을 길러 준 장인 강희주의 죽음을 몹시 원통하고 분하게 여겨 통곡하며 여쭈되, 천자를 위기에서 구한 장수는 바로 유충렬이었어. 충렬은 아버지 유심과 장인 강희주의 죽음을 떠올리며 몹시 원통해하고 있네.

"소장(=유충렬)은 동성문 안에 살던 유심의 아들 충렬입니다. 사방을 떠돌아다니면서 빌어먹으며 만 리 밖에 있다가 아비(=유심)의 원수를 갚으려고 여기 왔습니다. 충렬은 아버지의 죽음에 대한 원수를 갚고자 하는 욕망을 갖고 있었구나. 폐하(=천자)께서 정한담에게 핍박을 당하리라곤 꿈에도 생각지 못했습니다. 예전에 정한담과 최일귀를 충신이라 하시더니 충신도 역적이 될 수 있습니까? 그자의 말을 듣고 충신을 멀리 귀양 보내어 죽이고 이런 환난을 만나시니, 천지가 아득하고 해와 달이 빛을 잃은 듯합니다." 충렬은 과거에 천자가 역적인 정한담, 최일귀의 말만 믿고 충신인 자신의 아버지를 귀양 보낸 일에 원망과 한스러움을 품고 있어.

하고, 슬피 통곡하며 머리를 땅에 두드리니, 산천초목이 슬퍼하며 진중의 군사들도 눈물을 흘리지 않는 이가 없더라. 천자도 이 말을 들으시고 후회가 막급하나* 할 말 없어 우두커니 앉아 있더라. 말을 마친 충렬은 보는 사람까지 다 눈물을 흘릴 정도로 슬피 통곡하고, 이를 본 천자는 큰 후회를 느끼며 할 말을 찾지 못하는 모습이야.

한편 적진에 잡혀갔던 太子는, 본진에서 문걸의 목을 베는 것을 보고 급히 도주해 와서 천자 곁에 앉아 있다가, 충렬의 말을 듣고 버선발로 내려와서 충렬의 손을 붙들고 말하였다.

[A] ┌ "경(=유충렬)이 이게 웬 말인가? 옛날 주나라 성왕도 관숙과 채숙의 말을 듣고 주공을 의심하다가 잘못을 깨닫고 스스로 꾸짖어 훌륭한 임금이 되었으니, 충신이 죽는 것은 모두 다 하늘에 달린 일이라. 太子는 주나라 성왕의 고사를 언급하며 충신인 유심의 죽음도 하늘의 뜻에 따른 일이었을 것이라고 말해. 그런 말을 말고 온 힘으로 충성을 다하여 천자를 도우시면, 태산 같은 그대 공로는 천하를 반분하고, 하해* 같은 그 은혜는 죽은 뒤에라도 풀을 └ 맺어 갚으리라." 그러므로 천자를 원망하지 말고 오히려 충성을 다해 도와 달라고 하네. 그렇게 하면 그 공로와 은혜에 대해서는 반드시 보답할 것이라고 충렬을 설득하고 있어.

충렬이 울음을 그치고 태자의 얼굴을 보니, 천자의 기상이 뚜렷하고 한 시대의 성군*이 될 듯하여 투구를 벗어 땅에 놓고 천자 앞에 사죄하여 말하였다.

"소장이 아비의 죽음을 한탄하여 분한 마음이 있는 까닭에 격절한 말씀을 폐하께 아뢰었으니 죄가 무거워 죽어도 안타깝지 아니합니다. 소장이 죽을지언정 어찌 폐하를 돕지 아니하겠습니까?" 태자의 모습에서 장차 성군이 될 기상을 엿본 충렬은 천자에게 자신의 언행을 사죄하고 목숨을 바쳐 돕겠다는 다짐을 드러내.

천자가 충렬의 말을 듣고 친히 계단 아래로 내려와서 투구를 씌우고 대원수를 명하며 손을 잡고 하는 말이,

"과인(=천자)은 보지 말고 그대 선조의 입국 공업을 생각하여 나라를 도와주면, 태자가 말한 대로 그대의 공을 갚으리라."

장면끊기 01 천자를 위기에서 구한 충렬이 자신의 사연을 하소연하며 슬프게 통곡하다가 태자의 말을 듣고 마음을 바꾸어 천자에게 충성을 다짐하는 내용이었어. 중략 이후에는 유충렬이 정한담을 무찌르고, 가족과 재회하여 장안으로 돌아오는 내용이 전개되므로 여기서 장면을 끊자.

[중략 부분의 줄거리] 유충렬은 남적의 선봉장이 된 정한담과의 대결에서 승리하고, 다시금 위기에 처했던 천자·황후·태후·태자를 구출한다. 이후, 유심과 강희주를 구하고 모친(=장 부인)과 부인(=강 낭자)을 찾은 후 장안으로 돌아온다.

이때 장안의 온 백성들이 남적에게 잡혀갔던 며느리며 딸이며 동생들이 본국으로 돌아온다는 말을 듣고, 호산대 십 리 뜰에 빈틈없이 마중 나와 손과 치마를 부여잡고 그리던 마음 못내 즐거워하는지라, 이들의 울음소리가 공중에 뒤섞이어 호산대가 떠나갈 듯하였으며, 원수 유충렬과 모친 장 부인을 치사하는* 소리 낭자하고 요란하였다. 유충렬의 활약으로 남적에게 잡혀갔던 가족들과 다시 상봉하게 된 백성들은 크게 기뻐하며, 충렬을 향해 고마움을 표하고 있어.

금산성에 이르러 천자와 태후가 가마에서 바삐 내려 장막 밖으로 나오는지라, 원수가 갑옷과 투구를 갖추고 군사의 예로써 천자께 인사를 올리니, 천자와 태후가 원수의 손을 잡고 못내 치사하며 말하였다.

"과인의 수족을 만리타국에 보내고 밤낮으로 염려하였는데, 이렇듯 무사히 돌아오니 즐거운 마음을 어찌 다 말로 하겠는가. 천자는 충렬이 무사히 돌아온 것을 기뻐하고 있네. 옥문관으로 귀양 간 승상 강희주를 찾아 구하고 더불어 남적을 물리친 일과, 돌아오는 길에 그간 죽은 줄 알았던 그대의 모친과 부인 강 낭자를 만나 데려온 일은 모두 천추*에 드문 일이다. 그대의 은혜는 죽어도 잊기 어려운지라, 입이 열 개라도 어떻게 그 말을 다 하리오." 유충렬의 공로를 하나하나 언급하며 칭찬하고, 고마움을 드러내고 있어.

태후가 유 원수(=유충렬)를 치사한 후에 조카 강 승상(=강희주)을 부르시니, 강 승상이 바삐 들어와 땅에 엎드리는지라, 태후가 강 승상을 보고 하시는 말씀이야 어찌 말로 다 표현할 수 있으리오. 태후는 죽은 줄로만 알았던 조카 강희주(강 승상)와 재회하게 된 것에 크게 감격한 모습이야. 천자가 내려와 강 승상의 손을 잡고 위로하며 말하였다.

"과인이 현명하지 못하여 역적의 말을 듣고 충신을 먼 지방으로 귀양을 보내어 가족들과도 이별을 했으니, 무슨 면목으로 경을 대면하리오. 그러나 이미 지나간 일이니 잘잘못을 따지지 말기 바라오." 천자는 자신의 지난 잘못을 사과하며 이를 잊어달라고 하네.

한편 이미 장안으로 돌아와 연왕(=유심)이 된 유심은 장 부인이

온다는 소식을 듣고 마음이 공중에 떠서 충렬이 나오기를 고대하였다. 유심이 아내 **장 부인**과의 재회를 몹시 기대하며 기다리고 있는 모습이야. 원수가 천자께 물러 나와 연왕 앞에 엎드려 아뢰기를,

"불효자 충렬이 남적을 소멸하고 오는 길에 회수에 와 모친을 기리는 제사를 지내다가, 천행인지, 뜻밖에도 죽은 줄 알았던 모친을 만나 모시고 왔습니다!"

하니, 연왕이 반가움을 이기지 못하여 말하였다.

"너의 모친이 어디 오느냐?"

이때 장 부인이 이미 휘장 밖에 있다가 남편 유심의 말소리를 듣고 반가운 마음을 어찌하지 못하고 미친 듯이 취한 듯이 들어가니, 연왕이 부인을 붙들고 말하였다.

"멀고 먼 황천길에 죽은 사람도 살아오는 법 있는가? 백골이 된 당신을 어떤 사람이 살려 왔느냐. 뉘 집 자손이 모셔왔느냐. 충렬아, 네가 분명 살려 왔느냐? 간신의 모함으로 유배를 가게 된 내가 북방 천리만리 호국 일당에 잡히어 죽을 줄 알았더니, 십 년 전에 헤어진 부인을 다시 만나고, 일곱 살에 부모와 이별하여 갖은 고난을 겪은 충렬을 이렇듯이 다시 만나 영화*를 볼 줄이야 꿈속에서나 생각할 수 있었겠는가!" 유심은 한때 **간신**의 모함으로 **유배**를 가 죽을 위기를 겪기도 했던 자신이 무사히 살아서 헤어졌던 가족과 다시 만나게 된 것에 감격하고 있어.

장면끊기 02 충렬이 **정한담**과의 대결에서 **승리**한 뒤 금의환향하고, 헤어졌던 가족들과 한 자리에서 만나 기쁨을 나누는 내용이었어. 충렬은 가족과 국가의 위기를 모두 해결하며 영웅적 인물이 된 것이지.

– 작자 미상, 「유충렬전」 –

*옥새: 옥으로 만든, 나라를 대표하는 도장.

*항서: 항복을 인정하는 문서.

고전 필수 어휘

*막급하다: 더 이상 이를 수 없다.

*하해: 큰 강과 바다를 아울러 이르는 말.

*성군: 어질고 덕이 뛰어난 임금.

*치사하다: 고맙고 감사하다는 뜻을 표시하다.

*천추: 오래고 긴 세월. 또는 먼 미래.

*영화: 몸이 귀하게 되어 이름이 세상에 빛남.

고전소설 독해의 STEP 2

1 구조도의 빈칸에 적절한 말을 채웠는지 확인해 보세요.

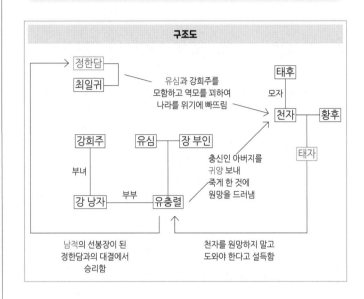

2 1~2번 문제의 정답과 해설을 확인해 보세요.

1. 윗글의 내용에 대한 이해로 적절하지 않은 것은?

정답풀이

⑤ '천자'가 '유충렬'에게 '과인은 보지 말고' 나라를 구하라고 권유하는 것으로 보아, '천자'는 '유심'의 귀양에 대한 자신의 과오를 인정하지 않고 있다.

윗글에서 천자는 유충렬의 말을 듣고 '후회가 막급하나 할 말 없어 우두커니 앉아 있었다'고 했다. 또한 태자에게 설득된 유충렬이 목숨을 바쳐 돕겠다는 뜻을 비치자, 천자가 '친히 계단 아래로 내려와서' 유충렬의 손을 잡고 '과인은 보지 말고' 나라를 구하라고 권유했으므로, 천자가 유심을 귀양 보낸 자신의 과오를 인정하지 않는다고 보기 어렵다.

오답풀이

① '천자'가 '장수'에게 "그대는 뉘신데 죽을 사람을 살리는가?"라고 말하는 것으로 보아, '천자'는 '장수'의 능력에 놀라움을 표하고 있다.

천자는 항복하기 위해 옥새와 항서를 지니고 진문 밖으로 나오다가 적장의 머리를 벤 장수를 보고 매우 놀라며 기뻐한다. 따라서 천자가 '그대는 뉘신데 죽을 사람을 살리는가?'라고 한 것은 장수의 능력에 대해 놀라움을 표한 것이라 할 수 있다.

② '유충렬'이 '천자' 앞에서 '유심'이 죽었다며 원통해하는 것으로 보아, '유충렬'은 부친이 죽은 것으로 잘못 알고 있다.

> 유충렬은 아버지 유심이 이미 죽은 줄 알고, 충신인 아버지를 귀양 보낸 일을 원통하고 분하게 여겨 천자 앞에서 통곡한다. 그런데 [중략 부분의 줄거리]를 보면, 유충렬이 유심을 구한 뒤 장안으로 돌아온다고 하였다. 이후 연왕이 된 유심이 장 부인과 유충렬을 기다리는 모습이 나타나므로, 유충렬은 부친이 죽은 것으로 잘못 알고 천자 앞에서 원통해한 것으로 볼 수 있다.

③ '군사들' 중에 '유충렬'의 말을 듣고 '눈물을 흘리지 않는 이'가 없는 것으로 보아, '군사들'은 '유충렬'의 심정에 공감하고 있다.

> 유충렬이 슬퍼하자 진중의 군사들이 눈물을 흘리는 모습을 통해 이들이 유충렬의 심정에 공감하고 있음을 알 수 있다.

④ '유충렬'이 '천자'를 도와 전쟁에 나가겠다고 약속하는 것으로 보아, '유충렬'은 '태자'의 말과 기상에 감화되어 스스로를 반성하고 있다.

> 천자를 원망하던 유충렬은 '천자의 기상이 뚜렷하고 한 시대의 성군이 될 듯'한 얼굴을 지닌 태자를 보고, 그의 말과 기상에 감화되어 자신의 언행을 반성한 뒤 천자를 돕겠다고 한 것으로 볼 수 있다.

2. 인물의 말하기 방식 OX 확인 문제

① ✗

> 근거 [A]에서 태자가 역사적 사실인 '주나라 성왕'의 이야기를 예로 들고 있지만, 이는 상대방인 유충렬의 견해를 옹호하기 위해서가 아니라 유충렬이 천자를 돕도록 설득하기 위해 언급한 것임.

② ○

> 근거 [A]에서 태자가 '그런 말을 말고 온 힘으로 충성을 다하여 천자를 도우시면'이라고 한 것에서 상대방인 유충렬에게 신하로서의 역할과 본분에 충실하여 천자를 돕길 바란다고 강조하는 모습을 확인할 수 있음.

고전소설 독해의 STEP 3

1 1번 문제의 선지 판단 공식에 대한 답을 확인해 보세요.

선지 판단의 공식

① 작품 천자가 적에게 항복하려던 순간 어디선가 나타난 장수가 '적장 문걸의 머리를 베어 들고 중군으로 들어'가자 천자는 매우 놀라고 기뻐함

선지 ➡ '천자'가 '장수'에게 "그대는 뉘신데 죽을 사람을 살리는가?"라고 말하는 것으로 보아, '천자'는 '장수'의 능력에 놀라움을 표하고 있다. ○

② 작품 천자가 누구인지 묻자 유충렬은 '슬피 통곡'하며 '아비의 원수를 갚으려고 여기 왔다'는 자신의 사연을 이야기함. 한편 유충렬은 정한담을 물리친 뒤 장안으로 돌아와 '연왕이 된 유심'과 재회함

선지 ➡ '유충렬'이 '천자' 앞에서 '유심'이 죽었다며 원통해하는 것으로 보아, '유충렬'은 부친이 죽은 것으로 잘못 알고 있다. ○

③ 작품 유충렬이 천자에게 자신의 사연을 이야기한 뒤 '슬피 통곡'하자, '진중의 군사들도 눈물을 흘리지 않는 이가 없'었다고 함

선지 ➡ '군사들' 중에 '유충렬'의 말을 듣고 '눈물을 흘리지 않는 이'가 없는 것으로 보아, '군사들'은 '유충렬'의 심정에 공감하고 있다. ○

④ 작품 유충렬의 사연을 들은 태자가 천자를 원망하지 말고 '온 힘으로 충성을 다하여' 도와야 한다고 설득함 → 유충렬은 태자의 얼굴을 보고 '한 시대의 성군이 될 듯'한 기상을 느낌

선지 ➡ '유충렬'이 '천자'를 도와 전쟁에 나가겠다고 약속하는 것으로 보아, '유충렬'은 '태자'의 말과 기상에 감화되어 스스로를 반성하고 있다. ○

⑤ 작품 천자는 유충렬의 사연을 듣고 '후회가 막급'함을 느낌 → 자신을 돕겠다는 유충렬의 말을 듣고 '친히 계단 아래로 내려와서' '손을 잡고' '그대의 공을 갚'겠다고 함

선지 ➡ '천자'가 '유충렬'에게 '과인은 보지 말고' 나라를 구하라고 권유하는 것으로 보아, '천자'는 '유심'의 귀양에 대한 자신의 과오를 인정하지 않고 있다. ✗

고전소설 독해의 STEP 1

1 다음 글을 읽고 등장인물을 잘 파악했는지, 빈칸에 적절한 말을 채웠는지 확인해 보세요.

📅 **고3 2015학년도 수능B – 작자 미상,「숙향전」**

산은 첩첩하고 물은 중중한데, 잠자려는 새들은 숲으로 들어가 객회(客懷)*를 자아내니 숙향이 갈 데 없어서 앉아서 울고 있었다. 숙향은 깊은 산속에서 갈 곳이 없어 슬퍼하고 있어. 문득 파랑새가 꽃봉오리를 물고 손등에 앉거늘 숙향이 배고픔을 견디지 못해 꽃봉오리를 먹으니 눈이 맑아지고 배가 불러 정신이 상쾌하며 몸에 향내 진동하더라.

일어나서 파랑새가 가는 대로 따라 두어 고개를 넘어가니 산골짜기에 한 궁궐이 있는데, 그 새가 큰 문으로 들어가거늘 숙향이 따라 들어갔다. 신비로운 존재인 **파랑새**가 인도하는 곳으로 가자 비현실적 공간이 나타났어. 한 계집이 마중 나와 숙향을 안고 들어가 큰 전각(殿閣) 앞에 놓으니 한 부인(=후토 부인)이 머리에 화관(花冠)을 쓰고 황금 의자에 앉아 있다가 숙향을 맞아 팔을 밀어 동편 백옥 의자에 앉기를 청하거늘 숙향이 어찌할 줄 모르고 다만 울 뿐이었다. 숙향은 무슨 일인지 몰라 당황해서 눈물만 흘리고 있네.

부인 왈,

"선녀(=숙향)께서 인간 세상에 내려와 더러운 물을 많이 먹었으니 정신이 바뀌어 전생 일을 모르나이다."

선녀에게 명해 경액(瓊液)*을 드리라 한대 선녀가 만호잔에 호박대를 받쳐 이슬 같은 것을 부어 드리거늘 숙향이 받아먹으니 맛은 젖맛 같고 매우 향기롭더라. 먹은 후에 천상의 일과 인간 세상에 내려와 부모 잃고 헤매며 고생한 일을 일일이 알게 되니 몸은 비록 아이나 마음은 어른이라. 숙향은 선녀가 준 **경액**을 먹은 뒤 천상의 일과 **인간 세상**에 내려와 겪은 일들에 대해 알게 돼. 즉시 일어나 부인께 예를 표해 왈,

"첩(=숙향)은 천상에 득죄(得罪)하여 인간 세상에 내려와 고초가 심하거늘 이다지도 불쌍히 여겨 대접하시니 지극히 감격하나이다."

"선녀께서는 저를 알아보시겠나이까?" 숙향은 천상계에서 **선녀**였는데, 죄를 지은 탓에 인간 세상에 내려와서는 **고초**를 겪었나 봐.

"인간 세상에 내려와 정신이 바뀌었사오니 자세히 아옵지 못하나이다."

"이 땅은 명사계(冥司界)요, 저는 후토 부인이니이다. 선녀께서 인간 세상에 내려와 고생을 겪었으매 접때 잔나비와 황새를 보내 도와 드렸고 이번에는 파랑새를 보내었삽더니 보셨나이까?" 후토 부인은 이전에도 고생을 겪던 숙향을 **도운** 적이 있네.

"다 보았사오나 부인의 하늘 같은 은혜를 갚을 길이 없사오니 부인의 시비나 되어 만분지일이나 갚사올까 바라나이다."

부인이 정색하고 왈,

"저는 한낱 조그마한 신령이요, 그대는 월궁의 으뜸 선녀라. 비록 천상에서 지은 죄로 인간 세상에 내려와 일시 고생을 겪었으나 그런 말씀을 어찌 하시나이까? 선녀 가실 곳이 또한 머오니 그 사이에 고생을 많이 겪을 것이오매 쉬어 내일 가소서."

하고, 잔치를 배설하여 환대하니 음식과 보배 등이 극히 화려하더라.

숙향은 후토 부인의 시비가 되어서 자신을 도운 **은혜**를 갚고자 해. 하지만 후토 부인은 월궁의 으뜸 선녀였던 숙향에게 그럴 수 없다며 만류하지. 후토 부인이 **잔치**를 베풀어 주면서도, 앞으로 갈 곳이 멀고 **고생**을 많이 겪게 될 테니 쉬어 가라고 권유하는 것에서 숙향에게 또다른 고난이 찾아 올 것임이 암시된다고 볼 수 있겠지.

숙향이 부인께 왈,

"첩이 전일 듣사오니 명사계는 시왕(十王)이 계신 데라 하더니 그러하오이까?"

"그러하여이다."

"그러하오면 시왕전이 어디오이까?"

"멀지 아니하오이다."

"인간 세상의 부모가 난중에 죽었으면 시왕전에 왔사올 것이니 반가이 만나 볼 수 있겠나이까?" 숙향은 **시왕전**에서라도 부모님을 만나고 싶어해.

"그대 부모는 인간 세상에 반석같이 계시고 그들도 원래 인간 세상 사람이 아니요, 봉래산 선관 선녀로서 인간 세상에 귀양 왔사오니 기한이 차면 봉래로 돌아갈 것이요, 이곳은 오지 아니하리이다." 후토 부인은 숙향의 부모는 아직 죽지 않았으며 그들 역시 원래는 **천상의** 존재임을 알려 주네.

장면끊기 01 숙향은 후토 부인을 만나 도움을 받고, 자신이 원래 천상의 존재였으며 죄를 지어 인간 세계에 내려온 것임을 알게 되었어. 중략 이후의 장면에서는 숙향이 옥에 갇히게 되었음이 드러나므로 별개의 사건이 전개되는 장면이라고 할 수 있겠네. 여기서 장면을 나누어 주자.

(중략)

이선이 숙향이 보내 온 혈서를 보고 크게 놀라 통곡하고 그 편지를 숙모(=숙부인)께 드리고 낙양 옥중에 가서 숙향과 함께 죽으려 하더니 이선은 숙향이 보낸 **혈서**에 크게 놀라 통곡하고 함께 죽으려 해. 숙부인 왈,

"아직 자세히 알지도 못하는데 성급히 굴지 마라."

하며 하인을 불러 할미 집에 가 보고 오라 하고, 그 고을의 이방 원통을 불러서 그 연고를 물으니 원통이 고하기를,

"상서(=이 상서)께서 명을 내리시어 숙향을 잡아다가 죽이라 하신 고로 원님(=김전)이 상서 명을 거역하지 못하여 어젯밤에 숙향을 잡아다 죽이려고 큰 매로 치라 하되 집장 사령이 매를 들지 못하여 죽이지 못하였사오나 원님이 오늘 죽이려 하옵고 큰 칼을 씌워 옥에 가두었나이다." 상서의 명에 따라 원님이 숙향을 죽이려 했으나 그러지 못하고 오늘 죽이려고 **옥**에 가둬 두었다고 하네.

숙부인이 듣고 크게 놀라 왈,

"선이 비록 상서의 아들이나 내가 양자로 들였으매 선과 숙향이 혼사를 치르도록 했거늘, 내게 묻지 아니하고 나를 과부라 업신여겨 이러하니 내 황성에 들어가 상서에게 일러 듣지 아니하면 황후께 아뢰어 황제께서 아시게 하리라." 숙부인은 상서의 아들인 이선을 양자로 들였고, 숙향과 이선의 **혼사**를 허락했어. 그래서 자신에게 묻지 않고 **숙향**을 죽이라고 명한 상서에게 분노해. 이에 숙부인은 황성에 들어가 상서에게 말해 보고, 듣지 않으면 **황후**께 아뢰려고 해.

하고 즉시 행장을 차려서 장안으로 가니라.

한편 이선은 집에 들어가 울며 숙향이 죽었으면 함께 죽으리라고 하더라. 이선은 낙심해서 숙향이 죽었다면 자신도 따라 죽겠다고 결심해.

장면끊기 02　이선은 숙향의 **혈서**를 보고 그녀가 옥에 갇혔음을 알게 돼. 숙부인은 일의 연고를 안 뒤 숙향을 죽이라는 명을 내린 **상서**를 말리기 위해 장안으로 갔어. 이후에는 시공간적 배경이 바뀌어, 이튿날 숙향이 낙양 옥중에서 심문을 받는 내용이 전개되니 여기서 장면을 끊자.

　이튿날 [김전]이 숙향을 올리라 하니 이때 [낭자](=숙향)가 옥 같은 두 귀 밑에 흐르나니 눈물이라. 연약한 몸이 큰칼 쓰고 여러 사람에게 붙들려 가니 반은 죽은 사람이라. 이를 보는 사람이 눈물 아니 짓는 이가 없더라. 죽을 위기에 처한 숙향은 **눈물**을 흘리고 이를 지켜보는 사람들도 슬퍼하고 있어.

　김전이 왈,

　"네 고향은 어디며 이름은 무엇이며 나이는 몇이나 되며 뉘 집 딸이라 하나뇨?"

　낭자 왈,

　"오 세에 부모를 난중에 잃고 사방에 유리(流離)*하옵다가 겨우 의탁한 몸 되었사오니 고향과 부모의 성명은 모르오되 나이 찬 후에 혹 듣사오니 김 상서의 딸이라 하오며 이름은 숙향이요 나이는 십육 세로소이다." 숙향은 자신의 삶을 요약적으로 제시하고 있어. 전쟁 중에 **부모**를 잃고 떠돌았으며, 나이 찬 후에 자신이 **김 상서**의 딸이라는 것을 알게 되었대.

　김전의 아내 [장 씨]가 그 말을 듣고 눈물을 흘리며 김전에게 왈,

　"그 여자의 얼굴을 보오니 죽은 우리 딸과 같삽고 연치(年齒)* 또한 같사오되 다만 김 상서의 딸이라 하니 그 근본을 자세히 모르오나 이름도 같고 나이도 같으니 혹 죽은 자식이 살아서 돌아다니는지 마음이 자연 비창(悲愴)*하오니 아직 죽이지 말고 상서께 기별하여 스스로 처치하게 하오소서." 장 씨는 숙향의 말을 듣고 자신의 **죽은 딸**과 비슷하다고 생각하여 슬퍼하고 있어. 그래서 숙향을 아직 죽이지 말고 **상서**께 말씀드려 알아서 처치하게끔 하자고 하지.

　김전이 부인의 말을 옳게 여겨 숙향을 도로 하옥하라 하고, 이 사연을 [이 상서]에게 회보(回報)*하니라.

장면끊기 03　김전이 숙향을 심문하고 부인 장 씨는 숙향을 보고 죽은 딸을 떠올리며 슬퍼해. 장 씨의 부탁으로 숙향의 처형이 미뤄지면서 지문이 마무리되었어.

　　　　　　　　　　　　　– 작자 미상, 「숙향전」 –

*경액: 신선이 마신다는 신비로운 약물.

[고전 필수 어휘]

*객회: 객지에서 느끼게 되는 울적하고 쓸쓸한 느낌.

*유리: 따로 떨어짐.

*연치: '나이'의 높임말.

*비창: 마음이 몹시 상하고 슬픔.

*회보: 어떤 문제에 관한 물음이나 요구에 대하여 대답으로 보고함. 또는 그런 보고.

고전소설 독해의　STEP 2

1 구조도의 빈칸에 적절한 말을 채웠는지 확인해 보세요.

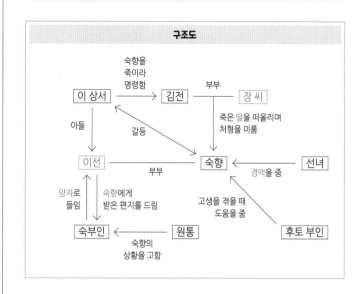

구조도

2 1~2번 문제의 정답과 해설을 확인해 보세요.

1. 윗글의 인물에 대한 이해로 적절하지 <u>않은</u> 것은?

정답풀이

③ '숙부인'은 '숙향'과 '이선'의 혼사가 이루어지도록 '이 상서'로 하여금 '황후'에게 아뢰게 하고 있다.

> 숙부인은 이미 '선과 숙향이 혼사를 치르도록 했'으며, 이 상서가 숙향을 잡아다 죽이려고 하는 일에 대해 '황성에 들어가 상서에게 일러 듣지 아니하면' '황후께 아뢰'려고 하고 있다.

오답풀이

① '후토 부인'은 '숙향'을 명사계로 인도하여 전생에서의 '숙향'의 정체를 깨닫게 해 주고 있다.

> 후토 부인은 파랑새를 통해 숙향을 명사계로 인도하고 있다. 또한 숙향에게 경액을 먹게 하여 숙향이 전생에 월궁의 으뜸 선녀였음을 깨닫게 해 주고 있다.

② '이선'은 '숙향'이 처한 상황을 알고서 '숙향'과 생사를 같이 하겠다고 다짐하고 있다.

> 이선은 숙향이 보내 온 혈서를 보고 통곡하며, '숙향이 죽었으면 함께 죽으'려고 다짐하고 있다.

④ '김전'은 '장 씨'의 말을 수용하여 '숙향'에 대한 형 집행을 미루고 있다.

> 숙향을 '아직 죽이지 말고 상서께 기별하여 스스로 처치하게' 하라는 장 씨의 말을 수용한 김전은 '숙향을 도로 하옥하라'고 하며 형 집행을 미루고 있다.

⑤ '장 씨'는 '숙향'을 보고서 자신의 딸을 떠올리며 '숙향'에게 연민을 느끼고 있다.

> 장 씨는 숙향의 얼굴과 이름, 나이가 자신의 죽은 딸과 같음을 알고 죽은 자식이 살아서 돌아온 것 같은 마음에 숙향에게 연민을 느끼고 있다.

2. 문학 개념어 OX 확인 문제

① ○

> 근거 '산은 첩첩하고 물은 중중한데, 잠자려는 새들은 숲으로 들어가 객회를 자아내니 숙향이 갈 데 없어서 앉아서 울고 있었다.'

② ○

- 요약적 제시: 사건 전개를 서술할 때 대화나 행동을 보여주거나 묘사하지 않고 이를 간략하게 요약하여 서술하는 것.

> 근거 '선녀께서 인간 세상에 내려와 고생을 겪었으매 접때 잔나비와 황새를 보내 도와 드렸고 이번에는 파랑새를 보내었삽더니', '상서께서 명을 내리시어 숙향을 잡아다가 죽이라 하신고로~원님이 오늘 죽이려 하옵고 큰 칼을 씌워 옥에 가두었나이다.', '오 세에 부모를 난중에 잃고 사방에 유리하옵다가 겨우 의탁한 몸 되었사오니' 등

1 1번 문제의 선지 판단 공식에 대한 답을 확인해 보세요.

선지 판단의 공식

① 작품
헤매던 숙향 앞에 '문득 파랑새가' 나타나며 '파랑새가 가는 대로 따라'가 '한 궁궐'에 이르게 됨 → '한 부인이 머리에 화관을 쓰고' 있었으며 부인의 명에 따라 선녀가 준 '경액'을 먹자 숙향은 '천상의 일과 인간 세상에 내려와 부모 잃고 헤매며 고생한 일을 일일이 알게' 됨

선지 ➡ '후토 부인'은 '숙향'을 명사계로 인도하여 전생에서의 '숙향'의 정체를 깨닫게 해 주고 있다. ○

② 작품
이선은 '숙향이 보내 온 혈서를 보고 크게 놀라 통곡하고 그 편지를 숙모께 드리고 낙양 옥중에 가서 숙향과 함께 죽으려' 함, 숙부인이 이 상서를 만나기 위해 장안으로 간 뒤 이선은 울며 '숙향이 죽었으면 함께 죽으리라' 다짐함

선지 ➡ '이선'은 '숙향'이 처한 상황을 알고서 '숙향'과 생사를 같이 하겠다고 다짐하고 있다. ○

③ 작품
숙부인은 '선과 숙향이 혼사를 치르도록 했'는데 이 상서가 명을 내려 숙향을 옥에 가둔 문제에 대해 '일러 듣지 아니하면 황후께 아뢰어 황제께서 아시게 하'겠다고 함

선지 ➡ '숙부인'은 '숙향'과 '이선'의 혼사가 이루어지도록 '이 상서'로 하여금 '황후'에게 아뢰게 하고 있다. ✕

④ 작품
장 씨는 숙향을 보고 죽은 딸을 떠올리며 연민하고 '아직 죽이지 말고 상서께 기별하여 스스로 처치하게 하'자고 부탁함 → '김전이 부인의 말을 옳게 여겨 숙향을 도로 하옥하라' 함

선지 ➡ '김전'은 '장 씨'의 말을 수용하여 '숙향'에 대한 형 집행을 미루고 있다. ○

⑤ 작품
숙향은 '오 세에 부모를 난중에 잃고 사방에 유리하'였으며 '김 상서의 딸이라 하오며 이름은 숙향이요 나이는 십육 세'라고 하여 자신의 내력을 밝힘 → 장 씨는 숙향의 '얼굴을 보오니 죽은 우리 딸과 같삽고 연치 또한 같다고 하며 '혹 죽은 자식이 살아서 돌아다니는지 마음이 자연 비창하'다고 함

선지 ➡ '장 씨'는 '숙향'을 보고서 자신의 딸을 떠올리며 '숙향'에게 연민을 느끼고 있다. ○

고전소설 독해의 STEP 1

❶ 다음 글을 읽고 등장인물을 잘 파악했는지, 빈칸에 적절한 말을 채웠는지 확인해 보세요.

📅 고3 2015학년도 10월 학평A – 임제, 「원생몽유록」

[앞부분의 줄거리] 꼿꼿한 절개를 지닌 선비 자허 가 밤에 독서를 하다가 잠이 든다. 꿈속에서 강 언덕을 거닐며 시를 읊던 자허는 복건을 쓴 사람 을 만나는데, 그는 임금 과 신하들 이 자허를 기다리고 있다고 말하며 정자로 인도한다.

그들은 자허가 오는 것을 보고 일제히 마중을 나왔다. 자허는 그들과 인사를 나누기 전에 먼저 임금에게 나아가 문안을 여쭙고 되돌아와서 각자 자리에 앉기를 기다렸다가 맨 끝에 앉았다. 자허의 바로 윗자리에는 복건을 쓴 이가 앉았고, 그 위로는 다섯 사람 (=신하들)이 차례로 앉았다. 자허는 어떻게 된 까닭인지 알 수 없어서 몹시 불안하였다. 자허는 꿈속에서 임금과 신하들이 모인 자리로 갑자기 인도되자 어떻게 된 일인지 몰라 **불안**하고 있어. 그때 임금이 말하였다.

"내가 일찍부터 경 (=자허)의 꽃다운 지조를 그리워하였소. 오늘 이 아름다운 밤에 만났으니 조금도 이상하게 생각 마오." 임금은 자허의 **지조**를 그리워해서 초대한 것이라고 해.

자허는 그제야 의심을 거두고 일어서서 은혜에 감사하였다. 그 후 자리가 정해지자 그들은 고금* 국가의 흥망을 흥미진진하게 논하였다. 복건 쓴 이는 탄식하면서

"옛날 요, 순, 탕, 무*는 만고의 죄인입니다. 그들 때문에 후세에 여우처럼 아양 부려 임금의 자리를 뺏은 자가 선위*를 빙자하였고, 신하로서 임금을 치고서도 정의를 외쳤습니다. 천 년의 도도한 세월이 흘렀건만 누구도 그 폐해를 구제하지 못했습니다. 그러니 이 네 임금이야말로 도적의 시초가 아니고 무엇이겠습니까?" 임금과 신하들은 고금의 **흥망**에 대해 토론하기 시작해. 먼저 복건 쓴 이는 요, 순, 탕, 무라는 네 명의 임금들을 탓하며 이들이 **도적**의 시초나 다름없다고 하네.

하였다.

그러자 말이 채 끝나기도 전에 임금은 얼굴빛을 바로잡고,

"아니오. 경 (=복면을 쓴 사람)은 이게 대체 무슨 말이오? 네 임금의 덕을 지니고 네 임금의 시대를 만났다면 옳거니와, 네 임금의 덕이 없을 뿐더러 네 임금의 시대가 아니라면 아니 될지니, 네 임금이 무슨 허물이 있겠소? 다만 그들을 빙자하는* 놈들이 도적이 아니겠소?" 임금은 복건 쓴 이를 나무라며 네 임금에게는 허물이 **없고**, 그들을 명분으로 삼고 이득을 취하려는 자들이야말로 **도적**과 같다고 하네.

하고 말했다. 그러자 복건 쓴 이는 머리를 조아리고 절하며,

"마음속에 불평이 쌓여서 저도 모르는 사이에 지나치게 분개했습니다."

하며 사과했다.

임금은 또,

"그만두시오. 오늘은 귀한 손님이 이 자리에 계시니, 다른 것을 이야기할 필요는 없겠소. 다만 달은 밝고 바람이 맑으니, 이렇게 아름다운 밤에 어찌하려오."

하고 곧 금포를 벗어서 갯마을에 보내어 술을 사 오게 했다. 술이 몇 잔 돌자 임금은 그제야 잔을 잡고 흐느껴 울면서 여섯 사람을

돌아보았다.

"경들은 이제 각기 자기의 뜻을 말하여 남몰래 품은 원한을 풀어 봄이 어떠할꼬."

했다. 여섯 사람은

"전하께옵서 먼저 노래를 부르시면 신들이 그 뒤를 이어 볼까 하옵니다."

하고 대답했다. 임금은 수심에 겨워 옷깃을 여미고 슬픔을 이기지 못한 채 노래 한 가락을 불렀다. 임금과 신하들은 술을 나누어 마시고, 수심이 가득한 임금이 먼저 노래를 부르기 시작해.

강물은 울어 옐 제 쉴 줄을 모르는구나
기나긴 나의 시름 이 물에 비길까나
살았을 때는 임금이건만 죽어서는 고혼뿐이거늘
새 임금은 거짓이라 나를 높여 무엇하리
고국의 백성들은 국적이 변했구나
예일곱 신하만이 죽음으로 나를 따르는구나
오늘 저녁은 어인 밤인가 강루에 함께 올라
차가운 물결 밝은 달이 수심을 자아낼 때
슬픈 노래 한 가락에 천지가 아득하구나

임금은 자신의 죽음과, 새 **임금**의 거짓된 즉위, 죽음으로 자신을 따른 충신들에 대해 노래했어.

노래가 끝나자 다섯 사람이 각기 절구를 읊었다. 첫째 자리에 앉은 사람이 먼저 읊었다.

어린 임금 못 받듦은 내 재주 엷음이라
나라 잃고 임금 욕보이고 이 몸까지 버렸구나
지금 와 천지를 둘러보니 부끄러울 뿐이로다
당년에 일찍 스스로 도모하지 못했음을 후회하노라

첫째 자리에 앉은 사람은 **어린 임금**을 제대로 보위하지 못한 일과 나라를 잃어버린 일을 자탄하고 있어. 즉 자허의 꿈에 나타난 임금과 여섯 명의 신하는 바로 새 임금(세조)의 거짓된 즉위로 폐위된 어린 임금(단종)과 그의 충신들인 거야.

(중략)

읊기가 끝나자 만좌*는 모두 흐느껴 울었다. 얼마 되지 않아서 어떤 기이한 사내 하나가 뛰어드는데 그는 씩씩한 무인이었다. 키가 훨씬 크고 용맹이 뛰어났으며, 얼굴은 포갠 대추와 같고, 눈은 샛별처럼 번쩍였다. 그는 옛날 문천상의 정의에다 진중자의 맑음을 겸하여 늠름한 위풍은 사람들로 하여금 공경심을 일으키게 했다. 갑자기 뛰어든 **기이한 사내**의 외양을 묘사하고 있어. 정의와 맑음을 겸하고 **늠름**한 위풍을 가졌다고 하네. 그는 임금의 앞에 나아가 뵌 뒤에 다섯 사람을 돌아보며

"애달프다. 썩은 선비들아, 그대들과 무슨 대사를 꾸몄단 말인가."

하고 곧 칼을 뽑아 일어서서 춤을 추며 슬피 노래를 부르는데, 그 마음은 강개하고* 그 소리는 큰 종을 울리는 듯싶었다. 그 노래는 다음과 같았다.

바람은 쓸쓸하여 잎 지고 물결 찰 제
칼 안고 긴 휘파람에 북두성은 기울었네

살아서는 충의하고 죽어서는 굳센 혼을
내 금량*이 어떻더뇨 강 속에 둥근 달이로다
함께 일을 도모한 것이 잘못이니 썩은 선비 책하지 마오

사내는 칼을 뽑아 들고 춤을 추며 비분강개의 심정을 노래하고 있어. 살아서 **충의**하고
죽어서도 굳센 혼을 지키고 있다고 하네.

노래가 끝나기 전에 달이 어두컴컴해지고 시름겨운 구름이 끼더니,
비가 쏟아지고 바람이 몰아쳤다. 귀를 찢는 천둥소리가 울리니 모
두가 홀연히 흩어졌다. 자허도 역시 놀라 깨어 본 즉 곧 한바탕의
꿈이었다. **천둥소리**가 울리며 자허는 꿈속 공간에서 현실로 돌아왔어.

장면끊기 01 자허는 꿈속에서 **복건**을 쓴 이에게 이끌려 간 곳에서 임금과 신하들을
만나. 그들은 고금 국가의 흥망에 대해 논하면서 술을 마시고, 각자의 심회를 노래로 풀어내.
갑자기 나타난 **기이한 사내** 역시 춤을 추며 자신의 심정을 노래하고, 천둥소리가 울리며
자허는 꿈에서 깨어나지. 꿈속 세계에서 현실로 돌아오고 있으니 여기서 장면을 나누어야 해.

자허의 벗 매월거사*는 이 꿈 이야기를 듣고 통분한 어조로 말했다.
"대체로 보아 옛날로부터 임금이 어둡고 신하가 혼잔*하여 마
침내 나라를 망친 자가 많았다. 그런데 이제 그 임금을 보건대
반드시 현명한 왕이며, 그 여섯 신하도 또한 모두 충의의 선비
인데 어찌 이런 신하와 이런 임금으로서 패망의 화를 입음이 이
렇게 참혹할 수 있겠는가. 아아, 이것은 대세가 이렇게 만든 것
일까. 그렇다면 이는 불가불* 시세에 맡길 수밖에 없을 것이며
또한 원인을 하늘에 돌리지 않을 수 없겠다. 하늘에 원인을 돌
린다면, 저 착한 이에게 복을 주며 악한 놈에게 재앙을 주는 것이
하늘의 도리가 아니겠는가. 만일 하늘에 원인을 돌릴 수 없다면
곧 어둡고도 막연하여 이 이치를 상세히 알 수 없이 유유한 이
누리에 한갓 지사의 회포만을 돋울 뿐이구려." 자허의 벗인 매월거사는
자허의 꿈 이야기를 듣고 통분하고 있어. 꿈속의 임금과 신하는 **현명**한 왕이고 충의의
선비인데 **참혹**한 일을 당했다는 거지. 그러한 일의 원인을 하늘에 돌릴 수밖에 없지만,
착한 이에게 복을 주고 악한 놈에게 재앙을 주는 하늘의 **도리**가 지켜지지 않음에 탄식
하는 거야.

장면끊기 02 현실로 돌아온 자허는 자신의 꿈 이야기를 벗인 **매월거사**에게 했고, 매월
거사는 통분함을 느끼며 임금과 신하들이 **참혹**한 일을 당한 것을 안타까워해.

– 임제, 「원생몽유록」 –

*요, 순, 탕, 무: 고대 중국의 성군(聖君)들.

*선위: 군주가 살아 있으면서 다른 사람에게 군주의 지위를 물려주는 일.

*금량: 마음속에 깊이 품은 생각.

*매월거사: 생육신 중 한 명인 김시습의 별호.

*혼잔: 어리석고 못나서 사리에 어두움.

[고전 **필수** 어휘]

*고금: 예전과 지금을 아울러 이르는 말.

*빙자하다: 남의 힘을 빌려서 의지하다.

*만좌: 모든 좌석에 가득 앉은 사람들.

*강개하다: 의롭지 못한 것을 보고 의기가 북받쳐 원통하고 슬프다.

*불가불: 하지 아니할 수 없어. 또는 마음이 내키지 아니하나 마지못하여.

고전소설 독해의 STEP 2

1 구조도의 빈칸에 적절한 말을 채웠는지 확인해 보세요.

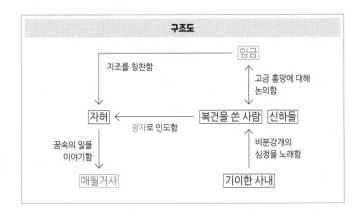

2 1~2번 문제의 정답과 해설을 확인해 보세요.

1. 윗글의 인물에 대한 이해로 적절하지 않은 것은?

[정답풀이]

② 자허는 신하들 사이의 오해를 해소하기 위해 애쓰고 있다.

> 자허는 복건 쓴 사람을 따라간 곳에서 임금과 신하들이 '고금 국가의 흥망'
> 에 대해 논하고 '각기 자기의 뜻을 말하여 남몰래 품은 원한을' 푸는 모습
> 을 지켜볼 뿐, 신하들 사이의 오해를 해소하려 하지는 않았다.

[오답풀이]

① 임금은 왕위를 잃은 후 자신의 처지를 슬퍼하고 있다.

> 임금은 '수심에 겨워' 부른 노래에서 '새 임금은 거짓이라 나를 높여 무엇
> 하리'라고 하여 새 임금에 의해 왕위를 잃은 슬픔을 노래하였다.

③ 기이한 사내는 노래를 통해 자신의 충의를 드러내고 있다.

> 기이한 사내는 '칼을 뽑아 일어서서 춤을 추며 슬피 노래를 부'르면서, '살아
> 서는 충의하고 죽어서는 굳센 혼을 / 내 금량이 어떻더뇨'라고 하여 자신의
> 충의를 자부하고 있다.

④ 복건 쓴 이는 임금의 지적을 받자 자신의 잘못을 인정하고 있다.

> 복건 쓴 이는 '요, 순, 탕, 무'의 '네 임금이야말로 도적의 시초'라고 하였는데,
> 이를 들은 임금이 네 임금이 아니라 '그들을 빙자하는 놈들이 도적'이라고
> 지적하자 자신이 '지나치게 분개했'다며 잘못을 인정하고 사과하고 있다.

⑤ 첫째 자리에 앉은 사람은 임금을 제대로 보좌하지 못한 것을 안타까워하고 있다.

> 임금의 노래에 이어 첫째 자리에 앉은 사람은 '어린 임금 못 받듦은 내 재주 엷음이라 / 나라 잃고 임금 욕보이고 이 몸까지 버렸구나'라고 노래하며 임금을 제대로 보좌하지 못한 것을 자탄하고 있다.

2. 문학 개념어 OX 확인 문제

① ✗

• 입체적: 사물을 여러 각도에서 종합적으로 파악하는 것.

　근거 윗글에서 대상이 되는 인물을 여러 각도에서 바라보며 인물의 성격을 종합적, 총체적으로 드러내는 부분은 찾을 수 없음.

② ◯

• 삽입시(삽입시가): 산문 안에 삽입된 시나 노래. 인물의 심리와 감정을 효과적으로 전달할 수 있고, 사건이 전개될 방향을 암시하거나 주제를 집약적으로 전달하는 기능을 하며, 서정적이고 낭만적인 분위기 조성에 기여하기도 함.

　근거 '내가 일찍부터 경의 꽃다운 지조를 그리워하였소.', '강물은 울어 옐 제 쉴 줄을 모르는구나 / 기나긴 나의 시름 이 물에 비길까나' 등

고전소설 독해의　STEP 3

1 1번 문제의 선지 판단 공식에 대한 답을 확인해 보세요.

선지 판단의 공식

①
작품 '임금은 수심에 겨워 옷깃을 여미고 슬픔을 이기지 못한 채 노래 한 가락'을 부름 → 노랫말에서 '살았을 때는 임금이건만 죽어서는 고혼뿐이거늘 / 새 임금은 거짓이라 나를 높여 무엇하리'라고 함

선지 ➡ 임금은 왕위를 잃은 후 자신의 처지를 슬퍼하고 있다. ◯

②
작품 자허가 '복건을 쓴 사람'을 따라 간 곳에서 임금과 신하들은 '고금 국가의 흥망을 흥미진진하게 논하였'음 → 자허는 임금과 신하들이 '각기 자기의 뜻을 말하여 남몰래 품은 원한'을 노래로 풀어내는 것을 봄

선지 ➡ 자허는 신하들 사이의 오해를 해소하기 위해 애쓰고 있다. ✗

③
작품 기이한 사내는 '살아서는 충의하고 죽어서는 굳센 혼을 / 내 금량이 어떻더뇨 강 속에 둥근 달이로다'라고 노래함

선지 ➡ 기이한 사내는 노래를 통해 자신의 충의를 드러내고 있다. ◯

④
복건 쓴 이는 '옛날 요, 순, 탕, 무'의 '네 임금이야말로 도적의 시초'라고 함 → 이에 임금은 '네 임금이 무슨 허물이 있'냐며 '그들을 빙자하는 놈들이 도적'이라고 함 → 복건 쓴 이는 '마음속에 불평이 쌓여서 저도 모르는 사이에 지나치게 분개했'다며 사과함
작품

선지 ➡ 복건 쓴 이는 임금의 지적을 받자 자신의 잘못을 인정하고 있다. ◯

⑤
작품 첫째 자리에 앉은 사람은 '어린 임금 못 받듦은 내 재주 엷음이라 / 나라 잃고 임금 욕보이고 이 몸까지 버렸구나'라고 노래함

선지 ➡ 첫째 자리에 앉은 사람은 임금을 제대로 보좌하지 못한 것을 안타까워하고 있다. ◯

고전소설 독해의 STEP 1

1 다음 글을 읽고 등장인물을 잘 파악했는지, 빈칸에 적절한 말을 채웠는지 확인해 보세요.

📅 고3 2015학년도 3월 학평B – 작자 미상, 「운영전」

[앞부분의 줄거리] 수성궁을 찾은 선비 유영은 꿈속에서, 죽은 김 진사와 운영을 만나 그들의 이야기를 듣는다. 안평 대군의 궁녀인 운영은 김 진사와 사랑에 빠진다. 김 진사는 노비인 '특'의 도움을 받아 운영과 달아날 계획을 세우나 특의 배신으로 안평 대군에게 들키게 되고, 운영은 자결을 한다. 김 진사는 특을 불러 지난날의 죄를 용서해 주며 청량사에서 운영을 위한 불공을 드릴 준비를 하라고 분부하나 특은 계속 악행을 저지른다. *앞부분의 줄거리를 통해 이야기의 구조가 드러나고 있네. 이 작품은 선비 유영이 꿈속에서 김 진사와 운영을 만나는 현재의 이야기 속에서, 김 진사와 궁녀 운영의 비극적인 사랑을 다룬 과거의 이야기가 전개되는 액자식 구성을 취하고 있는 것으로 보여. 김 진사와 운영의 사랑을 파국으로 이끈 '특'이라는 노비는 김 진사의 용서에도 불구하고 계속 악행을 저지르는 악인으로 등장하고 있네.*

때는 마침 화나무 꽃이 노랗게 피는 시절이었습니다. 나(=김 진사)는 과거를 볼 생각은 없었으나 공부를 핑계 삼아 청량사에 올라갔습니다. 며칠을 묵으며 특이란 놈이 한 짓을 자세히 듣게 되었지요. 분을 이기지 못했으나 특을 어찌할 방도가 없었습니다. *김 진사가 1인칭 시점의 서술자로서 과거의 이야기를 전달하고 있네. 청량사에서 특의 악행에 대한 이야기를 들은 김 진사는 분을 이기지 못하고 있어.* 목욕재계한 다음 부처님 앞에 나아가 두 번 절하고 세 번 머리를 조아린 뒤 향을 살라 합장하고 이렇게 빌었습니다.

"운영이 죽을 당시 했던 약속이 너무도 서글퍼 차마 저버릴 수 없나이다. 그래서 특이라는 종놈으로 하여금 정성을 다해 불공을 드리게 하여 명복을 빌려 했었습니다. 그랬건만 지금 이 종놈이 부처님께 빌던 말을 들으니 패악*이 극심하여 운영의 마지막 소원마저 모두 물거품이 되고 말았습니다. *특에게 청량사에서 불공을 드리라고 한 것은 운영이 죽을 때에 한 약속 때문이었나 봐. 특의 패악으로 이를 제대로 지키지 못하게 되니 당연히 화가 나겠지.* 이 때문에 제가 감히 다시 비나이다. 부처님, 운영을 다시 살아나게 해 주옵소서. 부처님, 운영을 저의 배필*로 맺어 주옵소서. 부처님, 운영과 제가 다음 생에서는 이 같은 원통함을 면하게 해 주옵소서. 부처님, 특이란 종놈의 목숨을 끊고 쇠로 만든 칼을 씌워 지옥에 가두어 주옵소서. 부처님께서 이렇게 해 주신다면 운영은 12층 금탑을 세우고 저는 큰 절을 세 곳에 세워 부처님 은혜에 보답하겠나이다."

기도를 마치고 일어서서 백번 절하며 머리를 땅에 조아리고 나왔습니다. *김 진사가 부처님에게 부탁한 내용은 운영을 다시 살아나게 하여 자신의 배필로 맺어 달라는 것, 다음 생에서는 이런 원통함을 느끼지 않게 해 달라는 것, 특을 죽여 지옥에 가두어 달라는 것이야. 이를 이루어 준다면 운영과 함께 그 은혜에 보답할 것이라고 하지.*

이레 뒤에 특은 우물에 빠져 죽었습니다. *부처님에게 올린 간절한 기원 때문일까? 특은 우물에 빠져서 목숨을 잃었어.* 그 뒤로 나는 세상사에 뜻이 없어, 몸을 깨끗이 씻고 새 옷으로 갈아입은 다음 조용한 방에 누웠습니다. 나흘 동안 먹지 않다가 한 번 장탄식을 하고는 마침내 일어나지 못했습니다. *김 진사는 특의 죽음 이후 세상일에 흥미를 잃고, 누운 채 나흘 동안이나 먹지 않다가 숨을 거두었네.*

장면끊기 01 특이 또다시 자신을 배신했음을 알게 된 김 진사가 부처님에게 소원을 빈 뒤 죽음을 맞이하는 장면이야. 비록 악인인 특이 목숨을 잃게 되기는 했지만, 앞부분의 줄거리에서 운영이 **자결**한 것에 이어 김 진사마저 목숨을 잃게 되었다는 점에서 결말은 비극적이야. 이 뒤에는 1인칭 주인공 시점이 3인칭 전지적 작가 시점으로 바뀌면서, 운영과 김 진사의 과거 이야기에서 유영이 꿈속에서 김 진사와 운영을 만나고 있는 현재의 이야기로 전환되니 여기서 장면을 끊자.

적기를 마치고 붓을 놓았다. 두 사람은 마주 보고 슬피 울었는데, 울음을 그치지 못했다. 유영이 위로의 말을 건넸다.

"두 분이 다시 만나셨으니 소원을 이룬 셈이요, 원수 같은 종놈이 이미 죽었으니 분도 풀렸을 터인데, 어찌 그리도 하염없이 비통해하십니까? 다시 인간 세상에 나지 못한 것을 한스러워하시는 겁니까?" *유영은 이야기를 마치고 통곡하는 김 진사와 운영에게 위로의 말을 건네며, 비통함을 느끼는 이유에 대해 묻고 있어.*

김 진사가 눈물을 거두고 감사의 뜻을 표하며 이렇게 말했다.

"우리 두 사람 모두 원한을 품고 죽었기에 염라대왕은 우리가 죄 없이 죽은 것을 가련히 여겨 인간 세상에 다시 태어나게 하려 했습니다. 그러나 지하의 즐거움도 인간 세계보다 덜하지 않거늘 하물며 천상의 즐거움이야 말해 무엇하겠습니까? 이 때문에 우리는 인간 세계에 태어나기를 소망하지 않았습니다. *다시 인간 세상에 태어나지 못한 것에 한스러움을 느끼는 것이냐는 유영의 질문에, 김 진사는 자신들은 천상에서 즐거움을 누리고 있어 염라대왕의 제안에도 인간 세상에 다시 태어나기를 거부했다고 해.* 다만 오늘밤 서글퍼하는 것은 다른 이유에서입니다. 대군이 몰락하여 수성궁에 주인이 없어지자 새들은 슬피 울고 사람들의 발길도 끊어졌으니, 이것만 해도 참으로 슬픈 일이지요. 게다가 새로 전쟁을 겪은 뒤 화려하던 집은 잿더미가 되고 고운 담장은 무너져 내려 오직 섬돌의 꽃과 뜨락의 풀만 우거져 있습니다. 봄빛은 예전 모습 그대로이거늘 사람 일은 이처럼 바뀌었으니, 이곳에 다시 와 지난날을 추억하매 어찌 슬프지 않겠습니까!" *김 진사가 느낀 서글픔은 시간이 흘러 사람들의 발길이 끊기고 폐허가 된 수성궁에서 지난날을 추억하는 슬픔에서 비롯된 것이라고 해.*

유영이 말했다.

"그렇다면 그대들은 모두 천상에 계신 분들인가요?"

김 진사가 말했다.

"우리 두 사람은 본래 천상의 신선으로, 오랫동안 옥황상제를 곁에서 모시고 있었지요. 그러던 어느 날 상제(=옥황상제)께서 태청궁에 납시어 내게 동산의 과실을 따오라는 명을 내리셨습니다. 나는 반도와 경실과 금련자를 많이 따서 사사로이 운영에게 몇 개를 주었다가 발각되고 말았습니다. 그래서 속세로 유배되어 인간 세상의 고통을 두루 겪는 벌을 받았지요. 이제는 옥황상제께서 죄를 용서하셔서 다시 삼청궁(三淸宮)에 올라 상제 곁에서 시중을 들고 있습니다. 그러다가 때때로 회오리 바람 수레를 타고 내려와 속세에서 예전에 노닐던 곳을 찾아보곤 한답니다." *김 진사와 운영은 원래 천상의 신선이었구나. 천상에서 지은 죄 때문에 속세로 유배되어 고통 받다가, 인간으로서의 죽음을 맞이한 뒤에 옥황상제의 용서를 받았다고 하네. 여기에서 천상계의 존재가 인간 세상으로 내려오는 적강 모티프가 사용되었음을 알 수 있군.*

이윽고 눈물을 뿌리며 유영의 손을 잡고 말했다.

"바닷물이 마르고 바위가 문드러져도 이 사랑의 감정은 사라지지 않을 것이요, 천지가 다해도 이 한은 사그라지지 않을 것입니다. *바닷물이 마르고 천지가 다하는 불가능한 상황을 가정해서*

자신의 사랑과 한이 **없어지지 않을** 것이라는 전망을 드러냈어. 오늘 밤 그대
[A]
(=유영)와 만나 이렇게 회포*를 풀었으니 **전생의 인연**이 없었
더라면 어찌 이런 일이 있겠습니까? 유영과의 만남이 이루어진
것은 **전생의 인연**이 있었기 때문이라고 하면서 만남의 의미를 강조하고 있네.
엎드려 바라건대 선생 (=유영)은 저희가 쓴 글을 수습하시어
영원히 전해 주시기 바랍니다. 그리하여 경망스런 사람의
입에 헛되이 전해져 우스갯거리가 되지 않도록 해 주시면
참으로 고맙겠습니다." 앞에서 '적기를 마치고 붓을 놓았다.'라고 한
부분과 연결 지어 생각하면, 김 진사가 자신들의 사랑 이야기를 글로 적으며
이야기를 전개해 갔음을 알 수 있지. 김 진사는 이 이야기가 왜곡 없이 전해져
경망한 사람의 **우스갯거리**가 되지 않기를 바라고 있어.

김 진사가 취하여 운영에게 몸을 기대며 절구 한 편을 읊었다.

궁중에 꽃 지고 제비 나는데
봄빛은 예와 같되 주인은 간 데 없네.
한밤의 달빛 이리도 서늘하여
버드나무와 가벼운 안개는 푸른 우의(羽衣)* 같네.
김 진사는 궁중의 **봄빛**은 예전과 같은데 **주인**은 간 데 없다는 구절로 인생무상을 노래
하면서, 자신의 감정을 시로 응축하여 읊고 있네.

운영이 이어서 읊조렸다.

옛 궁궐의 버드나무와 꽃은 새봄을 띠었고
천 년의 호사 자주 꿈에 보이네.
오늘 밤 놀러 와 옛 자취 찾노니
눈물이 수건 적심 금치 못하네.
운영 또한 김 진사와 같이 옛 **궁궐**에서 옛 **자취**를 찾으면서 느낀 슬픔을 시로 응축하여
표현하고 있어. 이처럼 고전소설에서 중간에 삽입된 시는 등장인물의 상황이나 정서를
효과적으로 표현해 줘.

유영이 취하여 깜빡 잠이 들었다. **장면끊기 02** 앞부분의 줄거리에 따르면
김 진사와 운영과 대화를 나눈 것은 유영의 **꿈속**에서 일어난 일이야. 이 다음에 유영은 현실
에서 눈을 뜨게 되니, 꿈에서 현실로 전환되는 이 부분에서 장면을 끊었어. 잠시 뒤 산새
울음소리에 깨어 보니, 안개가 땅에 가득하고 새벽빛이 어둑어둑
하며 사방에는 아무도 보이지 않는데 다만 김 진사가 기록한 책
한 권이 남아 있을 뿐이었다. 유영은 서글프고 하릴없어 책을 소매
에 넣고 집으로 돌아왔다. 상자 속에 간직해 두고 때때로 열어 보며
망연자실*하더니 침식을 모두 폐하기에 이르렀다. 그 후 명산을
두루 유람하였는데, 그 뒤로 어찌 되었는지는 알 수 없다. 유영과
김 진사, 운영의 대화는 유영의 꿈속에서 이루어진 일이지만, 신기하게도 유영이 현실에서
눈을 떴을 때 김 진사가 기록한 **책**은 남아 있었어. 그리고 때때로 이를 열어 보며 **망연자실**
하던 유영이 잠 자는 일도 먹는 일도 그만두다가 행적이 묘연해지는 것으로 이야기는 마무리
되고 있어.

장면끊기 03 잠에서 깨어난 유영이 망연자실해 하다가 행방불명이 되는 장면이야.
김 진사와 운영의 비극적인 사랑 이야기에 이어, 외부 이야기의 주인공인 **유영**의 삶도 비극적
으로 마무리되고 있음을 확인할 수 있지.

– 작자 미상, 「운영전」 –

*우의(羽衣): 신선의 옷.

고전 필수 어휘

*패악: 사람으로서 마땅히 하여야 할 도리에 어그러지고 흉악함.

*배필: 부부로서의 짝.

*회포: 마음 속에 품은 생각이나 정(情).

*망연자실: 멍하니 정신을 잃음.

고전소설 독해의 STEP 2

1 구조도의 빈칸에 적절한 말을 채웠는지 확인해 보세요.

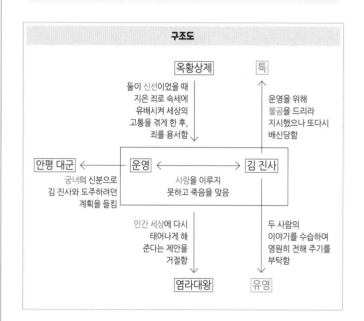

구조도

옥황상제 — 둘이 신선이었을 때 지은 죄로 속세에 유배시켜 세상의 고통을 겪게 한 후, 죄를 용서함

특 — 운영을 위해 불공을 드리라 지시했으나 또다시 배신당함

안평 대군 ← 운영 ← → 김 진사

안평 대군: 궁녀의 신분으로 김 진사와 도주하려던 계획을 들킴

운영 ← → 김 진사: 사랑을 이루지 못하고 죽음을 맞음

인간 세상에 다시 태어나게 해 준다는 제안을 거절함 → 염라대왕

두 사람의 이야기를 수습하여 영원히 전해 주기를 부탁함 → 유영

2 1~2번 문제의 정답과 해설을 확인해 보세요.

고전소설 독해의 **STEP 3**

1 1번 문제의 선지 판단 공식에 대한 답을 확인해 보세요.

1. 윗글의 내용으로 적절하지 <u>않은</u> 것은?

정답풀이

③ '김 진사'는 '운영'의 재생을 위해 자신의 목숨을 포기했다.

> 운영이 자결한 후 '김 진사'는 부처님에게 '운영을 다시 살아나게 해' 자신과 '배필로 맺어' 달라는 것과 '특'에게 벌을 내려줄 것을 기원한다. 이후 특은 우물에 빠져 죽고, 김 진사는 식음을 전폐하다 숨을 거두었다. 즉 김 진사가 운영의 재생을 기원한 것은 맞지만, 이를 위해 자신의 목숨을 포기한 것은 아니다.

오답풀이

① '김 진사'는 부처님에게 '특'의 죽음을 기원했다.

> '김 진사'는 '부처님, 특이란 종놈의 목숨을 끊고 쇠로 만든 칼을 씌워 지옥에 가두어 주옵소서.'라고 하여 '특'의 죽음을 기원했다.

② '김 진사'는 청량사에서 '특'의 행적을 전해 듣고 분노했다.

> '김 진사'는 '공부를 핑계 삼아 청량사에 올라'가 '특이란 놈이 한 짓을 자세히 듣게 되'고 '분을 이기지 못했'다.

④ '김 진사'와 '운영'은 가끔씩 속세에 내려와 추억의 장소를 방문하고 있다.

> '김 진사'는 '유영'과의 대화에서 자신과 '운영'이 '때때로 회오리 바람 수레를 타고 내려와 속세에서 예전에 노닐던 곳', 즉 추억의 장소를 찾아보곤 한다고 했다.

⑤ '김 진사'와 '운영'은 그들을 속세에 환생시키려고 한 '염라대왕'의 배려를 거절했다.

> '김 진사'는 '유영'과의 대화에서 '우리 두 사람 모두 원한을 품고 죽었기에 염라대왕은 우리가 죄 없이 죽은 것을 가련히 여겨 인간 세상에 다시 태어나게 하려 했'지만, '천상의 즐거움'이 있어 '우리는 인간 세계에 태어나기를 소망하지 않았'다고 했다.

2. 인물의 말하기 방식 OX 확인 문제

> ① ✕
>
> 근거 [A]에서 김 진사는 유영에게 자신과 운영이 쓴 글을 영원히 전해 달라고 당부하고 있을 뿐이며, 김 진사가 유영에게 보답을 암시하는 내용은 찾아볼 수 없음.

> ② ◯
>
> 근거 [A]에서 김 진사는 '엎드려 바라건대 선생(유영)은 저희(김 진사와 운영)가 쓴 글을 수습하시어 영원히 전해 주시기 바랍니다.'라고 하며 유영이 자신들의 글을 영원히 전해 주기를 바란다는 뜻을 드러내고 협조를 당부하고 있음.

선지 판단의 공식

> ① 작품
> '김 진사'는 '부처님 앞에 나아가' '특이란 종놈의 목숨을 끊고 쇠로 만든 칼을 씌워 지옥에 가두어 주옵소서.'라고 빌었음
>
> 선지▶ '김 진사'는 부처님에게 '특'의 죽음을 기원했다.   ◯

> ② 작품
> '특'은 '김 진사'에게 '지난날의 죄를 용서'받고도 '계속 악행을 저지'르며, '김 진사'는 '공부를 핑계'로 '청량사'에 올라가 '며칠을 묵으며 특이란 놈이 한 짓을 자세히 듣게 되'고는 '분을 이기지 못'함
>
> 선지▶ '김 진사'는 청량사에서 '특'의 행적을 전해 듣고 분노했다.   ◯

> ③ 작품
> '김 진사'는 '부처님 앞에 나아가' '운영을 다시 살아나게 해' 준다면 '부처님 은혜에 보답'하겠다고 하고, 특의 죽음 이후 '세상사에 뜻이 없'어 '나흘 동안 먹지 않'다가 죽음을 맞이함
>
> 선지▶ '김 진사'는 '운영'의 재생을 위해 자신의 목숨을 포기했다.   ✕

> ④ 작품
> '김 진사'와 '운영'은 '본래 천상의 신선'으로, 인간 세상으로 '유배'되었다가 옥황상제에게 '죄를 용서'받아 '삼청궁'에서 지내는데, '때때로 회오리 바람 수레를 타고 내려와 속세에서 예전에 노닐던 곳을 찾아보곤' 함
>
> 선지▶ '김 진사'와 '운영'은 가끔씩 속세에 내려와 추억의 장소를 방문하고 있다.   ◯

> ⑤ 작품
> '염라대왕'은 '원한을 품고 죽'은 '김 진사'와 '운영'이 '죄 없이 죽은 것을 가련히 여겨 인간 세상에 다시 태어나게 하려 했'으나, 두 사람은 '천상의 즐거움' 때문에 '인간 세계에 태어나기를 소망하지 않았'음
>
> 선지▶ '김 진사'와 '운영'은 그들을 속세에 환생시키려고 한 '염라대왕'의 배려를 거절했다.   ◯

고전소설 독해의 STEP 1

1 다음 글을 읽고 등장인물을 잘 파악했는지, 빈칸에 적절한 말을 채웠는지 확인해 보세요.

📅 고3 2014학년도 수능B – 남영로, 「옥루몽」

[앞부분의 줄거리] 천상에서 벌을 받은 문창성은 꿈을 꾸어 인간 세상에 양창곡(=문창성)으로 다시 태어난다. 천상에 함께 있었던 제방옥녀, 천요성, 홍란성, 제천선녀, 도화성도 인간 세상에서 윤 소저(=제방옥녀), 황 소저(=천요성), 강남홍(=홍란성), 벽성선(=제천선녀), 일지련(=도화성)으로 다시 태어나 양창곡과 결연을 맺는다. 양창곡은 벼슬하고 공을 세워 연왕(=문창성, 양창곡)에 오른다. 그 뒤 부친 양현, 모친 허 부인, 다섯 아내(=윤 소저+황 소저+강남홍+벽성선+일지련), 자식들과 영화로운 삶을 살게 된다. 문창성과 다섯 사람(선녀)은 천상에서 벌을 받고 인간 세상에서 다시 태어나 양창곡과 그의 다섯 아내가 되는구나. 천상의 존재가 인간 세상으로 내려왔다는 점에서 적강 모티프가 활용되고 있음을 확인할 수 있네. 죄를 짓고 내려오기는 했지만, 여섯 사람은 **인간 세상**에서 결연을 맺고 영화로운 삶을 살고 있어.

이날 밤에 강남홍이 취하여 취봉루에 가 의상을 풀지 아니하고 책상에 의지하여 잠이 들었더니 홀연 정신이 황홀하고 몸이 정처 없이 떠돌아 일처에 이르매 한 명산이라. 강남홍이 **취봉루**에서 잠이 든 상황에서 장면이 시작하고 있네. 즉 강남홍이 떠돌아다니다 **명산**에 이르게 되는 사건은 강남홍의 꿈속에서 이루어지고 있는 거야. 봉우리가 높고 험준하거늘 강남홍이 가운데 봉우리에 이르니 한 보살(=관세음보살)이 눈썹이 푸르며 얼굴이 백옥 같은데 비단 가사*를 걸치고 석장(錫杖)*을 짚고 있다가 웃으며 강남홍을 맞아 왈,

"강남홍은 인간지락(人間之樂)이 어떠한가?"

강남홍이 망연히 깨닫지 못하여 왈,

"도사(=관세음보살)는 누구시며 인간지락은 무엇을 이르시는 것입니까?" 명산에서 한 **보살**을 만나게 된 강남홍은 갑자기 **인간지락**(인간 세상의 즐거움)이 어떠냐는 질문을 받고 망연함(아무 생각이 없이 멍함)을 느끼고 있어.

보살이 웃고 석장을 공중에 던지니 한 줄기 무지개 되어 하늘에 닿았거늘 보살이 강남홍을 인도하여 무지개를 밟아 공중에 올라가더니 앞에 큰 문이 있고 오색구름이 어리었는지라. 강남홍이 문 왈,

"이는 무슨 문입니까?"

보살 왈,

"남천문이니 그대는 문 위에 올라가 보라." 보살의 범상치 않은 외모와 신이한 능력으로 보아, 보살은 초월적인 능력을 지닌 존재로 보여. 그런 보살은 강남홍을 **남천문**으로 이끌어 무언가를 깨닫게 해 주려 하고 있네.

강남홍이 보살을 따라 올라 한 곳을 바라보니 일월(日月) 광채 휘황한데 누각 하나가 허공에 솟았거늘 백옥 난간이며 유리 기둥이 영롱하여 눈이 부시고 누각 아래 푸른 난새와 붉은 봉황이 쌍쌍이 배회하며 몇몇 선동(仙童)*과 서너 명의 시녀가 신선 차림으로 난간머리에 섰으며 누각 위를 바라보니 한 선관(=문창성, 양창곡)과 다섯 선녀(=제방옥녀+천요성+홍란성+제천선녀+도화성)가 난간에 의지하여 취하여 자는지라. 보살께 문 왈,

"이곳은 어느 곳이며 저 선관, 선녀는 어떠한 사람입니까?"

보살이 미소 지으며 왈,

"이곳은 백옥루요 제일 위에 누운 선관은 문창성(文昌星)이요 차례로 누운 선녀는 제방옥녀(諸方玉女)와 천요성(天妖星)과

홍란성(紅鸞星)과 제천선녀(諸天仙女)와 도화성(桃花星)이니, 홍란성은 즉 그대의 전신(前身)이니라."

강남홍이 속으로 놀라 왈,

"저 다섯 선녀는 다 천상에서 입도(入道)한 선관이라. 어찌 저다지 취하여 잠을 잡니까?" 앞부분의 줄거리에서 제시된 이름들이 다시 등장하고 있네. 남천문 위로 올라간 강남홍은 백옥루에서 잠들어 있는 자신의 **전신**(전생의 몸)을 바라보며 놀라고 있어. 아직 자신이 **홍란성**이라는 것을 실감하기 어려워하는 것 같지?

보살이 홀연 서쪽을 보며 합장하더니 시 한 구를 외워 왈,

정이 있으면 인연이 생기고
인연이 있으면 정이 생기도다.
정이 다하고 인연이 끊어지면
만 가지 생각이 함께 텅 비는구나.

강남홍이 듣고 정신이 상쾌하여 문득 깨달아 왈,

"나는 본디 천상의 별인데 인연을 맺어 잠깐 하계(下界)에 내려온 것이로다." 보살의 시구를 들은 강남홍은 자신이 정말 홍란성이었고, 강남홍은 **천상의 별**이었던 자신이 잠시 **하계**에 내려오면서 된 존재라는 깨달음을 얻게 돼.

(중략)

강남홍 왈,

"그러하면 저도 또한 천상의 별이라. 이미 여기 왔으니 다시 인간 세상에 돌아갈 마음이 없나이다."

보살이 웃으며 왈,

"하늘이 정한 인연을 인력으로 할 바 아니다. 그대 인간 인연을 마치지 못하였으니 빨리 돌아가라. 사십 년 후에 다시 와 옥황상제께 조회하고 천상지락(天上之樂)을 누릴지어다."

강남홍이 문 왈,

"보살은 뉘십니까?"

보살이 웃으며 왈,

"빈도(貧道)(=관세음보살)는 남해 수월암 관세음보살이라. 부처의 명을 받아 그대를 지도하러 왔노라." 자신이 원래 천상의 존재였다는 것을 깨달은 강남홍은 **인간 세상**으로 돌아가고 싶어 하지 않지만, 보살은 인간의 **인연**이 아직 남았다며 돌아가라고 해. 이렇게 강남홍에게 깨달음을 준 보살의 정체는 바로 남해 수월암 관세음보살이었지.

보살이 말을 마치고 석장을 공중에 던지니 오색 무지개 일어나며 홀연 우렛소리 울리거늘 장면끊기 01 강남홍이 꿈에서 보살과 만나 자신의 전신이 홍란성이라는 것을 알게 된 뒤 잠에서 깨어나 현실로 돌아가게 돼. 따라서 꿈과 현실의 경계가 되는 이 부분에서 장면을 끊었어. 강남홍이 놀라 깨어 보니 몸이 취봉루 책상 앞에 누웠는지라.

강남홍은 꿈속 일이 의아하여 연왕과 윤 부인(=제방옥녀, 윤 소저), 황 부인(=천요성, 황 소저), 벽성선, 일지련에게 낱낱이 말하니 그들 또한 같은 꿈을 꾸었는지라. 서로 탄식하며 의아해 하더니 허 부인이 듣고 강남홍더러 왈,

"내 고향에 있을 적 늦도록 무자(無子)하여 옥련봉 돌부처(=관세음보살)에게 기도하고 연왕을 낳았으니 그 돌부처가 곧 관세음보살이라. 그 한량없는 공덕을 갚지 못하였더니 이제 너의 꿈에 나타나 불사(佛事)*를 권하는 것이 아니겠느냐? 듣자 하니 벽성

선의 부친 보조국사 께서 자개봉 대승사에 계신데 불법(佛法)에
정통하다 하니 청하여 옥련봉 돌부처를 위하여 일개 암자를 짓고
한편으로 대승사에 백일 동안 재(齋)*를 올려 관세음보살의 자비
로운 공덕을 갚고자 하노라." 연왕과 다섯 부인은 서로 같은 꿈을 꾼 것을
알게 되자 탄식하며 의아함을 느끼네. 이에 대해 연왕의 어머니인 허 부인은 자신이
옥련동 돌부처, 즉 관세음보살에게 기도하고 연왕을 낳았는데 그 공덕을 갚지 못해 불사
를 권하는 것이라고 하지. 여기서 공덕을 갚기 위해 벽성선의 아버지인 보조국사에게
협력을 구하려 하네.

벽성선이 크게 기뻐하며 즉시 보조국사를 청하여 재 올리기를
시작하고 재물을 후히 보내어 옥련봉에 암자를 창건*하였더니,
과연 그 후 사십 년을 부귀를 누리다가 양현과 허 부인은 수(壽)*를
팔십여 세 하고, 연왕은 다시 출장입상하여 또한 수를 팔십을 하고,
윤 부인 삼자 이녀(三子二女)에 수 칠십이요, 황 부인은 이자 일녀
에 수 육십을 넘기고, 강남홍은 오자 삼녀에 수 칠십이요, 벽성선,
일지련은 각각 삼자 이녀에 수를 또한 칠십 세를 하니, 연왕의 자녀
합 이십육에 아들 십육 인은 각각 입신양명 부귀영화를 누리고 딸
십 인은 왕공 부인이 되어 다자 다복(多子多福)하더라.

장면끊기 02 꿈에서 깨어난 강남홍이 연왕과 나머지 부인들도 같은 꿈을 꾸었음을 알게
되고, 이후 허 부인의 조언에 따라 옥련봉에 암자를 짓고 재를 올려 관세음보살의 공덕을
갚는 장면이야. 그 결과 연왕의 집안은 모두 부귀영화를 누리며 행복하게 살았다고 하면서
결말을 맺네.

– 남영로, 「옥루몽」 –

[고전 필수 어휘]

*가사: 승려가 장삼 위에, 왼쪽 어깨에서부터 오른쪽 겨드랑이 밑으로 걸쳐 입는 법의
(法衣).
*석장: 승려가 짚고 다니는 지팡이.
*선동: 선경(仙境)에 살면서 신선의 시중을 든다는 아이.
*불사: 불가에서 행하는 모든 일.
*재: 우리나라 절에서, 부처에게 드리는 공양.
*창건: 건물이나 조직체 따위를 처음으로 세우거나 만듦.
*수: 생물이 살아 있는 연한. 수명.

고전소설 독해의 STEP 2

1 구조도의 빈칸에 적절한 말을 채웠는지 확인해 보세요.

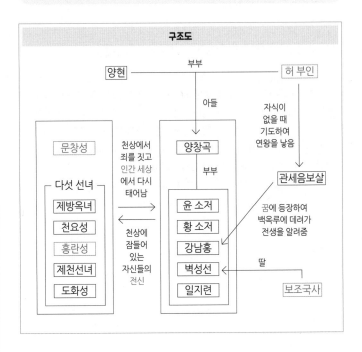

2 1~2번 문제의 정답과 해설을 확인해 보세요.

1. 윗글에 대한 이해로 적절하지 않은 것은?

정답풀이

③ '강남홍'은 선관, 선녀들과 '남천문'에서 재회하였다.

강남홍은 남천문에서 취하여 잠을 자는 선관과 선녀들을 바라보기만 하였
으므로, 그들과 '재회(다시 만남. 또는 두 번째로 만남)'하고 있다고 볼 수
없다.

오답풀이

① '강남홍'은 '명산'에서 '보살'을 처음 만났다.

강남홍은 꿈속에서 한 명산의 봉우리에 이르게 되는데, 거기서 한 보살이
인간지락(인간 세상의 즐거움)이 어떠냐고 묻자 '도사는 누구'냐며 되묻는다.
이를 통해 강남홍은 명산에서 보살을 처음 만났음을 알 수 있다.

② '보살'은 '석장'을 이용하여 '남천문'에 당도하였다.

'보살이 웃고 석장을 공중에 던지니 한 줄기 무지개 되어 하늘에 닿았'고,
'무지개를 밟아 공중에 올라가더니 앞에 큰 문이 있'었는데 그 문이 바로 남
천문이므로 보살은 석장을 이용하여 남천문에 당도한 것으로 볼 수 있다.

066 하루 30분, 고전소설 트레이닝

④ '보살'은 '강남홍'이 천상의 존재였음을 알려 주었다.

> 보살은 취하여 자는 한 선관과 다섯 선녀에 대해 설명하며, 강남홍에게 잠들어 있는 다섯 선녀 가운데 한 명인 '홍란성'은 '그대의 전신(전생의 몸)'이라고 한다. 따라서 보살은 강남홍이 천상의 존재였음을 알려 주었다고 볼 수 있다.

⑤ '허 부인'은 '옥련봉 돌부처'에게 기도하여 '양창곡'을 낳았다.

> 허 부인은 '고향에 있을 적 늦도록 무자하여(자식이 없어) 옥련봉 돌부처에게 기도하고 연왕을 낳았다'고 했다. 앞부분의 줄거리에서 '양창곡은 벼슬하고 공을 세워 연왕에 오른다.'라고 한 것을 참고할 때, 허 부인이 옥련동 돌부처에게 기도한 뒤 낳은 연왕은 곧 양창곡임을 알 수 있다.

2. 문학 개념어 OX 확인 문제

> ① ✗
>
> • 대립: 의견이나 처지, 속성 따위가 서로 반대되거나 모순됨. 또는 그런 관계.
> • 갈등: 개인이나 집단 사이에 목표나 이해관계가 달라 서로 적대시하거나 충돌하는 경우를 이르는 말. 소설이나 희곡에서 등장인물 사이에 일어나는 대립과 충돌 또는 등장인물과 환경 사이의 모순과 대립을 나타내기도 하고, 한 인물이 두 가지 이상의 상반되는 요구나 욕구, 기회 또는 목표에 직면했을 때 선택하지 못하고 괴로워하는 상태를 나타내기도 함.

> ② ○
>
> • 장면 전환: 인물, 배경, 사건 등의 요소가 바뀌는 것. '주요 인물'에 초점을 맞추어 인물이 처한 상황에 변화가 있는지, 혹은 '초점이 되고 있는 인물'에 변화가 있는지를 파악하면 됨.
>
> 근거 강남홍이 꿈속으로 들어가는 부분인 '홀연 정신이 황홀하고 몸이 정처 없이 떠돌아 일처에 이르매 한 명산이라.'와 꿈에서 깨어나는 부분인 '홀연 우렷소리 울리거늘 강남홍이 놀라 깨어 보니 몸이 취봉루 책상 앞에 누웠는지라.'에서 순간적으로 장면이 전환되면서 사건의 환상적인 면모를 부각하고 있음.

고전소설 독해의 STEP 3

1 1번 문제의 선지 판단 공식에 대한 답을 확인해 보세요.

선지 판단의 공식

①
작품 | 강남홍은 '잠이 들'어서 '떠돌아'다니다 '한 명산'에 이르러 만난 '한 보살'에게 '도사는 누구시며 인간지락은 무엇을 이르시는 것입니까?'라고 물었음

선지 ➡ '강남홍'은 '명산'에서 '보살'을 처음 만났다. ○

②
작품 | '보살이 웃고 석장을 공중에 던지니 한 줄기 무지개 되어 하늘에 닿았거늘 보살이 강남홍을 인도하여 무지개를 밟아 공중에 올라가더니 앞에 큰 문이 있'었는데, 보살은 그 문이 '남천문'이라고 함

선지 ➡ '보살'은 '석장'을 이용하여 '남천문'에 당도하였다. ○

③
작품 | 보살을 따라 '남천문' 위로 올라간 강남홍이 '한 곳을 바라'보니 한 누각 위에 '한 선관과 다섯 선녀가 난간에 의지하여 취하여 자는' 모습이 보임

선지 ➡ '강남홍'은 선관, 선녀들과 '남천문'에서 재회하였다. ✗

④
작품 | 보살은 강남홍에게 백옥루에 '차례로 누운 선녀는 제방옥녀와 천요성과 홍란성과 제천선녀와 도화성'인데, '홍란성은 즉 그대의 전신'이라고 일러줌

선지 ➡ '보살'은 '강남홍'이 천상의 존재였음을 알려 주었다. ○

⑤
작품 | 양창곡은 '벼슬하고 공을 세워 연왕에 오른' 인물인데, 허 부인은 '내 고향에 있을 적 늦도록 무자하여 옥련동 돌부처에게 기도하고 연왕을 낳았'다고 함

선지 ➡ '허 부인'은 '옥련봉 돌부처'에게 기도하여 '양창곡'을 낳았다. ○

고전소설 독해의 STEP 1

1 다음 글을 읽고 등장인물을 잘 파악했는지, 빈칸에 적절한 말을 채웠는지 확인해 보세요.

📅 **고3 2015학년도 4월 학평A – 작자 미상, 「박씨전」**

상공이 신부(=박 씨)를 데리고 길을 떠나 날이 저물매, 객점에 들어가 신랑(=시백)과 신부를 데리고 한방에 들어가더라.

신부 무릎께를 뻗고 앉을새, 그 용모를 보니 형용흉칙하여 보기를 염려론지라. 얽기는 고석 같고 붉은 중에 입과 코가 한데 닿고, 눈은 달팽이 구멍 같고 치불거지고, 입은 크기가 두 주먹을 넣어도 오히려 넉넉하며, 이마는 메뚜기 이마 같고, 머리털은 짧고 심히 부하니 그 형용을 차마 보지 못할러라. <u>상공과 신랑이 한번 보매, 다시 볼 길 없어 간담이 떨어지는 듯하고 정신이 없어 두 눈이 어두운지라.</u> 상공과 신랑은 형용흉칙한 신부의 용모를 보고 놀라고 있어. 상공이 겨우 정신을 차려 다시금 생각하되,

'사람이 이같이 추비하니 응당 규중에서 늙힐지언정 남의 집에 출가*치는 아니할 터이로되, 구태여 나를 보고 허혼하였으니 이 사람이 필연 아는 일이 있을 터이요 또한 인물은 이러하나 이 또한 인생이라. 만일 내가 박대하면 더욱 천지간 버린 사람이 될 것이니, 아무커나 내가 중히 여겨야 복이 되리라.' 상공은 신부가 추비하더라도 박대하지 않고 중히 여기려 다짐하고 있어.

하고, 시백더러 가로되,

"오늘날 신부를 보니 내 집이 복이 많고, 네 몸에 무궁한 경사가 있을 것이니, 어찌 기쁘지 아니하랴."

하고, 행로(行路)에 참참이 신부의 마음을 편케 하며 음식도 각겸하더라.

장면끊기 01 첫 번째 장면에서는 신부의 흉측한 용모에 대한 묘사와 그에 대한 인물의 반응이 주된 내용으로 제시되고 있어. 상공은 신부를 박대하지 않고 중히 대하여 신부의 마음을 편하게 하고 있네.

여러 날 만에 집에 들어올새, 일가 친척이며 장안 대신댁 부인들이 신부 구경하러 많이 모였는지라. 그러구러 신부 들어와 무릎께를 벗고 중당에 앉으니, 그 형용이 어떻다 하리오.

한 번 보매 침 뱉으며 미소하고 수군수군하다가, 일시에 물결같이 헤어지나, 상공은 희색*이 만면하여 외당에 앉아 손님을 대하여 신부의 덕행을 자랑하더라. 다른 사람들은 신부의 형용을 보고 수군수군했지만, 상공은 신부의 덕행을 자랑하며 신부를 중히 대하고 있네.

상공의 부인이 상공더러 가로되,

"대감(=상공)께서 한낱 자식(=시백)을 두어 허다한 장안규수를 다 버리고 허망한 산중 사람(=신선)의 말을 들어 자식의 일생을 그르치니, 남도 부끄럽고 집안도 낭패할지라. 다시 생각하시어 도로 보내고, 다른 가문에 구혼하여 어진 며느리를 얻으면 어떠하오리까?" 상공의 부인은 상공이 수많은 장안규수를 다 버리고, 산중 사람의 말을 듣고 신부를 며느리로 맞이한 것을 못마땅하게 생각해.

상공이 대노하여 부인을 꾸짖어 가로되,

"사람이 아무리 절색이라도 행실이 없으면 사람이 공경하지 아니하나니, 이러므로 전하는 말이 양귀비 절색이로되 나라를 망치었으니, 오늘날 신부는 내 집의 복이라. 어찌 색만 취하고 덕을 모르리오. 또 우리 부부 만일 불안히 여기면 자식과 집안을 어

떻게 조섭(調攝)하리오. 이제는 내 집이 빛날 때를 당하였으니, 어찌 기쁘지 아니하리오. 이런 말을 다시 내지 말고, 부디 십분 잘 섬기소서." 상공은 부인의 말을 듣고 분노하며 신부를 내 집의 복으로 여기고 잘 섬기라고 당부하고 있네.

부인이 어찌 사랑하며, 또한 범인*이라 그 어찌 소견이 넉넉하리오.

이러므로 부인이 미워하고, 시백이 또한 내방에 거처를 전폐하니*, 비복들도 박 씨를 또한 박대하더라.

박 씨 독부가 되어 슬픔을 머금고, 매일 밥만 먹고 잠만 자며 매사를 전폐하니, 일가가 더욱 미워하며 꾸지람이 집안에 가득하되, 다만 상공을 꺼려 면을 못하는지라. 상공의 꾸짖는 말에도 불구하고, 부인과 시백, 비복들마저 박 씨를 박대했다고 해. 상공이 이 기미를 알고, 노복을 꾸짖어 각별 조섭하며 극히 엄하더라.

또한 시백을 불러 꾸짖어 가로되,

[A]
"대법한 사람이 덕을 모르고 색만 취하면 신상에 복이 없고 집안이 망하니, 네 이제 아내(=박 씨)를 얼굴이 곱지 않다 하여 구박하니, 범절이 이러하고 어찌 수신제가* 하리오. 옛날 제갈공명의 처 황 씨(黃氏)는 인물이 비록 추비 하나 덕행이 어질고 천지조화 무궁한지라. 이러므로 공명이 화락하여 어려운 일을 의논하여 만고에 어진 이름을 유전하였으니, 네 처(=박 씨)는 신선의 딸이요 덕행이 있으며 또한 조강지처는 불하당이라하였으니, 무죄하고 덕 있는 사람을 어찌 박대하리오. 비록 금수라도 부모 사랑하시면 자식이 또한 사랑한다 하니 하물며 사람이야 일러 무엇하리오. 네 만일 일양 박대하면 이는 나를 박대함이라." 상공은 덕을 모르고 미색만 취하면 복이 없고 집안이 망한다고 말하며, 용모를 이유로 박 씨를 구박하는 시백을 꾸짖어. 그리고 제갈공명의 처 황 씨의 고사를 들며 신선의 딸이며 덕이 있는 사람인 박 씨를 박대하지 말라고 당부하고 있어.

장면끊기 02 두 번째 장면은 '여러 날 만에 집에 들어올새'로 시작해. 시간의 변화가 나타나니 여기에서 장면을 끊어주는 것이 좋겠지? 신부(박 씨)의 형용을 보고 사람들이 수군수군하고, 상공의 부인과 시백, 비복들까지도 박 씨를 박대하자 화가 난 상공은 노복과 시백을 엄하게 꾸짖어.

[중략 줄거리] 박 씨는 비범한 능력을 발휘하여 가산을 일으키고 시백의 장원급제를 도운 뒤 그 동안의 허물을 벗고 절대가인이 된다.

이튿날 되매 시백이 피화당 근처로 배회하며, 방에는 감히 들지 못하고 혼자 생각하되,

'어서 해가 지면 오늘 밤에는 들어가 전일 박대하고 잘못한 말을 먼저 말하리라.' 시백은 박 씨의 도움으로 장원급제를 한 후 박 씨에게 지난날의 잘못에 대해 말하려고 하고 있어.

황혼을 당하매, 시백이 의관을 정제하니 마음 죄이는 증은 어제보다 조금 나았으나 생각하던 말은 입을 열어 할 도리 없는지라. 박 씨는 더욱 단정히 앉아 위엄이 씩씩하니 이른바 지척이 천리라.

설마 장부가 되어서 처자에게 박대함이 있다 한들 그다지 말 못할 바가 아니로되 3, 4년 부부간 지낸 일이 참혹할 뿐, 박 씨 또한 천지 조화를 가졌으니 짐짓 시백으로 말을 붙이지 못하게 위엄을 베품이라. 시백은 박 씨의 위엄 때문에 그동안의 잘못에 대해 쉽사리 말하지 못하고 있어.

장면끊기 03 세 번째 장면은 박 씨의 도움으로 시백이 장원급제를 한 뒤 박 씨가 허물을 벗고 절대가인이 되었다는 중략 줄거리에 이어 이튿날 피화당에서의 이야기야.

이러하기를 여러 날을 당하매, 시백이 철석간장인들 어찌 견디리오. 자연 병이 되어 식음을 전폐하고 형용이 초췌하니, 어화 이 병은 편작(扁鵲)인들 어이하리오. 시백은 여러 날 동안 박 씨에게 다가가지 못하고 마음을 태우다 병이 났나 봐. 승상(=상공)이 전념하여 조심하시고 일가 황황한들 시백이 말을 감히 못하고 박 씨 혼자 아는지라.

하루는 박 씨 황혼을 당하매, 계화로 하여 시백을 청하는지라. 시백이 박 씨 청함을 듣고 전지도지(顚之倒之)*하여 피화당에 들어가니, 박 씨 안색을 단정히 하고 말씀을 나직히 하여 가로되,

[B]
"사람이 세상에 처하여 어려서는 글 공부에 잠심하여 부모께 영화와 효성으로 섬기며, 취처하면 사람을 현숙히 거느려 만대 유전함이 사람의 당당한 일이온대, 군자 (=시백)는 다만 미색만 생각하여 나를 추비하다 하여 인류에 치지 아니하니, 이러하고 오륜에 들며 부모를 효양하오리까. 이제는 군자로 하여금 여러 날 근고할 뿐 아니라, 군자로 마음이 염려되어 전의 노정을 버리고 그대를 청하여 말씀을 고하나니, 일후는 수신제가하는 절차를 전같이 마옵소서." 박 씨는 미색만 생각하여 자신을 박대한 시백의 잘못을 밝히며 이전처럼 하지 말라고 당부하고 있어.

하고 말씀이 공손하니 시백이 이때를 당하여 마음이 어떻다 하리요. 공순 답하여 가로되,

"소생 (=시백)이 무지하여 그대에게 슬픔을 끼치니 이제는 후회 막급타. 부인이 이렇듯 해로하시니 무슨 한이 있으리오." 시백은 그동안 박 씨에게 잘못 행동한 것을 후회하며 미안해 하고 있어.

장면끊기 04 네 번째 장면도 공간적 배경은 피화당이지만 다시 여러 날이 흐르면서 시간의 변화가 나타났어. 따라서 여기에서도 한 번 장면을 끊어 읽어 주었어.

– 작자 미상, 「박씨전」 –

*전지도지(顚之倒之): 엎드러지고 곱드러지며 아주 급히 달아나는 모양.

고전 필수 어휘

*출가: 처녀가 시집을 감.
*희색: 기뻐하는 얼굴빛.
*범인: 평범한 사람.
*전폐하다: 아주 그만두다. 또는 모두 없애다.
*수신제가: 몸과 마음을 닦아 수양하고 집안을 다스림.

고전소설 독해의 STEP 2

1 구조도의 빈칸에 적절한 말을 채웠는지 확인해 보세요.

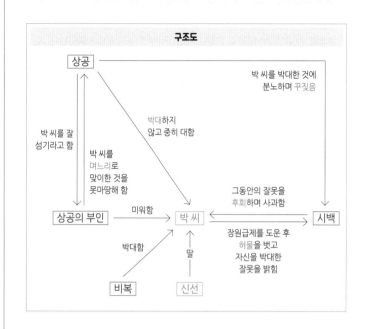

구조도

상공
→ 박 씨를 박대한 것에 분노하며 꾸짖음
박 씨를 잘 섬기라고 함
박대하지 않고 중히 대함
박 씨를 며느리로 맞이한 것을 못마땅해 함
그동안의 잘못을 후회하며 사과함
상공의 부인 —미워함→ 박 씨 ← 시백
박대함
딸
장원급제를 도운 후 허물을 벗고 자신을 박대한 잘못을 밝힘
비복
신선

2 1~2번 문제의 정답과 해설을 확인해 보세요.

1. 윗글을 통해 알 수 있는 사실로 적절하지 않은 것은?

정답풀이

④ 박 씨는 자신에 대한 부당한 대우에도 불구하고 비복들의 조력으로 견뎌낸다.

> 박 씨의 용모를 보고 상공의 부인과 시백이 박 씨를 박대하고 미워했으며, '비복들도 박 씨를 또한 박대하더라.'라고 했으므로, 박 씨가 부당한 대우에도 불구하고 비복들의 조력으로 견뎌냈다고 볼 수 없다.

오답풀이

① 상공은 인물에 대한 남다른 안목을 보이고 있다.

> 상공은 박 씨의 외모가 추비한데도 혼인을 허락한 이유가 있을 것이며 '내가 중히 여겨야 복이 되리라.'라고 생각하며 '신부의 덕행을 자랑'하므로 상공은 인물을 보는 남다른 안목을 보인다고 볼 수 있다.

② 승상과 일가에서는 시백이 아픈 이유를 알지 못했다.

> 시백은 박 씨에게 그간의 잘못을 사과하지 못하자 '병이 되어 식음을 전폐하고 형용이 초췌'해진다. 이때 '승상이 전념하여 조심하시고 일가 황황한들 시백이 말을 감히 못하고 박 씨 혼자 아는지라.'라고 했으므로, 승상과 일가에서는 시백이 아픈 이유를 알지 못했다고 볼 수 있다.

③ 상공 부인은 외부의 시선을 의식하여 혼사에 대해 거부감을 표현한다.

> 상공 부인은 상공이 박 씨를 며느리로 맞이한 것을 못마땅해 하며 '남도 부끄럽고 집안도 낭패'하기 때문에 '다른 가문에 구혼하여 어진 며느리를 얻으면 어떠하오리까?'라고 말한다. 이를 고려하면 상공 부인은 외부의 시선을 의식하여 혼사에 대해 거부감을 표현하고 있다고 볼 수 있다.

⑤ 시백은 자신의 결심과는 달리 박 씨에게 먼저 화해를 청하지 못하고 있다.

> 시백이 '해가 지면 오늘 밤에는 들어가 전일 박대하고 잘못한 말을 먼저 말'하겠다고 마음먹지만 박 씨의 위엄 때문에 입을 열지 못하고 있으므로, 시백은 자신의 결심과는 달리 먼저 화해를 청하지 못하고 있다고 볼 수 있다.

2. 인물의 말하기 방식 OX 확인 문제

① ○

> 근거 [A]에서 상공은 시백에게 박 씨를 '얼굴이 곱지 않다 하여 구박하니, 범절이 이러하고 어찌 수신제가 하리오.'라며 유교적 명분을 들어 질책하고 있음.

② ✕

> 근거 [B]에서 박 씨는 시백에게 '일후는 수신제가하는 절차를 전같이 마옵소서.'라고 당부하고 있으나, 이때 자신의 지위를 내세우고 있지는 않음.

고전소설 독해의 STEP 3

1 1번 문제의 선지 판단 공식에 대한 답을 확인해 보세요.

선지 판단의 공식

① 작품
> '상공이 겨우 정신을 차려 다시금 생각하되, '사람이 이같이 추비하니 응당 규중에서 늙힐지언정 남의 집에 출가치는 아니할 터이로되, 구태여 나를 보고 허혼하였으니 이 사람이 필연 아는 일이 있을 터이요 또한 인물은 이러하나 이 또한 인생이라. 만일 내가 박대하면 더욱 천지간 버린 사람이 될 것이니, 아무커나 내가 중히 여겨야 복이 되리라.''

선지 ▶ 상공은 인물에 대한 남다른 안목을 보이고 있다. ○

② 작품
> '시백이 철석간장인들 어찌 견디리오. 자연 병이 되어 식음을 전폐하고 형용이 초췌하니, 어화 이 병은 편작인들 어이하리오. 승상이 전념하여 조심하시고 일가 황황한들 시백이 말을 감히 못하고 박 씨 혼자 아는지라.'

선지 ▶ 승상과 일가에서는 시백이 아픈 이유를 알지 못했다. ○

③ 작품
> '상공의 부인이 상공더러 가로되, "대감께서 한낱 자식을 두어 허다한 장안규수를 다 버리고 허망한 산중 사람의 말을 들어 자식의 일생을 그르치니, 남도 부끄럽고 집안도 낭패할지라. 다시 생각하시어 도로 보내고, 다른 가문에 구혼하여 어진 며느리를 얻으면 어떠하오리까?"'

선지 ▶ 상공 부인은 외부의 시선을 의식하여 혼사에 대해 거부감을 표현한다. ○

④ 작품
> '부인이 미워하고, 시백이 또한 내방에 거처를 전폐하니, 비복들도 박 씨를 또한 박대하더라.'

선지 ▶ 박 씨는 자신에 대한 부당한 대우에도 불구하고 비복들의 조력으로 견뎌낸다. ✕

⑤ 작품
> 시백은 '해가 지면 오늘 밤에는 들어가 전일 박대하고 잘못한 말을 먼저 말'하려고 했지만 '천지 조화'를 가진 박 씨의 위엄에 '말을 붙이지' 못함

선지 ▶ 시백은 자신의 결심과는 달리 박 씨에게 먼저 화해를 청하지 못하고 있다. ○

고전소설 독해의 STEP 1

1 다음 글을 읽고 등장인물을 잘 파악했는지, 빈칸에 적절한 말을 채웠는지 확인해 보세요.

📅 고3 2015학년도 7월 학평A – 작자 미상, 「이춘풍전」

비장(=아내)이 처소에 돌아와서 수일 후에 사령 불러 분부하여, 춘풍을 잡아들여 형틀에 올려 매고,

"이놈, 네 들으라! 네가 이춘풍이냐?"

춘풍이 벌벌 떨며,

"과연 그러하오이다."

"막중 호조(戶曹)* 돈 수천 냥을 가지고 사오 년이 되도록 일 푼 환납 아니하니 호조 관자(關子)* 내어 너를 잡아 죽이라 하였으니, 너는 그 돈을 다 어찌하였는고. 매우 쳐라." 비장이 호조 돈을 갚지 않은 춘풍을 꾸짖고 있어.

분부하자 사령놈 매를 들어 이십여 도를 힘껏 때리니 춘풍의 다리에 유혈이 낭자하거늘, 비장이 보고 차마 더 치진 못하고,

"춘풍아, 네 그 돈을 어디다 없앴느냐? 바로 아뢰어라."

춘풍이 대답하되,

"호조 돈을 가지고 평양 와서 일 년을 기생 추월과 놀고 나니 일 푼도 남지 않고, 달리는 한 푼도 쓴 일 없삽나이다." 춘풍이 호조에서 빌린 돈을 추월과 놀며 모두 탕진한 사연을 말하고 있어.

비장이 이 말 듣고 이를 갈고 사령에게 분부하여, 추월을 바삐 잡아들여 형틀에 올려 매고, 별태장(別笞杖) 골라잡고,

"일분도 사정없이 매우 쳐라."

호령하여 십여 장을 중치(重治)하고*,

"이년, 바삐 다짐하라. 네 죄를 모르느냐?"

추월이 정신이 아득하여 겨우 여쭈오되,

"춘풍의 돈은 소녀(=추월)에게 부당하여이다."

비장이 대노하여 분부하되,

"네 어찌 모르리오. 막중 호조 돈을 영문에서 물어 주랴, 본부에서 물어 주랴? 네 먹었는데, 무슨 잔말 아뢰느냐? 너를 쳐서 죽이리라." 비장은 춘풍의 말을 듣고 추월을 잡아다가 벌을 주며 호조 돈을 갚으라고 하고 있네.

몽둥이로 때리면서,

"바삐 다짐하라."

오십 도를 힘껏 치며 서리같이 호령하니, 추월이 기가 막혀 질겁하여 죽기를 면하려고 아뢰되,

"국전(國錢)이 지중하고 관령이 지엄하니 영문 분부대로 춘풍의 돈을 다 물어 바치리이다." 추월은 죽기를 면하려고 춘풍의 돈을 다 물어 준다고 하고 있어.

비장이 이르되,

"호조에 관자하여 너를 죽이려 하였으되, 네 죄를 뉘우치고 돈을 모두 바치겠다고 하니, 그런고로 너를 살리나니 호조 돈을 자모지례(子母之例)*로 오천 냥을 바치라."

하니, 추월이 여쭈오되,

"열흘 말미만 주시오면 오천 냥을 바치리다." 추월에게 이자까지 합친 돈 오천 냥을 받게 되었네.

다짐 써 올리니, 춘풍과 추월을 형틀에서 풀어 놓고 춘풍더러 이르되,

"십 일 내에 오천 냥을 받아 가지고 경성으로 올라오라. 내가 특별한 사정이 있어 먼저 올라가니 내 뒤를 미처 올라와 집으로 찾아오라."

하니, 춘풍이 황황하여 아뢰되,

"나으리(=아내) 덕택으로 호조 돈을 다 거두어 받으니 은혜 백골난망*이로소이다. 경성 가서 댁에 먼저 문안하오리이다." 춘풍은 비장 덕택으로 호조 돈을 받게 되었다며 감사해 하고 있어.

하고 여쭙더라.

장면끊기 01 비장이 처소에 돌아와서 호조 돈을 갚지 않은 춘풍과 그에게 돈을 빼앗은 추월을 징벌하고 추월에게 돈을 갚으라고 명령하는 내용이 첫 번째 장면으로 제시되었어. 이 뒤로 비장이 협력 관계에 있던 감사와 대화하는 장면이 이어지니, 여기서 장면을 끊을게.

비장이 감사께 여쭈되,

"추월에게 설욕하고 춘풍도 찾삽고 호조 돈도 거두어 받으니 은혜 감축 무지하온 중, 소인 몸이 외람되이 존중한 처소에 오래 있삽기 죄송하여 떠날 줄로 아뢰나이다."

감사 그러히 여겨 허락하니, 이튿날 감사께 하직하고 상으로 받은 돈 오만 냥을 환전(換錢) 부쳐 놓고, 떠나서 여러 날 만에 집에 와 정돈하고 환전도 찾은 후 남복을 벗어 놓고 춘풍 오기 기다리더라. 비장은 감사께 하직하고 집으로 돌아와 남복을 벗고 춘풍을 기다려. 이어서 나오겠지만, 비장은 남장을 한 춘풍의 아내로 방탕하고 무능한 남편 이춘풍을 개과천선하게 만드는 인물이야.

장면끊기 02 두 번째 장면은 비장이 상으로 받은 돈을 부치고 춘풍보다 먼저 경성에 가서 남복을 벗고 춘풍을 기다리는 내용이야. 짧은 대목이지만 이 뒤로 중략 부분의 줄거리가 이어지면서 시간과 공간의 변화가 나타나므로 장면을 끊어 읽는 게 좋겠지?

[중략 부분의 줄거리] 돈을 되찾은 춘풍은 경성으로 돌아와 마치 자신이 장사를 잘하고 온 듯 아내 앞에서 거드름을 피우는데, 이에 아내는 다시 비장의 차림으로 춘풍 앞에 나타난다.

비장 가로되,

"남산 밑 박 승지 댁에 가서 술에 대취하여 네 집에 왔더니, 시장도 하거니와 갈증이나 풀게 갈분(葛粉)이나 한 그릇 하여 오너라." 춘풍의 아내는 다시 비장의 차림으로 춘풍 앞에 나타나 춘풍에게 명령을 하고 있어.

춘풍이 황공하여 밖으로 내달아서 아무리 제 계집(=아내)을 찾은들 어디 간 줄 알리요. 주저주저하매 비장이 꾸짖어 가로되,

"네 계집을 어디 숨기고 나를 아니 뵈는고?" 비장은 춘풍을 몰아붙이며 일부러 그의 아내(계집)를 찾고 호통을 치고 있어.

차왈피왈(此日彼日)하니,

"너는 벌써 잊었느냐? 평양 일을 생각하여 보라. 네가 집에 왔다고 그리 지위가 높은 체하느냐?"

춘풍이 갈분을 가지고 부엌에 내려가 죽 쑤는 꼴은 차마 볼 수 없더라. 한참 꿈적여서 쑤어 들이거늘, 비장이 조금 먹는 체하고 춘풍을 주며,

"먹어라. 추월의 집에서 깨어진 헌 사발에 누룽밥, 된장 덩이를 이지러진 숟가락도 없이 먹던 생각하고 어서 먹어라." 비장은 춘풍이 돈을 탕진한 후 평양에 있는 추월의 집에서 비참하게 지내던 처지를 언급하며 춘풍을 압박하고 있어.

춘풍이 받아먹으며 제 아내가 밖에서 다 듣는가 하여 속으로 민망히 여기더라. 춘풍은 비장에게 꼼짝없이 당하는 한편으로 아내에게 우스운 꼴을 보였을까 하며 **민망**해 하고 있어. 비장이 가로되,

"밤이 깊었으니 네 집에서 자고 가리라."

하고 의복 벗고 갓, 망건을 벗으니, 춘풍이 감히 가란 말을 못하고 속마음으로 해포 만에 그리던 아내 만나서 잘 잘까 하였더니, 비장이 잔다 하니 속으로 민망히 여기더라.

관망 탕건 벗어 놓고 웃옷을 훨훨 벗은 후 일어서니 완연한 제 계집이라. 춘풍이 깜짝 놀라 자세히 보니 천만 뜻밖에 제 아내라. 춘풍이 어이없어 묵묵무언 앉았으니 춘풍의 처(=아내) 달려들며,

"여보소, 아직도 나를 모르시오?" **춘풍**의 처(아내)가 남복을 벗고 드디어 자신의 정체를 밝히고 있어.

춘풍이 그제야 아주 깨닫고 깜짝 놀라며, 두 손을 마주 잡고,

"이것이 웬일인가? 평양 회계 비장이 지금 내 아내 될 줄 어이 알리. 이것이 생시인가, 꿈인가?" 비장이 자신의 **아내**였다는 사실을 알게 된 춘풍이 **놀라움**을 느끼고 있네.

하며 원앙금침에 옛정을 다시 이뤄 은근한 정이 비할 데 없더라.

장면끊기 03 세 번째 장면에서는 **경성**에 돌아온 **춘풍** 앞에 아내가 다시 **비장**의 모습으로 나타나 춘풍의 우스운 꼴을 본 후 남복을 벗어 자신의 정체를 밝히는 내용이 제시되었어. 아내의 정체가 비장이었음을 알게 된 춘풍과 그의 아내는 **옛정**을 다시 이루며 행복한 결말로 끝이 나네.

– 작자 미상, 「이춘풍전(李春風傳)」 –

*관자: 관공서에서 작성한 서류나 공증한 문서.

*자모지례: 1년 동안의 변리를 원금의 2할 이내로 정한 이율.

[고전 **필수** 어휘]

*호조: 조선 시대에, 육조 가운데 호구, 공부, 전량(田糧), 식화(食貨)에 관한 일을 맡아 보던 관아.

*중치하다: 엄중히 다스리다.

*백골난망: 죽어서 백골이 되어도 잊을 수 없다는 뜻으로, 남에게 큰 은덕을 입었을 때 고마움의 뜻으로 이르는 말.

고전소설 독해의 STEP 2

1 구조도의 빈칸에 적절한 말을 채웠는지 확인해 보세요.

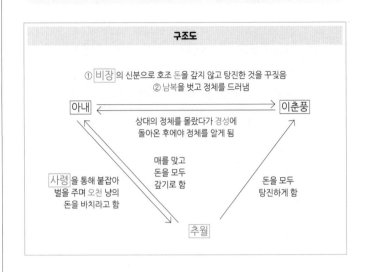

2 1~2번 문제의 정답과 해설을 확인해 보세요.

1. 윗글에 대한 이해로 적절하지 않은 것은?

정답풀이

① '추월'은 자신의 잘못을 스스로 깨닫고 이를 반성하고 있다.

> 비장의 신문을 받게 된 추월은 처음에는 '춘풍의 돈은 소녀에게 부당'하다고 말하다가, 비장이 '네 어찌 모르'냐고 크게 화내고 '오십 도를 힘껏 치며 서리같이 호령하니' '죽기를 면하려고' '춘풍의 돈을 다 물어 바치'겠다고 한다. 따라서 추월이 자신의 잘못을 스스로 깨달아 반성했다고 볼 수는 없다.

오답풀이

② '호조 돈'은 춘풍과 추월이 호되게 매를 맞는 원인이 되고 있다.

> 춘풍은 '막중 호조 돈 수천 냥을 가지고 사오 년이 되도록 일 푼 환납 아니'한 이유로 잡혀 '이십여 도'를 맞은 뒤, 비장에게 '기생 추월과 놀고 나니 일 푼도 남지 않고, 달리는 한 푼도 쓴 일 없'다고 한다. 이에 비장은 '추월을 바삐 잡아들'이라 한 후 '매우 쳐라.'라고 호령하며 '춘풍의 돈'에 대해 추궁하였다.

③ '감사'는 비장이 목표한 바를 이룰 수 있도록 도움을 주고 있었다.

> 비장이 감사에게 '추월에게 설욕하고 춘풍도 찾삽고 호조 돈도 거두어 받'게 해 준 '은혜 감축 무지하'다고 이야기하는 것을 통해 알 수 있다.

④ '춘풍'은 평양에서 만난 비장이 아내인 것을 경성에 돌아와서 알게 되었다.

> 평양에서 비참한 생활을 하다 비장의 도움으로 호조 돈을 돌려받고 경성으로 돌아온 춘풍은 비장의 정체를 깨닫지 못하다가 비장이 '관망 탕건 벗어 놓고 웃옷을 훨훨 벗은 후'에야 '자세히 보니 천만 뜻밖에 제 아내'임을 알게 된다.

⑤ '비장'은 춘풍의 행동에 노여워하면서도 한편으로 그를 불쌍히 여기고 있다.

> 비장은 춘풍의 행동에 노하여 '매우 쳐라.'라고 분부하면서도 '춘풍의 다리에 유혈이 낭자'한 것을 보고 불쌍히 여겨 '차마 더 치'라고 명하지는 못하고 있다.

2. 문학 개념어 OX 확인 문제

① ✕

- 묘사: 어떤 대상이나 인물의 외양, 행동, 내면 등을 그림을 보여 주듯 표현하는 것.
- 암시: 뒤에 일어날 사건을 넌지시 알림.

  [근거] 윗글에서 배경 묘사를 통해 인물의 내면 심리를 암시하고 있는 부분은 확인할 수 없음.

② ○

- 서술자의 개입: 서술자가 인물이나 사건에 대해 평가나 감정적 대응을 하거나 사건 전개에 대해 독자들에게 안내하는 말을 하는 경우.

  [근거] '춘풍이 황공하여 밖으로 내달아서 아무리 제 계집을 찾은들 어디 간 줄 알리요.', '춘풍이 갈분을 가지고 부엌에 내려가 죽 쑤는 꼴은 차마 볼 수 없더라.' 등

고전소설 독해의 STEP 3

1 1번 문제의 선지 판단 공식에 대한 답을 확인해 보세요.

선지 판단의 공식

① 작품
> 비장이 추월을 잡아다 신문하자, 추월은 '춘풍의 돈은 소녀에게 부당하'다고 했지만, 비장이 '오십 도를 힘껏 치며 서리같이 호령하니, 추월이 기가 막혀 질겁하여 죽기를 면하려고', '분부대로 춘풍의 돈을 다 물어 바치'겠다고 함

선지 → '추월'은 자신의 잘못을 스스로 깨닫고 이를 반성하고 있다.
✕

② 작품
> 춘풍은 '막중 호조 돈 수천 냥을 가지고 사오 년이 되도록 일 푼 환납 아니'한 이유로 '이십여 도'를 맞은 뒤 비장에게 '기생 추월과 놀고 나니 일 푼도 남지 않고, 달리는 한 푼도 쓴 일 없'다고 함 → 비장은 '추월을 바삐 잡아들'이라 한 후 추월을 '매우 쳐라.'라고 호령하며 '춘풍의 돈'에 대해 추궁함

선지 → '호조 돈'은 춘풍과 추월이 호되게 매를 맞는 원인이 되고 있다.
○

③ 작품
> 비장이 감사에게 '추월에게 설욕하고 춘풍도 찾삽고 호조 돈도 거두어 받으니 은혜 감축 무지하'다고 함

선지 → '감사'는 비장이 목표한 바를 이룰 수 있도록 도움을 주고 있었다.
○

④ 작품
> 평양에서 비장의 도움을 받고 경성으로 돌아온 춘풍은 비장이 '관망 탕건 벗어 놓고 웃옷을 훨훨 벗은 후'에야 '자세히 보니 천만 뜻밖에 제 아내'임을 알게 됨

선지 → '춘풍'은 평양에서 만난 비장이 아내인 것을 경성에 돌아와서 알게 되었다.
○

⑤ 작품
> '사령놈 매를 들어 이십여 도를 힘껏 때리니 춘풍의 다리에 유혈이 낭자하거늘, 비장이 보고 차마 더 치진 못'함

선지 → '비장'은 춘풍의 행동에 노여워하면서도 한편으로 그를 불쌍히 여기고 있다.
○

고전소설 독해의 STEP 1

❶ 다음 글을 읽고 등장인물을 잘 파악했는지, 빈칸에 적절한 말을 채웠는지 확인해 보세요.

📅 고3 2016학년도 6월 모평A – 작자 미상, 「홍계월전」

여공이 물러 나오자 위공과 정렬 부인이 다시 일어나 칭찬하기를,

"어지신 덕택으로 계월을 구하사 친자식같이 길러 입신양명하게 하시니 은혜가 백골난망*이로소이다."

하며 슬픈 감회를 금치 못하거늘 위공과 정렬 부인은 여공이 어진 덕으로 계월을 구하고 친자식같이 길러 입신양명하게 해준 것에 감사함을 전하고 있어. 여공이 더욱 감사하며 공손히 응답하더라. ㉠평국(=홍계월)과 보국이 또한 엎드려 먼 길에 평안히 행차하심을 치하*하더라. 위공과 정렬 부인이며 기주후와 공렬 부인과 춘랑도 또한 자리에 참례하고 양윤이 또한 마음에 기꺼함을 헤아리지 못할지라. 이날 큰 잔치를 배설*하고 삼 일을 즐기니라.

장면끊기 01 계월의 부모님은 계월을 길러 준 여공에게 감사함(칭찬)을 전하고, 다같이 잔치를 즐겨. 이 뒤에는 천자의 행동에 초점을 맞춰 전개되니 여기서 한 번 장면을 끊을게.

이때 천자 신하들을 돌아보고 이르기를,

"평국과 보국을 한 궁궐 안에 살게 하리라."

하시고, 종남산 아래에 터를 닦고 집을 지을새, 천여 칸을 불일성지(不日成之)*로 지으니, 그 장함을 헤아리지 못할지라. 천자는 평국과 보국을 위해 궁궐을 지었는데, 그 성대함이 헤아릴 수 없을 정도라고 해. 이렇게 작중에 서술자가 개입하여 자신의 생각, 느낌, 감상을 전달하는 것을 서술자의 개입이나 편집자적 논평이라고 해. 집을 다 지은 후에 노비 천 명과 수성군 백 명씩 내려 주시고 또 채단과 보화를 수천 바리를 상으로 내려 주시니, 평국과 보국이 황은*을 축수*하고 한 궁궐 안에 침소를 정하고 거처하니 그 궁궐 안 넓이가 십 리가 남은지라 위의*와 거동이 천자나 다름이 없더라. 게다가 천자는 평국과 보국에게 많은 노비와 수성군, 그리고 엄청난 재물을 내렸어. 이를 누리는 평국과 보국의 위의와 거동은 천자에 비견될 만큼 대단했다고 해.

장면끊기 02 천자는 종남산 아래에 궁궐을 지어 평국과 보국이 살게 하고, 많은 보화를 하사해 줘. 이 뒤 평국의 정체와 관련된 새로운 사건이 전개되니 여기서 다시 장면을 끊을게.

이때 평국이 전장에 다녀온 후로 자연 몸이 곤하여 ㉡병이 침중하니 집안이 경동*하여 주야 약으로 치료하니, 천자께서 이 말을 들으시고 매우 놀라사 명의를 급히 보내어,

"병세를 자세히 보고 오라. 만일 위중하면 짐이 친히 가 보리라."

하시고 어의(御醫)를 명하사 보내시니, 어의 황명을 받자와 평국의 침소에 와 병세를 진맥하니 병세 위중하지 아니한지라. 속히 약을 가르쳐 쓰라 하고 돌아와 천자께 사실을 아뢰더라.

어의 다녀와 아뢰기를,

"평국의 병세는 위중하지 아니하옵기로 약을 가르쳐 쓰라 하옵고 왔사오나 또한 괴이한 일이 있어 수상하여이다."

하더라. 천자 놀라 묻기를,

"무슨 연고가 있더냐."

어의 땅에 엎드려 아뢰기를,

"평국의 맥을 보오니 남자의 맥이 아니오매 이상하여이다." 전쟁 이후 몸이 안 좋아 병에 든 평국의 건강을 염려하여 천자는 어의를 보냈고, 어의의 진맥으로 평국의 성별이 여자임이 탄로났어.

천자 그 말을 들으시고 이르기를,

"평국이 여자면 어찌 적진에 나가 적진 십만 대병을 소멸하고 왔으리오. 평국의 얼굴이 도화색(桃花色)이요, 체격이 작고 약하여 혹 미심하거니와 아직은 누설하지 말라."

하시고 자주 문병하시니라. 천자는 평국이 여자라면 십만의 적군을 소멸하지 못했을 것이라며 평국의 뛰어난 능력을 근거로 어의의 말을 바로 받아들이지 않고 있어.

이때 평국이 병세 점점 나으매 생각하되,

'어의가 나의 맥을 보았으니 필시 본색이 탄로날지라 이제는 할 일 없이 되었으니, 여복을 갈아입고 규중*에 몸을 숨어 세월을 보냄이 옳다.'

하고, 즉시 남복을 벗고 여복을 입고 ㉢부모 앞에 뵈어 느끼며 뺨에 두 줄기 눈물이 종행하거늘 부모 또한 눈물을 흘리며 위로하더라. 여자라는 사실이 탄로났으니 남은 세월은 규중에 몸을 숨긴 채 지내야 할 것이라 생각하며 눈물을 흘리는 계월의 모습에서, 당대 여성들이 겪은 사회적 활동의 제약과 그로 인한 슬픔을 짐작할 수 있어.

장면끊기 03 천자가 계월의 건강을 염려하여 보낸 어의에 의해 평국이 여자라는 사실이 밝혀지고, 평국은 여복을 입고 규중에 숨어 살아야 한다는 생각에 슬퍼하고 있어. 하지만 중략 이후에는 다시 새로운 전개가 이어지니 여기서 장면을 끊자.

[중략 줄거리] 이후 홍계월(평국)은 천자의 주선으로 보국과 혼인을 하게 되는데, 군영* 및 집안에서의 사건 등으로 남편 보국과 갈등을 겪으면서 남편과 떨어져 홀로 지내게 된다. 천자의 주선으로 보국과 혼인한 계월은 다양한 문제로 보국과 갈등을 겪었군.

각설. 각설, 화설 등은 고전소설에서 장면이 바뀜을 나타내주는 표지야. 이때 남관장이 장계(狀啓)*를 올리거늘 천자 즉시 뜯어 열어 보시니 하였으되,

'오왕(吳王)과 초왕(楚王)이 반하여 지금 장안*을 범하고자 하옵나이다. 오왕은 구덕지를 얻어 대원수를 삼고, 초왕은 장맹길을 얻어 선봉을 삼아 장수 천여 명과 군사 십만을 거느려 호주 북지 십여 성을 항복 받고 형주자사 완태를 베고 짓쳐오매 소장의 힘으로는 방비할 길이 없사와 감히 아뢰오니 엎드려 바라옵건대 황상은 어진 명장*을 보내어 막으소서.'

하였거늘, 천자 보시고 크게 곤란하사 남관장은 장계를 올려서 오왕과 초왕이 장안으로 쳐들어오려는 위기가 발생했으니, 어진 명장을 보내 달라고 해. 이를 알게 된 천자는 크게 곤란해하고 있어. 온 조정의 신하들을 모아 의논하시되 우승상 명연태 아뢰기를,

"이 도적을 좌승상 평국을 보내어 방비하올 것이니 급히 영을 내려 부르옵소서." 온 신하들이 모여 의논하던 중 우승상 명연태는 평국을 불러 방비하자고 해. 규중에 있는 평국을 부르자는 것으로 보아 외적을 막기 위해선 평국의 뛰어난 능력이 필요하다고 생각하고 있음을 알 수 있군.

천자 들으시고 한참 뒤에,

"평국이 전일에는 출세하였기로 불러 국사를 의논하였거니와 ㉣지금은 규중 여자라 어찌 영으로 불러 들여 전장에 보내리오." 천자는 예전에는 평국이 출세하여 함께 국사를 의논하였지만 지금은 규중 여자인데 어찌 그럴 수 있겠냐며 망설이고 있어.

하시되 신하들이 아뢰기를,

"평국이 지금 규중에 처하오나 이름이 조야에 있삽고 또한 작록*이 영구하오니 어찌 혐의하오리오."

하거늘, 천자 마지못하여 급히 평국을 영으로 부르시니라. 평국의 **작록**이 영구하니 전장에 보내는 것을 꺼리지 않아도 된다고 신하들이 설득하자 천자는 평국을 불러들여. 평국이 여자임이 밝혀졌음에도 좌승상이라는 벼슬은 거두어들이지 않았나 봐.

장면끊기 04 오초 양국의 침범에 어떤 장수를 보내야 할지 고민하던 천자는 신하들의 설득에 평국(계월)을 불러들이게 되었어. 천자가 사관을 보내어 규중에서 홀로 세월을 보내던 계월을 궁에 불러들일 테니 장면을 한번 끊자.

이때 평국이 규중에 홀로 있어 매일 시비를 데리고 장기와 바둑으로 세월을 보내더니 사관이 나와 천자가 부르는 명을 전하거늘, 평국이 크게 놀라 급히 여복을 벗고 조복으로 사관을 따라 어전에 엎드리니 천자 크게 기뻐하며 이르기를,

"ⓜ경이 규중에 처한 까닭에 오래 보지 못하여 주야로 사모하더니 이제 경을 보매 기쁘기 헤아릴 수 없거니와 짐이 덕이 없어 지금 오초 양국 이반하여 호주 북지를 항복 받고 남관을 넘어 황성을 범하고자 한다 하니 경은 마땅히 출사하여 사직을 안보하게 하라." 규중에서 홀로 세월을 보내던 평국은 천자의 명을 전달받고 놀라 **조복**을 갖춰 입고 돌아왔어. 천자는 평국을 반기며 오초 양국의 침범을 막기 위해 **출사**하여 조정을 보존할 것을 명령해.

하시되 평국이 엎드려 아뢰기를,

"**신첩**(=홍계월)이 외람하와 폐하를 속이옵고 공후 작록을 받자와 영화로 지내옵기 황공하온데 죄를 사하시고 이토록 사랑하옵시니 신첩이 비록 우매하오나 힘을 다하여 폐하의 성은을 만분의 일이나 갚을까 하오니 근심하지 마옵소서."

하더라. 평국은 여자임을 숨겼던 자신을 용서하고 다시 출사를 명한 천자에게 감사하며 **성은**을 갚을 것이라 말해.

장면끊기 05 여자임이 밝혀진 후에도 영웅적 능력을 인정받은 평국이 다시 조정으로 불려와, 온 힘을 다해 **천자의 은혜**를 갚기 위해 노력할 것임을 다짐하며 지문이 끝나고 있어.

– 작자 미상, 「홍계월전」 –

---

*불일성지: 며칠 안 되어 일이 이루어짐.

*장계: 신하가 임금에게 올리는 일이나 문서.

[고전 **필수** 어휘]

*백골난망: 죽어서 백골이 되어도 잊을 수 없다는 뜻으로, 남에게 큰 은덕을 입었을 때 고마움의 뜻으로 이르는 말.

*치하: 남이 한 일에 대하여 고마움이나 칭찬의 뜻을 표시함.

*배설: 잔치나 의식에 쓰는 물건을 차려 놓음.

*황은: 황제의 은혜.

*축수: 두 손바닥을 마주 대고 빎.

*위의: 위엄이 있고 엄숙한 태도나 차림새.

*경동: 놀라서 움직임.

*규중: 부녀자가 거처하는 곳.

*군영: 군대가 주둔하는 곳.

*장안: 수도라는 뜻.

*명장: 이름난 장수.

*작록: 관직과 녹봉(벼슬아치에게 나누어 주던 금품).

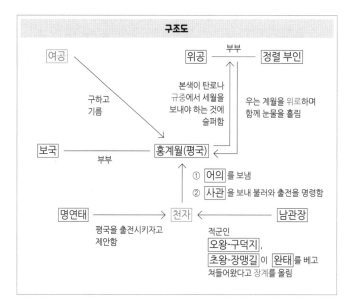

고전소설 독해의 STEP 2

1 구조도의 빈칸에 적절한 말을 채웠는지 확인해 보세요.

2 1~2번 문제의 정답과 해설을 확인해 보세요.

1. ㉠~ⓜ에 대한 이해로 적절하지 <u>않은</u> 것은?

정답풀이

⑤ ⓜ: 천자가 집안일에 매달려 있는 홍계월을 오랫동안 보지 못해 그리워하는 모습을 보여 준다.

윗글에서 천자는 홍계월을 '오래 보지 못하여 주야로 사모'했다고 했으므로, ⓜ에서 천자가 홍계월을 오랫동안 보지 못해 그리워하는 모습이 나타났음을 알 수 있다. 그러나 ⓜ의 앞부분을 통해 홍계월이 '매일 시비를 데리고 장기와 바둑으로 세월을 보'냈다는 사실만 알 수 있을 뿐, ⓜ을 통해 홍계월이 집안일에 매달려 있었는지의 여부는 알 수 없다.

오답풀이

① ㉠: 홍계월과 보국이 멀리서 온 여공에게 고마움을 표하는 모습을 보여 준다.

'치하'는 남이 한 일에 대하여 고마움이나 칭찬의 뜻을 표시한다는 뜻이므로, ㉠은 홍계월과 보국이 먼 길을 무사히 와 준 여공에게 고마움을 표하는 모습을 보여 준다고 볼 수 있다.

② ⓛ: 홍계월이 병이 나자 집안사람들이 많이 놀라며 지극한 정성으로 치료하는 모습을 보여 준다.

> '침중'은 병세가 심각하여 위중함, '경동'은 놀라서 움직임을 뜻한다. 따라서 ⓛ은 홍계월의 병세가 심각하자 집안사람들이 놀라며 밤낮을 가리지 않고 정성으로 치료하는 모습을 보여 준다고 볼 수 있다.

③ ⓒ: 홍계월이 부모 앞에서 울음을 터트리며 서러움을 드러내는 모습을 보여 준다.

> '느끼다'는 서럽거나 감격에 겨워 운다는 뜻이다. 따라서 ⓒ은 자신이 여성임이 탄로나 할 일 없이 될 것임을 짐작한 홍계월이 부모 앞에서 눈물을 흘리며 서러움을 드러내는 모습을 보여 준다고 볼 수 있다.

④ ⓔ: 천자가 조정에서 물러나 있는 홍계월을 다시 전쟁터로 보내야 하는지 고민하는 모습을 보여 준다.

> ⓔ은 천자가 조정에서 물러나 '규중 여자'로 살고 있는 홍계월을 다시 전쟁터로 보내야 하는지 고민하는 모습을 보여 준다고 볼 수 있다.

2. 문학 개념어 OX 확인 문제

① ○

- 요약적 제시: 사건 전개를 서술할 때 대화나 행동을 보여주거나 묘사하지 않고 이를 간략하게 요약하여 서술하는 것.
  > 근거 '오왕과 초왕이 반하여 지금 장안을 범하고자 하옵나이다. 오왕은 구덕지를 얻어 대원수를 삼고, 초왕은 장맹길을 얻어 선봉을 삼아 장수 천여 명과 군사 십만을 거느려 호주 북지 십여 성을 항복 받고 형주자사 완태를 베고 짓쳐오매'

② ✕

- 갈등: 개인이나 집단 사이에 목표나 이해관계가 달라 서로 적대시하거나 충돌하는 경우를 이르는 말. 소설이나 희곡에서 등장인물 사이에 일어나는 대립과 충돌 또는 등장인물과 환경 사이의 모순과 대립을 나타내기도 하고, 한 인물이 두 가지 이상의 상반되는 요구나 욕구, 기회 또는 목표에 직면했을 때 선택하지 못하고 괴로워하는 상태를 나타내기도 함.
  > 근거 중략 줄거리에서 보국과 홍계월의 갈등이 언급되고 있으나, 이가 대립된 공간의 묘사를 통해 제시되지는 않음.

고전소설 독해의 STEP 3

1 1번 문제의 선지 판단 공식에 대한 답을 확인해 보세요.

선지 판단의 공식

① 작품
> 홍계월과 보국은 여공이 '먼 길에 평안히 행차'해 온 것을 엎드려 '치하'하고 있으므로 감사의 뜻을 표시하고 있다고 볼 수 있음

선지 ➡ ⑤: 홍계월과 보국이 멀리서 온 여공에게 고마움을 표하는 모습을 보여 준다. ○

② 작품
> '전장에 다녀온 후' 홍계월의 몸이 곤하여 '병이 침중'하자 집안 사람들이 '경동'하여 밤낮으로 정성을 들여 '약으로 치료'함

선지 ➡ ⓛ: 홍계월이 병이 나자 집안사람들이 많이 놀라며 지극한 정성으로 치료하는 모습을 보여 준다. ○

③ 작품
> '본색이 탄로'나 '여복을 갈아입고 규중에 몸을 숨어 세월'을 보내야겠다고 생각한 홍계월은 부모 앞에서 흐느끼며 '눈물'을 흘리고 있음

선지 ➡ ⓒ: 홍계월이 부모 앞에서 울음을 터트리며 서러움을 드러내는 모습을 보여 준다. ○

④ 작품
> '오', '초' 양국이 침범하여 '명장'이 필요한 상황에 '우승상 명연태'가 '평국을 보내'자고 하자 '천자'는 '지금은 규중 여자'인 홍계월을 어찌 '전장에 보내'겠느냐며 고민하고 있음

선지 ➡ ⓔ: 천자가 조정에서 물러나 있는 홍계월을 다시 전쟁터로 보내야 하는지 고민하는 모습을 보여 준다. ○

⑤ 작품
> '규중에 홀로 있'던 홍계월은 '매일 시비를 데리고 장기와 바둑으로 세월을 보내'고 있었는데, 천자는 그런 홍계월을 불러들여 '규중에 처'해 있어 오래 보지 못했던 그를 반갑게 맞이함

선지 ➡ ⓜ: 천자가 집안일에 매달려 있는 홍계월을 오랫동안 보지 못해 그리워하는 모습을 보여 준다. ✕

30 하루 30분, 고전소설 트레이닝

고전소설 독해의 STEP 1

1 다음 글을 읽고 등장인물을 잘 파악했는지, 빈칸에 적절한 말을 채웠는지 확인해 보세요.

📅 고3 2015학년도 7월 학평B – 작자 미상, 「조웅전」

이때 이두병이 스스로 황제라 일컫고 국법을 새로이 하여 각국 열읍에 공문을 보내 벼슬도 올려 주는지라. 여러 신하들이 모여 동궁(=송 태자)을 폐하여 외객관으로 내치니, 후궁과 벼슬아치들과 내외궁의 노비 등이 하늘을 부르짖고 땅을 치며 끝없이 슬프고 마음 아파하니 푸른 하늘이 부르짖는 듯하고 태양도 빛을 잃은 듯하더라. *이두병은 스스로 황제의 자리에 오른 뒤 여러 신하들과 작당하여 동궁(황태자)을 외객관으로 내쫓았는데, 사람들은 이를 보고 슬퍼했어.* 이때 왕 부인이 이러한 변을 보고 크게 놀라 실색하여*,

"마땅히 죽으리로다."

하며, 주야로 하늘을 향해 빌며 말하기를,

"웅의 나이 팔 세에 불과하니 죄 없는 것을 살려 주소서."

하며 애걸하니 그 모습을 차마 보지 못하겠더라. *놀란 왕 부인은 하늘에 웅의 목숨을 살려 달라고 빌고 있어. 이두병이 황제의 자리에 올라 동궁이 내쫓긴 상황에 왜 웅의 목숨을 걱정하는 걸까?* 웅이 모친을 붙들고 만 가지로 위로하여 말하기를,

"모친(=왕 부인)은 불효자식을 생각하지 마시고, 천금같이 귀하신 몸을 보존하소서. 꿈 같은 세상에 유한한 간장을 상하게 하지 마소서. 인생에서 죽는 일 하나만은 제왕도 마음대로 못하옵거늘 어찌 한 번 죽음을 면하오리까? 짐작하옵건대 이두병은 우리의 원수요, 우리는 그의 원수가 아니오니 어찌 조웅이 이두병의 칼에 죽겠사오리까? 조금도 염려치 마옵소서."

하며 분기를 참지 못하더라. *웅은 모친을 안심시키면서 원수인 이두병에 대한 분노를 참지 못해. 앞서 왕 부인이 아들의 목숨을 염려한 것은 황제의 자리에 오른 이두병이 그들의 원수였기 때문이었나 봐. 조웅은 이두병이라는 악인을 물리치려고 하는 선인으로, 두 사람이 대립 구도를 이룬다는 점에서 갈등 관계를 확인할 수 있군.*

이때 이두병이 큰아들 관으로 동궁을 봉하고 국호를 고쳐 평순황제(平順皇帝)라 하고 연호*를 새로 고쳐 건무(建武) 원년(元年)으로 삼았다. *황제의 자리에 오른 이두병은 자신의 아들을 황태자로 삼고, 국호와 연호를 고쳤어.*

이즈음에 송 태자를 외객관에 두었더니, 여러 신하들이 다시 간하여 태산 계량도에 유배하여 주거를 제한하고 소식을 끊게 하였다. 이날 왕 부인 모자가 태자께서 유배되었다는 말을 듣고 망극하여,

"우리 도망하여 태자를 따라 사생(死生)을 한 가지로 하고 싶으나 종적이 탄로나면 이에 앞서 죽을 것이니 어찌하리오?"

하며 모자가 주야로 통곡하더라. *외객관으로 쫓겨나던 태자가 태산 계량도로 유배되었다는 소식을 들은 조웅과 모친은 밤낮으로 통곡했어.* **장면끊기 01** *이두병이 황제의 자리에 오른 후 송 태자를 내쫓고 유배 보내자, 이를 알게 된 왕 부인과 웅은 이두병의 행태에 분함과 슬픔을 느껴* 하루는 웅이 황혼의 명월을 보며 원수 갚을 묘책을 생각하더니, 마음이 아득하고 분기탱천(憤氣撑天)*한지라. *이두병에게 원수를 갚을 방법을 생각하던 조웅은 분한 마음이 격렬하게 북받쳐 오르는 심정을 느껴.* 울적한 기운을 참지 못하여 부인(=왕 부인) 모르게 중문에 내달아 장안 큰길 위를 두루 걸어 한 곳에 다다르니 여러

사람들이 모두 모여 시절 노래를 부르거늘, 들으니 그 노래는 이러하더라. *답답하고 쓸쓸한 마음에 장안 큰길을 배회하던 웅은 노래를 듣게 돼.*

국파군망(國破君亡)*하니 무부지자(無父之子)*나시도다.
문제(文帝)가 순제(順帝)되고 태평(太平)이 난세로다. *이 노래에는 태평하던 시절이 이두병이 황제가 되면서 살기 힘든 난세가 되었다는 부정적 인식이 담겨 있어.*

천지가 불변하니 산천을 고칠소냐.
삼강*이 불퇴하니* 오륜*을 고칠소냐.
맑고 밝은 하늘에서 소슬히 내리는 비는
충신원루(忠臣冤淚)* 아니면 소란스럽게 구는 사람의 하소연이로다. *맑은 하늘에서 내리는 비는 현재의 상황을 슬퍼하는 충신의 원통한 심정이 담긴 눈물에 비유되고 있군.*

슬프구나 백성들아, 오호에 한 조각배를 타고
사해에 노니다가 시절을 기다려라.

웅이 듣기를 다함에 분을 이기지 못하고 *다시 태평한 시절이 오기를 기다리는 소망이 담긴 노래를 들은 조웅은 이에 동감하기 때문에 분을 이기지 못하지.* 두루 걸어 경화문에 다다라 대궐을 바라보니, 인적은 고요하고 월색은 뜰에 가득한데 오리와 기러기 몇 쌍이 못에 떠 있고, 십 리나 되는 화원에 전 왕조의 경치와 풍물 아닌 것이 없더라. 전 왕조의 일을 생각하니 일편단심에 굽이굽이 쌓인 근심이 갑자기 생겨나는지라. *노래를 들은 웅은 분함을 이기지 못한 채 걷다가 경화문에서 대궐을 바라봐. 전 왕조의 경치를 간직한 궐을 보며 나라를 걱정하는 변함없는 마음, 즉 일편단심이 근심에 휩싸여.* 조웅이 담장을 넘어 들어가 이두병을 만나서 사생을 결단하고 싶으나 힘이 모자랄뿐더러, 문 안에 군사가 많고 문이 굳게 닫혀 있는지라 할 수 없이 그저 돌아서며 분을 참지 못하여 붓을 넣어 차고 다니던 주머니에서 붓을 내어 경화문에 글자가 잘 보이도록 글자를 크게 써서 이두병을 욕하는 글 몇 구를 지어 쓰고는 자취를 감추어 돌아오더라. *이두병과 죽고 사는 것을 돌보지 않고 결단을 내고 싶은 심정을 참은 조웅은 분노를 담아 경화문에 글을 쓰고 돌아갔어.*

장면끊기 02 *이두병에게 원수를 갚을 방법을 고민하던 웅은 장안의 여러 사람들이 부르는 노래를 들으며 강한 분노를 느껴. 경화문에 다다라 대궐을 바라본 웅은 지난 왕조에 대한 충심과 이두병에 대한 분노를 담아 이두병을 욕하는 글을 쓰고 돌아왔어.*

(중략)

이날 밤에 황제(=이두병)가 꿈이 몹시 흉하고 참혹하기에 날이 밝기를 기다려 여러 신하들을 궁궐로 불러 들여 꿈속의 일을 의논할 때, 경화문을 지키던 관원이 급히 고하기를,

"밤이 지나고 나니 문밖에 없던 글이 있기에 옮겨 적어 올립니다." *조웅이 이두병을 욕하는 글을 쓴 밤에 이두병은 흉한 꿈을 꾸었어. 이는 다음날 자신을 욕하는 글을 보게 되는 사건을 예고하는 복선이었나 봐.*

황제가 그 글을 보니,

'송나라 황실이 쇠약하고 미미하니 간신이 조정에 가득하도다! 만민이 불행하여 황제의 상이 나셨도다! 동궁이 장성하지* 못했으니 소인이 득세하는* 때로다! 만고 소인 이두병은 벼슬이 일품이라. 무엇이 부족하여 역적이 되었단 말인가? 송나라 황제의

죽음 이후, 동궁이 장성하지 못한 틈을 타 이두병이 역모를 일으켜 황제의 자리에 오른 것이었군. 조웅은 신하의 도리를 저버린 간신 이두병을 **역적**이라고 해. 천명이 온전하거늘 네 어이 장수하리오. 동궁을 어찌하고 네가 옥새*를 전수하느냐? 진시황의 날랜 사슴 임자 없이 다닐 때에 초패왕의 세상 덮는 기운과 범중의 신기한 능력으로도 임의로 못 잡아서 임자를 주었거늘*, 어이할까 저 반적아! 부귀도 좋거니와, 신명을 돌아보아 송업을 끊지 말라. 광대한 천지간에 용납 없는 네 죄목을 조목조목 생각하니 한 줄의 글로도 기록하기 어렵도다. 이 글은 전조 충신 조웅이 삼가 쓰노라.'
하였더라. 조웅은 간신 이두병을 **반적**(자기 나라를 배반한 역적)이라 부르며, 진시황과 항우의 고사를 활용하여 이두병이 황제가 된 것은 부당한 일이라고 하여 송나라의 맥을 끊지 말라고 경고하고 있어.

황제와 여러 신하들이 보고 나서 놀라며 분기등등하여 우선 경화문 관원을 잡아들여 그때에 잡지 못한 죄로 곤장을 쳐서 내치고는 크게 호령하여 조웅 모자를 결박하여 잡아들이라 하니 장안이 분분한지라. 관원들이 조웅의 집을 에워싸고 들어가니 인적이 고요하고 조웅 모자는 없는지라. 죄인을 다스리는 벼슬아치가 돌아와서 도망한 사연을 황제에게 아뢰니, 황제께서 책상을 치며 크게 노하여 대신을 크게 꾸짖어 말하기를,
"조웅 모자를 잡지 못하면 여러 신하에게 중죄를 내릴 것이니 바삐 잡아 짐의 분을 풀게 하라."
하니, 여러 신하들이 매우 급하고 두려워하여 장안을 에워싸고, 또한 황성 삼십 리를 겹겹이 싸고 곳곳을 뒤져 본들 벌써 삼천 리 밖에 있는 조웅을 어찌 잡으리오. 황제와 신하들은 조웅이 글을 쓸 때 잡지 못한 관원에게 벌을 주고 조웅 모자를 잡아들이려 해. 선인으로 대표되는 조웅과 악인으로 대표되는 이두병 사이의 갈등이 고조되고 있어. 그리고 조웅 모자는 이미 이두병을 피해 장안과 황성에서 멀리 달아났기에 잡을 수 없음을 편집자적 **논평**을 통해 드러내는 것으로 지문이 끝나고 있지.

장면끊기 03　조웅의 글을 본 황제와 신하들은 **조웅 모자**를 잡아들이라 하지만, 이미 조웅 모자는 이두병을 피해 멀리 떠나 있었지.

– 작자 미상, 「조웅전」 –

*국파군망: 나라가 망하고 임금이 돌아가심.
*무부지자: 아버지가 없는 아들.
*진시황의~주었거늘: 진시황이 죽고 초패왕 항우가 그의 용맹함과 비범한 능력을 가진 책사 범중이 있음에도 황제가 되지 못하고 결국 유방이 황제가 된 일을 말함.

[고전 **필수** 어휘]
*실색하다: 놀라서 얼굴빛이 달라지다.
*연호: 임금이 즉위한 해에 붙이던 칭호.
*분기탱천: 분한 마음이 하늘을 찌를 듯 격렬하게 북받쳐 오름.
*삼강: 유교의 도덕에서 기본이 되는 세 가지 강령. 임금과 신하, 부모와 자식, 남편과 아내 사이에 마땅히 지켜야 할 도리로 군위신강, 부위자강, 부위부강을 이른다.
*불퇴하다: 물러나지 아니하다.
*오륜: 유학에서, 사람이 지켜야 할 다섯 가지 도리. 부자유친, 군신유의, 부부유별, 장유유서, 붕우유신을 이른다.
*원루: 원통하여 흘리는 눈물.
*장성하다: 자라서 어른이 되다.
*득세하다: 세력을 얻다.
*옥새: 옥으로 만든 국새.

고전소설 독해의　STEP 2

❶ 구조도의 빈칸에 적절한 말을 채웠는지 확인해 보세요.

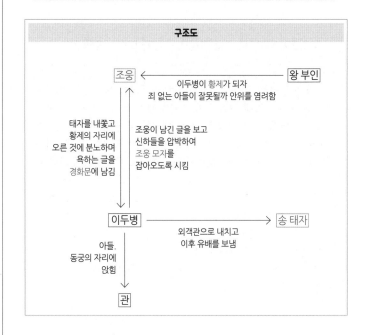

구조도

조웅 ← 이두병이 황제가 되자 죄 없는 아들이 잘못될까 안위를 염려함　왕 부인

태자를 내쫓고 황제의 자리에 오른 것에 분노하며 욕하는 글을 경화문에 남김

조웅이 남긴 글을 보고 신하들을 압박하여 조웅 모자를 잡아오도록 시킴

이두병 ———→ 송 태자
외객관으로 내치고 이후 유배를 보냄

아들. 동궁의 자리에 앉힘

관

❷ 1~2번 문제의 정답과 해설을 확인해 보세요.

1. 윗글에 대한 이해로 적절하지 <u>않은</u> 것은?

[정답풀이]

② 조웅 모자는 송 태자와 사생을 같이 하겠다는 계획을 실행했다.

> 왕 부인은 송 태자가 폐위되었다는 말을 듣고 아들인 웅의 안위를 염려한다. 또한 왕 부인 모자는 태자가 유배되었다는 말을 듣고 '우리 도망하여 태자를 따라 사생을 한 가지로 하고 싶으나 종적이 탄로나면 이에 앞서 죽을 것이니 어찌하리오?'라고 염려한다. 즉 송 태자와 사생을 같이 하고 싶다는 심정은 확인할 수 있지만 이 계획을 실행했다고 볼 수는 없다.

[오답풀이]

① 왕 부인은 이두병이 황제에 오르자 조웅의 안위를 걱정했다.

> 왕 부인은 이두병이 황제의 자리에 오르자 아들의 안위를 염려해 '하늘을 향해' 웅을 살려달라고 빈다.

③ 이두병은 송 태자를 대신하여 자신의 큰아들을 동궁으로 봉했다.

> 스스로 황제가 된 이두병은 송 태자를 내쫓은 후 '큰아들 관'을 '동궁'에 봉했다.

④ 이두병은 송 태자를 유배 보내자는 신하들의 의견을 받아들였다.

이두병은 '외객관'에 두었던 '송 태자'를 신하들의 간언에 따라 '태산 계량도에 유배하여 주거를 제한하고 소식을 끊게 하였'다.

⑤ 이두병은 조웅이 쓴 경화문의 글을 보고 조웅을 잡아들이게 했다.

조웅은 '경화문'에 '이두병을 욕하는 글 몇 구'를 남겼는데, 이를 알게 된 황제 이두병은 조웅을 잡아들이라고 명령하였다.

2. 문학 개념어 OX 확인 문제

① ○

• 공간적 배경 묘사: 공간적 배경을 그림 그리듯이 구체적이고 감각적으로 표현함.

근거 '경화문에 다다라 대궐을 바라보니, 인적은 고요하고 월색은 뜰에 가득한데 오리와 기러기 몇 쌍이 못에 떠 있고, 십 리나 되는 화원에 전 왕조의 경치와 풍물 아닌 것이 없더라.'

② ○

• 대립: 의견이나 처지, 속성 따위가 서로 반대되거나 모순됨. 또는 그런 관계.

근거 '스스로 황제라 일컫'는 '이두병' ↔ '이두병'을 '원수'로 여기며 '송업'이 이어지길 바라는 '조웅'

고전소설 독해의 STEP 3

🔲 1번 문제의 선지 판단 공식에 대한 답을 확인해 보세요.

선지 판단의 공식

① 작품
'왕 부인'은 원수인 이두병이 황제의 자리에 오른 후 아들인 '웅'의 안위를 염려하여 하늘을 향해 '웅의 나이 팔 세에 불과하니 죄 없는 것을 살려 주소서.'라고 빎

선지 ➡ 왕 부인은 이두병이 황제에 오르자 조웅의 안위를 걱정했다.

○

② 작품
'왕 부인 모자'는 태자가 유배되었다는 말을 듣고 '우리 도망하여 태자를 따라 사생을 한 가지로 하고 싶'으나 '종적이 탄로나면 이에 앞서 죽을 것'이라며 염려하고 있음

선지 ➡ 조웅 모자는 송 태자와 사생을 같이 하겠다는 계획을 실행했다.

×

③ 작품
스스로 황제의 자리에 오른 이두병은 동궁이었던 '송 태자'를 내쫓고 '큰아들 관'을 '동궁'으로 봉함

선지 ➡ 이두병은 송 태자를 대신하여 자신의 큰아들을 동궁으로 봉했다.

○

④ 작품
이두병은 '송 태자를 외객관에 두었'다가, 여러 신하들이 간언하여 '태산 계량도에 유배'를 보냄

선지 ➡ 이두병은 송 태자를 유배 보내자는 신하들의 의견을 받아들였다.

○

⑤ 작품
분노를 참지 못한 조웅은 '경화문'에 이두병을 욕하는 글 몇 구를 남기고, 그 글을 본 황제는 분기등등하여 '조웅 모자를 결박하여 잡아들이라' 명령함

선지 ➡ 이두병은 조웅이 쓴 경화문의 글을 보고 조웅을 잡아들이게 했다.

○

고전소설 독해의 STEP 1

❶ 다음 글을 읽고 등장인물을 잘 파악했는지, 빈칸에 적절한 말을 채웠는지 확인해 보세요.

📅 고3 2014학년도 6월 모평A – 김만중, 「구운몽」

> "[사부](=육관 대사)는 어느 곳으로부터 오셨나이까?"
> [노승](=육관 대사)이 웃으며 대답하기를,
> "평생 알고 지낸 사람을 몰라보시니 일찍이, '귀인은 잊기를 잘 한다.'는 말이 옳소이다."
> [양 승상(양소유)]이 자세히 보니 과연 얼굴이 익숙한 듯하였다.
> 양 승상은 노승을 향해 어디에서 오셨는지를 묻는데, 노승은 양 승상과 평생 알고 지냈는데 자신을 몰라보느냐고 해. 두 사람은 어떤 관계일까? 문득 깨달아 [능파 낭자]를 돌아보며 말하기를,
> "내가 지난날 토번을 정벌할 때 꿈에 동정 용궁의 잔치에 참석하고 돌아오는 길에, 한 [화상](=육관 대사)이 법좌(法座)에 앉아서 경을 강론하는 것을 보았는데 노승이 바로 그 [노화상](=육관 대사)이냐?"
> 노승이 박장대소하고 가로되, 노승은 자신을 알아보지 못하고 헷갈려하는 양 승상을 보고 박장대소하네.
> "옳도다, 옳도다. 비록 그 말이 옳으나 꿈속에서 잠깐 만난 일은 기억하고 십 년 동안 같이 살았던 것은 기억하지 못하니 누가 양 승상을 총명하다 하였는가?"
> 승상이 망연자실하여 말하기를, 노승은 양 승상이 자신과 십 년 동안 같이 살았던 것을 기억하지 못하니 어찌 **총명**하다 할 수 있겠느냐 하고, 승상은 기억이 없어 망연자실한 모습이야.
> "소유는 십오륙 세 이전에는 부모의 슬하를 떠난 적이 없고, 십육 세에 급제하여 곧바로 직명*을 받아 관직에 있었으니, 동으로 연나라에 사신으로 가고 토번을 정벌하러 떠난 것 외에는 일찍이 경사(京師)*를 떠나지 아니하였거늘, 언제 사부와 함께 십 년을 상종하였으리요?" 승상은 연나라, 토번에 간 것 외에 **경사**를 떠난 적이 없으므로 노승과 십 년 동안 같이 살지 않았다고 이야기해.
> 노승이 웃으며 말하기를,
> "[상공](=양소유)이 아직도 춘몽*을 깨지 못하였도다."
> 승상이 말하기를,
> "사부는 어찌하면 저로 하여금 춘몽을 깨게 하실 수 있나이까?"
> 노승이 이르기를,
> "이는 어렵지 않도다." 양 승상이 **춘몽**에서 깨어나기를 원하자, 노승이 그 바람을 들어주려는 모양이야.
> 하고 손에 잡고 있던 지팡이를 들어 돌난간을 두어 번 두드렸다.
> 장면끊기 01 양 승상은 노승을 만나 춘몽을 깨기 원한다고 해. 다음 장면은 승상이 꿈에서 깨어나 현실로 돌아온 상황이니, 여기에서 장면을 끊자! 갑자기 네 골짜기에서 구름이 일어나 누각 위를 뒤덮어 지척을 분변하지 못하였다. 승상이 정신이 아득하여 마치 꿈속에 있는 듯하다 소리를 질러 말하기를,
> "사부는 어찌하여 정도(正道)로 소유를 인도하지 아니하고 환술(幻術)*로써 희롱하시나이까?"
> 승상이 말을 마치지 못하여 구름이 걷히는데 노승은 간 곳이 없고 좌우를 돌아보니 [팔 낭자]도 간 곳이 없었다. 승상이 매우

> 놀라 어찌할 바를 모르는 중에 **구름**이 가득하여 지척을 분변하지 못하게 되었다가 다시 구름이 걷히자 노승과 **팔 낭자**가 한순간에 없어진 상황이라 양 승상은 매우 놀랐어.
> 높은 대와 많은 집들이 한순간에 없어지고 자기의 몸은 작은 암자의 포단 위에 앉았는데, 향로에 불은 이미 사라지고 지는 달이 창가에 비치고 있었다.
> 자신의 몸을 보니 백팔 염주가 걸려 있고 머리를 손으로 만져 보니 갓 깎은 머리털이 가칠가칠하였으니 완연히 [소화상](=양소유)의 몸이요 전혀 대승상의 위의가 아니니, 정신이 황홀하여 오랜 후에야 비로소 제 몸이 연화도량의 [성진(性眞)](=양소유) 행자(行者)임을 깨달았다. 노승에 의해 춘몽에서 깨어난 승상은 자신이 연화도량의 **성진**임을 깨닫게 돼. 자신의 본모습을 깨닫게 된 거지.
> 그리고 생각하기를, '처음에 [스승](=육관 대사)에게 책망을 듣고 풍도옥(酆都獄)*으로 가서 인간 세상에 환도하여 양가의 아들이 되었다가, 장원급제를 하여 한림학사를 한 후 출장입상(出將入相)*, 공명신퇴(功名身退)*하여 [두 공주와 여섯 낭자](=팔 낭자)로 더불어 즐기던 것이 다 하룻밤의 꿈이로다. 이는 필연 사부가 나의 생각이 그릇됨을 알고 나로 하여금 그런 꿈을 꾸게 하시어 인간 부귀와 남녀 정욕이 다 허무한 일임을 알게 한 것이로다.' 성진은 자신이 인간 **세상**에 환도하여 양가의 아들로 태어나 팔 낭자와 함께 공명과 부귀를 누렸음을 깨달아. 자신이 꿈속에서 양 승상의 삶을 살게 된 과정과 이유에 대해 스스로 생각하고 있는 거야.
> 장면끊기 02 성진이 승상의 삶은 하룻밤 꿈에 불과하며, 육관 대사가 인간 부귀와 남녀 정욕의 허무함을 알게 하기 위해 그러한 꿈을 꾸게 한 것임을 깨닫는 장면이야. 이후 성진은 의관을 정제하여 육관 대사가 있는 처소로 나아가지.
> 성진이 서둘러 세수하고 의관을 정제하여 처소에 나아가니, 제자들이 이미 다 모여 있었다.
> [육관 대사]가 큰 소리로 묻기를,
> "성진아, 인간 부귀를 겪어 보니 과연 어떠하더냐?"
> 성진이 머리를 조아리고 눈물을 흘리며 하는 말이,
> "성진이 이미 깨달았나이다. 제자가 불초하여* 생각을 그릇되게 하여 죄를 지었으니 마땅히 인간 세상에서 윤회하는 벌을 받아야 하거늘, 사부께서 자비하시어 하룻밤 꿈으로 제자의 마음을 깨닫게 하시니 사부의 은혜는 천만 겁이 지나도 갚기 어렵나이다." 성진은 자신의 잘못을 반성하며 하룻밤 꿈으로 깨달음을 준 육관 대사의 **은혜**에 감사해.
> 대사가 말하기를,
> "네가 흥을 타고 갔다가 흥이 다하여 돌아왔으니 내가 무슨 간여할 바가 있겠느냐? 또 네가 말하기를, '인간 세상에 윤회한 것을 꿈을 꾸었다.'고 하니, 이는 꿈과 세상을 다르다고 하는 것이니, 네가 아직도 꿈을 깨지 못하였도다. 옛말에 '장주(莊周)가 꿈에서 나비가 되었다가 다시 나비가 장주가 되었다.'고 하니, 어느 것이 거짓 것이고, 어느 것이 참된 것인지 분변하지 못하나니, 이제 성진과 소유에 있어 어느 것이 참이며 어느 것이 꿈이냐?" 육관 대사는 꿈과 세상을 다르다고 하는 성진에게 아직도 깨닫지 못하였다고 해.
> 성진이 이에 대답하기를,
> "제자 성진은 아득하여 꿈과 참을 분별하지 못하겠사오니, 사부는 설법(說法)을 베풀어 제자로 하여금 깨닫게 하소서."
> 장면끊기 03 성진은 눈물을 흘리며 지난날의 잘못을 반성하고 육관 대사에게 **설법**을 베풀어 달라고 부탁해.

– 김만중, 「구운몽」 –

＊풍도옥: 지옥을 이르는 말.

＊출장입상: 나가서는 장수가 되고 들어와서는 재상이 됨.

＊공명신퇴: 공을 세워서 자기의 이름을 널리 드러낸 후 물러남.

[고전 **필수** 어휘]

＊직명: 직업이나 직무, 직위, 벼슬 따위의 이름.

＊경사: 서울.

＊춘몽: 봄에 꾸는 꿈이라는 뜻으로, 덧없는 인생을 비유적으로 이르는 말.

＊환술: 남의 눈을 속이는 기술.

＊불초하다: 못나고 어리석다.

고전소설 독해의   **STEP 2**

1 구조도의 빈칸에 적절한 말을 채웠는지 확인해 보세요.

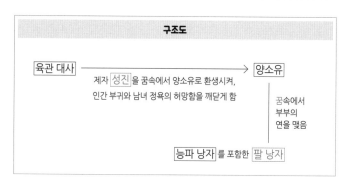

구조도

육관 대사 ──── 제자 성진 을 꿈속에서 양소유로 환생시켜, ───▶ 양소유
인간 부귀와 남녀 정욕의 허망함을 깨닫게 함

꿈속에서
부부의
연을 맺음

능파 낭자 를 포함한 팔 낭자

---

2 1~2번 문제의 정답과 해설을 확인해 보세요.

1. 윗글의 인물에 대한 이해로 적절하지 <u>않은</u> 것은?

[정답풀이]

④ 양소유는 팔 낭자와 함께 꿈에서 깨어나고자 한다.

양소유가 꿈에서 깨어날 때 '팔 낭자도 간 곳이 없었다.'는 것만 알 수 있을 뿐, 양소유가 팔 낭자와 함께 꿈에서 깨어나고자 했는지는 확인할 수 없다.

[오답풀이]

① 성진은 육관 대사의 가르침을 따르려 한다.

윗글의 마지막 부분에서 성진은 육관 대사에게 '설법을 베풀어 제자로 하여금 깨닫게 하소서.'라고 하며 육관 대사의 가르침을 따르려 한다.

---

② 노승은 양소유가 자각하도록 도와주고 있다.

노승은 춘몽에서 깨지 못하고 있던 양소유를 깨워 그가 성진임을 자각하게 한다. 또 꿈에서 깬 성진에게 '네가 흥을 타고 갔다가 흥이 다하여 돌아왔으니~어느 것이 참이며 어느 것이 꿈이냐?'라고 질문함으로써 성진이 자각하도록 도와주고 있다.

③ 성진은 꿈속의 노승이 육관 대사임을 알게 된다.

양소유는 꿈속의 노승이 육관 대사임을 알아보지 못한다. 그런데 꿈에서 깨어나 성진으로 돌아온 뒤에는 '사부가 나의 생각이 그릇됨을 알고 나로 하여금 그런 꿈을 꾸게 하'였음을 깨닫게 되므로, 성진은 꿈속의 노승이 육관 대사임을 알게 된 것이다.

⑤ 성진은 양소유로서의 자신의 삶을 되돌아보고 있다.

꿈에서 깨어난 성진은 '인간 세상에 환도하여 양가의 아들이 되었다가~다 하룻밤의 꿈이로다.'에서 양소유로서의 자신의 삶을 되돌아보고 그것이 모두 허무한 일임을 깨닫게 된다.

2. 문학 개념어 OX 확인 문제

① ○

• 내적 독백: 발화되지 않은 독백으로, 인물의 생각을 그대로 옮겨 놓은 것을 뜻함. 생각임을 표시하기 위해 작은따옴표(' ')를 사용해 표시하는 것이 원칙이나 생략되기도 함.

[근거] '처음에 스승에게 책망을 듣고~다 허무한 일임을 알게 한 것이로다.'

② ○

• 묘사: 어떤 대상이나 인물의 외양, 행동, 내면 등을 그림을 보여 주듯 표현하는 것.

• 장면 전환: 인물, 배경, 사건 등의 요소가 바뀌는 것. '주요 인물'에 초점을 맞추어 인물이 처한 상황에 변화가 있는지 혹은 '초점이 되고 있는 인물'에 변화가 있는지를 판단하면 됨.

[근거] '네 골짜기에서 구름이 일어나 누각 위를 뒤덮어', '자기의 몸은 작은 암자의 포단 위에 앉았는데, 향로에 불은 이미 사라지고 지는 달이 창가에 비치고 있었다.' 등

1 1번 문제의 선지 판단 공식에 대한 답을 확인해 보세요.

선지 판단의 공식

①
작품
성진은 육관 대사에게 '제자 성진은 아득하여 꿈과 참을 분별하지 못하겠사오니, 사부는 설법을 베풀어 제자로 하여금 깨닫게 하소서.'라고 함

선지 ➡ 성진은 육관 대사의 가르침을 따르려 한다.   ○

②
작품
노승은 '상공이 아직도 춘몽을 깨지 못하였도다.'라고 하며 양 소유의 꿈을 깨워줌, 꿈에서 깨어난 성진에게 '네가 아직도 꿈을 깨지 못하였도다.~이제 성진과 소유에 있어 어느 것이 참이며 어느 것이 꿈이냐?'라고 물음

선지 ➡ 노승은 양소유가 자각하도록 도와주고 있다.   ○

③
작품
성진은 꿈에서 깨어난 후 '사부가 나의 생각이 그릇됨을 알고 나로 하여금 그런 꿈을 꾸게 하시어 인간 부귀와 남녀 정욕이 다 허무한 일임을 알게 한 것이로다.'라고 깨달음

선지 ➡ 성진은 꿈속의 노승이 육관 대사임을 알게 된다.   ○

④
작품
양소유가 꿈에서 깨어나자 '노승은 간 곳이 없고 좌우를 돌아보니 팔 낭자도 간 곳이 없었'음

선지 ➡ 양소유는 팔 낭자와 함께 꿈에서 깨어나고자 한다.   ✕

⑤
작품
성진은 꿈에서 깨어나 '인간 세상에 환도하여 양가의 아들이 되었다가, 장원급제를 하여 한림학사를 한 후~두 공주와 여섯 낭자로 더불어 즐기던 것이 다 하룻밤의 꿈이로다.'라며 자신의 삶을 되돌아봄

선지 ➡ 성진은 양소유로서의 자신의 삶을 되돌아보고 있다.   ○

하루 30분, 고전소설 트레이닝

고전소설 독해의 STEP 1

❶ 다음 글을 읽고 등장인물을 잘 파악했는지, 빈칸에 적절한 말을 채웠는지 확인해 보세요.

📅 고3 2014학년도 10월 학평A – 작자 미상, 「매화전」

[앞부분의 줄거리] 도술이 뛰어난 장단골 김 주부는 조정 간신들에게 쫓기다 딸 매화와 헤어져 아내와 구월산에 들어간다. 매화는 조 병사에게 구원되고 그 아들 양유와 사랑에 빠진다. 양유의 계모 최 씨는 자신의 동생과 혼인시키고자 매화를 탐낸다. 앞부분의 줄거리에서 문제 상황이 드러나네. 이어지는 지문에서는 아마 계모 최 씨가 매화를 탐내는 상황으로 인해 문제가 발생할 것 같아.

하루는 병사 내당에 들어와 부인 최 씨를 대하여 가로되,
"전일 관상쟁이가 이러이러하니 앞으로 닥칠 길흉을 어찌하리요. 매화는 내 집에 있을 뿐 아니라 양유와 동갑이요, 인물이 비범하니 혼사함이 어떠하리까?" 조 병사는 관상쟁이의 말을 듣고, 자신의 아들 양유와 매화의 혼사를 부인 최 씨에게 상의하네.
부인(=최 씨)이 변색하여 가로되,
"병사 어찌 그런 말씀을 하시나이까? 양유는 사부(士夫) 후계요, 매화는 유리걸식(流離乞食)*하는 아이라. 근본도 아지 못 하고 어찌 인물만 탐하리까?" 부인은 양유는 사대부의 후손이나 매화는 근본을 알 수 없는 아이니 혼사를 반대한다고 해. 앞부분의 줄거리를 참고한다면 부인이 혼사를 반대하는 진짜 이유는 자신의 동생과 매화를 혼인시키고 싶어 하기 때문이야. 부인은 신분을 핑계로 양유와 매화의 혼사를 방해하는 거지.
병사 옳이 여겨 가로되,
"부인 말씀이 옳도다. 일후*에 장단골 가서 매화의 근본을 알리라."
하고 나아가거늘,
부인이 그 말을 듣고 제 동생을 불러 이르되,
"병사께서 장단골 가서 매화의 근본을 알고자 하니 네 먼저 가서 재물을 많이 그 근처 사람에게 주어라. 그러면 매화 너의 짝이 될지라. 저런 인물을 어찌 그저 두리요."
한대 최 씨 동생이 이 말을 듣고 재물을 많이 가지고 장단골 연화동을 찾아가더라.
장면끊기 01 조 병사는 매화와 아들 양유의 혼사를 위해 매화의 근본을 알아보러 장단골로 떠나. 부인은 매화를 자신의 동생과 혼인시키려 하기에 병사보다 먼저 장단골로 동생을 보내 양유와의 혼사를 방해하는 계략을 꾸미지. 이제 장단골로 장소가 이동되어 사건이 전개되니, 여기에서 장면을 끊자!
이때에 병사 길을 떠나 여러 날 만에 장단골을 찾아가니 어떤 사람 길가에 앉았거늘 병사 말을 머무르고 물어 가로되,
"이곳이 연화동이냐?"
"연화동이로소이다."
병사 물어 가로되,
"연화동이라면 김 주부라 하는 양반 있느뇨?"
그 사람이 웃고 대답하여 가로되,
"주부라 하는 놈이 있더니 남의 재물을 많이 쓰고 도망하였나이다."
하거늘 병사 이 말을 들으매 정신이 아득하여 어찌 할 줄 모르다가 다시 생각하여 가로되,
"날이 저물은지라 유하고* 갈 터이니 주점을 이르라."
한대 그 사람이 한 집을 인도하거늘 병사 들어가니 또 한 사람이

물어 가로되,
"말 타고 온 손님은 어떠한 양반인고?"
주모가 가로되,
"저러한 양반이 김 주부 같은 놈을 찾아 왔다."
하고 냉소하여 가로되,
"주부라 하는 놈은 이미 도망하였거니와 저희 딸 매화 비록 천인(賤人)의 자식이나 인물이 절색이라. 아무 데로 가더라도 남을 속이리라."
하거늘 병사 주모더러 물어 가로되,
"이 곳에 김 주부라 하는 재인이 있느냐?"
주모가 가로되,
"수년 전에 어디론가 도망하였삽더니 듣사오니 제 딸 매화는 남복을 입고 황해도 연안 지경에 있단 말을 들었나이다."
병사 이 말을 들으니 다시는 의혹이 없는지라. 앞서 최 씨의 계략대로 최 씨의 동생이 장단골로 먼저 가 사람들에게 재물을 많이 주어 매화의 근본이 천인이라는 잘못된 정보를 말하도록 지시하였어. 조 병사는 영문도 모른 채 장단골 사람들의 말을 믿고 매화의 근본을 오해하게 되었지. 장면끊기 02 조 병사는 장단골에서 매화의 근본이 천인이라는 사람들의 말을 믿게 돼. 다음 장면은 장단골에서 다시 집으로 돌아온 상황이니 여기에서 장면을 끊을 수 있겠지? 그날 밤을 겨우 지내어 말을 몰아 집에 돌아와 부인께 답하여 가로되,
"만일 부인의 말씀을 듣지 아니하고 혼사를 하였던들 사대부 집안에 대단 비웃음을 살 뻔하였도다. 매화는 천인 자식이라 내쫓으라."
한대 부인이 가로되,
"매화 아무리 천인의 자식이라도 혼사 아니 하면 무슨 허물 있으리까?"
병사 또 학당에 가 양유를 불러 가로되,
"매화로 더불어 공부하던 일이 분하도다. 앞으로는 매화를 대면치 말라."
하시거늘 양유 이 말을 듣고 정신이 아득하여 엎어지더라.
장면끊기 03 조 병사는 매화와 양유의 혼사 계획을 취소하고, 양유에게 매화를 대면치 말라고 해. 중략 이전에 끊어 읽자.

[중략 부분 줄거리] 조 병사 집을 나온 매화는 부모(=김 주부+김 주부의 아내)를 만나 구월산으로 간다. 김 주부는 매화 모르게 동자를 호랑이로 변신시켜 양유를 잡아 방에 가두고, 양유는 동자에게 살려 달라고 한다. 중략 부분의 줄거리에서 새로운 사건이 전개되었지? 매화는 부모를 만나 구월산으로 갔고 김 주부는 매화 몰래 양유를 잡아왔어.

"동자는 불쌍한 사람을 살려 주소서."
한대 동자 가로되,
"원명* 그뿐이라 낸들 어찌하리요. 만일 여자 혼신(魂神) 들어와 절하거든 맞절하소서. 정성이 지극하면 천행*으로 살아갈까 하나이다."
문을 잠그고 나가거늘 양유 촉하에 앉았으니 정신 산란한지라. 창천에 월색은 명랑한데 구름만 얼른하여도 범이 오는가 하고 바람만 수수하여도 귀신인가 의심할 제 이팔청춘 어린아이 일천간장 다 녹인다. 호랑이로 변신한 동자에게 붙잡혀 온 양유는 목숨을 잃을까 두려워하며 방안에 갇혀 있어. 양유와의 혼사가 좌절되었음을 알게 된 김 주부가 손을 쓰는 것 같지? 이윽고 밖으로 공성이 들리거늘 정신 차려 살펴보니,

"아가 (=매화) 들어가자."

"어머님, 어머님, 못 가겠소."

부인 (=김 주부의 아내)이 가로되,

"밤이 깊었으니 어서 바삐 들어가자."

매화가 가슴을 치며,

"나는 죽어도 못 가겠소."

문고리 떨렁 방문이 와당탕, 양유 깜짝 놀래어 금침을 무릅쓰고 동정을 살펴보니 어떠한 낭자 (=매화) 녹의홍상을 입고 들어와 벽을 안고 슬피 울거늘 양유 정신이 아득하여 실로 꿈만 같은지라. 귀신이냐, 호랑이냐, 어찌할 줄을 모르더니 과연 낭자 일어나 사배(四拜)하거늘 양유 내념(內念)에 행여 살려 줄까 일어나 극진히 절하고 거동을 살펴보니 문득 광풍이 일어나며 방문이 열치며 한 봉서*가 내려지거늘 그 글 보니 하였으되,

'만산초목이 다 피었으되 양유·매화는 봄소식을 모르는도다.'

하였거늘 양유 그 글을 보고 여자 (=매화)를 살펴보니,

"연연한 거동은 매화와 방불하다마는 이러한 산중에 어찌 매화가 왔으리요" 양유는 아직 여자가 매화라는 것을 확신하지 못하네.

낭자도 추파*를 번듯 들어 수재*를 살펴보며 가로되,

"산중이라고 어찌 매화 없으리요마는 양유 없는 게 한이로다."

하거늘 양유 이 말을 듣고 크게 놀라고 매우 기뻐하여 자세히 살펴보니 매화가 분명하거늘 양유가 가로되,

"네가 죽은 혼이냐. 명천이 감동하사 매화 얼굴 다시 보니 죽어도 무슨 한이 있으리요."

하고 기절하거늘 매화는 흉중이 막히어 아무 말도 못 하고 다만 눈물만 흘리는지라. 김 주부 덕분에 다시 만난 양유와 매화는 서로를 알아본 뒤 놀라 기절하거나 눈물만 흘려.

장면끊기 04 양유와 매화가 재회하는 것으로 장면이 마무리되었어.

– 작자 미상, 「매화전」 –

*원명: 본디 타고난 목숨.

*추파: 미인의 맑고 아름다운 눈길.

*수재: 미혼 남자를 높여 부르는 말.

고전 필수 어휘

*유리걸식: 정처 없이 떠돌아다니며 빌어먹음.

*일후: 시간이 지나 뒤에 올 날. 뒷날.

*유하다: 어떤 곳에 머물러 묵다.

*천행: 하늘이 준 큰 행운.

*봉서: 겉봉을 봉한 편지.

고전소설 독해의 STEP 2

1 구조도의 빈칸에 적절한 말을 채웠는지 확인해 보세요.

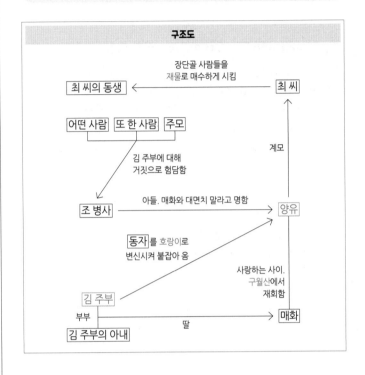

구조도

2 1~2번 문제의 정답과 해설을 확인해 보세요.

1. 윗글에 대한 이해로 적절하지 않은 것은?

정답풀이

③ 양유는 동자가 나간 후 호랑이를 물리칠 결심을 했다.

> 양유는 동자가 '문을 잠그고 나가'자, '정신 산란'하여 '구름만 얼른하여도 범이 오는가 하고 바람만 수수하여도 귀신인가 의심'하며 '일천간장 다 녹'이고 있으므로 동자가 나간 후 호랑이를 물리칠 결심을 하였다고 볼 수 없다.

오답풀이

① 최 씨 부인의 동생은 조 병사보다 앞서 장단골에 갔다.

> 최 씨 부인은 조 병사가 장단골로 가서 '매화의 근본을 알고자' 하는 것을 알고 자신의 동생을 불러 '네 먼저 가서 재물을 많이 그 근처 사람에게 주어라.'라고 말한다. 이 말을 들은 최 씨 동생은 '재물을 많이 가지고 장단골 연화동을 찾아'갔다.

② 매화 모녀는 양유가 있는 방 앞에서 실랑이를 벌였다.

> 매화 모녀는 양유가 동자에게 붙잡혀 온 방 앞에서 '바삐 들어가자.', '죽어도 못 가겠소.'라고 하며 실랑이를 벌였다.

④ 주모는 조 병사에게 매화가 천인의 자식이라고 말했다.

> 주모는 조 병사 앞에서 매화가 '비록 천인의 자식이나 인물이 절색'이라고 하며, '김 주부'에 대해 묻는 조 병사에게 매화는 그 천인인 김 주부의 딸이라고 답했다.

⑤ 조 병사의 도움을 받은 매화는 양유와 함께 공부를 했다.

> 앞부분의 줄거리를 통해 '매화는 조 병사에게 구원되'었음을 알 수 있는데, 이후 매화가 천인이라고 생각한 조 병사가 양유에게 '매화로 더불어 공부하던 일이 분하'다고 하였다. 따라서 매화는 조 병사의 도움을 받고 양유와 함께 공부를 했음을 알 수 있다.

2. 문학 개념어 OX 확인 문제

① ✕

- 우의: 인격화된 동식물이나 다른 사물, 혹은 다른 부류의 사람에 빗대어 비유적인 뜻을 나타내거나 풍자하는 것.
- 희화화: 어떤 인물의 외모나 성격, 또는 사건이 의도적으로 우스꽝스럽게 묘사되거나 풍자됨.

② ◯

> 근거 중략 이전에는 조 병사-부인 최씨의 대화와 조 병사-장단골 사람들의 대화를 중심으로, 중략 이후에는 양유-매화의 대화 등을 중심으로 사건이 전개되고 있음.

고전소설 독해의 STEP 3

① 1번 문제의 선지 판단 공식에 대한 답을 확인해 보세요.

선지 판단의 공식

① 작품
> 최 씨 부인이 '제 동생을 불러' '병사께서 장단골 가서 매화의 근본을 알고자 하니 네 먼저 가서 재물을 많이 그 근처 사람에게 주어라.'라고 하고, '최 씨 동생'은 이에 '재물을 많이 가지고 장단골 연화동을 찾아'감

선지 → 최 씨 부인의 동생은 조 병사보다 앞서 장단골에 갔다. ◯

② 작품
> 매화 모녀는 양유가 붙잡힌 방 앞에서 '아가 들어가자.', '어머님, 못 가겠소.', '나는 죽어도 못 가겠소.'라며 실랑이함

선지 → 매화 모녀는 양유가 있는 방 앞에서 실랑이를 벌였다. ◯

③ 작품
> 양유는 동자가 '문을 잠그고 나'간 후 '정신 산란'하여 '구름만 얼른하여도 범이 오는가 하고 바람만 수수하여도 귀신인가 의심할 제 이팔청춘 어린아이 일천간장 다 녹'일 정도가 됨

선지 → 양유는 동자가 나간 후 호랑이를 물리칠 결심을 했다. ✕

④ 작품
> 주모는 '매화 비록 천인의 자식이나 인물이 절색이라.'라고 함

선지 → 주모는 조 병사에게 매화가 천인의 자식이라고 말했다. ◯

⑤ 작품
> '조 병사에게 구원'되었던 매화가 천인임을 알게 된 병사는 양유를 불러 '매화로 더불어 공부하던 일이 분하도다.'라고 함

선지 → 조 병사의 도움을 받은 매화는 양유와 함께 공부를 했다. ◯

하루 30분, 고전소설 트레이닝

고전소설 독해의 STEP 1

1 다음 글을 읽고 등장인물을 잘 파악했는지, 빈칸에 적절한 말을 채웠는지 확인해 보세요.

📅 **고3 2012학년도 6월 모평 – 작자 미상, 「심청전」**

[심청]이 수궁에 머물 적에 옥황상제의 명이니 거행이 오죽하랴. [사해 용왕]이 다 각기 시녀를 보내어 아침저녁으로 문안*하고, 번갈아 당번을 서서 문안하고 호위하며, 금수능라 비단옷에 화용월태 고운 얼굴 다 각기 잘 보이려고 예쁜 모습 웃는 시녀, 얌전하게 차린 시녀, 천성으로 고운 시녀, 수려한 시녀들이 주야로 모실 적에 사흘마다 작은 잔치, 닷새마다 큰 잔치를 베푸니, 상당에는 비단 백 필, 하당에는 진주 서 되였다. 이처럼 받들면서도 오히려 잘못 하지나 않을까 조심이 각별했다. 사해 용왕들은 옥황상제로부터 명을 받았기 때문에 각기 시녀를 보내서 심청을 지극정성으로 받들게끔 하였대.

　장면끊기 01　심청이 수궁에 머물면서 극진한 대접을 받고 있음이 드러난 장면이었어. 다음 문장을 보면 수궁에 있는 심청에서 무릉촌에 있는 장 승상 댁 부인으로 공간적 배경과 주요 서술 대상이 바뀌었음이 드러나지? 그러니 여기서 장면을 끊어볼 수 있어.

이때 무릉촌 [장 승상 댁 부인]이 [심 소저](=심청)의 글을 벽에 걸어 두고 날마다 징험하되* 빛이 변하지 아니하더니, 하루는 ㉠글 족자에 물이 흐르고 빛이 변하여 검어지니, '심 소저가 물에 빠져 죽었는가?' 하여 무수히 슬퍼하고 탄식하더니, 이윽고 물이 걷히고 빛이 도로 황홀해지니, 부인이 괴이히 여겨 '누가 구하여 살아났는가?' 하며 십분 의혹하나 어찌 그러하기 쉬우리오. 장 승상 댁 부인은 심청이 쓴 글을 벽에 걸어놓고, 그 족자의 상태를 통해 심청의 생사 여부를 가늠하고 있어. 하지만 어디까지나 짐작일 뿐이므로, 족자에 물이 걷히고 빛이 돌아온 것을 보고도 심청이 살아난 것인지를 확신하지는 못해.

그날 밤에 장 승상 댁 부인이 제물을 갖추어 강가에 나아가 심 소저를 위하여 혼을 불러 위로하는 제사를 바치려 마음먹고 시비를 데리고 ㉡강가에 다다르니, 밤은 깊어 삼경*인데 첩첩이 쌓인 안개 산골짜기에 잠겨 있고, 첩첩이 이는 연기 강물에 어리었다. 편주(片舟)를 흘리저어* 중류에 띄워 놓고, 배 안에 제사상을 차리고 부인이 친히 잔을 부어 오열하며 소저를 불러 위로하니, 심청의 혼을 위로하기 위해 강가로 향한 장 승상 댁 부인이 배 안에서 제사를 지내며 심청의 죽음을 슬퍼하고 있어.

"아아! 슬프다, 심 소저야. 죽기를 싫어하고 살기를 즐거워함은 인정에 당연커늘 일편단심에 양육하신 부친의 은덕을 죽음으로써 갚으려 하고, 한 가닥 쇠잔한 목숨을 스스로 끊으니, 고운 꽃이 흩어지고 나는 나비 불에 드니 어찌 아니 슬플쏘냐. 한 잔 술로 위로하니 응당 소저의 혼이 아니면 없어지지 아니하리니 속히 와서 흠향함을 바라노라."
하며 눈물 뿌려 통곡하니 천지 미물인들 어찌 아니 감동하리. 심청을 생각하는 장 승상 댁 부인의 마음은 천지 미물도 감동시킬 정도였대. 뚜렷이 밝은 달도 구름 속에 숨어 있고, 사납게 불던 바람도 고요하고, 용왕이 도왔는지 강물도 고요하고, 백사장에 놀던 갈매기도 목을 길게 빼어 꾸루룩 소리 하며, 심상한 어선들은 가던 돛대 머무른다. 뜻밖에 강 가운데로부터 한 줄 ㉢맑은 기운이 뱃머리에 어렸다가 잠시 뒤에 사라지며 날씨가 화창해지거늘, 부인이 반겨 일어서서 보니 가득히 부었던 잔이 반이나 없었으므로, 소저의 영혼을 못내 슬퍼하더라.

한 줄기 맑은 기운이 뱃머리에 잠시 어렸다가 사라진 뒤에 보니, 심청을 위해 따른 술잔의 술이 반이나 사라져 있었대. 이를 본 장 승상 댁 부인은 심청의 혼이 왔다간 것이라 생각하여 슬퍼하고 있어.

　장면끊기 02　장 승상 댁 부인이 심청을 위해 정성으로 제사를 지내며 슬픔을 느끼는 모습이 나타난 장면이었어. 글 족자의 상태가 저절로 변하는 점이나 뱃머리에 맑은 기운이 어린 뒤 잔의 술이 사라진 점 등에서 전기적 요소가 드러난다고 볼 수 있지. 이어서는 수궁에 옥진 부인이 방문한다는 새로운 사건이 전개되니 여기서 장면을 끊고 넘어가자.

하루는 광한전 [옥진 부인]이 오신다 하니 ㉣수궁이 뒤눕는 듯 용왕이 겁을 내어 사방이 분주했다. 원래 이 부인은 [심 봉사]의 처 [곽씨 부인](=옥진 부인)이 죽어 광한전 옥진 부인이 되었더니, 그 딸 심 소저가 수궁에 왔다는 말을 듣고, 상제께 말미를 얻어 모녀 상봉하려고 온 것이었다. 심청의 어머니는 죽은 뒤 광한전의 옥진 부인으로 다시 태어났는데, 심청의 소식을 듣고는 헤어졌던 딸과 상봉하기 위해 수궁을 찾았대.

심 소저는 뉘신 줄을 모르고 멀리 서서 바라볼 따름이었다. 오색 구름이 어린 오색 가마를 옥기린에 높이 싣고 벽도화 단계화를 좌우에 벌여 꽂고, 각 궁 시녀들은 옆에서 모시고, 청학 백학들은 앞에서 모시며, 봉황은 춤을 추고, 앵무는 말을 전하는데, 보던 중 처음이더라.

이윽고 교자에서 내려 섬돌에 올라서며,
"내 딸 심청아!"
하고 부르는 소리에 [모친](=옥진 부인)인 줄 알고 왈칵 뛰어 나서며, 심청은 옥진 부인이 부르는 소리를 듣고, 그녀가 자신의 어머니(모친)임을 알게 돼.

"어머니 어머니, 나를 낳고 초칠일 안에 죽었으니 지금까지 십오 년을 얼굴도 모르오니 천지간 끝없이 깊은 한이 갤 날이 없었습니다. 오늘날 이곳에 와서야 어머니와 만날 줄을 알았더라면, 오던 날 [부친](=심 봉사) 앞에서 이 말씀을 여쭈었더라면 날 보내고 설운 마음 적이 위로했을 것을…… 우리 모녀는 서로 만나 보니 좋지만은 외로우신 부친은 뉘를 보고 반기시리까. 부친 생각이 새롭습니다." 얼굴도 알지 못했던 어머니를 다시 만나게 된 것이 기쁘지만, 한편으로는 이러한 사실을 모른 채 홀로 외롭게 지내고 있을 아버지(부친) 생각이 떠올라 슬퍼하고 있네.

부인이 울며 말하기를,
"나는 죽어 귀히 되어 인간 생각 아득하다. 너의 부친 너를 키워 서로 의지하였다가 너조차 이별하니, 너 오던 날 그 모습이 오죽하랴. 내가 너를 보니 반가운 마음이야 너의 부친 너를 잃은 설움에다 비길쏘냐. 묻노라. 너의 부친 가난에 절어 그 모습이 어떠하냐. 응당 많이 늙었으리라. 그간 십수 년에 홀아비나 면했으며, 뒷마을 귀덕 어미 네게 극진하지 않더냐?" 옥진 부인도 심청을 잃고 홀로 남겨진 심 봉사의 심정을 헤아리며 그간의 사정을 묻고 있네.

얼굴도 대어 보며, 수족도 만져 보며,
"귀와 목이 희니 너의 부친 같기도 하다. 손과 발이 고운 것은 어찌 아니 내 딸이랴. 내 끼던 ㉤옥지환도 네가 지금 가졌으며, '수복강녕', '태평안락' 양편에 새긴 돈 붉은 줌치 청홍당사 벌매듭도 애고 네가 찼구나. 심청이 자신의 딸이 틀림없음을 거듭 확인하며 감격하는 모습이야. 아비 이별하고 어미 다시 보니 다 갖추기 어려운 건 인간 고락*이라. 그러나 오늘날 나를 다시 이별하고 너의 부친을 다시 만날 줄을 네가 어찌 알겠느냐? 광한전 맡은 일이 직분이 허다하여 오래 비우기 어렵기로 도리어 이별하니 애통하고 딱하나 내 맘대로 못 하니 한탄한들 어이할쏘냐. 후에 다시 만나 즐길 날이 있으리라." 옥진 부인은 심청과의 짧은 재회를 끝으로 다시 **이별**해야 하는 것을 안타까워하고 있네. 이때 훗날을 기약하는 옥진 부인의 말을 통해 심청이 아버지는 물론 옥진 부인과도 다시 **만나**게 될 것임이 예고된다고 볼 수 있지.

하고 떨치고 일어서니, 소저 만류하지 못하고 따를 길이 없어 울며 하직하고 수정궁에 머물더라. 장면끊기 03 심청과 어머니 옥진 부인의 감격스러운 재회가 그려진 장면이었어. 광한전 옥진 부인의 수궁 방문 소식에 **용왕**이 겁을 내며 사방이 분주했다는 것에서 옥진 부인의 지위를 짐작할 수 있지. 이어서 서술의 초점이 심 봉사에게로 옮겨 가니 여기서 장면을 끊을게.

이때 심 봉사는 딸을 잃고 모진 목숨이 죽지 못하여 근근이 살아 갈 제, 도화동 사람들이 심 소저가 지극한 효성으로 물에 빠져 죽은 일을 불쌍히 여겨 비석을 세우고 글을 새겼으되,

앞 못 보는 아버지 위해
제 몸 바쳐 효도하러 용궁에 갔네.
안개 어린 먼 바다에 마음도 푸르니
봄풀에 해마다 한이 가없네*.

강가를 오가는 행인이 비문을 보고 아니 우는 이가 없고, 심 봉사는 딸이 생각나면 그 비를 안고 울더라. 심 봉사는 딸 심청과 헤어진 뒤, 극심한 슬픔 속에서 살아가고 있네. 장면끊기 04 심청이 죽은 이후 심 봉사의 상황이 제시된 장면이었어. 비석에 새겨진 글귀는 이들 부녀의 사연을 안타깝게 여기는 사람들의 마음을 보여 주면서 심 봉사의 가슴 아픈 처지를 더욱 부각하는 역할을 하고 있지.

– 작자 미상, 「심청전」(완판본, 71장) –

*홀리저어: 배 따위를 흘러가게 띄워서 저어.

[고전 **필수** 어휘]

*문안: 웃어른께 안부를 여쭘. 또는 그런 인사.
*징험하다: 어떤 징조를 경험하다.
*삼경: 밤 열한 시에서 새벽 한 시 사이.
*고락: 괴로움과 즐거움을 아울러 이르는 말.
*가없다: 끝이 없다.

고전소설 독해의 STEP 2

1 구조도의 빈칸에 적절한 말을 채웠는지 확인해 보세요.

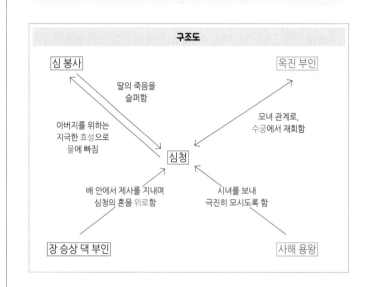

구조도

심 봉사 — 딸의 죽음을 슬퍼함

옥진 부인 — 모녀 관계로, 수궁에서 재회함

심청

아버지를 위하는 지극한 효성으로 물에 빠짐

배 안에서 제사를 지내며 심청의 혼을 위로함 — 장 승상 댁 부인

시녀를 보내 극진히 모시도록 함 — 사해 용왕

2 1~2번 문제의 정답과 해설을 확인해 보세요.

1. ㉠~㉤의 서사적 기능에 대한 이해로 적절하지 <u>않은</u> 것은?

정답풀이

③ ㉢: 장 승상 댁 부인이 지닌 비범한 능력을 보여 주는 증거이다.

㉢(맑은 기운)은 장 승상 댁 부인이 심청을 위로하는 도중 뱃머리에 어린 것으로, 심청의 혼을 위로하려고 제사상을 차린 부인의 정성에 대한 하늘의 반응으로 볼 수 있지만 부인의 비범한 능력을 보여 준다고 할 수는 없다.

오답풀이

① ㉠: 심청의 생사 여부를 짐작하게 하는 징표이다.

㉠(글 족자)은 '날마다 징험하되 빛이 변하지 아니하'였다가 '물이 흐르고 빛이 변하여 검어지'는데, 이에 장 승상 댁 부인은 '심 소저가 물에 빠져 죽었는가?'라고 생각한다. 또한 '이윽고 물이 걷히고 빛이 도로 황홀해'졌을 때 '누가 구하여 살아났는가?'라고 생각하므로 ㉠은 장 승상 댁 부인이 심청의 생사 여부를 짐작하게 하는 징표임을 알 수 있다.

② ㉡: 장 승상 댁 부인에게 이승과 저승의 경계로 인식되는 공간이다.

장 승상 댁 부인은 ㉡(강가)에 배를 띄워 놓고 죽었다고 생각하는 심청의 혼이 '속히 와서 흠향함을 바라'고 있다. 이를 통해 부인이 ㉡을 이승과 저 승의 경계라고 생각함을 알 수 있다.

④ ②: 심청이 자신의 희생에 대해 보상을 받는 공간이다.

> 심청은 '지극한 효성으로 물에 빠'지지만 옥황상제의 명으로 ②(수궁)에 머무르며 사해 용왕의 보살핌을 받고 죽은 어머니를 다시 만나게 된다. 이를 고려하면 ②은 심청이 자신의 희생에 대해 보상을 받는 공간으로 볼 수 있다.

⑤ ⑩: 심청과 옥진 부인 사이의 관계를 확인시키는 징표이다.

> ⑩(옥지환)은 심청의 어머니가 끼던 것으로, 현재 심청이 가지고 있는 것을 통해 심청과 옥진 부인이 모녀 관계임을 확인하게 되는 징표이다.

2. 문학 개념어 OX 확인 문제

> ① ✗
>
> • 간결한 문체: 길이가 길지 않고 구조가 간단한 문장들 위주로 서술이 이루어진 경우를 말함. 쉼표를 활용한 긴 문장이 나타나거나 인물의 내면에 초점을 맞추어 이를 길고 상세하게 서술하는 경향이 나타나는 경우에는 간결한 문체로 보기 어려움.
>
> ② ✗
>
> • 독백: 소설에서 독백은 인물의 발화된 혼잣말이며, 발화되지 않은 인물의 생각은 내적 독백이라고 함.
> • 내적 갈등: 한 인물이 자신의 내면에서 일으키는 심리적 갈등. 개인의 심리적 모순이나 욕망의 대립으로 일어나는 고뇌, 괴로움을 말함.

고전소설 독해의 STEP 3

■ 1번 문제의 선지 판단 공식에 대한 답을 확인해 보세요.

선지 판단의 공식

① **작품** ⑦글 족자에 '물이 흐르고 빛이 변하여 검어'짐 → 장 승상 댁 부인은 심청이 물에 빠져 죽었다고 생각함 → ⑦글 족자에 '물이 걷히고 빛이 도로 황홀해'짐 → 장 승상 댁 부인은 누군가 심청을 구한 것인가 하여 의문을 가짐

선지 ⑦: 심청의 생사 여부를 짐작하게 하는 징표이다. ○

② **작품** 장 승상 댁 부인은 심청의 혼을 불러 위로하기 위해 ⓒ강가로 향함

선지 ⓒ: 장 승상 댁 부인에게 이승과 저승의 경계로 인식되는 공간이다. ○

③ **작품** 장 승상 댁 부인이 배 안에 제사상을 차리고 슬피 울며 심청의 혼을 위로함 → 뱃머리에 ⓒ맑은 기운이 어렸다가 사라짐

선지 ⓒ: 장 승상 댁 부인이 지닌 비범한 능력을 보여 주는 증거이다. ✗

④ **작품** 심청은 '앞 못 보는 아버지 위해 / 제 몸 바쳐 효도하러' 물에 빠짐 → 옥황상제의 명으로 ②수궁에 머물다가 어머니 옥진 부인과 재회함

선지 ②: 심청이 자신의 희생에 대해 보상을 받는 공간이다. ○

⑤ **작품** 심청과 옥진 부인이 수궁에서 재회함 → 옥진 부인은 자신이 생전에 끼던 ⑩옥지환을 심청이 끼고 있는 것을 봄

선지 ⑩: 심청과 옥진 부인 사이의 관계를 확인시키는 징표이다. ○

하루 30분
선지 판단력
강화 프로그램
고전소설 트레이닝

3

주차

30 하루 30분, 고전소설 트레이닝

고전소설 독해의 STEP 1

1 다음 글을 읽고 등장인물을 잘 파악했는지, 빈칸에 적절한 말을 채웠는지 확인해 보세요.

📅 고3 2016학년도 9월 모평B – 작자 미상, 「창선감의록」

그 이전에 진 공(=진형수)이 병부에서 벼슬을 살던 때였다. 엄숭의 가자(假子)* 조문화는 진 소저가 아름답다는 말을 듣고 제 자식을 위해 진 공에게 혼인을 청한 적이 있었다. 그때 진 공이 엄한 말로 거절하자, 조문화는 매우 노하여 엄숭에게 사주해 공을 노안부 제독으로 내쫓게 했다. 그 무렵에 다시 양석을 시켜 '진 공이 사사로이 태원의 돈 삼십만 냥을 훔쳤다.'고 무고하게* 했다. 그리고 금위옥에 가둔 뒤 온갖 방법으로 죄를 조작하게 했다. 지문의 초반에 여러 인물들이 제시되고 있어. 인물들 간의 관계를 잘 정리하면서 읽어야 내용을 이해하기 수월하겠지! 조문화는 진 공에게 자신의 아들과 진 공의 딸 **진 소저**의 혼인을 청했지만 **진 공**이 거절하자 그에게 누명을 씌워 고발하고, 죄를 조작했어. 조문화는 오 부인과 진 소저가 옛집으로 올라왔다는 말을 듣고는 부인의 종형 오 낭중이라는 자를 불러 놓고 말했다.

[A] "진형수는 죽어 마땅한 죄를 지었지. 그렇지만 내가 진실로 한번 입을 연다면 족히 목숨은 구할 수 있을 것이니라. 지난날에 형수가 나를 지나치게 무시하여 혼인을 박절하게* 거절한 적이 있었다. 이제 와서 내가 그 원한을 묻어 둔 채로 덕을 베풀어 주지는 못하겠다. 들으니 그대는 형수와 인척*이 된다 하더군. 만일 형수가 살아서 옥문을 나서게 하고 싶다면 시험 삼아 나를 위해 형수의 딸에게 내가 한 말을 전해 주어 보거라. 그녀가 만일 효녀라면 스스로 거취할 방도를 필시 깨우치게 될 것이니라." 고전소설에서 인물이 이렇게 길게 말할 때는 보통 주장, 설득하는 말을 하는 경우가 많아. 그리고 그 경우 문제와 연결될 가능성도 높으니 인물이 주장하고자 하는 내용이 무엇인지 파악하는 게 중요해. 조문화는 **오 낭중**을 불러 자신이 입을 열면 진형수가 **목숨**을 구할 수 있을 것이라고 하며 진 소저에게 자신의 말을 전하라고 했네.

장면끊기 01 조문화는 진형수(진 공)가 자신의 부탁을 거절하자 거짓 죄를 꾸며 내쫓고 오 낭중을 불러 자신의 말을 **진 소저**에게 전하게 했어. 아버지를 인질로 삼아 딸을 압박하면서 혼인을 성사시키기 위해서지. 이에 대한 오 부인과 진 소저의 반응이 다음 장면에 나타나니 여기서 한 번 끊어 갈게.

오 낭중은 본시 권세를 두려워하여 예예 하고 대답만 할 줄 아는 위인*이었다. 그는 공손하게 손을 모은 채 명을 받은 뒤 오 부인을 찾아가 조문화가 한 말을 그대로 전했다. 오 낭중은 진형수의 목숨을 빌미로 삼아 진 소저와 자신의 아들을 혼인시키려고 하는 **조문화**의 협박을 오 부인에게 전했어.

오 부인은 크게 노했다.

"조가 도적놈(=조문화)이 감히 우리 딸에게 욕을 보이려 한다고?" 그러자 진 소저가 분연히 고했다.

"옛날 효녀 중에는 스스로 관비가 되기를 청하여 제 아비의 죽음을 면하게 한 자가 있었으며, 또한 자신을 팔아 제 부모의 장사를 치르게 한 자도 있었습니다. 소녀의 신체발부는 모두 부모님께서 주신 것입니다. 이제 부친(=진형수)께서 중죄를 받을 형편에 놓이신 마당에 자식 된 자로서 어느 겨를에 일신의 욕과 불욕을 논할 수

있겠습니까?" 진 소저는 자신의 신체발부는 모두 부모님께서 주신 것이고, 자식 된 자로서 아버지를 구하는 것이 당연하다며 부친을 위해 조문화의 제안을 받아들이겠다고 주장해.

오 부인은 평소 소저의 빙옥 상설 같은 지조를 잘 알고 있었다. 따라서 그 말을 듣고는 깜짝 놀라 말도 하지 못한 채 한동안 눈물만 흘리다가 마침내 탄성을 발했다. 진 소저의 **지조**를 잘 아는 오 부인은 진 소저의 결심을 듣고 **눈물**을 흘리며 슬퍼하고 있어.

[B] "슬프다! 총계정에서 학을 읊은 시가 족히 너의 성안(成案)이 되고 말겠구나. 내가 어찌 네 마음을 의심할 리 있겠느냐? 그러나 딸을 죽여서 그 아비를 구한다면, 산 사람의 마음이 오죽이나 하겠느냐? 옛 사람이 이르기를, '황금을 걸어 놓고 도박을 벌이면 그 지혜가 더욱 어두워진다.'고 했지. 지금 내 마음은 황금을 건 것에 비할 바가 아니로구나. 네 스스로 잘 생각해서 현명하게 처신하거라." 고전소설 속의 인물은 우리에게는 생소한 옛 이야기인 고사를 인용해서 말하고자 하는 바를 강조하는 경우가 많아. 수많은 고사를 일일이 알아두어야 하는 것은 아니야. 결국 고사를 통해 인물이 무엇을 주장하고 있는지가 중요하지. 오 부인은 진 소저의 마음을 **의심**하지 않고, 자신은 딸을 희생해 진 공을 구하는 문제를 두고 올바른 판단을 할 수 **없**다고 하며 진 소저 스스로 현명하게 **처신**하라고 해.

진 소저는 추호도 망설이는 기색이 없이 친히 오 낭중을 향해 혼인을 허락했다. 오 낭중은 몹시 기뻐하며 조문화에게 돌아가 그녀의 말을 전했다. 조문화는 미칠 듯이 기뻐하더니 그 이튿날 다시 엄숭을 사주해 진 공의 옥사를 천자에게 아뢰게 했다. 이윽고 천자는 진 공의 사형을 감하는 대신 운남으로 귀양을 보내게 했다. 결국 진 소저는 조문화의 아들과 혼인하겠다는 뜻을 전하고, **진 공(진형수)**은 사형을 면하게 되었어.

장면끊기 02 부친의 목숨을 구하기 위해 진 소저는 조문화의 아들과 **혼인**하기로 결심했고, 그 덕에 진형수는 사형을 당하는 대신 **귀양**을 가게 되었어.

(중략)

마침내 진 공은 오 부인과 함께 길을 떠났다. 그 뒤 진 소저는 침실로 돌아가 자리에 누운 채 밤낮없이 엉엉 울고 있었다. 그때 조문화의 가인(家人)들이 속속 찾아와 진 소저에게 혼인을 재촉했다. 진 소저는 유모로 하여금 말을 전하게 했다.

"방금 부모님을 작별했으므로 정회*가 망극하기 그지없습니다. 앞으로 수십 일 정도를 보내면서 마음을 조금 진정시킨 연후에 성례하면 좋을 듯합니다." 혼인을 재촉하는 조문화의 가인들에게 진 소저는 마음을 진정시킬 시간이 필요하다고 전해.

조문화의 가인이 돌아가 진 소저의 말을 전했다. 그러나 조문화의 아들은 다급하게 서둘러 마지않았다. 조문화가 말했다.

"인정상 본디 그럴 것이니 그 말대로 따르도록 하게라. 또한 저 아이는 이미 주머니 속에 든 물건이나 다름이 없게 되었다. 서두르지 않는다고 달아날 곳이 있겠느냐?" 혼인을 서두르고자 하는 조문화의 아들과 달리 조문화는 진 소저가 **달아나지 않**을 것이라며 여유로운 태도를 보이네.

사오일 뒤 조문화는 시비로 하여금 진 소저를 찾아가 살펴보게 했다. 진 소저는 머리를 풀어 얼굴을 가린 채 이불을 덮고 신음하고 있다가 희미한 목소리로 유모를 불러 놓고 일렀다.

"슬픔으로 심란하던 차에 다시 감기에 걸리고 말았네. 이제는 마음도 추스르고 병도 조섭하여* 속히 쾌차한 후에 부모님을 살려 주신 큰 은혜를 보답하려 하네. 그런데 지금 바깥 사람들 (=조문화의 가인들)이 자주 왔다 갔다 하니 내 마음이 편하질 않구려."

이번에는 감기에 걸렸다는 핑계를 대며 자신을 살피러 온 조문화의 시비를 돌려보내네. 속히 쾌차한 후 은혜에 보답해야 하는데 마음이 편하지 않으니 바깥 사람들이 집안에 출입하지 않게 해 달라는 거야.

그 사람이 돌아가 진 소저의 말을 조문화에게 그대로 전했다. 그러자 조문화는 몹시 기뻐했다.

"진실로 뛰어난 효녀로서 은혜를 갚을 줄 아는 사람이로구나. 이제 그 뜻에 순종하여 화를 돋우게 하지 마라. 앞으로도 모름지기 매일 문밖에서 동정*을 살피되 집 안에는 다시 함부로 들어가지 말거라." 조문화는 진 소저의 말을 굳게 믿고 곧 혼례를 올릴 수 있을 거라 생각하고 있어. 진 소저는 은혜를 갚을 줄 아는 사람이니 약속을 지킬 것이므로 진 소저의 집 안에는 함부로 들어가지 말라고 하지.

다시 10여 일이 지난 뒤 진 소저는 공의 행차가 이미 멀리까지 갔으리라 짐작하고 유모 및 시녀 운섬 등과 함께 야밤에 간단하게 행장을 꾸렸다. 그리고 모두 남장을 한 뒤 나귀 한 필을 끌고 회남을 향해 떠나갔다. 진 소저는 조문화의 아들과의 혼인을 피하기 위해 남장을 하고 도망치네.

그 이튿날에도 조문화의 가인이 소저를 찾아갔더니 빈집만 황량할 뿐 다시는 인적을 찾아볼 수 없었다. 그 사람은 몹시 놀랍고도 의아하여 마을 사람에게 물어보았다.

"저 집 소저가 어디로 갔습니까?"

마을 사람은 쌀쌀하게 대답했다.

"소저고 대저고 나는 모릅니다."

그 사람은 무안만 당하고 돌아가 조문화에게 고했다. 진 소저가 도망간 후 조문화의 가인이 그 사실을 알게 되면서 지문이 끝나고 있어.

장면끊기 03 진 소저가 이런저런 핑계를 대며 혼인을 미루다가 남장을 하고 회남으로 도망간 조문화의 집안사람이 이를 알고 조문화에게 알리면서 지문이 끝났어.

– 작자 미상, 「창선감의록」 –

고전 필수 어휘

*가자: 개가하여 온 아내나 첩이 데리고 들어온 자식. 또는 자기가 낳지 아니한 남편의 자식. 의붓자식을 말함.

*무고하다: 사실이 아닌 일을 거짓으로 꾸미어 해당 기관에 고소하거나 고발하다.

*박절하다: 인정이 없고 쌀쌀하다.

*인척: 혼인에 의하여 맺어진 친척.

*위인: 됨됨이로 본 그 사람.

*정회: 생각하는 마음. 또는 정과 회포를 아울러 이르는 말.

*조섭하다: 건강이 회복되도록 몸을 보살피고 병을 다스리다.

*동정: 일이나 현상이 벌어지고 있는 낌새.

고전소설 독해의 STEP 2

1 구조도의 빈칸에 적절한 말을 채웠는지 확인해 보세요.

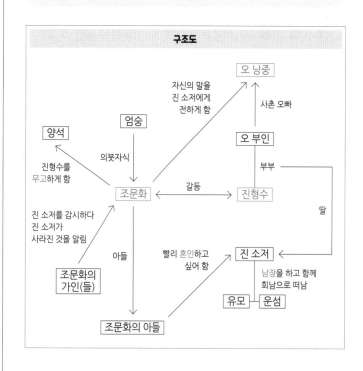

구조도

📋 1~2번 문제의 정답과 해설을 확인해 보세요.

1. 〈보기〉를 바탕으로 윗글을 감상할 때 적절하지 않은 것은?

<보기>

조선 후기에 들어 가문을 둘러싼 갈등과 정치적 대립이 서사화되는 양상이 두드러진다. 임금과 신하의 권력 관계가 역전된 정치적 구조에서 권세 있는 신하가 정치를 좌우하는 현실이 소설에 반영된다. 조선 후기 소설에는 임금과 신하의 권력 관계가 역전되어 권세 있는 신하가 정치를 좌우하는 현실이 반영됨 이러한 정치적 문제는 가문의 문제에 연결되면서 가족 구성원이 고난을 겪는 서사 구성으로 드러난다. 정치적 문제는 가문의 문제로 연결됨 이때 자신의 판단과 지략으로 해결책을 모색하는 적극적 인물들이 나타난다. 이들은 사리 판별을 돕는 인물이나 주변 인물의 도움을 받기도 한다. 해결책을 모색하는 적극적 인물이 등장하며 이들은 주변의 도움을 받기도 함

정답풀이 〉

① 오 낭중이 가문 사이를 매개하는 것을 보니, 사리 판별을 하여 가족 구성원이 위기 상황을 극복하게 하는 모습을 알 수 있군.

윗글에서 '오 낭중은 본시 권세를 두려워하여 예예 하고 대답만 할 줄 아는 위인'이며 '명을 받은 뒤 오 부인을 찾아가 조문화가 한 말을 그대로 전했다.' 라고 하였다. 따라서 오 낭중은 조문화의 권력이 두려워 명령을 따르고 있을 뿐, 사리 판별을 하여 진 공의 가족 구성원이 위기 상황을 극복하게 하고 있지는 않다.

오답풀이 〉

② 진 공이 옥에 갇히고 귀양을 가게 되는 과정을 보니, 권력을 가진 신하가 정치를 좌우하는 현실의 문제를 추측할 수 있군.

조문화의 권력에 의해 진 공이 억울하게 옥에 갇히고 운남으로 귀양 가는 것을 볼 때, 권력을 가진 신하가 정치를 좌우하는 현실의 문제를 추측할 수 있다.

③ 진 소저가 길을 떠나기까지의 과정을 보니, 자신의 판단에 따라 지혜롭게 문제 상황을 해결해 가는 적극적 인물의 면모를 알 수 있군.

진 소저는 부모님과 작별한 슬픔이나 감기로 인해 몸이 좋지 않다는 것을 핑계로 조문화의 아들과의 결혼을 미룬 후, 진 공과 오 부인이 충분히 멀리 이동했으리라 판단되자 남장을 한 후 도망간다. 이러한 모습을 통해 진 소저는 자신의 판단에 따라 지혜롭게 문제 상황을 해결해 가는 적극적인 인물임을 알 수 있다.

④ 조문화가 성사시키려 한 혼인 문제로 진 공의 가족이 고난을 겪게 되는 과정을 보니, 정치적 문제와 가문의 문제가 연결될 수 있음을 알 수 있군.

조문화는 자신의 아들과 진 소저를 혼인시키자고 청한 것을 진 공이 거절하자 이에 앙심을 품고 계략을 꾸몄다. 이에 진 공은 옥에 갇히고 귀양을 가게 된다. 이를 통해 정치적 문제와 가문의 문제가 연결되어 있음을 알 수 있다.

⑤ 유모가 조문화의 가인과 시비에게 말을 전하고 진 소저와 함께 남장을 하는 정황을 보니, 주변 인물이 적극적 인물에게 도움이 되고 있음을 알 수 있군.

유모는 조문화의 가인과 시비에게 바로 혼인을 할 수 없다는 진 소저의 말을 전하고 진 소저와 함께 남장을 한 후 도망간다. 이를 통해 주변 인물인 유모가 적극적 인물인 진 소저에게 도움이 되고 있음을 알 수 있다.

2. 인물의 말하기 방식 OX 확인 문제

① ✕

근거 [A]에서 조문화는 청자인 오 낭중에게, 자신의 말을 진 소저에게 전하라는 하나의 방안만 제시하고 있음. 또한 [B]에서 오 부인은 진 소저에게 스스로 생각해 행동하라고 하였으므로 선택 가능성을 제한하여 청자인 진 소저의 문제를 해결해 주고자 한다고 볼 수 없음.

② ○

근거 [A]에서 조문화는 자신이 '진실로 한번 입을 연다면' 진형수는 목숨은 구할 수 있을 것이라고 말하며, '만일 형수가 살아서 옥문을 나서게 하고 싶다면~내가 한 말을 전해 주어 보거라.'에서 가정할 수 있는 상황을 들어 자신의 의중을 오 낭중에게 전하고 있음. 그리고 [B]에서 오 부인은 진 소저가 부친을 살리기 위해 조문화의 아들과 결혼해야 할지 고민하는 상황을 '황금을 걸어 놓고 도박을 벌이'는 상황과 비교해 이럴 수도 저럴 수도 없어 곤혹스러운 속마음을 진 소저에게 드러내고 있음.

고전소설 독해의 STEP 3

■ 1번 문제의 선지 판단 공식에 대한 답을 확인해 보세요.

⟨보기⟩ 문제 선지 판단의 공식

① ⟨보기⟩ 가족 구성원이 겪는 고난의 해결책을 모색하는 적극적 인물들은 사리 판별을 돕는 인물의 도움을 받기도 함

작품 '오 낭중은 본시 권세를 두려워하여 예예 하고 대답만 할 줄 아는 위인이었다. 그는 공손하게 손을 모은 채 명을 받은 뒤 오 부인을 찾아가 조문화가 한 말을 그대로 전했다.'

선지 ➡ 오 낭중이 가문 사이를 매개하는 것을 보니, 사리 판별을 하여 가족 구성원이 위기 상황을 극복하게 하는 모습을 알 수 있군. ✕

② ⟨보기⟩ 조선 후기에 들어 가문을 둘러싼 갈등과 정치적 대립이 서사화되는 양상이 두드러지며, 임금과 신하의 권력 관계가 역전되면서 권세 있는 신하가 정치를 좌우하는 현실이 소설에 반영됨

작품 '조문화는 매우 노하여 엄숭에게 사주해 공을 노안부 제독으로 내쫓게 했다. 그 무렵에 다시 양석을 시켜 '진 공이 사사로이 태원의 돈 삼십만 냥을 훔쳤다.'고 무고하게 했다. 그리고 금위옥에 가둔 뒤 온갖 방법으로 죄를 조작하게 했다.', '조문화는 미칠 듯이 기뻐하더니 그 이튿날 다시 엄숭을 사주해 진 공의 옥사를 천자에게 아뢰게 했다. 이윽고 천자는 진 공의 사형을 감하는 대신 운남으로 귀양을 보내게 했다.'

선지 ➡ 진 공이 옥에 갇히고 귀양을 가게 되는 과정을 보니, 권력을 가진 신하가 정치를 좌우하는 현실의 문제를 추측할 수 있군. ○

③ ⟨보기⟩ 권세 있는 신하가 정치를 좌우하는 현실 속에서 가족 구성원이 고난을 겪으며, 이때 자신의 판단과 지략으로 해결책을 모색하는 적극적 인물들이 나타남

작품 '진 소저는 추호도 망설이는 기색이 없이 친히 오 낭중을 향해 혼인을 허락했다.', '진 소저는 유모로 하여금 말을 전하게 했다. "방금 부모님을 작별했으므로~마음을 조금 진정시킨 연후에 성례하면 좋을 듯합니다."', '다시 10여 일이 지난 뒤 진 소저는 공의 행차가 이미 멀리까지 갔으리라 짐작하고 ~모두 남장을 한 뒤 나귀 한 필을 끌고 회남을 향해 떠나갔다.'

선지 ➡ 진 소저가 길을 떠나기까지의 과정을 보니, 자신의 판단에 따라 지혜롭게 문제 상황을 해결해 가는 적극적 인물의 면모를 알 수 있군. ○

④ ⟨보기⟩ 조선 후기에 들어 권세 있는 신하가 정치를 좌우하는 현실이 소설에 반영되었고, 이러한 정치적 문제는 가문의 문제에 연결되면서 가족 구성원이 고난을 겪게 됨

작품 '조문화는 진 소저가 아름답다는 말을 듣고 제 자식을 위해 진 공에게 혼인을 청한 적이 있었다. 그때 진 공이 엄한 말로 거절하자, 조문화는 매우 노하여 엄숭에게 사주해 공을 노안부 제독으로 내쫓게 했다.~그리고 금위옥에 가둔 뒤 온갖 방법으로 죄를 조작하게 했다.'

선지 ➡ 조문화가 성사시키려 한 혼인 문제로 진 공의 가족이 고난을 겪게 되는 과정을 보니, 정치적 문제와 가문의 문제가 연결될 수 있음을 알 수 있군. ○

⑤

〈보기〉 가족 구성원이 겪는 고난의 해결책을 모색하는 적극적 인물들은 사리 판별을 돕는 인물이나 주변 인물의 도움을 받기도 함

작품 '진 소저는 유모로 하여금 말을 전하게 했다. "방금 부모님을 작별했으므로~마음을 조금 진정시킨 연후에 성례하면 좋을 듯합니다.",' '10여 일이 지난 뒤 진 소저는 공의 행차가 이미 멀리까지 갔으리라 짐작하고 유모 및 시녀 운섬 등과 함께 야밤에 간단하게 행장을 꾸렸다. 그리고 모두 남장을 한 뒤 나귀 한 필을 끌고 회남을 향해 떠나갔다.'

유모가 조문화의 가인과 시비에게 말을 전하고 진 소저와 함께 남장을 하는 정황을 보니, 주변 인물이 적극적 인물에게 도움이 되고 있음을 알 수 있군.

○

고전소설 독해의 STEP 1

1 다음 글을 읽고 등장인물을 잘 파악했는지, 빈칸에 적절한 말을 채웠는지 확인해 보세요.

📅 고3 2017학년도 7월 학평 – 홍세태, 「김영철전」

[앞부분의 줄거리] 조선조 광해군 때, 청이 명을 공격하자 명은 조선에 군대를 청한다. 요동 출병으로 참전하게 된 영철은 청의 포로가 되어 죽을 위기에 처하나 청의 장수 아라나 덕에 살아남아, 건주(建州)에서 살게 된다. 그러나 부모님이 몹시 그리워 목숨을 걸고 탈출해 14년 만에 고향에 돌아온다.

신사년(辛巳年, 1641) 봄에 청나라가 금주(錦州)를 공격하면서 조선에 군대를 요청하였다. 조선 군대가 금주에 이르니 청나라가 금주를 반드시 함락하고자 하여 청나라 황제가 친히 나서고, 여덟 명의 고산대장(高山大將) 또한 각기 군대를 이끌고 와서 금주성을 에워쌌다. 고산대장이 매번 사자(使者)를 조선군 진중(陣中)*에 보내니 유림이 사자 대접하는 일을 영철에게 맡겼다. 한번은 청나라 장수(=아라나)가 조선군 진중에 와서 일을 논의하는데 영철이 청나라 말의 통역을 맡게 되었다. 앞부분의 줄거리를 통해 영철은 청나라와 명나라의 전쟁에 참전했었고, 고난 끝에 **고향**에 돌아왔음을 알 수 있어. 그런데 **청나라**가 조선에 군대를 요청하자 영철은 다시 전쟁에 불려 나간 거야. 14년 만에 고향에 돌아온 영철이 다시 참전하게 된 경위가 서술자의 요약적 제시를 통해 밝혀지고 있지. 그때 그 청나라 장수가 영철을 한참 보더니

"내 너를 처음 보는 것 같지 않은데, 너는 나를 알아보겠느냐?"

"소신(小臣), 장군(=아라나)이 누구신지 잘 모르겠사옵니다."

하니 청나라 장수가 노하여 말하되

"내 이제 너를 자세히 보니 누군지 알겠거늘 네가 어찌 나를 모른다고 하느냐?"

이에 영철이 청나라 장수를 자세히 보니 옛적 건주에 있을 때 자신이 모시고 있던 아라나(阿羅那) 장군이었다. 영철은 자신의 목숨을 구해 주었던 청의 장수 **아라나**를 다시 만나게 된 거야.

[A]
"이놈아 들거라! 내가 네게 세 번의 큰 은혜를 베풀었노라. 네가 참수형을 받아야 할 처지였을 때 죽음을 모면하게 한 것이 그 하나요, 네가 두 번이나 도망가다 잡혔지만 죽이지 않고 풀어 준 것이 그 둘이며, 건주의 살림을 맡긴 것이 그 셋이다. 하지만 너는 용서받기 어려운 죄를 진 것이 셋이니, 목숨을 살려 주고 거두어 기른 은혜를 생각지 않고 재차 도망간 것이 그 하나요, 너로 하여금 말을 먹이도록 할 때 진심으로 너에게 맡겼거늘 도리어 명나라 놈들과 짜고 나를 배신한 것이 그 둘이요, 도망가면서 내 천리마를 훔친 것이 그 셋이다. 나는 네가 도망한 것이 한스러울 뿐 아니라 내 천리마 세 필을 잃은 것이 한스러워 지금도 원통하다. 내 이제 다행히 너를 만났으니 반드시 네 목을 베리라!"

아라나는 영철이 죽을 위기에 처했을 때 자신이 살려 주었고, 도망치다 잡힌 영철을 풀어 주고 **건주**의 살림을 맡겼지만 영철이 자신을 배신하고 **천리마**를 훔쳐 결국 도망쳤다며 분노하고 있어.

그리고는 휘하* 기병을 시켜 영철을 포박하게 했다. 사태가 급박하게 돌아가자 영철은 크게 소리치며 말하기를

[B]
"주공(主公)(=아라나), 원통하옵니다. 말을 훔쳐 달아난 죄는 제게 있지 않사옵니다. 그건 한족(漢族) 놈들(=명나라 놈들)이 한 짓이옵니다. 제가 그들의 계획을 따르지 않았다면 그 한족 아홉이 저를 베는 건 손바닥을 뒤집기보다 쉬웠을 것입니다. 제가 건주의 살림을 버리고 도망한 것이 어찌 제 본심이었겠습니까? 몇 년 전 장군의 조카께서도 이러한 사정을 아시고 말을 받아 돌아가셨습니다. 바라옵건대 주공께서는 살펴 용서하여 주소서." 아라나의 분노에 영철은 말을 훔쳐 달아난 것이 자신의 잘못이 아니라고 해. 자신은 목숨을 부지하기 위해 **한족** 놈들의 계획을 따를 수밖에 없었다는 거야. 또 칫값을 치르기 위해 장군의 조카에게 **말**을 바치기도 했다며 **용서**를 빌고 있어.

"그 일은 내 이미 알았거니와 네 죄를 생각하면 어찌 말 한 마리로 용서할 수 있겠느냐? 내 이제 너를 만났으니 진실로 용서치 못하리라." 아라나는 영철의 주장에도 용서하지 않아.

영철이 안타깝게 소리쳤으나 아라나는 들은 체도 하지 않았다. 이에 유림이 아라나를 달래며 말하기를

"장군, 이 자에게 죄가 있으나 이미 공이 살리셨는데 이제 죽이시면 덕스럽지 않사옵니다. 제가 이 자의 몸값을 후하게 치를 것이니 공께서 호생(好生)하는 덕을 보전하소서."

그러고는 세남초(細南草) 이백 근을 내어 아라나에게 주니 이때는 담배가 매우 귀한 물건이라 보통 비싼 것이 아니었다. 아라나가 처음에는 받지 아니하였으나 억지로 받는 듯이 하여 허락하였다. 유림이 아라나 장군을 설득하고 **세남초** 이백 근으로 몸값을 치러 영철은 겨우 목숨을 구했어.

장면끊기 01 전쟁에 참전해 청나라 말의 통역을 맡은 영철은 예전에 자신을 구해 준 아라나를 만나게 돼. 아라나는 영철이 자신을 배신하고 도망친 죄를 물어 죽이려 하지만, 유림에게 세남초를 받고 영철을 살려 주지. 중략 이후는 '몇 달 뒤'의 일로 시작하고 있으니 여기서 장면을 나누어야 해.

(중략)

몇 달 뒤 조선에서 교대할 군대가 오자 영철은 봉황성으로 돌아갔다. 유림이 영철에게 말하되

"네가 금주에서 아라나에게 잡혀갈 때 세남초 이백 근으로 네 몸값을 치러 너를 구하였는데, 그 물건이 나랏돈에서 나온 줄은 너도 알 것이니라. 이제 각 진영에서 쓰고 남은 것을 계산하여 호조(戶曹)*에 바쳐야 하는데 세남초값은 네가 갚도록 하거라." 유림은 영철에게 세남초값을 갚을 것을 요구해.

영철이 깜짝 놀라 말하기를

"장군(=유림), 제가 일찍이 나라의 부름을 받고 군문(軍門)에 출입하여 재산을 모은 것이 없는데 이렇게 큰돈을 어떻게 마련할 수 있겠습니까? 장군께서 헤아려 주시기를 간절히 청하옵니다." 나라의 부름을 받고 일찍부터 **군문**에 출입해 온 영철은 모은 재산이 없기 때문에 큰돈을 갚을 수 없다며, 자신의 사정을 헤아려 달라고 간청해.

"네 비록 감당하기 어려울지 모르겠지만, 그렇다고 하더라도 나라의 재산을 아니 갚지는 못할 것이니라."

"장군, 제가 세 번 전쟁에 나가 그동안 수고한 것과 세운 공이 적지 아니하니, 그것으로 이를 갚은 것으로 해 주시면 안 되겠사옵니까? 이는 장군에게 달렸으니 소신의 청을 헤아려 주소서."

영철은 세 번 **전쟁**에 나가 공을 세웠으니 그것으로 세남초값을 갚은 것으로 쳐 달라고 해.

영철은 몇 번이고 유림에게 간청하였으나 유림은 끝내 영철의 청을 흘려듣고 들어주지 아니하였다. 유림이 이렇게 영철의 간청을 들어주지 않은 것은, 금주에 있을 때 영철이 청나라 황제에게 하사받은 청노새를 자신에게 팔지 않은 것에 앙심을 품은 까닭이었다. 유림은 영철에게 개인적인 **앙심**을 품고 있었기 때문에 그의 부탁을 들어주지 않았어.

영철이 집으로 돌아온 지 얼마 되지도 않았을 때 호조에서 관리 를 보내 영철에게 은 이백 냥 갚기를 재촉하였다. 호조에 돈 들이는 일이 늦어지자 영유 현령 은 영철의 일가친척 을 감옥에 가두고 기한을 정하여 바치도록 하였다. 감옥에 갇힌 일가친척의 원망은 하늘을 찌를 정도였다. 영철은 집으로 돌아왔지만 세남초값을 갚으라는 독촉에 시달리게 되었어. 영유 현령은 영철의 **일가친척**을 볼모로 잡아두기까지 하네. 그중 한 명이 분개하여 말하되

"영철이 임경업 장군과 유림 장군을 따라 바다로 육지로 종군(從軍)하면서 들인 노고(勞苦)*와 세운 공(功)이 적지 아니한데, 어찌 조정에서는 조그마한 보상조차 주는 일은 없고 도리어 이렇게 살과 **뼈**를 깎는단 말이냐? 우리는 조선 백성도 아니더란 말이냐?" 영철의 일가친척 중 한 명은 영철의 노고와 공을 무시한 채 세남초값을 갚도록 하는 것이 **부당**하다고 **분개**했어.

영철이 청노새를 팔고 집안의 세간을 다 파니 호조에 갚을 돈의 반 정도를 간신히 마련할 수 있었다. 하지만 그 나머지는 충당할 길이 없어, 결국 친족들의 도움을 받아 그 나머지를 갚을 수 있었다. 조정에서는 그 후로도 영철에게 상 주는 일이 없었으니 이 어찌 불쌍하다 하지 아니하리오. 결국 영철은 집안 세간을 팔고 친족들의 **도움**을 받아 겨우 돈을 갚을 수 있었어. 나라의 부름에 따라 전쟁에 세 번이나 차출되었음에도 **보상**은 커녕 큰 빚을 갚아야 했던 것에 대해 **서술자**도 안타까움을 드러내고 있네.

장면끊기 02 집으로 돌아온 영철은 호조에 낼 세남초값을 갚으라는 독촉을 받게 돼. 영철의 **일가친척**은 영철이 나라에 공을 세운 백성임에도 대우받지 못했다는 점을 부당하게 여기지. 서술자 역시 그를 **불쌍**하다 여기며 지문이 마무리되고 있어.

– 홍세태, 「김영철전(金英哲傳)」 –

고전 필수 어휘

*진중: 군대나 부대의 안.

*휘하: 장군의 지휘 아래. 또는 그 지휘 아래에 딸린 군사.

*호조: 조선 시대에, 육조 가운데 호구, 공부, 전량(田糧), 식화(食貨)에 관한 일을 맡아 보던 관아.

*노고: 힘들여 수고하고 애씀.

고전소설 독해의 STEP 2

▪ 구조도의 빈칸에 적절한 말을 채웠는지 확인해 보세요.

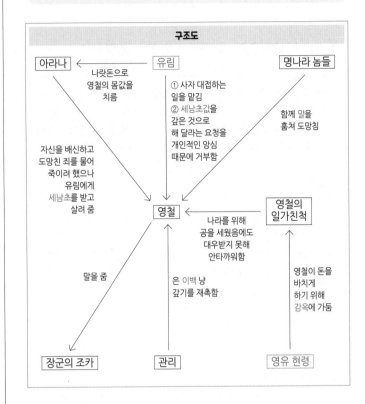

2 1~2번 문제의 정답과 해설을 확인해 보세요.

1. 〈보기〉를 참고하여 윗글을 감상한 내용으로 적절하지 않은 것은?

〈보기〉

1618년 명나라가 조선에 요동 출병을 요청했을 당시, 사대부들은 명에 대한 의리를 명분으로 출병을 주장했지만, 실제 참전한 백성들에게 전쟁이란 명분이 아닌 현실이었다. 사대부들은 명에 대한 의리를 명분으로 출병을 주장하였으나 참전한 백성들에게 전쟁은 현실이었음 작가는 「김영철전」을 통해 영웅의 활약상이 아닌, 고향을 떠나 참전했던 일반 백성들의 현실적 고통을 보여 주고 있다. 또한 그런 백성들의 노고를 외면했던 위정자들을 비판하고 있다. 「김영철전」의 작가는 참전한 일반 백성들의 현실적 고통을 보여 주고 그 노고를 외면한 위정자들을 비판함

정답풀이 〉

③ '천리마'를 잃은 것에 대한 원망으로 영철을 죽이려고 하는 아라나의 모습에서 실리보다 명분을 중시하는 사대부의 모습을 확인할 수 있군.

아라나는 영철이 자신을 배신하고 도망가면서 '천리마를 훔친 것'을 이유로 영철을 죽이려 한다. 그러나 이는 자신이 아끼는 말을 훔친 것에 대한 감정적 반응일 뿐, 〈보기〉에서 언급한 명분(명에 대한 의리)을 중시하는 사대부의 모습을 보여 주는 것은 아니다.

오답풀이 〉

① 영웅적 면모를 보이는 인물이 아니라 일반 백성인 '영철'을 주인공으로 설정했다는 점에서 작가가 영웅의 활약상이 아닌 일반 백성의 현실적 고통에 주목했음을 알 수 있군.

〈보기〉에서 윗글은 영웅이 아닌 '참전했던 일반 백성들의 현실적 고통을 보여' 준다고 하였다. 윗글은 일반 백성인 '영철'을 주인공으로 설정하여 세 번이나 전쟁에 출전했으나 나라로부터 보상받지 못하고 오히려 빚을 떠안는 고통에 처하게 된 모습을 보여 주고 있다.

② 나라를 위해 종군하느라 모은 재산이 없는 영철에게 '세남초값'까지 갚으라고 요구하는 것에서 백성의 어려움을 외면하는 위정자의 모습을 엿볼 수 있군.

〈보기〉에서 윗글은 '참전했던 일반 백성들의 현실적 고통'을 드러내고 '백성들의 노고를 외면했던 위정자들을 비판'한다고 하였다. 윗글에서 영철은 '일찍이 나라의 부름을 받고 군문에 출입하여 재산을 모은 것이 없'음에도 유림의 개인적 양심과 현령의 독촉에 의해 '세남초값'을 갚을 것을 요구받는다. 이를 통해 작가는 백성의 고통을 외면하는 위정자들의 모습을 비판하고 있다.

④ '세간'을 다 팔고 '친족'의 도움까지 받아 '호조'에 돈을 바쳐야 하는 영철의 모습에서 참전 후 고향으로 돌아와서도 전쟁과 관련한 백성의 고통이 이어졌음을 알 수 있군.

〈보기〉에서 윗글은 '고향을 떠나 참전했던 일반 백성들의 현실적 고통을 보여' 준다고 하였다. 윗글에서 영철은 참전 후 고향으로 돌아왔으나 다시 전쟁에 참전해야 했고, '세남초값'을 갚을 것을 재촉받아 '청노새'와 '집안의 세간을 다' 팔고 '친족들의 도움을 받아' 어렵게 돈을 마련할 수 있었다. 이는 고향에 돌아와서도 전쟁으로 인해 고통받는 백성의 모습을 보여 준다고 할 수 있다.

⑤ 종군하며 공을 세운 영철에게 조정에서 끝내 아무런 '보상'도 하지 않았다는 점에서 참전한 백성들의 노고에 대해 무책임한 위정자들의 태도를 확인할 수 있군.

〈보기〉에서 윗글은 '참전했던 일반 백성들의 현실적 고통'을 드러내고 '백성들의 노고를 외면했던 위정자들을 비판'한다고 하였다. 윗글에서 영철은 '종군하면서 들인 노고와 세운 공이 적지' 않으나 조정으로부터 '조그마한 보상조차' 받지 못한다. 이를 통해 작가는 백성들의 노고를 외면하는 무책임한 위정자들을 비판한다고 볼 수 있다.

2. 인물의 말하기 방식 OX 확인 문제

① ○

근거 [A]에서 아라나는 자신이 영철에게 베푼 은혜 세 가지와 영철이 저지른 죄 세 가지를 차례로 나열하며 과거 사건에 대해 언급하고 있음. 또한 이와 관련하여 자신이 갖게 된 상대방에 대한 적대적 감정을 '반드시 네 목을 베리라!'와 같은 구절을 통해 드러내고 있음.

② ✕

근거 [B]에서 영철은 자신을 죽이려는 아라나의 마음을 변화시키기 위해 자신에게 죄가 있지 않음을 호소하며 용서를 구할 뿐, 상대방에게 이익이 되는 제안을 하지는 않음.

고전소설 독해의 STEP 3

■ 1번 문제의 선지 판단 공식에 대한 답을 확인해 보세요.

〈보기〉 문제 선지 판단의 공식

① 〈보기〉 「김영철전」은 영웅의 활약상이 아닌, 고향을 떠나 참전했던 일반 백성들의 현실적 고통을 보여 줌 ➕ 작품 '유림이 사자 대접하는 일을 영철에게 맡겼다. 한번은 청나라 장수가 조선군 진중에 와서 일을 논의하는데 영철이 청나라 말의 통역을 맡게 되었다.'

선지➤ 영웅적 면모를 보이는 인물이 아니라 일반 백성인 '영철'을 주인공으로 설정했다는 점에서 작가가 영웅의 활약상이 아닌 일반 백성의 현실적 고통에 주목했음을 알 수 있군. ○

② 〈보기〉 「김영철전」은 고향을 떠나 참전했던 일반 백성들의 현실적 고통을 보여 주며, 그런 백성들의 노고를 외면했던 위정자들을 비판함 ➕ 작품 '유림이 영철에게 말하되 "네가 금주에서 아라나에게 잡혀 갈 때 세남초 이백 근으로 네 몸값을 치러 너를 구하였는데,~세남초값은 네가 갚도록 하거라." 영철이 깜짝 놀라 말하기를 "장군, 제가 일찍이 나라의 부름을 받고 군문에 출입하여 재산을 모은 것이 없는데 이렇게 큰돈을 어떻게 마련할 수 있겠습니까? 장군께서 헤아려 주시기를 간절히 청하옵니다."'

선지➤ 나라를 위해 종군하느라 모은 재산이 없는 영철에게 '세남초값'까지 갚으라고 요구하는 것에서 백성의 어려움을 외면하는 위정자의 모습을 엿볼 수 있군. ○

③ 〈보기〉 명나라의 출병 요청에 사대부들은 명에 대한 의리를 명분으로 출병을 주장했으나, 전쟁에 참전한 백성들에게 전쟁이란 명분이 아닌 현실이었음 ➕ 작품 '"나는 네가 도망한 것이 한스러울 뿐 아니라 내 천리마 세 필을 잃은 것이 한스러워 지금도 원통하다. 내 이제 다행히 너를 만났으니 반드시 네 목을 베리라!" 그러고는 휘하 기병을 시켜 영철을 포박하게 했다.'

선지➤ '천리마'를 잃은 것에 대한 원망으로 영철을 죽이려고 하는 아라나의 모습에서 실리보다 명분을 중시하는 사대부의 모습을 확인할 수 있군. ✕

④ 〈보기〉 「김영철전」은 영웅의 활약상이 아닌, 고향을 떠나 참전했던 일반 백성들의 현실적 고통을 보여 줌 ➕ 작품 '영철이 청노새를 팔고 집안의 세간을 다 파니 호조에 갚을 돈의 반 정도를 간신히 마련할 수 있었다. 하지만 그 나머지는 충당할 길이 없어, 결국 친족들의 도움을 받아 그 나머지를 갚을 수 있었다.'

선지➤ '세간'을 다 팔고 '친족'의 도움까지 받아 '호조'에 돈을 바쳐야 하는 영철의 모습에서 참전 후 고향으로 돌아와서도 전쟁과 관련한 백성의 고통이 이어졌음을 알 수 있군. ○

⑤ 〈보기〉 「김영철전」은 고향을 떠나 참전한 일반 백성들의 노고를 외면했던 위정자들을 비판함 ➕ 작품 '어찌 조정에서는 조그마한 보상조차 주는 일은 없고 도리어 이렇게 살과 뼈를 깎는단 말이냐?', '조정에서는 그 후로도 영철에게 상 주는 일이 없었으니 이 어찌 불쌍하다 하지 아니하리오.'

선지➤ 종군하며 공을 세운 영철에게 조정에서 끝내 아무런 '보상'도 하지 않았다는 점에서 참전한 백성들의 노고에 대해 무책임한 위정자들의 태도를 확인할 수 있군. ○

하루 30분, 고전소설 트레이닝

고전소설 독해의 STEP 1

❶ 다음 글을 읽고 등장인물을 잘 파악했는지, 빈칸에 적절한 말을 채웠는지 확인해 보세요.

📅 고3 2020학년도 9월 모평 – 작자 미상, 「장끼전」

'콩알 하나 없으니 주린 처자를 어이할꼬? 어떻든 협사촌의 서대주가 도적들과 아래위 낭청을 다니며 함께 도적하여 부유하다 하니 찾아가 얻어 보리라.' 장끼는 콩알 하나 없는 가난한 처지로 고민하다가 도적(질)을 해서 부유하다는 서대주를 찾아가 보려 해.

하고 협사촌을 찾아간다. 허위허위 이 산 저 산 어정어정 걸어가며 생각하되,

'이놈이 본디 큰 쥐로 도적질하는 놈이니 무엇이라 부를꼬? 쥐라 해도 좋지 않고, 서대주라 해도 좋지 않으니, 이놈 부르기 어렵구나. 어떻든 대접함이 으뜸이라.' 서대주를 뭐라고 불러야 할지 고민하던 장끼는 서대주를 대접해서 호의를 얻어내려 해.

길을 재촉해 협사촌을 찾아 서대주 집 문 앞에서 장끼 큰기침 두 번 하고,

"서동지 (=서대주) 계시오?" 장끼는 서대주를 서동지라고 부르네.

하며 찾으니, 이윽고 시비 쥐 나오거늘 장끼 문왈,

"이 댁이 아래위 낭청으로 다니며 관리하시는 서동지 댁이오?"

물으니 시비 답왈,

"어찌 찾으시오?"

장끼 가로되,

"잠깐 뵈오리다."

이때 서대주 자녀의 재미 보며 아내와 함께 있더니, 시비 와서 왈,

"문전에 어떤 객 (=장끼)이 왔으되 위풍*이 헌앙(軒昂)*하고 빛갓 쓰고 옥관자 붙이고 여차여차 동지 님을 뵈러 왔다 하나이다."

서대주 동지란 말을 듣더니 대희하여* 외헌*으로 청하고, 서대주는 찾아온 객이 자신을 동지라고 불렀다는 말을 듣고 크게 기뻐하고 있어. 정주(頂珠) 탕건 모자 쓰고 평복으로 나아가 장끼를 맞아 예하고 자리를 정하니, 장끼 하는 말이,

"댁이 서동지라 하시오? 나는 양지촌 사는 화충이라고도 하고, 세상에서 부르기를 장끼라고도 혹 꿩이라고도 하는데, 귀댁을 찾아 금일 만나니 구면처럼 반갑소이다. 한 번도 뵌 적 없으나 평안하시었소?" 장끼는 서대주를 처음 보지만 반갑다고 하며 안부를 묻고 호감을 표시하고 있어.

서대주 맹랑하다, 탕건을 어루만지며 답왈,

"존객의 이름은 높이 들었더니 나를 먼저 찾아 누지*에 와 주시니 황공 감사하오이다."

장끼 답왈,

"서로 찾기에 선후가 있는 것 아니니 아무커나 반갑다 못하여 진저리 나노라."

하거늘 서대주 웃으며 온갖 음식으로 대접하고 고금사를 문답하며 장끼를 조롱하며 벗하더니, 장끼와 서대주는 즐겁게 대화를 나누며 가까워졌어. 장끼 콧소리를 내며 말하기를,

"서동지께 청할 말이 있노라. 내 본시 넉넉지 못해 오늘까지 먹지 못하다가 처음 청하온데 양미* 이천 석만 빌려주시면 내년 가을에 갚으리니 동지 님 생각에 어떠시오?"

서대주 웃으며 하는 말이,

"속담에 '우마(牛馬)도 초분식(草分食)하고, 산저(山猪)도 갈분식(葛分食)이라*.' 하였거든 우리 사이에 무엇이 어려우리오?" 장끼는 서대주에게 양미(양식)를 빌려달라고 하고 서대주는 흔쾌히 빌려줬어.

(중략)

장끼 감사함을 칭사하고 양지촌으로 돌아가니라. 이때 서대주 노비 쥐를 명하여 창고를 열고 이천 석 콩을 배로 옮겨 양지촌으로 보내니라.

장면끊기 01 장끼가 서대주를 찾아가 아부를 하여 호감을 얻은 뒤 양미(양식)를 빌려 온 하나의 사건이 마무리되고, 이후 장면에서는 '각설'로 새로운 사건이 시작됨을 알리고 있어. 따라서 여기서 장면을 나누어야겠지!

각설. 이때 동지촌에 딱부리란 새가 있으되 주먹볏에 흑공단 두루마기, 홍공단 끝동이며, 주둥이는 두 자나 하고 위풍이 헌앙한 짐승이라. 양지촌 장끼를 찾아가 오래 못 본 인사 하고 하는 말이,

"자네는 어찌하여 양식이 저리 풍족하여 쌓아 두었는가?" 동지촌에 사는 딱부리는 장끼를 오랜만에 찾아와 인사를 하고 어떻게 양식을 풍족하게 마련했는지 묻고 있네.

장끼가 협사촌 서대주를 찾아가 양식 빌린 사연을 자세히 말하니, 딱부리 놈이 고개를 끄덕이며,

"자네 마음이 녹녹지 아니하거늘 미천한 도적놈을 무엇이라 찾았는가?" 딱부리는 도적질을 해서 부를 쌓은 서대주를 미천한 도적놈이라 비난하며, 그를 찾아간 장끼를 나무라고 있어.

장끼 답왈,

"나도 생각이 있으나 옛글에 '교만한 자는 집이 망한다.' 했고, '남을 대접하면 내가 대접을 받는다.' 했고, 내 가난하여 빌리러 갔기로 저를 대접하여 서동지라 존칭하였더니 대희하여 후대하고 종일 문답하며 여차여차하였노라." 장끼는 양식을 빌리러 간 입장이었으므로 서대주를 서동지라고 존칭하여 불러 대접하였고, 그에 서대주도 자신을 후하게 대접했다고 하지.

하거늘 딱부리 하는 말이,

"자네 일정 간사하도다. 만일 입신양명하면 충신을 험담하여 귀양 보내고 조정을 농권하며 임금을 어둡게 하리로다. 나는 그놈을 찾아가서 서대주라 하고 도적질한 말을 하면 그놈이 겁내어 만석이라도 추심(推尋)*하리라."

장끼 답왈,

"자네 재주를 몰랐더니 오늘에야 알리로다." 장끼의 말을 들은 딱부리는 장끼의 행동을 간사하다 비난하며 자신은 서대주를 찾아가 도적질한 것을 지적하며 겁을 주고, 그것을 빌미로 양식을 받아내겠다고 장담하지.

장면끊기 02 딱부리는 서대주를 대접한 장끼를 비난하며 자신은 서대주를 대접하지 않고 오히려 도적질한 일을 말하여 양식을 얻어내겠다고 했어. 이후 딱부리가 서대주를 찾아가는 사건이 이어지므로 여기서도 장면을 나누어 보자.

딱부리 웃으며 나와 협사촌을 찾아가, 구멍 앞에 나가서 생각은 많으나 이를 갈고 "서대주, 서대주." 찾으니 이윽하여 시비 쥐 나오며 하는 말이,

"뉘 집을 찾아오시니까?"

딱부리 하는 말이,

"네 명색이 무엇이냐? 이 집이 아래위 낭청으로 다니며 도적질

하는 서대주 집이냐? 나는 동지촌 사는 딱장군이니 와 계시다 일러라." 딱부리는 서대주 집에 찾아가 **도적질**한 것을 지적하며 **거만**한 태도를 보이고 있어. 말하는 방식이 중략 전에 장끼가 '아래위 낭청으로 다니며 **관리**하시는 서동지 댁' 이냐고 물었던 것과 크게 다르지?

하거늘 쥐란 놈이 골을 내어 대답하고 들어가 고하니, 서대주 크게 성내고 분부*하는 말이,

　"어떤 놈이든지 잡아들이라."

하니 수십 명 범 같은 쥐들이 명을 듣고 딱부리를 에워싸고 결박 하고 이 뺨 치고 저 뺨 치며 몰아가니 화가 난 서대주는 딱부리를 잡아들이라 하고, 명을 들은 쥐들은 딱부리를 **결박**하고 매를 치며 몰아가. 딱부리 애걸하며 비는 말이,

　"내 무슨 잘못이 있다 이리하시오? 내 손주 노릇할 터이니 놓아 주고 달아났다 하시오."

한데 듣지 않고 잡아들여 서대주 앞에다 꿇리니 서대주 호령하되,

　"이놈! 너는 어인 놈이기에 주인 찾을 때 근본을 해하여 찾으니 그중에 너 같은 놈은 만단을 내리라."

하며 매우 치라 하니 딱부리 머리를 조아리고 애걸하며 빌더라. 딱부 리는 매를 맞더니 태도가 돌변하여 자신을 **놓아**달라고 애걸복걸하고 있어.

　장면끊기 03　서대주를 찾아간 **딱부리**는 도적질한 서대주를 무시하는 태도를 보이는데, 이에 화가 난 서대주에게 붙잡혀 **매**를 맞는 장면이 이어지면서 지문이 마무리되었어.

　　　　　　　　　　　　　　　　　　　　－ 작자 미상, 「장끼전」 －

*헌앙: 풍채가 좋고 의기가 당당함.

*우마도 초분식하고, 산저도 갈분식이라: 소와 말도 풀을 나눠 먹고, 산돼지도 칡을 나눠 먹는다.

*추심: 찾아내어 가지거나 받아 냄.

　고전 **필수 어휘**

*위풍: 위세가 있고 엄숙하여 쉽게 범하기 힘든 풍채나 기세.

*대회하다: 크게 기뻐하다.

*외헌: 집의 안채와 떨어져 있는, 바깥주인이 거처하며 손님을 접대하는 곳. 사랑.

*누지: 누추한 곳이라는 뜻으로, 자기가 사는 곳을 겸손하게 이르는 말.

*양미: 양식으로 쓰는 쌀.

*분부: 윗사람이 아랫사람에게 명령이나 지시를 내림.

고전소설 독해의　STEP 2

1 구조도의 빈칸에 적절한 말을 채웠는지 확인해 보세요.

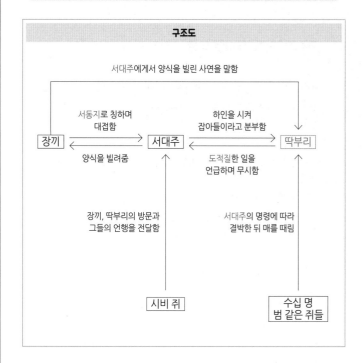

구조도

서대주에게서 양식을 빌린 사연을 말함

서동지로 칭하며　　　　　　　하인을 시켜
대접함　　　　　　　　　　　잡아들이라고 분부함

장끼　⇄　서대주　⇄　딱부리

양식을 빌려줌　　　　　　　도적질한 일을
　　　　　　　　　　　　　언급하며 무시함

장끼, 딱부리의 방문과　　　　서대주의 명령에 따라
그들의 언행을 전달함　　　　결박한 뒤 매를 때림

시비 쥐　　　　　　　　　　수십 명
　　　　　　　　　　　　　범 같은 쥐들

■ 1~2번 문제의 정답과 해설을 확인해 보세요.

1. 〈보기〉를 참고하여 윗글을 감상한 내용으로 적절하지 <u>않은</u> 것은?

〈보기〉

「장끼전」은 '까투리'를 중심으로 남존여비와 여성의 개가 금지 같은 가부장제 사회의 문제를, '장끼'를 중심으로는 몰락 양반의 삶과 조선 후기 향촌 사회의 다양한 변화상을 형상화했다. 이 대목은 가족의 생계 문제를 걱정하는 몰락 양반의 출현과 향촌 사회에 새롭게 등장한 신흥 부호의 생활상을 보여 주고 있다. 「장끼전」에는 생계 문제로 걱정하는 몰락 양반, 새롭게 등장한 신흥 부호의 생활상이 나타남 또한 신흥 부호의 위세로 인해 빚어지는 신흥 부호와 몰락 양반의 갈등, 그리고 신흥 부호를 둘러싼 몰락 양반 간의 불화를 그려 내고 있다. 신흥 부호의 위세로 인한 갈등: 신흥 부호 vs. 몰락 양반 / 신흥 부호를 둘러싼 불화: 몰락 양반 vs. 몰락 양반

정답풀이

④ 서대주의 '시비 쥐'가 딱부리에게 골을 내는 장면에서, 몰락 양반의 경제적 곤궁함을 업신여기는 신흥 부호의 모습을 알 수 있군.

서대주의 시비 쥐가 딱부리에게 골을 낸 것은 딱부리가 서대주를 찾으면서 '네 명색이 무엇이냐? 이 집이 아래위 낭청으로 다니며 도적질하는 서대주 집이냐? 나는 동지촌 사는 딱장군이니 와 계시다 일러라.'라고 하며 서대주를 무시하는 태도를 보였기 때문이다. 윗글에서 시비 쥐가 딱부리나 장끼와 같은 몰락 양반의 경제적 곤궁함을 업신여기는 모습은 나타나지 않으며, 시비 쥐를 신흥 부호라고 볼 수도 없다.

오답풀이

① 장끼가 양식이 떨어져 굶주리는 처자식을 위해 부유한 서대주를 찾아가 양식을 빌리는 장면에서, 가장으로서의 책무를 다하려는 몰락 양반의 면모를 알 수 있군.

〈보기〉에서 윗글은 '장끼'를 통해 '몰락 양반의 삶'을 형상화하면서 '가족의 생계 문제를 걱정하는 몰락 양반의 출현'을 보여 준다고 하였다. 이를 참고할 때, 장끼가 '콩알 하나 없'어 굶주리고 있는 처자를 걱정하며 부유한 서대주에게 양식을 빌리러 찾아가는 장면에서 가장으로서의 책무를 다하려는 몰락 양반의 면모를 확인할 수 있다.

② 서대주가 '시비 쥐'를 부리고 복색을 갖추어 손님을 '외헌'에서 맞이하는 장면에서, 신흥 부호의 생활상을 알 수 있군.

〈보기〉에서 윗글은 '향촌 사회에 새롭게 등장한 신흥 부호의 생활상'을 보여 준다고 하였다. 이를 참고할 때, 서대주가 시비 쥐를 부리는 모습이나 자신을 찾아온 장끼를 '외헌으로 청'하면서 '정주 탕건 모자 쓰고 평복으로 나아가' 맞이하는 장면에서 당대 신흥 부호의 부유한 생활상을 엿볼 수 있다.

③ 서대주를 대접하여 양식을 빌린 장끼에게 딱부리가 '간사하도다'라고 언급하는 장면에서, 신흥 부호에 대한 처신을 놓고 몰락 양반 간에 의견 차이가 있었음을 알 수 있군.

〈보기〉에서 윗글은 '신흥 부호를 둘러싼 몰락 양반 간의 불화를 그려 내고 있다'고 하였다. 이를 참고할 때, 서대주를 '서동지'라고 대접하여 양식을 빌린 장끼에게 딱부리가 '자네 일정 간사하도다.'라며 비난하는 장면에서 신흥 부호인 서대주를 대하는 태도를 놓고 몰락 양반인 장끼와 딱부리 간에 의견 차이가 있었음을 알 수 있다.

⑤ 서대주가 '수십 명 범 같은 쥐들'에게 명령하여 딱부리를 결박하는 장면에서, 향촌 사회에서의 신흥 부호의 위세를 알 수 있군.

〈보기〉에서 윗글은 '신흥 부호의 위세로 인해 빚어지는 신흥 부호와 몰락 양반 간의 갈등'을 그려 내고 있다고 하였다. 이를 참고할 때, 서대주가 자신을 '도적질하는 서대주'라고 칭한 딱부리의 말을 듣고 '수십 명 범 같은 쥐들'에게 명령하여 딱부리를 결박하는 장면에서 당대 향촌 사회에서의 신흥 부호의 위세를 짐작할 수 있다.

2. 문학 개념어 OX 확인 문제

① ○

• 묘사: 어떤 대상이나 인물의 외양, 행동, 내면 등을 그림을 보여 주듯 표현하는 것.

근거 '문전에 어떤 객이 왔으되 위풍이 헌양하고 빛갓 쓰고 옥관자 붙이고 여차여차 동지 님을 뵈러 왔다 하나이다.', '동지촌에 딱부리란 새가 있으되 주먹볏에 흑공단 두루마기, 홍공단 끝동이며, 주둥이는 두 자나 하고 위풍이 헌양한 짐승이라.'에서 풍채나 기세가 좋고 당당하다는 속성을 드러냄.

② ✕

• 내적 갈등: 한 인물이 자신의 내면에서 일으키는 심리적 갈등. 개인의 심리적 모순이나 욕망의 대립으로 일어나는 고뇌, 괴로움을 말함.

근거 '우마도 초분식하고, 산저도 갈분식이라.', '교만한 자는 집이 망한다.', '남을 대접하면 내가 대접을 받는다.'에서 속담과 옛글을 활용하였으나, 이는 인물의 주장을 강조하기 위함이지 인물의 내적 갈등을 강조하기 위함이 아님.

고전소설 독해의 STEP 3

■ 1번 문제의 선지 판단 공식에 대한 답을 확인해 보세요.

〈보기〉 문제 선지 판단의 공식

①

〈보기〉 「장끼전」은 가족의 생계 문제를 걱정하는 몰락 양반의 출현을 보여 줌

＋

작품 '콩알 하나 없으니 주린 처자를 어이할꼬? 어떻든 협사촌의 서대주가 도적들과 아래위 낭청을 다니며 함께 도적하여 부유하다 하니 찾아가 얻어 보리라.'

선지➡ 장끼가 양식이 떨어져 굶주리는 처자식을 위해 부유한 서대주를 찾아가 양식을 빌리는 장면에서, 가장으로서의 책무를 다하려는 몰락 양반의 면모를 알 수 있군. ○

②

〈보기〉 「장끼전」은 조선 후기 향촌 사회의 다양한 변화상을 형상화하면서 향촌 사회에 새롭게 등장한 신흥 부호의 생활상을 보여 줌

＋

작품 '서대주 자녀의 재미 보며 아내와 함께 있더니, 시비 와서', '서대주 동지란 말을 듣더니 대희하여 외헌으로 청하고, 정주 탕건 모자 쓰고 평복으로 나아가 장끼를 맞아'

선지➡ 서대주가 '시비 쥐'를 부리고 복색을 갖추어 손님을 '외헌'에서 맞이하는 장면에서, 신흥 부호의 생활상을 알 수 있군. ○

③

〈보기〉 「장끼전」은 조선 후기 향촌 사회의 다양한 변화상을 형상화하면서 신흥 부호를 둘러싼 몰락 양반 간의 불화를 그려 내고 있음

＋

작품 '자네 마음이 녹녹지 아니하거늘 미천한 도적놈을 무엇이라 찾았는가?', '자네 일정 간사하도다. 만일 입신양명하면 충신을 험담하여 귀양 보내고 조정을 농권하며 임금을 어둡게 하리로다.'

선지➡ 서대주를 대접하여 양식을 빌린 장끼에게 딱부리가 '간사하도다'라고 언급하는 장면에서, 신흥 부호에 대한 처신을 놓고 몰락 양반 간에 의견 차이가 있었음을 알 수 있군. ○

④

〈보기〉 「장끼전」은 가족의 생계 문제를 걱정하는 몰락 양반의 출현과 향촌 사회에 새롭게 등장한 신흥 부호의 생활상을 보여 주면서 신흥 부호와 몰락 양반 간의 갈등을 그려 냄

＋

작품 '시비 쥐 나오며 하는 말이, "뉘 집을 찾아오시니까?" 딱부리 하는 말이, "네 명색이 무엇이냐? 이 집이 아래위 낭청으로 다니며 도적질하는 서대주 집이냐? 나는 동지촌 사는 딱장군이니 와 계시다 일러라." 하거늘 쥐란 놈이 골을 내어 대답하고 들어가'

선지➡ 서대주의 '시비 쥐'가 딱부리에게 골을 내는 장면에서, 몰락 양반의 경제적 곤궁함을 업신여기는 신흥 부호의 모습을 알 수 있군. ✕

⑤

〈보기〉 「장끼전」은 조선 후기 향촌 사회의 다양한 변화상을 형상화하면서 신흥 부호의 위세로 인해 빚어지는 신흥 부호와 몰락 양반 간의 갈등을 그려 냄

＋

작품 '서대주 크게 성내고 분부하는 말이, "어떤 놈이든지 잡아들이라." 하니 수십 명 범 같은 쥐들이 명을 듣고 딱부리를 에워싸고 결박하고 이 뺨 치고 저 뺨 치며 몰아가니'

선지➡ 서대주가 '수십 명 범 같은 쥐들'에게 명령하여 딱부리를 결박하는 장면에서, 향촌 사회에서의 신흥 부호의 위세를 알 수 있군. ○

하루 30분, 고전소설 트레이닝

고전소설 독해의 STEP 1

1 다음 글을 읽고 등장인물을 잘 파악했는지, 빈칸에 적절한 말을 채웠는지 확인해 보세요.

📅 고3 2016학년도 10월 학평 – 김시습, 「만복사저포기」

전라도 남원에 살고 있는 양생은 일찍이 어버이를 여읜 뒤 여태껏 장가를 들지 못하고 만복사 동쪽 골방에서 홀로 세월을 보내고 있었다. 고요한 그 골방 문 앞에는 배나무 한 그루가 우뚝 서 있었는데, 바야흐로 봄을 맞이하여 꽃이 활짝 피어 온 뜰 안 가득 백옥의 세계를 환하게 밝혀 놓았다. 그는 달 밝은 밤이면 언제나 객회(客懷)*를 억누르지 못하여 나무 밑을 거닐곤 했는데, 어느 날 밤 그 꽃다운 정서를 걷잡지 못하고 문득 시 두 수를 지어 읊었다. 봄을 맞아 배나무에 꽃이 활짝 핀 아름다운 풍경과는 대조적으로 양생은 장가를 들지 못한 채 홀로 세월을 보내는 처지에 울적한 심정을 느끼고 있어.

한 그루 배꽃나무 적료함을 짝하고
가련하다 달 밝은 밤 헛되이 보내나니
젊은이만 홀로 누운 외로운 창가에
어디서 고운 님은 옥퉁소를 불고 있나

짝 못 지은 비취새 외로이 날아가고
짝 잃은 원앙도 맑은 강에 노니는데
뉘 집에서 바둑 두란 약속이 있으련가
밤이면 서러운 창에 기대 불꽃점을 쳐 보네. 양생이 읊은 두 수의 시에서는 짝 없이 홀로 밤을 보내며 느끼는 쓸쓸하고 서글픈 심정이 비취새와 원앙 같은 자연물에 투영되어 드러나고 있네.

시를 다 읊고 나자 별안간 공중에서 이상한 말소리가 들려 왔다.
"진정으로 자네가 좋은 배필*을 얻고자 하는데 그 무엇이 어려울 게 있으리오."
이 소리를 듣고 양생은 크게 기뻐하였다. 시를 다 읊은 후 공중에서 들려온 말소리에 양생이 기뻐하고 있어. 곧 좋은 배필을 얻을 수 있을 것이라고 생각한 거지.
장면끊기 01 양생의 외롭고 쓸쓸한 처지가 드러나면서 그가 곧 배필을 만나게 될 것임이 예고된 장면이었어. 다음 문장에서는 이튿날로 시간적 배경이 바뀌면서 새로운 사건이 시작되고 있으니, 여기까지를 첫 번째 장면으로 끊어 보자.

그 이튿날은 마침 삼월 이십사일이었다. 해마다 이날이 되면 그곳 마을의 많은 청춘 남녀들이 으레 만복사를 찾아가 향불을 피우고는 각기 제 소원을 비는 풍습이 있었다. 이날 양생은 저녁에 기도가 끝나자 법당에 들어가서 소매 깊이 간직하고 갔던 저포(樗蒲)를 꺼내어 불전에 던지기 전에 먼저 소원을 빌었다.
"자비로운 부처님, 오늘 저녁엔 제가 부처님과 함께 저포 놀이를 하려고 합니다. 만약에 제가 지면 법연(法筵)을 차려서 부처님께 갚아드릴 것이고, 만일 부처님께서 지시면 반드시 제 소원인 어여쁜 아가씨를 얻게 해 주시옵소서." 다음날 만복사의 법당을 찾은 양생은 부처님에게 저포 놀이를 하여 자신이 이기면 아름다운 아가씨를 배필로 맞을 수 있게 해 달라고 빌어.

축원을 마치고는 즉시 저포를 던지자, 과연 그는 소원대로 승리를 얻게 되었다. 그는 매우 기뻐서 다시금 불전에 꿇어 앉아 말씀을 드렸다.
"부처님이시여, 저의 아름다운 인연은 이미 정해졌사오니, 원컨대 자비하신 부처님께서는 소생을 저버리지 마시기를 바라옵니다." 저포 놀이에서 이긴 양생은 매우 기뻐하며, 부처님께 자신의 소원을 꼭 들어 달라고 다시금 기원하고 있네.
하고 그는 불좌 뒤 깊숙한 곳에 앉아서 동정을 살폈다.
장면끊기 02 양생이 부처님에게 소원을 빌고, 이후 저포 놀이에서 이겨 기뻐하는 모습이 나타난 장면이었어. 과연 양생이 소원대로 아름다운 아가씨를 만나게 될 것인지에 주목하며 다음 장면을 읽어보도록 하자.

얼마 안 되어 과연 아가씨(=여인) 하나가 들어오는데, 나이는 한 열대여섯 살쯤 되어 보이고, 새까만 머리에 화장을 곱게 한 얼굴이 마치 채운(彩雲)을 타고 내려온 월궁의 선녀와 같고 자세히 보면 볼수록 너무나도 곱고 얌전하였다. 얼마 지나지 않아 월궁의 선녀처럼 아름다운 용모와 자태를 지닌 한 아가씨가 양생이 있는 법당 안으로 들어섰어.

그녀는 백옥 같은 손으로 등잔에 기름을 부어 불을 켜고 향로에다 향을 꽂은 뒤 세 번 절을 하고는 꿇어앉아 슬피 탄식하였다.
"아아, 인생이 박명*하다고는 하나 어찌 이와 같을 줄 알았겠는가?" 여인은 자신의 인생이 박명하다고 한탄하고 있네.
여인은 품속에서 뭔가 글이 적힌 종이를 꺼내어 탁자 앞에 바쳤다. 그 내용은 다음과 같았다.

아무 고을 아무 땅에 사는 아무개가 아뢰옵니다.
지난날 변방을 잘 지키지 못해 왜구가 침략하였습니다. 창과 칼이 난무하고 위급을 알리는 봉화가 몇 해나 이어지더니 가옥이 불타고 백성들이 노략질 당하였습니다. 이리저리로 달아나 숨는 사이 친척이며 하인들은 모두 흩어져 버렸습니다. 저는 연약한 여자인지라 멀리 달아나지 못하고 스스로 규방 속에 들어가 끝내 정절을 지켜서 무도한 재앙을 피하였습니다. 여인이 바친 글을 통해 지난날 왜구의 침략으로 인해 고난을 겪었던 여인의 사연이 드러나고 있어. 부모님은 여자가 절개를 지킨 일을 옳게 여기셔서 외진 땅 외진 곳의 풀밭에 임시 거처를 마련해 주셨으니, 제가 그곳에 머문 지도 이미 삼 년이 되었습니다. 저는 가을 하늘에 뜬 달을 보고 봄에 핀 꽃을 보며 헛되이 세월 보냄을 가슴 아파하고, 떠가는 구름처럼 흐르는 시냇물처럼 무료한 하루하루를 보낼 따름입니다. 텅 빈 골짜기 깊숙한 곳에서 기구한 제 운명에 한숨짓고, 좋은 밤을 홀로 지새우며 오색찬란한 난새가 혼자서 추는 춤에 마음 아파합니다. 날이 가고 달이 갈수록 제 넋은 녹아 없어지고, 여름밤 겨울밤마다 애간장이 찢어집니다. 여인은 짝 없이 헛되이 세월을 보내는 자신의 처지를 한탄하고 있어. 바라옵나니 부처님이시여, 제 처지를 가엾게 여겨주소서. 제 앞날이 이미 정해져 있다면 어쩔 수 없겠으나, 기구한 운명일망정 인연이 있다면 하루 빨리 기쁨을 얻게 하시어 제 간절한 기도를 저버리지 말아 주소서. 여인도 양생과 마찬가지로 부처님에게 하루 빨리 자신의 인연을 만날 수 있게 해 달라고 빌기 위해 법당을 찾은 것이었군.

여인은 소원이 담긴 종이를 던지고 목메어 슬피 울었다. 양생이 좁은 틈 사이로 여인의 자태를 보고는 정을 억누르지 못하고 뛰쳐나가 말했다.
"좀 전에 부처님께 글을 바친 건 무슨 일 때문입니까?"
양생은 종이에 쓴 글을 읽어 보더니 기쁨이 얼굴에 가득한 채 이렇게 말했다. 양생은 자신과 비슷한 처지에 있는 여인을 만난 것에 기뻐하고 있어.

"당신은 도대체 누구시기에 이 밤에 여기까지 오셨소?"

그녀는 대답했다.

"저도 역시 사람입니다. 저를 의아한 눈으로 보지 마십시오. 당신은 다만 좋은 배필을 얻으려는 것이지요?"

이때 만복사는 이미 퇴락하여 승려들은 한쪽 구석진 골방으로 옮겨가 있었고, 법당 앞에는 행랑만이 쓸쓸히 남아 있었으며, 행랑이 끝난 곳에 좁다란 판자방이 하나 있었다.

양생이 여인을 불러 그곳으로 들어가니 여인은 별 주저함 없이 따라갔다. 서로 이야기를 나누며 즐기는 것이 보통 사람과 다름없었다. 양생과 여인이 함께 **이야기**를 나누고 즐거운 시간을 보내면서 인연이 싹트게 되는 모습이야.

장면끊기 03 양생이 자신처럼 부처님에게 배필을 만나게 해 달라고 소원을 비는 여인을 만나 **인연**을 맺게 되는 내용이었어. 중략 이전이니 한 번 더 장면을 끊고 가야겠지?

(중략)

두 사람은 서로 웃으며 함께 개령동으로 향하였다. 어느 한 곳에 이르니 다북쑥이 들을 덮고 참천한 고목 속에 정쇄한 수간 초당*이 나타났다. 양생은 아가씨가 이끄는 대로 따라 들어갔다.

방 안에는 침구와 휘장이 잘 정리되어 있고, 밥상을 올리는데 모든 음식이 어젯밤 만복사의 차림과 차이가 없었다. 양생은 퍽이나 기쁜 마음으로 이틀 동안을 유유히 보냈다. 여인을 따라 그녀의 거처로 향한 양생은 그곳에서 **이틀**을 보냈다고 하네.

시녀는 얼굴이 매우 아름답고 조금도 교활한 면이 없었다. 좌우에 진열되어 있는 그릇들은 깨끗하고 품위가 있어 그는 간혹 의아한 마음을 금하지 못하였다. 그러나 그녀의 은근한 정에 마음이 끌려 다시금 그런 생각을 되풀이하지 않았다. 시녀의 외양이나 깨끗하고 품위 있게 정돈된 집안 풍경을 보며 양생은 무언가 **의아함**을 느껴.

어느 날 갑자기 그녀는 양생에게 말했다.

"당신은 잘 모르시겠지만 이곳의 사흘은 인간의 삼 년과 같습니다. 가연*을 맺은 지가 잠깐인 듯하오나 오래 되었사오니, 너무 서운하긴 하나 당신은 다시 인간으로 돌아가셔서 옛날의 살림을 돌보심이 어떻겠습니까?" 양생이 의아함을 느꼈던 것은 여인의 집이 인간 세상이 아니었기 때문이었나 보네. 여인은 이곳에서 사흘을 보내는 동안 인간 세상에서는 이미 **삼 년**이 지났기 때문에, **옛날의 살림**을 돌보기 위해 양생이 다시 인간 세상으로 돌아가는 것이 좋겠다고 말해.

"여보시오. 이별이라니 갑작스레 그게 웬 말이오?"

"오늘 못 다 이룬 소원은 내세*에 다시 만나 다 이룰 수 있을 것입니다. 그리고 이곳의 예절도 인간과 다름이 없사오니 저의 친척과 이웃 동무들을 만나보고 떠나심이 어떻겠습니까?"

"그렇게 합시다." 여인의 갑작스러운 이별 통보에 양생은 당황하지만, **내세**에 다시 만날 수 있을 것이라며 설득하는 말에 여인의 뜻을 따르기로 하지.

대화가 끝나자 그녀는 시녀를 시켜 친척과 이웃 동무들을 초대하였다.

장면끊기 04 여인이 양생과 같은 **인간 세상**의 사람이 아니라는 점이 암시된 장면이었어. 그러한 이유로 여인이 양생에게 **이별**을 고하고 있기에, 두 사람의 인연이 순탄하지만은 않을 것임을 짐작할 수 있기도 하지.

– 김시습, 「만복사저포기」 –

고전 **필수 어휘**

*객회: 객지에서 느끼게 되는 울적하고 쓸쓸한 느낌.

*배필: 부부로서의 짝.

*박명: 복이 없고 팔자가 사나움.

*초당: 억새나 짚 따위로 지붕을 인 조그마한 집채.

*가연: 부부 관계나 연인 관계를 맺게 된 연분.

*내세: 죽은 뒤에 다시 태어나 산다는 미래의 세상.

고전소설 독해의 STEP 2

1 구조도의 빈칸에 적절한 말을 채웠는지 확인해 보세요.

구조도

양생 ← 만복사에서 배필을 얻게 해 달라고 부처님에게 소원을 빈 후에 만나 서로 부부의 연을 맺음 → 여인

■ 1~2번 문제의 정답과 해설을 확인해 보세요.

1. 〈보기〉를 참고하여 윗글을 감상한 내용으로 적절하지 <u>않은</u> 것은?

―〈보기〉―

「만복사저포기」의 양생은 불우한 삶으로 인해 현실 속에서 자신의 욕망을 실현하지 못하는 인물이다. 양생은 결국 현실에서 문제 해결의 출구를 만들지 못하다가 환상 세계의 존재와 교류하게 됨으로써 욕망의 충족을 경험한다. 현실 세계: 욕망 실현 X / 환상 세계: 욕망 실현 O 하지만 현실 세계와 환상 세계는 서로 다른 질서로 이루어져 있다. 그래서 환상 세계에서 이룬 욕망의 성취는 현실 세계에까지 이어지지 못한다. 현실 세계와 환상 세계의 질서 다름 → 환상 세계의 성취가 현실 세계로 이어지지 못함

정답풀이

① 양생이 부처님에게 저포 놀이를 하자고 제안한 것은, 현실 세계와 환상 세계의 대립을 해소하려는 시도로 볼 수 있겠군.

〈보기〉에서 양생은 '불우한 삶으로 인해 현실 속에서 자신의 욕망을 실현하지 못하는 인물'이며, '현실에서 문제 해결의 출구를 만들지 못하다가 환상 세계의 존재와 교류하게 됨으로써 욕망의 충족을 경험한다.'라고 하였다. 즉 양생이 부처님에게 저포 놀이를 하자고 한 것은 현실 세계의 문제를 환상 세계의 존재를 통해 해결하고자 한 것이다. 이를 현실 세계와 환상 세계의 대립을 해소하려는 시도라고 볼 수는 없다.

오답풀이

② 양생과 여인이 서로 만나 즐거움을 나누는 곳이라는 점에서, 만복사는 현실 세계의 존재와 환상 세계의 존재가 교류하는 공간으로 볼 수 있겠군.

〈보기〉에서 양생은 '현실에서 문제 해결의 출구를 만들지 못하다가 환상 세계의 존재와 교류하게 됨으로써 욕망의 충족을 경험한다.'라고 하였다. 따라서 양생이 여인과 만나 '서로 이야기를 나누며 즐기는' 만복사는 현실 세계의 존재와 환상 세계의 존재가 교류하는 공간으로 볼 수 있다.

③ 여인이 양생에게 이곳의 사흘이 인간 세계의 삼 년과 같다고 말하는 장면은, 현실 세계와 환상 세계의 질서가 다름을 말하는 것으로 볼 수 있겠군.

〈보기〉에서 '현실 세계와 환상 세계는 서로 다른 질서로 이루어져 있다.'라고 하였다. 여인이 양생에게 '이곳의 사흘은 인간의 삼 년과 같'다고 이야기하는 데에서 현실 세계와 환상 세계의 질서가 다르다는 것을 알 수 있다.

④ 양생이 여인과 이별하고 인간 세계로 돌아가야 한다는 것은, 환상 세계에서 성취된 욕망이 현실 세계에까지 이어질 수 없음을 의미하는 것으로 볼 수 있겠군.

〈보기〉에서 '환상 세계에서 이룬 욕망의 성취는 현실 세계에까지 이어지지 못한다.'라고 하였다. 따라서 여인이 양생에게 '다시 인간으로 돌아가셔서 옛날의 살림을 돌보'는 것이 어떻겠냐고 말하는 것은 양생이 환상 세계에서 이룬 욕망을 현실 세계까지 이어갈 수 없음을 의미한다고 볼 수 있다.

⑤ 양생이 좋은 배필을 얻고자 했으나 여태껏 장가를 들지 못했다는 것은, 그가 현실 세계에서는 충족되지 못한 욕망을 안고 살아왔다는 것으로 볼 수 있겠군.

〈보기〉에서 양생은 '현실 속에서 자신의 욕망을 실현하지 못하는 인물'이라고 하였다. 양생이 좋은 배필을 얻고자 하였으나 짝이 없던 것은 현실 세계에서는 충족되지 못한 욕망을 가지고 있었음을 의미한다고 볼 수 있다.

2. 문학 개념어 OX 확인 문제

① ✕

• **회상**: 지난 일을 돌이켜 생각함. 또는 그런 생각. 단순 과거 회상과 과거 장면의 제시를 구분할 수 있어야 함. 단순히 과거 사건에 대해 언급한 것이라면 단순 과거 회상이며, 시간적 배경이 과거로 바뀌어 인물의 대화나 행동이 묘사된다면 과거 장면의 제시로 볼 수 있음.

  근거 여인이 부처님께 바친 글 속의 '지난날 변방을 잘 지키지 못해 왜구가 침략하였습니다.~저는 연약한 여자인지라 멀리 달아나지 못하고 스스로 규방 속에 들어가 끝내 정절을 지켜서 무도한 재앙을 피하였습니다.'에서 과거 회상이 드러나지만, 자책감은 드러나지 않음.

② ✕

• **삽입시**: 산문 안에 삽입된 시나 노래. 인물의 심리와 감정을 효과적으로 전달할 수 있고, 사건이 전개될 방향을 암시하거나 주제를 집약적으로 전달하는 기능을 하며, 서정적이고 낭만적인 분위기 조성에 기여하기도 함.

• **열거**: 여러 가지 예나 사실을 낱낱이 죽 늘어놓음.

  근거 양생이 달 밝은 밤 나무 밑을 거닐다 읊은 삽입시에는 짝 없이 홀로 밤을 보내며 느끼는 외로움이 드러나 있을 뿐 다양한 소망이 나열되어 있지 않음.

고전소설 독해의 STEP 3

■ 1번 문제의 선지 판단 공식에 대한 답을 확인해 보세요.

〈보기〉 문제 선지 판단의 공식

① 〈보기〉 양생은 현실 세계에서 자신의 욕망을 해소하지 못하는 인물로, 환상 세계의 존재와 교류하며 욕망의 충족을 경험함

➕

작품 '제가 부처님과 함께 저포 놀이를 하려고 합니다.~만일 부처님께서 지시면 반드시 제 소원인 어여쁜 아가씨를 얻게 해 주시옵소서.'

선지➡ 양생이 부처님에게 저포 놀이를 하자고 제안한 것은, 현실 세계와 환상 세계의 대립을 해소하려는 시도로 볼 수 있겠군. ✕

② 〈보기〉 양생은 환상 세계의 존재와 교류하면서 욕망의 충족을 경험함

➕

작품 '만복사는 이미 퇴락하여~법당 안에는 행랑만이 쓸쓸히 남아 있었으며', '양생이 여인을 불러 그곳으로 들어가니~서로 이야기를 나누며 즐기는 것이 보통 사람과 다름없었다.'

선지➡ 양생과 여인이 서로 만나 즐거움을 나누는 곳이라는 점에서, 만복사는 현실 세계의 존재와 환상 세계의 존재가 교류하는 공간으로 볼 수 있겠군. ○

③ 〈보기〉 「만복사저포기」에 나타나는 현실 세계와 환상 세계는 서로 다른 질서로 이루어져 있음

➕

작품 '이곳의 사흘은 인간의 삼 년과 같습니다. 가연을 맺은 지가 잠깐인 듯하오나 오래 되었사오니,'

선지➡ 여인이 양생에게 이곳의 사흘이 인간 세계의 삼 년과 같다고 말하는 장면은, 현실 세계와 환상 세계의 질서가 다름을 말하는 것으로 볼 수 있겠군. ○

④ 〈보기〉 「만복사저포기」에 나타나는 현실 세계와 환상 세계는 서로 다른 질서로 이루어져 있어 환상 세계에서 이룬 성취가 현실 세계에까지 이어지지 못함

➕

작품 '당신은 다시 인간으로 돌아가셔서 옛날의 살림을 돌보심이 어떻겠습니까?'

선지➡ 양생이 여인과 이별하고 인간 세계로 돌아가야 한다는 것은, 환상 세계에서 성취된 욕망이 현실 세계에까지 이어질 수 없음을 의미하는 것으로 볼 수 있겠군. ○

⑤ 〈보기〉 양생은 불우한 삶으로 인해 현실에서 자신의 욕망을 실현하지 못함

➕

작품 '양생은 일찍이 어버이를 여읜 뒤 여태껏 장가를 들지 못하고 만복사 동쪽 골방에서 홀로 세월을 보내고 있었다.'

선지➡ 양생이 좋은 배필을 얻고자 했으나 여태껏 장가를 들지 못했다는 것은, 그가 현실 세계에서는 충족되지 못한 욕망을 안고 살아왔다는 것으로 볼 수 있겠군. ○

고전소설 독해의 STEP 1

❶ 다음 글을 읽고 등장인물을 잘 파악했는지, 빈칸에 적절한 말을 채웠는지 확인해 보세요.

📅 고3 2015학년도 6월 모평A – 작자 미상, 「흥부전」

> 흥부 마음 인후하여* 청산유수와 곤륜옥결이라. 성덕을 본받고 악인을 저어하여* 물욕에 탐이 없고 주색*에 무심하니 마음이 이러하매 부귀를 바랄쏘냐? **흥부**는 어질고 청렴한 성품의 소유자로 **부귀**를 바라지 않는 선인이라고 해. 흥부 아내 하는 말이,
>
> "애고 여봅소. 부질없는 청렴* 맙소. 안자의 가난함은 주린 염치로 서른에 일찍 죽고, 백이숙제는 주린 염치로 청루 소년이 웃었으니, 부질없는 청렴 말고 저 자식들 굶겨 죽이겠으니, 아주버님 (=놀부)네 집에 가서 쌀이 되나 벼가 되나 얻어 옵소." 흥부 아내는 가난한 처지에 흥부의 청렴한 성품을 **부질없는** 것일 뿐이라고 하면서 **자식들**이 굶지 않도록 아주버님(놀부)을 찾아가 먹을 것을 얻어오라고 요구하네.
>
> 흥부가 하는 말이,
>
> "형님 (=놀부)이 음식 끝을 보면 사촌을 몰라보고 똥 싸도록 때리는데, 그 매를 뉘 아들놈이 맞는단 말이오?" 흥부는 형님에게 **매를** 맞을까 염려하여 놀부네에 가는 것을 꺼려하고 있어.
>
> "애고 동냥은 못 준들 쪽박조차 깨칠쏜가. 맞으나 아니 맞으나 쏘아나 본다고 건너가 봅소."
>
> 장면끊기 01 흥부 아내의 말을 통해서는 **청렴**과 같은 가치보다는 먹고사는 현실의 문제를 중시하는 태도를 엿볼 수 있지. 흥부와 **아내**의 짧은 대화 이후, 놀부의 집으로 공간이 이동되면서 흥부와 놀부의 갈등 상황이 나타나므로, 여기까지를 한 장면으로 끊자.
>
> 흥부 이 말을 듣고 형의 집에 건너갈 제, 치장을 볼작시면, 편자 없는 헌 망건에 박쪼가리 관자 달고 물렛줄로 당끈 달아 대가리 터지게 동이고, 깃만 남은 중치막, 동강 이은 헌 술띠를 흉복통에 눌러 띠고, 떨어진 헌 고의에 칡 노끈 대님 매고, 헌 짚신 감발하고, 세살 부채 손에 쥐고, 서 홉들이 오망자루 꽁무니에 비슥 차고, 바람맞은 병인 같이, 잘 쓰는 대비같이, 어슥비슥 건너 달아 형의 집에 들어가서 전후좌우 바라보니, 아내의 요구에 못 이겨 **놀부(형님)**네로 향하는 흥부의 외양이 열거되며 상세하게 묘사되어. **가난한** 형편으로 인해 볼품없고 초라한 차림새임을 알 수 있지. 앞노적, 뒷노적, 멍에 노적 담불담불 쌓였으니, 흥부 마음 즐거우나 **놀부** 심사 무거하여 형제끼리 내외하여 구박이 태심하니 흥부가 하릴없어* 뜰아래서 문안하니 놀부가 묻는 말이,
>
> "네가 뉘고?"
>
> "내가 흥부요."
>
> "흥부가 뉘 아들인가?"
>
> "애고 형님, 이것이 웬 말이오? 비옵니다. 형님 전에 비옵니다. 세 끼 굶어 누운 자식 살려 낼 길 전혀 없으니 쌀이 되나 벼가 되나 양단간에 주시면 품을 판들 못 갚으며 일을 한들 못 갚을까. 부디 옛일을 생각하여 사람을 살려 주오." 자신을 모른 척하는 놀부에게 흥부가 **옛일**을 생각해 곡식을 꿔 달라고 간절히 빌고 있어.
>
> 애걸하니, 놀부 놈의 거동 보소. 성난 눈을 부릅뜨고 볼을 치며 호령하되,
>
> "너도 염치없다. 내 말을 들어 보아라. '하늘은 녹 없는 사람을 내지 않으며, 땅은 이름 없는 풀을 내지 않는다.' 네 복을 누굴

> 주고 나를 이리 보채느냐? 쌀이 있다 한들 너 주자고 노적 헐며, 벼가 많이 있다 한들 너 주자고 섬을 헐며, 돈이 많이 있다 한들 궤에 가득 든 것을 문을 열랴." 인색한 놀부는 흥부의 애원에도 곡식을 빌려줄 수 **없다**고 말하며 호통을 치고 있네.
>
> 장면끊기 02 굶고 있는 자식들의 안타까운 상황과 형제 간의 정을 이야기하며 곡식을 빌려달라고 애원(애걸)하는 흥부와 이를 단호하게 거절하며 성을 내는 놀부의 모습이 나타난 장면이었어.
>
> [중간 줄거리] 어렵게 살던 흥부는 어느 날 구렁이의 습격을 받아 다리가 부러진 제비 새끼를 구해 주고 박씨를 얻어 큰 부자가 된다.
>
> 놀부 놈의 거동 보소. 동지섣달부터 제비를 기다린다. 그물 막대 둘러메고 제비를 몰러 갈 제, 한 곳을 바라보니 한 짐승이 떠서 들어오니 놀부 놈이 보고,
>
> "제비 인제 온다."
>
> 하고 보니, 태백산 갈가마귀 차돌도 못 얻어먹고 주려 청천에 높이 떠 갈곡갈곡 울고 가니, 놀부 눈을 멀겋게 뜨고 보다가 하릴없이 동네 집으로 다니면서 제비를 제 집으로 몰아들이되 제비가 아니 온다. 놀부는 흥부가 **제비**를 구한 일로 큰 부자가 된 것을 알고는, 자신도 같은 방법으로 재물을 얻고자 제비를 집으로 몰아들이고 있는 거야.
>
> 그달 저 달 다 지내고 삼월 삼일 다다르니 강남서 나온 제비 옛 집을 찾으려 하고 오락가락 넘놀 적에 놀부 사면에 제비집을 지어 놓고 제비를 들이모니, 그중 팔자 사나운 제비 하나가 놀부 집에 흙을 물어 집을 짓고 알을 낳아 안으려 할 제, 마침내 놀부네 집에 제비 한 마리가 둥지를 틀고 알을 낳았대. 놀부 놈이 주야로 제비 집 앞에 대령하여 가끔가끔 만져 보니 알이 다 곯고 다만 하나 깨었는지라. 날기 공부 힘쓸 제 구렁배암 아니 오니 놀부 민망 답답하여 제 손으로 제비 새끼 (=그 제비)를 잡아 내려 두 발목을 자끈 부러뜨리고 제가 깜짝 놀라 이른 말이, "가련하다, 이 제비야." 하고 조기 껍질을 얻어 찬찬 동여 뱃놈의 닻줄 감듯 삼층 얼레 연줄 감듯 하여 제 집에 얹어 두었더니, 구렁이가 제비를 습격하지 않아 답답하던 놀부는 새끼 제비의 다리를 직접 부러뜨린 뒤에 치료해 줘. 장면끊기 03 놀부가 흥부처럼 큰 부자가 되고 싶은 욕심에 멀쩡한 제비의 다리를 일부러 **부러뜨리는** 내용이어서. 이후 강남으로 향한 제비를 중심으로 서술이 이루어지니, 여기서도 장면을 한 번 더 끊어 볼 수 있어. 십여 일 뒤에 그 제비가 구월 구일을 당하여 두 날개를 펼쳐 강남으로 들어가니 강남 황제 각처 제비를 점고할 제, 이 제비가 다리 절고 들어와 복지하니*, 황제 제신으로 하여금,
>
> "그 연고를 사실하여 아뢰라."
>
> 하시니, 제비 아뢰되,
>
> "작년에 웬 박씨를 내어 보내어 흥부가 부자 되었다 하여 그 형 놀부 놈이 나를 여차여차하여 절뚝발이가 되게 하였사오니, 이 원수를 어찌하여 갚고자 하나이다." 놀부 때문에 다리가 부러졌던 제비는 그 **원수**를 갚고 싶다고 해.
>
> 황제가 이 말을 들으시고 대경하사 가라사대,
>
> "이놈 이제 전답 재물이 여유롭되 동기를 모르고 오륜에 벗어난 놈을 그저 두지 못할 것이요, 또한 네 원수를 갚아 주리라."
>
> 하고 박씨 하나를 '보수표(報讐瓢)'라 금자로 새겨 주더라. 놀부의 악행을 전해들은 황제는 제비에게 원수를 갚아 주겠다고 약속하며 보수표라는 박씨를 건네주네.

장면끊기 04 놀부 때문에 절뚝발이가 된 제비가 황제에게 그 사실을 전하고, 황제로부터 원수를 갚아 주겠다는 약속과 함께 보수표를 받게 되는 내용이었어. 보수표라는 이름을 통해 놀부가 자신의 악행에 대한 죗값을 치르게 될 것임을 짐작할 수 있지.

– 작자 미상, 「흥부전」 –

*보수표: 원수를 갚는 박.

[고전 **필수** 어휘]

*인후하다: 어질고 후덕하다.

*저어하다: 염려하거나 두려워하다.

*주색: 술과 여자를 아울러 이르는 말.

*청렴: 성품과 행실이 높고 맑으며, 탐욕이 없음.

*하릴없다: 달리 어떻게 할 도리가 없다.

*복지하다: 땅에 엎드리다.

고전소설 독해의 STEP 2

1 구조도의 빈칸에 적절한 말을 채웠는지 확인해 보세요.

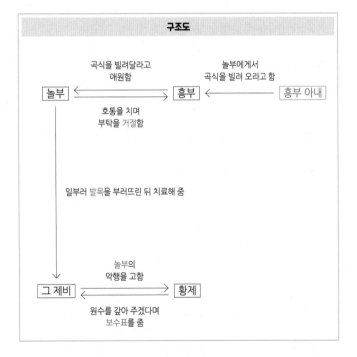

구조도

곡식을 빌려달라고 애원함
놀부 ← 흥부
호통을 치며 부탁을 거절함

놀부에게서 곡식을 빌려 오라고 함
흥부 ← 흥부 아내

일부러 발목을 부러뜨린 뒤 치료해 줌

놀부의 악행을 고함
그 제비 → 황제
원수를 갚아 주겠다며 보수표를 줌

---

2 1~2번 문제의 정답과 해설을 확인해 보세요.

1. 〈보기〉를 참고하여 윗글을 감상한 내용으로 적절하지 <u>않은</u> 것은?

〈보기〉

「흥부전」에서 흥부가 부자가 되었다는 사실을 알게 된 놀부는 자기도 더 큰 부자가 되겠다는 욕망을 품고 흥부의 행위를 악의적으로 모방하다 화를 입게 된다. 이 과정을 흥부의 경우와 비교하여 도식화하면 다음과 같다.

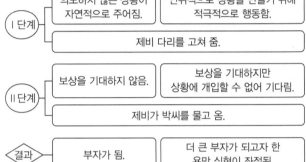

	흥부	놀부
I 단계	의도하지 않은 상황이 자연적으로 주어짐.	인위적으로 상황을 만들기 위해 적극적으로 행동함.
	제비 다리를 고쳐 줌.	
II 단계	보상을 기대하지 않음.	보상을 기대하지만 상황에 개입할 수 없어 기다림.
	제비가 박씨를 물고 옴.	
결과	부자가 됨.	더 큰 부자가 되고자 한 욕망 실현이 좌절됨.

·놀부의 모방 과정

놀부	〈보기〉의 내용	지문과의 대응
I 단계	인위적으로 상황 만들기	동지섣달부터 제비를 기다림, 제비를 집으로 들이온 후 일부러 발목을 부러뜨림
II 단계	보상을 기대하지만 상황에 개입할 수 없어 기다림	구월 구일에 제비가 강남으로 들어가 보수표를 받는 상황에 놀부는 개입하지 못함

정답풀이 〉

② '갈가마귀'를 제비로 착각하는 놀부의 모습은 〈보기〉의 'I 단계'에 속하는 것으로, 제비가 아닌 다른 새들을 몰아내는 놀부의 적극적 행동을 보여 주는군.

놀부는 '갈가마귀'를 제비로 착각하지만 이내 제비가 아닌 것을 알고 '동네 집으로 다니면서 제비를 제 집으로 몰아들이'려는 적극적 행동을 보여 준다. 윗글에 놀부가 제비가 아닌 다른 새들을 몰아내는 행동은 나타나지 않는다.

오답풀이 〉

① '동지섣달'부터 올 리 없는 제비를 찾는 놀부의 행동은 〈보기〉의 'I 단계'에 속하는 것으로, 욕망 실현을 위한 놀부의 조급성을 보여 주는군.

놀부는 제비 다리를 고쳐 주는 상황을 인위적으로 만들기 위해 '동지섣달'부터 올 리 없는 제비를 기다린다. 이는 〈보기〉의 'I 단계'에 속하는 것으로, 더 큰 부자가 되고자 하는 욕망을 실현하기 위한 놀부의 조급성을 보여 준다.

③ '삼월 삼일'에 제비를 들이모는 놀부의 행위는 〈보기〉의 'Ⅰ단계'에 속하는 것으로, 인위적으로 상황을 만들어 가는 악의적인 모방자의 모습을 보여 주는군.

> '삼월 삼일'에 제비가 돌아와 옛집을 찾으려 하니 놀부는 사면에 제비 집을 지어 놓고 제비를 들이몬다. 이는 〈보기〉의 'Ⅰ단계'에 속하는 것으로, 흥부의 행동을 악의적으로 모방하여 인위적으로 상황을 만드는 놀부의 모습을 보여 준다.

④ '구월 구일'에 제비가 강남으로 들어가는 상황은 〈보기〉의 'Ⅱ단계'에 속하는 것으로, 상황에 개입할 수 없는 놀부가 욕망 실현을 위해서 기다릴 수밖에 없음을 보여 주는군.

> '구월 구일'에 제비가 강남으로 들어갈 때, 놀부는 제비가 박씨를 가지고 돌아오기를 기다릴 뿐이다. 이는 〈보기〉의 'Ⅱ단계'에 속하는 것으로, 상황에 개입할 수 없는 놀부가 보상을 얻기 위해서 기다릴 수밖에 없음을 보여 준다.

⑤ '보수표'가 제비에게 주어지는 상황은 〈보기〉의 'Ⅱ단계'에 속하는 것으로, 놀부의 기대와는 달리 그의 욕망 실현이 좌절될 것임을 보여 주는군.

> 〈보기〉의 'Ⅱ단계'에 따라 보상을 기대하지만 상황에 개입할 수 없어 놀부가 기다리는 상황에서 '보수표'가 제비에게 주어지는데, 이는 원수를 갚는 박을 뜻하므로 더 큰 부자가 되고자 하는 놀부의 욕망이 실현될 수 없을 것임을 보여 준다.

2. 문학 개념어 OX 확인 문제

> ① ○
>
> • 해학: 남을 웃기려고 일부러 하는 말이나 행동을 통해 웃음을 유발함.
>
> 근거 흥부가 놀부의 집으로 건너갈 때 외양을 '편자 없는 헌 망건에 박쪼가리 관자 달고 물렛줄로 당끈 달아 대가리 터지게 동이고,~세살 부채 손에 쥐고, 서 홉들이 오망자루 꽁무니에 비슥 차고, 바람맞은 병인 같이, 잘 쓰는 대비같이.'처럼 해학적으로 표현함.

> ② ○
>
> • 우화: 인격화된 동식물이나 다른 사물, 혹은 다른 부류의 사람에 빗대어 비유적인 뜻을 나타내거나 풍자하는 성격을 가지는 이야기.
>
> 근거 '십여 일 뒤에 그 제비가 구월 구일을 당하여 두 날개를 펼쳐 강남으로 들어가니 강남 황제 각처 제비를 점고할 제,~박씨 하나를 '보수표'라 금자로 새겨 주더라.'에서 제비의 대화 장면을 통해 서사를 전개함.

고전소설 독해의 STEP 3

■ 1번 문제의 선지 판단 공식에 대한 답을 확인해 보세요.

〈보기〉 문제 선지 판단의 공식

① 〈보기〉 Ⅰ단계: 인위적으로 상황을 만들기 위해 적극적으로 행동함 ＋ 작품 '놀부 놈의 거동 보소. 동지섣달부터 제비를 기다린다.', '그달 저 달 다 지내고 삼월 삼일 다다르니 강남서 나온 제비 옛집을 찾으려 하고'

선지➡ '동지섣달'부터 올 리 없는 제비를 찾는 놀부의 행동은 〈보기〉의 'Ⅰ단계'에 속하는 것으로, 욕망 실현을 위한 놀부의 조급성을 보여 주는군. ○

② 〈보기〉 Ⅰ단계: 인위적으로 상황을 만들기 위해 적극적으로 행동함 ＋ 작품 '"제비 인제 온다." 하고 보니, 태백산 갈가마귀 차돌도 못 얻어먹고 주려 청천에 높이 떠 갈곡갈곡 울고 가니,~제비를 제 집으로 몰아들이되 제비가 아니 온다.'

선지➡ '갈가마귀'를 제비로 착각하는 놀부의 모습은 〈보기〉의 'Ⅰ단계'에 속하는 것으로, 제비가 아닌 다른 새들을 몰아내는 놀부의 적극적 행동을 보여 주는군. ✕

③ 〈보기〉 Ⅰ단계: 인위적으로 상황을 만들기 위해 적극적으로 행동함 ＋ 작품 '삼월 삼일 다다르니 강남서 나온 제비 옛집을 찾으려 하고 오락가락 넘놀 적에 놀부 사면에 제비 집을 지어 놓고 제비를 들이모니'

선지➡ '삼월 삼일'에 제비를 들이모는 놀부의 행위는 〈보기〉의 'Ⅰ단계'에 속하는 것으로, 인위적으로 상황을 만들어 가는 악의적인 모방자의 모습을 보여 주는군. ○

④ 〈보기〉 Ⅱ단계: 보상을 기대하지만 상황에 개입할 수 없어 기다림 ＋ 작품 '그 제비가 구월 구일을 당하여 두 날개를 펼쳐 강남으로 들어가니'

선지➡ '구월 구일'에 제비가 강남으로 들어가는 상황은 〈보기〉의 'Ⅱ단계'에 속하는 것으로, 상황에 개입할 수 없는 놀부가 욕망 실현을 위해서 기다릴 수밖에 없음을 보여 주는군. ○

⑤ 〈보기〉 Ⅱ단계: 보상을 기대하지만 상황에 개입할 수 없어 기다림 ＋ 작품 '황제가 이 말을 들으시고 대경하사~네 원수를 갚아 주리라." 하고 박씨 하나를 '보수표'라 금자로 새겨 주더라.'

선지➡ '보수표'가 제비에게 주어지는 상황은 〈보기〉의 'Ⅱ단계'에 속하는 것으로, 놀부의 기대와는 달리 그의 욕망 실현이 좌절될 것임을 보여 주는군. ○

하루 30분, 고전소설 트레이닝

고전소설 독해의 STEP 1

1 다음 글을 읽고 등장인물을 잘 파악했는지, 빈칸에 적절한 말을 채웠는지 확인해 보세요.

📅 고3 2014학년도 7월 학평B – 작자 미상, 「장국진전」

[앞부분의 줄거리] 명나라 때, 전 승상의 아들로 태어난 **장국진**은 달마국의 침입으로 어려서 부모와 이별하고 죽을 고비를 넘긴다. 그 후 **여학도사**의 가르침을 받고 장원급제하여 **계양(이 부인)**과 혼인한다. **달마왕**이 재차 명나라를 침입하자 국진이 이를 막기 위해 나섰으나 병이 들어 위기에 처한다. 이때 이 부인이 남장을 하고 전장으로 달려가 국진을 돕고 그의 병을 치료한다. 현재는 **명나라**에 침입한 달마왕과 전쟁이 이루어지는 중으로, **장국진**의 아내인 계양(이 부인)이 남장을 하고 전장으로 가 남편의 병을 치료하면서 **위기**에서 벗어나려는 상황이구나.

백운도사와 **오금도사**는 국진의 회복으로 명나라 진영에 새로운 변화가 왔음을 능히 알 수 있더라. 두 도사는 병세로 인해 진문을 굳게 닫고 있던 국진이 회복하여 싸우러 나오리라는 것을 벌써부터 훤히 알고 있음이더라.

도사들은 그들의 지혜를 가지고도 이 부인의 정체를 알아보지는 못하는 듯하더라. 그러나 그들의 포위를 헤치고 나가는 용감한 태도로 보아 천하의 명장이요, 혹시나 여학도사가 보낸 장군인지도 모른다고 생각하더라. 더구나 이 **알 수 없는 장군**(=이 부인)이 명나라 진에 들어가 국진의 병을 고쳐 주었으니, 그 재주의 비범함은 틀림없다고 짐작하더라. 이에 도사들은 진세*를 바꾸지 않으면 아니된다고 주장하더라. 백운도사와 오금도사는 국진이 병에서 나았으니 **명나라** 진영이 수비에서 공격 태세로 바뀔 것이라고 예상해. 하지만 국진을 치료한 장군(이 부인)의 정체는 알지 못하고, 국진의 스승인 **여학도사**가 보냈을지도 모른다고 생각하지.

이렇게 하여, 달마왕과 **천원왕**은 포위진을 뜯어 자기의 군사를 원래의 진영으로 다시 정리하더라. **장면끊기 01** 백운도사와 오금도사가 국진이 회복했음을 파악하고, 달마왕의 진영을 다시 정리하는 장면이야. 두 도사의 주장에 달마왕과 천원왕이 진영을 정리했다는 것에서 두 도사와 천원왕이 **명나라**를 적대하는 달마왕과 같은 편임이 드러나지. 이후 달마왕과 천원왕 진영에서 명나라 진영을 연이어 공격하는 내용이 전개되니, 여기에서 한번 장면을 끊었어. 이런 다음 천원왕은 예의 용천금을 휘두르며 적진으로 호통을 치면서 달려 나가더라. 이에 국진과 이 부인은 서로 나가겠다고 한동안 승강이를 벌였으나, 국진은 이 새로운 **사촌 처남**(=이 부인)의 열의에 어쩔 도리 없이 양보하더라.

이 부인은 천원왕과 마주 싸우니, 보이지 않는 **선녀들**이 비호한 이 부인의 대담무쌍한 모습은 보는 이로 하여금 격찬을 불러일으키게 할 정도라. 그것을 보고 누가 이 부인을 감히 여자라고 말할 것인가. 따라서 국진이 이 부인을 자기의 처남이라고 생각하는 것도 당연한 귀결이라. 이 부인은 남장한 자신을 국진의 **사촌 처남**이라고 소개한 모양이네. 국진은 자신과 승강이를 벌이고는 **대담무쌍**하게 천원왕과 맞서 싸우는 이 장수가 자신의 아내일 것이라고는 생각하지 못했어.

이 부인은 천원왕과 같은 천하 명장을 고양이가 쥐를 잡듯하니, 이를 보는 국진으로서는 그 통쾌한 솜씨에 자신도 모르게 탄복할 따름이더라.

이러한 놀라움과 찬탄은 적진에서도 마찬가지라. 백운도사와 오금도사는 흥분해서 바라보고 있을 정도였고, 그중에서도 오금도사는 천원왕의 위험을 간파하고는 재빨리 징을 쳐 그를 돌아오게끔 하더라.

땀을 흘리며 지쳐 돌아온 천원왕은 자기의 피로도 잊은 채 적장을 칭찬하기에 정신이 없더라. 그의 말에 따르면, 이 부인은 국진보다 몇 배나 더한 신출귀몰(神出鬼沒)*한 명장이더라. 이 부인이 천원왕을 제압하는 솜씨에 같은 편인 **국진**뿐 아니라, 적진에 있는 백운도사와 오금도사, 심지어는 전투 상대인 **천원왕**까지도 감탄스러워했다고 해.

장면끊기 02 이 부인이 명나라 진영을 공격해 온 **천원왕**을 압도적인 능력으로 제압하는 장면이야. 같은 진영과 적진 모두의 찬탄을 산 것에서 **이 부인**의 비범한 능력이 드러나지. 다음은 달마왕의 습격이 이어지니, 여기서 장면을 끊자.

날은 캄캄하여, 이튿날 동이 트기도 전에 천원왕은 어제의 분패*를 씻으려 나서자, 달마왕이 그를 밀어내고 앞질러 적진으로 나아가더라. 이에 이 부인이 그들 앞으로 나서니, 달마왕이 이 부인을 막아 격전을 벌이더라.

서로의 싸움은 한동안 승패 없이 이어진 듯도 하니 좋은 적수를 만난 것 같기도 하더라. 그러나 얼마 가지 않아, 국진과의 싸움에서처럼 달마왕은 말에서 떨어져 하마터면 이 부인의 비린도에 맞아 머리통이 부서질 뻔하더라. 이것을 본 천원왕이 서둘러 구출하여 제 진으로 돌아가더라. **달마왕**은 한동안 이 부인과 호각으로 싸웠지만, 얼마 가지 않아 말에서 떨어졌다. 이와 비슷한 일이 **국진**과의 싸움에서도 있었던 모양이야. **천원왕**의 구출로 간신히 살아서 진으로 돌아가게 됐네.

장면끊기 03 천원왕 대신 적진으로 나아간 달마왕 역시 이 부인에게 **패배**하게 되면서 이 부인의 비범함이 강조되는 장면이야. 하지만 적도 가만히 있지는 않겠지? 이어지는 장면에서 다시 적진의 반격이 이어지니, 여기서 장면을 끊자.

그런 후, 격분한 천원왕은 급히 말을 몰아 이 부인과 싸우더라. 얼마간 싸웠을 때, 천원왕의 용천금이 허공에서 번쩍하고 불이 나는 듯하더니, 그는 온힘을 다하여 용천금을 내리치더라. 이 때문에 이 부인의 비린도가 반 가량 부서지더라. **천원왕**이 다시 덤벼서, 자신의 무기인 **용천금**으로 이 부인의 무기인 **비린도**를 부수고 말았네. 계속 승승장구하던 이 부인이 처음으로 위기를 겪게 된 듯해.

이 유일한 무기를 잃었으니 이 부인은 이제 어찌할 것인가? 그러나 이 부인의 비범한 재주는 이를 뛰어넘고도 남을 만하더라. 이 부인은 남은 비린도를 어루만지며 입 속으로 주문(呪文)을 외우자 비린도가 칠척 장검으로 변하는 것이 아닌가. 이에 천원왕은 싸울 기력을 잃고 말았으니, 적장의 비범한 재주에 놀라 하염없이 무릎을 꿇고 빌고 싶을 정도라. 이 부인은 위기 상황을 가볍게 극복하네. 천원왕과 달마왕을 상대하여 우세하게 싸울 만큼 장수로서의 능력도 뛰어났는데, 주문을 외워서 부서진 비린도를 **칠척 장검**으로 바꿔버리는 신이한 능력까지 발휘하니 천원왕은 싸울 **기력**을 잃고 말았어.

장대에서 이것을 지켜보던 오금도사와 백운도사가 각각 최후의 그들의 유일한 무기인 물병과 화전을 손에 내어 들더라. 백운도사가 필사의 힘을 다하여 먼저 **적장**(=이 부인)을 향해 화전을 흔드니, 화전이 대번에 불로 화하며 이 부인을 감싸더라. 이를 보는 백운도사의 얼굴에는 승리의 미소가 가득하더라.

다음 순간, 놀랄 만한 일이 그들 앞에 일어나더라. 이 부인은 불에 싸이자 선녀를 명하여 폭포수를 내려 이 불을 끄라고 하달(下達)하니, 두 선녀는 허공에 솟아올라 폭포수를 쏟아 내더라. 이에 불도, 화전도 쓰일 바 없으며 폭포수에 간 곳조차 없더라. 백운도사는 화전을 흔들어 신비한 능력으로 이 부인을 불길로 감쌌지만, 이 부인은 선녀에게 폭포수를 내려 불을 끄라고 명령함으로써 위기에서 벗어났어. 이를 본 오금도사가 이 때라고 생각하고 물병을 기울더라. 그 결과 순식간에 홍수가 되어 명나라 진영으로 그 물은 흘러가니, 황하의 홍수도 이토록 거창하다면 우임금의 구년치수(九年治水)*를 애초부터 단념시켰을지 모를 일이라.

이 부인은 다시 선녀를 불러 이 물을 적진으로 돌리라고 명하니 두 선녀는 순식간에 그것을 바다로 만들어 적진으로 향하게 하니, 달마국의 백만 군사와 천원국의 이백만 군사는 삽시간에 형체조차 찾을 길 없이 바닷물에 쓸려 가더라. 오금도사는 물병을 기울여 명나라 진영으로 홍수를 흘려보냈지만, 이 부인은 선녀에게 명령하여 그 물을 바다로 만들어 적진으로 보내버려. 이에 달마왕과 천원왕을 따르는 달마국과 천원국의 군사는 속절없이 바닷물에 쓸려 가버렸네.

이에 국진은 천원왕을 뒤쫓고, 이 부인은 달마왕을 뒤쫓아 달려가더라. 백운도사와 오금도사를 비롯하여 숱한 도사들은 제각기 술법을 다해 이들을 막으며, 두 왕을 멀리 화룡산으로 보호해 피하더라. 이로써 그들은 전쟁을 포기할 수밖에 달리 방법이 없더라. 상황이 명나라에 유리해지자 국진과 이 부인은 각각 천원왕과 달마왕을 뒤쫓고, 도사들은 두 왕을 화룡산으로 피신시켜.

장면끊기 04 천원왕, 백운도사, 오금도사의 공격을 받은 이 부인이 신이한 능력을 발휘해 위기 상황을 극복하고 전쟁에서 승리하는 장면이야. 부서진 무기를 장검으로 바꾸고, 선녀를 불러 도사들의 술법에 대응하면서 압도적인 힘을 발휘하는 이 부인의 능력이 재차 강조되어 나타나는 장면이지.

— 작자 미상, 「장국진전」 —

*구년치수(九年治水): 9년 동안 홍수를 다스림.

고전 필수 어휘

*진세: 진영(陣營)의 형세.
*신출귀몰: 귀신같이 나타났다가 사라진다는 뜻으로, 그 움직임을 쉽게 알 수 없을 만큼 자유자재로 나타나고 사라짐을 비유적으로 이르는 말.
*분패: 경기나 싸움 따위에서 이길 수 있었던 것을 분하게 짐.

고전소설 독해의 STEP 2

1 구조도의 빈칸에 적절한 말을 채웠는지 확인해 보세요.

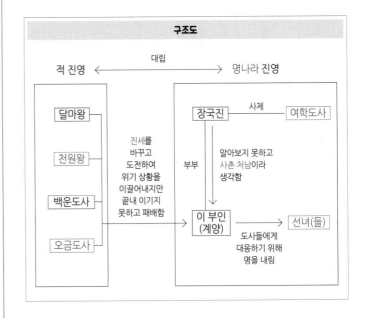

ℤ 1~2번 문제의 정답과 해설을 확인해 보세요.

1. 〈보기〉를 참고하여 윗글을 감상한 내용으로 가장 적절한 것은?

─〈보기〉─

조선 사회는 남성 위주의 가부장적 사회였으며 그로 인해 여성들의 활동은 많이 위축되었다. 이러한 사회적 분위기 속에서 영웅적 여성의 활약상이 두드러진 소설은 여성들에게 많은 인기를 끌었다. 남성 위주의 가부장적 조선 사회에서 활동이 위축된 여성들은, 영웅적 여성의 활약상이 두드러지는 소설을 즐겨 봄

정답풀이

④ '이 부인'이 비범한 능력으로 영웅적인 활약을 하는 모습을 통해 당대 여성들은 현실에서 느끼지 못했던 만족감을 느낄 수 있었겠군.

> 윗글에서 이 부인은 천원왕과 달마왕을 무력으로 제압하고, 도사들의 술법을 초월적인 능력으로 이겨내는 등 비범한 능력을 발휘한다. 〈보기〉에서 이렇듯 영웅적 여성의 활약상이 두드러지는 소설은 가부장적 사회에서 활동이 위축되어 있던 조선 시대의 여성들에게 많은 인기를 끌었다고 했다. 따라서 윗글에 제시된 이 부인의 영웅적인 모습은 당대 여성들이 현실적 제약으로 인해 느끼지 못했던 만족감을 주었을 것이다.

오답풀이

① '이 부인'이 남장을 하고 남편을 대하는 것을 통해 '국진'에게 자신의 능력을 과시하려 했음을 알 수 있군.

> 윗글에서 남장을 한 이 부인이 자신을 사촌 처남으로 알고 있는 국진과 천원왕과의 싸움을 두고 '서로 나가겠다고 한동안 승강이를 벌였'던 것은 맞으나, 이것이 자신의 능력을 과시하기 위함이었다고 볼 근거는 없다.

② '이 부인'이 전쟁에서 승리하는 것을 통해 당시의 여성에게 자아실현 기회가 많았음을 짐작할 수 있겠군.

> 이 부인의 활약으로 인해 적진이 '전쟁을 포기'하게 되면서 이 부인이 전쟁에서 승리하는 것은 맞으나, 〈보기〉에 따르면 조선 사회의 여성들은 가부장적 사회의 질서로 인해 활동이 많이 위축된 상태였으므로 당대 여성에게 자아실현 기회가 많았다고 보기는 어렵다.

③ '국진'이 자신의 아내를 알아보지 못하는 무지함을 통해 가정에서 남편과 아내의 지위가 변화했음을 추측할 수 있군.

> 국진이 자신의 아내를 알아보지 못하고 '사촌 처남'으로 생각하고 상대가 천원왕과 맞설 수 있도록 양보의 태도를 보이기는 하였으나, 이로 인해 지위가 변화하게 되지는 않는다. 또한 〈보기〉에 따르면 조선 사회는 '남성 위주의 가부장적 사회'였으므로, 남편과 아내의 지위 변화가 나타났다고 추측하기는 어렵다.

⑤ '국진'이 적장과의 싸움에 '이 부인'이 나서는 것을 만류하는 행동을 통해 가부장적 사회에서 여성에게 가해졌던 제약을 짐작할 수 있겠군.

> 천원왕이 적진에서 '용천금을 휘두르며' 달려 나올 때 국진은 남장한 이 부인과 '서로 나가겠다고 한동안 승강이'를 벌이지만, 결국에는 상대의 열의에 자신의 의지를 꺾고 양보의 태도를 보인다. 이는 국진이 상대가 자신의 아내 (여자)임을 알지 못한 상황에서 벌어진 일이므로, 국진이 상대를 만류하는 행동이 여성에 대한 가부장적 사회의 제약을 나타낸다고 볼 수는 없다.

2. 문학 개념어 OX 확인 문제

① ○

• 긴박: 매우 다급하고 절박함. '긴박한 상황', '긴박한 분위기', '긴박감' 등과 같은 개념을 판단할 때는 지문의 내용이 긴박하고 긴장감이 있는지를 먼저 고려하도록 함. 짧은 호흡의 문장을 반복하거나 장면의 전환이 빈번하다고 하더라도, 긴박하거나 긴장감이 있는 내용이 아니라면 긴박하거나 긴장감이 있다고 할 수 없음.

> **근거** 윗글은 전쟁터를 배경으로 하여 이 부인과 적진의 천원왕, 달마왕, 백운도사, 오금도사와의 대결을 연이어 빠른 속도로 전개하면서 긴박한 분위기를 조성하고 있음.

② ✕

• 과장: 사실보다 지나치게 불려서 나타냄.
• 비극: 인생의 슬프고 애달픈 일을 당하여 불행한 경우를 이르는 말.

> **근거** 이 부인이 비범한 능력으로 상대를 압도하는 부분에서 과장된 서술이 나타났다고 볼 수 있지만, 이를 통해 비극성을 강화하고 있는 것은 아님.

고전소설 독해의 STEP 3

■ 1번 문제의 선지 판단 공식에 대한 답을 확인해 보세요.

〈보기〉 문제 선지 판단의 공식

① 〈보기〉 가부장적인 조선 사회에서 영웅적 여성의 활약상이 두드러진 소설은 여성들에게 많은 인기를 끌었음

＋

작품 '국진과 이 부인은 서로 나가겠다고 한동안 승강이를 벌였으나, 국진은 이 새로운 사촌 처남의 열의에 어쩔 도리 없이 양보하더라.'

선지➡ '이 부인'이 남장을 하고 남편을 대하는 것을 통해 '국진'에게 자신의 능력을 과시하려 했음을 알 수 있군. ✕

② 〈보기〉 조선 사회는 남성 위주의 가부장적 사회였으며 그로 인해 여성들의 활동이 많이 위축됨

＋

작품 '이에 국진은 천원왕을 뒤쫓고, 이 부인은 달마왕을 뒤쫓아 달려가더라.~이로써 그들은 전쟁을 포기할 수밖에 달리 방법이 없더라.'

선지➡ '이 부인'이 전쟁에서 승리하는 것을 통해 당시의 여성에게 자아실현 기회가 많았음을 짐작할 수 있겠군. ✕

③ 〈보기〉 조선 사회는 남성 위주의 가부장적 사회였으며 그로 인해 여성들의 활동이 많이 위축됨

＋

작품 '이 부인의 대담무쌍한 모습은 보는 이로 하여금 격찬을 불러일으키게 할 정도라. 그것을 보고 누가 이 부인을 감히 여자라고 말할 것인가.'

선지➡ '국진'이 자신의 아내를 알아보지 못하는 무지함을 통해 가정에서 남편과 아내의 지위가 변화했음을 추측할 수 있군. ✕

④ 〈보기〉 영웅적 여성의 활약상이 두드러진 소설은 가부장적 사회에서 활동이 많이 위축된 조선 사회의 여성들에게 많은 인기를 끌었음

＋

작품 '이 부인은 천원왕과 같은 천하 명장을 고양이가 쥐를 잡듯 하니', '이 부인은 남은 비린도를 어루만지며 입 속으로 주문을 외우자 비린도가 칠척 장검으로 변하는 것이 아닌가.', '이 부인은 불에 싸이자 선녀를 명하여 폭포수를 내려 이 불을 끄라고 하달하니', '이 부인은 다시 선녀를 불러 이 물을 적진으로 돌리라고 명하니'

선지➡ '이 부인'이 비범한 능력으로 영웅적인 활약을 하는 모습을 통해 당대 여성들은 현실에서 느끼지 못했던 만족감을 느낄 수 있었겠군. ◯

⑤ 〈보기〉 조선 사회는 남성 위주의 가부장적 사회였으며 그로 인해 여성들의 활동은 많이 위축됨

＋

작품 '국진과 이 부인은 서로 나가겠다고 한동안 승강이를 벌였으나, 국진은 이 새로운 사촌 처남의 열의에 어쩔 도리 없이 양보하더라.'

선지➡ '국진'이 적장과의 싸움에 '이 부인'이 나서는 것을 만류하는 행동을 통해 가부장적 사회에서 여성에게 가해졌던 제약을 짐작할 수 있겠군. ✕

고전소설 독해의 STEP 1

1 다음 글을 읽고 등장인물을 잘 파악했는지, 빈칸에 적절한 말을 채웠는지 확인해 보세요.

📅 고3 2018학년도 10월 학평 – 작자 미상, 「용문전」

이때에 호국 강변에 한 사람이 있으되, 성은 용이요 명은 훈이니, 대대로 명가(名家)의 자손이라. 본래 벼슬길에 뜻이 없어 강호에 놀기와 동산에 밭 갈기를 일삼으나, 다만 슬하에 자식 없음을 부부 매일 한탄하기를 마지아니하더니, 일일은 용훈이 앙천 탄 왈,
  "대대로 무후(無後)치 아니하더니, 내게 와서 후사*가 끊일 줄을 어찌 알리오." *호국 강변에 살던 명망 높은 가문의 자손인 용훈은 후사를 얻지 못해 한탄하고 있어.*
하며 자탄함을 마지아니하거늘, 부인 관 씨 대 왈,
  "불효 삼천에 무후한 죄 크다 하오니, 옛법으로 의논컨대 첩을 내침 직하오나 군자의 후하신 덕을 깊이 생각하와 지금 존문에 의탁하였으나, 봄날에 살얼음판을 디딘 듯하와 어찌 마음이 안연하리이까. 잠깐 듣사오니 태항산 천축사라는 절에 올라가오면 삼불이 극히 영험하시다 하오니, 고단함을 생각지 마시고 첩으로 더불어 정성으로 발원*코자 하나이다." *관 씨는 남편인 용훈에게 태항산 천축사에 올라가 후사를 내려달라고 정성으로 발원하자고 제안해.*
용훈이 왈,
  "빌어 자식을 낳을진대 천하에 무자(無子)한 자 뉘 있으리까. 그러하오나 한스러운 인생이오니 세존에게 정성으로 발원하여 보사이다."

장면끊기 01 첫 번째 장면은 용훈이 후사를 얻지 못해 한탄하자 부인 관 씨가 태항산 천축사에 올라가 정성으로 발원해 보자고 제안하는 대화의 내용이 제시되었어. 이후 공간적 배경이 변하여 두 사람이 천축사로 가서 세존에게 자손을 내려 달라고 비는 내용이 전개되니 장면을 끊어 보자.

하고, 즉시 태항산 천축사에 올라가 전조 단발하고 삼칠일 목욕재계 후에 불전에 공양 축원하며 반년이나 지내니 외려 산속의 절에서 불도를 닦는 독실한 속인이겠더라. *용훈 부부는 깨끗한 몸과 마음으로 소원을 빌기 위해, 머리를 깎고 이십여 일 동안 목욕재계를 한 후, 산속의 절에서 공양 축원하며 반년이나 지냈나 봐.*
일일은 부인 관 씨 일몽(一夢)을 얻으니, 동해에서 동자(=용문) 일인이 올라와 부인께 세 번 절하고 여쭈오되,
  "소자(=용문)는 천상 삼십삼천 도인도 차지하옵는 신장(神將)(=용문)이옵더니, 옥황의 명을 받자와 '홍해국 태자를 베라' 하교하시매 그 명을 받들었지만, '정말 가서 베고 왔는지 믿지 못하겠다' 하시고 세상에 내치시매 갈 바를 아지 못하옵더니, 마침 천축사 세존께옵서 '부인께 의탁하라' 하시오매 왔사오니, 부인은 어여삐 여기소서." *관 씨는 꿈에서 천상계의 인물인 신장을 만났는데, 그는 홍해국 태자를 베라는 옥황(상제)의 명을 수행하였으나, 옥황상제가 이를 믿지 못하겠다고 하며 자신을 내쳤기 때문에 천축사 세존의 말에 따라 관 씨에게 의탁하기 위해 왔다고 했어.*
하거늘, 부인이 반가이 여겨 품 안에 안다가 깨니 남가일몽이라. 즉시 용훈을 깨워 몽사를 여쭈오니, 용훈이 크게 기뻐 즉시 집으로 내려와 생남(生男)하기를 바라더니, 과연 그달부터 태기 있어 십칠 삭 만에 생남하매, 용의 기상이요, 범의 머리며 곰의 등이요, 용의

허리며 잔나비의 팔이라. 소리 웅장하여 큰북 소리 같고, 비록 강보에 있으나 기골이 장대하고 이빨이 두 줄로 박히고 앞니가 밖으로 한 치나 내밀었으니, *관 씨는 태몽을 꾸고 남자아이를 낳아. 아이의 외양을 구체적으로 묘사하여 영웅적 면모를 지녔음을 암시하고 있네.* 훈이 크게 기뻐 왈,
  "이 아이 기상을 보오니 옛날 명인의 풍도를 간직하였으매 어찌 즐겁지 아니하리오."
하고 이름을 문이라 하고 자는 벽력이라 하였다. *용훈은 아이의 기상을 보고 명인의 풍채와 태도를 지녔다고 생각하며 즐거워했고, 이름을 문이라고 지었어.*

장면끊기 02 두 번째 장면은 관 씨의 제안대로 용훈 부부가 태항산 천축사에 올라가 반년 동안 불도를 닦다가, 관 씨가 태몽을 꾸고 용문을 낳는 내용이 제시되었어. 중략 이후에는 새로운 전개가 펼쳐지니 여기에서 장면을 끊자.

(중략)

연화 도사 왈,
  "이 아이 상을 보니 반드시 귀인이 될 것이니, 부자 정리에 떠나보내기 애달프겠지만 천명을 어기지 말고 노인(=연화 도사)에게 맡기시면 장래 귀히 되리이다."
훈이 다시 일어나 절하고 여쭈오되,
  "하찮은 집안에서 태어난 아이를 선생(=연화 도사)께옵서 귀인이 되게 하옵소서." *용문의 모습을 보고 귀인이 될 것임을 안 연화 도사는 용문을 자신에게 맡길 것을 용훈에게 제안하고, 용훈은 이를 허락했어.*
하며 즉시 용문을 허락하거늘, 도사 용문을 데리고 연화산에 들어가 천문 지리, 육도삼략과 황석공의 병법을 팔 년을 가르치니, 용문의 지략과 기량이 천지간 영웅 준걸이라.
  도사 왈,
  "이제는 술법을 배웠으니 대업을 이룰지라. 빨리 돌아가 빛난 재주를 세상에 베풀고 어진 성군을 만나 웅장한 이름을 천추에 전하도록 하라. 성군을 만나지 못할진대 너의 선생을 용납하게 말라." *연화 도사는 용문을 데리고 연화산으로 들어가 팔 년 동안 천문 지리부터 병법까지 두루 가르쳤고, 그 결과 용문은 영웅적 자질을 떨쳤어. 그러자 연화 도사는 용문에게 돌아가 성군을 만나 대업을 이루라고 했어.*
하니 용문이 두 번 절하고 여쭈오되,
  "소자 팔 년을 선생 문하에 머물러 높은 재주를 배웠사오니, 어찌 선생의 교훈을 일분이나 어기리이까."
하고 하직을 아뢰니 도사 왈,
  "부디 좋은 때를 잃지 말라."
하시더라.

장면끊기 03 세 번째 장면은 용문이 팔 년 동안 술법을 배우고 연화산을 떠나며 하직하는 내용이야. 이후 산문 밖에서 부모와 재회하는 내용이 전개되니 여기서 장면을 끊을 수 있어.

용문이 산문 밖에 나와 부모(=용훈+관 씨)께 뵈오니, 부모가 크게 기뻐 팔 년 그리던 정을 못내 애연하더라. 인하여 용문이 선생 말씀을 낱낱이 여쭈니, 용훈의 부부 연화 도사를 향하여 은혜를 못내 칭찬하더라. *용훈 부부는 용문의 말을 듣고 연화 도사의 은혜에 고마움을 느끼고 있어.*
용문이 일일은 강변에 나아가 명랑한 달빛을 따라 배회하더니, 먼 데서 크게 불러 왈,
  "내 말이 사나와 내 자식을 물어 죽이고 강을 건넜으니, 그 말을 잡아 주면 은혜를 갚으리라."

하거늘, 용문이 그 소리를 듣고 돌아보니 과연 말이 강변에 섰으되, 높기는 칠 척이요 눈은 방울 같고 몸이 불빛 같더니 진실로 적토마라. 용문이 크게 기뻐하거늘, 그 사람이 가로되,

"이 말을 장군(=용문)께 드리러 왔나이다. 이 말은 능히 운무를 따르며 한번 채치면 능행만리하고 한번 소리를 한즉 태산과 하해가 뒤눕는 듯하니, 마땅히 장군의 재주를 베풀지라." 용문은 강변을 배회하던 중 자식을 물어 죽인 말을 잡아달라는 소리를 듣게 돼. 이후 그 사람은 강변에선 말을 보고 기뻐하는 용문을 장군이라 부르며, 자신은 적토마를 용문에게 주기 위해 찾아왔다고 말하지.

하고 말을 마치며 문득 간 데 없거늘, 심중에 크게 기뻐 즉시 말에 올라 시험할새 적토마 한번 소리하며 네 굽을 놀리니, 빠르기 살과 나는 제비라도 미치지 못할러라. 장면끊기 04 네 번째 장면에는 용문이 산문 밖에 나와 부모께 인사하고 강변에서 배회하다가 적토마를 얻게 되는 이야기가 제시되었어.

한곳에 다다르니 층암절벽상에 한 동자가 머리에 벽도관을 쓰고, 몸에 청룡포를 입고 암상(巖上)으로 내려와 읍하여 왈,

"소자(=동자)는 천상 옥황상제의 명을 받자와 전장 기계(戰場器械)를 장군에게 전하나이다. 차후에 은혜를 잊지 말으소서." 이번에는 한 동자가 나타나 천상의 옥황상제의 명령으로 전장 기계를 전달하고 있어. 중략 이전에 관 씨가 꾸었던 태몽에서 암시한 것과 같이 용문은 천상계와 연결된 영웅적 인물이기에 신이한 물건을 획득해 가는 모습이 나타난 것으로 볼 수 있어.

하고 문득 간 데 없는지라. 용문이 괴이히 여겨 동자가 섰던 곳으로 나아가 보니, 석함(石函)이 놓여 있으되 광채 찬란하고 전면에 금자로 새겼으되, '명국 대사마 장군 용문 친집개탁하라' 하였거늘, 용문이 생각하되, '우리 대대로 호국 사람인데 석함에 명국 대사마 장군이라 하였으니, 유유한 천의*를 알지 못하거니와 호국 왕상이 천의를 범코자 하기로, 하늘이 나를 호국을 배반하고 명국에 돌아가 대장이 되게 하온 일인가, 명국을 내 함몰하고 통합하게 하온 일인지 장래를 보자.' 하고 강을 향하여 사례하고, 갑주를 갖추고 용천검을 들며 말에 올라 산하에 내려와 청수강을 바라보며 말을 채쳐 재주를 시험하니, 적토마가 한번 솟으며 소리하니 천지가 무너지는 듯하며 검광은 일월을 희롱하는지라. 용문은 호국 사람임에도 '명국 대사마 장군 용문'이라고 새겨진 석함의 글을 보고 자신의 장래에 대해 궁금해해. 석함 안에는 갑주와 용천검 같은 전장 기계가 있었고, 이를 갖추고 적토마에 오른 용문의 모습은 천지를 무너뜨릴 듯 용맹했어.

장면끊기 05 다섯 번째 장면은 층암절벽에서 벽도관을 쓴 동자를 만난 후 그 자리에서 석함을 발견하는 이야기가 제시되었어. 강변에서 층암절벽으로 공간을 이동하면서 신물(신령스럽고 기묘한 물건)을 획득하는 과정이 나타나 있지.

— 작자 미상, 「용문전」 —

고전 필수 어휘

*후사: 대를 잇는 자식.

*발원: 신이나 부처에게 소원을 빎. 또는 그 소원.

*천의: 하늘의 뜻.

고전소설 독해의 STEP 2

1 구조도의 빈칸에 적절한 말을 채웠는지 확인해 보세요.

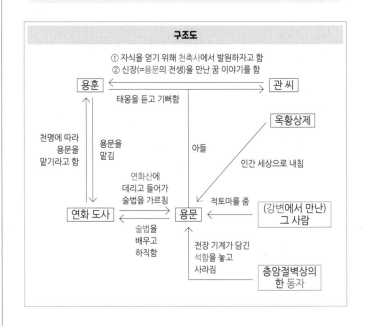

2 1~2번 문제의 정답과 해설을 확인해 보세요.

1. 〈보기〉를 읽고 윗글에 대해 파악한 내용으로 적절하지 않은 것은?

〈보기〉

영웅 소설에서는 주인공의 영웅성을 드러내기 위한 서사적 장치들이 활용된다. 가령 꿈을 통해 주인공이 천상계와 연결된 고귀한 혈통임을 알려 주거나 특이한 외양을 타고나도록 한다. 영웅 소설에서 주인공의 영웅성을 드러내는 장치: ① 천상계와 연결되어 고귀한 혈통임을 알려 주는 꿈, ② 특이한 외양 묘사 그리고 주인공에게 신물을 전해 주거나 영웅적 능력을 갖출 수 있도록 도움을 주는 인물들을 등장시키기도 한다. ③ 주인공에게 신물을 전해 주는 인물, ④ 주인공이 영웅적 능력을 갖출 수 있도록 돕는 인물

정답풀이

④ 적토마를 전달하는 인물을 등장시켜 용문이 천상계 인물임을 스스로 깨닫게 하고 있군.

〈보기〉에서 주인공의 영웅성을 드러내기 위해 '꿈을 통해 주인공이 천상계와 연결된 고귀한 혈통임을 알려' 준다고 했고, '주인공에게 신물을 전해 주'는 인물들을 등장시키기도 한다고 했다. 윗글에서는 용문에게 적토마를 전달하는 인물이 등장하기는 하지만, 용문은 적토마를 받고 기뻐할 뿐 자신이 천상계 인물임을 스스로 깨닫는 모습은 나타나지 않는다.

오답풀이

① 관 씨의 태몽을 통해 용문이 천상계와 연결된 고귀한 혈통임을 알려 주고 있군.

〈보기〉에서 영웅 소설에서는 주인공의 영웅성을 드러내기 위해 '꿈을 통해 주인공이 천상계와 연결된 고귀한 혈통임을 알려' 준다고 했다. 관 씨는 천상계의 인물인 신장을 만나는 꿈을 꾼 후 용문을 낳았다. 이를 고려하면 관 씨의 태몽을 통해 용문이 천상계와 연결된 고귀한 혈통임을 알려 준 것이라 할 수 있다.

② 갓 태어난 용문의 외양에 대한 묘사를 통해 용문의 영웅성을 암시하고 있군.

〈보기〉에서 영웅 소설에서는 주인공의 영웅성을 드러내기 위해 주인공이 '특이한 외양을 타고나도록 한다.'라고 했다. 윗글에서는 갓 태어난 용문의 외양을 '용의 기상이요, 범의 머리며~앞니가 밖으로 한 치나 내밀었으니'라고 묘사함으로써 용문의 영웅성을 암시하고 있다고 볼 수 있다.

③ 육도삼략과 병법 등을 용문에게 가르치는 연화 도사를 등장시켜 용문이 영웅적 능력을 갖출 수 있도록 하고 있군.

〈보기〉에서 영웅 소설에서는 주인공의 영웅성을 드러내기 위해 주인공에게 '영웅적 능력을 갖출 수 있도록 도움을 주는 인물들을 등장시키기도 한다.'라고 했다. 윗글에서는 연화 도사를 등장시켜 용문에게 천문 지리, 육도삼략, 황석공의 병법을 가르쳐 용문이 영웅적 능력을 갖출 수 있도록 하고 있다.

⑤ 벽도관을 쓴 동자가 옥황상제의 명으로 용문에게 전장 기계를 전달해 용문이 영웅적 존재임을 드러내고 있군.

〈보기〉에서 영웅 소설에서는 주인공의 영웅성을 드러내기 위해 주인공에게 '영웅적 능력을 갖출 수 있도록 도움을 주는 인물들을 등장시키기도 한다.'라고 했다. 윗글에서는 벽도관을 쓴 동자가 옥황상제의 명으로 전장 기계를 전달하는 것을 통해 용문이 하늘이 돕는 영웅적 존재임을 드러내고 있다.

2. 문학 개념어 OX 확인 문제

① ○

• 비유: 어떤 현상이나 사물을 직접 설명하지 아니하고 다른 비슷한 현상이나 사물에 빗대어서 설명하는 것으로, 직유법, 은유법, 의인법 등이 이에 해당함.
　근거 '눈은 방울 같고 몸이 불빛 같더니', '적토마가 한번 솟으며 소리하니 천지가 무너지는 듯하며' 등에서 비유를 활용하여 적토마의 특성을 드러냄.

② ○

• 서술자의 개입: 서술자가 인물이나 사건에 대해 평가나 감정적 대응을 하거나 사건 전개에 대해 독자들에게 안내하는 말을 하는 경우.
　근거 '용문의 지략과 기량이 천지간 영웅 준걸이라.'에서 서술자가 개입하여 용문에 대한 판단을 드러냄.

고전소설 독해의 **STEP 3**

1 1번 문제의 선지 판단 공식에 대한 답을 확인해 보세요.

〈보기〉 문제 선지 판단의 공식

① 〈보기〉 영웅 소설에서는 주인공의 영웅성을 드러내기 위해 꿈을 통해 주인공이 천상계와 연결된 고귀한 혈통임을 알려 줌

➕

작품 "'소자는 천상 삼십삼천 도인도 차지하옵는 신장이옵더니, 옥황의 명을 받자와~천축사 세존께옵서 '부인께 의탁하라' 하시오매 왔사오니, 부인은 어여삐 여기소서." 하거늘, 부인 이 반가이 여겨 품 안에 안다가 깨니 남가일몽이라.', '과연 그달부터 태기 있어 십칠 삭 만에 생남하매'

선지➡ 관 씨의 태몽을 통해 용문이 천상계와 연결된 고귀한 혈통임을 알려 주고 있군. ○

② 〈보기〉 영웅 소설에서는 주인공의 영웅성을 드러내기 위해 특이한 외양을 타고나도록 함

➕

작품 '용의 기상이요, 범의 머리며 곰의 등이요, 용의 허리며 잔나비 의 팔이라. 소리 웅장하여 큰북 소리 같고, 비록 강보에 있으나 기골이 장대하고 이빨이 두 줄로 박히고 앞니가 밖으로 한 치나 내밀었으니,'

선지➡ 갓 태어난 용문의 외양에 대한 묘사를 통해 용문의 영웅성을 암시하고 있군. ○

③ 〈보기〉 영웅 소설에서는 주인공의 영웅성을 드러내기 위해 주인공 에게 영웅적 능력을 갖출 수 있도록 도움을 주는 인물들을 등장시킴

➕

작품 '도사 용문을 데리고 연화산에 들어가 천문 지리, 육도삼략과 황석공의 병법을 팔 년을 가르치니, 용문의 지략과 기량이 천지간 영웅 준걸이라.'

선지➡ 육도삼략과 병법 등을 용문에게 가르치는 연화 도사를 등장시켜 용문이 영웅적 능력을 갖출 수 있도록 하고 있군. ○

④ 〈보기〉 영웅 소설에서는 주인공의 영웅성을 드러내기 위해 꿈을 통해 주인공이 천상계와 연결된 고귀한 혈통임을 알려 주거나 주인공에게 신물을 전해 주는 인물들을 등장시킴

➕

작품 '그 사람이 가로되 "이 말을 장군께 드리러 왔나이다. 이 말은 능히 운무를 따르며 한번 채치면 능행만리하고 한번 소리를 한즉 태산과 하해가 뒤눕는 듯하니, 마땅히 장군의 재주를 베풀라." 하고 말을 마치며 문득 간 데 없거늘, 심중에 크게 기뻐 즉시 말에 올라 시험할새 적토마 한번 소리하며 네 굽을 놀리니, 빠르기 살과 나는 제비라도 미치지 못할러라.'

선지➡ 적토마를 전달하는 인물을 등장시켜 용문이 천상계 인물임을 스스로 깨닫게 하고 있군. ✕

⑤ 〈보기〉 영웅 소설에서는 주인공의 영웅성을 드러내기 위해 주인공 에게 신물을 전해 주거나 영웅적 능력을 갖출 수 있도록 도움 을 주는 인물들을 등장시킴

➕

작품 '층암절벽상에 한 동자가 머리에 벽도관을 쓰고, 몸에 청룡 포를 입고 암상으로 내려와 읍하여 왈, "소자는 천상 옥황 상제의 명을 받사와 전장 기계를 장군에게 전하나이다. 차 후에 은혜를 잊지 말으소서."'

선지➡ 벽도관을 쓴 동자가 옥황상제의 명으로 용문에게 전장 기계를 전달해 용문이 영웅적 존재임을 드러내고 있군. ○

고전소설 독해의 STEP 1

1 다음 글을 읽고 등장인물을 잘 파악했는지, 빈칸에 적절한 말을 채웠는지 확인해 보세요.

📅 고3 2016학년도 9월 모평A – 작자 미상, 「옥단춘전」

이혈룡이 어이가 없어서,

"오냐, 내가 너(=김진희)를 친구라고 찾아왔다가 통지를 할 수 없어 한 달이나 지나서 노자도 떨어지고 기갈을 견디지 못하여 문전걸식*하고 다니다가 오늘에야 이 자리에서 너를 보니 죽어도 한이 없다. 이혈룡은 찾아온 지 한 달이 지나서야 겨우 친구를 만났나 봐. 나는 너를 친구라고 찾아왔는데 어찌 이같이 괄시한단 말이냐? 오랜 친구도 쓸데없고 결의형제도 쓸데없구나. 내가 네 처지라면 이같이는 괄시하지 않을 거다. 다만 돈백이라도 준다면 모친과 처자를 먹여 살리겠다." 이혈룡은 친구에게 괄시를 받아 서러워하면서 가족들을 먹여 살릴 돈을 구걸하고 있네.

하면서 대성통곡하였다. 이혈룡은 다시 울먹이는 말로,

"이 몹쓸 김진희야, 내가 지금 푼전의 노자가 없으니 멀고 먼 서울 길을 어찌 돌아가랴."

하니, 김 감사(=김진희)는 노발대발,

"이 미친놈 봤나."

호통을 치면서 사공을 불러 엄명하였다.

"이놈을 배에 싣고 가서 강물 한가운데 던져라." 김진희는 부탁을 들어주기는커녕 사공에게 이혈룡을 강물에 던지라고 명령하고 있네.

장면끊기 01 첫 번째 장면에서 김진희는 돈을 구하기 위해 어렵게 찾아온 이혈룡의 부탁을 거절하고 사공에게 이혈룡을 강물에 던지라고 명령하고 있어.

이에 사공들이 영을 받고 물러 나와 이혈룡을 묶어서 배에 실을 때에 연회장에 있던 옥단춘이 넌지시 보니, 비록 의복은 남루하나* 얼굴이 비범한 것을 보고 불쌍히 여기고 감사에게 거짓말하여 고하기를, 옥단춘은 이혈룡의 비범한 생김새를 보고 그의 처지를 불쌍하게 여기고 있어.

"소녀(=옥단춘) 지금 오한이 일어나며 온몸이 괴로워 견딜 수가 없습니다."

하니 감사가,

"그러면 물러가서 치료하라."

하였다. 옥단춘이 물러 나와서 사공을 급히 불렀다.

"저기 가는 저 사공들, 잠깐 기다리시오."

하니 사공들이 머무르거늘 옥단춘이 하는 말이,

"내 이 양반(=이혈룡)의 몸값을 후하게 줄 것이니 이 양반을 죽이지 말고 죽인 듯이 모래를 덮어서 숨겨 두고 오시오." 옥단춘은 김진희 몰래 이혈룡을 살리려고 해.

하였다.

옥단춘의 부탁을 받은 사공들이,

"아무리 사또(=김진희) 영이 지중하지만 어찌 우리 손으로 죄 없는 사람을 죽이겠는가."

하고 사공들이 이혈룡을 배에 싣고 만경창파* 깊은 물에 둥기둥실 떠나갔다. 혈룡은 이런 사실을 전혀 모르고 속절없이 죽는 줄로만 알고 하늘을 우러러 방성통곡하였다. 이혈룡은 자신이 죽게 될 것이라 여기며 슬퍼하고 있어.

장면끊기 02 두 번째 장면에서는 김진희의 명령을 받은 사공들에게 옥단춘이 나타나 돈을 주면서 이혈룡을 죽이지 말라고 부탁하였어. 사공들은 이에 응하지만 이혈룡은 이런 사실을 모르고 통곡하고 있어. 첫 번째 장면에서는 이혈룡과 김진희의 대화가 주를 이루었다면, 두 번째 장면에서는 옥단춘이 사공들에게 이혈룡을 살려달라고 부탁하는 대화가 주된 내용을 이루네.

[중략 부분의 줄거리] 이혈룡은 옥단춘의 기지로 목숨을 구한 후 그녀의 집에 머물게 된다. 이후 이혈룡은 과거 시험을 치르라는 옥단춘의 권유로 서울로 돌아와 가족을 만나고 그간의 사정을 이야기한다.

그러자 모친과 부인은 그 사실을 듣고 혈룡의 죽을 고생을 생각하고 서로 슬픈 눈물을 흘렸다. 동시에 옥단춘이 혈룡을 구제한 전후 사실을 듣고, 그 은혜를 서로 치사하여 마지않았다. 모친과 부인은 죽을 고생을 했던 이혈룡을 생각하고 슬퍼하며 그의 목숨을 살려준 옥단춘에게 감사하고 있어.

오래간만에 만난 가족들은 그동안의 회포를 서로 다 이야기하여 풀고 다시 원만한 가정을 이루게 되었다. 모친도 죽었던 자식 다시 본 듯, 부인도 잃었던 낭군 다시 본 듯 잠시도 서로 떠날 마음이 없이 행복하게 살게 되었다. 모친과 부인은 죽은 줄 알았던 이혈룡과 다시 만나 살게 되어 행복해하고 있어.

장면끊기 03 옥단춘의 도움으로 목숨을 구한 이혈룡이 옥단춘의 권유로 과거 시험을 보기 위해 서울로 돌아와 가족을 만나는 내용이 세 번째 장면으로 제시되었어. 이후 시간과 공간의 변화가 나타나니 여기서 장면을 끊어야겠지?

이때에 과거 날이 되었으므로 혈룡이 모친의 슬하*를 떠나서 대궐 안 과거장에 들어가니 팔도에서 글 잘한다는 선비들이 구름같이 모여 있었다.

이윽고 글제를 살펴보니 천하태평춘(天下泰平春)이라 걸려 있었다. 글을 지을 생각을 가다듬은 후에 용벼루에 먹을 갈아 조맹부의 필체로 단숨에 일필휘지하여 바쳤는데, 전하께서 보시고는 글자마다 비점(批點)이요 글귀마다 관주(貫珠)를 치는 것이었다.

전하께서 칭찬하시는 말씀이,

"참으로 신묘하다. 이 글씨와 글 지은 사람은 범상치 않은 사람이다." 전하는 이혈룡이 쓴 글을 보고 그의 재능에 대해 높이 평가하며 감탄하고 있어.

하시고, 알성시(謁聖試) 장원급제로 한림학사를 제수하시고, 곧 어전입시(御前入侍)하라는 분부를 내리셨다. 이한림(=이혈룡)이 입시하여 천은을 사례하자 전하께서 칭찬하시기를,

"충신의 자식은 충신이요, 소인의 자식은 소인이다. 용모를 살펴보니 용안호두(龍顏虎頭)요, 목목지인(穆穆之人)이로다."

하고 칭찬을 아끼지 않으셨다. 전하는 능력만큼이나 뛰어난 이혈룡의 용모를 보고 칭찬하고 있네.

이한림은 어전에 엎드려,

"소신과 같이 무재무능한 자를 이처럼 충신지자충신(忠臣之子忠臣)이라 하시오니 황공무지하오며, 또한 한림을 제수하시니 더욱 황공하옵니다."

장면끊기 04 뛰어난 글재주로 과거 시험에 합격한 이혈룡이 한림학사의 벼슬을 받고 전하께 칭찬을 받는 모습이 나타나고 있어. 다음 장면에서는 과거 시험장에서 집으로 돌아오면서 공간의 변화가 나타났으니 끊어 읽어야겠지?

하고, 수없이 치사하고 물러 나와 집에 큰 잔치를 베풀고 향당과

친지를 청하여 경사를 축하하였다. 그리고 한편으로,

'평양 감사 김진희의 불의무도한 소행을 나만 당하였으랴. 무고한 백성들은 무슨 죄로 한 사람의 학정*으로 평양 일도에서 어육 (魚肉)이 된다는 말인가. 곰곰 생각하니 나라와 백성을 위해서 마땅히 [성상](=전하)께 여쭙지 않을 수 없다.' 이혈룡은 김진희에게 당한 일을 떠올리며 백성들도 김진희의 **학정**으로 희생당했을 것이라 여기며 그의 **불의무도**한 소행을 성상(전하)께 알리려 하고 있어.

생각하고, 전후 사실을 일일이 밀록(密錄)하여 전하께 바쳤다. 전하 께서는 그 밀록을 받아 보시고 수없이 탄식한 뒤에 봉서(封書) 삼장 을 내리셨다. 전하는 김진희의 학정으로 핍박받은 이야기를 듣고 **탄식**하며 이혈룡에게 봉서 삼장을 내리셨어. 또 친히 하교하시기를,

"첫 봉서는 새문 밖에 가서 뜯어보고, 둘째 봉서는 평양에 가서 뜯어보고, 셋째 봉서는 그 후에 뜯어보라."

하시고, 조심하여 다녀오라 하셨다. 이한림이 사은숙배하고 바로 나와서 모친과 부인에게 하직하였다. 새문 밖에 나가서 첫째 봉서를 뜯어보니, '평안도 암행어사 이혈룡'이라는 사령장과 마패가 들어 있었다.

`장면끊기 05` 김진희의 잘못을 알게 된 전하가 이혈룡을 평안도의 **암행어사**로 임명하여 보내는 내용이 지문의 마지막 장면으로 제시되었어.

– 작자 미상, 「옥단춘전」 –

`고전 필수 어휘`

*문전걸식: 이 집 저 집 돌아다니며 빌어먹음.

*남루하다: 옷 따위가 낡아 해지고 차림새가 너저분하다.

*만경창파: 한없이 넓고 넓은 바다를 이르는 말.

*슬하: 무릎의 아래라는 뜻으로, 어버이나 조부모의 보살핌 아래.

*학정: 포학하고 가혹한 정치.

고전소설 독해의 STEP 2

1 구조도의 빈칸에 적절한 말을 채웠는지 확인해 보세요.

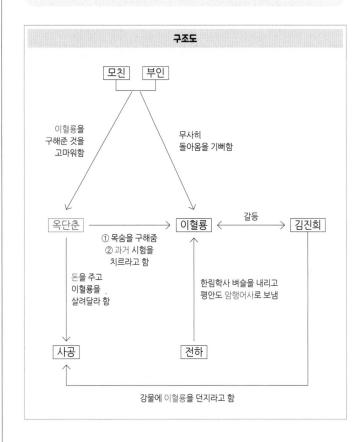

2 1~2번 문제의 정답과 해설을 확인해 보세요.

1. 〈보기〉를 참조하여 윗글을 이해한 것으로 적절하지 <u>않은</u> 것은?

〈보기〉

「옥단춘전」에서 옥단춘은 인물의 비범함을 알아보는 지인지감(知人之鑑)의 소유자이자 기지를 발휘하여 위기에 빠진 인물을 구해 내는 적극적인 조력자로 그려진다. 그녀는 자신의 조력을 통해 대상 인물의 사회적 지위를 상승시키고, 애정의 대상을 주체적으로 선택하는 인물이다. 옥단춘: ① 지인지감의 소유자, ② 위기에 빠진 인물을 구하는 조력자, ③ 조력을 통해 대상 인물의 사회적 지위를 상승시킴, ④ 애정의 대상을 주체적으로 선택함

정답풀이

② 옥단춘이 이혈룡을 구해 줄 수 있는 인물로 김 감사를 선택한 것에서 여성으로서의 주체적 판단이 작용했음을 알 수 있군.

옥단춘은 이혈룡을 구해 줄 수 있는 인물로 김 감사가 아니라 사공들을 선택하여 이들에게 돈을 주며 이혈룡을 죽이지 말 것을 부탁하고 있다. 다만 이 과정에서는 여성 인물인 옥단춘의 주체적 판단이 작용했음을 알 수 있다.

오답풀이

① 옥단춘이 오한을 핑계로 김 감사의 허락을 받은 후 연회장을 빠져나온 것에서 그녀의 기지를 엿볼 수 있군.

옥단춘은 오한을 핑계로 김 감사의 허락을 받아 연회장을 빠져나온 후 사공에게 돈을 주어 이혈룡을 구해 낸다. 이를 통해 옥단춘의 기지를 엿볼 수 있다.

③ 옥단춘이 김 감사에게 괄시받던 남루한 행색의 이혈룡이 비범한 인물임을 발견한 데서 그녀의 지인지감을 엿볼 수 있군.

옥단춘은 남루한 행색을 한 이혈룡을 보고도 그가 비범한 인물임을 알아본다. 이를 통해 옥단춘이 지닌 지인지감을 엿볼 수 있다.

④ 가족들이 어려움에 처했던 이혈룡을 구해 준 옥단춘의 은혜에 감사한 것에서 조력자인 옥단춘의 역할을 인정한 것임을 알 수 있군.

모친과 부인이 '옥단춘이 혈룡을 구제한 전후 사실을 듣고, 그 은혜를 서로 치사하여 마지않았다.'라고 한 것에서 가족들이 옥단춘을 조력자로서 인정한 것을 알 수 있다.

⑤ 옥단춘이 사공들에게 이혈룡의 몸값을 후하게 제시하고 구체적 방안을 알려 준 것에서 그녀의 적극적인 조력 의지를 엿볼 수 있군.

옥단춘은 사공들에게 돈을 주고 이혈룡을 강에 던지지 말고 모래로 덮어서 숨겨 두라고 말한다. 이를 통해 이혈룡을 돕고자 하는 옥단춘의 적극적인 조력 의지를 엿볼 수 있다.

2. 인물의 말하기 방식 OX 확인 문제

① ○

> **근거** 이혈룡은 김진희에게 '내가 네 처지라면 이같이는 괄시하지 않을 거다.'라고 하며 역지사지를 가정하여 자신을 괄시하는 김진희를 질책하고 있음.

② ○

- 설의: 쉽게 판단할 수 있는 사실을 의문의 형식으로 표현하여 상대편이 스스로 판단하게 하는 것. 의미를 강조하기 위한 것으로 실제적인 답을 요구하는 것이 아님.

> **근거** 사공들은 '어찌 우리 손으로 죄 없는 사람을 죽이겠는가.'라고 하며, '사또 영'을 따르지 않기로 한 생각을 설의적 표현을 통해 나타냄.

고전소설 독해의 STEP 3

■ 1번 문제의 선지 판단 공식에 대한 답을 확인해 보세요.

〈보기〉 문제 선지 판단의 공식

① 〈보기〉 옥단춘은 기지를 발휘하여 위기에 빠진 인물을 구해 내는 적극적인 조력자로 그려짐

＋

작품 '옥단춘이 넌지시 보니, 비록 의복은 남루하나 얼굴이 비범한 것을 보고 불쌍히 여기고 감사에게 거짓말하여 고하기를, "소녀 지금 오한이 일어나며 온몸이 괴로워 견딜 수가 없습니다."'

선지➡ 옥단춘이 오한을 핑계로 김 감사의 허락을 받은 후 연회장을 빠져나온 것에서 그녀의 기지를 엿볼 수 있군.　○

② 〈보기〉 옥단춘은 위기에 빠진 인물을 구해 내는 적극적인 조력자이자, 애정의 대상을 주체적으로 선택하는 인물임

＋

작품 '옥단춘이 물러 나와서 사공을 급히 불렀다. "저기 가는 저 사공들, 잠깐 기다리시오." 하니 사공들이 머무르거늘 옥단춘이 하는 말이, "내 이 양반의 몸값을 후하게 줄 것이니 이 양반을 죽이지 말고 죽인 듯이 모래를 덮어서 숨겨 두고 오시오."'

선지➡ 옥단춘이 이혈룡을 구해 줄 수 있는 인물로 김 감사를 선택한 것에서 여성으로서의 주체적 판단이 작용했음을 알 수 있군.　✕

③ 〈보기〉 옥단춘은 인물의 비범함을 알아보는 지인지감의 소유자로 그려짐

＋

작품 '옥단춘이 넌지시 보니, 비록 의복은 남루하나 얼굴이 비범한 것을 보고 불쌍히 여기고 감사에게 거짓말하여 고하기를'

선지➡ 옥단춘이 김 감사에게 괄시받던 남루한 행색의 이혈룡이 비범한 인물임을 발견한 데서 그녀의 지인지감을 엿볼 수 있군.　○

④ 〈보기〉 옥단춘은 기지를 발휘하여 위기에 빠진 인물을 구해 내는 적극적인 조력자로 그려짐

＋

작품 '모친과 부인은 그 사실을 듣고 혈룡의 죽을 고생을 생각하고 서로 슬픈 눈물을 흘렸다. 동시에 옥단춘이 혈룡을 구제한 전후 사실을 듣고, 그 은혜를 서로 치사하여 마지않았다.'

선지➡ 가족들이 어려움에 처했던 이혈룡을 구해 준 옥단춘의 은혜에 감사한 것에서 조력자인 옥단춘의 역할을 인정한 것임을 알 수 있군.　○

⑤ 〈보기〉 옥단춘은 기지를 발휘하여 위기에 빠진 인물을 구해 내는 적극적인 조력자로 그려짐

＋

작품 '옥단춘이 하는 말이, "내 이 양반의 몸값을 후하게 줄 것이니 이 양반을 죽이지 말고 죽인 듯이 모래를 덮어서 숨겨 두고 오시오."'

선지➡ 옥단춘이 사공들에게 이혈룡의 몸값을 후하게 제시하고 구체적 방안을 알려 준 것에서 그녀의 적극적인 조력 의지를 엿볼 수 있군.　○

고전소설 독해의 STEP 1

1 다음 글을 읽고 등장인물을 잘 파악했는지, 빈칸에 적절한 말을 채웠는지 확인해 보세요.

📅 고3 2014학년도 7월 학평A – 작자 미상, 「까치전」

[앞부분의 줄거리] 까치가 새로 보금자리를 짓고 온갖 날짐승들을 초청하여 잔치를 베풀 적에 심술이 사납고 욕심 많은 비둘기만 초청하지 않았다. 이에 비둘기는 까치에게 불만을 품고 까치의 집을 빼앗으려고 잔치에 와서 횡포를 부린다. 까치가 새집을 지은 기념으로 잔치를 베풀 때 비둘기만 초청하지 않았고, 비둘기는 이에 앙심을 품고 찾아와 횡포를 부렸어. 잔치에 초대받지 못한 것이 발단이 된 비둘기와 까치 사이의 갈등이 이후에 어떻게 전개되는지에 유의하며 읽자.

비둘기가 할미새를 꾸짖어 이르되,
"너는 들어라. 나이 칠십이 넘은 것이 소년들과 함께 무엇을 구경하며, 무엇을 먹고 와서 깔깔대며 끼어있는고. 아무리 방정맞고 생각 없는 것인들 그런 행실이 어이 있을꼬."
하되, 할미새 무료히 물러가니라. 잔치를 찾아온 비둘기는 할미새의 나이와 행실에 대해 트집 잡으며 비난했고, 이에 부끄러움을 느낀 할미새는 물러났어. 또 섬동지 두꺼비를 꾸짖어 가로되,
"네 모양을 보니 키는 세 치가 못 되고 능히 일보를 뛰지 못하고 한갓 눈만 꺼벅거리며, 파리나 잡아먹을 것이어늘 이 잔치에 와서 무슨 면목으로 참견하는고."
하며, 인하여 좌중*을 무수히 헐뜯고 욕하니 까치 분노를 이기지 못하여 비둘기를 후려치며 꾸짖어 가로되, 또한 비둘기는 두꺼비의 외모와 행태를 트집 잡으며 비난했어. 이처럼 비둘기가 잔치에 온 좌중에게 시비를 걸자 까치는 분노하며 비둘기를 꾸짖어.

[A]
"불청객이 자리하여 남의 잔치에 감 놓아라 배 놓아라 분별이 무슨 일인고. 내 음식에 내 술 먹고 이렇듯 헐뜯고 욕하니, 너 같은 심술이 어디 있으며 염치가 바이 없다. 까치는 불청객인 비둘기가 잔치에 와서 심술을 부리는 것에 염치없다고 화를 내.
나는 고사하고* 동네 늙은이와 남의 늙은 부인네들 모르고 헐뜯으니, 너 같은 무도한 놈이 어디 있으랴. 고서(古書)를 듣지 못하였느냐. 내 집의 노인을 공경하여 그 마음이 다른 집 노인에게 미치게 하라는 성인의 말씀이 있거늘, 전혀 사리를 알지 못하니 너 같은 놈이 어디 있을꼬." 까치는 노인을 공경해야 한다는 성인의 말씀과 이치를 실천하지 않는 비둘기를 무도한 놈이라고 꾸짖어.

하니 비둘기 이 말 듣고 대로하여 달려들며, 두 발길로 까치를 냅다 차니, 만장고목 높은 가지에서 떨어져 즉사하는지라. 이때에 암까치 대성통곡하며 달려들어 비둘기를 쥐어뜯으니, 여러 비금*들이 달려들어 비둘기를 결박하고 인하여 관아에 고발하니라. 까치의 말에 크게 화가 난 비둘기가 까치를 걷어차자 가지에서 떨어진 까치가 즉시 죽고 말았어. 남편이 억울하게 죽는 것을 본 암까치가 비둘기를 쥐어뜯었고, 다른 새들이 달려들어 비둘기를 잡고 관아에 고발했어.

장면끊기 01 까치와 비둘기의 갈등과 그로 인한 까치의 죽음이 제시되었어. 까치의 집 잔치에서 일어난 하나의 사건이 끝나고, 까치가 죽고 난 후 지방 관아의 관리가 이 살인 사건의 진상을 조사하는 내용이 전개될 것이니 장면을 끊고 가자.

(중략)

군수 증인들을 불러들여 물을 제 할미새 생각하되,
'지은 죄를 사실대로 말하면 흉악한 비둘기에게 이 늙은 것이 구박을 받을 것이요 감추거나 숨기면 중형을 당할 것이니, 노망한* 체하고 동문서답하는 것이 좋은 계책이다.'
하고, 군수가 잔치에 참석했던 새들을 불러 사건의 진상을 조사 중이군. 하지만 증인인 할미새는 비둘기의 보복이 두려워 노망난 체하고 동문서답하려고 계획하고 있네. 센 머리에 먹칠하고 연지 발라 꾸미고, 행주치마 엉덩이에 매고 뜰 아래로 들어갈 제 뾰족한 주둥이를 호물떡호물떡하며, 휘둘러 갈짓자로 걸음하여 무수히 절을 하며 가로되, 할미새가 노망난 척을 하기 위해 외양과 행동을 이상하게 꾸몄음을 열거하여 보여 주는군.

[B]
"듣자온즉 사또님(=군수)이 수청을 소녀(=할미새)로 들라 하신다 하오니 이렇듯 엄하게 명령하시지 않더라도 어느 영이라 거역하리이까. 소녀의 방년*이 지금 늙지도 아니하고 젊지도 아니할뿐더러 나이 십오 세부터 칠십이 넘도록 벼슬 아치마다 수청들었사오니 어찌 즐겨 거행치 아니하오리이까." 할미새는 군수가 수청을 들라고 자신을 불렀다며 기뻐하는 연기를 하고 있어.

하며, 잠시도 엉덩이를 진정치 못하거늘 군수 그 거동을 보고 반만 웃으니 할미새 모자란 체하고 다시 여쭈오되,
"세상사를 생각하면 가히 우스운 것이 늙으오면 죽을 수밖에는 없더이다. 올라가신 구관 사또는 색 고운 젊은 것만 취하옵고 돌아보지 아니하오매 겨울밤 찬 바람에 독수공방하올 적과 봄바람 도화 피는 밤이며 가을 밤에 오동잎 지는 적에 늙고 늙은 수심 절로 나매 참으로 진정 서럽더니 천우신조(天佑神助)*하와 사또님이 수청들라 하옵시니 반갑기도 측량없고 즐겁기도 그지없사외다."
하거늘 군수 크게 웃어 가로되,
"노망 들린 할멈(=할미새)이라." 계속되는 할미새의 노망난 척에 결국 군수는 넘어갔군.

하고, 등 밀어 내치매 할미새 거동 보소. 살기를 모면하고 엉덩춤을 들까불며, 뛰어 달아나니 그 거동 보는 자 뉘 아니 웃으리요. 자신의 계책이 통한 할미새는 기뻐서 엉덩이 춤을 추며 달아났고, 이 거동을 보는 사람들은 웃지 않을 수 없었대. 이때에 군수 여러 증인들을 모두 불러 문초*하였으나 사실을 제대로 알 수가 없어 고민하더니 형리 따오기 여쭈오되,
"과연 본방 풍헌(=솔개미 풍헌)을 불러 물으시면, 알 듯하여이다."
군수 옳게 여겨 즉시 솔개미 풍헌을 잡아들여 물으니 군수가 여러 증인을 불러 심문하였으나 비둘기의 보복을 두려워한 이들이 이실직고하지 않았기에 고민하고 있을 때, 형리인 따오기가 본방 풍헌인 솔개미를 불러 묻자고 제안하고 군수는 그 의견을 받아들였어. 솔개미 아뢰되,
"소생은 풍헌의 직책을 맡은 지 불과 몇 개월에 매일 나라에 바칠 세금을 거두어 들이기에 밤낮으로 분주하와 이 마을 저 마을을 돌아다니며 혹 병아리 마리나 얻으면 소생이 먹지도 않고 관청에 바치오며, 삼사월 긴긴 봄날에 굶고 지내는 날도 종종 있나이다. 그러므로 까치 잔치에 초대하는 것을 신은 가지 못하였사오니 그간 사정은 알지 못하옵거니와 미련한 소견에는 초산에 모진 범이 아무리 날래어도 독 틈에 쥐 잡기는 작은 고양이만 못하옵고

3주차

풍헌이 아무리 똑똑히 살핀다 해도 동네 일 알기는 동수(洞首)만
못하오니 동수를 잡아들여 물으시면 그 진위를 알 듯하외다."

> 솔개미는 자신은 까치의 잔치에 가지 못해 사정을 알지 못하며, 풍헌이 된 지 얼마 안
> 된 자신보다는 **동수**(한 동네의 우두머리)를 잡아들여 물으면 사건의 **진위**를 알 수 있을 것
> 이라 말하며 책임을 회피하고 있어.

아뢰거늘 군수 옳게 여겨,

"즉시 동수를 잡아들이라."

하니라.

장면끊기 02 불려온 증인들에게서 사실을 듣지 못한 **군수**는 동수를 잡아들이라 명했어.
이후 새로운 인물인 비둘기 처자 동생이 비둘기를 구하기 위해 일을 꾸미는 얘기가 나오니까
장면을 끊자.

차시에 두민* 섬동지의 이름은 두꺼비요, 자는 불룩이라. 일찍
중국 병서와 병법에 능통하는지라. 동지의 의사가 창해 같아 그른
일도 옳게 하고 옳은 일도 그르게 하더니 마침 │비둘기의 처자 동생│
이 심야에 찾아가 금백주옥(金帛珠玉)*과 온갖 비단을 많이 주며
이르되,

"│동지님│(=두꺼비)의 바다 같은 도량으로 이 일을 주선하와 아무
쪼록 장난을 하다 잘못하여 죽인 것으로 하여주옵소서." 비둘기의

> 처자 동생은 잘못된 일도 옳게, 옳은 일도 잘못된 일처럼 꾸밀 수 있는 두꺼비를 찾아와
> 금백주옥, 온갖 **비단** 등 뇌물을 바치며 도움을 구하고 있어.

동지 답하여 가로되,

"돈이면 귀신도 부린다 하였으니 염려 말라. 내 들으니 책방 구
진과 수청기생 앵무새가 군수 영감의 총애를 독차지하고 있다
하니 금은보패를 드려 이리저리 방법을 써 가며 여차여차하자."

> 두꺼비는 비둘기 처자 동생의 거짓 증언 요청을 수락해. 그러면서 **돈**이면 귀신도 부린
> 다는 말을 하는데, 이 말에서 조선 후기 화폐 경제의 발달로 돈이면 무엇이든 된다는 황금
> 만능주의가 만연했던 사회상을 확인할 수 있지. 한편 진실을 밝혀내지 못하고 있는 군
> 수의 모습에서는 당대의 무능했던 지방 관리의 실상을, 군수 영감의 **총애**를 받는 책방
> 구진과 수청기생 앵무새에게 금은보패 같은 뇌물을 주어 재판을 불공정하게 꾸미려 계획
> 하는 **두꺼비**(섬동지)의 모습에서는 정의롭지 못한 세력의 결탁으로 힘없는 백성들에게
> 가해졌던 핍박 같은 문제점을 확인할 수 있어.

하고 약속을 정하고,

"각청 두목과 제반 관속*에게 뇌물 쓰고 이리이리 하면 암까치
한 마리가 어찌할 수 없으리니 그런즉 자연스럽게 장난을 하다
잘못하여 죽인 것이 되리라."

비둘기 크게 기뻐하여 그 말같이 하니라. 두꺼비는 각청 두목과 제반
관속에게도 **뇌물**을 써서 송사 결과를 조작할 방안을 마련해냈고, 비둘기는 기뻐했다고 해.
이처럼 이 작품은 새를 비롯한 동물을 의인화하여 시비를 분별하지 못하는 군수의 무능과,
증인들의 거짓 증언, 뇌물이 횡행하는 공정하지 못한 송사 과정을 중심으로 지방 향촌 사회의
타락과 힘없는 백성이 핍박받던 당대 현실을 비판·풍자한다는 점에 주목하자.

장면끊기 03 비둘기의 처자 동생은 비둘기를 구하기 위해 두꺼비에게 뇌물을 바치고,
권력과 결탁한 악인인 두꺼비에 의해 **송사**가 공정하지 않게 진행될 것을 우려하게 하며
지문이 끝났어.

– 작자 미상, 「까치전」 –

*비금: 날짐승.

*두민: 동네의 나이가 많고 식견이 높은 사람.

고전 필수 어휘

*좌중: 여러 사람이 모인 자리. 또는 모여 앉은 여러 사람.

*고사하다: 어떤 일이나 그에 대한 능력, 경험, 지불 따위를 배제하다. 앞에 오는 말의
내용이 불가능하여 뒤에 오는 말의 내용 역시 기대에 못 미침을 나타낸다.

*노망하다: 늙어서 망령이 들다.

*방년: 이십 세 전후의 한창 젊은 꽃다운 나이.

*천우신조: 하늘이 돕고 신령이 도움. 또는 그런 일.

*문초: 죄나 잘못을 따져 묻거나 심문함.

*금백주옥: 금과 비단, 구슬과 옥.

*관속: 지방 관아의 아전과 하인을 통틀어 이르던 말.

고전소설 독해의 STEP 2

1 구조도의 빈칸에 적절한 말을 채웠는지 확인해 보세요.

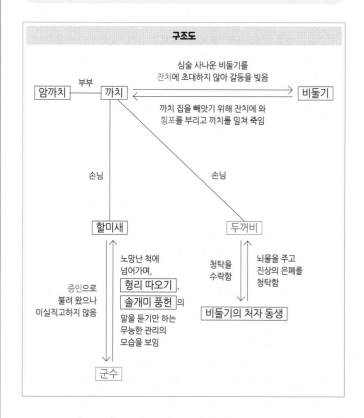

■ 1~2번 문제의 정답과 해설을 확인해 보세요.

1. 〈보기〉를 참고하여 윗글을 감상한 내용으로 적절하지 않은 것은?

〈보기〉

「까치전」은 까치의 죽음에 대한 두 번의 재판 과정을 보여주는 송사소설이다. 특히 1차 송사는 뇌물과 청탁이 오가고 무능한 관리가 옳고 그름을 판단하지 못하는 가운데 불공정한 판결로 끝난다. 1차 송사: 뇌물과 청탁이 오가는 상황 + 시비를 판단하지 못하는 무능한 관리 → 불공정한 판결 이를 통해 정의롭지 못한 세력이 탐관오리와 손잡고 선량하고 힘없는 백성을 괴롭히는 사회상을 풍자한 것이다. 부정한 세력 + 탐관오리가 백성을 괴롭히는 사회상 풍자

정답풀이

④ 비둘기를 결박하는 비금들의 등장은 탐관오리를 응징하여 불공정한 재판을 없애려는 서민들의 소망을 드러낸 것이겠군.

비금들은 까치를 밀쳐 죽인 비둘기를 결박하여 관아로 데려가 고발한다. 이런 비금들의 등장에는 정의롭지 못한 세력에 대한 백성들의 반감이 반영되어 있다고 볼 수 있다. 하지만 비둘기는 탐관오리가 아니며, 비금들의 등장 이후 두꺼비에게 청탁하는 비둘기의 처자 동생의 등장을 통해 앞으로 불공정한 재판이 이루어질 것임이 암시되고 있으므로, 비금들의 행위가 탐관오리에 대한 응징을 의미한다고 볼 수는 없다.

오답풀이

① 암까치는 정의롭지 못한 세력에게 피해를 입는 인물로 볼 수 있겠군.

〈보기〉에서 「까치전」의 1차 송사는 '정의롭지 못한 세력이 탐관오리와 손잡고 선량하고 힘없는 백성을 괴롭히는 사회상'을 보여 준다고 했다. 따라서 암까치는 뇌물로 관리들을 매수한 비둘기 때문에 1차 송사에서 패배해 피해를 입는 인물에 해당한다고 볼 수 있다.

② 사건의 진상을 제대로 파악하지 못하고 있는 군수는 무능한 관리라 할 수 있겠군.

〈보기〉에서 「까치전」에는 '무능한 관리가 옳고 그름을 판단하지 못'하는 모습이 나타난다고 했다. 군수는 사건의 증인으로 불러들인 할미새의 노망난 척에 속고, 사건의 진상을 파악하지 못하고 있다는 점에서 무능한 관리라고 볼 수 있다.

③ 할미새와 같이 증언을 회피하려고만 하는 인물로 인해 공정한 판결이 어려워졌겠군.

할미새는 비둘기가 '지은 죄를 사실대로 말하면 흉악한 비둘기'에게 '구박을 받을 것'이고, 죄를 '감추거나 숨기면 중형을 당할 것'이라 생각해 증언을 회피하기로 결심했으므로 적절하다.

⑤ 두꺼비는 돈이면 뭐든지 할 수 있다는 생각을 가진 인물로, 뇌물을 받고 청탁에 관여하는 부정한 세력으로 볼 수 있겠군.

〈보기〉에서 이 작품은 '뇌물과 청탁이 오가'는 1차 송사의 불공정한 판결을 통해 '정의롭지 못한 세력'이 '힘없는 백성을 괴롭히는 사회상'을 풍자'했다고 했다. 두꺼비는 '돈이면 귀신도 부린다'고 하며 '비둘기의 처자 동생'에게 뇌물을 받고 청탁에 관여하는 정의롭지 못한 세력으로 볼 수 있다.

2. 인물의 말하기 방식 OX 확인 문제

① ✕

• 암시: 뒤에 일어날 사건을 넌지시 알림.

근거 [A]에서 까치는 잔치에 와서 다른 동물들의 흠을 잡으며 시비를 거는 비둘기를 꾸짖고 있을 뿐, 앞으로 닥칠 부정적 상황을 암시하고 있지는 않음.

② ○

근거 [A]에서 비둘기의 잘못을 직접 꾸짖는 까치와 달리 [B]에서 할미새는 '지은 죄를 사실대로 말하면 흉악한 비둘기에게 이 늙은 것이 구박을 받을 것이요 감추거나 숨기면 중형을 당할 것이니, 노망한 체하고 동문서답하는 것이 좋은 계책'이라 생각한 의도를 숨긴 채 말하고 있음.

고전소설 독해의　STEP 3

■ 1번 문제의 선지 판단 공식에 대한 답을 확인해 보세요.

〈보기〉 문제 선지 판단의 공식

①

〈보기〉 뇌물과 청탁이 오가는 불의한 송사는 불공평한 판결로 끝나는데 이는 정의롭지 못한 세력에 의해 힘없는 백성이 괴롭힘 당하는 사회상을 보여줌

＋

작품 '비둘기의 처자 동생이 심야에 찾아가 금백주옥과 온갖 비단을 많이 주며~아무쪼록 장난을 하다 잘못하여 죽인 것으로 하여주옵소서." 동지 답하여 가로되,~"각청 두목과 제반 관속에게 뇌물 쓰고 이리이리 하면 암까치 한 마리가 어찌할 수 없으리니 그런즉 자연스럽게 장난을 하다 잘못하여 죽인 것이 되리라."'

선지➡ 암까치는 정의롭지 못한 세력에게 피해를 입는 인물로 볼 수 있겠군.　○

②

〈보기〉 까치의 죽음에 대한 1차 송사는 뇌물과 청탁이 오가고 무능한 관리가 옳고 그름을 판단하지 못하는 가운데 불공정한 판결로 끝남

＋

작품 '군수 크게 웃어 가로되, "노망 들린 할멈이라." 하고, 등 밀어 내치매', '이때에 군수 여러 증인들을 모두 불러 문초하였으나 사실을 제대로 알 수가 없어 고민하더니'

선지➡ 사건의 진상을 제대로 파악하지 못하고 있는 군수는 무능한 관리라 할 수 있겠군.　○

③

〈보기〉 까치의 죽음에 대한 1차 송사는 무능한 관리가 옳고 그름을 판단하지 못하는 가운데 불공정한 판결로 끝남

＋

작품 '할미새 생각하되, '지은 죄를 사실대로 말하면 흉악한 비둘기에게 이 늙은 것이 구박을 받을 것이요 감추거나 숨기면 중형을 당할 것이니, 노망한 체하고 동문서답하는 것이 좋은 계책이다."

선지➡ 할미새와 같이 증언을 회피하려고만 하는 인물로 인해 공정한 판결이 어려워졌겠군.　○

④

〈보기〉 불공정한 판결로 끝난 까치의 죽음에 대한 1차 송사를 통해 탐관오리와 손잡고 힘없는 백성을 괴롭히는 사회상을 풍자함

＋

작품 '암까치 대성통곡하며 달려들어 비둘기를 쥐어뜯으니, 여러 비금들이 달려들어 비둘기를 결박하고 인하여 관아에 고발하니라.'

선지➡ 비둘기를 결박하는 비금들의 등장은 탐관오리를 응징하여 불공정한 재판을 없애려는 서민들의 소망을 드러낸 것이겠군.　✕

⑤

〈보기〉 1차 송사는 뇌물과 청탁이 오가고 무능한 관리가 옳고 그름을 판단하지 못하는 가운데 불공정한 판결로 끝나는데, 이를 통해 정의롭지 못한 세력이 백성을 괴롭히는 사회상을 풍자함

＋

작품 '돈이면 귀신도 부린다 하였으니 염려 말라. 내 들으니 책방 구진과 수청기생 앵무새가 군수 영감의 총애를 독차지하고 있다 하니 금은보패를 드려 이리저리 방법을 써 가며 여차여차하자.', '각청 두목과 제반 관속에게 뇌물 쓰고 이리이리 하면'

선지➡ 두꺼비는 돈이면 뭐든지 할 수 있다는 생각을 가진 인물로, 뇌물을 받고 청탁에 관여하는 부정한 세력으로 볼 수 있겠군.　○

고전소설 독해의 STEP 1

1 다음 글을 읽고 등장인물을 잘 파악했는지, 빈칸에 적절한 말을 채웠는지 확인해 보세요.

🗓 고3 2012학년도 수능 – 박지원, 「호질」

(가) 정(鄭)나라 어느 고을에 벼슬에 뜻이 없는 선비가 살았으니, 북곽 선생이라 했다. 나이 마흔에 손수 교정해 낸 책이 만 권이었고, 또 구경(九經)의 뜻을 풀어서 다시 지은 책이 일만 오천 권이었다. 천자가 그의 행의(行義)*를 가상히 여기고, 제후가 그 이름을 사모했다. <u>정나라 어느 고을에 벼슬에 뜻이 없는 북곽 선생이라는 학식 높은 이가 살고 있었는데, 천자와 제후도 이를 인정할 정도였군.</u>

그 고을 동쪽에는 동리자라는 미모의 과부가 있었다. 천자가 그 절개를 가상히 여기고 제후가 그 현숙함*을 사모하여, 그 고을 몇 리의 땅을 봉하여* '동리과부지려(東里寡婦之閭)'라 했다. 이처럼 동리자는 수절을 잘하는 과부였다. <u>또한 그 고을에는 천자와 제후에게 절개와 현숙함을 인정받은 동리자라는 과부도 살고 있었어.</u> 그런데 그녀는 아들 다섯을 두었으니, 그들은 저마다 다른 성(姓)을 지녔다. <u>열녀로 표창을 받을 만큼 절개가 높은 인물로 알려졌던 동리자에게 성이 다른 다섯 아들이 있었다는 점에서, 동리자는 세간에 알려진 것과 실제 모습이 다른 위선적 인물이라고 볼 수 있겠네.</u>

(나) 어느 날 밤, 다섯 아들이 서로 말했다.

"강 북쪽에선 닭이 울고 강 남쪽에선 별이 반짝이는데, 방 안에서 흘러나오는 말소리는 어찌 그리도 북곽 선생의 목소리를 닮았을까."

다섯 형제가 차례로 문틈으로 들여다보니, 동리자가 북곽 선생에게 청하고 있었다.

"오랫동안 선생님(=북곽 선생)의 덕을 사모했사온데 오늘 밤엔 선생님의 글 읽는 소리를 듣고자 하옵니다."

북곽 선생이 옷깃을 바로잡고 점잖게 앉아서 시를 지어 읊었다.

"병풍에는 원앙새요 반딧불이는 반짝반짝,

가마솥과 세발솥은 무얼 본떠 만들었나.

흥(興)이라." <u>다섯 아들은 밤중에 방 안에서 북곽 선생의 목소리가 들리자 의아하게 여겨 방안을 들여다보는데 북곽 선생과 어머니가 함께 있었대. 어진 인물로 알려진 북곽 선생이 과부의 집에 숨어 들어 은근한 말로 유혹하고 있다는 점에서 북곽 선생 또한 위선적 인물이라고 볼 수 있어.</u>

(다) 이에 다섯 아들이 서로 수군댔다.

"예법에 '과부의 문에는 함부로 들지 않는다.'고 했으니, 북곽 선생은 어진 이라 그런 일이 없을 거야."

"내 들으니, 우리 고을의 성문이 헐었는데 여우 굴이 있다고 하더군요."

"내 들으니, 여우란 놈은 천 년을 묵으면 둔갑하여 사람 시늉을 할 수 있다 하니, 저건 틀림없이 여우란 놈이 북곽 선생으로 둔갑한 것일 게다." <u>다섯 아들은 북곽 선생이 훌륭한 인물이라 믿고 있기 때문에 예법을 어기고 과부의 방에 들지 않았을 것이라 생각해. 그래서 여우가 둔갑한 것이라 생각하지.</u>

그러고서 함께 의논했다.

"내 들으니, 여우의 갓을 얻으면 큰 부자가 될 수 있고, 여우의 신발을 얻으면 대낮에 그림자를 감출 수 있으며, 여우의 꼬리를 얻으면 애교를 잘 부려서 누구라도 그를 좋아한다더라. 우리 저 여우를 잡아 죽여서 나눠 갖는 게 어떨까?" <u>다섯 아들은 북곽 선생으로 둔갑한 여우를 잡아 이득을 볼 생각을 하지.</u>

(라) 이에 다섯 아들이 같이 어미(=동리자)의 방을 둘러싸고 쳐들어가니 북곽 선생이 크게 놀라서 도망쳤다. 사람들이 자기를 알아볼까 겁이 나 한 다리를 목덜미에 얹고 귀신처럼 춤추고 낄낄거리며 문을 나가서 내닫다가 그만 들판의 구덩이 속에 빠져 버렸다. 그 구덩이에는 똥이 가득 차 있었다. <u>놀라 도망친 북곽 선생은 자신의 정체를 감추기 위해 이상한 행동을 하다가 구덩이 속에 빠졌어. 겉과 속이 다른 북곽 선생의 타락을 똥이 차 있는 구덩이 속이라는 공간이 상징적으로 보여주는 것 같아.</u>

장면끊기 01 <u>북곽 선생과 동리자는 각각 덕과 절개가 높은 인물로 이름나 있었지만, 실상은 이와 달랐어. 첫 번째 장면에서는 두 인물의 겉과 속이 다른 표리부동한 모습을 확인할 수 있지.</u>

(마) 간신히 기어올라 머리를 내밀고 바라보니 한 범이 길을 막고 있었다. 범이 오만상을 찌푸리고 구역질을 하며 코를 싸쥐고 머리를 왼편으로 돌리며 한숨을 쉬고 말했다.

"어허, 유자(儒者)(=북곽 선생)여! 구리도다." <u>구덩이에서 빠져나온 북곽 선생은 범을 만나는데, 그런 북곽 선생의 모습을 범이 구리다고 평가하지. 이 작품은 이처럼 동물인 범이 북곽 선생을 꾸짖는다는 점에서 우화적 기법을 사용하였음을 알 수 있어.</u>

북곽 선생이 머리를 조아리고 엉금엉금 기어 나와서 세 번 절하고 꿇어앉아 우러러 말했다.

"범님의 덕은 지극하시지요. 대인은 그 변화를 본받고 제왕은 그 걸음을 배우며, 자식 된 자는 그 효성을 본받고 장수는 그 위엄을 취합니다. 범님의 이름은 신룡(神龍)의 짝이 되는지라, 한 분은 바람을 일으키시고 한 분은 구름을 일으키시니, 저 같은 하토(下土)의 천한 신하는 감히 아랫자리에 서옵니다." <u>북곽 선생은 목숨을 구하기 위해 범의 덕과 효성을 칭찬하며 자신을 천한 신하라고 낮추어 표현하는 등 아첨을 떨어. 이 작품은 이렇듯 북곽 선생을 우스꽝스럽고 비굴한 인물로 희화화함으로써 당대 양반의 위선적인 면모를 풍자하고 있다고 볼 수 있어.</u>

범이 꾸짖었다.

"내 앞에 가까이 오지 마라. 앞서 내 듣건대, 유(儒)란 것은 유(諛)*라 하더니 과연 그렇구나. 네가 평소에 천하의 악명을 모아 망령되게 내게 덮어씌우더니, 이제 사정이 급해지자 면전에서 아첨을 떠니 누가 곧이듣겠느냐. <u>범은 평소에 천하의 악명을 모아 범에게 덮어 씌우던 북곽 선생이 아첨하는 말을 하자 꾸짖어.</u> 천하의 원리는 하나다. 범의 본성이 악한 것이라면 인간의 본성도 악할 것이요, 인간의 본성이 선한 것이라면 범의 본성도 선할 것이다." <u>범은 천하의 원리는 하나인데 범의 본성과 인간의 본성을 다르다고 보며 선과 악으로 구분하는 것이 잘못되었음을 꾸짖고 있어. 범이 북곽 선생을 직설적으로 나무라는 것에서 '호질(호랑이가 꾸짖음)'이라는 이 작품의 제목의 의미를 알아챌 수 있겠지?</u>

장면끊기 02 <u>구덩이에서 나온 북곽 선생이 한 범과 마주치고 살기 위해 그에게 아첨하지만, 범은 그런 북곽 선생의 잘못을 꾸짖지. 중략 이후 변화된 상황이 나타나니 여기에서 장면을 끊을게.</u>

(중략)

(바) 북곽 선생이 자리에서 물러나 한참 엎드렸다가 일어나 엉거주춤하더니, 두 번 절하고 머리를 거듭 조아리며 말했다.

"『맹자』에 이르기를, 비록 악한 사람이라도 목욕재계를 한다면 상제(上帝)라도 섬길 수 있다 하였사오니, 이 하토에 살고 있는 천한 신하가 감히 아랫자리에 서옵니다."

숨을 죽이고서 가만히 들어 보았다. 오래도록 아무런 분부가 없으므로 실로 황송키도 하고 두렵기도 하여 손을 맞잡고 머리를 조아리며 우러러보니 동녘이 밝았는데, 범은 벌써 가고 없었다.

마침 아침에 밭 갈러 온 농부가,

"선생님, 무슨 일로 이 꼭두새벽에 들판에 대고 절을 하시옵니까?"

라 물으니, 북곽 선생이 말했다.

"내 일찍이 들으니

'하늘이 높다 하되 머리 어찌 안 굽히며,

땅이 두텁다 하되 어찌 조심스레 걷지 않겠는가.'

하였네그려." 북곽 선생이 두려움에 고개를 들었을 때는 이미 날이 밝고 범은 떠난 뒤였어. 범이 자리를 떠난 줄도 모르고 고개를 조아린 채 절하고 있던 북곽 선생은 **농부**와 마주치자 하늘을 향해 절하던 척 뻔뻔한 모습을 보여. 아침 일찍부터 일하는 농부는 부지런하고 착실한 인물형이라는 점에서 북곽 선생과 **대조**적이지만, 북곽 선생의 표리부동함은 알아채지 못하는군.

장면끊기 03 범 앞에서는 아첨하던 북곽 선생이 농부 앞에서는 어진 인물인 척 거짓말을 꾸미는 것으로 지문이 끝나고 있어.

– 박지원, 「호질」 –

*유(儒): 선비.

*유(諛): 아첨하다.

고전 **필수** 어휘

*행의: 품행과 도의를 아울러 이르는 말.

*현숙하다: 여자의 마음이 어질고 정숙하다.

*봉하다: 임금이 작위나 작품을 내려 주다.

고전소설 독해의 **STEP 2**

1 구조도의 빈칸에 적절한 말을 채웠는지 확인해 보세요.

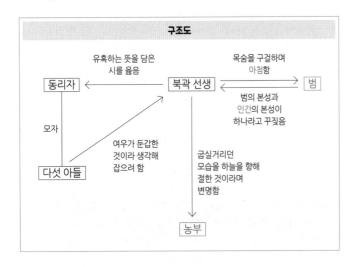

구조도

2 1~2번 문제의 정답과 해설을 확인해 보세요.

1. 〈보기〉를 참고하여 (다)를 이해한 내용으로 적절하지 **않은** 것은?

〈보기〉

이 작품에서 다섯 아들은 북곽 선생을 여우로 여기고 있다. 이는 북곽 선생의 위선을 풍자하기 위하여 작가가 마련한 설정으로, 다섯 아들이 북곽 선생을 여우로 여기는 것은 북곽 선생의 위선을 풍자하기 위한 설정 그들이 여우에 대해 하는 말과 행동은 북곽 선생의 성격과 행위를 암시한다. 여우에 대한 말과 행동 → 북곽 선생의 성격과 행위 암시

정답풀이 〉

② '여우의 갓을 얻으면 부자가 된다'는 말은 북곽 선생이 부를 이용하여 높은 벼슬을 얻었음을 암시한다.

윗글의 (가)에서 '정나라 어느 고을에 벼슬에 뜻이 없는 선비가 살았으니, 북곽 선생이라 했다.'라고 하였다. 이를 통해 북곽 선생은 큰 벼슬에 있는 것은 아님을 알 수 있으므로, 북곽 선생이 부를 이용하여 높은 벼슬을 얻었다는 설명은 적절하지 않다.

오답풀이 〉

① '여우가 사람 시늉을 한다'는 말은 북곽 선생이 진정한 선비가 아님을 암시한다.

〈보기〉에서 다섯 아들이 북곽 선생을 여우라 생각하는 것은 '작가가 마련한 설정으로, 그들이 여우에 대해 하는 말과 행동은 북곽 선생의 성격과 행위를 암시한다.'라고 하였다. 이를 참고하면, 겉으로는 청렴한 선비 행세를 하지만 사람들의 눈을 피해 과부와 밀회를 즐기는 북곽 선생은 진정한 선비가 아니며, '여우가 사람 시늉'을 하는 것처럼 덕망 있는 선비인 척을 하고 있는 것임을 알 수 있다.

③ '여우의 신발을 얻으면 그림자를 감출 수 있다'는 말은 북곽 선생이 농부 앞에서 자신의 치부를 감추는 행위를 예고한다.

〈보기〉에서 다섯 아들이 '여우에 대해 하는 말과 행동은 북곽 선생의 성격과 행위를 암시한다.'라고 했다. 이를 참고하면, '그림자를 감'춘다는 것은 살기 위해 범에게 아첨하던 북곽 선생이 이를 농부에게 들킬 뻔하자 옛글의 구절을 인용하며 자신의 치부를 감추고자 한 행위를 예고한 것이라 볼 수 있다.

④ '여우의 꼬리를 얻으면 애교를 잘 부린다'는 말은 북곽 선생이 범 앞에서 비위를 맞추려는 행위와 연결된다.

> 〈보기〉에서 다섯 아들이 '여우에 대해 하는 말과 행동은 북곽 선생의 성격과 행위를 암시한다.'라고 했다. 범 앞에서 감언이설을 하며 머리를 조아리는 북곽 선생의 모습에서 애교를 부리며 비위를 맞추려는 그의 성격을 확인할 수 있다.

⑤ '여우를 잡아 죽이자'는 말은 북곽 선생이 봉변을 당할 것임을 시사한다.

> 다섯 아들은 여우를 잡아 죽이자는 말을 한 뒤 '어미의 방을 둘러싸고 쳐들어'간다. 이에 놀란 북곽 선생은 도망치다 똥으로 가득 찬 구덩이에 빠진다. 따라서 다섯 아들의 말이 북곽 선생이 봉변을 당할 것임을 시사한다는 설명은 적절하다.

2. 문학 개념어 OX 확인 문제

> ① ✕
>
> • 서술 위주 사건 진행: 인물 간의 대화를 제시하거나, 행동을 묘사하는 것보다 서술자의 서술, 설명 위주로 사건을 진행하는 것을 말함.
>
> 근거 (나)는 동리자와 북곽 선생이 방 안에서 하는 대화를 방 밖에서 다섯 아들이 듣고 있는 상황, (다)는 다섯 아들이 이에 대해 나누는 대화를 중심으로 전개하고 있음. 즉 (다)가 서술자의 서술 위주로 사건을 전개한다고 볼 수 없음.
>
> ② ○
>
> • 우화: 인격화된 동식물이나 다른 사물, 혹은 다른 부류의 사람에 빗대어 비유적인 뜻을 나타내거나 풍자하는 성격을 가지는 이야기.
>
> • 풍자: 현실의 부정적 현상이나 모순 따위를 다른 사물이나 상황에 빗대어 간접적으로 비판함으로써 그 병폐를 깨닫도록 하는 것.
>
> 근거 '이에 다섯 아들이 같이 어미의 방을 둘러싸고 쳐들어가니 북곽 선생이 크게 놀라서 도망쳤다. 사람들이 자기를 알아볼까 겁이 난 다리를 목덜미에 얹고 귀신처럼 춤추고 낄낄거리며 문을 나가서 내닫다가 그만 들판의 구덩이 속에 빠져 버렸다.', '범님의 덕은 지극하시지요.~저 같은 하토의 천한 신하는 감히 아랫자리에 서옵니다.'

고전소설 독해의 **STEP 3**

1 1번 문제의 선지 판단 공식에 대한 답을 확인해 보세요.

〈보기〉 문제 선지 판단의 공식

①

〈보기〉 여우에 대한 다섯 아들의 말과 행동은 북곽 선생의 성격과 행위를 암시함

+

작품
(나): '방 안에서 흘러나오는 말소리는 어찌 그리도 북곽 선생의 목소리를 닮았을까.'
(다): '예법에 '과부의 문에는 함부로 들지 않는다.'고 했으니, 북곽 선생은 어진 이라 그런 일이 없을 거야.~내 들으니, 여우란 놈은 천 년을 묵으면 사람 시늉을 할 수 있다 하니, 저건 틀림없이 여우란 놈이 북곽 선생으로 둔갑한 것일 게다.'

선지 '여우가 사람 시늉을 한다'는 말은 북곽 선생이 진정한 선비가 아님을 암시한다. ○

②

〈보기〉 여우에 대한 다섯 아들의 말과 행동은 북곽 선생의 성격과 행위를 암시함

+

작품
(가): '정나라 어느 고을에 벼슬에 뜻이 없는 선비가 살았으니, 북곽 선생이라 했다.'
(다): '저건 틀림없이 여우란 놈이 북곽 선생으로 둔갑한 것일 게다.', '내 들으니, 여우의 갓을 얻으면 큰 부자가 될 수 있고'

선지 '여우의 갓을 얻으면 부자가 된다'는 말은 북곽 선생이 부를 이용하여 높은 벼슬을 얻었음을 암시한다. ✕

③

〈보기〉 여우에 대한 다섯 아들의 말과 행동은 북곽 선생의 성격과 행위를 암시함

+

작품
(다): '내 들으니,~여우의 신발을 얻으면 대낮에 그림자를 감출 수 있으며'
(바): '아침에 밭 갈러 온 농부가, "선생님, 무슨 일로 이 꼭두새벽에 들판에 대고 절을 하시옵니까?"라 물으니, 북곽 선생이 말했다. "내 일찍이 들으니 '하늘이 높다 하되 머리 어찌 안 굽히며, 땅이 두텁다 하되 어찌 조심스레 걷지 않겠는가.' 하였네그려."'

선지 '여우의 신발을 얻으면 그림자를 감출 수 있다'는 말은 북곽 선생이 농부 앞에서 자신의 치부를 감추는 행위를 예고한다. ○

④

〈보기〉 여우에 대한 다섯 아들의 말과 행동은 북곽 선생의 성격과 행위를 암시하여 북곽 선생의 위선을 풍자함

+

작품
(다): '내 들으니,~여우의 꼬리를 얻으면 애교를 잘 부려서 누구라도 그를 좋아한다더라.'
(마): '범님의 덕은 지극하시지요.~저 같은 하토의 천한 신하는 감히 아랫자리에 서옵니다.'

선지 '여우의 꼬리를 얻으면 애교를 잘 부린다'는 말은 북곽 선생이 범 앞에서 비위를 맞추려는 행위와 연결된다. ○

⑤

〈보기〉 여우에 대한 다섯 아들의 말과 행동은 북곽 선생의 성격과 행위를 암시하여 북곽 선생의 위선을 풍자함

+

작품
(다): '내 들으니, 여우의 갓을 얻으면 큰 부자가 될 수 있고,~우리 저 여우를 잡아 죽여서 나눠 갖는 게 어떨까?'
(라): '이에 다섯 아들이 같이 어미의 방을 둘러싸고 쳐들어가니 북곽 선생이 크게 놀라서 도망쳤다.~문을 나가서 내닫다가 그만 들판의 구덩이 속에 빠져 버렸다. 그 구덩이에는 똥이 가득 차 있었다.'

선지 '여우를 잡아 죽이자'는 말은 북곽 선생이 봉변을 당할 것임을 시사한다. ○

고전소설 독해의 STEP 1

1 다음 글을 읽고 등장인물을 잘 파악했는지, 빈칸에 적절한 말을 채웠는지 확인해 보세요.

📅 고3 2014학년도 9월 모평A – 작자 미상, 「숙영낭자전」

백선군이 잠깐 주막에서 조는데 ㉠문득 숙영낭자가 몸에 피를 흘리며 방문을 열고 들어와 선군(=백선군)의 곁에 앉아 슬프게 울며 말하기를,

[A]
"낭군(=백선군)이 입신양명하여 영화롭게 돌아오시니 기쁘기 측량없사오나, 첩(=숙영낭자)은 시운이 불행하여 세상을 버리고 황천객이 되었습니다. 전에 낭군의 편지 사연을 듣사온즉 낭군이 첩에게 향한 마음에 감격하오나, 첩은 천생연분이 천박하여 벌써 유명을 달리하였으니 구천의 혼백이라도 한스럽습니다. 숙영낭자는 몸에 피를 흘리며 문득 백선군에게 와서 말을 하기 시작해. 백선군이 입신양명하여 돌아와 기쁘지만, 자신은 시운이 불행하여 혼백이 된 것을 한스러워하네. 첩이 원혼이 된 사연을 아무쪼록 깨끗이 풀어 주시기를 낭군께 부탁하오니, 낭군은 소홀히 여기지 마시고 억울한 누명을 벗겨 주시면, 죽은 혼백이라도 깨끗한 귀신이 될까 합니다." 숙영낭자는 죽은 혼백이라도 깨끗한 귀신이 되고 싶다고 하며 백선군에게 자신의 누명을 벗겨 달라고 요청해.

하고 간 데 없었다. ㉡선군이 놀라 깨어 보니 온몸에 식은땀이 나고 심신이 떨려 진정할 수가 없었다. 백선군은 꿈에 나타나 피를 흘리며 말하는 숙영낭자의 모습을 보고 진정할 수가 없었어. 장면끊기 01 숙영낭자가 백선군의 꿈에 나타나 누명을 벗겨 달라고 부탁하는 장면이야. 이어지는 장면은 꿈에서 깨어난 백선군이 말을 타고 이동한 이후의 사건이 나타나니 여기서 장면을 끊자! 아무리 생각해도 그 곡절을 헤아리지 못하여 인마*를 재촉하여 여러 날 만에 풍산촌에 이르러 숙소를 정하였으나, 식음을 전폐하고 앉아 밤이 새기를 기다렸다. 문득 하인이 와서,

"상공(相公)께서 오셨습니다."

하고 알렸다. 선군이 즉시 밖에 나가 부친(=상공)께 문안을 드리고 방으로 뫼시고 들어가서 가내 안부를 여쭈었다. 상공이 주저하며 가족들이 잘 지낸다고 알리고, 선군이 장원하여 높은 벼슬을 하게 됨을 물어 기뻐하다가 이윽고 선군에게 은근한 말로,

"㉢장부가 출세하면 두 부인을 두는 것은 예부터 흔한 일이었다. 내 들으니 이 마을 임 진사의 딸이 매우 현숙하다* 하기로 내가 이미 구혼하여 임 진사에게 허락을 받았다. 이왕 이곳에 왔으니 내일 아주 성례*하고 집으로 돌아감이 좋지 않겠느냐?"

하고 권하였다. 상공은 선군에게 숙영낭자의 죽음을 숨기고, 임 진사의 딸과 혼인할 것을 권해. 선군은 숙영낭자가 꿈에 나타난 뒤로 반신반의하여 마음을 진정치 못하던 차에 부친의 이런 말을 듣고 생각하되, '낭자(=숙영낭자)가 죽은 것이 분명하구나. 그래서 나를 속이고 임 낭자를 취하게 하여 훗날을 도모*하고자 함이로다.' 하고 이에 아뢰되,

"아버님(=상공) 말씀은 지당하시나, 제 마음이 아직 급하지 아니합니다. 나중에 성혼하여도 늦지 아니하오니 그 말씀은 다시 이르지 마옵소서."

하였다. 백선군은 꿈에서 만난 숙영낭자의 말을 내심 의아해하다가, 임 낭자와의 혼인을 권하는 상공의 말을 듣고 숙영낭자가 죽은 것을 확신하게 돼. 이제 숙영낭자의 소원대로 억울한 누명을 벗겨 주고자 하겠지? 상공은 아들이 변심치 아니할 줄 알고

다시 말하지 못하고 밤을 지냈다. 첫닭이 울자마자 선군은 인마를 재촉하여 길에 올랐다. 장면끊기 02 임 진사의 딸과 성례하라는 상공의 말을 들은 백선군은 숙영낭자가 죽은 것이 분명하다고 생각하게 돼. 중략 이후에는 숙영낭자의 부탁대로 그녀의 억울한 누명을 벗겨 주는 백선군의 모습이 나타나겠지?

(중략)

㉣선군이 소매를 걷고 빈소에 들어가 이불을 헤치고 보니, 낭자의 용모가 산 사람 같아서 조금도 변함이 없었다. 백선군이 집으로 돌아와 숙영낭자의 시신을 보게 된 거야. 용모가 산 사람 같이 조금도 변함이 없는 모습이네. 선군이 부축하여 이르기를,

"백선군이 왔으니, 이 칼이 빠지면 원수를 갚아 낭자의 원혼을 위로하리라."

하고 몸에서 칼을 빼니, 칼이 문득 빠지며, 그 구멍에서 파랑새한 마리가 나오며,

"매월이다, 매월이다, 매월이다."

세 번 울고 날아갔다. 다시 파랑새가 한 마리가 또 나오며,

"매월이다, 매월이다, 매월이다."

세 번 울고 날아갔다. 신기한 일이 벌어졌지? 숙영낭자의 몸에서 칼을 빼니 파랑새가 연달아 나오면서 '매월'이라는 이름을 불렀어. 아마도 숙영낭자의 억울한 죽음은 매월과 관련된 것인가 봐. 그제야 선군이 시비 매월의 소행인 줄 알고, 화를 이기지 못하여 급히 밖에 나와 형구를 벌이고 모든 노복을 차례로 신문하였다. 간악한 매월이 매를 견디지 못하여 승복*하여 울며 가로되,

"상공께서 숙영낭자를 의심하시기로 제가 마침 원통한 마음이 있던 차에 때를 타서 감히 간계*를 행하였으니, 함께 일을 꾸민 놈은 돌이로소이다."

하거늘, 선군이 크게 노하여 돌이를 또 때리니 돌이가 매월의 돈을 받고 시키는 대로 했노라 승복하였다. 선군이 이에 매월을 죽여 숙영낭자를 위한 제물로 삼고 제문을 읽었다. 백선군은 숙영낭자를 모함한 매월과 돌이의 간계를 밝혀내고 이들을 처벌해.

[B]
"성인도 속세에 노닐고, 숙녀도 험한 구설을 만남은 예부터 없지 않았으나, 낭자같이 지극 원통한 일이 어디 다시 있으리오. 슬프다! 모두 나 선군의 탓이니 누구를 원망하리오. 백선군은 숙영낭자의 죽음이 모두 자신의 탓이라고 말하며 괴로워하네. 오늘날 매월의 원수는 갚았으나 낭자의 화용월태를 어디 가 다시 보리오. 다만 선군이 죽어 지하에 가 낭자를 좇을 것이니, 부모에게 불효가 되어도 어찌할 수 없으리로다." 백선군은 살아서는 숙영낭자를 다시 볼 수 없으니 부모님께 불효하는 일이 되더라도 숙영낭자를 따라 죽겠다고 해.

제문 읽기를 마치매 신체를 어루만지며 통곡한 후 돌이를 본읍에 넘겨 먼 절도로 귀양 보내게 하였다.

이때 상공 부부는 선군에게 바로 이르지 아니하였다가 일이 이같이 탄로 남을 보고 도리어 무색하여 아무 말도 못하거늘 선군이 화평한 얼굴로 재삼 위로하였다. 숙영낭자가 죽은 것을 백선군에게 바로 알리지 않은 것에 대해 상공 부부는 미안해하나, 백선군은 화평한 얼굴로 부모님을 위로해.

장면끊기 03 백선군이 숙영낭자의 원수를 갚고 원혼을 위로해 주는 것으로 지문이 끝이 났네.

– 작자 미상, 「숙영낭자전」 –

고전 **필수 어휘**

*인마: 사람과 말을 아울러 이르는 말.

*현숙하다: 여자의 마음이 어질고 정숙하다.

*성례: 혼인의 예식을 지냄.

*도모: 어떤 일을 이루기 위하여 대책과 방법을 세움.

*승복: 죄를 스스로 고백함.

*간계: 간사한 꾀.

고전소설 독해의 STEP 2

1 구조도의 빈칸에 적절한 말을 채웠는지 확인해 보세요.

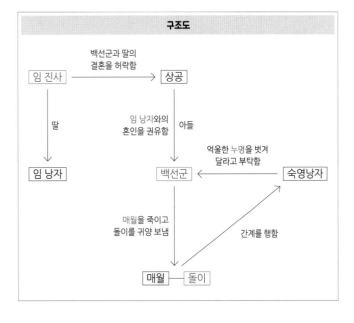

구조도

2 1~2번 문제의 정답과 해설을 확인해 보세요.

1. 〈보기〉를 참조하여 윗글을 감상한 내용으로 가장 적절한 것은?

〈보기〉

고전소설에서 주인공은 과제를 수행하는 경우(백선군은 숙영낭자의 누명을 벗겨야 함)가 많다. 과제는 여러 단계를 거쳐 수행된다. 처음에 과제를 부여받은 주인공은 왜 자신에게 그런 과제가 주어졌는지 의심(꿈에 나온 숙영낭자의 말을 듣고 그 곡절을 헤아리지 못함)한다. 더구나 방해자가 나타나 주인공의 과제 수행을 방해(상공이 임 낭자와 성례를 올리라고 함)하기도 한다. 그러나 오히려 이 과정에서 주인공은 과제 수행자로서 자신의 정체성을 이해하고 사명감(백선군은 숙영낭자의 죽음을 확신하고 억울한 누명을 벗겨 주기로 결심함)을 갖게 된다. 결국 주인공은 과제 해결에 요구되는 행위를 적극 실행하여 과제를 완수한다. 이로써 주인공은 새로운 정체성을 획득(매월과 돌이를 처벌하고, 숙영낭자와의 영원한 사랑을 다짐함)한다.

정답풀이

① ㉠은 과제를 부여받게 되는 단계에 해당하는데, 이를 통해 숙영낭자와 선군의 관계가 과제 수행의 전제임을 알 수 있어.

㉠에서 선군이 숙영낭자에게 자신의 억울한 누명을 벗겨 달라는 부탁을 받게 되는 것은 과제를 부여받게 되는 단계에 해당한다. 선군이 이러한 과제를 수행하게 되는 것에는 숙영낭자와 선군이 서로 사랑하는 부부 사이라는 점이 전제되어 있다.

오답풀이

② ㉡은 과제 제시의 까닭을 의심하는 단계에 해당하는데, 이를 통해 숙영낭자가 나타나게 된 원인을 선군이 꿰뚫어 보고 있음을 알 수 있어.

㉡에서 선군은 숙영낭자가 꿈에 나타난 '곡절을 헤아리지 못하'고 있다. 이것은 과제 제시의 까닭을 의심하는 단계이지만, 한편으로 선군이 숙영낭자가 나타나게 된 원인을 꿰뚫어 보고 있지 못함을 의미한다.

③ ㉢은 과제 수행이 방해받는 단계에 해당하는데, 이를 통해 부자간의 갈등과 화해가 외부 세력에 의해 주도되고 있음을 알 수 있어.

㉢에서 선군의 아버지는 숙영낭자의 죽음을 숨기고 선군에게 임 낭자와의 성례를 권유하고 있다. 이는 과제 수행을 방해받는 단계로, 선군이 이러한 권유에 응하지 않음을 고려하면 이로 인해 부자간의 갈등이 나타난다고 볼 여지는 있다. 하지만 갈등이 외부 세력에 의해 주도되고 있지는 않으며, 화해하는 모습도 나타나지 않는다.

④ ㉣은 과제에 대한 사명감을 갖게 되는 단계에 해당하는데, 이를 통해 아버지의 의사에 부응하여 도리를 다하려는 선군의 태도를 알 수 있어.

㉣에서 선군은 숙영낭자의 죽음을 확신하고 과제에 대한 사명감을 갖게 된다. 이는 선군이 임 진사의 딸과 성례하라는 아버지의 의사에 부응하지 않고 이를 거역하고 있음을 나타낸다.

⑤ ⓔ은 과제 해결이 완수된 단계에 해당하는데, 이를 통해 숙영낭자의 원한이 해소되었음을 알 수 있어.

ⓔ에서 선군은 숙영낭자의 시신을 발견한다. 하지만 아직 숙영낭자의 억울한 누명이 벗겨진 것이 아니므로 과제 해결이 완수된 단계가 아니다. 이후 선군이 매월과 돌이를 처단하고 숙영낭자를 위해 제문을 읽는 것이 숙영낭자의 원한을 해소하는 과제 해결의 완수 단계에 해당한다.

2. 인물의 말하기 방식 OX 확인 문제

① ○

근거 [A]는 백선군이 잠깐 주막에서 조는데 숙영낭자가 혼백이 되어 '꿈'에 나타난 상황으로, 숙영낭자는 자신이 '원혼이 된 사연'을 '깨끗이 풀어' '억울한 누명을 벗겨' 달라고 선군에게 부탁함.

② ○

근거 [B]는 '성인도 속세에 노닐고~낭자같이 지극 원통한 일이 어디 다시 있으리오.'라고 하여 원통하게 죽은 숙영낭자의 처지를 환기하며 시작하고 있음.

고전소설 독해의 STEP 3

■ 1번 문제의 선지 판단 공식에 대한 답을 확인해 보세요.

〈보기〉 문제 선지 판단의 공식

① 〈보기〉 고전소설에서 주인공은 과제를 수행하는 경우가 많음 ➕ 작품 '㉠문득 숙영낭자가 몸에 피를 흘리며 방문을 열고 들어와 선군의 곁에 앉아 슬프게 울며 말하기를, "낭군이 입신양명하여 영화롭게 돌아오시니 기쁘기 측량 없사오나, 첩은 시운이 불행하여 세상을 버리고 황천객이 되었습니다."'

선지 ➡ ㉠은 과제를 부여받게 되는 단계에 해당하는데, 이를 통해 숙영낭자와 선군의 관계가 과제 수행의 전제임을 알 수 있어. ◯

② 〈보기〉 처음에 과제를 부여받은 주인공은 왜 자신에게 그런 과제가 주어졌는지 의심함 ➕ 작품 '㉡선군이 놀라 깨어 보니~아무리 생각해도 그 곡절을 헤아리지 못하여'

선지 ➡ ㉡은 과제 제시의 까닭을 의심하는 단계에 해당하는데, 이를 통해 숙영낭자가 나타나게 된 원인을 선군이 꿰뚫어 보고 있음을 알 수 있어. ✕

③ 〈보기〉 방해자가 나타나 주인공의 과제 수행을 방해하기도 함 ➕ 작품 '㉢장부가 출세하면 두 부인을 두는 것은 예부터 흔한 일이었다. 내 들으니 이 마을 임 진사의 딸이 매우 현숙하다 하기로 내가 이미 구혼하여 임 진사에게 허락을 받았다. 이왕 이곳에 왔으니 내일 아주 성례하고 집으로 돌아감이 좋지 않겠느냐?', '아버지 말씀은 지당하시나, 제 마음이 아직 급하지 아니합니다.'

선지 ➡ ㉢은 과제 수행이 방해받는 단계에 해당하는데, 이를 통해 부자간의 갈등과 화해가 외부 세력에 의해 주도되고 있음을 알 수 있어. ✕

④ 〈보기〉 주인공은 과제 수행자로서 자신의 정체성을 이해하고 사명감을 갖게 됨 ➕ 작품 '㉣낭자가 죽은 것이 분명하구나. 그래서 나를 속이고 임 낭자를 취하게 하여 훗날을 도모하고자 함이로다.', '"그 말씀은 다시 이르지 마옵소서."~첫닭이 울자마자 선군은 인마를 재촉하여 길에 올랐다.'

선지 ➡ ㉣은 과제에 대한 사명감을 갖게 되는 단계에 해당하는데, 이를 통해 아버지의 의사에 부응하여 도리를 다하려는 선군의 태도를 알 수 있어. ✕

⑤ 〈보기〉 주인공은 과제 해결에 요구되는 행위를 적극 실행하여 과제를 완수함 ➕ 작품 '㉤선군이 소매를 걷고 빈소에 들어가 이불을 헤치고 보니, 낭자의 용모가 산 사람 같아서 조금도 변함이 없었다.', '이 칼이 빠지면 원수를 갚아 낭자의 원혼을 위로하리라.'

선지 ➡ ㉤은 과제 해결이 완수된 단계에 해당하는데, 이를 통해 숙영낭자의 원한이 해소되었음을 알 수 있어. ✕

고전소설 독해의 STEP 1

1 다음 글을 읽고 등장인물을 잘 파악했는지, 빈칸에 적절한 말을 채웠는지 확인해 보세요.

📅 고3 2014학년도 4월 학평A – 작자 미상, 「화산중봉기」

[앞부분의 줄거리] 김선옥이 가출한 뒤 보상금에 욕심이 난 형옥은 가짜 선옥을 집으로 데려오는데, 부인 이씨만은 그가 남편이 아니라며 거부하다가 병자로 몰려 친정으로 쫓겨난다. 결국 조정에까지 이 일이 알려지면서 임금은 어사(=진어사)를 파견하고, 진어사는 삼 년 만에 상원암에서 진짜 김선옥을 찾는다. 그리고 이씨의 정절을 선옥에게 확인시키고자 그를 종인(從人)(=김선옥)으로 변장시킨 후 재판을 재개한다. 이때 김선옥의 부친인 김 처사와 이씨의 부친인 이 통판을 비롯한 양가 가족들과 하인 등도 관청에 모이게 한다. *앞부분의 줄거리에 많은 인물들이 등장하네. 형옥이 집으로 데려온 가짜 선옥에게 모두가 속지만, 부인 이씨만은 가짜임을 알고 거부하다 친정으로 쫓겨나게 되었어. 진어사는 진짜 김선옥을 찾아내고, 양가 가족들과 하인 등을 관청에 모이게 하여 재판을 재개하지. 부인 이씨의 억울함이 어떻게 풀어질지 살펴보자!*

[A]
"옛말씀에 하였으되, '만승지군(萬乘之君)은 빼앗기 쉬우나 필부필부(匹夫匹婦)의 뜻은 빼앗지 못 한다.' 하였으니, 이제 왕명으로 죽이시면 진실로 달게 여기는 바이오나, 다만 부군(=김선옥)을 만나지 못하고 죽사오면 미망인*(=이씨)의 원혼은 구제할 것이 없을 것이요, 일후에 부군이 비록 돌아와도 진위를 분변할 자가 없사오니 지아비*(=김선옥)의 신세가 마침내 걸인을 면치 못할지라."

라고 하고 죽기를 재촉하였다. *진어사가 재개한 재판에서 이씨는 김선옥을 만나지 못하고 죽게 되면 자신의 원혼을 구제할 방법이 없고, 누가 진짜 김선옥인지 진위를 분변할 자가 없어 진짜 김선옥은 걸인 신세를 면하지 못할 것이라 해.* 어사가 크게 노하여,

"네 일개 요망한 여자가 심성이 교활하고 사악하여 아래로 김씨 문중의 천륜을 의심케 하고, 위로 천청(天聽)*을 놀라게 하여 조정과 영읍이 분란케 되었으매, 벌써 거리에 머리를 달아 여러 백성을 징계할 것이로되, 성상(=임금)의 호생지덕(好生之德)으로 나를 보내셔서 자세히 살피라 하시어, 내 열읍에서부터 너의 요사스럽고 교활한 심정을 이미 알았으나 성상의 너그럽고 어진 도를 본받아 형장(刑杖)*을 쓰지 아니하고 좋은 말로 자식같이 알아듣도록 타일렀으니, 사람이 목석(木石)이 아니거늘 일향 고집하여 조정 명관(命官)을 무단히 면박하며 어지럽고 사나운 말로 송정(訟庭)*에 발악함이 가하겠는가?" *진어사가 사건을 조사하게 된 과정을 이야기하고 있어. 진어사는 진짜 김선옥을 찾아냈음에도 일부러 이씨를 꾸짖고 있는 것 같지? 앞부분의 줄거리에 나온 대로 종인으로 변장시킨 김선옥에게 이씨의 정절을 보여 주기 위해서일 거야.*

하고 종인(從人)을 꾸짖어,

"이씨를 형추(刑推)* 거행하라." 하였다.

선옥이 소리를 크게하여 나졸을 불러,

"병인(病人) 이씨를 형추하라."

하니, 나졸들이 미처 거행치 못하여, 문득 이씨가 가마 속에서 크게 외쳐 이르기를,

"어사는 왕인(王人)*이라, 이 곧 백성의 부모요, 상하 관속(官屬)

은 모두 나의 집 하인이라."

하고 가마의 주렴*을 떨치고 바로 청상(廳上)에 올라 어사의 종인을 붙들고,

"장부(=김선옥)가 어디에 갔다가 이제야 왔나뇨?"

하며 인하여 혼절하니, *종인으로 변장시켰음에도 불구하고 이씨는 김선옥을 한눈에 알아봤어.* 통판이 딸 아이의 혼절함을 보고 대경실색*하여 약을 갈아 입에 넣고 사지를 만지며 부르짖었다. 낭자(=이씨)가 겨우 정신을 수습하여 눈을 들어 보니 부군(=김선옥)이 또한 기절해 있었다. *김선옥을 다시 만난 이씨가 혼절했다가 깨어나니 이번엔 김선옥이 기절해.* 부친(=이 통판)으로 더불어 치료하니, 당상 당하에서 보는 자가 놀라 괴이하게 여기지 않는 자가 없었고 처자의 부부와 송정에 있던 자가 그 곡절*을 알지 못하고 면면이 서로 보아 어떻게 할 바를 깨닫지 못하며, 가짜 선옥과 형옥은 낯이 흙빛이 되어 떨기를 마지 아니하였다. *통판과 처사 부부, 재판을 지켜보던 자들은 이씨와 종인(김선옥)이 서로를 보고 기절한 모습을 괴이하게 여겨. 다만 가짜 선옥과 형옥은 두려움에 떨게 되었어.*

장면끊기 01 *재판에서 몰아붙여지던 이씨는 종인이 김선옥임을 알아채고 혼절해버려. 김선옥 역시 자신을 알아챈 이씨를 보고 기절하지. 다음 장면에서는 이씨의 절개와 지혜에 탄복한 진어사가 이씨와 선옥을 데리고 들어와 그동안의 자초지종을 이야기하도록 하니, 여기에서 장면을 끊고 가는 게 좋겠지?*

이때 어사가 광경을 보니 이씨의 절개도 갸륵하거니와 그 선옥의 진위를 아는 지혜를 마음으로 더욱 탄복하고* 몸소 창밖에 나아와 이씨와 선옥을 데리고 들어와 즉시 이씨로 수양딸을 정하였다. *어사는 이씨의 절개와 지혜에 탄복하여 이씨를 수양딸로 삼게 돼.* 이씨가 부녀지례(父女之禮)로 뵈니 어사가 선옥과 이씨를 가까이 앉히고 이씨더러 물었다.

"여아(=이씨)는 어찌 가부(=김선옥)의 진가를 알았느뇨?"

이씨가 대답하였다.

"가부의 앞니에는 참깨만한 푸른 점이 있사오매 이로써 안 것이요, 다른 데는 저 놈과 과연 추호도 차이가 없도소이다." *부모조차 알 수 없었던 진짜 김선옥을 구별할 수 있었던 이유는 앞니에 있는 푸른 점 때문이었구나.*

어사가 그 영민함을 차탄하고 선옥에게 일러,

"너의 부인이 나의 여아가 되었으니 너는 곧 나의 사위라. 너희 둘이 이제 만났으니 각각 정회도 펴려니와 우선 네가 절에서 떠난 연고를 자세히 하여 피차 의혹되는 마음이 없게 하라."

라고 하니, 선옥이 주저하고 즉시 말을 못하였다. *어사는 선옥에게 절에서 떠난 연고를 자세히 일러 이씨와 의혹되는 마음이 없도록 할 것을 권하지만, 선옥은 주저하네.* 이씨가 말하였다.

"장부가 할 말이면 반드시 실상(實相)으로 할 것이거늘 어찌 이같이 주저하느뇨?"

선옥이 그제야 이씨를 향하여 말하였다.

"내 모년월일야(某年月日夜)에 중의 의관을 바꾸어 입고 내려와 그대의 처소에 이르러 보니 그대 어떤 의관*한 남자(=옥란)와 더불어 희롱하는 그림자가 창밖에 비쳤으매, 매우 분노하여 들어가 그대와 그 놈을 모두 죽이고자 하다가 도로 생각하니, '만일 그러하면 누명이 나타나 나의 집안의 명성이 더러워질 것이라. 차라리 내 스스로 죽어 통한한 모양을 아니 보리라.' 하고 강변에 나아가 굴원(屈原)을 찾고자 하다가 차마 물에 들지 못하고 도로 절을 향하고 오다가 또 생각하니, '내 만일 집으로 돌아가면 그 분한 심사를 항상 풀지 아니할지라. 이러할진댄 어찌 가정을 이룬

즐거움이 있으리오? 차라리 내 몸을 숨겨 세상을 하직하고 세월을 보내리라.' 하여 그 길로 운산을 바라보고 창망히 내달려 우연히 함경도 단천 땅에 이르러 상원암이라 하는 절에 들어가 수운대사 의 (=진어사) 상좌가 되었으나, 대인 을 만나 종적을 감추지 못하고 이제 이같이 만났으니 알지 못하겠도다, 그때 그 사람이 어떠한 사람이더뇨?" 김선옥이 집을 떠나 상원암이라는 절에 들어간 이유가 밝혀졌어. 이씨가 어떤 의관한 남자와 희롱하는 장면을 목격한 선옥은 이씨를 의심하여 괴로워하다 가출하게 된 거야.

낭자가 눈물을 흘려 의상을 적시며 이르기를,

[B]
"장부가 이렇게 나의 마음을 모르나뇨? 이같이 의심할진댄 어찌 그때 바로 들어와 한을 풀지 아니하였나뇨? 그때 그 사람은 지금 송정에 있으매 장부가 보고자 하나이까?"

이씨는 자신의 절개를 의심하고 떠나버린 선옥을 원망하면서 섭섭한 마음을 드러내고 있어.

하고 시비 옥란 을 부르니 청하에 이르렀다. 낭자가 가리켜 말하기를,

"이 곧 그때의 의관한 남자라."

하니 선옥이 물었다.

"여자가 어찌 의관이 있으리오?"

낭자가 대답하였다.

"첩 (=이씨)에게 묻지 말고 옥란에게 물어보소서."

하니, 선옥이 옥란에게 물었다.

"네가 육년전 모월 모일 밤에 어떤 의관을 입었더뇨?"

옥란이 반나절이나 생각하더니 고하였다.

"소비(小婢) (=옥란)가 그때 아이 적이라, 낭자가 공자 (=김선옥)의 도복을 지으시매 앞뒤 수품과 길이 장단이 맞는가 시험코자 하여 소비에게 입히시고 두루 보실 제, 소비가 어리고 지각이 없어 공자가 절에서 보낸 갓이 벽에 있거늘 장난으로 내려 쓰고 웃으며 낭자께 여쭈되, '소비가 공자와 어떠하나이까?' 하니, 낭자가 또한 웃으시고 꾸짖어 바삐 벗으라고 하기로 즉시 벗어 도로 걸었사오니 이밖에는 의관을 입은 적이 없사옵니다."

라고 하였다. 선옥이 오해했던 의관한 남자는 이씨의 시비 옥란이었어. 이로써 이씨의 억울함이 해소되었어. 선옥이 듣기를 다하고 자기의 지혜가 없음과, 빙설 같은 이씨를 의혹하던 일과, 이씨의 중간 축출*하던 일을 일일이 생각하니 후회막급이라. 선옥은 자신이 섣불리 이씨를 의혹하고 그 때문에 이씨가 친정으로 쫓겨나게 된 일을 생각하며 후회해.

장면끊기 02 선옥이 가출한 이유는 부인 이씨의 정절을 의심했기 때문이야. 하지만 이씨와 희롱했다고 오해한 남자가 이씨의 시비 옥란임을 알게 되자 선옥은 자신의 지혜 없음과 이씨가 축출되었던 일을 생각하며 후회하게 돼.

– 작자 미상, 「화산중봉기」 –

*천청(天聽): 임금의 귀, 곧 임금을 가리킴.

*형장(刑杖): 형벌을 집행하는 도구.

*송정(訟庭): 송사를 처리하는 곳.

*형추(刑推): 죄인을 치며 죄를 캐어 물음.

*왕인(王人): 왕명에 의해 내려온 관원.

*축출(逐出): 쫓아내거나 몰아냄.

고전 필수 어휘

*미망인: 남편을 여읜 여자.

*지아비: 웃어른 앞에서 자기 남편을 낮추어 이르는 말.

*주렴: 구슬 따위를 꿰어 만든 발.

*대경실색: 몹시 놀라 얼굴빛이 하얗게 질림.

*곡절: 순조롭지 아니하게 얽힌 이런저런 복잡한 사정이나 까닭.

*탄복하다: 매우 감탄하여 마음으로 따르다.

*의관: 남자의 웃옷과 갓이라는 뜻으로, 남자가 정식으로 갖추어 입는 옷차림을 이르는 말.

고전소설 독해의 STEP 2

1 구조도의 빈칸에 적절한 말을 채웠는지 확인해 보세요.

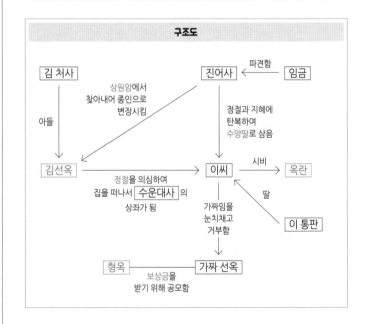

⑤ '축출하던 일'은, 남자 주인공의 실종 이후에 일어난 사건이자, 여자 주인공이 궁지에 몰렸던 상황과 관련되는군.

> 〈보기〉에 따르면 이 작품에는 '남자 주인공'이 '실종'되고 여자 주인공이 '궁지에 몰'리는 이야기가 나타난다. 이를 바탕으로 윗글을 감상했을 때, '김선옥이 가출한' 이후 형옥이 데려온 가짜 선옥을 이씨만 자기 '남편이 아니라며 거부하다가 병자로 몰려 친정으로 쫓겨'난 것은 남자 주인공의 실종 이후에 일어난 사건이자, 여자 주인공이 궁지에 몰렸던 상황으로 볼 수 있다.

2. 인물의 말하기 방식 OX 확인 문제

① ○

> 근거 [A]에서 이씨는 '왕명으로 죽이시면 진실로 달게 여기는 바'라고 하며 어사의 권위를 인정하고 있음. 또한 [B]에서 이씨는 자신의 정절을 의심한 김선옥을 향해 '장부가 이렇게 나의 마음을 모르'냐며 원망의 태도를 보이고 있음.

② ✕

• 낙관: 인생이나 사물을 밝고 희망적인 것으로 봄. 앞으로의 일 따위가 잘되어 갈 것으로 여김.

> 근거 [A]에서 이씨는 '부군을 만나지 못하고 죽사오면 미망인의 원혼은 구제할 것이 없을 것'이라며 비관적 인식을 드러내고 있음. 또한 [B]에서 이씨는 자신을 의심한 김선옥을 탓하고 있을 뿐이므로, [A]와 [B] 모두 자신의 미래를 낙관적으로 전망하는 태도는 나타나지 않음.

■ 1~2번 문제의 정답과 해설을 확인해 보세요.

1. 〈보기〉를 바탕으로 윗글을 감상한 내용으로 적절하지 않은 것은?

〈보기〉

> 이 작품에는 고전소설의 다양한 양상이 포함되어 있다. 우선 남녀 주인공이 헤어져 고통과 시련을 겪다가 재회하는 구조가 드러난다. 또한 남자 주인공의 실종으로 인해 진가(眞假) 여부를 밝히는 재판(김선옥 vs. 가짜 선옥)까지 벌어지는 등 송사소설의 특징이 나타나기도 하며, 마지막으로 궁지에 몰리면서도 절개를 지키려는 여자 주인공(이씨)의 모습을 통해 정절담(貞節談)의 특징도 지니고 있다.

정답풀이

④ '갓'을 '장난으로 내려 쓰'는 것은, 여자 주인공의 정절을 시험하는 행위이자 남녀 주인공이 분리되는 원인이 되는군.

> 옥란이 이씨의 처소에서 선옥의 '갓'을 '장난으로 내려 쓰'는 것은 옥란이 아직 '아이 적'이라 '어리고 지각이 없어' 장난을 친 것일 뿐, 여자 주인공인 이씨의 정절을 시험하는 행위라고 볼 수 없다.

오답풀이

① '어사'가 '이씨로 수양딸을 정'하는 것에는, 여자 주인공의 지조와 절개가 영향을 끼쳤다고 할 수 있군.

> 〈보기〉에 따르면 이 작품에는 '궁지에 몰리면서도 절개를 지키려는 여자 주인공'이 등장한다. 이를 바탕으로 윗글을 감상했을 때, 어사는 '이씨의 절개'와 '선옥의 진위를 아는 지혜를 마음으로 더욱 탄복하'여 '이씨로 수양딸을 정하였'으므로, 여기에는 여자 주인공 이씨의 지조와 절개가 영향을 끼쳤다고 볼 수 있다.

② '앞니'의 '푸른 점'은, 여자 주인공이 남자 주인공의 진가 여부를 판단하는 중요한 근거라고 할 수 있군.

> 〈보기〉에 따르면 이 작품에는 '남자 주인공의 실종으로 인해 진가 여부를 밝히는 재판'이 나타난다. 이를 바탕으로 윗글을 감상했을 때, 이씨는 '어찌 가부의 진가를 알았느'냐는 어사의 물음에 '가부의 앞니에는 참깨만한 푸른 점이 있사오매 이로써 안 것'이라고 대답하였으므로, '앞니'의 '푸른 점'은 남자 주인공의 진가 여부를 판단하는 중요한 근거라고 볼 수 있다.

③ '대인을 만나'게 된 사건은, 시련을 겪던 남녀 주인공이 재회하는 바탕이 되는군.

> 〈보기〉에 따르면 이 작품에는 '남녀 주인공이 헤어져 고통과 시련을 겪다가 재회하는 구조'가 나타난다. 이를 바탕으로 윗글을 감상했을 때, 선옥이 이씨의 정절을 의심하여 '상원암이라 하는 절에 들어'갔으나 '대인(진어사)을 만나 종적을 감추지 못하고' 이씨와 재회하게 되었으므로, 상원암에서 대인을 만난 것은 남녀 주인공이 재회하는 바탕이 된다고 볼 수 있다.

고전소설 독해의　STEP 3

▣ 1번 문제의 선지 판단 공식에 대한 답을 확인해 보세요.

〈보기〉 문제 선지 판단의 공식

① 〈보기〉 이 작품에는 궁지에 몰리면서도 절개를 지키려는 여자 주인 공이 등장함

＋

작품 '어사가 광경을 보니 이씨의 절개도 갸륵하거니와 그 선옥의 진위를 아는 지혜를 마음으로 더욱 탄복하고 몸소 창밖에 나아와 이씨와 선옥을 데리고 들어와 즉시 이씨로 수양딸을 정하였다.'

선지➡ '어사'가 '이씨로 수양딸을 정'하는 것에는, 여자 주인공의 지조와 절개가 영향을 끼쳤다고 할 수 있군.　○

② 〈보기〉 이 작품에는 남자 주인공의 실종으로 인해 진가 여부를 밝히는 재판까지 벌어지는 등 송사소설의 특징이 나타남

＋

작품 '가부의 앞니에는 참깨만한 푸른 점이 있사오매 이로써 안 것이요, 다른 데는 저 놈과 과연 추호도 차이가 없도소이다.'

선지➡ '앞니'의 '푸른 점'은, 여자 주인공이 남자 주인공의 진가 여부를 판단하는 중요한 근거라고 할 수 있군.　○

③ 〈보기〉 이 작품에는 남녀 주인공이 헤어져 고통과 시련을 겪다가 재회하는 구조가 드러남

＋

작품 "내 몸을 숨겨 세상을 하직하고 세월을 보내리라.' 하여 그 길로 운산을 바라보고 창망히 내달려 우연히 함경도 단천 땅에 이르러 상원암이라 하는 절에 들어가 수운대사의 상좌가 되었으나, 대인을 만나 종적을 감추지 못하고 이제 이같이 만났으니 알지 못하겠도다'

선지➡ '대인을 만나'게 된 사건은, 시련을 겪던 남녀 주인공이 재회하는 바탕이 되는군.　○

④ 〈보기〉 이 작품에는 남녀 주인공이 헤어지고, 여자 주인공이 궁지에 몰리면서도 절개를 지키려는 모습이 나타남

＋

작품 '소비가 어리고 지각이 없어 공자가 절에서 보낸 갓이 벽에 있거늘 장난으로 내려 쓰고 웃으며 낭자께 여쭈되, '소비가 공자와 어떠하나이까?' 하니, 낭자가 또한 웃으시고 꾸짖어 바삐 벗으라고 하기로 즉시 벗어 도로 걸었사오니'

선지➡ '갓'을 '장난으로 내려 쓰'는 것은, 여자 주인공의 정절을 시험하는 행위이자 남녀 주인공이 분리되는 원인이 되는군.　✕

⑤ 〈보기〉 이 작품에서 남자 주인공은 실종되고, 여자 주인공은 궁지에 몰리면서도 절개를 지키려는 모습을 보임

＋

작품 '김선옥이 가출한 뒤 보상금에 욕심이 난 형옥은 가짜 선옥을 집으로 데려오는데, 부인 이씨만은 그가 남편이 아니라며 거부하다가 병자로 몰려 친정으로 쫓겨난다.'

선지➡ '축출하던 일'은, 남자 주인공의 실종 이후에 일어난 사건이자, 여자 주인공이 궁지에 몰렸던 상황과 관련되는군.　○

하루 30분, **고전소설** 트레이닝

고전소설 독해의 STEP 1

❶ 다음 글을 읽고 등장인물을 잘 파악했는지, 빈칸에 적절한 말을 채웠는지 확인해 보세요.

📅 고3 2013학년도 9월 모평 – 작자 미상, 「열녀춘향수절가」

"여보 장모 (=춘향의 모친)! 춘향 이나 좀 보아야제?"

"그러지요. 서방님 (=어사또)이 춘향을 아니 보아서야 인정이라 하오리까?"

향단이 여짜오되,

"지금은 문을 닫았으니 바라*를 치거든 가사이다."

이때 마침 바라를 뎅뎅 치는구나. 향단이는 미음상 이고 등롱 들고 어사또는 뒤를 따라 옥문간 당도하니 인적이 고요하고 사정이도 간곳없네. 어사또가 자신의 **장모**에게 아내인 **춘향**을 만나고 싶다고 하네. 두 사람과 향단이 도착한 곳이 **옥문간**이라고 한 것으로 보아, 춘향은 옥에 갇힌 상황인 모양이야.

장면끊기 01 어사또와 향단, 어사또의 장모가 **춘향**을 만나기 위해 나서는 장면이야. 이후 공간이 바뀌어 옥에서 춘향과 어사또의 만남이 이루어지니, 여기서 장면을 한 번 끊을게.

이때 춘향이 비몽사몽간에 서방님이 오셨는데, 머리에는 금관(金冠)이요 몸에는 홍삼(紅衫)이라. 상사일념(相思一念)* 끝에 만단정회(萬端情懷)*하는 차라. 춘향은 **비몽사몽**한 상태에서, 출세하여 **금관**을 쓰고 **홍삼**을 두른 어사또를 보고 있네. 어사또를 그리워해 온 춘향의 마음이 느껴져.

"춘향아." 부른들 대답이나 있을쏘냐. 어사또 하는 말이,

"크게 한번 불러 보소."

"모르는 말씀이오. 예서 동헌이 마주치는데, 소리가 크게 나면 사또 염문(廉問)*할 것이니, 잠깐 지체하옵소서."

"무어 어때, 염문이 무엇인고? 내가 부를게 가만있소! 춘향아!"

부르는 소리에 깜짝 놀라 일어나며,

"허허, 이 목소리, 잠결인가, 꿈결인가? 그 목소리 괴이하다."

어사또 기가 막혀 "내가 왔다고 말을 하소."

"왔단 말을 하게 되면 기절담락(氣絶膽落)할 것이니, 가만히 계시옵소서." **어사또**는 자신이 왔음을 춘향이 얼른 알아줬으면 하는 모양이야. 반면 춘향의 어머니는 춘향에게 어사또가 왔다는 소식을 알리면 **기절담락**할까 봐 신중한 태도를 보이네.

춘향이 저의 모친 음성 듣고 깜짝 놀라,

"어머니, 어찌 와 계시오? 몹쓸 딸자식을 생각하와 천방지방(天方地方) 다니다가 낙상(落傷)*하기 쉽소. 이훌랑은 오실라 마옵소서."

아직 어사또가 온 것을 눈치채지 못한 춘향은 어머니가 **낙상**하여 다칠까 걱정하며 이후로는 자신을 찾아오지 말라고 해.

"날랑은 염려 말고 정신을 차리어라. 왔다."

"오다니 누가 와요?"

"그저 왔다."

"갑갑하여 나 죽겠소! 일러 주오. 꿈 가운데 임을 만나 만단정회하였더니, 혹시 서방님께서 기별 왔소? 언제 오신단 소식 왔소? 벼슬 띠고 내려온단 노문(路文)* 왔소? 애고, 답답하여라!" 춘향의 어머니가 쉽게 말을 꺼내지 않자, 춘향은 혹 **서방님**의 기별을 알려주러 온 것인지 물으며 **답답**한 심정을 드러내고 있어.

"너의 서방인지 남방인지, 걸인 하나 (=어사또) 내려왔다!" 춘향의 어머니가 어사또에게 어딘지 모르게 못마땅한 태도를 보여 온 이유가 나타나네. 어사또는 **걸인** 행색을 하고 찾아온 모양이야.

"허허, 이게 웬 말인가? 서방님이 오시다니 몽중에 보던 임을 생시에 본단 말가?"

문틈으로 손을 잡고 말 못하고 기색하며,

"허허, 이게 누구시오? 아마도 꿈이로다. 상사불견(相思不見) 그런 임을 이리 쉬 만날쏜가? 이제 죽어 한이 없네. 어찌 그리 무정한가? 박명하다, 나의 모녀 (=춘향+춘향의 모친). 서방님 이별 후에 자나 누우나 임 그리워 일구월심(日久月深) 한(恨)일러니, 이내 신세 이리 되어 매에 감겨 죽게 되니, 날 살리러 와 계시오?"

춘향은 내내 그리워하던 어사또를 만나게 되어 죽어도 **한**이 없다고 하면서도 한편으로는 죽을 위기에 처한 자신의 **신세**를 한탄하며 어사또가 혹시 자신을 살리러 온 것인지 기대를 드러내고 있어.

장면끊기 02 춘향이 어사또와 재회하는 장면이야. 비몽사몽간에도 어사또의 모습을 볼 정도로 그리워하던 춘향이, 마침내 어사또를 만나 기뻐하고 있어. 하지만 이어지는 장면에서 이 반가움이 실망으로 전환되니, 여기서 장면을 다시 끊을게.

한참 이리 반기다가 임의 형상 자세 보니, 어찌 아니 한심하랴.

"여보 서방님, 내 몸 하나 죽는 것은 설운 마음 없소마는 서방님 이 지경이 웬일이오?" 재회에 대한 반가움을 표출하던 춘향은 어사또의 **한심**한 형상을 보고 놀라. 춘향의 어머니가 말했듯 어사또가 **걸인**과 같이 초라한 모습을 하고 있기 때문이겠지.

"오냐 춘향아, 설워 마라. 인명이 재천인데 설만들 죽을쏘냐?"

춘향이 저의 모친 불러,

"한양성 서방님을 칠 년의 큰 가뭄에 백성들이 비 기다린들 나와 같이 자진(自盡)턴가. 심은 나무 꺾어지고 공든 탑이 무너졌네. 가련하다, 이내 신세, 하릴없이 되었구나. 춘향은 기다리던 어사또가 초라한 모습으로 나타난 것을 보고, 자신의 신세가 **가련**하다고 하며 한탄하고 있어.

어머님, 나 죽은 후에라도 원이나 없게 하여 주옵소서. (중략) 만수운환(漫垂雲鬟) 흐트러진 머리 이렁저렁 걷어 얹고 이리 비틀 저리 비틀 들어가서 매 맞아 죽거들랑, 삯군인 척 달려들어 둘러 업고 우리 둘이 처음 만나 놀던 ⓐ부용당(芙蓉堂)의 적막하고 요적한 데 뉘어 놓고 서방님 손수 염습(殮襲)*하되, 나의 혼백 위로하여 입은 옷 벗기지 말고 양지 끝에 묻었다가, 서방님 귀히 되어 청운에 오르거든 일시도 둘라 말고 육진장포(六鎭長布) 다시 염하여 조촐한 상여 위에 덩그렇게 실은 후에 북망산천 찾아갈 제, 앞 남산 뒤 남산 다 버리고 한양으로 올려다가 ⓑ선산(先山)발치에 묻어 주고, 비문에 새기기를, '수절원사(守節冤死)* 춘향지묘(春香之墓)'라 여덟 자만 새겨 주오. 선산(조상의 무덤이 있는 산)에 묻힌다는 것은, 곧 양반 가문의 일원이었음을 인정받는다는 것을 뜻해. 춘향은 어사또가 두 사람이 처음 만났던 공간인 **부용당**에서 자신의 시신을 **염습**하고, 높은 자리에 오른 뒤 선산발치에 묻고 **절개**를 지켜냈다는 내용의 **비문**을 놓아 주기를 바라고 있어. 망부석이 아니 될까. 서산에 지는 해는 내일 다시 오련마는 불쌍한 춘향이는 한번 가면 어느 때 다시 올까. 신원(伸冤)*이나 하여 주오. 애고 애고, 내 신세야."

장면끊기 03 춘향이 어사또의 초라한 모습을 보고 자신의 신세를 한탄하며, 자신이 죽은 뒤에라도 마음에 맺힌 **원한**을 풀어 달라고 부탁하는 장면이야.

– 작자 미상, 「열녀춘향수절가」 –

*수절원사: 절개를 지키다 원통하게 죽음.

*신원: 가슴에 맺힌 원한을 풀어 버림.

＊바라: '파루'의 변한말. 조선 시대에, 서울에서 통행금지를 해제하기 위해 종각의 종을 서른 세 번 치던 일.

＊상사일념: 서로 그리워하는 한결같은 마음을 이르는 말.

＊만단정회: 온갖 정과 회포.

＊염문: 사정이나 형편 따위를 몰래 물어봄.

＊낙상: 떨어지거나 넘어져서 다침.

＊노문: 조선 시대에, 공무로 지방에 가는 벼슬아치의 도착 예정일을 미리 그곳 관아에 알리던 공문.

＊염습: 시신을 씻긴 뒤 수의를 갈아입히고 염포로 묶는 일.

고전소설 독해의 STEP 2

1 구조도의 빈칸에 적절한 말을 채웠는지 확인해 보세요.

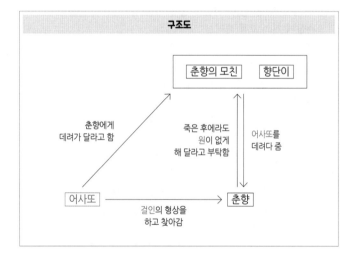

구조도

춘향의 모친 / 향단이

춘향에게 데려가 달라고 함

죽은 후에라도 원이 없게 해 달라고 부탁함

어사또를 데려다 줌

어사또

춘향

걸인의 형상을 하고 찾아감

---

2 1~2번 문제의 정답과 해설을 확인해 보세요.

1. 〈보기〉를 참고하여 ㉠, ㉡에 대해 토의하였다. 토의한 내용으로 적절하지 <u>않은</u> 것은?

〈보기〉

「춘향전」은 춘향과 이몽룡의 신분을 초월한 사랑 이야기를 중심으로 여성의 정절 및 신분 상승의 문제를 다루면서 당대 사회에 대한 비판 의식을 드러내고 있다. 신분을 초월한 사랑 이야기 「춘향전」: ① 여성의 정절과 신분 상승의 문제를 다룸, ② 사회에 대한 비판 의식을 드러냄

정답풀이

⑤ ㉡은 춘향에게 정절을 강요하는 당대 사회에 대한 춘향의 비판 의식이 투영된 공간이라 할 수 있어.

윗글에서 춘향이 사회적 강요에 의해 정절을 지켰다고 볼 근거는 찾기 어렵다. 또한 〈보기〉는 「춘향전」에 당대 사회에 대한 비판 의식이 드러나 있다고 했을 뿐, 춘향이 사회에 대한 비판 의식을 가지고 있다고 한 것은 아니다. 춘향이 ㉡(선산발치)에 묻히고 싶은 것은 사회를 비판하기 위함이라기보다는 죽은 뒤에라도 양반 가문의 일원으로서 인정받고 싶은 욕망을 충족하기 위함이라고 볼 수 있다.

오답풀이

① ㉠은 춘향과 어사또의 사랑이 싹튼 곳이니까 두 사람의 추억이 어린 공간이라 할 수 있어.

〈보기〉에서 「춘향전」은 '춘향과 이몽룡의 신분을 초월한 사랑'을 다룬다고 하였으므로, '둘이 처음 만나 놀던' ㉠(부용당)은 춘향과 어사또의 사랑이 싹튼 추억의 공간이라고 할 수 있다.

② ㉠을 춘향의 혼백이 위로받는 장소로 본다면 춘향이 어사또의 사랑을 다시 확인받고자 하는 공간이라 할 수 있어.

춘향은 자신이 죽으면 ㉠에 뉘어 놓고 어사또가 '손수 염습'하여 자신의 혼백을 위로해 주기를 바라고 있다. 따라서 ㉠은 춘향이 죽음 이후에도 이어졌으면 하는 어사또의 사랑을 다시 확인받고자 하는 공간이라 할 수 있다.

③ ㉡은 수절원사라는 표현으로 보아 춘향의 정절에 대한 보상이 이루어지는 공간이라 할 수 있어.

춘향은 자신이 죽으면 ㉡에 묻고 비문에 '수절원사(절개를 지키다 원통하게 죽음) 춘향지묘'라는 글자를 새겨 달라고 하였다. 즉 '수절원사'가 적힌 비문을 통해 정절을 지키다 의롭게 죽었음을 인정받고 어사또(양반) 집안의 일원으로서 명예롭게 묻히게 될 수 있는 공간인 ㉡은 춘향의 정절에 대한 보상이 이루어지는 공간이라 할 수 있다.

④ ⓒ은 춘향의 한이 풀어지는 장소이자 신분 상승을 상징하는 공간이라 할 수 있어.

> 춘향은 자신을 ⓒ에 묻어 달라고 하면서 죽은 후에 '신원'을 해 달라고 요청하고 있다. 이때 '선산'은 '조상의 무덤이 있는 산'이라는 뜻으로, ⓒ에 묻히는 것은 춘향의 신분이 상승하여 양반 가문의 일원으로 인정받음을 의미한다. 따라서 ⓒ은 춘향의 한이 풀어지는 장소이자 신분 상승을 상징하는 공간이라 볼 수 있다.

2. 문학 개념어 OX 확인 문제

① **X**

・ **순차적**: 순서를 따라 차례대로 하는.

근거 윗글은 '춘향을 만나러 가자는 어사또의 요청 → 옥에서 춘향과 어사또의 재회 → 걸인 행색을 한 어사또를 본 춘향의 한탄'으로 사건이 순차적으로 진행되고 있음. 그러나 이를 통해 목숨을 잃을 위기에 처한 춘향의 상황은 해결되지 않으며, 갈등 상황이 해소되지도 않음.

② **O**

근거 춘향과 어사또의 대화 중 '이내 신세 이리 되어 매에 감겨 죽게 되니, 날 살리러 와 계시오?', '심은 나무 꺾어지고 공든 탑이 무너졌네. 가련하다, 이내 신세, 하릴없이 되었구나.' 등을 통해 옥에 갇힌 채 고초를 겪으며 죽을 위기에 처한 춘향의 상황과, 초라한 어사또의 모습을 보고 신세를 한탄하는 춘향의 내면이 드러남.

고전소설 독해의 STEP 3

■ 1번 문제의 선지 판단 공식에 대한 답을 확인해 보세요.

〈보기〉 문제 선지 판단의 공식

① 〈보기〉 「춘향전」은 춘향과 이몽룡의 신분을 초월한 사랑 이야기임 ➕ 작품 '죽거들랑, 삯군인 척 달려들어 둘러업고 우리 둘이 처음 만나 놀던 ㉠부용당의 적막하고 요적한 데 뉘어 놓고'

선지➡ ㉠은 춘향과 어사또의 사랑이 싹튼 곳이니까 두 사람의 추억이 어린 공간이라 할 수 있어. ○

② 〈보기〉 「춘향전」은 춘향과 이몽룡의 신분을 초월한 사랑 이야기임 ➕ 작품 '㉠부용당의 적막하고 요적한 데 뉘어 놓고 서방님 손수 염습하되, 나의 혼백 위로하여'

선지➡ ㉠을 춘향의 혼백이 위로받는 장소로 본다면 춘향이 어사또의 사랑을 다시 확인받고자 하는 공간이라 할 수 있어. ○

③ 〈보기〉 「춘향전」은 여성의 정절 및 신분 상승의 문제를 다룸 ➕ 작품 '㉡선산발치에 묻어 주고, 비문에 새기기를, '수절원사 춘향지묘'라 여덟 자만 새겨 주오.'

선지➡ ㉡은 수절원사라는 표현으로 보아 춘향의 정절에 대한 보상이 이루어지는 공간이라 할 수 있어. ○

④ 〈보기〉 「춘향전」은 여성의 정절 및 신분 상승의 문제를 다룸 ➕ 작품 '서방님 귀히 되어 청운에 오르거든~앞 남산 뒤 남산 다 버리고 한양으로 올려다가 ㉡선산발치에 묻어 주고, '신원이나 하여 주오. 애고 애고, 내 신세야.'

선지➡ ㉡은 춘향의 한이 풀어지는 장소이자 신분 상승을 상징하는 공간이라 할 수 있어. ○

⑤ 〈보기〉 「춘향전」은 여성의 정절 및 신분 상승의 문제를 다루면서 당대 사회에 대한 비판 의식을 드러냄 ➕ 작품 '㉡선산발치에 묻어 주고, 비문에 새기기를, '수절원사 춘향지묘'라 여덟 자만 새겨 주오.'

선지➡ ㉡은 춘향에게 정절을 강요하는 당대 사회에 대한 춘향의 비판 의식이 투영된 공간이라 할 수 있어. ✕

고전소설 독해의 STEP 1

1 다음 글을 읽고 등장인물을 잘 파악했는지, 빈칸에 적절한 말을 채웠는지 확인해 보세요.

📅 고3 2015학년도 10월 학평B – 작자 미상, 「윤지경전」

[앞부분의 줄거리] 윤 승상의 아들 지경은 사리 분별력과 문장력이 뛰어나 과거에서 장원을 한다. 지경은 사랑하는 사이인 최연화와 혼례를 올리던 중 임금의 부름을 받고 궁에 가 자신이 귀인 박 씨의 딸인 연성 옹주의 남편으로 간택*된 사실을 알게 된다. 부마(=윤지경)가 된 지경은 옹주를 멀리하고 연화를 만나기 위해 밤마다 연화의 방에 숨어들기를 반복한다. 그러던 중 지경은 연화의 부친인 최 공(=최홍일)에게 발각된다. 주어진 상황과 인물 간의 관계를 잘 파악하고 넘어가자! 지경은 사랑하는 연화와 혼례를 올리던 중 연성 옹주의 남편으로 간택되었어. 그런데 부마가 되어서도 몰래 연화를 만나고 있군.

공(=최홍일)이 애련하여 등을 쓰다듬어 가로되,
"네 어찌 그리 미혹한가. 옹주를 중대하여 자녀를 낳고 살며 옹주를 잘 타이르면, 네 부친과 주상(主上)(=임금)께 이런 절박한 사연을 고할 것인즉, 주상은 인군(仁君)이시라 허하시리니, 그때 빛나게 해로*하기는 생각지 아니하고, 갈수록 옹주를 박대하며 귀인의 험담을 이르고 복성군을 미워하며, 밤을 타 도망하여 날마다 내 집에 오니, 옹주가 알면 화가 적지 아니하리니, 끝을 어이할꼬." 최 공은 지경을 애련하게(애처롭고 가엽게) 여기면서도 옹주와 잘 지내다 나중에 윤 승상과 임금에게 사연을 말씀드려 연화와 해로할 생각을 하는 대신, 옹주를 박대하고 몰래 연화를 만나러 오는 지경의 행동을 미혹하다며 나무라고 있어.

부마가 가로되,
"낸들 어찌 모르리까마는 옹주는 천하 괴물 박색*이고, 귀인은 간악이 견줄 데가 없고, 복성군은 남 헐기 심한데 홍명화, 홍상이 박 귀인과 결탁하여 필연 그윽한 흉계를 지을지라, 옹주를 후대하고 그 당에 들었다가 멸문지환(滅門之患)을 면치 못하리니, 아내를 애중하고 옹주를 박대하면 불과 빙부(=최홍일)와 부친의 죄가 큰 즉 정배(定配)요, 적은즉 삭직(削職)이요, 소저(=최연화)는 귀양밖에 더 가리이까. 싫은 것을 강인하고 **그른 것을 어이 견디리이까.**" 지경은 옹주를 후대하고 박 씨의 당에 들었다가는 가문이 모두 화를 당하는 것을 면치 못하겠지만, 연화를 아끼고 옹주를 박대하면 자신의 아버지와 최 공은 귀양, 혹은 관직 박탈, 소저(최연화)는 귀양밖에 더 가겠냐며 싫고 그른 것을 견딜 수 없다고 말해.

공이 말이 없다가,
"어찌하든 밤이 깊었으니 들어가 자라."
장면끊기 01 최 공과 지경이 대화를 나누는 부분을 첫 번째 장면으로 끊어볼 수 있겠네. 최 공은 부마가 되고도 몰래 연화를 만나러 찾아오는 지경을 꾸짖지만, 지경은 그 말을 듣지 않아.

생(=윤지경)이 사례하고 이후로는 주야로 오니, 공과 소저가 민망하여 아무리 간하여도 듣지 아니하더니, 윤 공(=윤 승상)이 알고 불러 대책하고 옹주 궁을 떠나지 못하게 하나, 산 사람을 동여 두지 못하고, 날마다 최 씨(=최연화)에게 가니 옹주 어찌 모르리요. 지경은 이후로도 밤낮으로 연화를 찾아가고, 결국 옹주도 이를 알게 되는군. 부마 내당에 들어간 때 옹주 가로되,

"내 비록 용렬하나 임금의 딸이요, 빙례로 부마의 아내가 되었거늘 업수이 여겨 천대하기 심하도다. 최 씨를 얻어 고혹*하였으되 태부(太夫)는 두 아내 두는 법이 없거늘, 부마 어찌 두 아내 있으리요. 최홍일은 어떠한 사람이완대 부마에게 재취를 주어 주상과 첩(=연성 옹주)을 업수이 여김이 심하뇨." 옹주는 지경에게 어찌 임금의 딸인 자신을 천대하고, 부마로서 두 아내를 두냐고 따지고 있네.

[A]

지경이 정색하여 가로되,
"내 할 말을 옹주 하시는도다. 일국에 도령이 가득하거늘, 이미 얻은 사람을 내 어찌 조강지처(=최연화)를 버리고 부귀를 탐하여 옹주와 화락하리요. 옹주 만일 최 씨를 청하여 한 집에서 화목하기를 황영*을 본받을진대, 최 씨와 같이 공경하고 화락하려니와, 투기하여 나를 원망한즉 평생 박명을 면치 못하리로다." 지경은 어찌 조강지처인 연화를 버리고 옹주와 즐겁게 지내겠냐며, 연화를 불러 한 집에서 화목하게 지내지 않고 질투하며 지경을 원망한다면 박명(복이 없고 팔자가 사나움)을 면하지 못할 거라고 해.

옹주 웃으며 가로되,
"당초에 조강지처 있는지 없는지 내 심궁 처녀로 어찌 알리요. 상명으로 부마의 아내가 되어 나온 지 거년이나, 천대가 태심하여 행로(行路) 보듯 하니, 어찌 통한치 아니하리요." 옹주는 부마가 되기 전 지경에게 조강지처가 있었는지 알지 못했었구나. 또 임금의 명령으로 혼례를 했는데 지경의 천대가 심하다며 원통해하고 있어.

지경이 웃으며 가로되,
"여염* 사람이 부부 간에 하사하되 옹주 너무 지극 공경하여 구실 삼아 하루에 두어 번 들어가 앉기도 편치 못하고 꿇어 앉으니 이밖에 더 공경하리요. 주상이 현명하시니 나를 그르다 아니하실지라. 본대 간악한 후궁(=귀인 박 씨)은 두려워 아니하나니, 아내 사랑하는 묘리를 배웠다가 가르치소서." 자신을 업신여기는 옹주에게 지경은 이보다 더 공경할 수 있겠냐며 비아냥거리고 있어. 그러면서 지경은 '간악한 후궁은 두려워 아니'한다고 하는데, 이때 '간악한 후궁'은 귀인 박 씨를 가리키는 거겠지? 장모에 대해서도 지경은 부정적인 태도를 드러내고 있는 거지.

하고 크게 웃고 소매를 떨치고 나오니, 옹주 종일토록 울더니, 그 후 입궐하여 박 씨더러 일일이 고하며 설워하니, 박 씨 대로*하여 상(=임금)께 이대로 주하여,
"**최 씨를 없이하고 부마를 죄 주어 주오이다.**"
청하니, 종일 울던 옹주는 박 씨에게 찾아가 지경과의 일을 말하고, 박 씨는 화가 나서 임금에게 이를 고하는군. **장면끊기 02** 이 작품은 인물 간 대화 중심으로 전개되고 있어. 두 번째 장면은 옹주와 지경의 대화 장면을 중심으로 구성된다고 볼 수 있지. 이들은 지경이 최 씨(최연화)를 만나고 옹주를 박대하는 것으로 인해 다투고, 이 일은 박 씨를 거쳐 임금에게까지 전해져. 상이 윤지경을 불러 책망하여 가로되,

"네 아낸즉 옹주요 정처(正妻)란 것이 유의 중하고, 또 여염 필부 회매와 달라 금지옥엽(金枝玉葉)이어늘, 네 최 씨를 퇴채하였거늘, 퇴혼* 취하라 한 명을 거역하고 감히 교통하여 좇기를 위법하는가. 네 또 빙모(=귀인 박 씨)*를 간악한 유로 훼방한다 하니, 네 무슨 일로 보았는가. 네 또한 빙자지의 있고 처부모라 하였으니, 어버이를 훼방하는 자식이 어디 있으리요." 임금은 지경을 불러 지경의 아내는 옹주이며, 연화와 퇴혼을 취하라 한 명령을 거역했다며 꾸짖네. 또한 박 씨를 훼방(남을 헐뜯어 비방함)한 점도 지적하지.

지경이 머리를 땅에 닿아 사죄하여 가로되,

"하교 이리하시니 황공하여이다. 신(=윤지경)이 외람하오나* 소회를 세세히 전달하리이다. 참판 최홍일은 신의 아비 종매부라. 어려서부터 죽장지의와 아비 형제지의로 신이 부형같이 공경하고 홍일이 신을 자식같이 사랑하옵더니, 조강 윤 씨 작고하옵고 후처 이 씨 들어와 생녀하오니, 자못 총혜하고 자색이 빼어나오니, 아비와 홍일이 서로 약속하여 피차 서로 소신은 최가 사위 될 줄 알고, 최 씨도 소신의 아내 될 줄 아옵더니, _{지경과 연화의 부친끼리} 약속하여 지경과 연화는 서로 부부가 될 거라고 생각했었군. 전년 봄에 혼인날을 정하와 신이 최가에 가 전안하옵고 배례를 겨우 하온 후, 명패를 급히 받아 신이 합친을 못 하고 들어오니, 부마위를 주시고 연성 옹주를 맡기시니, 신이 과연 옹주의 탓이 아니온 줄 아오되, 최 씨는 어려서부터 서로 보아 사랑하옵던 마음이 깊었삽고, 옹주로 하와 이제까지 참았사오니 부귀빈천이 다르오나, 원억*하옴은 비상지원*이 없지 아니하오리까. _{연화와 혼례를 치르려는 중 지경은 부마로 간택되는데, 지경은 이것이} 옹주의 탓은 아닌 줄 알면서도 억울한 마음을 갖고 있군. 옹주를 대접하고 최 씨를 다른 데 출가하라 하신 언약이 깊고 빙채와 교배합환하였으니, 어찌 다른 데로 신의를 버리고 갈 생각을 하리이까마는, 엄교를 두려워 홍일이 신을 거절하여 오지 못하게 하오나, 홍일을 속이고 가만히 가서 만나온 일이 있사오나, 옹주 신에게 온 지 겨우 거년에 신정의 뜻을 모르며, 투기하여 신을 준책하옵다가 또 전하(=임금)께 고하니 이도 여자의 부덕(婦德)이라 하시리이까." _{최홍일은 임금의 명령을 두려워하여 지경을 오지 못하게 했지만, 지경은 몰래 연화를 찾아갔다고 솔직하게 털어놓네. 한편 옹주는} 투기_{하며 남편인 자신을 책망하고 아버지인 임금에게 고하니 지경은 이것은 부녀자의 덕행이냐고 말해.}

상이 탄식하여 가로되,

"네 나이 어리되 소견이 높아 급암*의 직간(直諫)을 가졌도다. 그러나 옹주는 내 딸이라, 생심도 박대치 말라." _{임금은 지경의 소견이 높다고 하면서도, 자신의 딸인 옹주를} 박대_{하지 말라고 해.}

장면끊기 03 _{임금과 지경의 대화가 제시되는 부분을 마지막 장면으로 끊어 보면 되겠지?} _{임금은 지경을 불러 옹주를 박대하고 귀인 박 씨를 훼방한 것에 대해 꾸짖어. 하지만 지경은 임금에게 최 씨(연화)에 대한 사랑과 옹주에 대한 불만을 고해.}

— 작자 미상, 「윤지경전」 —

*고혹: 아름다움이나 매력 같은 것에 홀려서 정신을 못 차림.

*황영: 중국 순제의 두 황비인 아황과 여영.

*퇴혼: 정한 혼인을 어느 한 편에서 물림.

*빙모: 장모.

*원억: 원통한 누명을 써서 억울함.

*비상지원: 억울한 옥살이로 인한 원한.

*급암: 황제에게 간(諫)하는 것을 잘했던 중국 전한의 정치가.

고전 필수 어휘

*간택: 조선 시대에, 임금·왕자·왕녀의 배우자를 선택함.

*부마: 임금의 사위.

*해로: 부부가 한평생 같이 살며 함께 늙음.

*박색: 아주 못생긴 얼굴. 또는 그런 사람.

*여염: 백성의 살림집이 많이 모여 있는 곳.

*대로: 크게 화를 냄.

*외람하다: 하는 행동이나 생각이 분수에 지나치다.

고전소설 독해의 STEP 2

1 구조도의 빈칸에 적절한 말을 채웠는지 확인해 보세요.

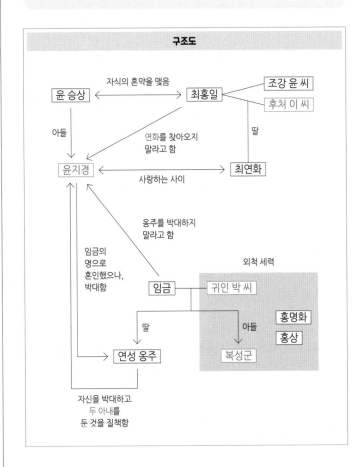

② '그른 것을 어이 견디리이까'라는 말은 '급암의 직간을 가졌도다'라는 '임금'의 말과 함께 소신을 굽히지 않는 '지경'의 태도를 부각해 주고 있다고 할 수 있어.

〈보기〉에 따르면 「윤지경전」에서는 '주인공의 소신 있는 태도가 부각되고 있다.'라고 하였다. 이를 참고할 때, 지경이 최 공에게 '싫은 것을 강인하고 그른 것을 어이 견디리이까.'라고 하는 것이나 임금이 지경에게 '급암의 직간을 가졌'다고 말하는 것을 통해서는 지경의 소신 있는 태도를 확인할 수 있다.

④ '부마를 죄 주어 주오이다'라고 말하고 있는 '귀인'은 사랑하는 사람과의 결연을 위해 '지경'이 맞서야 하는 장애에 해당한다고 할 수 있어.

〈보기〉에 따르면 「윤지경전」에서는 '남자 주인공이 사랑하는 사람과의 결연을 위해 여러 장애와 시련에 맞서고 있는 것이 특징'이라고 하였다. 이를 참고할 때, '부마를 죄 주어 주오이다.'라고 말하는 귀인 박 씨는 지경이 최 씨와 결연하기 위해 맞서야 하는 장애에 해당한다고 할 수 있다.

⑤ '최 씨'에 대한 '신의를 버리고 갈 생각'이 없다는 '지경'의 말은 정처(正妻)에 대한 도리를 지키고자 한 것으로 당대 독자들에게 지지를 받을 수 있었던 말이라고 할 수 있어.

〈보기〉에 따르면 「윤지경전」의 주인공은 '최 씨를 정처라고 주장하면서 자신의 사랑을 지키'려고 하는데, 이러한 태도는 '당대 독자들에게 지지를 받을 수 있는 것'이라고 하였다. 이를 참고할 때, 최 씨에 대한 '신의를 버리고 갈 생각'이 없다는 지경의 말은 정처에 대한 남편으로서의 도리를 지키고자 한 것으로, 당대 독자들의 지지를 받을 수 있었을 것이다.

2. 인물의 말하기 방식 OX 확인 문제

① ✕

근거 [A]에서 옹주는 지경이 '임금의 딸'인 자신을 '업수이 여겨 천대하기 심하'며 '부마'로서 '어찌 두 아내'를 두냐고 말하고 있으므로, 지경에게 태도의 개선을 요구하는 것으로 볼 수는 있음. 그러나 옹주가 지경에게 닥칠 일을 예견하고 있지는 않음.

② ◯

근거 [A]에서 지경은 '내 할 말을 옹주 하시는도다.'라며 '이미 얻은 사람을 내 어찌 조강지처를 버리고 부귀를 탐하여 옹주와 화락하리요.'라고 말하고 있음. 이는 옹주가 '부마 어찌 두 아내 있으리요.'라고 말한 논리를 활용하여 자신은 '최 씨' 이외의 다른 아내를 둘 수 없다는 입장을 밝힌 것임.

---

❷ 1~2번 문제의 정답과 해설을 확인해 보세요.

1. 〈보기〉를 참고하여 윗글을 감상한 내용으로 적절하지 않은 것은?

〈보기〉

「윤지경전」은 애정 소설로 남자 주인공이 사랑하는 사람과의 결연을 위해 여러 장애와 시련에 맞서고 있는 것이 특징이다. 사랑하는 사람과의 결연을 위해 시련에 맞서는 주인공 윤지경 이 과정에서 최 씨를 정처(正妻)라고 주장하면서 자신의 사랑을 지키고자 하는 주인공의 소신 있는 태도가 부각되고 있다. 이러한 주인공의 태도는 당대 독자들에게 지지를 받을 수 있는 것이었는데, 이는 처첩(妻妾)을 엄격히 구별하고 정처에 대한 남편의 도리를 중시했던 당대의 사회적 인식과 관련이 있다. 자신의 사랑(정처)을 지키려는 주인공의 태도 → 당대 독자들의 지지(정처에 대한 남편의 도리를 중시했던 사회적 인식) 또한 조선 중종 때 후궁인 박 씨와 그의 아들 복성군을 중심으로 외척 세력이 형성되고 그들에 의해 정치 질서가 문란해졌던 역사적 사실을 배경으로 삼고 있는 점도 이 작품의 중요한 특징이다. 이러한 역사적 배경과 관련해 이 작품에서는 주인공의 언행을 통해 외척 세력에 대한 비판적 의식을 드러내고 있다. 중종 때 외척 세력에 의해 정치 질서가 문란해졌던 역사적 사실을 배경으로 함 → 외척 세력에 대한 비판적 의식을 드러냄

정답풀이

③ '간악한 후궁은 두려워 아니하나니'라는 '지경'의 말은 '최 씨'와 '옹주'의 인물 됨됨이의 차이를 드러낸 말로 처첩을 엄격히 구별했던 당대의 사회상을 보여 주는 것이라고 할 수 있어.

'간악한 후궁'은 '귀인 박 씨'를 가리킨다. 따라서 지경이 '간악한 후궁은 두려워 아니하나니'라고 말한 것은 맞지만, 이를 통해 최 씨와 옹주의 인물 됨됨이의 차이를 드러내고 있지는 않다.

오답풀이

① '박 귀인', '홍명화', '홍상' 등이 '그윽한 흉계'를 꾸밀 것이며 그들이 결국 큰 화를 초래할 것이라고 '지경'이 생각한 데서 외척 세력에 대한 비판적 의식이 드러나고 있다고 할 수 있어.

〈보기〉에 따르면 「윤지경전」에서는 '주인공의 언행을 통해 외척 세력에 대한 비판적 의식을 드러내고 있다.'라고 하였다. 이를 참고할 때, 지경이 '홍명화, 홍상이 박 귀인과 결탁하여 필연 그윽한 흉계'를 꾸밀 것이며 '그 당에 들었다가 멸문지환을 면치 못'할 것이라고 생각하는 것에서는 외척 세력에 대한 비판적 의식이 드러난다고 할 수 있다.

고전소설 독해의 STEP 3

■ 1번 문제의 선지 판단 공식에 대한 답을 확인해 보세요.

〈보기〉 문제 선지 판단의 공식

① 〈보기〉 이 작품에서는 주인공의 언행을 통해 외척 세력에 대한 비판적 의식을 드러내고 있음 ➕ 작품 '홍명화, 홍상이 박 귀인과 결탁하여 필연 그윽한 흉계를 지을지라, 옹주를 후대하고 그 당에 들었다가 멸문지환을 면치 못하리니'

선지➡ '박 귀인', '홍명화', '홍상' 등이 '그윽한 흉계'를 꾸밀 것이며 그들이 결국 큰 화를 초래할 것이라고 '지경'이 생각한 데서 외척 세력에 대한 비판적 의식이 드러나고 있다고 할 수 있어. ○

② 〈보기〉 이 작품에서는 주인공의 소신 있는 태도가 부각되고 있음 ➕ 작품 '싫은 것을 강인하고 그른 것을 어이 견디리이까.', '네 나이 어리되 소견이 높아 급암의 직간을 가졌도다.'

선지➡ '그른 것을 어이 견디리이까'라는 말은 '급암의 직간을 가졌도다'라는 '임금'의 말과 함께 소신을 굽히지 않는 '지경'의 태도를 부각해 주고 있다고 할 수 있어. ○

③ 〈보기〉 당대 사회는 처첩을 엄격히 구별하고 정처에 대한 남편의 도리를 중시했음 ➕ 작품 '본대 간악한 후궁은 두려워 아니하나니, 아내 사랑하는 묘리를 배워다가 가르치소서.'

선지➡ '간악한 후궁은 두려워 아니하나니'라는 '지경'의 말은 '최 씨'와 '옹주'의 인물 됨됨이의 차이를 드러낸 말로 처첩을 엄격히 구별했던 당대의 사회상을 보여 주는 것이라고 할 수 있어. ✕

④ 〈보기〉 당대 사회는 처첩을 엄격히 구별하고 정처에 대한 남편의 도리를 중시했음 ➕ 작품 '박 씨 대로하여 상께 이대로 주하여, "최 씨를 없이하고 부마를 죄 주어 주오이다."'

선지➡ '부마를 죄 주어 주오이다'라고 말하고 있는 '귀인'은 사랑하는 사람과의 결연을 위해 '지경'이 맞서야 하는 장애에 해당한다고 할 수 있어. ○

⑤ 〈보기〉 이 작품에서는 최 씨를 정처라고 주장하면서 자신의 사랑을 지키고자 하는 주인공의 소신 있는 태도가 부각되고 있음 ➕ 작품 '옹주를 대접하고 최 씨를 다른 데 출가하라 하신들 언약이 깊고 빙채와 교배합환하였으니, 어찌 다른 데로 신의를 버리고 갈 생각을 하리이까마는'

선지➡ '최 씨'에 대한 '신의를 버리고 갈 생각'이 없다는 '지경'의 말은 정처(正妻)에 대한 도리를 지키고자 한 것으로 당대 독자들에게 지지를 받을 수 있었던 말이라고 할 수 있어. ○

하루 30분

선 지   판 단 력
강 화   프 로 그 램

고전소설 트레이닝

4
주차

고전소설 독해의 STEP 1

1 다음 글을 읽고 등장인물을 잘 파악했는지, 빈칸에 적절한 말을 채웠는지 확인해 보세요.

📅 고3 2016학년도 3월 학평 – 김만중, 「사씨남정기」

[앞부분의 줄거리] 사 씨 는 유한림과 혼인하여 안정된 결혼생활을 하나 첩 교 씨의 음모로 가문에서 쫓겨난다. 사 씨는 온갖 고난을 겪다 강에 뛰어들려 하지만 여종(차환) 의 만류로 뜻을 이루지 못한다. 사 씨는 통곡하다 잠들고 **꿈속**에서 **낭랑**을 만난다.

낭랑은 시비를 시켜 사 씨에게 차를 올리게 했다. 차를 마시고 사 씨에게 말했다.

"부인 (=사 씨)이 이곳에 온 지 오래되었으니 시비들이 반드시 의심할 거예요. 빨리 돌아가세요." 낭랑은 사 씨에게 이제 그만 **꿈**에서 깨어 돌아가라고 하네.

[A]
"낭랑께서 부르시어 첩 (=사 씨)이 짧은 목숨을 겨우 이었습니다만, 실로 의탁할 곳이 없으니 돌아가 봐야 응당 물에 뛰어들 뿐입니다. 낭랑께서 첩을 비루하게* 여기시지 않아 시비의 말석 옆자리에라도 머물게 허락하시면 이곳에서 낭랑을 모시며 지내고 싶습니다." 사 씨는 자신을 도와 준 낭랑에게 감사를 표하면서 현실로 돌아가지 않고 **낭랑** 곁에서 지내고 싶다고 해.

낭랑이 웃으며 말했다.

"부인은 다른 날 마땅히 이곳으로 와서 조대가*, 맹광*과 어깨를 나란히 할 거예요. 지금은 기한이 차지 않았으니 머물고자 해도 어찌 가능하겠어요? 남해도인이 그대와 깊은 인연이 있으니 잠시 의탁하도록 하세요. 이 또한 하늘의 뜻이지요." 낭랑은 후에 사 씨가 다시 이곳에 오게 될 것이라고 하며, 지금은 **남해도인**에게 의탁하라고 해.

"첩이 듣기에 남해는 세상의 한구석으로 길이 멀고 험하다 했습니다. 첩에게는 수레도 없고 양식도 없으니 어찌 갈 수 있겠습니까?"

"곧이어 반드시 인도할 사람이 생길 터이니 심려치 마세요." 낭랑은 사 씨의 앞날을 **낙관적**으로 예견하고 있네.

이어서 동쪽 벽 자리의, 얼굴이 매우 아름답고 두 눈이 별처럼 빛나는 사람을 가리키며 말했다.

"저 사람이 바로 그대가 말한 위나라의 장강 *이랍니다."

또 용모가 밝은 꽃과 같고 얼굴이 수려한* 사람을 가리키며 말했다.

"저 사람이 한나라의 반첩여 *예요."

또 서쪽 벽 자리의, 거동이 한아하면서 얼굴이 반첩여 같은 사람을 가리키며 말했다.

"저 사람이 후한의 조대가 예요."

또 얼굴이 살지고 피부가 조금 검은 사람을 가리키며 말했다.

"저 사람이 양처사의 아내인 맹 씨 예요." 낭랑은 장강, 반첩여, 조대가, 맹 씨 등 부녀자의 **덕**을 실천한 것으로 유명한 여성들을 소개하고 있어.

사 씨가 다시 일어나 인사를 드리고 말했다.

"여러 부인께서는 첩이 평생 모시고 심부름이라도 하길 바랐던 분들이옵니다. 오늘 직접 얼굴을 뵐 수 있을 거라고 어찌 생각이나 했겠습니까?" 사 씨는 평소에도 이들을 존경해온 듯해.

네 부인은 각각 눈빛으로 마음을 보냈다.

사 씨가 절하고 물러나오는데, 낭랑이 말했다.

"힘쓰고 힘써, 선을 행하세요. 오십 년 뒤에 마땅히 이곳에서 만날 수 있을 거예요." 낭랑은 사 씨에게 **선**을 행하라 권하고, 훗날을 기약하고 있어.

다시 여동에게 명해 사 씨를 모시도록 했다. 사 씨가 대전에서 내려오자마자 대전에 열두 개의 주렴*이 드리워졌고, 그 소리가 땅을 흔들었다.

장면끊기 01

사 씨는 마음이 놀라 몸이 움찔했다. 유모 와 차환은 사 씨가 소생한 것을 알고 큰 소리로 부르짖었다. **주렴**이 드리워지는 소리와 함께 사 씨가 꿈에서 깨어 현실로 돌아왔어. 사 씨가 일어나 앉으니 날은 이미 저물었다.

사 씨는 정신이 어질어질하여 오랜 뒤에야 비로소 안정되었다. 차의 향은 여전히 입안에 남아 있었고 낭랑의 말도 귀에 생생했다. 사 씨는 꿈속에서 **차**를 마신 일, 낭랑과 대화한 일을 모두 생생하게 느끼고 있어. 유모에게 말했다.

"내가 조금 전에 어디를 다녀왔는가?"

"부인께서 한동안 숨이 막힌 듯하더니 다시 깨어나셨습니다. 모르겠습니다, 혼백이 어디라도 다녀오셨나요?"

사 씨가 이어 꿈속에서 낭랑을 만나 서로 문답한 말을 전하고, 후원의 대숲을 가리키며 말했다.

"내가 분명히 푸른 옷의 여동을 따라서 저 길로 갔네. 자네들이 내 말을 믿지 못하겠거든 나를 따라오게."

마침내 작은 길을 따라 대숲 밖으로 가니 과연 묘당 한 채가 있었다. 현판에 '황릉묘'라 써 있으니, 정말로 아황과 여영의 묘당이었다. 묘당의 모습은 꿈속에서 본 것과 다름없었으나 단청은 떨어지고 전각은 황량했다. 묘당의 문으로 들어가 대전 위까지 올라갔다. 흙으로 빚은 두 비(妃)의 소상(塑像)이 엄연히 꿈에서 본 것과 같았다. 사 씨는 유모와 차환을 데리고 꿈속의 장소로 향했으나 아무도 없고 **황량**한 모습이지. 그러나 꿈에서 본 물건들을 현실의 공간에서도 발견할 수 있어.

사 씨가 향을 사르고 공손히 아뢨다.

"천첩 (=사 씨)이 낭랑의 도우심을 입었습니다. 뒷날 하늘에서 뵙더라도 마땅히 큰 은혜를 잊지 않을 것입니다."

물러나 서쪽 행랑에 앉았다. 굶주림이 자못 심하여 차환에게 묘당을 지키는 집에서 음식을 얻어오게 했다. 세 사람이 음식을 나눠 요기하고 서로 말했다.

"묘당 근처에 의지할 만한 곳이 없으니 신령이 우리를 희롱했도다." 사 씨는 집에서 쫓겨나 유랑하던 처지이기 때문에 굶주림을 달랠 **음식**을 얻어와야 할 정도로 곤란한 상황이야.

장면끊기 02

그 무렵 해가 서산에 지고 달빛이 어둑했다. 갑자기 두 사람 (=여승+여동)이 묘당의 문으로 들어왔다. 한동안 사 씨 일행을 바라보다가 말했다.

"이 사람이 아닐까?"

사 씨가 나아가 바라보니 한 명은 여승 이요, 다른 한 명은 여동 이었다. 여승과 여동이 사 씨를 찾아왔어.

두 사람이 말했다.

"낭자 (=사 씨)께서는 어려움을 만나 강물에 뛰어들려 하지 않았나요?" 앞부분의 줄거리를 통해 제시된 내용이네. 고난을 겪던 사 씨가 강에 뛰어들었지만 여종(차환)이 만류했다고 했었는데, 갑자기 찾아온 두 사람이 이걸 어떻게 알고 있는 것일까?

세 사람 (=사 씨+유모+차환)이 놀라며 말했다.

"스님이 어찌 그것을 아시나요?"

여승이 놀라, 예를 올리며 말했다.

"저희는 동정호의 군산에 있습니다. 방금 비몽사몽간에 백의관음께서 말하기를 '어진 여인 (=사 씨)이 어려움을 만나 물에 뛰어들려 하니 빨리 황릉묘에 가서 구하라' 하여 배를 저어 왔더니 과연 낭자를 여기서 만나게 되었습니다. 부처님 말씀이 정말 신이하군요." 백의관음의 명에 따라 황릉묘에 와서 사 씨를 찾은 거구나.

사 씨가 말했다.

[B] "우리는 거의 죽기 직전이었습니다. 이제 스님께서 구해 주시니, 매우 고마워 잊을 수 없을 것입니다. 하지만 스님을 따라가면 혹 암자에 폐를 끼칠까 걱정입니다."

"출가한 사람은 자비를 근본으로 삼습니다. 게다가 보살 (=백의관음)의 명까지 받았습니다. 낭자께서는 염려치 마십시오."

모두가 서로를 부축해 언덕을 내려와 배를 타고 노를 저어 갔다. 갑자기 한 줄기 순풍이 황릉묘로부터 불어와 순식간에 군산에 도착했다. 사 씨 일행은 여승과 여동의 도움을 받아 군산으로 이동했어. 군산은 그 이름처럼 동정호 칠백 리 가운데 홀로 우뚝했다. 사방이 모두 물이고 기이한 바위들이 모였으며, 대숲은 빽빽하고 솔숲은 무성하여 예로부터 사람의 발자취가 닿지 않는 곳이었다. 군산이라는 공간은 탈속적 공간으로 볼 수 있겠군.

장면끊기 03

– 김만중, 「사씨남정기」 –

*조대가, 맹광(맹 씨), 장강, 반첩여: 부녀자의 덕을 실천한 여성들로 알려짐.

고전 필수 어휘

*비루하다: 행동이나 성질이 너절하고 더럽다.

*수려하다: 빼어나게 아름답다.

*주렴: 구슬 따위를 꿰어 만든 발.

고전소설 독해의 STEP 2

1 장면을 적절히 나누었는지, 장면별 내용의 빈칸에 적절한 말을 채웠는지 확인해 보세요.

장면끊기 01 | 사 씨는 **꿈속**에서 **낭랑**을 만나 **차**를 마시며 대화를 나누고, 부녀자의 덕을 실천한 여성들로 알려진 이들을 만나 인사함

Tip 앞부분의 줄거리를 통해 사 씨가 꿈속 공간에 있다는 것을 제시했어. 따라서 현실이 아닌 꿈속에서 일어나는 일까지를 첫 번째 장면으로 파악할 수 있지. 즉 사 씨가 꿈에서 깨어난 뒤의 사건부터는 두 번째 장면으로 보면 돼.

장면끊기 02 | **꿈**에서 깨어난 사 씨는 꿈속의 장소로 가보지만 아무도 없이 황량했고, 사 씨 일행은 먹을 것을 구해 허기를 겨우 달램

Tip 현실로 돌아온 사 씨가 의지할 만한 곳이 없는 곤란한 상황에 황릉묘에 있던 중 시간이 흘러 밤이 돼. 그리고 갑자기 등장한 두 사람으로 인해 새로운 사건이 시작되지.

장면끊기 03 | 해가 진 뒤 **여승**과 **여동**이 사 씨를 찾아오고 두 사람의 도움으로 함께 군산에 감

---

2 구조도의 빈칸에 적절한 말을 채웠는지 확인해 보세요.

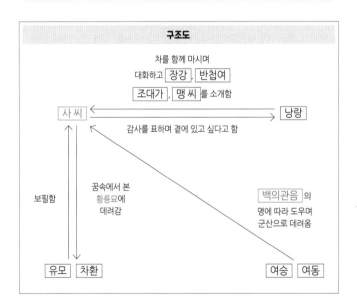

구조도

차를 함께 마시며
대화하고 장강 , 반첩여
조대가 , 맹 씨 를 소개함

사 씨 ←————————————→ 낭랑
감사를 표하며 곁에 있고 싶다고 함

보필함 │ 꿈속에서 본 황릉묘에 데려감 │ 백의관음의 명에 따라 도우며 군산으로 데려옴

유모 차환 │ 여승 여동

HOLSOO

3 1~2번 문제의 정답과 해설을 확인해 보세요.

▶정답률 70%

1. 윗글의 내용을 잘못 이해한 것은?

 정답풀이

④ '사 씨' 일행은 '황릉묘'를 떠나 정처 없이 방랑하던 중에 '여승' 일행을 만났다.

사 씨 일행은 '묘당 근처에 의지할 만한 곳이 없'어서 곤란해 하던 중 갑자기 '묘당의 문으로 들어'온 여승 일행을 만나게 된다. 즉 사 씨 일행은 황릉묘를 떠난 것이 아니라 황릉묘에서 여승 일행을 만난 것이다.

함정 피하기

공간의 변화는 소설 지문의 장면을 끊는 기준 중 하나이다. 그만큼 공간적 배경과 그 공간의 변화 등은 지문의 내용을 이해하는 데에 중요한 역할을 한다. 그래서 이 선지처럼 인물들이 위치한 공간이 어디인지 세세히 파악할 것을 유도하기도 한다. 지문에서 '묘당'이라고 불리는 곳이 바로 '황릉묘'임을 알았다면 그리 어렵지 않은 문제였다. 그리고 사 씨 일행이 방랑하던 처지임은 맞지만 지문에서는 황릉묘를 떠나지 않고 머물고 있던 처지라는 점을 정확히 이해하고 있는지가 관건이었다.

오답풀이

① '사 씨'는 깨어난 뒤에도 꿈에서 경험한 일을 생생히 느꼈다.

꿈에서 깨어 현실로 돌아온 사 씨는 '차의 향은 여전히 입안에 남아 있었고 낭랑의 말도 귀에 생생했'다고 느끼므로 꿈속에서 낭랑 등을 만난 일을 생생하게 느낀다고 볼 수 있다.

② '사 씨' 일행이 찾아간 '황릉묘'는 초라하고 황량한 곳이었다.

꿈에서 깬 사 씨는 유모와 차환을 데리고 꿈에서 본 장소인 황릉묘로 가는데, 그곳은 '단청은 떨어지고 전각은 황량'한 모습이라고 하였다.

③ '사 씨' 일행은 남에게 음식을 얻어먹어야 할 정도로 어려운 형편에 처해 있었다.

사 씨는 '굶주림이 자못 심하여 차환에게 묘당을 지키는 집에서 음식을 얻어 오게' 하여 유모, 차환과 나누어 요기할 정도로 어려운 형편에 처해 있음이 드러난다.

⑤ '사 씨'가 도착한 '군산'은 예로부터 세속인이 쉽게 접근할 수 없는 곳이었다.

사 씨 일행은 여승과 여동의 인도에 따라 '군산에 도착'하는데, 그곳은 '예로부터 사람의 발자취가 닿지 않는 곳'이라고 하였다.

2. 인물의 말하기 방식 OX 확인 문제

① ✕

• 대조: 둘 이상인 대상의 내용을 맞대어 같고 다름을 검토함. 서로 달라서 대비가 됨.

근거 [A]는 가정을 통해 자신의 심경을 강조하여 상대방의 동정심을 자아내고 있는 것으로, 과거와 현재의 상황을 대조하고 있지 않음.

② ◯

근거 [B]에서 사 씨는 '구해 주시니, 매우 고마워 잊을 수 없을 것'이라며 감사를 표하면서도 '스님을 따라가면 혹 암자에 폐를 끼칠까 걱정'이라고 하며 폐를 끼칠 것을 염려함.

고전소설 독해의 STEP 3

■ 1번 문제의 선지 판단 공식에 대한 답을 확인해 보세요.

선지 판단의 공식

① 작품
사 씨는 꿈에서 깬 뒤에도 '차의 향은 여전히 입안에 남아 있었고 낭랑의 말도 귀에 생생'하게 느낌

선지▶ '사 씨'는 깨어난 뒤에도 꿈에서 경험한 일을 생생히 느꼈다.
○

② 작품
꿈에서 깬 사 씨는 '작은 길을 따라 대숲 밖으로 가'서 '황릉묘'를 찾아감 → '묘당의 모습은 꿈속에서 본 것과 다름없었으나 단청은 떨어지고 전각은 황량했'음

선지▶ '사 씨' 일행이 찾아간 '황릉묘'는 초라하고 황량한 곳이었다.
○

③ 작품
사 씨는 '굶주림이 자못 심하여 차환에게 묘당을 지키는 집에서 음식을 얻어'오게 하여 '세 사람이 음식을 나눠 요기'함

선지▶ '사 씨' 일행은 남에게 음식을 얻어먹어야 할 정도로 어려운 형편에 처해 있었다.
○

④ 작품
사 씨 일행은 '묘당 근처에 의지할 만한 곳이 없'어서 곤란해했음 → '갑자기 두 사람이 묘당의 문으로 들어'왔고 그들은 여승과 여동이었음

선지▶ '사 씨' 일행은 '황릉묘'를 떠나 정처 없이 방랑하던 중에 '여승' 일행을 만났다.
✕

⑤ 작품
사 씨는 여승, 여동과 함께 '한 줄기 순풍'을 타고 '순식간에 군산에 도착'함 → 군산은 '대숲은 빽빽하고 솔숲은 무성하여 예로부터 사람의 발자취가 닿지 않는 곳이었'음

선지▶ '사 씨'가 도착한 '군산'은 예로부터 세속인이 쉽게 접근할 수 없는 곳이었다.
○

고전소설 독해의 STEP 1

❶ 다음 글을 읽고 등장인물을 잘 파악했는지, 빈칸에 적절한 말을 채웠는지 확인해 보세요.

📅 고3 2017학년도 10월 학평 – 작자 미상, 「정수정전」

[앞부분의 줄거리] 정수정은 남복을 하고 전쟁에서 공을 세워 장연과 함께 제후가 된다. 정수정이 자신을 부마로 삼으려는 황제에게 여인임을 밝히고, 황제는 정수정과 공주를 장연과 혼인시킨다. 한편 정수정은 장연의 첩이 방자하게 굴자 참수한다.

궁중 상하 크게 놀라 태부인께 고한대 태부인이 대경실색하여 즉시 장 후(=장연)를 불러 대책(大責)* 왈

"네 벼슬이 공후에 있어 한 여자를 제어하지 못하고 어찌 세상에 행신하리오? 며느리가 되어 나의 신임하는 시비(=첩)를 매로써 벌하는 것도 불가하거든 하물며 참수지경에 이르니 이는 남이 듣는다면 참으로 부끄러운 일이라." 태부인은 장연(장 후)를 불러 집안을 제대로 돌보지 못해 불미스러운 일이 생겼음을 책망하고 있어. 정수정이 참수한 장연의 첩은 태부인이 신임하던 시비였구나.

하거늘 장 후가 머리를 조아리며 사죄하고 물러나서 이에 정 후(=정수정)의 신임하는 시녀를 잡아내어 무수 곤책하고 죽이고자 하거늘 공주와 원 부인이 힘써 간하여* 그치니라. 장연은 정수정에게 앙갚음하기 위해 그녀가 신임하는 시녀를 잡아 죽이려 했지만 공주와 원 부인이 말렸어. 이후로부터 **장 후가 정 후를 마뜩잖게 여겨** 조석정성(朝夕定省)에 만나매 외대(外待)함이 많은지라. 정 후가 마음에 극히 불쾌하면서도 장 후의 냉대함은 거리끼지 않았다. 장연은 정수정을 냉대하고, 정수정은 이를 불쾌해하면서도 거리끼지 않으며 두 사람의 갈등이 점차 깊어지고 있어. 일일은 중당에서 장 후를 대하여 왈

"군후(=장연)가 일개 희첩으로 말미암아 첩(=정수정)을 깊이 한하시나 군자의 제가(齊家)하시는* 근본이 아닌가 하나이다." 정수정은 장연에게 일개 첩 때문에 자신을 원망하는 것은 가정을 돌봐야 할 군자의 자세가 아니라고 지적해.

장 후가 대로 왈

"그대 한낱 공후의 위를 믿고 여자의 경부(敬夫)*하는 도리 없어 감히 가부의 희첩을 처살하여 교만 방자함이 이를 데가 없으니 가히 온순한 부덕(婦德)인가?" 장연은 정수정이 공후로서의 권위를 믿고 남편을 공경하는 여자의 도리를 다하지 않으며 첩을 죽이는 교만 방자한 일을 벌였다고 크게 화내.

정 후가 분해하여 함루(含淚) 왈

"내 일찍 이 같음이 본대 부모 유교(遺敎)를 저버리지 못함이요, 다시 황은을 받듦으로 옛 약속을 지키기 위하여 부부 되었으나 어찌 녹록한 아녀자의 소임을 기꺼이 하리오?" 정수정은 장연과 부부가 된 것은 부모님의 유교(유언)를 따르고 황제의 은혜에 보답하기 위해서였을 뿐이라며, 자신은 평범한 아녀자의 소임을 하지 않겠다고 말해.

하고 즉시 외당에 나와 진시회를 불러 분부하되

"내 이제 청주로 가려 하나니 군마를 대령하라."

하고 이에 정당에 들어가 태부인께 하직을 고한대 태부인 발연 왈

"어찌 연고 없이 가려 하나뇨?"

정 후 왈

"봉읍이 중대하옵고 군무 긴급하옵기 돌아가려 하나이다."

하고 공주와 원 부인을 이별하고 외당에 나와 위의(威儀)를 재촉하여 청주에 돌아와 좌정 후 전령하여 삼군을 호상하고 무예를 연습하며 성지(城地)를 굳게 하여 불의지변(不意之變)을 방비하라 하다. 장연과 갈등을 빚던 정수정은 군무가 긴급하다는 이유로 집을 떠나 청주에 왔어. 그리고 군사들을 호령하고 무예를 연습하며 성을 방비하는 데에 힘쓰지.

장면끊기 01

차설. 이전에 철통골이 겨우 일명(一命)을 보전하여 호왕을 보고 패한 연유를 고한대 호왕이 대성통곡 왈

"허다 장졸을 죽여시니 어찌 원수를 갚지 아니하리오?" 전쟁에서 패한 호왕은 많은 장졸들이 죽은 일을 원통해하며 원수를 갚으려 해.

하고 문무를 모아 대장을 의논할새 문득 한 장수(=마원)가 왈

"마웅은 신의 형이라. 원컨대 병사를 주시면 당당히 형의 원수를 갚고 태종(=황제)의 머리를 베어 대왕(=호왕) 휘하에 드리리라."

하거늘 모두 보니 이는 거기장군 마원이라. 범의 머리에 잔나비의 팔이며 곰의 등에 이리 허리니 만부부당지용(萬夫不當之勇)이 있는지라. 마웅의 동생인 마원이 나서고 있는데, 그의 외양은 많은 사람이 당해 낼 수 없을 만큼 용맹했다고 해. 호왕이 대희하여 마원으로 대원수를 삼고 철통골로 선봉장을 삼아 정병 오만을 징발*하여 출사할새 수삭지내(數朔之內)에 하북 삼십여 성을 항복받고 이미 양성에 다다랐는지라. 마원과 철통골을 비롯한 호국의 군사들은 여러 성을 함락시키며 진격하고 있어. 양성 태수 범규흥이 대경하여 바삐 상표 고변한대 상(=황제)이 대경하사 문무를 모아 의논할새 제신(諸臣)이 다 정수정 아니면 대적할 자 없나이다 하거늘 상 왈

"전일에는 정수정이 남장한 줄 모르고 전장에 보냈거니와 이미 여자인 줄 알진대 어찌 만 리 전진에 보내리오?"

제신 왈

"차인(=정수정)이 비록 여자이나 하늘이 각별 폐하를 위하여 내신 사람이오니 폐하는 염려 마소서." 황제는 정수정이 여자라는 이유로 전장에 보내는 것을 망설이지만 신하들은 정수정이 아니면 적들을 대적할 수 없다고 하며 황제를 설득해.

하거늘 상이 마지못하여 사관(仕官)을 청주에 보내어 정 후를 명초(命招)*하신대 정 후가 대경하여 즉시 사관을 따라 황성에 이르러 입궐 숙사하니 상이 반기시며 왈

"이제 국운이 불행하여 북적(北狄)이 다시 일어나 여차여차 하였다 하니 가장 위급한지라. 만조가 경(=정수정)을 천거하나 짐이 차마 경을 전장에 보내지 못하여 의논함이니 경의 소견이 어떠하뇨?" 황제는 우선 정수정을 황성으로 불러 소견을 물어보네.

정 후가 왈

"신첩이 규중에 침몰하오나 성은을 감축하옵는 바라. 차시를 당하여 어찌 안연히 앉아 있으리잇고? 신첩의 몸이 바스러지는 한이 있더라도 북적을 소멸하여 천은을 만분지일이나 갚사올까 바라나이다." 정수정은 황제의 은혜에 감사함을 표하며 전장에 나서 북적을 소멸하겠다고 해.

장면끊기 02

(중략)

원수 (=정수정)가 소와 양을 잡아 삼군을 위로할새 원수가 또한 술이 연하여 나와 취흥이 도도하매 문득 생각하고 좌우를 호령하여 중군 장연을 나입하라 하니, 무사 쇠사슬로 장연의 목을 옭아 장하에 이르매 장 후가 꿇지 아니하거늘 원수가 대로 왈

"이제 도적이 지경을 침노함에 황상 (=황제)이 근심하사 나로 도적을 막으라 하시니 내 황명을 받자와 주야로 근심하거늘 그대는 어찌하여 막중 군량을 때에 맞추어 대령치 아니하였느뇨? 장령을 어긴 죄를 면치 못하였는지라. 군법은 사사 없으니 그대는 나를 원(怨)치 말라." 원수는 전장의 군사들을 위로하는 잔치 자리에서 취흥이 오르자 장연을 잡아들여 군량을 때에 맞게 대령하지 않아 군법을 어긴 것을 탓하고 있어.

하고 무사를 명하여 내어 베라 한대 장 후가 대로 왈

"내 비록 용렬하나* 그대의 가부이거늘 소소 혐의로써 군법을 빙자하고 가부를 곤욕하니 어찌 여자의 도리리오?" 장연은 정수정의 말에 잘못을 빌지도 않고, 오히려 정수정이 군법을 빙자하여 남편을 곤욕스럽게 한다며 화를 내고 있지.

하거늘 원수가 차언(此言)을 듣고 항복을 받고자 하는 뜻이 더욱 강해져 짐짓 꾸짖어 왈

"그대 일의 형세를 모르는도다. 국가 중임을 맡음에 그대는 내 수하에 있는데 그대 이미 범법하였은즉 어찌 부부지의를 생각하여 군법을 착란케 하리오. 그대 나를 초개(草芥)같이 여기는데 내 또한 그대 같은 장부는 원치 아니하노라."

하고 무사를 재촉하는지라. 정수정은 장연의 항복을 받을 생각으로 더욱 강하게 몰아붙이고 있어. 이미 법을 어겼으니 부부 사이인 것은 소용이 없다며 꾸짖고 있어.

장면끊기 03

– 작자 미상, 「정수정전」 –

고전 **필수** 어휘

*대책: 몹시 꾸짖음. 또는 큰 꾸지람.

*간하다: 웃어른이나 임금에게 옳지 못하거나 잘못된 일을 고치도록 말하다.

*제가하다: 집안을 잘 다스려 바로잡다.

*경부: 지아비를 공경함.

*징발: 국가에서 특별한 일에 필요한 사람이나 물자를 강제로 모으거나 거둠.

*명초: 임금의 명으로 신하를 부름.

*용렬하다: 사람이 변변하지 못하고 졸렬하다.

고전소설 독해의 STEP 2

1 장면을 적절히 나누었는지, 장면별 내용의 빈칸에 적절한 말을 채웠는지 확인해 보세요.

| 장면끊기 01 | 장연의 첩을 참수한 사건으로 정수정과 장연은 갈등하게 되고, 이후 정수정은 군사 업무를 이유로 집을 떠나 청주에 감 |

Tip 정수정과 장연의 갈등이 고조되는 장면이야. 두 사람의 대화를 통해 갈등의 원인과 양상을 파악할 수 있지. 장연과 갈등하던 정수정이 군무를 이유로 청주로 가면서 하나의 사건이 마무리되고, 이후 장면에서는 '차설'이라는 말로 새로운 사건의 시작을 알리고 있지.

| 장면끊기 02 | 전쟁에서 패했던 호왕은 원수를 갚기 위해 다시 군사를 꾸려 침략을 하고, 이에 신하들은 정수정을 다시 전장에 내보내자고 함 |

Tip 호국의 왕과 신하들이 원수를 갚기 위해 전쟁을 다시 일으키고, 이에 황제가 정수정을 불러 전장에 나서게끔 하는 장면이야. 중략 이후에는 전장에 나선 정수정이 원수의 신분으로 장연을 꾸짖는 내용이 이어지므로 여기서 장면을 나누어야겠지.

| 장면끊기 03 | 원수가 된 정수정은 전장에서 장연이 군법을 어겼음을 이유로 목을 베겠다 하고, 장연은 굽히지 않고 정수정이 아내로서의 도리를 다하지 않는다고 지적함 |

2 구조도의 빈칸에 적절한 말을 채웠는지 확인해 보세요.

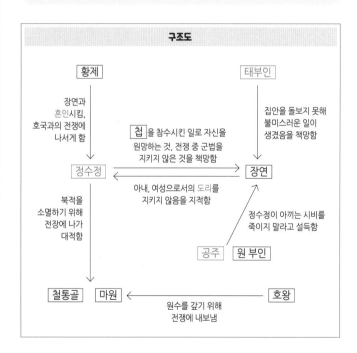

3 1~2번 문제의 정답과 해설을 확인해 보세요.

▶정답률 51%

1. 〈보기〉를 참고하여 윗글을 이해한 내용으로 적절하지 않은 것은?

〈보기〉

조선 후기에는 남성 중심의 가부장제에 균열이 생겨 여성의 역할에 대한 새로운 인식이 나타났다. 하지만 여전히 가부장제 질서를 중시하는 분위기가 만연하여 가부장의 권위를 약화시키려는 것을 억누르는 태도 역시 강하게 나타났다. 가부장제에 균열이 생기면서 여성의 역할에 대한 새로운 인식이 나타났으나, 동시에 가부장의 권위를 지키려는 태도도 나타남 이와 같은 사회상을 반영하고 있는 이 작품은 여성을 주인공으로 삼아, 가부장적 질서에 대응하며 사회에서 공적 역할을 수행하는 능력을 인정받는 새로운 여성상을 보여 주고 있다. 이 작품은 주인공을 통해 가부장적 질서에 대응하여 공적 역할을 수행하는 새로운 여성상을 보여 줌

정답풀이

① 장연을 만류하는 공주와 원 부인의 행동에서, 여성의 역할에 대한 새로운 인식을 엿볼 수 있겠군.

공주와 원 부인은 장연이 정수정에게 앙갚음하기 위해 정수정의 시비를 죽이려 하는 것을 만류하고 있다. 〈보기〉에서 조선 후기에 '가부장제에 균열이 생겨' 나타난 '여성의 역할에 대한 새로운 인식'은 '공적 역할을 수행하는 능력을 인정받는 새로운 여성상'으로 드러난다고 했다. 따라서 사회에서 공적 역할을 수행하는 능력을 인정받는 새로운 여성의 모습을 보여 주는 인물은 공주와 원 부인이 아닌 정수정이다.

오답풀이

② 장연을 질책하는 태부인의 말에서, 남성 중심의 가부장제 질서를 중시하는 태도를 엿볼 수 있겠군.

태부인은 '네 벼슬이 공후에 있어 한 여자를 제어하지 못하고 어찌 세상에 행신하리오?'라며 남편으로서 정수정을 제어하지 못하는 장연을 책망한다. 이는 태부인이 남성 중심의 가부장제 질서를 중시하는 인물임을 보여 주는 것이다.

함정 피하기

태부인이 장연을 질책하는 것이 왜 남성 중심의 가부장제 질서를 중시하는 태도를 보여 주는지 이해하지 못한 수험생들이 많았다. 하지만 단순히 가부장인 장연이 질책받는 모습이 나타난다는 점이 아니라 태부인이 하는 말에 주목했다면 태부인이 남성 중심의 가부장제 질서를 중시하는 태도를 보여 준다는 점을 파악할 수 있었다. 태부인은 장연이 가부장으로서 아내인 정수정을 제어하지 못한 점을 지적하고 있기 때문이다. 장연에게 집안의 여자들을 단속하고 제어해야 할 역할을 부여하고 있다는 점에서 남성 중심의 가부장제 질서를 중시한다고 볼 수 있는 것이다.

③ 제신들이 황제에게 정수정을 천거하는 것에서, 공적 역할의 수행 능력을 인정받은 여성의 모습을 발견할 수 있겠군.

제신들은 '정수정 아니면' 원수를 갚기 위해 다시 쳐들어온 북적을 '대적할 자 없다'고 말한다. 이는 정수정이 여자임에도 사회에서 공적 역할의 수행 능력을 인정받았음을 보여 준다.

④ 장연이 정수정에게 경부하는 도리가 없음을 책망하는 것에서, 가부장의 권위를 약화시키려는 것을 억누르는 태도를 확인할 수 있겠군.

장연은 정수정이 공후의 지위를 믿고 남편을 공경하는 도리 없이, 가부의 첩을 처살하는 교만 방자한 인물이라고 책망한다. 이는 가정 내에서 가부장의 권위를 약화시키려는 정수정의 태도를 억누르는 것이다.

⑤ 정수정이 녹록한 아녀자의 소임을 기꺼이 할 수 없다고 말한 것에서, 가부장적 질서에 대응하는 새로운 여성상의 일면을 찾아볼 수 있겠군.

정수정은 평범한 아녀자의 소임을 기꺼이 할 수 없다며 군마를 타고 청주로 돌아가 공후로서의 업무를 수행한다. 이는 가부장적 질서에 대응하는 새로운 여성의 모습을 보여 주는 것이다.

2. 문학 개념어 OX 확인 문제

① O

• 비유: 어떤 현상이나 사물을 직접 설명하지 아니하고 다른 비슷한 현상이나 사물에 빗대어서 설명하는 것으로, 직유법, 은유법, 의인법 등이 이에 해당함.

근거 '범의 머리에 잔나비의 팔이며 곰의 등에 이리 허리니 만부부당지용이 있는지라.'에서 마원의 외양을 비유적으로 서술하여 그의 용맹함을 부각함.

② O

• 갈등: 개인이나 집단 사이에 목표나 이해관계가 달라 서로 적대시하거나 충돌하는 경우를 이르는 말. 소설이나 희곡에서 등장인물 사이에 일어나는 대립과 충돌 또는 등장인물과 환경 사이의 모순과 대립을 나타내기도 하고, 한 인물이 두 가지 이상의 상반되는 요구나 욕구, 기회 또는 목표에 직면했을 때 선택하지 못하고 괴로워하는 상태를 나타내기도 함.

근거 '그대 한낱 공후의 위를 믿고 여자의 경부하는 도리 없어 감히 가부의 희첩을 처살하여 교만 방자함이 이를 데가 없으니 가히 온순한 부덕인가?', '내 일찍 이 같음이 본대 부모 유교를 저버리지 못함이요, 다시 황은을 받듦으로 옛 약속을 지키기 위하여 부부 되었으나 어찌 녹록한 아녀자의 소임을 기꺼이 하리오?' 등에서 장연과 정수정 사이의 갈등이 드러남.

고전소설 독해의   STEP 3

■ 1번 문제의 선지 판단 공식에 대한 답을 확인해 보세요.

〈보기〉 문제 선지 판단의 공식

① 〈보기〉 조선 후기에는 남성 중심의 가부장제에 균열이 생겨 여성의 역할에 대한 새로운 인식이 나타남 ➕ 작품 '장 후가 머리를 조아리며 사죄하고 물러나서 이에 정 후의 신임하는 시녀를 잡아내어 무수 곤책하고 죽이고자 하거늘 공주와 원 부인이 힘써 간하여 그치니라.'

선지 ➡ 장연을 만류하는 공주와 원 부인의 행동에서, 여성의 역할에 대한 새로운 인식을 엿볼 수 있겠군.   ✕

② 〈보기〉 조선 후기에는 남성 중심의 가부장제에 균열이 생겨 여성의 역할에 대한 새로운 인식이 나타났지만, 여전히 가부장제 질서를 중시하는 분위기가 만연했음 ➕ 작품 '태부인이 대경실색하여 즉시 장 후를 불러 대책 왈 "네 벼슬 이 공후에 있어 한 여자를 제어하지 못하고 어찌 세상에 행신하리오?"'

선지 ➡ 장연을 질책하는 태부인의 말에서, 남성 중심의 가부장제 질서를 중시하는 태도를 엿볼 수 있겠군.   ○

③ 〈보기〉 이 작품은 여성을 주인공으로 삼아, 가부장적 질서에 대응하며 사회에서 공적 역할을 수행하는 능력을 인정받는 새로운 여성상을 보여 줌 ➕ 작품 '상이 대경하사 문무를 모아 의논할새 제신이 다 정수정 아니면 대적할 자 없나이다 하거늘', '차인이 비록 여자이나 하늘이 각별 폐하를 위하여 내신 사람이오니 폐하는 염려 마소서.'

선지 ➡ 제신들이 황제에게 정수정을 천거하는 것에서, 공적 역할의 수행 능력을 인정받은 여성의 모습을 발견할 수 있겠군.   ○

④ 〈보기〉 조선 후기에는 남성 중심의 가부장제에 균열이 생겼으나, 가부장의 권위를 약화시키려는 것을 억누르는 태도 역시 강하게 나타남 ➕ 작품 '장 후가 대로 왈 "그대 한낱 공후의 위를 믿고 여자의 경부하는 도리 없어 감히 가부의 희첩을 처살하여 교만 방자함이 이를 데가 없으니 가히 온순한 부덕인가?"'

선지 ➡ 장연이 정수정에게 경부하는 도리가 없음을 책망하는 것에서, 가부장의 권위를 약화시키려는 것을 억누르는 태도를 확인할 수 있겠군.   ○

⑤ 〈보기〉 이 작품은 여성을 주인공으로 삼아, 가부장적 질서에 대응하며 사회에서 공적 역할을 수행하는 능력을 인정받는 새로운 여성상을 보여 줌 ➕ 작품 '정 후가 분해하여 함루 왈 "내 일찍 이 같음이 본대 부모 유교를 저버리지 못함이요, 다시 황은을 받듦으로 옛 약속을 지키기 위하여 부부 되었으나 어찌 녹록한 아녀자의 소임을 기꺼이 하리오?"'

선지 ➡ 정수정이 녹록한 아녀자의 소임을 기꺼이 할 수 없다고 말한 것에서, 가부장적 질서에 대응하는 새로운 여성상의 일면을 찾아볼 수 있겠군.   ○

고전소설 독해의 STEP 1

■ 다음 글을 읽고 등장인물을 잘 파악했는지, 빈칸에 적절한 말을 채웠는지 확인해 보세요.

📅 **고3 2016학년도 7월 학평 – 작자 미상,「채봉감별곡」**

[앞부분의 줄거리] 채봉과 장필성은 혼약을 하지만, 김 진사는 허 판서에게 돈을 주는 것과 채봉을 허 판서의 첩으로 들이는 것을 대가로 벼슬을 약속받는다.

김 진사 내외 (=김 진사+이 부인)가 상경하여 이왕 객줏집으로 임시 거처를 정하고, 이튿날 허 판서를 가서 보니, 허 판서가 김 진사를 보고 반겨,

"아! 김 현감 (=김 진사) 오시나. 그래 올라오는데 노독*이나 아니 났나? 자, 우선 급한데 과천 현감을 구경하려나."

하더니, 문갑에서 현감 칙지*를 내어 주는지라. 김 진사가 칙지를 보고 가슴이 주저앉으며 혼 빠진 사람처럼 앉아서 눈물만 흘리고 받지를 못한다. 허 판서가 거동을 보고 껄껄 웃으며,

"왜 그래? 너무 반가워서 그러하지."

김 진사가 일어나 절을 하여 칙지를 받아 앞에 놓고,

"대감 (=허 판서) 혜택으로 천은을 입었습니다마는, 운수가 불길하여 올라오다가 죽을 풍파를 겪고 올라왔으나, 대감 뵈올 낯이 없습니다." 김 진사는 돈을 바치고 자신의 딸 채봉을 허 판서의 첩으로 들이는 것을 대가로 과천 현감 자리를 약속받아. 하지만 어쩐 일인지 눈앞의 칙지를 보고도 눈물만 흘리네. 아마 김 진사가 겪은 죽을 풍파로 인해 허 판서에게 대가를 지급하지 못하게 되었기 때문이겠지.

허 판서가 깜짝 놀라며,

"응, 그게 무슨 소리냐? 풍파를 겪다니?"

김 진사가 전후의 말을 다하니, 허 판서가 별안간 눈이 실쭉하여지며, 조금도 가엾은 생각이 없이,

"허! 이런 맹랑한 놈 보아! 제가 어찌하였든지 과천 현감은 할 터이니까, 내려갈 때에는 허락을 다하고 지금은 딴소리를 해." 허 판서는 대가를 받지 못하게 되었음을 알게 되자 더 이상 김 진사에게 호의적인 태도를 보이지 않아.

하며, 부르르 놀라는 체하고 김 진사의 얼굴을 훑어보며,

"대단히 놀라운 말일세. 재물은 도적이 가져갔거니와, 딸 (=채봉)이야 못 찾아 가지고 온단 말인가?"

"아무리 찾아도 찾을 수가 있어야지요. 대감 위력이나 빌어 가지고 찾고자 하여 올라왔습니다."

허 판서가 왈칵 성을 내어 큰 소리로 꾸짖어 가로되,

"이놈, 부모가 되어서 난(亂)중에 자식을 잃고 찾을 생각도 아니 하고, 뉘 위력을 빌어서 찾으려고 내버리고 왔어. 맹랑한 놈." 도적에게 재물을 잃고, 딸도 찾지 못한 김 진사는 허 판서의 위력을 빌어서 딸을 찾고자 했나 봐. 허 판서는 그런 김 진사를 꾸짖으며 화를 내고 있네.

하더니, 하인을 불러서 구류를 시키라 하며,

"이놈, 네 딸을 데려오든지, 그렇지 않으면 돈 오천 냥을 마저 바치든지 해야 무사하리라. 이놈아, 이따위 소리를 뉘 앞에서 하느냐. 시골 내려간 동안에 주선을 다 해서 주마고 하였더니, 현감은 할 터이니까, 지금 와서 그까짓 소리를 한단 말이냐."

하고, 다시 말할 새 없이 가두더라. 약속한 대가를 전하지 못한 김 진사는 결국 허 판서에게 붙잡혀 구류되고 마네. 딸인 채봉을 찾아 데려오든지, 돈 오천 냥을 마련하든지 해야만 무사히 풀려날 수 있는 위기에 처했어.

장면끊기 01

(중략)

이때 채봉은 취향과 약속한 후 만리교에서 이 부인이 잠든 틈을 타서 도망하여 취향과 취향 어미를 데리고 평양으로 도로 내려와 취향의 집에서 있으며, 부친(=김 진사)의 기별을 기다리고, 차차 길을 얻어 장필성에게 통하려고 우선 서화(書畵)에서 즐거움을 찾고 있었다. 채봉이는 만리교에서 도적이 들기 전 두어 식경*이나 앞서 도망한 고로, 김 진사가 그 지경이 된 줄은 모르고 있더라. 김 진사가 재물과 딸을 모두 잃은 것은 만리교에서 있었던 일이구나. 채봉은 이 부인이 잠든 새 도망쳐서 평양에 있는 취향의 집에 가 있었으며 김 진사에게 무슨 일이 벌어졌는지 모르고 있었다는 정황이 드러나. 장면끊기 02 이때 부인이 주야 열흘 만에 평양에 당도하니 어디로 가리오. 속으로 생각하되,

'애기 (=채봉)가 이리로 오면 필연 취향의 집으로 왔을 터이니, 취향의 집으로 찾아가는 것이 옳다.'

하고 대동문을 들어서며 좌우를 돌아보고, 탄식하는 말이,

"㉠산천과 물색은 의구하다마는 나는 불과 한 달 동안에 행색이 이렇게 초췌하여졌단 말이냐?" 이 부인도 평양으로 와서, 채봉을 찾아 취향의 집으로 가려 해. 남편인 김 진사가 구류된 뒤 편치 않은 시간을 보냈는지, 초췌해진 자신의 행색에 대해 탄식하고 있어.

이렇듯 한숨지으며 고을에 들어서서 취향의 집으로 들어가니, 이때 채봉은 취향을 데리고 선후 방침을 의논하며 앉았는데, 이 부인이 안으로 들어오며 취향부터 부른다.

"취향아, 취향아!"

채봉과 취향이 부인의 음성을 어찌 모르리오. 한걸음에 우르르 뛰어나오는데, 이 부인이 미처 채봉은 보지 못하고 앞선 취향부터 보고,

"취향아, 우리 댁 아기씨 (=채봉) 여기 왔니?"

채봉이 급히 이 부인의 손을 잡고,

"어머니 (=이 부인), 나 여기 있소." 취향의 집에서 이 부인과 채봉이 재회했어.

이 부인이 얼싸안고,

"이 일을 어찌하면 좋단 말인가? 우리 집이 오늘날같이 불시에 망할 줄을 꿈에나 생각하였을까?"

채봉이 이 말을 듣고 소스라쳐 놀라 울며,

"망하다니! 불초녀(不肖女) (=채봉)로 무슨 풍파가 났소?" 아버지인 김 진사에게 무슨 일이 있었는지 알지 못했던 채봉은, 이 부인의 말에 놀라고 자신 때문에 무슨 풍파가 발생한 것인가 하며 울음을 터뜨리고 있어.

이 부인이 정신을 진정하고 방으로 들어가 앉으며,

"어떻게 되어서 네가 이리로 왔니?"

채봉이 부인의 행색을 보고, 이 말에는 대답을 아니하고 도리어 묻기부터 한다.

"글쎄 어머니, 나 여기에 온 것을 장차 이야기할 것이니, 어머니의 이야기부터 하시오. 아버지 (=김 진사)는 어디 계시며, 어머니는 무슨 일로 이렇듯이 혼자 오시오?" 이 부인은 채봉이 사라진 경위가 스스로 도망친 것이었음을 모르고 있었나 봐. 어쩌다가 취향의 집으로 왔냐는 물음에 채봉은 대답하지 않고, 먼저 이 부인에게 무슨 일이 있었는지 묻네.

하는데, 부인은 한참 동안 가슴이 답답하여 앉았다가, 만리교에서 도적을 만난 일과, 서울에 갔다가 허 판서가 영감(=김 진사)을 가두고 윽박지르던 말을 다 하며,

"이를 어떻게 하면 좋으냐? 돈을 오천 냥을 하여 놓든지, 너를 데려오든지 하라 하니, 너는 아버지를 살리려거든 나와 같이 서울로 올라가자."

채봉이 이 말을 듣고 눈물을 머금고 지난날 만리교 주막에서 취향과 약속하고 밤중에 도망하여 온 말을 대강하여 말하고,

"어머니, 나는 죽어도 서울로 올라가기는 싫소. 이 자식은 죽은 걸로 아십시오." 이 부인은 김 진사가 허 판서에게 붙잡혀 갇힌 상황을 전해. 하지만 채봉은 서울에 올라가는 것은 싫다고 하네. 서울에 간다는 것은 곧 허 판서의 첩이 된다는 뜻이니, 장필성과 혼약한 사이인 채봉은 이를 거부할 수밖에 없겠지.

"네가 아니 가면 아버지는 아주 돌아가시란 말이냐. 너를 찾아 놓든지, 돈을 해서 놓아라 하니, 너라도 가야지."

채봉이 묵묵히 앉아서 홀로 사세*를 생각하니,

ⓒ가련한 부모는 이미 범의 아구리에 들었으며, 가산*은 탕진한 것과 다를 바가 없고, 이 몸은 죽어도 먹은 마음 변할 생각이 없으니 이 일을 어찌하리오. 내가 올라가면 장필성의 죄인이 될 것이요, 돈도 못 하고 나도 아니 올라가면 부모는 환란을 면하지 못할 것이니 차라리 이 몸이 죽으면 모를까. 죽으면 나는 허물이 없는 사람이 되려니와, 늙고 병든 부모는 속절없이 죽는 사람이라. 죽기도 살기도 어려우니 슬프다. 천지가 광활하나 가련한 박명 여자의 한 몸을 용납할 곳이 없는가. 세상에 뉘가 만일 돈을 주어 내 부모를 구하게 하는 사람이 있으면, 나를 데려다가 종 노릇을 시키거든 종 노릇을 하고, 기생 노릇을 시키거든 기생 노릇이라도 하리라.'

이와 같이 결심하니, 세상에 한없는 것은 눈물이라. 부모님은 위기에 빠졌지만 자신도 마음을 바꿀 수 없고, 죽기도 살기도 어려운 진퇴양난의 상황이야. 하지만 장필성을 배신하고 서울로 올라갈 수는 없던 채봉은 돈을 마련하기 위해 무엇이든 하기로 결심해. 그러면서 흘리는 눈물은 채봉의 서러운 심정을 나타내지.

장면끊기 03

– 작자 미상, 「채봉감별곡(彩鳳感別曲)」 –

*칙지: 왕이 내린 명령.

[고전 필수 어휘]

*노독: 먼 길에 지치고 시달려서 생긴 피로나 병.

*식경: 밥을 먹을 동안이라는 뜻으로, 잠깐 동안을 이르는 말.

*사세: 일이 되어 가는 형세.

*가산: 한집안의 재산.

1 장면을 적절히 나누었는지, 장면별 내용의 빈칸에 적절한 말을 채웠는지 확인해 보세요.

| 장면끊기 01 | 김 진사 내외는 서울로 상경한 이튿날 허 판서에게 가서 도적에게 재물을 잃고 채봉 또한 찾을 수 없는 사정을 전하고, 이를 들은 허 판서는 분노하며 김 진사를 구류함 |

Tip 앞부분의 줄거리에 따르면 김 진사와 허 판서 사이에는 거래가 이루어지고 있었는데, 첫 번째 장면부터 그 거래가 무산되었음이 드러나. 그리고 이로 인해 발생하는 위기, 즉 김 진사가 허 판서에게 붙잡힌 상황에 대해 이 부인과 채봉이 어떻게 대응하는지가 중략 이후에 전개되지. 즉 중략 이후에는 사건의 중심이 되는 인물이 김 진사에게서 채봉으로 바뀌게 되니 여기서 장면을 끊었어.

| 장면끊기 02 | 이때 채봉은 만리교에서 도망한 뒤 평양으로 내려와 김 진사의 사정을 알지 못한 채 취향의 집에서 머물고 있었음 |

Tip 김 진사 내외가 서울로 상경해 있는 동안 채봉이 어떠한 상황에 처해 있었는지가 압축적으로 제시되는 부분이야. 이 다음에는 김 진사가 붙잡힌 이후의 시점에, 남편을 두고 홀로 평양으로 온 이 부인의 행적에서부터 시간 순으로 이야기가 다시 전개되니 여기에서 장면을 끊었어.

| 장면끊기 03 | 이때 열흘 만에 평양에 있는 취향의 집으로 찾아온 이 부인은 채봉에게 김 진사의 사정을 전하고, 채봉은 서울로 올라갈 것을 거부하며 돈을 구하기 위해 무엇이든 하기로 결심함 |

2 구조도의 빈칸에 적절한 말을 채웠는지 확인해 보세요.

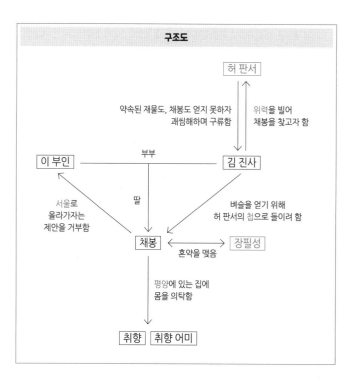

구조도

허 판서

약속된 재물도, 채봉도 얻지 못하자 괘씸해하며 구류함

위력을 빌어 채봉을 찾고자 함

이 부인 ──부부── 김 진사

서울로 올라가자는 제안을 거부함

딸

벼슬을 얻기 위해 허 판서의 첩으로 들이려 함

채봉 ←혼약을 맺음→ 장필성

평양에 있는 집에 몸을 의탁함

취향 │ 취향 어미

3 1~2번 문제의 정답과 해설을 확인해 보세요.

⑤ 김 진사는 허 판서와의 약속을 지키지 못했기 때문에 칙지를 받는 것을 끝까지 거부했다.

> 김 진사는 허 판서에게 약속한 돈을 주지도, 딸인 채봉을 첩으로 들이게 하지도 못하는 상황에 '혼 빠진 사람처럼 앉아서 눈물만 흘리'다가 절을 한 후 '칙지를 받아 앞에 놓고' 전후 사정을 말하고 있다. 즉 김 진사가 허 판서와의 약속을 지키지 못한 것은 맞지만, 염치도 없고 어찌해야 할 바를 몰라 '받지를 못'하였다. 또한 결국 칙지를 받아 앞에 두고 전후 사정을 말하고 있으므로 칙지를 받는 것을 끝까지 거부했다고 볼 수 없다.

1. 윗글에 대한 이해로 가장 적절한 것은?

▶정답률 68%

정답풀이

④ 채봉은 이 부인과 재회한 후, 도망 온 대강의 사연을 이 부인에게 말했다.

> 채봉은 평양에 있는 취향의 집에서 이 부인과 재회한 후, '지난날 만리교 주막에서 취향과 약속하고 밤중에 도망하여 온 말을 대강하여 말하'였으므로 도망 온 사연을 이 부인에게 말했다고 볼 수 있다.

오답풀이

① 이 부인은 재물을 잃은 것이 채봉의 탓이라고 생각했다.

> 이 부인은 채봉에게 '아버지를 살리'기 위해 '같이 서울로 올라가자'고 말하고 있지만, 재물을 잃은 것을 채봉의 탓으로 돌리고 있지는 않다.

② 채봉은 도망 후 부모와 연을 끊으려고 취향의 집에 숨었다.

> 채봉은 '취향의 집'에서 지내면서 '부친의 기별을 기다리고' 있었으므로, 부모와의 연을 끊으려고 취향의 집에 숨어 있었다고 볼 수는 없다.

③ 김 진사는 허 판서에게 채봉을 찾아 데려오겠다고 약속했다.

> 김 진사는 허 판서에게 '대감 위력이나 빌어 가지고' 채봉을 찾고자 한다고 하였을 뿐, 자신이 직접 채봉을 찾아 데려오겠다고 약속하지는 않았다.

함정 피하기

앞부분의 줄거리에 따르면 김 진사는 허 판서에게 '돈을 주는 것과 채봉을 허 판서의 첩으로 들이는 것'을 대가로 벼슬을 받기로 약속을 하였다. 즉 허 판서와 만나기 이전에 김 진사는 채봉을 허 판서의 첩으로 들이기 위해 데려오고 있었는데, 도중에 채봉이 도망 하면서 딸을 잃어버린 상황에 처하게 되었고 '아무리 찾아도' 채봉을 '찾을 수' 없자 허 판서의 '위력이나 빌어' 채봉을 찾고자 요청하는 것이다.
③번을 적절하다고 본 학생들은 앞부분의 줄거리에 따르면 김 진사가 '채봉을 허 판서의 첩으로 들이'겠다는 약속을 하고 데려오는 중이었음을 근거로 '채봉을 데려오겠다고 약속한 것'이 적절하다고 판단했다. 하지만 김 진사와 허 판서 사이에 채봉을 '찾아' '데려오'는 것이 화제가 되는 시점은 김 진사가 재물과 딸을 잃어버리고 허 판서에게 도착한 시점 이후이다. ③번 선지에서는 김 진사가 '채봉을 찾아 데려오겠다고 약속'했는지 묻고 있으므로 정오 판단은 앞부분의 줄거리에서 '벼슬을 약속받는다'라고 한 것을 근거로 판단하는 것이 아니라, 중략 이전에 김 진사와 허 판서의 대화를 근거로 판단해야 한다.

2. 문학 개념어 OX 확인 문제

① O

- **대비**: 두 가지의 차이를 밝히기 위하여 서로 맞대어 비교함.

> **근거** 이 부인은 '산천과 물색은 의구(옛날 그대로 변함이 없음)'한 것과 자신의 행색을 대비하여, 변함없는 자연과 달리 한 달 만에 초췌해진 자신의 처지에 대해 암담한 심정을 토로하고 있음.

② O

- **비유**: 어떤 현상이나 사물을 직접 설명하지 아니하고 다른 비슷한 현상이나 사물에 빗대어서 설명하는 것으로, 직유법, 은유법, 의인법 등이 이에 해당함.

> **근거** 채봉은 오천 냥의 돈을 내놓거나 딸을 바치지 않으면 환란을 면치 못하게 된 부모의 위급하고 절박한 상황을 '범의 아구리에 들'은 것에 비유하여 표현하고 있음.

고전소설 독해의 STEP 3

■ 1번 문제의 선지 판단 공식에 대한 답을 확인해 보세요.

선지 판단의 공식

① 작품
이 부인은 '돈을 오천 냥을 하여 놓든지, 너를 데려 오든지 하라'고 한 허 판서의 말을 채봉에게 전하며, '너는 아버지를 살리려거든 나와 같이 서울로 올라가'자고 함

선지➡ 이 부인은 재물을 잃은 것이 채봉의 탓이라고 생각했다.
✕

② 작품
채봉은 '만리교에서 이 부인이 잠든 틈을 타서 도망'하여 '평양'에 있는 '취향의 집에서 있'으면서 '부친의 기별을 기다리고, 차차 길을 얻어' 가고자 함

선지➡ 채봉은 도망 후 부모와 연을 끊으려고 취향의 집에 숨었다.
✕

③ 작품
김 진사는 '딸이야 못 찾아 가지고 온단 말인가?'라는 허 판서의 말에 '아무리 찾아도 찾을 수가 있어야지요. 대감 위력이나 빌어 가지고 찾고자 하여 올라왔습니다.'라고 답함

선지➡ 김 진사는 허 판서에게 채봉을 찾아 데려오겠다고 약속했다.
✕

④ 작품
채봉은 이 부인의 사연을 전해 들은 후 '눈물을 머금고 지난 날 만리교 주막에서 취향과 약속하고 밤중에 도망하여 온 말을 대강하여 말'함

선지➡ 채봉은 이 부인과 재회한 후, 도망 온 대강의 사연을 이 부인에게 말했다.
◯

⑤ 작품
김 진사는 '죽을 풍파'로 인해 '허 판서에게 돈을 주는 것과 채봉을 허 판서의 첩으로 들이는 것'을 하지 못하게 되어, '칙지'를 보고도 '가슴이 주저앉으며 혼 빠진 사람처럼 앉아서 눈물만 흘리고 받지를 못'함, 그 후 '절을 하여 칙지를 받아 앞에 놓'음

선지➡ 김 진사는 허 판서와의 약속을 지키지 못했기 때문에 칙지를 받는 것을 끝까지 거부했다.
✕

고전소설 독해의 STEP 1

1 다음 글을 읽고 등장인물을 잘 파악했는지, 빈칸에 적절한 말을 채웠는지 확인해 보세요.

📅 **고3 2019학년도 6월 모평 – 작자 미상, 「옹고집전」**

[앞부분 줄거리] 옹고집(=참옹고집)은 성격이 고약한 부자이다. 어느 날 옹고집 앞에 가짜 옹고집(=짚옹고집)이 나타나, 서로가 자신이 진짜라고 주장한다.

두 옹고집이 송사* 가는 제, 읍내를 들어가니 짚옹고집 거동 보소. 가짜 옹고집은 짚으로 만들어진 존재라 서술자가 짚옹고집이라 부르는 것 같아. 주저 없이 제가 앞에 가며 읍의 촌가인 하나와 만나 보면 깜짝 반겨 두 손을 잡고, "나는 가변*을 송사하러 가는지라. 자네와 나와 아무 연분에 서로 알아 죽마고우*로 지냈으니 나를 몰라볼쏘냐."

또 하나를 보면, "자네 내게서 아무 연분에 돈 오십 냥을 취하여 갔으니 이참에 못 주겠느냐. 노잣돈* 보태 쓰게 하라."

또 하나 보면, "자네 쥐골평 논 두 섬지기 이때까지 소작* 할 제, 거년 선자(先資)* 스물닷 말을 어찌 아니 보내는가." 짚옹고집은 참옹고집보다 앞에 가며 마을 사람들을 보면 먼저 인사하거나 이런저런 말을 건네.

[A] 이처럼 하니 참옹고집이 짚옹고집을 본즉 낱낱이 내 소견* 대로 내가 할 말을 제가 먼저 하니 기가 질려 뒤에 오며, 실성한 사람같이, 아는 사람도 오히려 짚옹고집같이도 모르는지라. 참옹고집은 자신과 마을 사람들 사이의 일을 모두 알고 있는 짚옹고집을 보며 기가 질렸어.

짚옹고집이 노변에서 지나가는 사람 데리고 하는 말이, "가운이 불길하여 어떠한 놈이 왔으되 용모 나와 비슷해 제가 내라 하고 자칭 옹고집이라 하기로, 억울한 분을 견디지 못하여 일체 구별로 송사하러 가는지라. 뒤에 오는 사람이 기네. 자네들도 대소간 눈이 있거든 혹 흑백을 가릴쏘냐."

참옹고집이 뒤에 오면서 기가 막히고 얼척도 없어 말도 못하고 울음 울 제, 행인들이 이어 보고 하는 말이, "누가 알아 보리오. 뉘 아들인지 알 수가 없다. 아마도 상동이란 말밖에 또 하리오." 참옹고집은 자신이 진짜라는 짚옹고집의 말에 화가 나고 억울해. 행인들은 참옹고집과 짚옹고집의 생김새가 똑같아 누가 알아보겠느냐며 헷갈려 하지.

장면끊기 01

(중략)

짚옹고집 반만 웃고 집으로 돌아와서 바로 내정*으로 들어가니 처자 권속이 내달아 잡고 들어가니, "하늘도 무심치 아니하기로 내 좋은 형세와 처자를 빼앗기지 아니하였다."

송사를 이긴 내력을 말하니 처자 권속이며 상하 노복* 등이 참옹고집으로 알고, 마누라는, "우리 서방님이 그런 고생이 또 있을까." 뭇 아들 나서며, "그런 자식에게 아버지가 큰 봉재를 보았다." 노복 종이며 마을 사람들이 다 칭찬하거늘, 짚옹고집이 진짜 옹고집으로 인정받고 송사에서 이겨 집으로 돌아온 상황인가 봐. 짚옹고집이,

"내가 혈혈단신으로 자수성가하였기로 전곡을 과연 아낄 줄만 알았더니 내빈 왕객 접대 상과 만가 동냥 거지들을 독하게 박대하였더니 인심부득 절로 되어 이런 재변이 난 듯싶으니, 사람 되고 개과천선 못할쏘냐. 오늘부터 재물과 곡식을 흩어 활인구제(活人救濟)하리라." 짚옹고집의 말을 통해 참옹고집은 그동안 인심이 박하게 살아왔음을 알 수 있어. 짚옹고집은 참옹고집의 재물과 곡식을 풀어 주변 사람들을 구제하고자 하네.

전곡을 흩어 사방에 구차한 사람을 구제한단 말이 낭자하니 팔도 거지들과 각 절 유걸승들이 구름 모이듯 모여드니 백 냥 돈 천 냥 돈을 흩어 주니 옹고집은 인심 좋단 말이 낭자하더라.

장면끊기 02

하루는 주효*를 낭자게 장만하고 원근에 모모한 친구며 사방 사람을 청좌하여 대연을 배설*할 제, 이때의 참옹고집 전전걸식 하다가 맹랑촌 옹고집 활인구제한단 말 듣고 분심으로 하는 말이, "남의 재물 갖고 제 마음대로 쓰는 놈은 어떤 놈의 팔자인고. 찾아가서 내 집 망종* 보고 죽자." 참옹고집은 자신의 재물을 마음대로 사용하는 짚옹고집의 소식을 듣고 분노해. 죽더라도 자신의 집에 찾아가서 일이 어떻게 된 것인지를 보고 싶어하지.

하고 죽장망혜*로 찾아갈 제, 짚옹고집 도술 보고 근처에 참옹고집 온 줄 알고 사환*을 분부하되, "오늘 큰 잔치에 음식도 낭자하고 걸인도 많을 제, 타일 천하게 다투던 거짓 옹가 놈(=참옹고집)이 배도 고프고 기한(飢寒)*을 견디지 못하여 전전걸식 다닐 제, 잔치 소문을 듣고 마을 근처에 왔으나 차마 못 들어오는가 싶으니 너희 등은 가서 데려오라. 일변 생각하면 되도 못할 일 하다가 중장(重杖)*만 맞았으니 불쌍하다." 짚옹고집은 도술로 참옹고집이 근처에 온 줄 알게 돼. 그런데 참옹고집을 내쫓으려 하기는커녕 사환을 시켜 참옹고집을 데려오라고 하네.

사환 등이 영을 듣고 사방으로 나가 보니 과연 마을 뒷산에 앉아 잔치하는 데를 보고 눈물을 흘리고 앉았거늘 사환들이 바로 가서 엉겁결에 배례하고 문안하니, 슬프다. 참옹고집이 대성통곡 절로 난다. 참옹고집은 쫓겨난 자신의 처지와는 상반되게 잔치가 벌어진 자신의 집을 보자 설움이 북받쳐 대성통곡해.

사환들이 가자 하니, "갈 마음 전혀 없다."

여러 놈이 부축하여 들어가서 좌상에 앉히니 짚옹고집 일어서며 인사 후에, "네 들어라. 형세 있어 좋다 하는 것이 활인구제하여 만인 적선이 으뜸이거늘 천여 석 거부로서 첫째로는 부모 박대하니 세상에 용납지 못할 놈이요, 둘째는 유걸산승 욕보이니 불도가 어찌 허사리오. 짚옹고집은 참옹고집이 거부(큰 부자)임에도 불구하고 부모를 박대하고 유걸산승을 욕보였던 잘못을 이야기해.

[B] 우리 절 도승이 나를 보내어 묘하신 불법으로 가르쳐서 너의 죄목을 잡아 아주 죽여 세상에 영영 자취 없게 하여 세상 사람에게 모범이 되게 하라 하시거늘 너를 다시 세상에 내어 보내기는 나의 어진 용심으로 살린 것이니, 이만 해도 후생에게 너 같은 행실을 징계한 사례가 될 듯싶으니 이후는 아무쪼록 개과하라." 짚옹고집은 도승이 참옹고집을 벌하기 위해 보낸 것이구나. 짚옹고집은 참옹고집이 개과해서 좋은 사람이 될 것을 바라고 있어.

하고, 좌상에 나앉으며 문득 자빠지니 허수아비 찰벼 짚묶음

이라.

　　이로 좌상이 다 놀라 공고를 하고 옹고집이 이날부터 개과
천선하여 세상에 전하여 일가친척이며 원근친고 사람에게
인심을 주장하니 옹고집의 인심을 만만세에 전하더라.

장면끊기 03

－ 작자 미상, 「옹고집전」 －

*선자 : 일을 시작하기에 앞서 드는 돈.

[고전 **필수** 어휘]

*송사: 백성끼리 분쟁이 있을 때, 관부에 호소하여 판결을 구하던 일.

*가변: 집안의 재앙이나 사고.

*죽마고우: 대말을 타고 놀던 벗이라는 뜻으로, 어릴 때부터 같이 놀며 자란 벗.

*노잣돈: 먼 길을 오가는 데 드는 돈.

*소작: 농토를 갖지 못한 농민이 일정한 소작료를 지급하며 다른 사람의 농지를 빌려
농사를 짓는 일.

*소견: 어떤 일이나 사물을 살펴보고 가지게 되는 생각이나 의견.

*내정: 안채에 있는 뜰.

*노복: 종살이를 하는 남자.

*주효: 술과 안주를 아울러 이르는 말.

*배설: 연회나 의식에 쓰는 물건을 차려 놓음.

*망종: 일의 마지막.

*죽장망혜: 대지팡이와 짚신이란 뜻으로, 먼 길을 떠날 때의 아주 간편한 차림새를
이르는 말.

*사환: 관청이나 회사, 가게 따위에서 잔심부름을 시키기 위하여 고용한 사람.

*기한: 굶주리고 헐벗어 배고프고 추움.

*중장: 곤장으로 몹시 쳐서 엄중하게 다스리던 형벌.

고전소설 독해의 STEP 2

1 장면을 적절히 나누었는지, 장면별 내용의 빈칸에 적절한 말을 채웠
는지 확인해 보세요.

장면끊기 01	참·거짓 옹고집을 가리기 위해 두 옹고집이 송사하러 가는 길에, 진짜인 척하는 짚옹고집을 보고 참옹고집은 어이가 없어 억울해 함

Tip 참옹고집과 짚옹고집은 누가 진짜 옹고집인지를 가리기 위해 송사하러 떠나. 중략 이
후에는 송사가 끝나고 그 결과, 즉 짚옹고집이 승리하여 참옹고집의 집에 들어와 있는 상황
이 나타나고 있어. 따라서 중략 이전에 장면을 끊어야겠지?

장면끊기 02	송사에서 이긴 짚옹고집은 **집으로 돌아와서 재물과 곡식을 풀어** 주변 사람들을 도움

Tip 짚옹고집이 참옹고집과는 달리 재물과 곡식으로 활인구제하는 장면이 나와. 이후 장면
에서는 '하루는'이라고 시작하며 시간이 변화하고 새로운 사건이 시작됨을 알려주니 여기서
장면이 나누어진다고 볼 수 있겠어.

장면끊기 03	**하루는** 죽장망혜의 차림으로 다시 집을 찾아온 참옹고집에게 짚옹고집이 개과천선할 것을 명하며 사라지고, 자신의 잘못을 깨달은 참옹고집은 개과 천선하여 인심을 베풂

---

2 구조도의 빈칸에 적절한 말을 채웠는지 확인해 보세요.

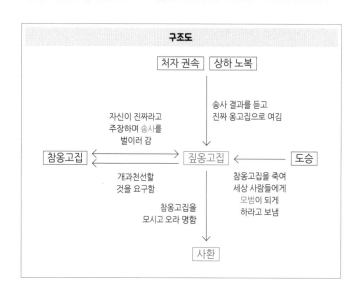

3 1~2번 문제의 정답과 해설을 확인해 보세요.

▶정답률 66%

1. 〈보기〉는 「옹고집전」 이본의 일부이다. [B]와 〈보기〉를 비교
하여 이해한 내용으로 적절하지 <u>않은</u> 것은?

〈보기〉

　　참옹고집 듣기를 다하여 천방지방 도사 앞에 급히 나아가 합장배례하며
공손히 하는 말이, "이놈의 죄를 생각하면 천사(千死)라도 무석(無惜)이요 만사
라도 무석이나 명명하신 도덕하에 제발 덕분 살려 주오. 당상의 늙은 모친
규중의 어린 처자 다시 보게 하옵소서. 원컨지 하온 후 지하에 돌아가도 여한
이 없을까 하나이다. 제발 덕분 살려 주옵소서."

　　만단으로 애걸하니 도사 하는 말이, "천지간에 몹쓸 놈아. 인제도 팔십 당년
늙은 모친 냉돌방에 구박할까, 불도를 능멸할까. 너 같은 몹쓸 놈은 응당 죽일
것이로되 정상(情狀)이 불쌍하고 너의 처자 가여운 고로 놓아주니 돌아가 개과
천선하라."

　　부적을 써 주며 왈, "이 부적을 몸에 붙이고 네 집에 돌아가면 괴이한 일
있으리라."

하고 홀연 간데없거늘 참옹고집 즐겨 돌아와서 제 집 문전 다다르니 고루거
각 높은 집에 청풍명월 맑은 경은 옛 놀던 풍경이라.

④ '참옹고집'에게 개과천선하라는 요청이 [B]와 〈보기〉 모두 인물의 발화에 나타나는 것으로 보아, [B]와 〈보기〉에서 모두 인물의 발화는 '참옹고집'이 용서를 구하기 시작하는 계기에 해당하는군.

> 송사 이후 진짜 옹고집 행세를 해오던 '짚옹고집'은 [B]에서 '참옹고집'에게 '첫째로는 부모 박대하니~이후는 아무쪼록 개과하라.'라고 말한 뒤 '허수아비 찰벼 짚묶음'이 되어 사라진다. 이후 옹고집이 개과천선하여 그것이 세상에 전해졌다고 하였으나, [B]에서 '참옹고집'이 '짚옹고집'의 발화를 들은 뒤 용서를 구하는 모습은 나타나지 않는다. 또한 〈보기〉에서 '도사'는 '참옹고집'에게 '천지간에 몹쓸 놈아.~돌아가 개과천선하라.'라고 말하는데, 이는 '참옹고집'이 먼저 '도사'에게 '이놈의 죄를 생각하면~제발 덕분 살려 주옵소서.'라고 간청한 뒤에 이루어진 발화이다. 따라서 [B]와 〈보기〉에서 모두 인물의 발화가 '참옹고집'이 용서를 구하기 시작하는 계기에 해당한다는 진술은 적절하지 않다.

① '참옹고집'을 살려 두는 이유로 [B]는 '나의 어진 용심'을, 〈보기〉는 '정상이 불쌍'함을 제시하는 것으로 보아, [B]에서는 용서하는 이의 마음을 고려했고, 〈보기〉에서는 용서받는 이의 처지까지도 고려하였군.

> [B]에서 '짚옹고집'은 '참옹고집'에게 본래 '너의 죄목을 잡아 아주 죽여 세상에 영영 자취 없게 하여 세상 사람에게 모범이 되게 하'려고 했음을 밝힌다. 하지만 마음을 바꾸어 '너를 다시 세상에 내어 보내기'로 한 것은 '나의 어진 용심' 때문이라고 하였으므로, 이는 용서하는 이인 '짚옹고집'의 마음을 고려한 서술이라고 할 수 있다. 반면 〈보기〉에서 '도사'는 '너 같은 몹쓸 놈은 응당 죽일 것이로되 정상이 불쌍하고 너의 처자 가여운 고로' '참옹고집'을 살려 둔다고 하였다. 이는 용서받는 이인 '참옹고집'의 처지를 고려한 것이라고 할 수 있다.

② '참옹고집'을 살려 두는 이유로 [B]는 '이만해도 후생에게' '징계한 사례'가 됨을, 〈보기〉는 '너의 처자 가여'움을 제시하는 것으로 보아, [B]에서는 징계의 사회적 효용이, 〈보기〉에서는 징계로 인한 가족의 피해가 고려되었군.

> [B]에서 '짚옹고집'은 '참옹고집'을 살려 두는 이유로 '나의 어진 용심' 외에 '이만해도 후생에게 너 같은 행실을 징계한 사례가 될 듯싶'음을 들고 있다. 이는 '참옹고집'을 살려 두기로 결정하는 과정에서 징계의 사회적 효용을 고려한 결과라고 할 수 있다. 한편 〈보기〉에서 '도사'는 '참옹고집'에게 '너의 처자 가여운 고로 놓아주'는 것이라 말하고 있다. 이는 '참옹고집'을 징계할 때 그의 가족들이 받게 될 피해를 고려한 결정이라고 볼 수 있다.

함정 피하기

징계의 사회적 효용이나 징계로 인한 가족의 피해 등의 진술은 낯설긴 하지만 어렵게 생각할 필요는 없다. [B]에서 도승이 참옹고집을 죽여 세상에 영영 자취가 없도록 하라 일렀으나, 짚옹고집이 참옹고집을 살려 두는 이유는 '이만해도 후생에게' 이러한 악행을 '징계한 사례'가 됨, 즉 참옹고집에 대한 징계가 사회적으로 효용(보람 있게 쓰거나 쓰임)이 있다는 것을 고려한 것이다. 또한 〈보기〉에서 도사가 참옹고집을 응당 죽일 것이로되 살려 두는 이유로 '너의 처자 가여'움을 제시한 것은 참옹고집의 징계로 인한 가족(처자)의 피해를 고려한 것이다.

③ '참옹고집'의 악행으로 [B]는 '부모 박대'를, 〈보기〉는 '모친' '구박'을 거론하는 것으로 보아, [B]와 〈보기〉에서 모두 '참옹고집'의 비인륜적 행위가 징계의 사유에 포함되었군.

> [B]에서 '짚옹고집'은 '부모 박대하니 세상에 용납지 못할 놈'이라며 '참옹고집'을 비난하고 있다. 또한 〈보기〉에서 '도사'는 '인제도 팔십 당년 늙은 모친 냉돌방에 구박할까.'라며 '참옹고집'을 꾸짖고 있다. 이를 통해 [B]와 〈보기〉에서는 모두 '참옹고집'의 징계 사유에 비인륜적 행위가 포함되어 있음을 알 수 있다.

⑤ '참옹고집'을 훈계하던 존재가 [B]에서는 '허수아비'로 변하고, 〈보기〉에서는 '홀연' 사라지는 것으로 보아, [B]와 〈보기〉에서 모두 신이한 사건이 벌어지는군.

> [B]에서 '참옹고집'을 훈계하던 '짚옹고집'은 '이후는 아무쪼록 개과하라.'라는 말을 남긴 뒤 '허수아비 찰벼 짚묶음'이 되어 사라진다. 또한 〈보기〉에서 '도사' 역시 '참옹고집'에게 '돌아가 개과천선하라.'라고 말하며 부적을 써준 뒤 '홀연 간데없'이 사라진다. 이를 통해 [B]와 〈보기〉에서 모두 신이한 사건이 벌어졌다고 할 수 있다.

2. 문학 개념어 OX 확인 문제

① ○

> 근거 [A]에서 짚옹고집은 참옹고집과 함께 송사 가는 길에 '읍의 촌가인'들에게 먼저 다가가 아는 체를 하거나, 지나가는 행인들에게 가짜가 나타나서 송사를 가게 되었다고 말하는데, 이를 본 참옹고집의 답답한 심정을 서술자는 '참옹고집이 뒤에 오면서 기가 막히고 얼척도 없어 말도 못하고 울음'을 운다며 직접적으로 제시하고 있음.

② ✕

• **묘사**: 어떤 대상이나 인물의 외양, 행동, 내면 등을 그림을 보여 주듯 표현하는 것.

> 근거 [A]에서 참옹고집과 짚옹고집이 송사를 가는 길에 '읍의 촌가인'들이나 행인들이 새롭게 등장하지만, 이들에 대한 외양 묘사는 나타나지 않음.

고전소설 독해의　STEP 3

▣ 1번 문제의 선지 판단 공식에 대한 답을 확인해 보세요.

〈보기〉 문제 선지 판단의 공식

① 〈보기〉 '너 같은 몹쓸 놈은 응당 죽일 것이로되 정상이 불쌍하고'

➕

작품 '너의 죄목을 잡아 아주 죽여 세상에 영영 자취 없게 하여 세상 사람에게 모범이 되게 하라 하시거늘 너를 다시 세상에 내어 보내기는 나의 어진 용심으로 살린 것이니,'

선지➡ '참옹고집'을 살려 두는 이유로 [B]는 '나의 어진 용심'을, 〈보기〉는 '정상이 불쌍'함을 제시하는 것으로 보아, [B]에서는 용서하는 이의 마음을 고려했고, 〈보기〉에서는 용서받는 이의 처지까지도 고려하였군. ○

② 〈보기〉 '너의 처자 가여운 고로 놓아주니'

➕

작품 '이만해도 후생에게 너 같은 행실을 징계한 사례가 될 듯 싶으니 이후는 아무쪼록 개과하라.'

선지➡ '참옹고집'을 살려 두는 이유로 [B]는 '이만해도 후생에게' '징계한 사례'가 됨을, 〈보기〉는 '너의 처자 가여'움을 제시하는 것으로 보아, [B]에서는 징계의 사회적 효용이, 〈보기〉에서는 징계로 인한 가족의 피해가 고려되었군. ○

③ 〈보기〉 '천지간에 몹쓸 놈아. 인제도 팔십 당년 늙은 모친 냉돌방에 구박할까.'

➕

작품 '첫째로는 부모 박대하니 세상에 용납지 못할 놈이요,'

선지➡ '참옹고집'의 악행으로 [B]는 '부모 박대'를, 〈보기〉는 '모친' '구박'을 거론하는 것으로 보아, [B]와 〈보기〉에서 모두 '참옹고집'의 비인륜적 행위가 징계의 사유에 포함되었군. ○

④ 〈보기〉 '참옹고집 듣기를 다하여 천방지방 도사 앞에 급히 나아가~ 만단으로 애걸하니 도사 하는 말이, "천지간에 몹쓸 놈아. 인제도 팔십 당년 늙은 모친 냉돌방에 구박할까, 불도를 능멸할까.~돌아가 개과천선하라."'

➕

작품 '짚옹고집 일어서며 인사 후에, "네 들어라. 형세 있어 좋다 하는 것이 활인구제하여 만인적선이 으뜸이거늘 천여 석 거부로서 첫째로는 부모 박대하니 세상에 용납지 못할 놈이요, 둘째는 유걸산승 욕보이니 불도가 어찌 허사리오.~이후는 아무쪼록 개과하라."'

선지➡ '참옹고집'에게 개과천선하라는 요청이 [B]와 〈보기〉 모두 인물의 발화에 나타나는 것으로 보아, [B]와 〈보기〉에서 모두 인물의 발화는 '참옹고집'이 용서를 구하기 시작하는 계기에 해당하는군. ✕

⑤ 〈보기〉 '부적을 써 주며 왈, "이 부적을 몸에 붙이고 네 집에 돌아가면 괴이한 일 있으리라." 하고 홀연 간데없거늘'

➕

작품 '"이후는 아무쪼록 개과하라." 하고, 좌상에 나앉으며 문득 자빠지니 허수아비 찰벼 짚묶음이라.'

선지➡ '참옹고집'을 훈계하던 존재가 [B]에서는 '허수아비'로 변하고, 〈보기〉에서는 '홀연' 사라지는 것으로 보아, [B]와 〈보기〉에서 모두 신이한 사건이 벌어지는군. ○

고전소설 독해의 STEP 1

1 다음 글을 읽고 등장인물을 잘 파악했는지, 빈칸에 적절한 말을 채웠는지 확인해 보세요.

📅 고3 2020학년도 수능 – 작자 미상, 「유씨삼대록」

[앞부분의 줄거리] 아들 유세기가 부모의 허락 없이 백공과 혼사를 결정했다고 여긴 선생은 유세기를 집에서 내쫓는다.

백공이 왈,

"혼인은 좋은 일이라 서로 헤아려 잘 생각할 것이니 어찌 이같이 좋지 않은 일이 일어나는가? 내가 한림(=유세기)의 재모*를 아껴 이같이 기별해 사위를 삼고자 하였더니 선생 형제(=선생, 승상)는 도학 군자라 예가 아닌 것을 문책*하시는도다. 내가 마땅히 곡절*을 말하리라." 백공은 유세기의 재주와 용모를 아껴 사위를 삼고자 했는데, 이로 인해 유세기가 선생 형제에게 오해를 사게 되었나 봐. 백공은 이에 대해 자신이 직접 해명하려 하네.

이에 백공이 유씨 집안에 이르러 선생 형제를 보고 인사를 하고 나서 흔쾌히 웃으며 가로되,

"제가 두 형(=선생, 승상)과 더불어 죽마고우로 절친하고 또 아드님(=유세기)의 특출함을 아껴 제 딸의 배필로 삼고자 하여, 어제 세기를 보고 여차여차하니 아드님이 단호하게 말하고 돌아가더이다. 제가 더욱 흠모하여 염치를 잊고 거짓말로 일을 꾸며 구혼하면서 '정약'이라는 글자 둘을 더했으니 이는 진실로 저의 희롱함이외다. 두 형께서 과도히 곧이듣고 아드님을 엄히 꾸짖으셨다 하니, 혼사에 도리어 훼방이 되었으므로 어찌 우습지 않으리까? 원컨대 두 형은 아드님을 용서하여 아드님이 저를 원망하게 하지 마오." 자신의 제안을 단호하게 거절한 유세기의 모습에 백공이 거짓말로 일을 꾸민 거였구나. 백공은 선생 형제에게 직접 해명하며 유세기를 용서해주기를 바란다고 말하고 있어.

선생과 승상이 바야흐로 아들(=유세기)의 죄가 없는 줄을 알고 기뻐하면서 사례하여 왈,

"저희 자식이 분에 넘치게 공(=백공)의 극진한 대우를 받으니 마땅히 그 후의*를 받들 만하되, 이는 선조로부터 대대로 내려오는 가법이 아니기에 감히 재취*를 허락하지 못하였소이다. 저희 자식이 방자함이 있나 통탄하였더니 그간 곡절이 이렇듯 있었소이다." 백공의 해명으로 선생과 승상은 세기에게 잘못이 없다는 것을 알게 되었네.

백공이 화답하고 이윽고 돌아가서 다시 혼삿말을 이르지 못하고 딸을 다른 데로 시집보냈다. 선생이 백공을 돌려보낸 후에 한림을 불러 앞으로 더욱 행실을 닦을 것을 훈계하자 한림이 절을 하면서 명령을 받들었다. 차후 더욱 예를 삼가고 배우기를 힘써 학문과 도덕이 날로 숙연하고, 소 소저와 더불어 백수해로하면서 여덟 아들, 두 딸을 두고, 집안에 한 명의 첩도 없이 부부 인생 희로*를 요동함이 없더라. 혼사 문제에 관한 오해와 그로 인한 갈등이 백공의 해명으로 해소되고, 이후 세기가 소 소저와 함께 행복하게 살았다는 내용으로 하나의 이야기가 마무리되었어.

장면끊기 01

승상의 둘째 아들 세형의 자는 문희이니, 형제 중 가장 빼어났으니 산천의 정기와 일월의 조화를 타고 태어나 아름다운 얼굴은 윤택한 옥과 빛나는 봄꽃 같고, 호탕하고 깨끗한 풍채는 용과 호랑이의 기상이 있으며, 성품이 호기롭고 의협심이 강하여 맑고 더러움의 분별을 조금도 잃지 않으니, 부모가 매우 사랑하여 며느리를 널리 구하더라. 승상의 둘째 아들인 세형의 외양과 성품에 대한 긍정적 평가가 제시되고 있어. 그리고 부모가 며느리를 구한다는 것으로 보아, 이어지는 내용에서는 세형의 혼사 문제에 관련된 상황이 전개될 것임을 짐작할 수 있지.

장면끊기 02

(중략)

화설, 새로운 장면이 시작되었음을 알려 주는 표지야. 장 씨 이화정에 돌아와 긴 단장을 벗고 난간에 기대어 하늘가를 바라보며 평생 살아갈 계책*을 골똘히 헤아리자, 한이 눈썹에 맺히고 슬픔이 마음속에 가득하여 생각하되,

[A]
'내가 재상가의 귀한 몸으로 유생(=세형)과 백년가약을 맺었으니 마음이 흡족하고 뜻이 즐거울 것이거늘, 천자의 귀함으로 한 부마*를 뽑는데 어찌 구태여 나의 아름다운 낭군(=세형)을 빼앗아가 위세로써 나로 하여금 공주 저 사람의 아래가 되게 하셨는가? 도리어 저 사람의 덕을 찬송하고 은혜를 읊어 한없는 영광은 남에게 돌려보내고 구차한 자취는 내 일신에 모이게 되었도다. 우주 사이는 우러러 바라보기나 하려니와 나와 공주의 현격함은 하늘과 땅 같도다. 나의 재주와 용모가 저 사람보다 떨어지는 것이 없고 먼저 혼인 예물까지 받았는데 이처럼 남의 천대를 감심할* 줄 어찌 알리오? 공주가 덕을 베풀수록 나의 몸엔 빛이 나지 않으리니 제 짐짓 능활하여* 아버님, 어머님이나 시누이를 제편으로 끌어들인다면 낭군의 마음은 이를 좇아 완전히 달라질지라. 슬프다, 나의 앞날은 어이 될고?' 장 씨의 내적 독백이 길게 제시되었어. 자신과 백년가약을 맺은 유생이 부마가 되어서, 즉 남편이 임금의 사위가 되어 자신이 공주의 아랫사람이 되었다는 거야. 인물을 지칭하는 말이 여러 가지로 바뀌고 인물 관계도 함께 제시되고 있어서 자칫 잘못하면 머릿속에서 관계가 뒤엉킬 수 있으니 정확히 정리하자. 장 씨는 자신이 유생과 먼저 혼인했음에도 공주에 비해 천대를 받게 된 처지를 한탄하며, 자신의 앞날을 걱정하고 있어.

생각이 이에 미치자 북받쳐 오르는 한이 마음속에 가득 쌓이기 시작하니 어찌 좋은 뜻이 나리오? 정히 눈물을 머금고 마음을 붙일 곳 없어하더니, 문득 세형이 보라색 두건과 녹색 도포를 가볍게 나부끼며 이르러 장 씨의 참담한 안색을 보고 옥수를 잡고 어깨를 비스듬히 기대게 하며 물어 왈,

"그대 무슨 일로 슬픈 빛이 있나뇨? 나를 좇음을 원망하는가?" 슬퍼하고 있는 장 씨를 본 세형이 걱정하며 이유를 묻고 있어. 그럼 장 씨와 혼인한 유생이 바로 세형이겠네.

장 씨가 잠시동안 탄식 왈,

[B]
"낭군은 부질없는 말씀 마옵소서. 제가 낭군을 좇는 것을 원망했다면 어찌 깊은 규방에서 홀로 늙는 것을 감심하였사오리까? 다만 제가 귀댁에 들어온 지 오륙일이 지났으나 좌우에 친한 사람이 없고 오직 우러르는 바는 아버님, 어머님과 낭군뿐이라 어린 여자의 마음이 편안하지 못한 바이옵니다. 공주가 위에 계셔 온 집의 권세를 오로지 하시니 그 위의와 덕택이 저로 하여금 변변찮은 재주 가진 하졸이 머릿수나

채워 우물 속에서 하늘을 바라보는 것 같게 만드옵니다. 제가 감히 항거할 뜻이 있는 것이 아니나 평생의 신세가 구차하여 슬프고, 진양궁에 나아가면 궁비와 시녀들이 다 저를 손가락질하며 비웃어 한 가지 일도 자유롭게 하지 못하게 하옵고, 제 입에서 말이 나면 일천여 시녀가 다 제 입을 가리니, 공주의 은덕에 의지하여 겨우 실례를 면하고 돌아왔사옵니다." 장 씨는 주변에 친한 사람이 없고 오직 아버님, 어머님, 낭군을 우러를 뿐인데, **공주의 권세가** 높은 와중에 궁비와 시녀들이 자신을 비웃고 자유롭게 행동할 수조차 없어서 마음이 **편안**하지 않다고 말해.

부마(=세형)가 바야흐로 장 씨의 외로움을 가련하게 여기고 공주의 위세가 장 씨를 억누르는 것을 좋지 않게 여기고 있다가 장 씨의 이렇듯 애원한 모습을 보자 크게 불쾌하여 장 씨를 위한 애정이 샘솟는 듯하였다. 은근하고 간곡하게 장 씨를 위로하고 그 절개와 외로움에 감동하여 이날부터 발자취가 이화정을 떠나지 않았다. 연리지와 같은 신혼의 정은 양왕의 꿈에 빠진 듯 어지럽고, 낙천의 마음이 취한 듯 기쁘고 즐거워 바라던 바를 다 얻은 듯한 마음은 세상에 비할 데가 없더라. 장 씨의 하소연을 들은 세형은 **장 씨를 가련히 여기고** 공주의 위세가 높은 것을 **불쾌**하게 여겨. 이에 장 씨를 더욱 아끼고 사랑하게 되지.

장면끊기 03

– 작자 미상, 「유씨삼대록」 –

[고전 필수 어휘]

*재모: 재주와 용모를 아울러 이르는 말.

*문책: 잘못을 캐묻고 꾸짖음.

*곡절: 순조롭지 아니하게 얽힌 이런저런 복잡한 사정이나 까닭.

*후의: 남에게 두터이 인정을 베푸는 마음.

*재취: 두 번째 장가가서 맞이한 아내.

*희로: 기쁨과 노여움을 아울러 이르는 말.

*계책: 어떤 일을 이루기 위하여 꾀나 방법을 생각해 냄. 또는 그 꾀나 방법.

*부마: 임금의 사위.

*감심하다: 괴로움이나 책망 따위를 기꺼이 받아들이다.

*능활하다: 능력이 있으면서 교활하다.

고전소설 독해의 STEP 2

1 장면을 적절히 나누었는지, 장면별 내용의 빈칸에 적절한 말을 채웠는지 확인해 보세요.

장면끊기 01　선생과 승상의 오해는 백공이 직접 해명함으로써 해소되고, 이후 유세기와 소 소저가 백수해로(백년해로)함

Tip 유세기에 대한 오해가 풀리고 이후 유세기가 소 소저와 행복하게 살았다고 하며 이야기가 마무리되었어. 이후의 장면에서는 서술자가 새로운 인물인 세형에 대해 이야기하고 있으니 여기서 장면이 나눠지는 거지!

장면끊기 02　세형은 용모와 기상, 성품 등이 매우 빼어났으며 부모는 며느리를 구하고 있음

Tip 세형의 인물과 됨됨이에 대한 서술이 나온 뒤 중략 이후는 '화설'이라는 말로 새로운 장면의 시작을 알리고 있어. '각설', '차설', '화설' 등은 장면이 새롭게 시작됨을 알리는 표지이니 여기서도 장면이 나누어진다고 볼 수 있겠네.

장면끊기 03　장 씨는 세형이 부마로 뽑히면서 자신이 공주의 위세에 눌리게 됨을 한탄하고, 세형은 그런 장 씨를 가련하게 여기며 애정을 줌

---

2 구조도의 빈칸에 적절한 말을 채웠는지 확인해 보세요.

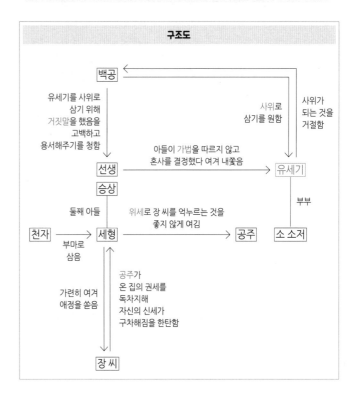

3 1~2번 문제의 정답과 해설을 확인해 보세요.

▶정답률 72%

1. 〈보기〉를 참고하여 윗글을 감상한 내용으로 적절하지 <u>않은</u> 것은?

〈보기〉

「유씨삼대록」은 유씨 3대 인물들의 이야기들을 연결한 국문 장편 가문 소설이다. 각 이야기는 그 자체로 완결성을 갖추고 있어 독립적이지만, 혼사나 그로부터 파생된 각각의 갈등이 동일한 가문 내에서 전개된다는 점에서 연결된다. 인물들 각각의 이야기는 독립적이나, 가문 내의 갈등이라는 점에서 연결됨 이러한 갈등은 가법이나 인물의 성격에서 유발된다. 가문의 구성원들은 혼사를 둘러싼 갈등이 가문의 안정과 번영을 저해한다고 여겼기에, 가문 차원에서 이를 해결해 간다. 갈등은 가법이나 인물의 성격에서 유발되며, 가문 차원에서 해결함

정답풀이 ▶

③ 유세기가 혼사와 관련한 곤욕을 치른 것과 유세형이 공주를 멀리한 것을 보니, 가법과 인물의 성격 간의 대립이 갈등의 원인임을 알 수 있군.

〈보기〉에서 윗글은 '혼사나 그로부터 파생된 각각의 갈등'을 다루는데, '이러한 갈등은 가법이나 인물의 성격에서 유발'된다고 하였다. 윗글에서 '이는 선조로부터 대대로 내려오는 가법이 아니기에 감히 재취를 허락하지 못하였소이다.'라는 선생 형제의 말을 통해 유세기가 혼사와 관련한 곤욕을 치른 것에 가법도 원인이 되었음을 알 수 있다. 그런데 '부마가 바야흐로 장 씨의 외로움을 가련하게 여기고 공주의 위세가 장 씨를 억누르는 것을 좋지 않게 여기고 있다가' 등을 통해 유세형이 공주를 멀리한 것은 가법과 인물의 성격 간의 대립에서 비롯된 것이 아니라, 장 씨를 대하는 유세형의 심리적 요인으로 인한 것이라 추측할 수 있다. 따라서 '가법과 인물의 성격 간의 대립'으로 인해 갈등이 발생한 것은 아니므로 적절하지 않다.

오답풀이 ▶

① 유세기 이야기와 유세형 이야기를 보니, 각각의 갈등이 한 가문의 혼사를 중심으로 발생한다는 점에서 두 이야기가 서로 연결되어 있음을 알 수 있군.

〈보기〉에서 윗글은 '혼사나 그로부터 파생된 각각의 갈등이 동일한 가문 내에서 전개된다는 점에서 연결'된다고 하였다. 이를 참고할 때, 유세기 이야기와 유세형 이야기는 각각의 갈등 상황이 유씨 가문의 혼사를 중심으로 발생한 것이라는 점에서 서로 연결됨을 알 수 있다.

② 유세기의 혼사 문제에 선생과 승상이 관여한 것을 보니, 혼사를 둘러싼 갈등 해결이 가문 구성원들의 문제로 다루어짐을 알 수 있군.

〈보기〉에서 윗글은 '혼사나 그로부터 파생된' 갈등을 다루는데, 가문 구성원들이 '가문 차원에서 이를 해결해' 가는 모습이 나타난다고 하였다. 이를 참고할 때, 유세기의 혼사 문제에 선생과 승상이 관여한 것은 혼사를 둘러싼 갈등이 가문 구성원들의 문제로 다루어짐을 보여 주는 것이라 할 수 있다.

④ 백공이 유세기를 사위 삼으려는 것과 천자가 유세형을 부마 삼은 것을 보니, 혼사가 혼인 당사자 개인의 문제에 그치지 않음을 알 수 있군.

〈보기〉에서 윗글의 '가문의 구성원들은 혼사를 둘러싼 갈등이 가문의 안정과 번영을 저해한다고 여겼기에, 가문 차원에서 이를 해결'한다고 하였다. 백공이 유세기를 사위로 삼으려고 한 거짓말로 인해 유세기가 집에서 쫓겨난 것, 천자가 유세형을 부마로 삼게 되면서 먼저 혼인했던 장 씨의 처지가 달라지게 된 것 등을 참고할 때, 혼사가 혼인 당사자 개인의 문제에서 그치지 않고 가문 차원의 문제로 이어지고 있음을 알 수 있다.

⑤ 유세기가 평생 첩을 두지 않고 소 소저와 해로했다는 것을 보니, 유세기를 둘러싼 혼사 갈등이 해소되며 이야기 하나가 마무리됨을 알 수 있군.

〈보기〉에서 윗글은 '유씨 3대 인물들의 이야기들을 연결'한 작품으로 '각 이야기는 그 자체로 완결성을 갖추고 있어 독립적'이라고 하였다. 이를 참고할 때, 유세기를 둘러싼 혼사 갈등이 '소 소저와 더불어 백수해로하면서~부부 인생 희로를 요동함이 없더라.'에서 해소되면서 이야기 하나가 마무리된 것임을 알 수 있다.

 함정 피하기

윗글은 크게 세 개의 장면으로 나누어 볼 수 있는데, 그중 장면 1은 유세기를 둘러싼 혼사 갈등이 해소되면서 이야기가 마무리되고 있다. 어릴 적 들은 옛날 이야기를 떠올려 보면 '주인공은 백년해로하며 행복하게 살았답니다'와 같은 내용으로 끝마치는 것이 익숙할 것이다. 여기서도 유세기와 소 소저가 행복하게 백수해로하며 살았다는 내용으로 하나의 장면이 마무리된 것이다. 그리고 장면 2부터는 세형의 이야기가 새롭게 시작되고 있다. 장면 나누기를 정확히 파악했다면 ⑤번 선지가 적절한 내용임을 금방 판단할 수 있었을 것이다.

2. 인물의 말하기 방식 OX 확인 문제

① ✕

근거 [B]에서 장 씨는 '온 집의 권세'를 쥐고 있는 공주로 인해 자신의 신세가 '구차하여 슬프'다고 한탄하고 있을 뿐, 대화 상대인 세형의 환심을 사기 위해 자신의 우월한 지위를 드러내고 있지는 않음.

② ○

근거 [A]는 '공주가 덕을 베풀수록 나의 몸엔 빛이 나지 않으리니~낭군의 마음이 이를 좋아 완전히 달라질지라.'에서 앞으로의 일을 추정하며 자신의 처지가 더욱 구차해지고 세형의 마음이 떠날지도 모르는 상황에 대한 우려를 제시하고 있음. [B]는 '진양궁에 나아가면 궁비와 시녀들이 다 저를 손가락질하며~공주의 은덕에 의지하여 겨우 실례를 면하고 돌아왔사옵니다.'에서 지난날 자신의 겪은 일을 토로하는 방식으로 '평생의 신세가 구차하여 슬'플 것이라는 우려를 제시하고 있음.

고전소설 독해의 **STEP 3**

1 1번 문제의 선지 판단 공식에 대한 답을 확인해 보세요.

〈보기〉 문제 선지 판단의 공식

①
〈보기〉 각 이야기는 그 자체로 완결성을 갖추고 있어 독립적이지만, 혼사나 그로부터 파생된 각각의 갈등이 동일한 가문 내에서 전개된다는 점에서 연결됨

➕ 작품 '저희 자식이 분에 넘치게 공의 극진한 대우를 받으니 마땅히 그 후의를 받들 만하되, 이는 선조로부터 대대로 내려오는 가법이 아니기에 감히 재취를 허락하지 못하였소이다.', '부마가 바야흐로 장 씨의 외로움을 가련하게 여기고 공주의 위세가 장 씨를 억누르는 것을 좋지 않게 여기고 있다가 장 씨의 이렇듯 애원한 모습을 보자 크게 불쾌하여 장 씨를 위한 애정이 샘솟는 듯하였다.'

선지➡ 유세기 이야기와 유세형 이야기를 보니, 각각의 갈등이 한 가문의 혼사를 중심으로 발생한다는 점에서 두 이야기가 서로 연결되어 있음을 알 수 있군. ○

②
〈보기〉 가문의 구성원들은 혼사를 둘러싼 갈등이 가문의 안정과 번영을 저해한다고 여겼기에, 가문 차원에서 이를 해결함

➕ 작품 '저희 자식이 분에 넘치게 공의 극진한 대우를 받으니 마땅히 그 후의를 받들 만하되, 이는 선조로부터 대대로 내려오는 가법이 아니기에 감히 재취를 허락하지 못하였소이다.'

선지➡ 유세기의 혼사 문제에 선생과 승상이 관여한 것을 보니, 혼사를 둘러싼 갈등 해결이 가문 구성원들의 문제로 다루어짐을 알 수 있군. ○

③
〈보기〉 혼사나 그로부터 파생된 각각의 갈등은 가법이나 인물의 성격에서 유발됨

➕ 작품 '아들 유세기가 부모의 허락 없이 백공과 혼사를 결정했다고 여긴 선생은 유세기를 집에서 내쫓는다.', '저희 자식이 분에 넘치게 공의 극진한 대우를 받으니 마땅히 그 후의를 받들 만하되, 이는 선조로부터 대대로 내려오는 가법이 아니기에 감히 재취를 허락하지 못하였소이다.', '부마가 바야흐로 장 씨의 외로움을 가련하게 여기고 공주의 위세가 장 씨를 억누르는 것을 좋지 않게 여기고 있다가 장 씨의 이렇듯 애원한 모습을 보자 크게 불쾌하여 장 씨를 위한 애정이 샘솟는 듯하였다.'

선지➡ 유세기가 혼사와 관련한 곤욕을 치른 것과 유세형이 공주를 멀리한 것을 보니, 가법과 인물의 성격 간의 대립이 갈등의 원인임을 알 수 있군. ✕

④
〈보기〉 가문의 구성원들은 혼사를 둘러싼 갈등이 가문의 안정과 번영을 저해한다고 여겼기에, 가문 차원에서 이를 해결함

➕ 작품 '백공이 왈, "혼인은 좋은 일이라 서로 헤아려 잘 생각할 것이니 어찌 이같이 좋지 않은 일이 일어나는가? 내가 한림의 재모를 아껴 이같이 기별해 사위를 삼고자 하였더니 선생 형제는 도학 군자라 예가 아닌 것을 문책하시는도다."', '천자의 귀함으로 한 부마를 뽑는데 어찌 구태여 나의 아름다운 낭군을 빼앗아가 위세로써 나로 하여금 공주 저 사람의 아래가 되게 하셨는가?'

선지➡ 백공이 유세기를 사위 삼으려는 것과 천자가 유세형을 부마 삼은 것을 보니, 혼사가 혼인 당사자 개인의 문제에 그치지 않음을 알 수 있군. ○

⑤

〈보기〉 각 이야기는 그 자체로 완결성을 갖추고 있어 독립적이지만, 혼사나 그로부터 파생된 각각의 갈등이 동일한 가문 내에서 전개된다는 점에서 연결됨. 혼사를 둘러싼 갈등은 가문 차원에서 해결됨

작품 '차후 더욱 예를 삼가고 배우기를 힘써 학문과 도덕이 날로 숙연하고, 소 소저와 더불어 백수해로하면서 여덟 아들, 두 딸을 두고, 집안에 한 명의 첩도 없이 부부 인생 희로를 요동함이 없더라.'

보기 유세기가 평생 첩을 두지 않고 소 소저와 해로했다는 것을 보니, 유세기를 둘러싼 혼사 갈등이 해소되며 이야기 하나가 마무리됨을 알 수 있군. ○

하루 30분, 고전소설 트레이닝

잃으매 그때 소장의 연유하므로 따르지 못하고 망극한 중 집에 돌아와 살기를 원치 아니하더니, 세월이 여류(如流)하여 지금까지 목숨을 보전하나 매양 누이를 생각하면 서러워하더니 아까 대풍에 주렴 중 **부인**(=황후)을 보매 누이와 방불하기로* 자연 비창하도소이다." **장백**은 어린 시절 **누이**와 헤어지게 된 사연을 이야기하며 서럽고 슬픈 심정을 토로하고 있어.

상(=명 황제)이 답을 하기 전에 황후가 이 말 듣고 좌우를 물리고 급히 나와 장백의 손을 잡고 방성대곡하며 오래도록 말을 못하다가 정신을 차려 말하기를,

"네가 내 동생 장백이냐? 그 사이 죽었더냐 살았더냐?"

그때 도적에게 잡히어 갈 때에 중로에서 잃고 어찌할 줄 모르더니 소상강 원혼을 면하고 자연 구하는 사람을 만나 부지하던 말이며 전후사를 이르니 황후는 어린 시절 도적에게 잡혀 **소상강** 원혼이 되려고 하였으나 다행히 은인을 만나 목숨을 건지게 되었나 봐. 장백이 슬퍼하며 희한하게 살아나 이처럼 만남을 신기히 여기고 즉시 계하에 내려 복지하며 옥새를 올려 말하기를,

[D]
"나의 누이가 죽은 줄로 슬퍼하였더니 하늘의 도움을 입어 목숨을 부지하였으나 상이 그 처지를 혐의치 아니하고 황후를 삼으시니 은혜 망극하온지라. 수삼 년 전쟁에 민심을 요란케 하오니 만사무석(萬死無惜)*하온지라. 복망 폐하는 진을 걷우사 환궁하심을 바라나이다." 장백이 어린 시절 헤어진 누이와 상봉한 후에 명 황제에게 **옥새**를 올리며, 누이를 황후로 삼은 것에 대한 감사함을 표하고 있어.

[E]
상이 장 원수가 돈수사죄(頓首謝罪)하고 옥새를 올리는 것을 보시고 환희하사 위로하기를,
"짐이 이제 제업을 이루었으니 경의 공이 아니면 어찌 이에 이르리오." 장백이 옥새를 올리며 수 년의 전쟁으로 민심을 어지럽힌 것을 사죄하자 명 황제가 기뻐하며 **장백**의 공을 인정하고 있어.

장면끊기 05

– 작자 미상, 「장백전(張伯傳)」 –

고전 필수 어휘

*강성하다: 힘이 강하고 번성하다.
*엄살하다: 별안간 습격하여 죽이다.
*불의지변: 뜻밖에 당한 변고.
*복병: 적을 기습하기 위하여 적이 지날 만한 길목에 군사를 숨김. 또는 그 군사.
*풍우대작: 바람이 몹시 불고 비가 많이 쏟아짐.
*골육상잔: 가까운 혈족끼리 서로 해치고 죽임.
*창업: 나라나 왕조 따위를 처음으로 세움.
*방불하다: 거의 비슷하다.
*만사무석: 만 번 죽어도 아까울 것이 없음.

고전소설 독해의 STEP 2

1 장면을 적절히 나누었는지, 장면별 내용의 빈칸에 적절한 말을 채웠는지 확인해 보세요.

| 장면끊기 01 | 명 황제가 유 원수에게 문정을 도와 장백 잡기를 명령하여 공격하지만 결국 장백이 문정을 잡고 기뻐함 |

Tip 첫 번째 장면은 명 황제에게 명령을 받은 승상 유기가 문정의 진으로 간 후, 유문정과 의논하여 세운 전략에 따라 적진으로 쳐들어가고, 패배하여 본진으로 돌아오는 등 전투를 벌이는 내용이야. 세부적인 공간 이동이 나타나기는 하지만, 장백을 잡기 위해 전투를 벌이다가 패배하는 내용으로 전개되는 하나의 장면으로 볼 수 있어. 전투 장면이 끝난 뒤 장백이 꿈을 꾸는 내용이 등장하므로 여기에서 장면을 끊어 주면 돼.

| 장면끊기 02 | 장백이 졸다가 사몽간에 철관도사를 만나 천자는 주 씨이고 황후는 장백의 누이라는 말을 듣고 잠에서 깨어 괴이하다고 생각함 |

Tip 장백이 꿈을 꾸고 나서 이를 괴이하게 여기는 내용에 이어 문정과 대화를 나누는 또다른 내용이 제시되고 있으니 여기에서도 장면을 끊어 읽어야겠지?

| 장면끊기 03 | 장백이 문정을 잡아들여 서안을 치며 자신이 원 황제의 항복을 받고 옥새를 얻었다고 하자, 문정은 장백의 잘못을 지적함 |

Tip 중략 부분의 줄거리 이후 유기가 장백에게 보낸 글월의 내용이 등장하고 있으니 여기에서 끊어 읽어 주자. 일반적으로 중략 전후로는 끊어 읽어 주면 되는데, 그래도 내용이 정말 바뀌고 있는지 확인하면 좋겠지?

| 장면끊기 04 | 명 황제가 잔치를 열어 장백을 부르고자 하여 유기는 글월을 장백에게 보내 그 뜻을 전함 |

Tip 유기가 보낸 글월을 본 장백은 제장과 의논 후 잔치에 가기 위해 명진으로 공간을 이동하고 있어. 또한 이곳에서 황후가 누이라는 사실을 알게 되는 내용이 이어지고 있으므로 장면을 끊어 읽어 주었어.

| 장면끊기 05 | 장백이 잔치에 가고자 명진에 이르니 유기와 명제(명 황제)가 맞이하였으며, 장백은 황후가 어린 시절 헤어졌던 누이라는 사실을 알게 되자 명 황제에게 옥새를 바침 |

2 구조도의 빈칸에 적절한 말을 채웠는지 확인해 보세요.

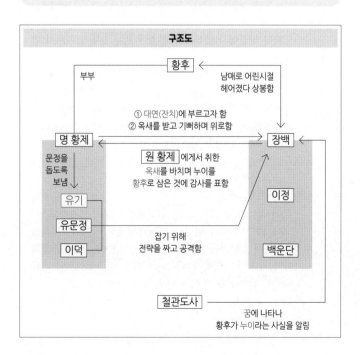

3 1~2번 문제의 정답과 해설을 확인해 보세요.

▶정답률 65%

1. 〈보기〉를 참고하여 윗글을 감상한 내용으로 적절하지 <u>않은</u> 것은?

〈보기〉

'천명(天命)'은 인간에게 내리는 하늘의 명령으로 인간이 임의로 거스를 수 없는 절대적 운명이다. <u>천명: 하늘의 명령, 거스를 수 없는 절대적 운명</u> 「장백전」에서 주원장은 대명 건국이라는 천명을, 장백은 황제가 될 사람을 찾아 그를 도와야 하는 천명을 부여받은 인물이다. <u>주원장의 천명: 대명 건국 / 장백의 천명: 황제가 될 사람을 도와야 함</u> 자신의 천명을 알고도 장백은 이를 부정하며 주원장과 황제의 자리를 두고 대립하게 되지만, 결국 천명에 따라 주원장과 화합을 이루게 된다. <u>장백은 천명을 부정하고 주원장과 대립하지만 결국 주원장과 화합을 이룸</u> 여기에 남매의 이별과 상봉이라는 작품 내적 장치는 두 인물의 갈등을 해소하는 결정적 역할을 수행하고 있다. <u>남매의 이별과 상봉은 장백과 주원장의 갈등을 해소하는 역할을 함</u>

정답풀이

② [B]에서 장백은 누이와 이별하게 된 사연을 떠올리며 천명을 거스르고 있는 자신의 행위에 잘못이 있음을 깨닫고 있군.

〈보기〉에서 천명은 '하늘의 명령으로 인간이 임의로 거스를 수 없는 절대적 운명'이라고 했고, 장백은 '주원장과 황제의 자리를 두고 대립'하지만 남매의 상봉이 '두 인물의 갈등을 해소'하는 역할을 한다고 했다. 그러나 [B]에서는 장백이 어린 시절 누이와 이별하게 된 사연을 떠올리고 있을 뿐, 천명을 거스르고 있는 자신의 행위에 잘못이 있다고 생각하는 내용은 나타나지 않는다.

오답풀이

① [A]에서 장백의 꿈에 나타난 철관도사는 장백이 품고 있는 계획이 천명에 어긋나는 일임을 환기시켜 주고 있군.

〈보기〉에서 '장백은 황제가 될 사람을 찾아 그를 도와야 하는 천명을 부여받은 인물'이라고 했다. 이를 고려하면 [A]에서 철관도사는 '천자는 곧 주 씨거늘 네 비록 옥새를 얻었으나 천명이 네게 있지 아니하'다며 장백이 품고 있는 계획이 천명에 어긋나는 일임을 환기시키는 역할을 하고 있다.

③ [C]에서 장백은 원 황제에게서 확보한 옥새를 천명을 부정하는 근거로 삼으면서 황제가 될 인물이 자신임을 밝히고 있군.

〈보기〉에서 '장백은 황제가 될 사람을 찾아 그를 도와야 하는 천명을 부여받은 인물'이지만, '자신의 천명을 알고도 장백은 이를 부정'한다고 했다. [C]에서 장백은 원 황제로부터 받은 옥새를 언급하며 문정 등이 모시는 명 황제는 '거짓 황제'라고 함으로써 자신이 황제가 될 인물임을 밝히고 있다. 따라서 장백이 옥새를 근거로 천명을 부정하고 있다고 볼 수 있다.

함정 피하기

옥새는 국가적 문서에 사용하던 임금의 도장으로, 이는 황제, 임금의 상징으로 볼 수 있다. 장백은 자신이 원 황제의 항복을 받고 옥새를 가졌으므로, 원 황제의 뒤를 이어 황제가 될 수 있다고 생각한다. 그렇기 때문에 문정을 꾸짖으며 '너희들이 거짓 황제를 내놓은 거야! 내가 황제가 될 거야!'라고 말하는 것으로 볼 수 있다. 즉 [C]에서 장백이 '내 벌써~옥새를 가졌거늘 네 거짓 황제를 내고'라고 한 것과 옥새가 상징하는 의미, 그리고 〈보기〉를 연결하면, 장백이 황제의 상징인 '옥새'를 근거로 삼아 '황제가 될 사람'을 도와야 하는 자신의 천명을 부정하고, '대명 건국이라는 천명을' 부여받은 주원장을 '거짓 황제'로 여기며 자신이 황제가 될 인물임을 밝힌다고 볼 수 있으므로 ③번은 적절하다.

④ [D]에서는 누이를 만난 장백이 주원장을 인정하는 것을 통해 남매 상봉이 천명을 수용하게 되는 계기로 작용하고 있음을 보여 주고 있군.

〈보기〉에서 장백은 '주원장과 황제의 자리를 두고 대립'하지만 남매의 상봉이 '두 인물의 갈등을 해소'하는 역할을 한다고 했다. [D]는 장백이 어린 시절 헤어진 누이와 상봉한 후에 명 황제에게 옥새를 올리며 한 말로, 누이를 '황후를 삼으시니 은혜 망극하'다며 감사함을 표현하고 있다. 이를 통해 남매 상봉을 계기로 장백이 천명을 수용하고 있음을 알 수 있다.

⑤ [E]에서는 주원장에게 옥새를 올리는 모습을 통해 장백이 결국 절대적 운명의 길을 따르고 있음을 보여 주고 있군.

〈보기〉에서 천명은 '인간이 임의로 거스를 수 없는 절대적 운명'이라고 했고, 윗글의 장백은 '주원장과 황제의 자리를 두고 대립'하지만 남매의 상봉이 '두 인물의 갈등을 해소'하는 역할을 한다고 했다. [E]는 장백이 명 황제인 주원장에게 옥새를 올리자 이에 주원장이 장백의 공을 인정하며 감사하는 장면이다. 이렇듯 장백이 '천명에 따라 주원장과 화합을 이루게' 된 것은 그가 절대적 운명의 길을 따르고 있음을 보여 준 것이라 할 수 있다.

2. 문학 개념어 OX 확인 문제

① ○

근거 장백과 명 황제의 군대가 전투를 벌이는 과정에서 장백, 이정, 백운단과 유기, 유문정, 이덕 등이 대결하는 상황을 제시함으로써 긴장감을 드러냄.

② ✕

• **상징**: 추상적인 개념을 구체적인 대상으로 나타내는 방법. 비유와 달리 원관념이 나타나지 않고 보조 관념을 통해 함축적 의미를 전달하며, 1:대(多)로 대응됨.

근거 장백의 꿈에 철관도사가 등장하는 장면이 나타나고 있으나, 상징적 배경을 설정하여 환상적 분위기를 드러낸 부분은 나타나지 않음.

고전소설 독해의 **STEP 3**

1 1번 문제의 선지 판단 공식에 대한 답을 확인해 보세요.

〈보기〉 문제 선지 판단의 공식

① 〈보기〉 천명은 인간에게 내리는 하늘의 명령으로 인간이 임의로 거스를 수 없는 절대적 운명을 의미함. 「장백전」에서 장백은 황제가 될 사람을 찾아 그를 도와야 하는 천명을 부여받은 인물임

➕ 작품 '사몽간에 철관도사가 이르러 말하기를,~천자는 곧 주 씨거늘 네 비록 옥새를 얻었으나 천명이 네게 있지 아니하거늘 공연히 민심만 소동케 하니 어찌 해를 면하리오?'

선지 ➡ [A]에서 장백의 꿈에 나타난 철관도사는 장백이 품고 있는 계획이 천명에 어긋나는 일임을 환기시켜 주고 있군. ○

② 〈보기〉 「장백전」에서 장백은 자신의 천명을 알고도 이를 부정하며 주원장과 황제의 자리를 두고 대립하게 되지만, 남매의 이별과 상봉이라는 작품 내적 장치를 통해 두 인물의 갈등이 해소됨

➕ 작품 '내게 과연 누이가 있더니 도적에게 잡히어 갔다가 욕을 볼까 하여 소상강에 익사한 지 벌써 십 년이라. 이따금 생각하여 사후나 만남을 원하더니 이제 선생의 가르치심이 약차하니 실로 괴이하도다.'

선지 ➡ [B]에서 장백은 누이와 이별하게 된 사연을 떠올리며 천명을 거스르고 있는 자신의 행위에 잘못이 있음을 깨닫고 있군. ✕

③ 〈보기〉 「장백전」에서 장백은 황제가 될 사람을 찾아 그를 도와야 하는 천명을 부여받은 인물이지만, 자신의 천명을 알고도 이를 부정하며 주원장과 황제의 자리를 두고 대립함

➕ 작품 '내 벌써 원 황제를 잡아 항복 받고 옥새를 가졌거늘 네 거짓 황제를 내고 천병을 항거하니 어찌 살기를 바라리오?'

선지 ➡ [C]에서 장백은 원 황제에게서 확보한 옥새를 천명을 부정하는 근거로 삼으면서 황제가 될 인물이 자신임을 밝히고 있군. ○

④ 〈보기〉 「장백전」에서 장백은 결국 천명에 따라 주원장과 화합을 이루게 됨. 남매의 이별과 상봉이라는 작품 내적 장치는 두 인물의 갈등을 해소하는 결정적 역할을 수행함

➕ 작품 '계하에 내려 복지하며 옥새를 올려 말하기를, "나의 누이가 죽은 줄로 슬퍼하였더니~상이 그 처지를 혐의치 아니하고 황후를 삼으시니 은혜 망극하온지라. 수삼 년 전쟁에 민심을 요란케 하오니 만사무석하온지라. 복망 폐하는 진을 걷우사 환궁하심을 바라나이다."'

선지 ➡ [D]에서는 누이를 만난 장백이 주원장을 인정하는 것을 통해 남매 상봉이 천명을 수용하게 되는 계기로 작용하고 있음을 보여 주고 있군. ○

⑤ 〈보기〉 천명은 인간이 임의로 거스를 수 없는 절대적 운명임. 「장백전」에서 장백은 결국 천명에 따라 주원장과 화합을 이루게 됨

➕ 작품 '상이 장 원수가 돈수사죄하고 옥새를 올리는 것을 보시고 환희하사 위로하기를, "짐이 이제 제업을 이루었으니 경의 공이 아니면 어찌 이에 이르리오."'

선지 ➡ [E]에서는 주원장에게 옥새를 올리는 모습을 통해 장백이 결국 절대적 운명의 길을 따르고 있음을 보여 주고 있군. ○

하루 30분, **고전소설** 트레이닝

고전소설 독해의 STEP 1

1 다음 글을 읽고 등장인물을 잘 파악했는지, 빈칸에 적절한 말을 채웠는지 확인해 보세요.

📅 고3 2019학년도 3월 학평 – 작자 미상, 「김진옥전」

[앞부분 줄거리] 김진옥은 승전 후 귀국하던 도중 풍랑으로 표류했다가 부친을 만나 용궁에 가게 된다. 남해 용왕의 요청에 따라 김진옥은 동곡 용왕을 물리친다. 이때 무양 공주는 김진옥이 자신과의 혼인을 거부했던 것에 앙심을 품고 이선영, 정동한 등과 계교*를 짜 김진옥의 아내 유 부인과 아들 애운을 죽이려 한다. 용궁으로 돌아와 환대를 받은 김진옥은 용궁을 떠나려 한다. 김진옥이 남해 용왕의 요청을 들어 준 사건과 무양 공주의 계교로 인해 김진옥의 아내와 아들이 위기에 처해 있다는 상황이 설명되었어.

용왕 (=남해 용왕) 왈,
"이는 수중의 귀한 보배라. 이 비단으로 옷을 지어 입으면 엄동 설한이라도 춥지 않을 것이요, 이 진주를 몸에 두면 칠십이 넘 도록 녹발(綠髮)이 장춘(長春)이요, 또 죽은 사람의 입에 넣으면 환생하나니, 이는 극한 보배로소이다." 용왕이 자신의 요청을 들어 준 김진옥에게 그 보답으로 신이한 능력이 담긴 **비단**과 진주를 주었네.

원수 (=김진옥)가 사양하다가 받으니, 용왕 왈,
"원수는 대국의 신하라. 수부에 들어와 과인 (=남해 용왕)의 수부를 보전케 하니, 어찌 천자께 현신을 두신 치하*를 아니하리오." 또한 용왕은 김진옥이 용궁(수부)을 보전하는 데 도움을 준 사연을 **천자**에게 전하여 김진옥과 같은 어진 신하(현신)를 둔 것을 **치하**하겠다고 해.

하고, 글월을 닦아 원수께 부치고, 예단을 봉하여 주니, 원수가 사례하고 받으니, 일광노가 왈,
"이제 이별을 당하니 무엇으로 표하리오."
하고, 일광주(日光珠) 한 낱을 주고, 여동빈은 또 한 낱 부채를 주어 왈,
"이 부채를 한 번 부치면 운무가 자욱하고, 비 올 때에 부치면 꽃나무 가지마다 꽃이 만발하나니, 이는 큰 보배라. 그대는 잘 간수하라."
하고, 두목지는 칼 하나를 주며 왈,
"이 칼자루에 불을 켜면 밤이 낮 같고, 몸에 차면 귀신이 범하지 못할지니 가져가소서."
이적선이 또한 금표통(金瓢桶) 하나를 주며 왈,
"이것이 비록 적으나 이 가운데 분로주라 하는 술이 있으니, 천만인이 먹어도 진(盡)치* 못하나니 가져가라." 김진옥은 용왕뿐만 아니라 일광노, 여동빈, 두목지, 이적선에게서도 진귀한 보배들을 하나씩 받게 돼.

하니, 원수가 받아 가지고 모든 사람이 이별하고 용왕께 하직하고 부친을 모셔 길을 떠나 황성으로 향하여 오더라.
장면끊기 01

각설, 차시에 무사가 애운을 물속에 넣으려 잡아가더니, 애운이 통곡 왈,
"우리 모친 (=유 부인)은 어디 계시고 나는 어디로 데려가노. 우리 모친도 야속하시도다." 김진옥의 아들 애운이 어머니와 헤어진 뒤, 물에 빠질 위기에 처해 있는 상황이야.
하며 슬피 통곡하니, 무사가 잔잉히 여기고 불쌍히 여겨 달래어 왈,

"진실로 가련하다. 천자의 명이 급하시니 우리 어찌 거역하리오."
하고, 이끌어 가다가 강수에 던지고 가니, 어찌 가련치 아니하리오. 소소(昭昭)한 창천(蒼天)이 굽어살피실지라. 어머니를 찾으며 슬피 통곡하는 애운을 무사도 **불쌍**하게 여기지만, 천자의 명을 거역할 수는 없다고 하며 애운을 물에 던져버리고 마네.

용왕이 그 강의 용신(龍神)에게 칙지*를 내리사 물에 들어온 아이를 살리라 하시니, 용신이 오직 칙지를 받자와 물 밖으로 도로 내치니, 애운이 정신이 아득한 중 물을 무수히 토하고 모친을 부르고 동서로 방황하더라. 다행히 용신에게 칙지를 내린 용왕의 도움으로 애운은 목숨을 건졌어. 하지만 죽을 고비를 넘긴 후 어머니를 찾으며 **방황**하는 모습에서 안쓰러움이 느껴지네.
장면끊기 02

(중략)

무사가 달려들어 거상(車上)에 실으려 하니, 난영이 소저 (=유 부인)를 붙들고 슬피 통곡하여 왈,
"가련하고 애닯을사, 유 부인 같은 요조숙녀 이렇게 참혹히 원사(冤死)할 줄 꿈에나 생각하였으리오. 천지신명과 일월성신과 황천후토(皇天后土) 굽어살피옵소서." 난영은 유 부인이 죽을 위기에 처한 것을 한탄하며 통곡하고 있어.
하고, 낭자 (=유 부인)를 붙들고 방성통곡하며, 남녘을 멀리 바라본들 그림자나 있으리오.

한참 이렇듯 힐난할 제, 선영과 동한 등의 호령이 추상 같아서, '바삐 베라.' 재촉이 성화 같으니, 무사가 달려들어서 수레를 재촉하더라. 앞부분 줄거리에서 언급되었듯 무양 공주의 계교에 동참한 이선영과 정동한은 무사들을 **재촉**하며 유 부인을 한시라도 빨리 없애려 하고 있어.
장면끊기 03

각설, 김원수 (=김진옥)가 애운을 데리고 만리강에 다다르니, 강변에 한 척의 배도 없거늘, 가장 민망하여 사공을 찾으니, 한 사람이 나와 대답 왈,
[가] "어제 예부에서 관리를 보내 만리강에 있는 배 수천 척을 도사공으로 하여금 계명(鷄鳴)* 전에 다 올려 가게 했사오니, 비록 행차가 바쁘셔도 무가내하*로소이다." 김진옥과 애운은 만리강을 건너고자 하지만 예부에서 내려온 명령으로 인해 강 주변에 한 척의 **배**도 남아 있지 않아 난감한 상황에 처해 있어.

원수가 차언을 듣고 앙천 탄식하며 화산을 향하여 배례 왈,
"이 강은 길이가 만 리요, 너비가 삼십 리라. 몸에 날개가 없으니 어찌 건너리이고. 선생은 진옥의 사정을 급히 살피소서."
하고 무수히 배례하더니, 이때 화산 도사가 천지 산간에서 낭자를 죽이려 하는 거동과, 원수가 강에 이르러 배가 없어 건너지 못하는 양을 보고 대경하여 급히 조화를 부려 일엽소선을 지휘하여 빨리 강변에 닿으니, 김진옥이 화산을 향해 절을 하며 자신의 다급한 사정을 이야기하자, **화산 도사**가 이를 보고 배 한 척을 강변으로 보내 주었네. 원수가 대희하여 그 배를 타고 순식간에 강을 건너 남산을 돌아들어 석교를 지나 정히 종남산을 바라고 말을 짓쳐 들어가며 자세히 살펴보니, 장안 삼거리에 무수한 사람이 삼대같이 모여 있는데, 그 가운데 오색 기치를 세우고 한 수레 위에 한 부인을 달았거늘, 원수가 생각하되, '이는 반드시 부인이로다.' 화산 도사의 도움으로 빠르게 강을 건너 **장안**

삼거리에 다다른 김진옥은 수레에 실려 가는 부인의 모습을 발견하게 돼.

하고 금편을 들어 말을 치니, 이 말은 비룡마(飛龍馬)라.

순식간에 살같이 달려 법장(法場)에 다다라 살펴보니, 부인은 기절하였고 무사는 시각을 기다릴 제, 한 대장 (=김진옥)이 비룡마를 타고 나는 듯이 달려들어 일진(一陣)을 헤치고 수레를 박차며 낭자를 안고 슬피 울거늘, 정동한 등이 대경실색하여 어찌할 줄 모르는지라. **비룡마**를 타고 나타난 김진옥이 무사히 부인을 구해내었네.

원수가 낭자를 보고 기절하였더니, 이윽고 정신을 진정하여 울며 왈,

"부인아! 부인아! 김진옥이 여기 왔나니, 부인은 정신을 수습하옵소서."

하니, 이때 애운이 곁에 앉아 울며 왈,

"한강수에 빠져 죽었던 애운이 여기 왔나이다. 모친은 진정하옵시고 부친을 뵈옵소서."

하고, 얼굴을 한데 대고 뒹굴며 통곡하니, 천지 일월이 무광하고 산천초목이 다 슬퍼하더라. **김진옥과 애운이 정신을 잃은 유 부인을 부르며 슬피 통곡**하였고 이 모습을 본 산천초목도 슬퍼했대.

낭자 어찌 살아나지 못하리오. 원수가 용왕이 주던 진주를 입에 넣으니, 오래지 아니하여 호흡이 통하며 눈을 떠 원수를 보고, 아무 말도 못하고 애운의 손목을 잡고 느끼거늘, **김진옥이 용왕에게서 받았던 진주**를 입에 넣어주자 유 부인이 정신을 차렸대. 원수가 그 모자의 경상*을 보니 가슴이 미어지는 듯하니 분심이 충천하여 동한 등을 잡아 급히 죽이려 하되, 일반 대관(大官)을 천자의 명령 없이 자진 처치함이 신자의 도리가 아니라, 십분 잉분(仍憤)하고 오직 부인을 구호하여 집으로 돌아오니라. **김진옥은 당장이라도 계교를 꾸민 정동한 등의 무리를 잡아 원수를 갚고 싶은 마음이지만, 천자의 허락 없이 임의로 처치함은 신하된 도리가 아니라고 생각해 참고 집으로 돌아왔어.**

장면끊기 04

– 작자 미상, 「김진옥전」 –

*무가내하(無可奈何): 달리 어찌할 수 없음.

[고전 필수 어휘]

*계교: 요리조리 헤아려 보고 생각해 낸 꾀.

*치하: 남이 한 일에 대하여 고마움이나 칭찬의 뜻을 표시함.

*진하다: 다하여 없어지다.

*칙지: 임금이 내린 명령.

*계명: 닭이 욺. 첫닭이 울 무렵인 축시(새벽 한 시에서 세 시 사이).

*경상: 좋지 못한 몰골.

고전소설 독해의 STEP 2

1 장면을 적절히 나누었는지, 장면별 내용의 빈칸에 적절한 말을 채웠는지 확인해 보세요.

| 장면끊기 01 | 등곡 용왕을 물리치고 용궁으로 돌아와 환대를 받은 김진옥은 남해 용왕과 일광노, 여동빈, 두목지, 이적선으로부터 진귀한 보배들을 선물로 받은 뒤 용궁을 떠남 |

Tip 김진옥이라는 인물에 초점을 맞추어 용궁에서 있었던 일에 대해 이야기하다가 '각설'을 기점으로 서술의 초점이 애운으로 바뀐 것을 확인할 수 있지? 그러니 이를 토대로 어렵지 않게 장면을 끊어볼 수 있었을 거야.

| 장면끊기 02 | 무사에게 잡힌 애운이 강수에 던져졌다가 용왕의 도움으로 간신히 목숨을 건짐 |

Tip 중략 이전에는 애운이 처한 위기 상황이, 중략 이후에는 그의 어머니 유 부인이 처한 위기 상황이 각각 그려져 있는 것을 확인할 수 있어. 서술의 초점이 되는 대상은 다르지만 이들이 서로 유사한 처지에 있다는 점에 주목할 수 있지.

| 장면끊기 03 | 죽을 위기에 처한 유 부인이 수레에 실려감 |

Tip 유 부인의 안타까운 상황이 그려지다가 이번에도 '각설'이라는 표지와 함께 김 원수, 즉 김진옥이 강을 건너고자 하는 새로운 상황으로 이야기가 전환되는 것을 확인할 수 있어. 따라서 한 번 더 장면을 끊어볼 수 있고, 이후로는 김진옥이 난관을 극복하고 위기에 처한 유 부인을 구해낸다는 큰 맥락 안에서 모두 하나의 장면으로 묶어볼 수 있다는 점!

| 장면끊기 04 | 화산 도사의 도움으로 만리강을 건너 장안에 도착한 김진옥이 유 부인을 구해 집으로 돌아감 |

2 구조도의 빈칸에 적절한 말을 채웠는지 확인해 보세요.

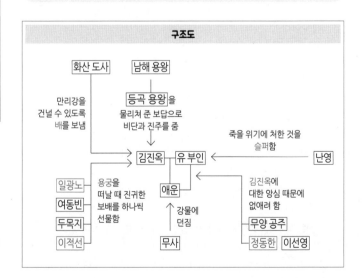

3 1~2번 문제의 정답과 해설을 확인해 보세요.

2. 문학 개념어 OX 확인 문제

▶정답률 47%

1. 윗글을 읽고 알 수 있는 내용으로 적절하지 <u>않은</u> 것은?

정답풀이

① 김진옥은 장안에 이르기 전 유 부인이 있을 곳을 생각하고 그곳의 특성을 이용하여 유 부인을 구했다.

윗글에서 김진옥은 화산 도사의 도움으로 만리강을 건넌 뒤 '남산을 돌아 들어가~종남산을 바라고 말을 짓쳐 들어'갔을 때 '장안 삼거리에 무수한 사람' 이 모여 있는 가운데 '한 수레 위'에 달린 사람이 자신의 부인일 것이라고 생각하게 된다. 즉 김진옥은 장안에 이르러서야 유 부인이 있는 곳을 알게 되어 구해낸 것일 뿐, 장안에 이르기 전 유 부인이 있을 곳을 생각하여 그 곳의 특성을 이용한 것은 아니다.

② 김진옥은 유 부인을 해치려 한 선영과 동한 등을 응징하려면 천자의 허락을 받아야 한다고 생각했다.

김진옥이 유 부인을 구한 뒤 '분심이 충천하여 동한 등을 잡아 급히 죽이려 하'지만 '일반 대관을 천자의 명령 없이 자진 처치함이 신자의 도리가 아니'라 고 생각하는 것에서 확인할 수 있다.

③ 용왕은 김진옥의 공과 관련된 내용을 글로 적어 천자에게 알리려 하고 있다.

용왕이 김진옥에게 '과인의 수부를 보전케 하니, 어찌 천자께 현신을 두신 치하를 아니하리오.'라고 하며, '글월을 닦아 원수께 부'쳤다고 한 것에서 확인할 수 있다.

함정 피하기

지문 초반부에 제시된 용왕의 말에서 정오 판단의 근거를 확인할 수 있는데, 해당 문맥의 내용을 정확히 이해하지 못했다면 답을 고르는 데 어려움이 있었을 것이다. 용왕의 말을 보면, 먼저 '대국의 신하'인 원수(김진옥)가 자신의 요청에 따라 등곡 용왕을 물리침으로써 '수부를 보전케' 한 공에 대해 언급하고 있다. 그러면서 '어찌 천자께 현신을 두신 치하를 아니하리오.'라고 하였으므로, 이는 이렇듯 큰 공을 세운 김진옥과 같은 어진 신하(현신) 를 둔 것에 대해 천자에게 치하하는 뜻을 전하겠다는 의도인 것으로 볼 수 있다. 맥락상 원수에게 건넨 '글월'에 그러한 내용이 담겨 있는 것이므로, ③번은 적절한 내용으로 판단 할 수 있었다.

④ 난영은 유 부인이 억울하게 죽을 상황에 처하게 된 것을 알고 있다.

난영이 '소저를 붙들고 슬피 통곡'하며 '유 부인 같은 요조숙녀 이렇게 참혹히 원사할 줄 꿈에나 생각하였으리오.'라고 한 것에서 확인할 수 있다.

⑤ 애운을 죽이라는 명을 받은 무사는 애운의 처지를 애처롭게 여겼다.

'애운을 물속에 넣으려 잡아'가던 무사가 어머니를 찾으며 슬피 우는 애운을 보고 '불쌍히 여겨 달래'면서 '진실로 가련하다. 천자의 명이 급하시니 우리 어찌 거역하리오.'라고 한 것에서 확인할 수 있다.

① ○

• **이원론적 세계관**: 현실계와 비현실계가 이원적으로 존재한다는 관점. 천상계나 수궁계와 같은 비현실적인 세계와 지상계로 나뉘게 되는데, 보통 두 세계는 서로 영향을 주고 받는 것으로 그려짐.

근거 김진옥이 기절한 부인의 입에 용왕에게 받은 '죽은 사람의 입에 넣으면 환생' 한다는 진주를 넣어 살리는 것에서 수중계와 지상계 사건의 연관 관계가 나타남. 또한 무사에 의해 강물에 던져진 애운이 '강의 용신에게 칙지'를 내린 용왕의 도움으로 죽을 고비를 넘기는 것에서도 지상계와 수중계 사건의 연관 관계가 나타남.

② ✕

근거 [가]에는 원수가 만리강을 건너고자 하나 '강변에 한 척의 배도 없'어 난관에 처한 사건이 나타남. 이때 '어제 예부에서 관리를 보내 만리강에 있는 배 수천 척을 ~다 올려 가게 했'다는 말을 통해 사건의 원인이 제시되었으나, 사건의 결말이 예고 되고 있지는 않음.

고전소설 독해의 STEP 3

☑ 1번 문제의 선지 판단 공식에 대한 답을 확인해 보세요.

선지 판단의 공식

① 작품
> 김진옥은 만리강을 건넌 뒤, '종남산을 바라고 말을 짓쳐 들어'감 → '장안 삼거리에 무수한 사람'이 모여 있고 '수레 위에 한 부인'이 있는 것을 봄

선지 ➡ 김진옥은 장안에 이르기 전 유 부인이 있을 곳을 생각하고 그곳의 특성을 이용하여 유 부인을 구했다. ✕

② 작품
> 김진옥은 '분심이 충천하여 동한 등을 잡아 급히 죽이'고자 함 → '신자의 도리'를 생각하여 '오직 부인을 구호하여 집으로 돌아'감

선지 ➡ 김진옥은 유 부인을 해치려 한 선영과 동한 등을 응징하려면 천자의 허락을 받아야 한다고 생각했다. ○

③ 작품
> 김진옥이 남해 용왕의 요청에 따라 '등곡 용왕을 물리'침 → 용왕은 '천자께 현신을 두신' 것을 치하하는 내용의 '글월'을 닦아 원수께 부'침

선지 ➡ 용왕은 김진옥의 공과 관련된 내용을 글로 적어 천자에게 알리려 하고 있다. ○

④ 작품
> 난영은 '유 부인 같은 요조숙녀'가 '참혹히 원사'하게 된 상황에 '슬피 통곡'함

선지 ➡ 난영은 유 부인이 억울하게 죽을 상황에 처하게 된 것을 알고 있다. ○

⑤ 작품
> '무사가 애운을 물속에 넣으려 잡아'감 → 애운이 모친을 찾으며 통곡함 → 무사는 애운을 불쌍히 여기며 달래지만 결국 '강수에 던지고' 감

선지 ➡ 애운을 죽이라는 명을 받은 무사는 애운의 처지를 애처롭게 여겼다. ○

고전소설 독해의 STEP 1

1 다음 글을 읽고 등장인물을 잘 파악했는지, 빈칸에 적절한 말을 채웠는지 확인해 보세요.

📅 고3 2020학년도 3월 학평 – 작자 미상, 「김인향전」

이때 한림이 인향의 오라비인 인형과 같이 인형의 집으로 돌아와 인형에게 이르되,

"인향 소저 나와 백년가약을 맺었으니 필연 나를 위하여 의복을 지어 두었을 것이니 들어가 찾아보리라."

하니 인형이 즉시 누이(=인향)가 있던 방에 들어가 세간을 열고 보니 과연 비단 의복이 겹겹이 있는지라. 한림의 말대로 인향의 방에는 그녀가 한림을 위해 지은 의복이 있었대. 두 사람이 백년가약을 맺었다는 말이 사실임을 알 수 있지. 인형이 일장통곡하다가 가지고 나와 한림께 드리니, 한림이 의복을 받아 보고 더욱 슬픔을 견디지 못하여 눈물이 옷깃을 적시더라. 수품 제도를 자세히 살펴보고 칭찬 왈,

"아깝도다, 이 재주를 어디 가서 다시 볼꼬." 의복을 보고 슬퍼하는 인형과 한림의 반응으로 보아, 인향은 죽어서 다시 볼 수 없는 상황임을 짐작할 수 있어.

하며 탄식하다가 인형을 작별하고 집으로 돌아오니라. 장면끊기 01 한림이 저녁을 먹은 후 노곤하므로 일찍 취침하더니, 비몽사몽간에 인향 소저 소매로 낯을 가리고 한림 앞에 와 재배하고 여쭈오되, 한림의 꿈에 인향이 나타났어.

"한림은 나를 모르시나이까. 첩은 다른 사람이 아니오라 심천동에 가서 죽은 인향의 혼백*이로소이다. 가련한 혼백이 의지할 곳도 없고 위로하여 줄 사람도 없사와 슬픔을 이기지 못하였삽더니 천만에 한림의 덕택으로 축문*까지 읽어 주시고 원혼을 위로하여 주시니 귀신이라도 어찌 그 은혜를 모르오리까. 한림이 축문을 읽으며 원혼을 위로해 준 것에 대해 고마움을 드러내고 있어. 제문에 하시기를 죽은 귀신이라도 한림 댁 귀신이라 하시오니 그 은혜를 어찌 다 측량하오며* 하해 같은 덕택을 입사와, 첩이 전생의 죄 중하여 일찍 모친을 이별하고 계모의 누명을 애매히 쓰고 죽사와 철천지한을 설원할* 길이 없삽더니 명찰하신 성주님을 만나 원수를 갚삽고 또한 한림이 금의환향하사 원혼을 위로하여 주시었사오니 이제는 한이 없는지라. 계모가 씌운 누명 때문에 인향이 억울하게 죽었다는 사실이 드러나네. 그 원한을 성주님이 갚아주었고, 한림이 돌아와 자신의 원혼을 위로해 주었기에 인향은 더 이상 한이 없다고 말해. 한림은 저를 재생코자 하시거든 하늘께 축수하와* 금생 연분을 이루게 하옵소서. 첩의 모친은 옥황상제께 상소하시었삽고 첩은 염라대왕께 발원하였사오니, 한림은 진심으로 하옵소서." 한림이 하늘을 향해 진심으로 축수하면 자신이 다시 살아날 수 있을 것이라는 정보를 전하였네.

하며 눈물을 흘리고 나가거늘 한림이 언덕에 미끄러져서 깨니 ㉠꿈이라. 장면끊기 02 한림이 날이 새기를 기다려 부모께 몽사(夢事)*를 아뢰고, 일가친척과 원근 제족(諸族)을 모으고 각 처에 법사를 불러 심천동으로 나아가니 산천은 첩첩하고 녹수는 잔잔한데 뭇 새소리 사람의 심회를 돕는 듯하더라. 심천동에 다다라 묘전에 제물을 차려 놓고, 모든 중들이 가사를 입은 후 하늘께 축수하며 옥황님을 불러 축원하고, 꿈에서 깬 한림은 인향이 말한 대로 하늘께 축수하기 위해 심천동으로 향하였네.

"옥황상제님은 살피사 불쌍하온 김 낭자(=인향)를 다시 회생케 하옵소서."

하며 무수히 축원하고,

"김 낭자가 지부(地府)의 왕께 발원하였나이다. 만일 회생하면 어찌 황천후토께서 모르시리이까."

이와 같이 지성껏 축원하니 정성이 하늘에 사무치더라. 한림은 인향을 살리기 위해 지극정성으로 축원을 올렸어. 석양이 되매 제전을 파하고 집에 돌아와 등촉을 밝히고 있더니, 홀연 김 낭자 완연히 들어와 한림께 절하고 여쭈오되,

"오늘 정성하심을 하늘이 감동하옵시고 첩을 측은히 여기사 다시 환생케 하오니, 한림은 명일 아침에 음식과 이 약물을 가지고 심천동으로 오소서. 이 약물은 옥황상제께서 주신 회생수오니 그리 아옵소서."

하고 일어나 두 번 절하고 나가거늘, 놀라 깨니 ㉡꿈이라. 인향이 다시금 한림의 꿈에 나타나 회생수를 건네주었어. 한림의 정성에 감동한 옥황상제가 인향을 환생시키고자 결정한 것이야. 장면끊기 03 한림이 자세히 살펴보니 그 옆에 약병이 있거늘, 한림이 대희하여 날 새기를 기다려 부친 전에 이 사연을 고하고 즉시 제물을 차려 가지고 인형과 같이 심천동으로 찾아가니 낙락장송은 희색을 띠어 한림을 반기는 듯, 산간에 두견새는 한림을 부르는 듯, 비금주수(飛禽走獸)가 모두 다 임을 보고 환영하는 듯하더라. 인향의 회생을 앞두고 주변의 자연물 모두 이를 기뻐하고 반기는 듯한 느낌이었대. 한림 일행이 심천동에 당도하여 묘전에 제물을 차려 놓고 분향재배한 후 제문을 읽으니, 그 제문에 하였으되,

"유세차 모년 모월 모일에 감소고우* 한림은 옥황상제 전에 일배주로 축원하오니 불쌍하온 김 낭자(=인향)를 다시 회생케 하옵시면 미진한* 인연을 다시 이어 백년동락으로 지낼까 하오니, 복원 옥황상제님은 다시 회생케 하옵소서." 한림은 인향이 회생하면 끊어졌던 인연을 다시 이어 백년동락할 수 있기를 바라고 있어.

하며 빌기를 무수히 한 후 제물을 파하고 다시 제물을 차려 묘전에 벌여 놓고 재배한 후 축문을 읽으니, 하였으되,

"유세차 모년 모월 모일에 한림 유성윤(=한림)은 일배주를 김 낭자 좌하에 올리나니 흠향*하옵소서. 도시 액운이 한림의 죄오니 모든 것을 용서하시고, 구구히 축원하는 한림을 보아 회생하여 인연을 다시 이어 살았으면 지금 죽어도 한이 없겠나이다."

하고 즉시 인형과 같이 분묘를 헐고 신체를 보니 목과 얼굴이 조금도 썩지 아니하고 인향과 동생 인함이 자는 듯하거늘 한림이 즉시 회생수를 뿌리니, 얼마 후에 숨을 후유 쉬고 두 소저 서로 돌아눕는지라. 회생수를 뿌리자 함께 묻혀 있던 인향과 동생 인함의 숨이 돌아오며 다시 살아나게 되었어. 한림이 일변 하인들에게 명하여 보교를 가져오라 하여 두 소저를 태워 가지고 기뻐 어쩔 줄을 몰라 하여 집으로 돌아오니라. 장면끊기 04 이때 유공 부부 한림을 심천동에 보내고 궁금히 여기더니 이윽고 하인들이 보교를 메고 들어오는지라.

유공이 물어 왈,

"뉘 댁 내행(內行)을 우리 집으로 뫼시는다."

하니 하인들이 여쭈오되,

"댁내 행이오이다."

하는지라. 유공 부부 즉시 보교 문을 열고 보니 두 소저 앉았거늘 이때 한림이 들어와 전후수말을 고하고 즉시 방에 불을 덥게 때고

소저를 누인 후 한림이 친히 사지를 주무르니, 얼마 후에 두 소저 정신을 차리는지라. 유공 부부며 한림과 인형이 매우 기뻐하여 그 즐거움은 이루 측량하지 못할러라. <u>집으로 데려온 인향, 인함이 마침내 **정신**을 차리자 유공 부부와 한림, 인형이 모두 크게 기뻐하고 있어.</u> 노부인이 즉시 의복을 갈아입히니, 전일 보던 인향과 인함이 조금도 다름이 없더라. 이 소문이 평안도 일경에 자자하니, 일가 친척들이 신기하게 여김은 물론이요 일읍에 노소 부인이 구경 오는 자가 구름 같더라. 인형이 두 누이의 손을 잡고 눈물을 흘리며 지난 일에 대한 회포를 이기지 못하여 못내 좋아라 춤을 추더라.

이러구러 <u>세월이 여류하여</u>* 어언간 원려(遠慮)가 지나매 유공 부부 즉시 장 승지 댁에 통혼하여 인형을 혼인시키니 <u>장 소저</u>의 아리따운 태도가 선녀 같은지라. 유공이 즉시 또 택일하여 한림과 인향 소저의 혼례를 지낼새 일가친척이며 동네 남녀 빈객이 인산인해를 이루었더라. <u>인향이 회생하고 어느 정도 시간이 흐른 뒤, 인형과 장 소저, 한림과 인향은 모두 **혼례**를 올렸대.</u>

장면끊기 05

– 작자 미상, 「김인향전」 –

*감소고우: 감히 밝혀 아룀.

*흠향: 신명(神明)이 제물을 받아서 먹음.

고전 필수 어휘

*혼백: 사람의 몸에 있으면서 몸을 거느리고 정신을 다스리는 비물질적인 것.

*축문: 제사 때에 읽어 신명께 고하는 글.

*측량하다: 생각하여 헤아리다.

*설원하다: 원통한 사정을 풀어 없애다.

*축수하다: 두 손바닥을 마주 대고 빌다.

*몽사: 꿈에 나타난 일.

*미진하다: 아직 다하지 못하다.

*여류하다: 물의 흐름과 같다는 뜻으로, 세월이 매우 빠름을 비유적으로 이르는 말.

고전소설 독해의 STEP 2

1 장면을 적절히 나누었는지, 장면별 내용의 빈칸에 적절한 말을 채웠는지 확인해 보세요.

장면끊기 01 한림이 인형의 집에서 인향이 자신을 위해 손수 지은 의복을 발견하고 슬퍼함

Tip 이 지문에는 시간과 공간의 변화가 자주 나타나고, 한림이 꿈을 꾸는 내용도 두 차례나 제시되어 있어 장면을 여러 번 끊어볼 수 있었어. 먼저 지문 시작 부분에서는 인형의 집으로 향한 한림의 이야기를 보여 주다가, 집으로 돌아온 한림이 꿈을 꾸는 내용으로 이어지고 있으니 이러한 변화를 기준으로 첫 번째 장면을 끊어볼 수 있겠지?

장면끊기 02 그날 밤 한림의 꿈에 인향이 나타나 은혜에 감사하는 뜻을 전하며 자신이 재생할 수 있는 방법을 이야기함

Tip '한림이 저녁을 먹은 후 노곤하므로 일찍 취침하더니', '한림이 언덕에 미끄러져서 깨니 꿈이라.'와 같은 진술을 통해 인향의 등장은 현실이 아닌 꿈속에서 일어난 일임을 명확히 확인할 수 있는 대목이었어. 이렇듯 현실과 꿈의 교차가 나타날 때는 장면을 끊어 읽을 수 있다는 점!

장면끊기 03 다음날 심천동으로 향한 한림은 하늘을 향해 정성으로 축원을 올리고, 이후 꿈에 나타난 인향이 옥황상제로부터 받은 회생수를 건네줌

Tip 꿈에서 깬 한림이 심천동으로 향했다가 다시 집으로 돌아오는 모습이 나타난 장면이었어. 이때 심천동에서 하늘에 축원을 드리는 내용, 집으로 돌아와 다시금 인향의 꿈을 꾸는 내용을 구분하여 2개의 장면이라고 보는 것도 가능해. 다만 각각의 내용이 길지 않고, 장면끊기 4에서 다음날로 시간이 바뀌며 한림이 다시 심천동으로 향하는 내용이 나타나고 있잖아? 따라서 이날 하루 동안 한림에게 있었던 일이라는 큰 틀에서 지금처럼 장면끊기 3의 두 내용을 하나의 장면으로 묶어보는 것도 가능해.

장면끊기 04 다시 심천동을 찾은 한림이 함께 묻혀 있던 인향과 인함의 몸 위로 회생수를 뿌리자, 두 소저가 모두 살아남

Tip 심천동에서 회생한 인향과 인함이 집으로 돌아가며 공간의 변화가 나타나고 있으니까 한 번 더 장면을 끊을 수 있어. 두 소저의 회생 이후를 다룬 나머지 부분은 모두 후일담의 성격으로 보아 하나로 묶어볼 수 있지.

장면끊기 05 집으로 돌아온 인향과 인함은 가족들과 기쁨의 재회를 나누고, 세월이 흘러 인향은 한림과 혼례를 올림

2 구조도의 빈칸에 적절한 말을 채웠는지 확인해 보세요.

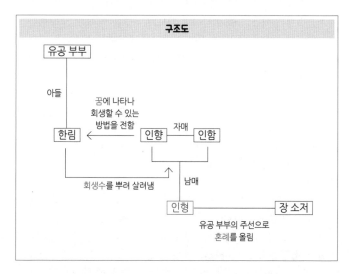

❸ 1~2번 문제의 정답과 해설을 확인해 보세요.

▶정답률 68%

1. 〈보기〉를 참고하여 윗글을 감상한 내용으로 적절하지 않은 것은?

〈보기〉

문학 작품에서 모티프들은 서로 결합해 서사적 의미를 생성한다. 「김인향전」의 서사에는 전처의 소생이 계모와 갈등하며 비극적 사건이 발생하고 그로 인한 원한을 해소하는 계모 모티프가 반영되어 있는데, 여기에 혼사 장애를 극복하고 혼인을 하는 혼사 장애 모티프가 결합되어 있다. 그리고 인물들의 노력으로 혼사 장애를 극복하는 과정에서 서로에 대한 믿음과 진실된 마음을 중시하는 태도가 나타나고 있다. 계모 모티프 + 혼사 장애 모티프(믿음과 진실된 마음 중시) → 「김인향전」의 서사적 의미를 생성함

정답풀이

① 한림이 인향에게 제물을 올리고 자신의 죄에 대해 용서를 구하는 데서 계모에 대해 남아 있는 인향의 한을 모두 푸는 것이 한림과 인향의 혼인에 전제 조건이 됨을 알 수 있군.

윗글에서 한림은 '제물을 차려 묘전에 벌여 놓고 재배한 후 축문을 읽'을 때 '도시 액운이 한림의 죄오니 모든 것을 용서'해달라고 말한다. 이는 인향이 '회생하여 인연을 다시 이어 살았으면' 하는 한림의 바람을 보여 주는 것일 뿐이므로, 계모에 대한 인향의 한을 푸는 것이 한림과 인향의 혼인을 위한 전제 조건이라고 볼 근거는 없다.

🎯함정 피하기

선지 진술을 보면, '한림이 인향에게 제물을 올리고 자신의 죄에 대해 용서를 구하는 데서'는 지문상에서 일대일 대응을 통해 바로 확인이 가능했다. 또한 '계모'나 '혼인'과 관련한 내용을 〈보기〉에 제시되어 있으므로, 언뜻 보았을 때는 선지 진술이 적절한 내용이라고 판단하기 쉬웠다. 하지만 지문 초반부를 보면, 한림의 꿈에 나타난 인향이 '명찰하신 성주님을 만나 원수를 갚삽고~이제는 한이 없는지라.'라고 한 것을 확인할 수 있다. 즉 한림이 인향의 회생을 바라며 축문을 읽는 시점에서 인향은 이미 계모에 대해 남아 있는 한을 모두 푼 상태로 볼 수 있다. 이렇듯 지문, 〈보기〉와의 내용 일치뿐만 아니라, 지문의 전체적인 내용 맥락도 함께 확인했다면 선지의 진술이 적절하지 않음을 정확하게 판단할 수 있었다.

오답풀이

② 한림이 자신을 위한 의복을 인향이 지어 놓았을 것이라고 확신하는 데서 인향이 죽은 혼사 장애의 상황에서 그가 인향에 대한 믿음을 잃지 않고 있음을 알 수 있군.

〈보기〉에서 윗글에는 '인물들의 노력으로 혼사 장애를 극복하는 과정에서 서로에 대한 믿음과 진실된 마음을 중시하는 태도가 나타'난다고 하였다. 이를 참고하면, 한림이 '인향 소저 나와 백년가약을 맺었으니 필연 나를 위하여 의복을 지어 두었을 것'이라고 한 것은 인향의 죽음으로 혼사 장애가 발생한 상황에서도 한림이 인향에 대한 믿음을 잃지 않았음을 보여 준다고 할 수 있다.

③ 한림이 인향과의 인연을 이어 함께 살았으면 좋겠다는 바람을 반복적으로 드러내는 데서 인향을 향한 그의 진실된 마음이 나타나고 있음을 알 수 있군.

〈보기〉에서 윗글에는 '인물들의 노력으로 혼사 장애를 극복하는 과정에서 서로에 대한 믿음과 진실된 마음을 중시하는 태도가 나타'난다고 하였다. 이를 참고하면, 한림이 인향의 회생을 위해 하늘에 축원할 때 '인연을 다시 이어' 살고 싶다는 뜻을 반복적으로 드러낸 것은 인향을 향한 한림의 진실된 마음을 보여 준다고 할 수 있다.

④ 인향이 한림의 노력을 통해 회생하고 혼인을 하는 데서 계모에 의해 초래된 비극적 사건의 해결과 혼사 장애의 극복이 결합되어 있음을 알 수 있군.

〈보기〉에서 윗글에는 '계모 모티프'와 '혼사 장애 모티프가 결합되어 있'다고 하였다. 이를 참고하면, 인향이 정성을 다해 '하늘께 축수'한 한림의 노력 덕분에 회생한 이후 한림과 혼례를 올리게 된 것은 인향이 '계모의 누명을 애매히 쓰고 죽'게 되었던 비극적 사건의 해결과 이로 인해 발생했던 혼사 장애의 극복이 서로 결합되어 있음을 보여 준다고 할 수 있다.

⑤ 인향이 계모의 누명을 애매히 쓰고 죽었다고 한림에게 말한 데서 인향과 계모 간의 갈등이 혼사 장애의 요소로 작용했음을 알 수 있군.

〈보기〉에서 윗글에는 '계모 모티프'와 '혼사 장애 모티프가 결합되어 있'다고 하였다. 이를 참고하면, 한림과 '백년가약을 맺었'던 인향이 '계모의 누명을 애매히 쓰고 죽'었다고 한 것은 인향과 계모 간의 갈등이 혼사 장애의 요소로 작용했음을 보여 준다고 할 수 있다.

2. 문학 개념어 OX 확인 문제

① ◯

근거 ㉠에서 인향은 '축문까지 읽어 주시고 원혼을 위로하여' 준 한림의 과거 행위에 대해 '귀신이라도 어찌 그 은혜를 모르오리까.'라고 하며 감사하는 뜻을 드러내고 있음.

② ◯

근거 ㉡에서 인향은 한림에게 '명일 아침에 음식과 이 약물을 가지고 심천동으로 오소서.'라고 하며 해야 할 일을 일러주고 부탁하는 뜻을 드러내고 있음.

고전소설 독해의 STEP 3

1 1번 문제의 선지 판단 공식에 대한 답을 확인해 보세요.

〈보기〉 문제 선지 판단의 공식

① 〈보기〉 「김인향전」에는 전처의 소생이 계모와 갈등하여 비극적 사건이 발생하고 그로 인한 원한을 해소하는 계모 모티프가 반영되어 있음

＋ 작품 '첩이 전생의 죄 중하여~원수를 갚삽고 또한 한림이 금의환향하사 원혼을 위로하여 주시었사오니 이제는 한이 없는지라.', '제물을 차려 묘전에 벌여 놓고~"도시 액운이 한림의 죄오니 모든 것을 용서하시고"'

선지 ➡ 한림이 인향에게 제물을 올리고 자신의 죄에 대해 용서를 구하는 데서 계모에 대해 남아 있는 인향의 한을 모두 푸는 것이 한림과 인향의 혼인에 전제 조건이 됨을 알 수 있군. ✕

② 〈보기〉 「김인향전」에는 혼사 장애를 극복하는 과정에서 서로에 대한 믿음과 진실된 마음을 중시하는 태도가 나타남

＋ 작품 '인향 소저 나와 백년가약을 맺었으니 필연 나를 위하여 의복을 지어 두었을 것이니 들어가 찾아보리라.'

선지 ➡ 한림이 자신을 위한 의복을 인향이 지어 놓았을 것이라고 확신하는 데서 인향이 죽은 혼사 장애의 상황에서 그가 인향에 대한 믿음을 잃지 않고 있음을 알 수 있군. ○

③ 〈보기〉 「김인향전」에는 혼사 장애를 극복하는 과정에서 서로에 대한 믿음과 진실된 마음을 중시하는 태도가 나타남

＋ 작품 '불쌍하온 김 낭자를 다시 회생케 하옵시면 미진한 인연을 다시 이어 백년동락으로 지낼까 하오니', '구구히 축원하는 한림을 보아 회생하여 인연을 다시 이어 살았으면'

선지 ➡ 한림이 인향과의 인연을 이어 함께 살았으면 좋겠다는 바람을 반복적으로 드러내는 데서 인향을 향한 그의 진실된 마음이 나타나고 있음을 알 수 있군. ○

④ 〈보기〉 「김인향전」에는 계모 모티프와 혼사 장애 모티프가 결합되어 있음

＋ 작품 '오늘 정성하심을 하늘이 감동하옵시고 첩을 측은히 여기사 다시 환생케 하오니', '유공이 즉시 또 택일하여 한림과 인향 소저의 혼례를 지낼새'

선지 ➡ 인향이 한림의 노력을 통해 회생하고 혼인을 하는 데서 계모에 의해 초래된 비극적 사건의 해결과 혼사 장애의 극복이 결합되어 있음을 알 수 있군. ○

⑤ 〈보기〉 「김인향전」에는 계모 모티프와 혼사 장애 모티프가 결합되어 있음

＋ 작품 '인향 소저 나와 백년가약을 맺었으니', '계모의 누명을 애매히 쓰고 죽사와'

선지 ➡ 인향이 계모의 누명을 애매히 쓰고 죽었다고 한림에게 말한 데서 인향과 계모 간의 갈등이 혼사 장애의 요소로 작용했음을 알 수 있군. ○

고전소설 독해의 STEP 1

❶ 다음 글을 읽고 등장인물을 잘 파악했는지, 빈칸에 적절한 말을 채웠는지 확인해 보세요.

📅 고3 2019학년도 7월 학평 – 작자 미상, 「정을선전」

[앞부분의 줄거리] 계모 노 씨와 친척 노태의 모해(謀害)로 인해 첫날밤 정을선에게 버림받은 유춘연은 적삼에 혈서를 남기고 자결한다. 유 승상은 딸 춘연의 혈서를 읽은 후 노 씨의 시비를 심문한다. 유춘연이 노 씨와 노태의 계략으로 정을선에게 버림받게 되자 자결하고, 유 승상이 딸의 혈서를 읽고 시비를 심문하는 상황이 제시되고 있네. 무고한 유춘연을 죽음으로 내몬 사람들이 심판을 받으려는 대목으로 추론할 수 있겠어.

승상이 시비가 죄상을 털어놓지 않으매 노하여 형벌(刑罰)로 추문*하더니, 홀연 공중으로서 외쳐 왈,

"부친(=유 승상)은 애매한* 시비를 엄형(嚴刑)치 마르소서. 소녀(=유춘연)의 애매한 누명을 자연 알리이다." 부친(아버지)에게 애매한 시비를 엄히 다스리지 말라고 부탁하는 것으로 보아, 공중에서 외치고 있는 것은 자결한 유춘연이겠군.

하더니, 홀연 방안에 앉았던 노 씨 문 밖에 나와 엎어지며 안개 자욱하고 무삼 소리 나더니 노 씨 피를 무수히 토하고 죽는지라. 모두 이르되,

"불측한 행실을 하다가 이렇듯 죽으니, 신명이 무심치 아니타." 하고,

"불쌍한 소저(=유춘연)는 이팔청춘에 몹쓸 악명을 쓰고 죽으니 철천(徹天)한 원한을 뉘라서 씻으리오?"

노태는 그 경상을 보고 스스로 목숨을 끊고 노 씨 자녀는 그날부터 말도 못 하고 세상일을 버렸더라. 노 씨가 갑자기 피를 토하고 죽으니, 모두들 노 씨의 불측한 행실에 따른 것이라 하고, 한편으로 젊은 나이에 몹쓸 악명을 쓰고 죽은 유춘연을 동정하고 있네. 이를 본 노태가 스스로 목숨을 끊으면서 유춘연을 자결하게 한 인물들이 모두 죽음으로 대가를 치렀어.

장면끊기 01

(중략)

익일에 유모를 따라 한가지로 소저의 빈소에 이르르는 유모가 먼저 들어가 이르되,

"소저야, 정 시랑 상공(=정을선)이 오셨나이다."

소저가 대 왈,

"어미(=유모)는 어찌 저런 말을 하나뇨? 시랑이 나를 버렸거든 다시 오기 만무하니라."

유모가 다시 이르되,

"내 어찌 소저에게 허언을 하리잇고? 지금 밖에 오신 상공이 곧 정 시랑이시니 들어오시라 하리잇가?"

소저가 이르되,

"정 시랑이신지 분명히 옳으냐?"

유모 왈,

"어찌 거짓말을 하리잇고?" 유춘연은 죽어서 혼령이 된 상태로 계속 남아 있었나 봐. 그런 유춘연의 빈소로 정을선이 찾아왔다는 유모의 말에, 유춘연은 자신을

버린 정을선이 찾아왔을 리가 없다며 회의적인 태도를 보이고 있어.

하고 나와 이대로 고한대, 어사(=정을선)가 친히 문 밖에서 소리하여 왈,

"생이 곧 정을선이니 나의 어리석음으로 부인(=유춘연)이 누명을 쓰고 저렇듯 원혼(冤魂)이 되었으니, 그 외 다른 말씀을 어찌 다 헤아릴 수 있으리잇고. 을선이 곧 황명(皇命)을 받자와 이곳에 와서 부인의 애매함을 깨닫사오니, 백골이나 보고 이곳에서 한가지로 죽어 부인의 각골지원(刻骨之冤)*을 위로코자 하나니, 부인의 명백한 혼령은 용렬한 을선의 죄를 사(赦)하시면 잠깐 뵈옵고 위로함을 바라나이다." 정을선은 유춘연이 원혼이 된 후에야 그녀가 억울하게 누명을 썼다는 것을 알게 되었나 봐. 유춘연의 원한을 위로하기 위해 만나기를 간절히 요청하고 있네.

말 끝에 크게 우니, 소저가 유모를 불러 말을 전하여 왈,

"정 시랑이 이곳에 오시기 만무하니 어디서 과객*이 와서 원통하고 억울하게 죽은 몸을 이렇듯 조르나뇨? 부질없이 조르지 말고 빨리 가라." 하지만 유춘연은 여전히 자신을 찾아온 상대가 정을선이라는 것을 받아들이지 않고 거부해.

하는 소리가 애절(哀切)하여 원근에 사무치는지라. 유모가 수차 타이르되, 듣지 않으니, 시랑이 유모를 대하여 왈,

"내가 이렇듯 말하되 소저 듣지 아니하니 내 도리에 어긋나더라도 들어가 보리라."

유모가 말려 왈,

"그러하면 좋지 아님이 있을지라. 깊이 생각하소서." 도리에 어긋나더라도 빈소로 들어가겠다는 정을선을 유모가 만류하고 있네.

어사가 생각하되, '이는 철천지원(徹天之冤)이니 범연히 보지 못하리라'하고, 황급히 생각하고 즉시 익주자사에게 관자(關子)*하되, '익주 순무어사(巡撫御使) 정을선은 자사에게 급히 할 말이 있으니 수일 내로 유 승상 부중(府中) 녹림원상(綠林苑上)으로 대령하라.'

하니, 익주자사가 관자를 보고 황황히 예를 갖추어 녹림원상으로 오니, 어사가 그늘에 앉아 민간(民間) 사정을 묻고 왈,

"내 전일에 유 승상에게 여차여차한 일이 있더니 마침 이리 지나다가 유모를 만나 그동안 사연을 자세히 들으니, 그 소저가 별세한 지 삼 년이로되 이리이리하오니 어찌 가련치 않으리오? 이러므로 그 원혼을 위로코자 하니 자사는 나를 위하여 의혹을 품게 하라." 유춘연은 죽은 뒤 삼 년이 지나도록 빈소에 원혼으로 남아 있었던 모양이야. 정을선은 그런 유춘연을 위로하고자 하는데, 정작 유춘연이 자신의 신분조차 믿어주지 않자 익주자사로 하여금 의혹을 풀게 하라고 지시하고 있어.

자사가 듣기를 다 마치매 소저 빈소에 나아가 무릎을 꿇고 말하길, "이는 곧 정 상공일시 분명하고 나는 이 고을 자사옵더니, 정 어사(=정을선)의 분부를 들어 아뢰옵나니 존위(尊威)하신 신령(=유춘연)은 살피소서."

소저가 유모를 불러 말을 전하여 왈,

"아무리 유명(幽明)*이 다르나 남녀 분명하거늘 어찌 외인(外人)을 만나리오? 아무리 분명한 정 시랑이라 하되 내 어찌 곧이 들으리오?" 자사가 빈소로 가서 만남을 청하는 사람인 정을선의 신원을 보증했지만, 유춘연은 여전히 사실을 받아들이기를 거부해.

장면끊기 02

어사가 하릴없어 이 연유를 천자께 주(奏)한대, 상이 들으시고

애처롭게 여기사 원혼에게 벼슬을 하사하여 충렬부인을 봉하시고 직첩*과 교지(敎旨)*를 내리시니, 언관(言官)이 밤낮으로 내려와 소저 빈소 방문 앞에서 교지를 자세히 읽으니,

　'아무리 유명이 다르나 아비를 모르고 님군을 모르리오? 교지를 나려 너(=유춘연)의 원혼을 깨닫게 하노라. 정을선의 상소를 보니 너의 참혹한 말을 어찌 다 헤아리리오? ⓒ너를 위하여 조서(詔書)*를 내리나니 짐(=천자)의 뜻을 저버리지 말라. 만일 조서를 거역한즉 역명을 면치 못하리라.'

하였더라. 소저가 듣기를 다하매 그제야 유모를 불러 왈,

　"천은이 망극하사 아녀자의 혼백을 위로하시고 또 가부(家夫)가 틀림없는 줄을 밝히시니 황은이 태산 같도다." 유춘연은 **천자로부터** 직첩과 교지를 받고 나서야 정을선을 받아들이게 되네.

　장면끊기 03

인하여 시랑을 청하여 들어오라 하거늘, 어사가 유모를 따라 들어가 보니, ⓒ좌우 창호(窓戶)가 겹겹이 닫혔거늘, 어사가 좌우로 살펴 티끌이 자욱하여 인귀(人鬼)를 분변치 못할지라. 마음에 비창(悲愴)하여 이불을 들고 보니 비록 살은 썩지 아녔으나 시신이 **뼈**만 남은지라. 정을선이 마침내 **티끌**이 자욱한 빈소로 들어와서 보니, 삼 년 동안이나 묻지지 않고 그 자리에 있던 유춘연의 시신은 **뼈**만 남아 있었네. 어사가 울며 왈,

　"낭자(=유춘연)야, 나를 보면 능히 알소냐?"

그 소저가 공중으로서 대답하되,

　"첩(=유춘연)의 용납지 못할 죄를 사하시고 천 리 원정에 오시니 아무리 백골인들 어찌 감격치 않으리오? 첩이 박명한 죄인으로 상공의 하해 같은 인덕을 입사와 외람하온 직첩을 받자오니 어찌 감은치 않으리잇가?" 유춘연은 자신을 위해 원정을 온 정을선에 대한 **감격**과, 그의 인덕으로 직첩을 받게 된 것에 **감은**(은혜를 고맙게 여김)하는 마음을 표출하고 있어.

어사 왈,

　"어찌하면 낭자가 다시 살아날꼬?"

소저가 답 왈,

　"첩을 살리려 하시거든 금성산 옥륜동을 찾아가 금성진인을 보고 약을 구하여 오시면 첩이 회생하려니와 상공이 어찌 가 구하여 오심을 바라리잇고?"

어사가 기뻐 즉시 유모를 분부하여 '행장을 차리라' 하여, 유모 부처(夫妻)를 데리고 길에 올라 여러 날 만에 옥륜동에 이르러 기험(崎險)한 산천을 넘어 도관(道觀)을 찾으되, 운무가 자욱하여 능히 찾을 길이 없는지라. 유춘연은 자신이 되살아날 방법을 알고 있었나 봐. 정을선은 유춘연의 말에 기뻐하며 곧바로 **금성진인**에게서 약을 구하기 위해 **옥륜동**으로 떠나네.

　장면끊기 04

― 작자 미상, 「정을선전」 ―

*관자: 상급 관청에서 하급 관청으로 보내던 공문서.

*교지: 임명, 해임 등 인사에 관한 임금의 명령.

　고전 **필수 어휘**

*추문: 어떠한 사실을 자세하게 캐며 꾸짖어 물음.

*애매하다: 아무 잘못 없이 꾸중을 듣거나 벌을 받아 억울하다.

*각골지원: 뼈에 사무칠 정도의 원한.

*과객: 지나가는 나그네.

*유명: 저승과 이승을 아울러 이르는 말.

---

*직첩: 조정에서 내리는 벼슬아치의 임명장.

*조서: 임금의 명령을 일반에게 알릴 목적으로 적은 문서.

고전소설 독해의 STEP 2

1 장면을 적절히 나누었는지, 장면별 내용의 빈칸에 적절한 말을 채웠는지 확인해 보세요.

장면끊기 01　유 승상이 딸 춘연의 혈서를 읽은 후 노 씨의 시비를 심문할 때, 공중에서 유춘연의 목소리가 들린 후 노 씨는 피를 토하며 죽고 노태는 자결함

Tip 앞부분의 줄거리에서 유춘연을 죽음으로 몰아놓은 주역으로 제시된 노 씨와 노태가 악행에 대한 대가를 치르게 되는 장면이야. 중간에 제시된 유춘연의 말을 통해, 유춘연은 목숨을 잃었지만 자신의 의사를 전달하고 영향력도 행사하는 원혼이 되었음을 알 수 있지. 중략 이후에는 이때로부터 약 삼 년이 지난 후, 노 씨와 노태의 모해로 유춘연을 버렸던 정을선이 다시 찾아오는 이야기가 전개되니 여기서 장면을 끊었어.

장면끊기 02　유춘연이 별세한 지 삼 년이 지난 후, 정을선이 빈소에 찾아와 익주자사를 시켜 자신의 신원을 보증하게 하지만, 원혼이 된 유춘연은 정을선이 찾아왔음을 믿지 않음

Tip 유춘연은 자신을 버린 정을선이 다시 찾아올 리가 없다는 것에 대해 강한 믿음을 보여. 정을선은 자신이 정말로 정을선임을 증명하기 위해 직접 말을 걸어 보기도 하고 익주자사를 통해 자신의 신분을 증명하라고 지시하기도 하지만, 유춘연의 확고한 거부로 모두 실패로 끝나지. 하지만 이어서 유춘연의 이러한 완고한 믿음이 허물어지는 사건이 벌어지니 여기서 장면을 끊었어.

장면끊기 03　천자가 직첩과 교지를 내리며 빈소로 들려는 사람이 정을선임을 밝히자, 유춘연이 이를 감사히 받아들임

Tip 유춘연이 천자의 교지 내용을 듣고 마침내 정을선을 받아들이게 되는 장면이야. 이 장면에서 정을선에 대한 유춘연의 태도가 수용적으로 바뀐 뒤, 이어지는 장면에서 마침내 정을선이 빈소로 들어와 대화를 나누게 되지. 이때 정을선이 빈소로 진입하는 것이 허용되면서 공간의 이동이 이루어진다는 점과, 정을선과 유춘연의 대화 위주로 서사 전개가 전환된다는 점에서 여기서 장면을 끊었어.

장면끊기 04　유춘연은 마침내 시랑(정을선)을 청하여 들어오라 하고, 빈소 안에서 대화하며 자신이 살아나기 위해 옥륜동의 금성진인에게서 약을 구해 와야 함을 전함

2 구조도의 빈칸에 적절한 말을 채웠는지 확인해 보세요.

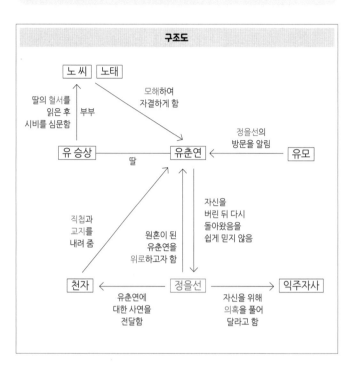

3 1~2번 문제의 정답과 해설을 확인해 보세요.

▶정답률 64%

1. 윗글에 대한 이해로 가장 적절한 것은?

정답풀이

① 정을선은 춘연의 혼령을 위로하고자 춘연과의 만남을 시도하고 있다.

> 정을선은 직접 춘연의 빈소에 찾아가 '나의 어리석음'으로 인해 춘연이 '누명을 쓰고 저렇듯 원혼'이 되었음을 알게 되었다는 사연과 '각골지원을 위로'하고자 하는 의사를 밝히고 있다. 그러면서 '부인의 명백한 혼령은 용렬한 을선의 죄를 사하시면 잠깐 뵈옵고 위로함을 바라나이다.'라고 하며 춘연과 만나고자 하는 소망을 드러낸다.

② 정을선은 자사를 불러 춘연의 원한에 얽힌 사연을 알려 달라고 부탁하고 있다.

> 정을선은 '익주자사에게 관자'를 보내어 자신이 '정 상공', 즉 정을선이 분명하다는 것을 춘연에게 밝혀 달라고 부탁하고 있다.

함정 피하기

정을선이 익주자사에게 관자를 보낸 것은 춘연과 만나기를 시도한 뒤의 일이다. 처음에 유모를 통해 춘연을 만나고자 했을 때, 정을선은 '나의 어리석음으로 부인이 누명을 쓰고 저렇듯 원혼'이 되었음을 이미 알고 있었으며, 익주자사에게도 자신이 '유모를 만나 그동안 사연을 자세히 들'었다고 했으므로 춘연의 원한에 얽힌 사연을 알려 달라고 다시 부탁할 필요가 없다. 무엇보다 정을선이 익주자사를 통해 해결하고자 하는 문제는 '춘연의 원한에 얽힌 사연'을 알지 못하므로 이를 해결해달라는 것이 아니라, 자신이 정을선임을 춘연이 믿지 않아 두 사람의 만남이 성사되지 않으므로 춘연의 의혹을 풀어 달라는 것이다. 장면이 시간순으로 이어지고 있다는 점, 정을선이 춘연의 원한에 대한 내막을 이미 알고 있다는 점, 그리고 정을선이 익주자사와의 대화를 통해 성취하려는 목표를 놓치지 않고 파악했다면 어렵지 않게 정오를 판단할 수 있는 선지였다.

③ 승상은 노 씨의 시비를 통해 딸이 죽은 이유를 알게 된다.

> 유 승상은 자결한 춘연의 혈서를 읽은 후 '노 씨의 시비를 심문'하는데, 시비는 죄상을 털어놓지 않아 '형벌로 추문'한다. 이때 혼령이 된 유춘연은 '애매한 시비를 엄형'하지 말라고 하며 자신의 '애매한 누명을 자연 알'게 될 것이라고 하는데, 이어서 노 씨가 죽고 노태가 자결하면서 모해의 주동자들이 밝혀지고 있다. 따라서 승상이 노 씨의 시비를 통해 딸이 죽은 원흉을 알게 되었다고 보기는 어렵다.

④ 춘연은 황명을 이유로 자신의 죽음을 확인하러 온 정을선을 모른 척하고 있다.

> 정을선은 '황명을 받자와 이곳에 와서 부인의 애매함을 깨닫'게 되자 혼령이 된 춘연의 '백골이나 보고~부인의 각골지원을 위로'하기 위해 찾아온 것일 뿐, 황명을 이유로 춘연의 죽음을 확인하고자 빈소를 찾은 것은 아니다. 또한 춘연은 자신을 버린 정을선이 '이곳에 오시기 만무'하다는 믿음 때문에 '부질없이 조르지 말고 빨리 가라.'라는 반응을 보이고 있는 것이므로, 자신의 빈소를 방문한 정을선을 모른 척하고 있다고 보기도 어렵다.

⑤ 유모는 춘연의 빈소 앞에서 교지를 읽어 춘연이 충렬부인으로 봉해졌음을 알리고 있다.

> 천자가 춘연을 충렬부인으로 봉하는 직첩과 교지를 내린 것은 맞지만, 춘연의 빈소 앞에서 교지를 읽는 것은 유모가 아닌 '언관'이다.

2. 문학 개념어 OX 확인 문제

① ○

근거 ㉠에서 천자는 조서를 내리는 자신의 뜻을 저버리지 말라고 하며, '조서를 거역'한다면 '역명(임금이나 윗사람의 명령을 어김)을 면치 못'할 것이라고 함. 이는 조서를 내리는 천자로서의 권위를 내세워 춘연에게 자신의 뜻을 따라야 함을 촉구한 것으로 볼 수 있음.

② ✕

• 묘사: 어떤 대상이나 인물의 외양, 행동, 내면 등을 그림을 보여 주듯 표현하는 것.
• 암시: 뒤에 일어날 사건을 넌지시 알림.

근거 ㉡에서 '창호가 겹겹이 닫'히고 '티끌이 자욱하여 인귀를 분변치 못'할 정도라고 한 것은 오랫동안 밀폐되어 있던 춘연의 빈소 내부 공간을 묘사한 것으로 볼 수 있음. 그러나 빈소에 들어선 정을선은 그곳을 찾은 목적에 따라 유춘연과 대화하고 있을 뿐, 위기 상황에 처하게 되는 것은 아님. 따라서 해당 공간에 대한 묘사가 정을선에게 닥칠 위기 상황을 암시한 것이라고 보기는 어려움.

고전소설 독해의 STEP 3

■ 1번 문제의 선지 판단 공식에 대한 답을 확인해 보세요.

선지 판단의 공식

① 작품 정을선은 춘연에게 '나의 어리석음으로 부인이 누명을 쓰고 저렇듯 원혼이 되었'으니 '백골이나 보고 이곳에서 한가지로 죽어 부인의 각골지원을 위로코자' 한다며 '잠깐 뵈옵'기를 바란다는 의사를 전달함

선지 정을선은 춘연의 혼령을 위로하고자 춘연과의 만남을 시도하고 있다. ○

② 작품 정을선은 자사를 불러 자신이 정을선임을 인정하지 않는 춘연의 '원혼을 위로코자 하니 자사는 나를 위하여 의혹을 풀게 하'라고 부탁함

선지 정을선은 자사를 불러 춘연의 원한에 얽힌 사연을 알려 달라고 부탁하고 있다. ✕

③ 작품 유 승상은 '딸 춘연의 혈서를 읽은 후 노 씨의 시비를 심문'하지만, '시비가 죄상을 털어놓지 않'아 '형벌로 추문'함

선지 승상은 노 씨의 시비를 통해 딸이 죽은 이유를 알게 된다. ✕

④ 작품 정을선은 억울하게 죽은 춘연의 원혼을 위로하기 위해 빈소로 찾아가지만, 춘연은 '나를 버'린 '정 시랑이 이곳에 오시기만무'하다고 하며 정을선을 부질없이 만남을 조르는 '과객'으로 취급하고 있음

선지 춘연은 황명을 이유로 자신의 죽음을 확인하러 온 정을선을 모른 척하고 있다. ✕

⑤ 작품 천자는 춘연의 사연을 듣고 '벼슬을 하사하여 충렬부인을 봉'하고 '직첩과 교지'를 내리는데, 이후 '연관이 밤낮으로 내려와 소저 빈소 방문 앞에서 교지를 자세히 읽'음

선지 유모는 춘연의 빈소 앞에서 교지를 읽어 춘연이 충렬부인으로 봉해졌음을 알리고 있다. ✕

하루 30분, 고전소설 트레이닝

고전소설 독해의 STEP 1

1 다음 글을 읽고 등장인물을 잘 파악했는지, 빈칸에 적절한 말을 채웠는지 확인해 보세요.

📅 고3 2020학년도 4월 학평 – 작자 미상, 「설낭자전」

[윤백]이 즉시 일어나서 [별당]으로 다가가서는, 창문을 두드리며 호통을 쳤다.

"이놈, 이놈, [이 서방](=이도령)아! 내가 여기에 왔느니라. 연분*이 이미 맺어졌고 나라의 법이 삼엄한데 혼인이 무엇이냐?"

윤백이 소리를 지르면서 뛰어들어 병풍을 들이치고 저고리를 찾아 쥐고는 거침없이 뛰어나가니, 이 서방의 거동 보소. 원앙금 비취침에 사람의 이목을 물리치고 단잠을 자고 있었는데, 뇌성벽력 같은 소리에 정신이 산란하여 경황없이 일어나더니, _{이 서방은 윤백의} _{호통에 깜짝 놀라 일어났어.} 별당 뒷문으로 뛰어나가 [대감](=이병판)의 방에 뛰어들어서는 창황히 아뢰기를,

"[아버님](=이병판), 잠을 깨옵소서. 밤중에 큰 변이 났으니 잠을 깨옵소서. 어서 다들 잠을 깨옵소서. 아버님께서는 무슨 일로 음행 있는 [신부](=설낭자)를 찾느라 이곳까지 오셨나이까?"

라 하니, 대감이 크게 놀라 하인들을 불러 모으되 분기가 치밀어 어찌할 줄 몰랐다. _{아들로부터 신부(설낭자)에 대한 의심의 말을 전해들은 대감이} _{분노하고 있어.} [설진사] 또한 그 소리를 듣고 어찌된 일인지 알 수 없어, 석 자짜리 칼을 손에 들고 별당으로 달려가 [설낭자]에게 물었다.

"너와 내가 한집에서 이십 년을 살았느니라. 너의 행실이 흠잡을 데 없었는데 내가 아무 것도 알지 못하니, 너는 바른대로 다 아뢰어라. 너와 내가 한 목숨으로 죽기가 두려우냐? [이병판]은 세도*가 제일인지라 치죄(治罪)*하지 못할 것이 없으니 무사하지 못할 것이다. 죽어도 무슨 일인지 알고나 죽고 싶다. 죄를 모르고 이리 죽으면 오죽하겠느냐? 바른대로 아뢰어라." _{설진사는 딸인 설낭자로} _{부터 사건의 진실에 대해 듣기를 원하고 있어.}

설낭자의 거동 보소. 번개 같은 두 눈을 뜨더니 백옥 같은 손을 들어 구슬 같은 눈물을 닦고 단호히 말했다.

"소녀는 이 일에 무죄하옵니다. 하늘이 아시고 귀신이 아옵니다. 오늘 이 지경에 떨어진 것은 어찌된 일인지 소녀는 알지 못하옵니다. 어찌 죽기를 주저하리이까마는, 이 자리에서 죽사오면 죽어도 억울한 원혼이 되어 황천구원(黃泉九原)에 갈 곳이 없사옵니다." _{설낭자는 죽음이라는 극단적인 상황을 가정하며 자신을 향한 의심에 억울} _{함을 호소하고 있어.}

하고는 통곡을 그치지 않았다. 설진사가 그 거동을 보니 차마 더는 추궁하지 못하고, 사랑으로 돌아와서는 식사를 물리치고 굶어 죽기만 기다렸다.

〈장면끊기 01〉

[이병판] 대감과 [이도령]은 창황한 중에 [장안]으로 돌아갔는데, 노하고 놀란 마음을 가라앉히지 못했다. _{이병판 대감과 이도령은 설낭자에 대한} _{의심스러운 일 때문에 장안으로 돌아가며 분노와 당황스러움을 느끼고 있어.} 이도령이 그 부친께 나아가더니,

"소자는 강산 구경을 하고 돌아오겠나이다."

라고 고하고는 떠나갔다.

[정부인]과 [황부인]이 밤낮 모여 앉아 윤백이 돌아오기를 기다리고 있던 차에, 윤백이 돌아와서는 자기가 한 일을 아뢰고 훔쳐 온 저고리를 내놓았다. 두 부인이 크게 기뻐하며 천금을 상으로 주고는, 그 저고리를 꼭꼭 싸서 농 안에 숨겨 놓고는 대감이 돌아오기를 기다렸다. _{윤백이 설낭자를 모함하는 데 성공하자 정부인과 황부인이 기뻐하고 있어.} _{이들이 설낭자에게 누명을 씌운 주모자들인가 보군.}

〈장면끊기 02〉

[중략 줄거리] 설낭자는 누명을 벗기 위해 점쟁이를 찾아간다. 그곳에서 설낭자는 장안으로 김동지 며느리를 데리고 가야만 누명을 벗을 수 있다는 말을 듣고 김동지 며느리와 함께 장안으로 간다.

하인들을 거느린 [김동지 며느리]가 정부인이 있는 방으로 한달음에 뛰어 들어가서는, 설낭자의 저고리를 감추어 두었던 장롱을 대번 끌어내려 했다. 정부인과 황부인이 놀라, _{정부인과 황부인은 저고리} _{가 발견되어 자신들이 꾸민 일이 들킬까 봐 놀라고 있네.}

"네가 어떤 년이기에 이 방에 들어와서 이 장롱을 도적질하느냐? 그 죄가 죄사무석(罪死無惜)*이로다."

호통을 치면서 한사(限死)하고* 달려들었으나, 김동지 며느리가 그 붙잡는 손을 뿌리치고 따라온 하인들이 또한 가로막았다. 끝내 김동지 며느리가 장롱을 든 채 밖으로 뛰어나와서는, 한 주먹으로 장롱을 때려 부수고 저고리를 찾아내었다. 김동지 며느리가 그것을 손에 높이 들고 소리쳤다.

"[작은색시](=설낭자), 이것 보오. 작은색시가 잃어버렸던 저고리가 여기 와 있나이다."

이때 정부인이 뒤쫓아 나와서는 하인들을 꾸짖고 김동지 며느리에게 호통을 쳤다.

"그 더러운 년의 저고리가 어찌 내게 있단 말이냐? 대감께 이를 것이라." _{설낭자의 저고리를 발견한 김동지 며느리에게 정부인은 오히려 화를 내고} _{있어.}

〈장면끊기 03〉

그러자 김동지 며느리가 그 저고리를 들고는 [대감의 거처]로 들어갔다. 대감 앞에 저고리를 펼쳐 놓고 고하기를,

"우리 작은색시가 첫날밤에 잃었던 저고리가 어찌하여 정부인이 거처하는 방의 장롱 안에 있사오니까? 괴이한 일이옵니다. 정부인은 이것이 자기 저고리라 하니, 정부인과 설낭자를 불러 저고리의 사연을 들어 보시옵소서."

하였다. 대감이 듣고는 과연 괴이하다 여기고, 먼저 정부인을 불러 들였다.

"이 저고리에 대해 말해 보아라."

"그 저고리의 품마기는 길이가 한 자 한 치옵고, 소매와 진동은 이러저러하옵니다."

뒤이어 김동지 며느리가 설낭자를 불렀다.

"이 저고리에 죽고 사는 것, 흥하고 망하는 것, 누명을 쓴 것과 결백을 증명할 길이 있사오니 정신을 차리고 단단히 말씀하오." _{김동지 며느리는 설낭자에게 누명을 벗기 위해 결백을 증명하라고 단호히 말하고 있어.}

설낭자가 일어나서는 팔자아미를 숙이면서 가는 목소리를 길게 빼어 옥구슬이 구르는 듯한 소리로 대답하였다.

"영남 여자의 옷은 별다른 것이 없사옵니다. 그러나 소녀가 일곱 살에 이 저고리를 지었을 때, 소녀의 어머니께서 기특하다 여겨

저고리 안에 붉은 실로 '설운설'이라고 소녀의 아명*을 수놓아 새기셨사옵니다. 그것을 보면 모두 알 것이옵니다."

김동지 며느리가 그 말대로 저고리 안을 뜯어내고 보니, 정말로 붉은 실로 '설운설'이라 새겨져 있는 것이었다. 대감이 크게 분노하여 맏며느리를 잡아 하옥하고는, 즉시로 설낭자를 행례*하여 별당으로 보내어 거처하게 하였다. 대감은 저고리에 새겨진 '설운설'이라는 글자를 확인하고 사건의 전모를 알게 되자 설낭자에게 누명을 씌운 며느리 정부인에게 분노하며 벌을 내리고 있어.

대감이 이로써 정부인의 간사함을 알았으나, 어찌하여 일이 그리 되었는지는 몰랐다. 대감이 정부인과 황부인을 모두 잡아 들여서는 자백을 받고자 물었다. 대감은 설낭자를 모함한 일에 대한 정부인과 황부인의 자백을 받고자 하네.

"너희들이 무슨 일로 내 아들(=이도령)을 시켜하여 내 집을 망하게 하려 하였느냐? 그러고도 너희가 살기를 바랐더냐? 이 불측한 일은 어느 하인에게 시켜서 하였느냐?"

그러나 정부인도 황부인도 대답하지 않았다. 이때 김동지 며느리가 대감 앞에 나섰다.

"그 하인이 누구인지 알아내는 것은 묻지 아니하여도 아옵니다. 대감님네 수청지기* 윤백이라 하는 놈이옵니다. 정부인을 잡아 오라고 대감께서 분부할 때, 그놈이 죽을 듯 겁을 내면서 얼굴색이 변하였으니, 그놈의 행동이 아무래도 수상하옵니다."

대감이 듣고는,

"그 말이 옳다."

하고, 윤백을 곧 잡아내어 주리채에 올려 묶어 놓았다. 정부인과 황부인이 입을 열지 않았지만 윤백의 행동이 수상함을 눈여겨본 김동지 며느리 덕분에 무사히 진실이 밝혀질 것으로 보이네.

장면끊기 04

– 작자 미상, 「설낭자전」 –

*죄사무석: 죄가 무거워서 죽어도 안타깝지 아니함.

*한사하다: 죽기를 각오함.

*행례: 예식을 행함.

*수청지기: 주인을 가까이에서 시중들고 심부름하는 노복.

[고전 필수 어휘]

*연분: 서로 관계를 맺게 되는 인연. 부부가 되는 인연.

*세도: 정치상의 권세.

*치죄: 허물을 가려내어 벌을 줌.

*아명: 아이 때의 이름.

고전소설 독해의 STEP 2

1 장면을 적절히 나누었는지, 장면별 내용의 빈칸에 적절한 말을 채웠는지 확인해 보세요.

장면끊기 01	별당으로 뛰어 든 윤백은 설낭자가 자신과 이미 연분을 맺은 사이라고 모함하고, 설낭자는 결백을 주장함

Tip 별당으로 다가가 소리를 지르며 설낭자를 모함한 윤백 때문에 누명을 쓰게 된 설낭자는 억울함을 호소했어. 그러나 이병판 대감과 이도령은 설낭자를 의심하며 장안으로 돌아 갔다. 공간의 변화가 나타나면서 정부인과 황부인이 사주한 내용이 제시되고 있으니 여기서 장면이 나누어진다고 볼 수 있겠네.

장면끊기 02	이대감 부자는 장안으로 돌아가고, 설낭자에 대한 모함을 사주했던 정부인과 황부인은 계획이 성공했음을 알고 기뻐함

Tip 중략 줄거리 이후에는 김동지 며느리가 정부인이 있는 방으로 가서 설낭자의 저고리를 찾는 장면이 제시되고 있어. 따라서 중략 이전 부분에서 장면을 끊고 읽자.

장면끊기 03	김동지 며느리가 정부인의 방에서 그들이 감추어 두었던 설낭자의 저고리를 발견함

Tip 이후 정부인이 있는 방에서 대감의 거처로 공간적 배경의 변화가 나타났기 때문에 여기에서 장면을 끊어 읽어야 해.

장면끊기 04	김동지 며느리가 대감의 거처로 가서 저고리에 얽힌 사건의 진상을 밝히자, 대감은 주동자인 정부인, 황부인과 윤백을 잡아들임

2 구조도의 빈칸에 적절한 말을 채웠는지 확인해 보세요.

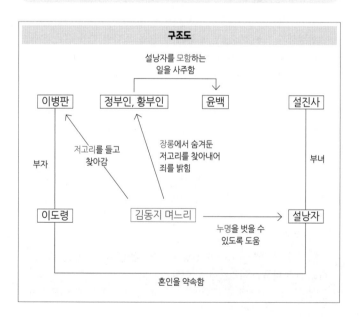

■ 1~2번 문제의 정답과 해설을 확인해 보세요.

▶정답률 76%

1. 〈보기〉를 참고하여 윗글을 감상한 내용으로 적절하지 않은 것은?

〈보기〉

「설낭자전」은 고전 소설에서 자주 등장하는 선과 악의 대립 구도를 통해 권선징악이라는 주제를 드러내고 있다. 이 작품에서 선과 악의 대립은 한 가정에 속한 기존 인물들이 그 가정에 편입하려는 인물을 배척하려는 과정에서 나타난다. 이러한 과정에서 가정 외부의 인물인 조력자는 사건의 내용을 간파하고 주인공이 제시한 결정적인 단서를 활용하여 사건을 해결한다.

• '권선징악'의 주제 의식

선		악
가정에 편입하려는 인물 (설낭자)	VS.	가정에 속한 기존 인물 (정부인, 황부인)

• 가정 외부의 인물인 조력자(김동지 며느리)가 주인공이 제시한 단서를 활용해 사건 해결

정답풀이

② 설진사가 칼을 들고 설낭자에게 첫날밤에 일어난 사건에 대해 추궁하는 모습에서 선과 악이 대립하고 있음을 알 수 있군.

〈보기〉에서 윗글에 나타나는 '선과 악의 대립은 한 가정에 속한 기존 인물들이 그 가정에 편입하려는 인물을 배척하려는 과정에서 나타난다.'라고 하였다. 그런데 설진사는 설낭자의 아버지로, 자신의 가정에 편입하려는 인물을 배척하는 인물에 해당하지 않는다. 설진사가 딸인 설낭자에게 사건의 내막에 대해 물으며 추궁하는 것은 '이병판은 세도가 제일인지라 치죄하지 못할 것이 없으'므로 자신과 딸 모두 '무사하지 못할 것'임을 걱정하기 때문이라고 볼 수 있다.

오답풀이

① 설낭자가 어머니와의 추억을 말하는 모습에서 주인공의 경험이 사건 해결의 결정적 단서로 활용됨을 알 수 있군.

설낭자가 저고리에 얽힌 어머니와의 추억을 이야기하고, 그 내용이 사실임이 밝혀지면서 설낭자에 대한 오해와 누명이 풀리고 있으므로, 주인공의 경험이 사건 해결의 결정적 단서로 활용되었다고 볼 수 있다.

③ 이대감이 정부인을 하옥하고 설낭자를 행례하게 하는 모습에서 권선징악이라는 주제가 드러나고 있음을 알 수 있군.

〈보기〉에서 윗글은 '권선징악'이라는 주제를 드러내고 있다고 했는데, 설낭자를 모함했던 정부인이 하옥되고 설낭자는 누명을 벗은 후 원래대로 행례를 치르게 되는 것을 통해 권선징악의 주제가 드러남을 확인할 수 있다.

④ 김동지 며느리가 사건과 관련된 인물을 지목하는 모습에서 가정 외부의 인물인 조력자가 사건의 내용을 간파하고 있음을 알 수 있군.

〈보기〉에서 윗글에는 '가정 외부의 인물인 조력자'가 '사건의 내용을 간파'하는 모습이 나타난다고 하였다. 김동지 며느리는 이대감을 중심으로 한 가정에서는 외부의 인물에 해당하는데, '그 하인이 누구인지 알아내는 것은 묻지 아니하여도 아옵니다. 대감님네 수청지기 윤백이라 하는 놈이옵니다. ~그놈의 행동이 아무래도 수상하옵니다.'에서 정부인과 황부인의 사주를 받고 설낭자의 저고리를 훔친 범인을 지목하는 모습이 나타난다. 이를 통해 가정 외부의 인물인 조력자가 사건의 내용을 간파하고 있음이 드러난다.

⑤ 정부인과 황부인이 윤백에게 시킨 일로 인해 곤경에 처하는 설낭자의 모습에서 가정에 편입하려는 새로운 인물이 배척당하고 있음을 알 수 있군.

〈보기〉에서 윗글은 '한 가정에 속한 기존 인물들이 그 가정에 편입하려는 인물을 배척하려는 과정'이 나타난다고 하였다. 정부인과 황부인은 이병판을 중심으로 한 가정에 속한 인물로, 이도령과 혼인이 예정된 인물인 설낭자를 곤경에 빠뜨림으로써 가정에 편입하려는 새로운 인물이 배척당하고 있음을 보여 준다.

🎯 함정 피하기

〈보기〉에서 언급한 '한 가정에 속한 기존 인물들'과 '그 가정에 편입하려는 인물'이 각각 지문 속 어떤 인물과 대응되는지를 정확히 파악할 수 있어야 했다. 먼저 장면 1을 보면, 설낭자를 모함하는 윤백의 호통을 듣고 놀란 이도령이 곧장 이병판을 찾아가 '아버님께서는 무슨 일로 음행 있는 신부를 찾느라 이곳까지 오셨나이까?'라고 하는 것을 확인할 수 있다. 이를 포함한 장면 1의 전반적인 내용을 통해, 이도령과 설낭자의 혼인이 예정되어 있던 상황에서 설낭자가 누군가의 모함을 받게 되면서 두 사람의 혼사가 어그러지게 된 것임을 알 수 있다. 이어지는 장면 2에서는 해당 사건을 주도한 이가 정부인과 황부인이라는 사실이 드러나고, 장면 4의 '대감이 크게 분노하여 맏며느리를 잡아 하옥하고'을 통해서는 그들이 이병판의 며느리, 즉 이병판의 가문에 속한 인물들이었음이 드러난다. 이처럼 지문에 제시된 지칭어·호칭어와 장면별 상황 맥락을 통해 인물 간의 관계를 정확히 파악하고, 이를 〈보기〉의 내용과 차분히 대응시켜 정리했다면 어렵지 않게 선지의 정오를 판단할 수 있었을 것이다.

2. 문학 개념어 OX 확인 문제

① ○

• 긴박: 매우 다급하고 절박함. '긴박한 상황', '긴박한 분위기', '긴박감' 등과 같은 개념을 판단할 때는 지문의 내용이 긴박하고 긴장감이 있는지를 먼저 고려하도록 함. 짧은 호흡의 문장을 반복하거나 장면의 전환이 빈번하다고 하더라도, 긴박하거나 긴장감이 있는 내용이 아니라면 긴박하거나 긴장감이 있다고 할 수 없음.

근거 '윤백이 소리를 지르면서 뛰어들어 병풍을 들이치고 저고리를 찾아 쥐고는 거침없이 뛰어나가니,', '김동지 며느리가 장롱을 든 채 밖으로 뛰어나와서는, ~저고리를 찾아내었다.' 등에서 인물의 행동을 제시하여 상황의 긴박함을 드러냄.

② ✕

근거 윗글은 현실에서 일어나고 있는 사건을 중심으로 전개되고 있을 뿐, 꿈과 현실이 교차하는 내용은 찾을 수 없음.

고전소설 독해의 STEP 3

■ 1번 문제의 선지 판단 공식에 대한 답을 확인해 보세요.

〈보기〉 문제 선지 판단의 공식

① 〈보기〉 「설낭자전」에서 주인공이 제시한 결정적인 단서를 활용하여 사건을 해결함

➕ 작품 "'영남 여자의 옷은 별다른 것이 없사옵니다. 그러나 소녀가 일곱 살에 이 저고리를 지었을 때, 소녀의 어머니께서 기특하다 여겨 저고리 안에 붉은 실로 '설운설'이라고 소녀의 아명을 수놓아 새기셨사옵니다. 그것을 보면 모두 알 것이옵니다." 김동지 며느리가 그 말대로 저고리 안을 뜯어내고 보니, 정말로 붉은 실로 '설운설'이라 새겨져 있는 것이었다.'

선지 설낭자가 어머니와의 추억을 말하는 모습에서 주인공의 경험이 사건 해결의 결정적 단서로 활용됨을 알 수 있군. ○

② 〈보기〉 「설낭자전」에서 선과 악의 대립은 한 가정에 속한 기존 인물들이 그 가정에 편입하려는 인물을 배척하려는 과정에서 나타남

➕ 작품 '설진사 또한 그 소리를 듣고 어찌된 일인지 알 수 없어, 석 자짜리 칼을 손에 들고 별당으로 달려가 설낭자에게 물었다.'

선지 설진사가 칼을 들고 설낭자에게 첫날밤에 일어난 사건에 대해 추궁하는 모습에서 선과 악이 대립하고 있음을 알 수 있군. ✕

③ 〈보기〉 「설낭자전」은 고전 소설에서 자주 등장하는 선과 악의 대립 구도를 통해 권선징악이라는 주제를 드러냄

➕ 작품 '대감이 크게 분노하여 맏며느리를 잡아 하옥하고는, 즉시로 설낭자를 행례하여 별당으로 보내어 거처하게 하였다.'

선지 이대감이 정부인을 하옥하고 설낭자를 행례하게 하는 모습에서 권선징악이라는 주제가 드러나고 있음을 알 수 있군. ○

④ 〈보기〉 「설낭자전」에서 가정 외부의 인물인 조력자는 사건의 내용을 간파하고 주인공이 제시한 결정적인 단서를 활용하여 사건을 해결함

➕ 작품 '이때 김동지 며느리가 대감 앞에 나섰다. "그 하인이 누구인지 알아내는 것은 묻지 아니하여도 아옵니다. 대감님네 수청지기 윤백이라 하는 놈이옵니다. 정부인을 잡아 오라고 대감께서 분부할 때, 그놈이 죽을 듯 겁을 내면서 얼굴색이 변하였으니, 그놈의 행동이 아무래도 수상하옵니다."'

선지 김동지 며느리가 사건과 관련된 인물을 지목하는 모습에서 가정 외부의 인물인 조력자가 사건의 내용을 간파하고 있음을 알 수 있군. ○

⑤ 〈보기〉 「설낭자전」에서 선과 악의 대립은 한 가정에 속한 기존 인물들이 그 가정에 편입하려는 인물을 배척하려는 과정에서 나타남

➕ 작품 '정부인과 황부인이 밤낮 모여 앉아 윤백이 돌아오기를 기다리고 있던 차에, 윤백이 돌아와서는 자기가 한 일을 아뢰고 훔쳐 온 저고리를 내놓았다. 두 부인이 크게 기뻐하며 천금을 상으로 주고는, 그 저고리를 꼭꼭 싸서 농 안에 숨겨 놓고는 대감이 돌아오기를 기다렸다.'

선지 정부인과 황부인이 윤백에게 시킨 일로 인해 곤경에 처하는 설낭자의 모습에서 가정에 편입하려는 새로운 인물이 배척당하고 있음을 알 수 있군. ○

고전소설 독해의 STEP 1

1 다음 글을 읽고 등장인물을 잘 파악했는지, 빈칸에 적절한 말을 채웠는지 확인해 보세요.

📅 **고3 2018학년도 6월 모평 – 작자 미상, 「적성의전」**

"이곳은 서방 세계(西方世界)라, 속객*(=성의)이 어찌 오시나잇가?" 성의가 공손히 답례하고 가로되,

"나는 안평국 사람이러니 천성금불 보탑존자를 뵈러 왔사오니 어디 계시나잇가?"

화상이 왈,

"보탑존자는 금강천불대사(=천성금불 보탑존자)라. 인간 육신으로 이곳을 들어왔으니 정성을 가히 알지라. 그대 정성을 신령이 감동함이나 마음이 부정(不淨)하면 대사(=천성금불 보탑존자)를 보지 못할지라. 물러가 칠 일 재계(齋戒)* 후에 대사를 보소서." 성의는 인간의 육신으로 서방 세계로 들어갔어. 천성금불 보탑존자를 만나기 위해서지. 화상은 칠 일 동안 몸과 마음을 깨끗이 한 후에 대사를 만나야 한다고 말해. 보탑존자는 마음이 부정하면 볼 수 없기 때문이지.

하거늘 성의가 슬프게 눈물 흘리며 재배* 왈,

"소자(=성의) 무변광해를 주유하와 천신만고하여 왔삽거늘 어찌 물러가 칠 일을 머물리잇가? 바라건대 스님(=화상)은 살피사 일각이 삼추 같사온* 성의 마음을 불쌍히 여기지 아니하시면 차라리 이곳에서 죽어 사부(=천성금불 보탑존자)의 어엿비 여기심을 바라나이다." 성의는 보탑존자를 당장 만날 수 없다는 말에 눈물을 흘리며 이 자리에서 죽을 수 있을 정도로 절박한 마음을 전해.

하니 화상이 왈,

"이곳을 한 번 보면 삼재팔난이 소멸되나니 귀객(=성의)의 효성이 창천*에 사무치는지라. 작일*에 존자 분부하시되, '명일 유시에 안평국 왕자(=성의) 내게 올 것이니 오는 즉시 아뢰라.' 하시더니, 생각건대 그대를 이르심이라." 성의의 말을 들은 화상은 보탑존자가 전에 이야기했던 안평국 왕자가 성의인 줄 알게 돼.

하고,

"잠깐 머무소서."

하며 들어가더니 이윽고 나와 청하거늘 성의 따라 들어가니 칠층 전각의 일위 존자 머리에 누런 송라를 쓰고 칠건 가사를 메고 좌수에 금강경을 쥐고 우수로 백팔염주를 두르며 경문을 외우니, 좌편의 오백 나한이며 우편의 칠백 중들이 합송하니 송경 소리 반공에 사무치는지라. 보탑존자의 외견과, 수많은 나한·중들과 함께 경문을 외우는 모습을 묘사하고 있네. 성의 칠보대 아래에서 재배하는데, 존자 왈,

"내 일찍 수도하여 천하제국 중생의 선악을 보는지라. 이제 네 효도하여 위친지성(爲親至誠)이 지극하여 극락서역이 창해 누만 리거늘 부모에게 효도함에 위친지성으로 길을 삼아 금일로 올 줄을 알았더니 과연 오도다." 존자는 성의가 오늘 부모님께 지극하게 효도하는 마음으로 서방 세계에 찾아올 줄을 알고 있었다고 하네.

하며 환약 일봉을 주며 왈,

"이 약이 일영주니 바삐 돌아가 모환을 구하라. 성의가 보탑존자를 찾아온 것은 어머니를 위해 일영주를 얻기 위함이었구나. 너는 본디 하계(下界) 사람이 아니라. 전세에 묘일성신(=항의)과 혐의 있더니, 금세에 형제 됨에 곤액(困厄)*이 있으나 필경*에 원한을 풀 날이 있으

리라." 동시에 존자는 성의가 본래 하계에 속한 사람이 아닌, 천계에 속한 사람임을 이야기해 줘. 전세에 묘일성신과 혐의가 있었는데, 금세에 인간 세상에 내려와 형제가 되면서 불운함이 있으나 결국 원한을 풀 날이 있으리라고 말해 주지.

장면끊기 01

[중략 줄거리] 일영주를 구해 돌아오던 중 성의는, 왕위를 이어받는 데 위협을 느낀 형 항의에게 공격을 당해 일영주를 빼앗기고 눈이 먼다. 보탑존자의 말을 통해 형 항의가 묘일성신임을 짐작할 수 있어. 그런 형에게 공격당해 위기에 처하는 성의의 모습에서 전생의 악연이 금세까지 이어져 곤욕을 치르고 있음을 알 수 있네.

각설, 이때 성의 한 조각 판자를 의지하였으니 어찌 가련치 아니하리오. 두 눈이 어두웠으니 천지일월성신이며 만물을 어찌 알리오. 동서남북을 어찌 분별하며 흑백장단을 어이 알리오. 다만 바람이 차면 밤인 줄 알고 일기가 따스한즉 낮인 줄 짐작하나 만경창파*에 금수* 소리도 없는지라. 형 항의의 공격으로 눈이 먼 성의는 한 조각 판자에 의지한 채 천지를 분간하지 못하고 바다 위를 떠도는 비참한 상황이야.

삼일 삼야 만에 판자 조각이 다다른 곳이 있는지라. 놀래어 손으로 어루만지니 큰 바위라. 기어 올라가 정신을 수습하여 바위를 의지하고 앉아 탄식 왈,

"사형(舍兄)*(=항의)이 어찌 이다지 불량하여 무죄한 인명을 창파 중에 원혼이 되게 하고, 나로 하여금 이 지경이 되게 하였으니 이제는 부모가 곁에 계신들 얼굴을 알지 못하게 되었으니 어찌 통한(痛恨)치 아니하리오. 그러나 모친 환우가 어떠하신지, 일영주를 썼는지 알지 못하니 어찌 원통치 아니하며, 인자하신 우리 모친이 속절없이 황천에 돌아가시겠도다." 성의는 자신의 처지를 탄식하고 모친을 걱정하며 슬퍼하지.

하고 슬피 통곡하니 창천이 욕열하고 일월이 무광한지라.

사고무인(四顧無人)* 적막한데 십이 세 적공자(=성의)가 불량한 사형에게 두 눈을 상하고서 일시에 맹인이 되어 외로운 암석 상에 홀로 앉아 자탄하니 그 아니 처량한가. 적적무인(寂寂無人) 야삼경의 추풍은 삽삽하여 원객의 수심을 자아내고, 강수동류원야성(江水東流猿夜聲)의 잔나비 슬피 울고, 유의한 두견성과 창파만경의 백구들은 비거비래(飛去飛來) 소리 질러 자탄으로 겨우 든 잠을 놀라 깨니 첩첩원한 무궁이라. 두 눈이 먼 채 홀로 떠내려온 성의의 처량한 모습이 제시되고 있네. 하늘을 우러러 탄식을 마지 아니하더니 문득 청아한 소리 들리거늘 귀를 기울여 들으며 헤아리되, '이는 분명한 대 소리로다. 이 같은 대해 중에 어찌 대밭이 있는고.' 하며 '이는 반드시 촉나라 땅이로다.' 하고 소리를 쫓아 내려가고저 하더니, 문득 오작(烏鵲)이 우지지며 손에 자연 짚이는 것이 있거늘 이는 곧 실과라. 먹으니 배 부른지라 정신이 상쾌하거늘, 오작에게 사례하고 인하여 바위에 내려 죽림을 찾아가니 울밀한 죽림이라. 들으니 그 중에 한 대가 금풍을 따라 스스로 응하여 우는지라. 여러 대를 더듬어 우는 대를 찾아 잡고 주머니에서 칼을 내 대를 베어 단저*를 만들어서 한 곡조를 부니 소리 처량하여 산천초목이 다 우짖는 듯하더라.

차시에 성의 오작에게 밥을 부치고 단저로 벗을 삼아 심회를 덜며 일분도 그 형을 원망치 아니하고, 주야에 부모를 생각하니 그 천성 대효(天性大孝)를 천지신명이 어찌 돕지 아니하리오. 성의는 사방에 아무도 없는 바위 위에서 오작이 주는 음식을 먹으며 대밭에서 만든 단저로 벗을 삼아 마음에

맺힌 슬픔과 막막함을 덜고 있어. 자신을 공격한 형을 **원망**하지 않고 밤낮으로 부모를 생각하다니 대단하지?

장면끊기 02

각설, 이때 중국에 호마령이라 하는 재상이 있으니 벼슬이 승상에 오른지라. 황명을 받자와 남일국에 사신 갔다가 삼 삭 만에 돌아오더니 이곳에 이르러 일행을 쉬더니 청풍은 서래하고 수파는 고요한데, 처량한 피리 소리 풍편에 들리거늘 이 피리 소리는 두 눈이 먼 성의가 부는 피리 소리겠지? 호 승상 (=호마령)이 혜오되*, '이곳은 무인지경(無人之境)이라. 분명 선동(仙童)이 옥저를 불어 속객을 희롱하는도다.' 하고 시동(侍童)을 명하여,

"피리 소리 나는 곳을 찾아보라."

하시되 시동 승명하고 피리 소리를 따라 한곳에 이르니 한 동자 (=성의) 죽림 암상에 비껴 앉아 단저를 처량하게 불거늘 시동이 왈,

"그대 신동인가? 선동인가?"

하니 성의 놀라더라. 호마령은 사람이 살지 않는 지역에서 **피리 소리**가 나자 어디서 소리가 나는지 찾아보고자 시동을 보내고, 성의는 갑작스러운 말소리에 깜짝 놀라지.

장면끊기 03

– 작자 미상, 「적성의전」 –

*혐의: 꺼리고 미워함.

*곤액: 몹시 딱하고 어려운 사정과 재앙이 겹친 불운.

*사형: 자기의 형을 겸손하게 이르는 말.

*단저: 짧은 피리.

[고전 **필수** 어휘]

*속객: 속세에서 온 손님.

*재계: 종교적 의식 따위를 치르기 위하여 몸과 마음을 깨끗이 하고 부정한 일을 멀리함.

*재배: 두 번 절함.

*일각이 삼추 같다: 짧은 동안도 삼 년같이 생각된다는 뜻으로, 기다리는 마음이 간절함을 비유적으로 이르는 말.

*창천: 맑고 푸른 하늘.

*작일: 어제.

*필경: 끝장에 가서는.

*만경창파: 만 이랑의 푸른 물결이라는 뜻으로, 한없이 넓고 넓은 바다를 이르는 말.

*금수: 날짐승과 길짐승이라는 뜻으로, 모든 짐승을 이르는 말.

*통한: 몹시 분하거나 억울하여 한스럽게 여김.

*사고무인: 주위에 사람이 없어 쓸쓸함.

*혜다: 생각하다.

고전소설 독해의 STEP 2

1 장면을 적절히 나누었는지, 장면별 내용의 빈칸에 적절한 말을 채웠는지 확인해 보세요.

장면끊기 01 　　성의는 서방 세계에서 보탑존자를 만나고 어머니를 구할 일영주를 얻음

Tip 성의는 지극한 효심으로 서방 세계로 가 모환을 구할 수 있는 일영주를 구하게 돼. 그러나 중략 줄거리에서 형 항의에게 일영주를 빼앗기고 두 눈이 멀게 되지. 중략 이후 장면은 두 눈이 먼 성의가 사방에 아무도 없는 외딴곳에 이른 장면이야. 참고로 '각설', '차설' 등은 고전소설에서 장면이 새롭게 시작됨을 알리는 표지이니 이를 통해서도 장면이 나누어진다고 볼 수 있어.

장면끊기 02 　　성의는 형 항의에게 공격을 받고 눈이 먼 채로 바다를 떠돌다가 한 바위에 이르러 오작이 주는 음식을 먹고 피리를 불며 위안을 얻음

Tip 다시 '각설'이라는 표지가 나오고, 새로운 인물 호마령이 등장하면서 새로운 전개가 예상되는 부분에서 장면을 끊었어.

장면끊기 03 　　중국의 호마령은 성의가 부는 피리 소리를 듣고 시동을 보내 성의를 발견함

---

2 구조도의 빈칸에 적절한 말을 채웠는지 확인해 보세요.

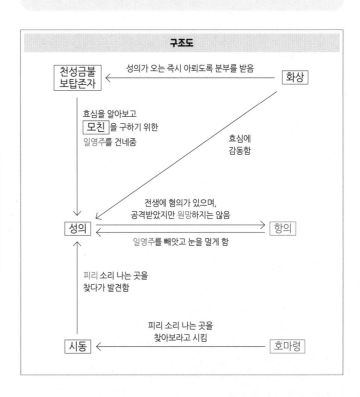

■ 1~2번 문제의 정답과 해설을 확인해 보세요.

▶정답률 66%

1. 윗글의 내용에 대한 이해로 가장 적절한 것은?

정답풀이

③ 보탑존자는 성의가 찾아올 것이라고 화상에게 미리 일러두었다.

화상은 성의에게 '작일에 존자 분부하시되, '명일 유시에 안평국 왕자 내게 올 것이니 오는 즉시 아뢰라.' 하시더니, 생각건대 그대를 이르심이라.'라고 하였다. 이를 통해 보탑존자는 성의가 자신을 찾아올 것을 알고 화상에게 미리 일러둔 것임을 알 수 있다.

오답풀이

① 화상은 인간 육신으로 서방 세계에 온 성의를 의심하여 그의 능력을 시험하였다.

화상은 성의에게 '인간 육신으로 이곳을 들어왔으니 정성을 가히 알지라.'라고 하였는데, 이는 모친의 병을 낫게 할 일영주를 구하기 위해 서방 세계까지 찾아온 성의의 정성에 감탄한 것일 뿐, 성의를 의심한 것으로는 볼 수 없다. 또한 화상이 성의의 능력을 시험하지도 않았다.

② 성의는 죽어서라도 대사의 제자가 되기를 원한다고 화상에게 전했다.

칠 일 후에 대사(보탑존자)를 만나라는 화상의 말에 성의는 '성의 마음을 불쌍히 여기지 아니하시면 차라리 이곳에서 죽어 사부의 어엿비 여기심을 바라나이다.'라고 말하였다. 이때 성의가 대사를 '사부'라고 칭한 것은 존경의 의미에서이지 실제로 제자가 되기를 원해서는 아니다. 또한 해당 부분에서 성의는 천신만고하여 대사를 찾아온 자신을 불쌍히 여기지 않으면 죽어서라도 자신을 불쌍히 여겨주길 바란다고 하였을 뿐, 죽어서라도 제자가 되겠다고 한 것은 아니다.

함정 피하기

성의는 모환을 구하기 위해 천신만고 끝에 인간의 육신으로 서방 세계에 이른 상황이다. 대사를 만나려면 칠 일을 기다려야 한다는 화상의 말을 듣고 차라리 자신이 죽어서라도 사부(대사)의 불쌍히 여기심을 바란다고 하며 속히 대사를 만나야 하는 자신의 간절함을 이야기하고 있는 것이다. 고전소설을 다루는 지문에서는 '사부'와 같은 특정 표현에 내포된 사전적 의미를 기준으로 선지의 적절성을 판단하기보다는, 지문에서 해당 표현이 등장하게 된 서사적 맥락을 파악하여 정·오답을 판단하는 것이 바람직하다.

④ 호 승상은 남일국에 사신으로 가는 길에 선동에게 희롱당하고 일행과 함께 자리를 떴다.

호 승상은 성의의 피리 소리를 듣고 '선동이 옥저를 불어 속객을 희롱하는도다.'라고 생각하였을 뿐, 실제로 선동에게 희롱당한 것은 아니다. 또한 피리 소리를 듣고 시동에게 명하여 소리 나는 곳을 찾아보라고 하였을 뿐, 일행과 함께 자리를 뜨지는 않았다.

⑤ 시동은 사람이 살지 않는 곳에 혼자 나서는 것을 두려워하여 호 승상의 명령을 따르지 않았다.

윗글에서 시동이 사람이 살지 않는 곳에 혼자 나서는 것을 두려워하는 모습은 나타나지 않는다. 또한 '시동 승명하고 피리 소리를 따라 한곳에 이르니 한 동자 죽림 암상에 비겨 앉아 단저를 처량하게 불거늘'에서 시동이 호 승상의 명에 따라 피리 소리가 나는 곳을 찾아가 성의를 만났음을 알 수 있다.

2. 문학 개념어 OX 확인 문제

① ○

• 서술자의 개입: 서술자가 인물이나 사건에 대해 평가나 감정적 대응을 하거나 사건 전개에 대해 독자들에게 안내하는 말을 하는 경우.

근거 '각설, 이때 성의 한 조각 판자를 의지하였으니 어찌 가련치 아니하리오.', '홀로 앉아 자탄하니 그 아니 처량한가.', '차시에 성의 오작에게 밥을 부치고 단저로 벗을 삼아 심회를 덜며 일분도 그 형을 원망치 아니하고, 주야에 부모를 생각하니 그 천성대효를 천지신명이 어찌 돕지 아니하리오.' 등

② ○

근거 '바위를 의지하고 앉아 탄식 왈,~슬피 통곡하니 창천이 욕열하고 일월이 무광한지라.'

고전소설 독해의　STEP 3

■ 1번 문제의 선지 판단 공식에 대한 답을 확인해 보세요.

선지 판단의 공식

① 작품　화상은 '이곳은 서방 세계'라고 하며 성의에게 '인간 육신으로 이곳을 들어왔으니 정성을 가히 알지라.'라고 함

선지▶ 화상은 인간 육신으로 서방 세계에 온 성의를 의심하여 그의 능력을 시험하였다.　✕

② 작품　성의는 '소자 무변광해를 주유하와 천신만고하여 왔삽거늘 어찌 물러가 칠 일을 머물리잇가? 바라건대 스님은 살피사 일각이 삼추 같사온 성의 마음을 불쌍히 여기지 아니하시면 차라리 이곳에서 죽어 사부의 어엿비 여기심을 바라나이다.' 라고 함

선지▶ 성의는 죽어서라도 대사의 제자가 되기를 원한다고 화상에게 전했다.　✕

③ 작품　화상은 성의에게 '작일에 존자 분부하시되, '명일 유시에 안평국 왕자 내게 올 것이니 오는 즉시 아뢰라.' 하시더니, 생각건대 그대를 이르심이라.'라고 함

선지▶ 보탑존자는 성의가 찾아올 것이라고 화상에게 미리 일러두었다.　○

④ 작품　피리 소리를 들은 호 승상은 "이곳은 무인지경이라. 분명 선동이 옥저를 불어 속객을 희롱하는도다.' 하고 시동을 명하여, "피리 소리 나는 곳을 찾아보라."라고 함

선지▶ 호 승상은 남일국에 사신으로 가는 길에 선동에게 희롱당하고 일행과 함께 자리를 떴다.　✕

⑤ 작품　'시동 승명하고 피리 소리를 따라 한곳에 이르니 한 동자 죽림 암상에 비겨 앉아 단저를 처량하게 불거늘 시동이 왈, "그대 신동인가? 선동인가?"라고 물으며 성의를 발견하게 됨

선지▶ 시동은 사람이 살지 않는 곳에 혼자 나서는 것을 두려워하여 호 승상의 명령을 따르지 않았다.　✕

고전소설 독해의 STEP 1

❶ 다음 글을 읽고 등장인물을 잘 파악했는지, 빈칸에 적절한 말을 채웠는지 확인해 보세요.

📅 고2 2017학년도 3월 학평 – 우화소설의 세계 / 작자 미상, 「서대주전」 / 작자 미상, 「별주부전」

(가)

우화소설(寓話小說)은 동물을 인격화하여 풍자를 바탕으로 교훈을 전달하는 작품을 말한다. 동물들의 언행을 통해 그 이면에 담겨 있는 인간 세계의 진면목을 보여 준다는 점에서 우회적인 방식으로 주제를 드러내는 서사 양식이다. 우화소설의 주요 유형으로는 소송 사건을 다루는 송사형 소설과 시비를 가리는 쟁론형 소설 등이 있다. _{우화소설: 동물을 인격화해 풍자를 통해 인간 세계를 보여 주며 우회적으로 교훈을 전달하는 소설로, 주요 유형으로 송사형 소설, 쟁론형 소설 등이 있음}

우화소설은 인물의 성격이나 가치관의 대립을 보여 주는 사건을 중심으로 전개된다. 이러한 대립 구도는 소설의 갈등을 부각하는 서사적 장치로 독자의 흥미를 유발한다. 또한 동물의 외형이나 생태적 특성을 반영하여 인물을 형상화하며, 구어나 비속어 또는 기지나 재치 있는 언술을 활용하여 해학적 분위기를 조성한다. 우화소설은 이러한 소설적 형상화 방식을 통해 인간 세태에 대한 풍자를 드러내는 문학이라 할 수 있다. _{성격이나 가치관의 대립 구도, 동물의 외형이나 생태적 특성을 반영한 인물, 구어나 비속어 또는 기지나 재치 있는 언술 → 인간 세태에 대한 풍자}

조선 후기의 「서대주전」은 쥐를 의인화한 대표적 우화소설이다. 서대주가 타남주가 모아 놓은 밤을 몰래 훔치자 타남주가 서대주를 관가에 고소하는 사건을 통해 당대 관리들의 행태를 고발하고 있다. _{「서대주전」: 쥐를 의인화해 당대 관리들의 행태 고발} 또한 「별주부전」은 용왕이 토끼의 간을 구하기 위해 자라를 시켜 토끼를 용궁으로 데려오는 사건을 통해 인간의 잘못된 본성과 지배층의 횡포를 잘 보여 주고 있다. _{「별주부전」: 인간의 잘못된 본성과 지배층의 횡포 보여 줌}

이 두 작품들과 같이 우화소설은 동물을 소재로 하여 인간의 부정적인 면모나 봉건 사회의 부조리한 모습을 풍자한다. 즉 우화소설은 인간의 삶과 사회에 대한 문제의식을 드러내어 인간에게 필요한 윤리 의식과 도덕적 교훈을 제시한다는 점에서 바람직한 사회상을 모색하려는 문학적 시도라고 평가할 수 있다. _{우화소설은 동물을 소재로 인간에게 필요한 윤리 의식과 도덕적 교훈을 제시함}

(나)

사령이 데리고 가 옥졸(獄卒)에게 넘겨주자, 옥에 끌어넣어 단단히 가두고 돈을 내라 졸라댔다. 서대주는 갖고 온 물건을 옥의 수졸(守卒)*에게 많이 주자, 수졸들이 대단히 좋아하며 큰 칼을 풀어 주어 편히 쉬게 하고, 하인과 같이 돌봐 주는 것이었으니, 돈이 마르면 귀(貴)하다고 할 수 있는 것이다. _{서대주는 옥졸과 수졸에게 돈을 주고 옥에서 편하게 지내. (가)를 참고하면 이 부분은 죄를 지어 갇힌 악인에게 뇌물을 받는 부패한 관리를 비판하는 부분으로 볼 수 있겠네.}

서대주가 곤하여 누워 있으니, 대서(大鼠)는 그 손을 주무르고, 중서(中鼠)는 그 다리를 안마하고 동서(童鼠)는 그 허리를 밟으며

대주의 심란스러운 바를 위로하며, 대추, 밤 등속*의 것을 주어 요기시키면서 밤을 새우니, 이것을 보는 자가 배를 움켜잡고 웃지 않는 사람이 없었다. _{큰 쥐, 중간 쥐, 아이 쥐가 죄를 지어 옥에 갇힌 서대주에게 안마하고 먹을 것을 주는 모습을 보고 웃지 않는 사람이 없었다는 서술에서 돈에 휘둘리는 관리의 행태에 대한 풍자적 시각이 드러나.}

_{장면끊기 01}

다음 날에 주쉬(=원님)가 두 자리 크게 설치하고, 둘(=서대주, 타남주)을 잡아들여 동서(東西)로 나누어 꿇어앉히고, 책상을 치며 크게 꾸짖어 말하기를,

"네 이놈, 조그마한 것이 잔악하기도 심하게 남의 물건을 하루 저녁에 다 도적질해 갔다 하는데, 그게 정말이냐? 바른 대로 말할 것이지, 다소라도 거짓말이 있다면 당장에 엄한 형벌로 무겁게 치죄*를 할 것이다."

라고 형리가 고성으로 소리치니, 그 소리가 우렁차, 담보가 큰 자라 하더라도 놀래어 겁을 낼 지경이었는데, 더군다나 죄가 있는 약한 자로서는 말할 나위가 없었다. _{원님과 형리가 서대주와 타남주를 잡아들여 꿇어 앉히고 서대주가 타남주의 물건을 도적질한 것이 맞는지 심문하고 있어. (가)를 참고했을 때, 이 지문은 서대주와 타남주 사이의 소송 사건을 다루는 송사형 소설의 성격을 보여 준다고 볼 수 있겠지.}

서대주가 이 말을 듣고 속으로는 벌벌 떨리는 것이었으나, 겉으로는 일상과 같이 태연히 정신을 진정하고 안색을 변치 않고서 우러러보며 대소(大笑)하고, _{죄를 지은 서대주는 속으로는 벌벌 떨리면서도 안색을 진정시키고 웃으며 대응하네.}

(중략)

"저는 본시 대대로 부유하여 이와 같은 흉년에 한 홉조차 다른 것들한테 꾸지 않아도 되는데, 빌어먹는 놈의 밤을 훔쳤다는 것이 어찌 옳겠습니까? _{서대주는 자신은 원래 부유하여 흉년에도 식량을 꾸지 않아도 되는데, 가난하여 빌어먹는 타남주의 밤을 훔쳤겠느냐며 반박해.} 이놈의 평상시 소행을 제가 하나하나 다 아뢰겠나이다. 매년 봄여름이 되면 농사 잘 짓는 자들을 널리 구하여 밤낮으로 가을걷이를 한 후에는, 그들 중에서 절름발이, 도둑놈, 귀머거리, 맹인, 쓸모없는 늙은 할미는 쫓아내어 흩어지게 하였는데, 또 봄여름이면 이와 같이 그대로 하였습니다. 매년 겨울이 되면 이들을 마을에 떠돌아다니는 거지가 되게 하여, 보는 자가 차마 볼 수 없고 들을 수 없는 짓을 행하였기 때문에 분개하는 바가 있었습니다. _{서대주는 타남주의 평상시 소행을 [A] 언급하며 타남주의 부도덕함을 거짓으로 고발하고 이에 대해 자신이 평상시에 분개했다고 말하지.} 마침 사냥하러 나갔을 때, 소토산 왼편의 용강산(龍岡山) 기슭에서 만나고도 인사조차 하지 않기에 그 행실 머리 없음을 아주 심하게 꾸짖었습니다.

그 후로 자기의 잘못을 스스로 알지 못한 채 항상 분노의 마음을 품고는, 사리에 맞지 아니한 터무니없는 말로 저를 얽어매는, 도리에 어긋난 간악한* 송사를 꾀했으니, 세상 천지에 이와 같은 맹랑하고 무뢰한 놈이 있겠습니까? _{서대주는 자신이 타남주의 행실을 꾸짖은 적이 있어 타남주가 자신에게 나쁜 마음을 먹고 간악한 송사를 꾀해 자신이 잡혀 왔다고 말하며 억울함을 토로하고 있지.} 제가 비록 매우 졸렬하기는 하지만 역시 대대로 공훈*이 있는 가문

의 후손으로서, 이러한 무도하고 못난 놈한테 구차하게 고소를 당하여 선조의 공훈에 더럽힘을 끼치고 관정*을 소란스럽게 하오니, 죽으려고 하여도 죽을 만한 곳이 없어서 사는 것이 죽는 것만 못하옵니다. 밝게 살피시는 원님께 엎드려 바라건대, 사정을 살피시어 원한을 풀어 주옵소서." 서대주는 자신의 졸렬함을 토로하는 겸양을 떨면서, 자기 가문과 **선조**의 공훈을 근거로 자신의 억울함을 풀어 달라고 간청하고 있어.

서대주가 옷섶을 고쳐 여미며 단정히 꿇어앉았는데, 뾰족한 입이 오물거리고 두 귀가 발록거리며 두 눈이 깜짝거리면서 두 손을 모아 슬피 빌고 눈물이 흘러내려 옷깃을 적시니, 보는 자가 더할 나위 없이 애처롭고 불쌍하다고 할 만한 것이었다.

원님이 서대주의 진술하는 말을 들으니 말마다 사리에 꼭 들어맞고, **원님**은 서대주의 거짓말과 불쌍한 척에 넘어갔군. 형세가 본디부터 그러하여 죄를 주기도 어려워, 결박한 것을 풀고 씌운 큰 칼을 벗겨 주고는, 술을 내려 주어 놀랜 바를 진정케 하고 특별히 놓아주었다. 타남주는 도리에 어긋난 간악한 소송을 한 죄로 몽둥이 세 대를 맞고 멀리 떨어진 외딴 섬으로 귀양을 가니, 서대주가 거듭거듭 절하고 머리를 조아리며 갔다. 잘못된 판결을 한 원님은 서대주를 풀어주고, 오히려 타남주에게는 매질을 하며 **귀양**을 보내는 벌을 주었어. 진실을 명명백백히 밝혀 옳은 판결을 내려야 할 원님이 사리에 **맞지 않는** 판단을 내리는 모습을 통해 무능한 판관을 풍자하고 있다고 볼 수 있어.

장면끊기 02

서대주는 후에 수백의 여자를 취(娶)하고 **자손이 번성**하여 주(州), 군(郡), 현(縣), 읍(邑), 항려(巷閭), 향곡(鄉谷)*에 살지 않음이 없고, 그들은 다 도적질로 생활을 하매, 세상의 아동, 적은 것들, 부녀 또는 가마 메는 졸부 등이 만나기만 하면 죽여 버리니, 이것은 즉 서대주가 사람을 해친 마음에 대한 앙갚음이 아닌가 생각한다. 간악한 서대주의 자손이 번성하여 여러 곳에서 도적질하며 살았는데, 이를 본 사람들이 서대주의 자손을 만나기만 하면 죽인 것이 서대주의 악한 마음에 대한 **앙갚음**이 아닌가 한다는 편집자적 논평으로 지문이 마무리되고 있군.

장면끊기 03

– 작자 미상, 「서대주전(鼠大州傳)」 –

고전 필수 어휘

*수졸: 수비하는 병졸.
*등속: 나열한 사물과 같은 종류의 것들을 몰아서 이르는 말.
*치죄: 허물을 가려내어 벌을 줌.
*간악하다: 간사하고 악독하다.
*공훈: 나라나 회사를 위하여 두드러지게 세운 공로.
*관정: 예전에, 관가의 뜰을 이르던 말.
*향곡: 도시에서 멀리 떨어진 시골의 구석진 곳.

(다)

이때에 뜰아래 섰던 군사들이 일시에 달려들려 하니 토끼 무단히 허욕을 내어 자라를 쫓아왔다가 수국원혼*이 되게 되니 이는 모다 자취(自取)한* 화라, 누구를 원망하며 누구를 한하리오. 군사들이 달려들어 토끼를 잡자, 헛된 욕심으로 자라를 쫓아와 **수국원혼**이 되게 생긴 것이 토끼 스스로의 잘못이기에 누구를 **원망**할 수도, 한탄할 수도 없다고 해. 세상에 턱없이 명리(名利)*

를 탐하는 자는 가히 이것을 보아 징계할지로다. 그래서 서술자는 분수에 맞지 않게 **명리**를 탐하는 사람은 토끼를 보면서 깨달음을 얻을 수 있다고 평하지.

이때에 토끼 이 말을 들으며 청천벽력이 머리를 깨치는 듯 정신이 아득하여 생각하되 '내 부질없이 영화부귀를 탐내어 고향을 버리고 오매 어찌 이 외의 변이 없을소냐. 이제 날개가 있어도 능히 위로 날지 못할 것이오, 또 축지(縮地)하는* 술법이 있을지라도 능히 이때를 벗어나지 못하리니 어찌하리오.' 토끼는 자신이 부질없이 **영화부귀**를 탐내어 변을 당하게 되었음을 후회하며 위기에서 쉽게 벗어나지 못할 것임을 직감하고 있어. 또 생각하되, '옛말에 이르기를 죽을 때에 빠진 후에 산다 하였으니 어찌 죽기만 생각하고 살아 갈 방책*을 헤아리지 아니하리오.' 하더니 문득 한 꾀를 생각하고 위기에 처한 토끼는 살아 나갈 수 있는 방법을 생각해냈어. 이에 얼굴빛을 조금도 변치 아니하고 머리를 들어 전상을 우러러보며 가로되,

"소토(小兔) (=토끼) 비록 죽을지라도 한 말씀 아뢰다. 대왕 (=용왕)은 천승의 임금이시오 소토는 산중의 조그마한 짐승이라 만일 소토의 간으로 대왕의 환후* 십분 나으실진대 소토 어찌 감히 사양하오며 또 소토 죽은 후에 후장하오며 심지어 사당까지 세워 주리라 하옵시니 이 은혜는 하늘과 같이 크신지라, 소토 죽어도 한이 없사오나 다만 애달픈 바는 소토는 비록 짐승이나 심상한 짐승과 다르와 본디 방성정기를 타고 세상에 내려와 날마다 아침이면 옥같은 이슬을 받아 마시며 주야로 기화요초(琪花瑤草)를 뜯어 먹으매 그 간이 진실로 영약*이 되는지라. 이러하므로 세상 사람이 모두 알고 매양 소토를 만난즉 간을 달라하와 보챔이 심하옵기로 그 괴로움을 견디지 못하와 염통과 함께 끄집어 청산녹수 맑은 물에 여러 번 씻사와 고봉준령 깊은 곳에 감추어 두옵고 다니옵다가 우연히 자라를 만나 왔사오니 만일 대왕의 환후 이러하온 줄 알았던들 어찌 가져오지 아니 하였으리오." 토끼가 낸 꾀는 자신의 **간**이 영약이어서 달라는 이가 많아 깊은 산속에 감추어 두었기 때문에 지금 대왕의 병을 낫게 하기 위해 바칠 수 없다고 말하는 것이었어.

하며 또 자라를 꾸짖어 가로되,

"네 임금을 위하는 정성이 있을진대 어이 이러한 사정을 일언반사*도 날 보고 말하지 아니하였느뇨."

하거늘 용왕이 이 말을 듣고 크게 노하여 꾸짖어 가로되,

"네 진실로 간사한 놈이로다. 천지간에 온갖 짐승이 어이 간을 출입할 이치가 있으리오. 네 얕은 꾀로 과인(=용왕)을 속여 살기를 도모하니 과인이 어이 근리(近理)치* 아닌 말에 속으리오. 네 과인을 기만한 죄 더욱 큰지라. 자라를 꾸짖는 토끼의 말을 들은 용왕은 **얕은 꾀**로 자신을 속이지 말라고 화를 내지. 용왕은 자신의 목숨을 위해 토끼 목숨을 하찮게 여기는 권력의 횡포를 보여 주는 인물로도 볼 수 있어. 빨리 너의 간을 내어 일변 과인의 병을 고치며 일변 과인을 속이는 죄를 다스리리라." (다)는 이처럼 토끼, 자라 등 동물을 의인화하고, 토끼 간의 거취를 둘러싸고 토끼와 **용왕**이 갈등하는 대립 구도를 취하고 있어.

토끼 이 말을 듣고 또한 어이없고 정신이 산란하며 간장이 없고 가슴이 막히어 심중에 생각하되 속절없이 죽으리로다 하다가 다시 웃으며 가로되,

"대왕은 소토의 말씀을 다시 자세히 들으시고 굽어 살피옵소서. 이제 만일 소토의 배를 갈라 간이 없사오면 대왕의 환후도 고치지 못하옵고 소토만 부질없이 죽을 따름이니 다시 누구에게 간을

구하오려 하시나이까. 그때는 후회막급하실 터이오니 바라건대 대왕은 세 번 생각하옵소서."

용왕이 이 말을 듣고 또 그 기색이 태연함을 보고 심중에 심히 의아하여 가로되,

"네 말과 같을진대 무슨 간을 출입하는 표적이 있는가." 토끼가 **태연**한 기색으로 말하자 그 거짓말에 속아 넘어간 용왕이 간을 출입하는 표적에 대해 물었네.

토끼 이 말을 듣고 크게 기뻐이 생각하되 이제는 내 살아날 도리 쾌히 있도다 하고 여쭈오되,

"세상의 날짐승 가운데 소토는 홀로 하체에 구멍이 셋이 있사 오니 하나는 대변을 통하옵고 하나는 소변을 통하옵고 하나는 특별히 간을 출입하는 곳이오니다." 용왕이 자신의 거짓말에 속아 넘어가고 있음을 간파한 토끼의 설명으로 지문이 끝나고 있어. (가)를 참고했을 때, 이 지문은 토끼에게 간이 있느냐 없느냐, 시비를 따지는 **쟁론형** 소설의 성격을 보여 준다고 볼 수 있어.

장면끊기 01

– 작자 미상, 「별주부전(鼈主簿傳)」 –

고전 필수 어휘

*원혼: 분하고 억울하게 죽은 사람의 넋.

*자취하다: 잘하든 못하든 자기 스스로 그렇게 되게 만들다.

*명리: 명예와 이익을 아울러 이르는 말.

*축지하다: 도술로 지맥을 축소하여 먼 거리를 가깝게 하다.

*방책: 방법과 꾀를 아울러 이르는 말.

*환후: 웃어른의 병을 높여 이르는 말.

*영약: 영묘한 효험이 있는 신령스러운 약.

*일언반사: 한 마디 말과 반 구절이라는 뜻으로, 아주 짧은 말을 이르는 말.

*근리하다: 이치에 거의 맞다.

고전소설 독해의 STEP 2

1 장면을 적절히 나누었는지, 장면별 내용의 빈칸에 적절한 말을 채웠 는지 확인해 보세요.

(나)
장면끊기 01 옥에 갇힌 서대주는 뇌물(재물, 돈)을 써 감옥 안에서도 편하게 생활함
Tip 타남주의 고소로 옥에 갇힌 서대주가 재물의 힘으로 편하게 생활하는 모습이 제시되 었어. 다음 날 원님 앞에 끌려가 심문을 받으니 여기서 장면이 나뉜다고 볼 수 있겠네.
장면끊기 02 다음 날 서대주와 타남주가 불려와 심문을 받는데, 서대주의 거짓 증언을 들은 원님은 서대주를 풀어 주고 타남주에게 벌을 주는 판결을 내림
Tip 주쉬 앞에 불려온 서대주와 타남주 중 서대주는 죄를 짓고 고소를 당한 입장이기 때문에 겁을 먹지만 크게 웃고 이내 항변하기 시작해. 중간에 '중략'이 들어가는 했지만, 중략 이전과 이후로 서대주의 주장이 비교적 자연스럽게 이어지고 있어 한 장면으로 묶었어. 이렇게 소송이 마무리된 후, 서대주의 후일담이 제시되기 시작하는 부분에서 장면을 끊어 볼 수 있지.
장면끊기 03 소송 후에 서대주의 자손이 번성했지만, 서대주의 자손은 사람들과 만날 때마다 죽임당함

(다)
장면끊기 01 자라에게 속아 수국으로 끌려온 토끼는 영화부귀를 탐낸 것을 후회(한탄) 하지만 한 꾀를 내어 용왕에게 거짓말을 하여 위기에서 벗어나려 함
Tip 자라의 감언이설에 넘어가 수국으로 온 토끼는 죽을 위기에 처해 탄식하지만, 이내 꾀를 내어 용왕을 속이고 지상으로 나갈 계획을 세웠어. (다) 지문에서는 시간이나 공간의 변화 혹은 대상의 변화가 두드러지지 않아 장면을 끊지 않았어. 고전소설 지문은 시간이나 공간의 변화 등을 기준으로 여러 개로 나눌 수 있지만, (다)처럼 장면을 나누지 않을 수도 있다는 점 알아 두자.

2 구조도의 빈칸에 적절한 말을 채웠는지 확인해 보세요.

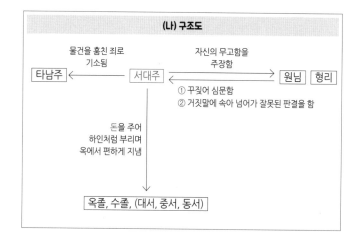

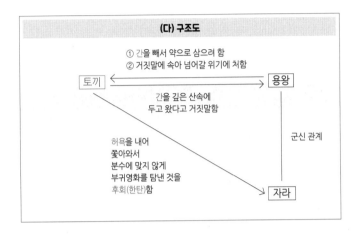

(다) 구조도

① 간을 빼서 약으로 삼으려 함
② 거짓말에 속아 넘어갈 위기에 처함

토끼 ←————————→ 용왕

간을 깊은 산속에
두고 왔다고 거짓말함

군신 관계

허욕을 내어
쫓아와서
분수에 맞지 않게
부귀영화를 탐낸 것을
후회(한탄)함

자라

❸ 1~2번 문제의 정답과 해설을 확인해 보세요.

▶정답률 52%

1. (가)를 바탕으로 (나), (다)를 감상한 내용으로 적절하지 <u>않은</u> 것은?

정답풀이

② (나)에서 타남주가 섬으로 귀양을 가도록 결말을 구성한 것은 신의를 지켜야 한다는 '윤리 의식'을 강조한 것이겠군.

(나)의 결말에서 타남주가 귀양을 간 것은 서대주의 거짓말에 속아 넘어간 원님의 무능한 판단으로 인한 것이다. 이러한 결말이 신의를 지켜야 한다는 윤리 의식을 강조한다고 보기는 어렵다.

오답풀이

① (나)에서 서대주의 모습을 뾰족한 입이 오물거리고 두 귀가 발쪽거린다고 묘사한 것은 '동물의 외형'을 반영한 것이겠군.

(가)에서 우화소설은 '동물의 외형이나 생태적 특성을 반영하여 인물을 형상화'한다고 했다. (나)에서 '뾰족한 입이 오물거리고 두 귀가 발쪽거리며 두 눈이 깜짝거리면서 두 손을 모아 슬피 빌고 눈물이 흘러내려'에서 서대주의 외양을 묘사한 것은 쥐의 '동물의 외형'을 반영한 것으로 볼 수 있다.

③ (나)에서 서대주의 자손들이 사람에게 앙갚음을 당한 것은 올바른 삶에 대한 '도덕적 교훈'을 제시한 것이겠군.

(가)에서 우화소설은 '동물을 소재로 하여 인간의 부정적인 면모나 봉건 사회의 부조리한 모습을 풍자'해 '인간에게 필요한 윤리 의식과 도덕적 교훈을 제시'한다고 했다. (나)에서 서대주의 자손들이 도적질을 하다가 사람들에게 죽임당한 것은 서대주와 같은 기만을 해서는 안 된다는 점을 강조하며 올바른 삶에 대한 도덕적 교훈을 제시한 것으로 볼 수 있다.

④ (다)에서 토끼와 용왕의 대립 구도를 설정한 것은 '독자의 흥미를 유발'하기 위한 서사적 장치라고 할 수 있겠군.

(가)에서 '우화소설은 인물의 성격이나 가치관의 대립을 보여 주는 사건'으로 '독자의 흥미를 유발'한다고 했다. (다)에서 토끼와 용왕의 대립 구도는 독자의 흥미를 유발하는 서사적 장치라고 볼 수 있다.

 함정 피하기

(다)는 많은 사람들에게 익숙한 작품이기 때문에 작품 속에 '토끼'와 '용왕'의 대립 구도가 나온다는 것은 쉽게 파악할 수 있었을 것이다. 설명글인 (가)에서 '인물의 성격이나 가치관의 대립을 보여 주는 사건' 중심의 '대립 구도는 소설의 갈등을 부각하는 서사적 장치로 독자의 흥미를 유발'한다고 했기 때문에 ④번 선지가 적절하다고 판단하는 것은 어렵지 않았다.

다만 '토끼와 용왕의 대립 구도'에서 '성격이나 가치관의 대립이 있는지'에 대해 의문을 제기한 학생들이 있었다. (다)에서 자신의 목숨을 지키려고 하는 '토끼'와 토끼의 목숨보다 용왕인 자신의 목숨을 소중히 여기는 '용왕' 사이의 대립 구도에는 '모든 목숨은 평등하다'는 가치관과 '목숨의 경중'을 따지는 가치관의 대립이 반영되어 있다고 볼 수 있었다.

⑤ (다)에서 토끼가 하체에 간이 출입하는 특별한 구멍이 따로 있다고 말하는 것은 등장인물의 '기지'를 드러낸 것이겠군.

(가)에서 우화소설은 '구어나 비속어 또는 기지나 재치 있는 언술을 활용'한다고 했다. (다)에서 토끼가 하체에 간이 출입하는 특별한 구멍이 따로 있다고 말하는 것은 위기에서 벗어나기 위해 '기지'를 발휘한 것으로 볼 수 있다.

2. 인물의 말하기 방식 OX 확인 문제

① ○

근거 [A]에서 서대주는 '저는 본시 대대로 부유하여 이와 같은 흉년에 한 홉조차 다른 것들한테 꾸지 않아도 되는데, 빌어먹는 놈의 밤을 훔쳤다는 것이 어찌 옳겠습니까?', '사리에 맞지 아니한 터무니없는 말로 저를 얽어매는, 도리에 어긋난 간악한 송사를 꾀했으니', '원한을 풀어 주옵소서.'라고 하며 무고하게 고소당한 자신의 억울함을 풀어 달라고 호소하고 있음. 반면에 [B]의 토끼는 무고를 당한 것이 아님.

② ○

근거 [A]는 '밝게 살피시는 원님께 엎드려 바라건대, 사정을 살피시어 원한을 풀어 주옵소서.'에서, [B]는 '대왕은 천승의 임금이시오 소토는 산중의 조그마한 짐승이라'에서 청자인 원님과 대왕을 높이고, 자신을 낮추는 겸양의 표현을 사용해 설득하고 있음.

고전소설 독해의 STEP 3

■ 1번 문제의 선지 판단 공식에 대한 답을 확인해 보세요.

융합 문제 선지 판단의 공식

① 설명글 「서대주전」은 쥐를 의인화한 대표적인 우화소설로, 우화소설은 동물을 인격화하여 풍자를 바탕으로 교훈을 전달하며 동물의 외형이나 생태적 특성을 반영하여 인물을 형상화함

➕ 작품 (나): '서대주가 옷섶을 고쳐 여미며 단정히 꿇어앉았는데, 뾰족한 입이 오물거리고 두 귀가 발쪽거리며 두 눈이 깜짝거리면서 두 손을 모아 슬피 빌고 눈물이 흘러내려'

선지➡ (나)에서 서대주의 모습을 뾰족한 입이 오물거리고 두 귀가 발쪽거린다고 묘사한 것은 '동물의 외형'을 반영한 것이겠군.　○

② 설명글 「서대주전」 같은 우화소설은 동물을 소재로 인간의 부정적 면모나 봉건 사회의 부조리한 모습을 풍자하여 인간에게 필요한 윤리 의식과 도덕적 교훈을 제시함

➕ 작품 (나): '원님이 서대주의 진술하는 말을 들으니~결박한 것을 풀고 씌운 큰 칼을 벗겨 주고는, 술을 내려 주어 놀랜 바를 진정케 하고 특별히 놓아주었다.', '타남주는 도리에 어긋난 간악한 소송을 한 죄로 몽둥이 세 대를 맞고 멀리 떨어진 외딴 섬으로 귀양을 가니'

선지➡ (나)에서 타남주가 섬으로 귀양을 가도록 결말을 구성한 것은 신의를 지켜야 한다는 '윤리 의식'을 강조한 것이겠군.　✕

③ 설명글 「서대주전」은 쥐를 의인화한 대표적 우화소설로, 우화소설은 동물을 소재로 하여 인간의 부정적인 면모나 봉건 사회의 부조리한 모습을 풍자하여 인간에게 필요한 윤리 의식과 도덕적 교훈을 제시함

➕ 작품 (나): '서대주는 후에 수백의 여자를 취하고 자손이 번성하여 ~도적질로 생활을 하매, 세상의 아동, 적은 것들, 부녀 또는 가마 메는 졸부 등이 만나기만 하면 죽여 버리니, 이것은 즉 서대주가 사람을 해친 마음에 대한 앙갚음이 아닌가 생각한다.'

선지➡ (나)에서 서대주의 자손들이 사람에게 앙갚음을 당한 것은 올바른 삶에 대한 '도덕적 교훈'을 제시한 것이겠군.　○

④ 설명글 우화소설은 인물의 성격이나 가치관의 대립을 보여 주는 사건을 중심으로 전개되며, 이러한 대립 구도는 소설의 갈등을 부각하는 서사적 장치로 독자의 흥미를 유발함

➕ 작품 (다): '용왕이 이 말을 듣고 크게 노하여 꾸짖어 가로되~ "네 과인을 기만한 죄 더욱 큰지라. 빨리 너의 간을 내어 일변 과인의 병을 고치며 일변 과인을 속이는 죄를 다스리리라." 토끼 이 말을 듣고 또한 어이없고 정신이 산란하며 간장이 없고 가슴이 막히어 심중에 생각하되 속절없이 죽으리로다 하다가'

선지➡ (다)에서 토끼와 용왕의 대립 구도를 설정한 것은 '독자의 흥미를 유발'하기 위한 서사적 장치라고 할 수 있겠군.　○

⑤ 설명글 우화소설은 구어나 비속어 또는 기지나 재치 있는 언술을 활용하여 해학적 분위기를 조성함

➕ 작품 (다): '세상의 날짐승 가운데 소토는 홀로 하체에 구멍이 셋이 있사오니 하나는 대변을 통하옵고 하나는 소변을 통하옵고 하나는 특별히 간을 출입하는 곳이오니다.'

선지➡ (다)에서 토끼가 하체에 간이 출입하는 특별한 구멍이 따로 있다고 말하는 것은 등장인물의 '기지'를 드러낸 것이겠군.　○

고전소설 독해의 STEP 1

1 다음 글을 읽고 등장인물을 잘 파악했는지, 빈칸에 적절한 말을 채웠는지 확인해 보세요.

📅 고3 2017학년도 9월 모평 – 우리나라 전기소설 / 작자 미상, 「김현감호」

(가)

우리나라 전기소설(傳奇小說)은 중국의 전기(傳奇)와 우리의 설화 등 다양한 서사 갈래의 영향을 받아 성립했다. **전기소설: 중국의 전기와 우리나라 설화 등의 영향을 받아 성립됨** 중국의 전기는 기이한 사건을 다채로운 문체로 엮은 서사 양식이다. 이는 당나라 문인들이 자신의 글 솜씨가 담긴 작품집을 출세의 수단으로 삼았던 관습에서 유래했다. 기이한 사건은 흥미를 끌기 위한 소재로만 쓰여서, 서사 구조가 유기적이지 못했고 결말의 양상도 다양했다. **중국 전기에서의 기이한 사건: 흥미를 끌기 위한 소재, 유기적 서사 구조 X, 결말 다양** 이에 비하면 우리의 전기소설에서 기이한 사건은 작가의 불우함을 위로하기 위한 창작 동기에 걸맞게 유기적으로 짰다. **우리 전기소설의 기이한 사건: 작가의 불우함을 위로하려는 동기에 따라 유기적 서사 구조 O** 작가의 분신으로서 불우한 처지에 놓인 전기소설의 남주인공은 기이한 사건을 겪으면서 자신의 능력을 인정받고 위로받지만, 결국 비극적 종결을 맞이하는 전형성을 보인다. **전기소설의 남주인공(작가의 분신): 불우한 처지 → 기이한 사건 경험 → 능력 인정 및 위로받음 → 비극적 종결** 이처럼 우리의 전기소설은 중국 전기의 영향을 받아 기이한 사건을 다루면서도, 비극적 종결을 통해 전기와 구별되는 독자성을 보인다.

우리 전기소설의 성립에는 민담과 전설 등 설화도 영향을 끼쳤다. 구전되던 설화를 기록하면서 작가의 역량이 발휘되었고, 이 과정에서 새로운 유형의 인물이 등장하여 전기소설의 갈래적 성격을 드러내었다. **설화를 기록하는 과정에서 전기소설에 새로운 유형의 인물이 등장함** 전기소설 주인공의 특질은 다음과 같다. 첫째는 외로움이다. 주인공은 사회적으로 소외된 존재이거나 짝을 얻지 못한 상태에서 실의에 빠져 있는 존재이다. 외로운 주인공은 현실에서의 소외를 부당하다고 느껴 온갖 금기를 넘어선 사랑을 하거나 용궁과 같은 이계(異界)에 가기를 주저하지 않는다. **전기소설 주인공의 특질 ① 외로움: 소외되거나 실의에 빠진 존재가 모험에 나섬** 둘째는 내면성이다. 주인공은 풍부한 감성을 지녀서 외로움을 토로하거나 시를 자주 짓고 시를 통해 자신의 능력을 인정받거나 서로 소외감을 나누고 싶어 한다. **전기소설 주인공의 특질 ② 내면성: 풍부한 감성을 지님** 셋째는 소극성이다. 남주인공은 소심하고 나약한 존재로서 자신으로서는 받아들이기 어려운 상황이나 모순된 현실에 대해 적극적으로 저항하지는 않는다. 사랑에 몰두하거나 세상을 등지는 등 세상과 소통하지 않으려는 폐쇄성을 통해 모순된 현실에 대한 비극적 인식을 보여 줄 뿐이다. **전기소설 주인공의 특질 ③ 소극성: 현실에 적극적으로 저항하지 않고 세상과 소통하지 않으려는 폐쇄성을 보임** 이처럼 전기소설의 주인공은 서사 문학사에서 새로운 인물이었다. 이런 주인공을 내세운 작품들은 설화로부터 분기되어 '소설'로 접근하게 되었고 동시에 다른 작품들과 달리 '전기소설'로 구분되었다. **①, ②, ③ 같은 특질을 가진 주인공을 내세운 작품들이 전기소설로 구분됨**

물론 전기소설의 정립은 점진적으로 진행되어서, 「조신」, 「김현

감호」, 「최치원」 등은 정도의 차이는 있지만 설화와 전기소설 중 어느 한쪽만으로 갈래적 성격을 규정할 수 없는 작품들로 평가받는다. 이들 작품은 남녀의 기이한 만남과 파국을 그린다는 점에서 전기소설의 성격을 지녔지만, 기이한 사건으로써 환기되는 현실에 대한 이해는 전설의 성격을 띤다. 전설에서 인물은 특정한 시공간에서 현실의 문제에 부딪히지만 이것은 인간의 힘으로는 어찌할 수 없는 경이로운 세계의 일부분으로 다루어진다. **「조신」, 「김현감호」, 「최치원」 등: 전기소설의 성격(남녀의 기이한 만남과 파국) + 전설의 성격(기이한 사건으로써 환기되는 현실에 대한 이해)** 가령 「김현감호」는 벼슬에 대한 김현의 간절함에 부처가 감동하여 범의 희생으로 응답하고, 김현이 이를 기린다는 이야기이다. ㉠개인의 욕망을 포용하는 부처의 전능함을 형상화한 것이다. 전설과 달리 소설에서 인물은 구체적인 사회 현실에서 현실의 문제에 부딪히고 갈등함으로써 인간과 세계는 서로 맞서는 관계로 다루어진다. 가령 「이생규장전」은 사랑하는 남녀가 전쟁 때문에 이별했다가 기이한 방식으로 다시 재연하지만 결국 비극적으로 종결되는 이야기이다. 생사를 초월한 사랑을 통해 개인과 세계의 갈등 관계를 형상화한 것이다. **「김현감호」와 「이생규장전」의 특징: 인간(개인)과 세계의 갈등(대립) 관계가 나타남** 전기소설은 『금오신화』를 통해 소설사에 안착했고, 『금오신화』는 현실의 문제를 드러내는 다양한 소설적 면모를 보였다. 그리고 이는 후대로 계승되었다. 사대부 남성이 이계를 체험하고 돌아오는 구도는 몽유록 소설로, 이원적 공간 구도는 적강한 영웅의 일생을 다룬 영웅 소설로 계승되었다. 금기에 도전하는 애정 추구의 구도와 능동적인 여인상 그리고 애정 교류의 매개로써의 시의 활용은 애정 소설로 이어졌다. **『금오신화』를 통해 소설사에 안착한 전기소설은 몽유록 소설, 영웅 소설, 애정 소설로 계승됨** 이렇게 보면 전기소설은 우리나라 최초의 소설 양식인 것이다.

(나)

김현이 말하기를, "사람과 사람의 사귐은 인륜의 도리이지만 다른 유와 사귀는 것은 대개 정상이 아닙니다. 이미 조용히 만난 것은 진실로 천행*이라고 할 것인데, 어찌 차마 배필의 죽음을 팔아서 일생의 벼슬을 바랄 수 있겠소?"라고 하였다. **김현은 배필의 죽음을 팔아 자신의 벼슬을 바랄 수 없다고 말해. 참고로 이 작품은 인간과 호랑이 사이의 진실한 사랑을 다루고 있어. 그래서 김현이 말한 다른 유와 사귐은 사람인 김현과 호랑이인 처녀의 인연을 말한다고 보면 돼.**

처녀가 말하기를, "낭군(=김현)은 그런 말 마십시오. 지금 제가 일찍 죽는 것은 천명*이며, 또한 저의 소원이요, 낭군의 경사요, 우리 일족의 복이요, 나라 사람들의 기쁨입니다. 한 번 죽어 다섯 이로움이 갖춰지니 어떻게 그것을 어길 수 있겠습니까? 다만 저를 위하여 절을 짓고 불경을 강하여 불법(佛法)을 얻도록 도와주시면 낭군의 은혜는 더없이 클 것입니다."라고 하였다. **처녀는 자신을 죽여 다섯 가지의 이로움을 얻고, 대신 자신을 위해 절을 지어 줄 것을 부탁하지. 자신을 희생해 김현과 일족과 나라 등에 도움이 되길 바라는 것에서 처녀의 희생적 성격을 확인할 수 있어.**

드디어 서로 울면서 헤어졌다.

장면끊기 01

다음 날 과연 사나운 범(=처녀)이 성 안으로 들어왔는데, 매우 사나워 감당할 수가 없었다. 원성왕이 이 소식을 듣고 범을 잡은 자에게는 벼슬 2급을 주라고 하였다. 김현이 대궐로 들어가서,

"소신이 잡을 수 있습니다."라고 아뢰자, 임금(=원성왕)이 우선 벼슬을 주어 그를 격려하였다. (가)에서 '벼슬에 대한 김현의 간절함에 부처가 감동하여 범의 희생으로 응답'한다고 한 것을 참고하면, 김현은 처녀(범)의 희생을 바탕으로 간절히 원하던 벼슬을 얻게 된 것이라고 볼 수 있겠네. 김현이 단도를 지니고 숲 속으로 들어갔다. 범이 처녀로 변하여 반갑게 웃으면서, "간밤에 낭군과 함께 마음속 깊이 정을 맺던 일을 잊지 마십시오. 오늘 내 발톱에 상처를 입은 사람들은 모두 흥륜사의 간장을 바르고 그 절의 나발 소리를 들으면 나을 것입니다."라고 하였다. 김현이 숲 속으로 들어갔을 때 범이 처녀로 변한 것에서 변신 모티프를 확인할 수 있어. 이 작품에 나타난 '기이한 사건'은 범이 처녀로 변해 사람인 김현과 인연을 맺는 것이었군.

이에 처녀가 김현의 칼을 뽑아 스스로 목을 찔러 쓰러지니 곧 범이었다. 김현이 숲 속에서 나와, "지금 범을 쉽게 잡았다."라고 소리쳤다. 그 사정은 누설하지 않았다. 일러 준 대로 상한 사람들을 치료하니 그 상처가 모두 나았다. 지금도 세간*에서는 그 방법을 쓰고 있다. 처녀는 스스로 목을 찔러 자결하고, 김현은 처녀가 알려준 대로 범에게 다친 사람들을 치료했군. (가)에 제시된 전기소설 주인공의 특질을 참고할 때, 배필의 죽음을 막지 못하는 나약한 모습을 보인다는 점에서 김현은 '소극성'을 지닌 인물이라고 볼 수 있겠지.

장면끊기 02

김현은 등용된* 뒤 서천(西川)에 절을 세워 호원사(虎願寺)라고 하고 항상 『범망경』을 강설하여 범의 저승길을 인도하고, 범이 제 몸을 죽여서 자기를 성공시켜 준 은혜에 보답하였다. 김현이 처녀의 부탁대로 절을 세우고 불경을 강하면서 그 은혜에 보답하는 것으로 지문이 끝났어. 이 장면에서 이 작품이 호원사라는 절이 어떻게 세워지게 되었는지 유래를 밝힌 사원연기설화의 성격을 지녔음을 확인할 수 있어.

장면끊기 03

– 작자 미상, 「김현감호」 –

고전 필수 어휘

*천행: 하늘이 준 큰 행운.

*천명: 타고난 운명.

*세간: 세상 일반.

*등용되다: 인재가 뽑혀 쓰이다.

고전소설 독해의 STEP 2

1 장면을 적절히 나누었는지, 장면별 내용의 빈칸에 적절한 말을 채웠는지 확인해 보세요.

(나)

장면끊기 01	벼슬을 위해 배필을 죽일 수 없다는 김현에게 처녀는 다섯 가지의 이로움을 위해 자신을 죽이는 대신 절을 지어 달라고 부탁하고, 두 사람은 이별함

Tip 벼슬을 위해 배필을 희생시킬 수 없다는 김현과 자신을 희생해 얻을 여러 이로움을 근거로 들어 설득하는 처녀의 대화가 첫 번째 장면의 주된 내용이야. 이후 '다음 날'로 시간적 배경이 바뀌면서 새로운 전개가 이어지니 여기에서 장면을 끊자.

장면끊기 02	다음 날 김현은 벼슬을 얻어 범을 죽이러 숲 속으로 들어가고 처녀는 김현의 칼을 뽑아 자결함

Tip 김현과 처녀의 기이한 만남이 처녀의 죽음으로 마무리되는 장면이야. 김현이 왕에게 벼슬을 받는 장면과 김현이 숲 속에서 처녀와 마지막으로 만나는 장면으로 나눌 수도 있겠지만, 여기에서는 첫 번째 장면의 대화 내용에서처럼 김현이 범(처녀)의 희생을 통해 이로움(벼슬 등)을 얻게 되는 일련의 흐름을 하나의 장면으로 묶었어. 이 다음에는 김현과 처녀의 인연이 끝을 맞이한 이후, 즉 김현이 등용된 뒤의 이야기가 제시되니 여기에서 한 번 더 장면을 끊을 수 있어.

장면끊기 03	김현은 등용된 뒤 호원사라는 이름의 절을 세워 범의 은혜에 보답함

2 구조도의 빈칸에 적절한 말을 채웠는지 확인해 보세요.

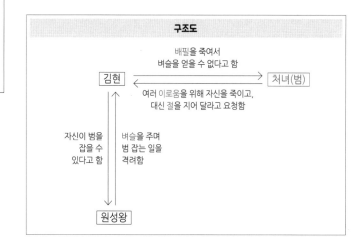

3 1~2번 문제의 정답과 해설을 확인해 보세요.

▶정답률 68%

1. ㉠을 참고하여 (나)를 이해한 것으로 가장 적절한 것은?

정답풀이

① 처녀가 자신의 죽음을 '낭군의 경사'라고 말하는 장면은 김현에 대한 부처의 응답을 암시한다.

> (나)에서 김현은 범인 처녀를 죽이겠다고 나섬으로써 벼슬을 얻게 된다. 따라서 ㉠(개인의 욕망을 포용하는 부처의 전능함을 형상화)를 참고할 때 처녀가 자신의 죽음을 '낭군의 경사'라고 말하는 장면은 '벼슬에 대한 김현의 간절함에 부처가 감동하여 범의 희생으로 응답'한 것이라고 할 수 있다.

오답풀이

② 매우 '사나운 범'이 사람들을 해치는 장면은 김현 개인의 욕망 실현을 가로막는 현실의 경이로움을 보여 준다.

> 매우 '사나운 범'이 사람들을 해친 것은 김현이 벼슬을 얻을 수 있도록 하기 위해 범이 일부러 행한 일이다. 따라서 이 장면은 김현 개인의 욕망 실현을 가로막는 것이 아니라 오히려 욕망 실현을 돕는 것과 관련된다고 할 수 있다.

③ 김현이 임금에게 범을 '잡을 수 있'다고 아뢰는 장면은 김현과 범 사이의 긴장감이 해소됨을 보여 준다.

> 김현이 임금에게 범을 '잡을 수 있'다고 아뢰는 장면은 김현이 벼슬을 얻게 되어 개인의 욕망이 실현되는 것을 보여 줄 뿐, 김현과 범 사이의 긴장감이 해소됨을 보여 주는 것은 아니다.

④ 임금이 김현에게 '벼슬을 주어' 격려하는 장면은 부처의 전능함을 실현하려는 임금 개인의 의지를 드러낸다.

> ㉠을 참고할 때 임금이 김현에게 '벼슬을 주어' 격려하는 장면은 '부처의 전능함'에 의해 김현 개인의 욕망이 실현되었음을 보여줄 뿐, 임금이 개인의 의지로 부처의 전능함을 실현하고자 하였음을 드러내는 것은 아니다.

⑤ 범이 김현 앞에서 '처녀로 변하여 반갑게 웃'는 장면은 부처가 남녀의 기이한 만남에 감동하는 계기를 드러낸다.

> 범이 김현 앞에서 '처녀로 변하여 반갑게 웃'는 장면은 범이 자신을 희생하기 전 김현과의 만남을 반가워하는 것일 뿐, 부처가 남녀의 기이한 만남에 감동하는 계기를 드러내는 것은 아니다.

(가)와 같은 긴 설명글이 제시된 경우, 발문에서 ㉠과 같은 특정 부분에 대해 묻는다면 해당 부분의 앞뒤로 제시된 정보를 함께 확인해 보아야 한다. (가)에서 '가령 「김현감호」는 벼슬에 대한 김현의 간절함에 부처가 감동하여 범의 희생으로 응답하고, 김현이 이를 기린다는 이야기이다. ㉠개인의 욕망을 포용하는 부처의 전능함을 형상화한 것이다.'라고 했다. 따라서 부처는 벼슬을 간절하게 원한 김현에게 '감동'한 것이며 김현에게 벼슬을 주기 위해 '범의 희생'으로 응답했다고 접근했어야 한다. 그러므로 범 처녀의 죽음으로 김현이 벼슬을

얻게 되는 것은, 벼슬을 간절히 원했던 김현에게 부처가 감동하여 범의 희생으로 응답한 것이라는 ①번이 가장 적절했고, 범이 처녀로 변신하여 김현을 보고 반갑게 웃는 남녀의 기이한 만남에 부처가 감동했다고 한 ⑤번은 적절하지 않았다.

2. 문학 개념어 OX 확인 문제

① ○

- 사원(사찰)연기설화: 절이나 암자, 탑, 불상 등 불교적인 대상이나 공간이 지어지거나 터를 잡게 된 유래를 다루는 설화.

> **근거** '다만 저를 위하여 절을 짓고 불경을 강하여 불법을 얻도록 도와주시면 낭군의 은혜는 더없이 클 것입니다.', '김현은 등용된 뒤 서천에 절을 세워 호원사라고 하고 항상 『범망경』을 강설하여'

② ○

- 변신 모티프: 사람, 동물, 식물, 사물 등이 다른 종류나 성, 대상으로 변신하는 소재.
- 전기성(전기적 요소): 비현실적이고 기이한 요소가 나타나는 것. 죽은 사람이 살아나거나, 인물이 둔갑을 하거나, 하늘의 인물이 지상에 내려오는 등의 이야기가 펼쳐짐.

> **근거** '범이 처녀로 변하여 반갑게 웃으면서,~이에 처녀가 김현의 칼을 뽑아 스스로 목을 찔러 쓰러지니 곧 범이었다.'

고전소설 독해의 **STEP 3**

■ 1번 문제의 선지 판단 공식에 대한 답을 확인해 보세요.

융합 문제 선지 판단의 공식

① **설명글** 「김현감호」는 벼슬에 대한 김현의 간절함에 부처가 감동하여 범의 희생으로 응답하는 이야기로, ⑤개인의 욕망을 포용하는 부처의 전능함을 형상화함

➕ **작품** (나): '낭군은 그런 말 마십시오. 지금 제가 일찍 죽는 것은 천명이며, 또한 저의 소원이요, 낭군의 경사요, 우리 일족의 복이요, 나라 사람들의 기쁨입니다. 한 번 죽어 다섯 이로움이 갖춰지니 어떻게 그것을 어길 수 있겠습니까?'

선지➡ 처녀가 자신의 죽음을 '낭군의 경사'라고 말하는 장면은 김현에 대한 부처의 응답을 암시한다.　○

② **설명글** 「김현감호」는 벼슬에 대한 김현의 간절함에 부처가 감동하여 범의 희생으로 응답하는 이야기로, ⑤개인의 욕망을 포용하는 부처의 전능함을 형상화함

➕ **작품** (나): '다음 날 과연 사나운 범이 성 안으로 들어왔는데, 매우 사나워 감당할 수가 없었다.', '김현이 대궐로 들어가서,~ 임금이 우선 벼슬을 주어 그를 격려하였다.'

선지➡ 매우 '사나운 범'이 사람들을 해치는 장면은 김현 개인의 욕망 실현을 가로막는 현실의 경이로움을 보여 준다.　✕

③ **설명글** 「김현감호」는 벼슬에 대한 김현의 간절함에 부처가 감동하여 범의 희생으로 응답하는 이야기로, ⑤개인의 욕망을 포용하는 부처의 전능함을 형상화함 → 소설에서 인물은 구체적인 사회 현실에서 현실의 문제에 부딪히며 세계와 서로 맞섬

➕ **작품** (나): '다음 날 과연 사나운 범이 성 안으로 들어왔는데,~ 김현이 대궐로 들어가서, "소신이 잡을 수 있습니다."라고 아뢰자, 임금이 우선 벼슬을 주어 그를 격려하였다.'

선지➡ 김현이 임금에게 범을 '잡을 수 있'다고 아뢰는 장면은 김현과 범 사이의 긴장감이 해소됨을 보여 준다.　✕

④ **설명글** 「김현감호」는 벼슬에 대한 김현의 간절함에 부처가 감동하여 범의 희생으로 응답하는 이야기로, ⑤개인의 욕망을 포용하는 부처의 전능함을 형상화함

➕ **작품** (나): '다음 날 과연 사나운 범이 성 안으로 들어왔는데, 매우 사나워 감당할 수가 없었다. 원성왕이 이 소식을 듣고 범을 잡은 자에게는 벼슬 2급을 주라고 하였다. 김현이 대궐로 들어가서, "소신이 잡을 수 있습니다."라고 아뢰자, 임금이 우선 벼슬을 주어 그를 격려하였다.'

선지➡ 임금이 김현에게 '벼슬을 주어' 격려하는 장면은 부처의 전능함을 실현하려는 임금 개인의 의지를 드러낸다.　✕

⑤ **설명글** 남녀의 기이한 만남과 파국을 그리는 「김현감호」는 벼슬에 대한 김현의 간절함에 부처가 감동하여 범의 희생으로 응답하는 이야기로, ⑤개인의 욕망을 포용하는 부처의 전능함을 형상화함

➕ **작품** (나): '김현이 단도를 지니고 숲 속으로 들어갔다. 범이 처녀로 변하여 반갑게 웃으면서~김현의 칼을 뽑아 스스로 목을 찔러 쓰러지니 곧 범이었다.'

선지➡ 범이 김현 앞에서 '처녀로 변하여 반갑게 웃'는 장면은 부처가 남녀의 기이한 만남에 감동하는 계기를 드러낸다.　✕

고전소설 독해의 STEP 1

1 다음 글을 읽고 등장인물을 잘 파악했는지, 빈칸에 적절한 말을 채웠는지 확인해 보세요.

📅 고3 2017학년도 수능 – 전쟁 소설의 성격 / 작자 미상, 「박씨전」

(가)

전쟁을 다룬 소설 중에는 실재했던 전쟁을 제재로 한 작품들이 있다. 이런 작품들은 허구를 매개로 실재했던 전쟁을 새롭게 조명하고 있다. **전쟁을 다룬 소설: 허구를 매개로 실재했던 전쟁을 새롭게 조명하기도 함** 가령, 「박씨전」의 후반부는 패전했던 병자호란을 있는 그대로 받아들이고 싶지 않았던 조선 사람들의 욕망에 따라, 허구적 인물 박씨가 패전의 고통을 안겼던 실존 인물 용골대를 물리치는 장면을 중심으로 허구화되었다. 외적에 휘둘린 무능한 관군 탓에 병자호란 당시 여성은 전쟁의 큰 피해자였다. 「박씨전」에서는 이 비극적 체험을 재구성하여, 전화를 피하기 위한 장소인 피화당(避禍堂)에서 여성 인물과 적군이 전투를 벌이는 장면을 설정하고 있다. **「박씨전」에서는 여성 인물이 적군과 전투를 벌이는 장면을 설정하여 허구를 통해 실재했던 전쟁인 병자호란을 새롭게 조명함** 이들 간의 대립 구도 하에서 전개되는 이야기는 조선 사람들의 슬픔을 위로하고 희생자를 추모함으로써 공동체로서의 연대감을 강화하였다. **실제로는 패전했지만 허구적 여성 인물의 활약으로 적군을 물리치는 이야기 → 공동체로서의 연대감 강화** 한편, 「시장과 전장」은 한국 전쟁이 남긴 상흔을 직시하고 이에 좌절하지 않으려던 작가의 의지가, 이념 간의 갈등에 노출되고 생존을 위해 몸부림치는 인물을 통해 허구화되었다. 이 소설에서는 전장을 재현하여 전쟁의 폭력에 노출된 개인의 연약함이 강조되고, 무고한 희생을 목도한 인물의 내면이 드러남으로써 개인의 존엄이 탐색되었다. **「시장과 전장」은 허구를 통해 전쟁의 폭력에 노출된 인간의 연약함과 내면을 드러내어 실재했던 전쟁인 한국전쟁을 새롭게 조명함**

우리는 이런 작품들을 통해 전쟁의 성격을 탐색할 수 있다. 두 작품에서는 외적의 침략이나 이념 갈등과 같은 공동체 사이의 갈등이 드러나고 있다. **「박씨전」과 「시장과 전장」에는 공동체 사이의 갈등이 드러남** 그런데 전쟁이 폭력적인 것은 이 과정에서 사람들이 죽기 때문만은 아니다. 전쟁의 명분은 폭력을 정당화하기에, 적의 죽음은 불가피한 것으로, 우리 편의 죽음은 불의한 적에 의한 희생으로 간주된다. 전쟁은 냉혹하게도 아군이나 적군 모두가 민간인의 죽음조차 외면하거나 자신의 명분에 따라 이를 이용하게 한다는 점에서 폭력성을 띠는 것이다. **전쟁의 폭력성: ① 그 과정에서 사람들이 죽음, ② 민간인의 죽음조차 외면하거나 명분에 따라 이를 이용하게 함** 두 작품에서 사람들이 죽는 장소가 군사들이 대치하는 전선만이 아니라는 점도 주목된다. 전쟁터란 전장과 후방, 가해자와 피해자가 구분되지 않는 혼돈의 현장이다. 이 혼돈 속에서 사람들은 고통 받으면서도 생의 의지를 추구해야 한다는 점에서 전쟁은 비극성을 띤다. **전쟁의 비극성: 전후방, 가해자와 피해자가 구분되지 않는 혼돈 속에서 고통받으면서도 생의 의지를 추구해야 함** 이처럼, 전쟁의 허구화를 통해 우리는 전쟁에 대한 인식을 새롭게 할 수 있다. **전쟁의 허구화 → 전쟁에 대한 새로운 인식 가능**

(나)

문득 나무들 사이에서 한 여인(=계화)이 나와 크게 꾸짖어 왈, "무지한 용골대야, 네 아우가 내 손에 죽었거늘 너조차 죽기를 재촉하느냐?" 용골대가 대로하여 꾸짖어 왈, "너는 어떠한 계집이완데 장부의 마음을 돋우느냐? 내 아우가 불행하여 네 손에 죽었지만, 네 나라의 화친 언약을 받았으니 이제는 너희도 다 우리나라의 신첩(臣妾)이라. 잔말 말고 바삐 내 칼을 받아라." **'한 여인'은 용골대의 아우를 죽였군. 용골대는 여인의 말에 화를 내며 칼을 받으라고 해.**

계화가 들은 체 아니하고 크게 꾸짖어 왈, "네 동생이 내 칼에 죽었으니, 네 또한 명이 내 손에 달렸으니 어찌 가소롭지 아니리오." 용골대가 더욱 분기등등하여 군중에 호령하여, "일시에 활을 당겨 쏘라." 하니, 살이 무수하되 감히 한 개도 범치 못하는지라. 용골대 아무리 분한들 어찌하리오. 마음에 탄복하고 **용골대의 명으로 군사들이 활을 쏘지만 계화에게는 한 개의 화살도 맞지 않아. 용골대는 분하게 여기면서도 속으로는 감탄하고 있어.** 조선 도원수 김자점을 불러 왈, "너희는 이제 내 나라의 신하라. 내 영을 어찌 어기리오." 자점이 황공하여 왈, "분부대로 거행하오리다." **용골대의 말에 따르면 이미 청나라는 조선으로부터 화친 언약을 받았어. 그래서 용골대는 조선의 도원수인 김자점을 자신의 나라의 신하라고 하며, 자신의 명을 따르라고 하지.**

용골대가 호령하여 왈, "네 군사를 몰아 박 부인(=박씨)과 계화를 사로잡아 들이라." 하니, 자점이 황겁*하여 방포일성에 군사를 몰아 피화당을 에워싸니, **김자점은 용골대의 명령에 복종하여 박 부인과 계화를 잡아 오기 위해 피화당을 에워싸는군.** 문득 팔문이 변하여 백여 길 함정이 되는지라. 용골대가 이를 보고 졸연히 진을 깨지 못할 줄 알고 한 꾀를 생각하여, 군사로 하여금 피화당 사방 십 리를 깊이 파고 화약 염초를 많이 붓고, 군사로 하여금 각각 불을 지르고, "너희 무리가 아무리 천변만화지술이 있은들 어찌하리오." 하고 군사를 호령하여 일시에 불을 놓으니, 그 불이 화약 염초를 범하매 벽력 같은 소리가 나며 장안 삼십 리에 불길이 충천*하여 죽는 자가 무수하더라. **진을 깨지 못할 것 같자 용골대는 피화당 주변에 불을 질러. 이에 불길이 치솟고 많은 사람이 죽게 되네.**

장면끊기 01

박씨가 주렴*을 드리우고 부채를 쥐어 불을 부치니, 불길이 오랑캐 진을 덮쳐 오랑캐 장졸이 타 죽고 밟혀 죽으며 남은 군사는 살기를 도모하여 다 도망하는지라. 용골대가 할 길 없어, "이미 화친을 받았으니 대공을 세웠거늘, 부질없이 조그만 계집을 시험하다가 공연히 장졸만 다 죽였으니, 어찌 분한(憤恨)치 않으리오." 하고 회군*하여 발행할 제, 왕대비와 세자 대군이며 장안 미색을 데리고 가는지라. **박씨가 부채로 불을 부치니 불길이 오랑캐 진을 덮쳐 형세가 뒤집혔어. 용골대는 이미 화친을 받아 공을 세웠는데, 박씨를 시험하다가 군사를 잃은 것을 분하게 여기며 청나라로 돌아가려고 해. 이때 조선 사람들을 데리고 가네.**

박씨가 시비* 계화로 하여금 외쳐 왈, "무지한 오랑캐야, 너희 왕 놈이 무식하여 은혜지국(恩惠之國)을 침범하였거니와, 우리 왕대비는 데려가지 못하리라. 만일 그런 뜻을 두면 너희들은 본국에 돌아가지 못하리라." **계화는 박씨의 시비였구나. 박씨는 오랑캐들이 왕대비를 데려가지 못하게 막으려고 해.** 하니 오랑캐 장수들이 가소롭게 여겨, "우리 이미 화친 언약을 받고 또한 인물이 나의 장중(掌中)에 매였으니 그런 말은 생심(生心)*도 말라." 하며, 혹 욕을 하며 듣지 아니하거늘, 박씨가 또 계화로 하여금 다시 외쳐 왈, "너희가 일양 그리하려거든 내 재주를 구경하라." 하더니, 이윽고 공중으로 두 줄기 무지개 일어나며, 모진 비가 천지를 뒤덮게 오며, 음풍이 일어나며 백설이 날리고, 얼음이 얼어 군마의 발굽이 땅에 붙어 한 걸음도 옮기지 못하는지라. 그제야 오랑캐 장수들이 황겁하여 아무리 생각하여도 모두 함몰할지라. 마지못하여 장수들이 투구를 벗고 창을 버려, 피화당 앞에 나아가 꿇어 애걸하기를, "오늘날 이미 화친을 받았으나 왕대비는 아니 뫼셔 갈 것이니, 박 부인 덕택에 살려 주옵소서." 박씨는 왕대비를 데려가지 말라는 자신의 요구를 무시하는 **오랑캐 장수들**에게 자신의 재주를 보여 주지. 박씨의 신이한 도술에 오랑캐 장수들은 겁을 먹고 왕대비를 모셔 가지 않을 테니 살려 달라고 **애걸**해.

박씨가 주렴 안에서 꾸짖어 왈, "너희들을 모두 죽일 것이로되, 천시(天時)를 생각하고 용서하거니와, 너희 놈이 본디 간사하여 외람된 죄를 지었으나 이번에는 아는 일이 있어 살려 보내나니, 조심하여 들어가며, 우리 세자 대군을 부디 태평히 모셔 가라. 만일 그렇지 아니하면 내 오랑캐를 씨도 없이 멸하리라."

이에 오랑캐 장수들이 백배 사례하더라. 박씨는 오랑캐 장수들을 용서하여 살려 보내되 **세자 대군을 잘 모셔 갈 것**을 명하고, 오랑캐 장수들은 이에 고마워해.

장면끊기 02

– 작자 미상, 「박씨전」 –

고전 필수 어휘

*황겁: 겁이 나서 얼떨떨함.

*충천: 하늘 높이 오름.

*주렴: 구슬 따위를 꿰어 만든 발.

*회군: 군사를 돌이켜 돌아가거나 돌아옴.

*시비: 곁에서 시중을 드는 계집종.

*생심: 어떤 일을 하려고 마음을 먹음.

고전소설 독해의 STEP 2

1 장면을 적절히 나누었는지, 장면별 내용의 빈칸에 적절한 말을 채웠는지 확인해 보세요.

(나)
장면끊기 01 계화를 공격하는 데 실패한 용골대가 피화당 주변에 불을 지름

Tip 박씨가 등장하는 대목을 기준으로 장면을 끊어볼 수 있겠네. 박씨가 나오기 전에는 계화와 용골대의 대립 구도를 중심으로, 박씨가 등장하면서부터는 박씨와 오랑캐 장수들의 대립 구도를 중심으로 사건을 살펴보면 돼!

장면끊기 02 박씨가 왕대비를 데려가지 말라는 자신의 요구를 무시하는 오랑캐 장수들을 공격하여, 이들을 살려 보내되 왕대비를 데려가지 않을 것과 세자 대군을 잘 모셔 갈 것을 명함

2 구조도의 빈칸에 적절한 말을 채웠는지 확인해 보세요.

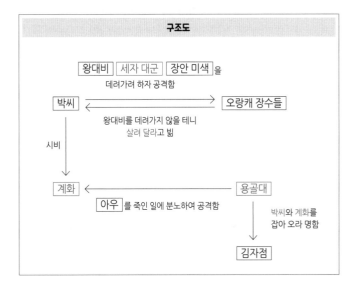

구조도

왕대비 세자 대군 장안 미색 을
데려가려 하자 공격함

박씨 ⟷ 오랑캐 장수들
왕대비를 데려가지 않을 테니
살려 달라고 빎

시비

계화 ← 용골대
아우 를 죽인 일에 분노하여 공격함

박씨와 계화를
잡아 오라 명함

김자점

1~2번 문제의 정답과 해설을 확인해 보세요.

▶정답률 83%

1. (가)를 바탕으로 (나)를 설명한 것으로 적절하지 않은 것은?

정답풀이

⑤ 용골대가 장졸들의 죽음에 탄식하는 장면에서, 죽음의 책임을 폭력적인 방식으로 박씨에게 돌리려는 오랑캐의 모습이 드러나고 있다.

박씨가 도술을 부려 오랑캐 장졸들이 죽거나 도망치는 모습을 보고 용골대는 '부질없이 조그만 계집을 시험하다가 공연히 장졸만 다 죽였으니, 어찌 분한치 않으리오.'라고 한탄한다. 이는 장졸들의 죽음을 박씨에게 돌리려는 것이 아니라, 박씨와 계화를 시험하려 한 자신의 판단이 잘못된 것이었음을 깨닫고 탄식하는 것이라고 할 수 있다.

함정 피하기

(나)에서 용골대가 장졸들의 죽음에 탄식을 하고 있는 것은 맞다. 하지만 용골대는 장졸들이 죽은 책임을 박씨에게 돌리고 있지는 않으므로 ⑤번 선지는 적절하지 않다. 선지의 앞부분이 적절했고, 선지에 사용된 '죽음', '폭력적', '박씨', '오랑캐' 등의 단어들이 모두 (가)와 (나)에 제시된 것이었기 때문에 일견 적절한 것처럼 보일 수 있는 선지였다. 이처럼 적절한 정보와 적절하지 않은 정보를 섞어서 만든 선지인 경우, 매력적인 오답이 될 가능성이 높다. 따라서 선지의 일부 키워드만을 보고 성급하게 판단하지 말고, 선지를 끊어 읽으며 끊어진 각각의 부분에서 사실 관계, 인과 관계, 전후 관계 등이 적절한지를 꼼꼼히 파악하는 연습을 해 두어야 한다.

오답풀이

① 장안 삼십 리에 불길이 충천하고 장안 미색이 끌려가는 장면은 조선 백성들의 비극적 체험을 드러내고 있다.

(가)에서 「박씨전」은 '패전했던 병자호란'을 제재로 한 작품으로, 용골대는 '패전의 고통을 안겼던 실존 인물'이라고 하였다. 용골대가 군사들을 호령하여 불을 놓게 하자 불이 번져 '장안 삼십 리에 불길이 충천하여 죽는 자가 무수'하였다는 것이나 회군하는 용골대가 '장안 미색'을 데리고 가는 장면은 실재했던 전쟁에서 조선 백성이 경험한 비극적 체험을 형상화한 것으로 볼 수 있다.

② 용골대에게 조선 도원수가 복종하여 명령을 따르는 장면은 관군의 무능함을 허구를 매개로 조명하고 있다.

(가)에서 '외적에 휘둘린 무능한 관군 탓에 병자호란 당시 여성은 전쟁의 큰 피해자였다.'라고 하였는데, 이는 조선의 도원수 김자점이 용골대의 명에 따라 군사를 몰아 피화당을 에워싸는 장면에서 잘 드러난다. 용골대가 김자점에게 '내 나라(청나라)의 신하'라고 말하고, 김자점이 조선의 백성인 박씨와 계화를 잡으려고 하는 것은 「박씨전」이라는 작품에 형상화된 허구를 매개로 관군의 무능함을 조명하는 것이라 볼 수 있다.

③ 박씨의 재주에 오랑캐 장수들이 황겁해 하는 장면에서, 패전의 고통이 허구적 인물의 활약을 통해 위로받고 있다.

(가)에서 「박씨전」의 후반부는 패전했던 병자호란을 있는 그대로 받아들이고 싶지 않았던 조선 사람들의 욕망에 따라, 허구적 인물 박씨가 패전의 고통을 안겼던 실존 인물 용골대를 물리치는 장면을 중심으로 허구화되었'다고 하였다. 허구적 인물인 박씨의 신이한 도술로 인해 오랑캐 장수들이 겁을 먹고 살려 달라고 애걸하는 장면은 패전했던 병자호란을 있는 그대로 받아들이고 싶지 않았던 조선 백성들을 위로하기 위한 장치라고 볼 수 있다.

④ 오랑캐군의 침략이 은혜지국에 대한 침범이라는 박씨의 비난은 용골대를 비롯한 오랑캐군이 불의한 존재임을 드러내고 있다.

박씨는 오랑캐군을 '무지한 오랑캐'라고 부르며, 조선을 침략한 것에 대해 '너희 왕 놈이 무식하여 은혜지국을 침범'한 것이라고 말한다. 이러한 박씨의 비난은 오랑캐군이 의리나 도의, 정의에 어긋난 존재임을 드러내는 것이라고 볼 수 있다.

2. 문학 개념어 OX 확인 문제

① ○

• **전기성(전기적 요소):** 비현실적이고 기이한 요소가 나타나는 것. 죽은 사람이 살아나거나, 인물이 둔갑을 하거나, 하늘의 인물이 지상에 내려오는 등의 이야기가 펼쳐짐.

근거 '문득 팔문이 변하여 백여 길 함정이 되는지라.', '부채를 쥐어 불을 부치니, 불길이 오랑캐 진을 덮쳐', '이윽고 공중으로 두 줄기 무지개 일어나며, 모진 비가 천지를 뒤덮게 오며, 음풍이 일어나며 백설이 날리고, 얼음이 얼어 군마의 발굽이 땅에 붙어 한 걸음도 옮기지 못하는지라.' 등

② ✕

• **묘사:** 어떤 대상이나 인물의 외양, 행동, 내면 등을 그림을 보여 주듯 표현하는 것.
• **암시:** 뒤에 일어날 사건을 넌지시 알림.

고전소설 독해의 STEP 3

■ 1번 문제의 선지 판단 공식에 대한 답을 확인해 보세요.

융합 문제 선지 판단의 공식

① **설명글** 「박씨전」에서는 패전했던 전쟁인 병자호란의 비극적 체험을 재구성함

＋

작품 (나): '군사를 호령하여 일시에 불을 놓으니, 그 불이 화약 염초를 범하매 벽력 같은 소리가 나며 장안 삼십 리에 불길이 충천하여 죽는 자가 무수하더라.', '회군하여 발행할 제, 왕대비와 세자 대군이며 장안 미색을 데리고 가는지라.'

선지 장안 삼십 리에 불길이 충천하고 장안 미색이 끌려가는 장면은 조선 백성들의 비극적 체험을 드러내고 있다. ○

② **설명글** 외적에 휘둘린 무능한 관군 탓에 병자호란 당시 여성은 전쟁의 큰 피해자였음

＋

작품 (나): '용골대 아무리 분한들 어찌하리오. 마음에 탄복하고 조선 도원수 김자점을 불러 왈, "너희는 이제 내 나라의 신하라. 내 영을 어찌 어기리오." 자점이 황공하여 왈, "분부대로 거행하오리다."'

선지 용골대에게 조선 도원수가 복종하여 명령을 따르는 장면은 관군의 무능함을 허구를 매개로 조명하고 있다. ○

③ **설명글** 「박씨전」은 패전했던 병자호란을 있는 그대로 받아들이고 싶지 않았던 조선 사람들의 욕망에 따라 허구적 인물 박씨가 패전의 고통을 안겼던 실존 인물 용골대를 물리치는 장면을 중심으로 허구화된 작품으로, 이들 간의 대립 구도 하에서 전개되는 이야기는 조선 사람들의 슬픔을 위로함

＋

작품 (나): '오랑캐 장수들이 황겁하여 아무리 생각하여도 모두 함몰할지라. 마지못하여 장수들이 투구를 벗고 창을 버려, 피화당 앞에 나아가 꿇어 애걸하기를, "오늘날 이미 화친을 받았으나 왕대비는 아니 뫼셔 갈 것이니, 박 부인 덕택에 살려 주옵소서."'

선지 박씨의 재주에 오랑캐 장수들이 황겁해 하는 장면에서, 패전의 고통이 허구적 인물의 활약을 통해 위로받고 있다. ○

④ **설명글** 전쟁의 명분은 폭력을 정당화하기에, 적의 죽음은 불가피한 것으로, 우리 편의 죽음은 불의한 적에 의한 희생으로 간주됨

＋

작품 (나): '무지한 오랑캐야, 너희 왕 놈이 무식하여 은혜지국을 침범하였거니와, 우리 왕대비는 데려가지 못하리라.'

선지 오랑캐군의 침략이 은혜지국에 대한 침범이라는 박씨의 비난은 용골대를 비롯한 오랑캐군이 불의한 존재임을 드러내고 있다. ○

⑤ **설명글** 전쟁의 명분은 폭력을 정당화하기에, 적의 죽음은 불가피한 것으로, 우리 편의 죽음은 불의한 적에 의한 희생으로 간주됨

＋

작품 (나): '이미 화친을 받았으니 대공을 세웠거늘, 부질없이 조그만 계집을 시험하다가 공연히 장졸만 다 죽였으니, 어찌 분한치 않으리오.'

선지 용골대가 장졸들의 죽음에 탄식하는 장면에서, 죽음의 책임을 폭력적인 방식으로 박씨에게 돌리려는 오랑캐의 모습이 드러나고 있다. ✕